보광의 구사론기에 의한

아비달마구사론 下

KB207453

보광의 구사론기에 의한

아비달마구사론 下

김윤수 역주

한산암

차례 (하권의)

阿毘達磨俱舍論
아비달마구사론

第六 分別賢聖品
제6 분별현성품

尊者世親 造
존자세친 조

三藏法師玄奘 奉詔譯
삼장법사현장 봉조역

아비달마구사론
제22권

제6 분별현성품分別賢聖品1 (의 1)

제1장 도의 체성

이와 같이 번뇌 등의 끊어짐이 아홉 가지 뛰어난 단계에서 변지라는 명칭을 얻는 것에 대해 논설하였다. 그런데 끊어짐은 반드시 도의 힘에 의한 때문에 얻는데, 이것이 의하는 도는 그 모습이 어떠한가? 게송으로 말하겠다.

① 번뇌의 끊어짐은[已說煩惱斷]
　견제도와 수도에 의한 때문이라고 설했는데[由見諦修故]
　견도는 오직 무루이고[見道唯無漏]
　수도는 두 가지에 통한다[修道通二種]2

논하여 말하겠다. 앞에서 모든 번뇌가 끊어지는 것은 진리를 보는 도[見諦道] 및 수도修道에 의한 때문이라고 논설했는데,3 도는 오직 무루인가, 또

---

1 분별현성품에서 '현'은 현화賢和(＝어질고 온화함)를 말하고 '성'은 성정聖正(＝성스럽고 바름)을 말하는 것이니, 이 품에서 현성에 대해 자세하게 밝히기 때문에 분별현성품이라고 이름한 것이다. 다음으로 현성품을 밝히는 까닭은, 위의 3품에서 개별적으로 유루를 밝혔고, 그 다음 아래의 3품에서 무루를 밝히니, 싫어함을 낳게 한 뒤 기쁨을 낳게 하고자 하기 때문에 다음으로 무루를 밝히는 것인데, 무루를 밝히는 3품 중에 나아가면 '현성'은 결과를 밝히고, '지智'는 인因을 밝히며, '정定'은 연緣을 밝히는 것이다. (그 중) 결과의 모습은 두드러지게 드러나는 까닭에 먼저 밝히는 것이다.
2 이 품 안에 나아가면 큰 글 셋이 있다. 첫째는 도의 체성을 전체적으로 밝히는 것이고, 둘째는 도에 의해 증득되는 진리를 밝히는 것이며, 셋째 성도에 의거해 사람을 분별하는 것(＝이 품 전체의 편성은 뒤의 게송 ⑤에 관한 설명을 보라)이니, 이는 곧 첫째 도의 체성을 전체적으로 밝히는 것이다. 위의 2구는 앞을 맺는 것이고, 아래 2구는 바로 도의 체를 나타내는 것이다.
3 위의 2구를 해석하는 것이다.

한 유루이기도 한가? 견도는 오직 무루이지만, 수도는 두 가지에 통한다고 알아야 할 것이다. 까닭이 무엇인가? 견도는 신속하게 능히 3계를 대치하기 때문에 9품의 견소단을 단박에 끊기 때문이다. 세간도는 이를 감당할 능력을 가진 것이 아니기 때문에 견도 단계 중의 도는 오직 무루이지만, 수도는 차이가 있기 때문에 두 가지에 통한다.4

제2장 성제聖諦

제1절 4제四諦

앞에서 견제見諦에 의한 때문이라고 말한 것과 같은, 이렇게 보이는 진리[所見諦]는 그 모습이 어떠한가? 게송으로 말하겠다.

② 진리 넷은 먼저 이미 말한[諦四先已說]
　고·집·멸·도를 말하는 것인데[謂苦集滅道]
　그 자체도 역시 그러하며[彼自體亦然]
　순서는 현관에 따른 것이다[次第隨現觀]5

논하여 말하겠다. 진리[諦]에는 네 가지가 있는데, 명칭은 먼저 이미 말하였다.6 어느 곳에서 말했는가?7 말하자면 첫 품 중 유루법과 무루법을 분별한 곳이다.8 거기에서 어떻게 말했는가?9 말하자면 그 게송에서, "무루는

....
4 아래 2구를 해석하는 문답인데, 알 수 있을 것이다.
5 이하는 둘째 도에 의해 증득되는 진리[道所證諦]를 밝히는 것이다. 그 안에 나아가면 첫째 4제를 밝히고, 둘째 2제(＝승의제·세속제)를 밝힌다. 4제를 밝히는 것에 나아가면 첫째 4제를 밝히고, 둘째 고제를 따로 나타내니, 이는 곧 첫째 4제를 밝히는 것이다. 위의 2구는 명칭을 드러내는 것이고, 제3구는 체를 나타내는 것이며, 아래 1구는 순서를 밝히는 것이다.
6 제1구를 해석하는 것이다.
7 물음이다.
8 답이다.
9 따지는 것이다.

성도聖道를 말한다"라고 말했는데, 이는 도제를 말한 것이고, "택멸은 이계
離繫를 말한다"라고 했는데, 이는 멸제를 말한 것이며, "및 고, 집, 세간"이
라고 했는데, 이는 고제·집제를 말한 것이다.10

【4제의 순서】 4제의 순서는 거기에서 말한 것과 같은가?11 그렇지 않
다.12 어떠한가?13 지금 여기서 열거한 것처럼, 첫째 고苦, 둘째 집集, 셋째
멸滅, 넷째 도道이다.14

　4제 자체도 역시 차이가 있는가?15 그렇지 않다.16 어떠한가?17 앞에서
분별한 것과 같으니, 체가 그것과 같다는 것을 나타내기 위해 '역시 그러하
다'라는 말을 한 것이다.18

　4제는 어떤 이유에서 이와 같은 순서인가?19 현관하는 단계[現觀位]의 선

....

10 해석하는 것이다. 앞의 계품의 게송(=순차 ⑤a, ⑥a, ⑧c이다)을 인용해 답
　하는 것이다. (문) 계품의 게송(=⑤a)에서는 "무루는 도제를 말한다"라고 말
　했는데, 어째서 지금 인용할 때에는 '성도'라고 말하는가? (해) 성도와 도제는
　명칭은 달라도 뜻은 같으니, 뜻에 의해 글을 옮겨온 것이므로 서로 어긋나지
　않는다.
11 제2구를 해석하려고 묻는 것이다. 4제의 순서는 그 계품에서 먼저 말한 것처
　럼 도제, 다음에 멸제, 다음에 고제, 뒤에 집제라고 말하는가?
12 답이다.
13 따지는 것이다.
14 해석하는 것이다.
15 이하에서 제3구를 해석하는데, 이는 곧 묻는 것이다.
16 답이다.
17 따지는 것이다.
18 해석하는 것인데, 글은 알 수 있을 것이다. (문) 허공과 비택멸은 어째서 진리
　[諦]에 포함되는 것이 아닌가? (답) 『대비바사론』(=제77권. 대27-398상)에
　서 말한 것과 같다. "만약 법이 괴로움이거나 괴로움의 원인이거나 괴로움의
　다함이거나 괴로움의 대치라면 세존께서 진리로 세우셨겠지만, 허공과 비택
　멸은 괴로움도 아니고 괴로움의 원인도 아니며 괴로움의 다함도 아니고 괴로
　움의 대치도 아니니, 이 때문에 세존께서 진리로 세우지 않으신 것이다." 또
　말하였다. "다시 다음으로 허공과 비택멸은 무루이기 때문에 고·집제가 아니
　고, 무기이기 때문에 멸제가 아니며, 무위이기 때문에 도제가 아니다." 또 말
　하였다. "다시 다음으로 허공과 비택멸은 세世에 떨어지지 않기 때문에 3제가
　아니고, 무기이기 때문에 멸제가 아니다." 자세한 것은 거기에서 해석한 것과
　같다.
19 제4구를 해석하는 것인데, 이는 곧 묻는 것이다.

후에 따라 설한 것이니, 말하자면 현관 중에 먼저 관찰할 것을 곧 먼저 말한 것이다. 만약 이와 다르다면 응당 원인을 먼저 말하고, 뒤에 비로소 결과를 말해야 할 것이다. 그런데 혹 어떤 법은 따라 생기는 순서로 설하니, 예컨대 염주念住 등과 같다. 혹 다시 어떤 법은 편의에 따른 순서로 설하니, 예컨대 정단[正勝] 등과 같다. 말하자면 이들 중에는 이미 생긴 것[已生]을 먼저 끊고, 아직 생기지 않은 것[未生]을 뒤에 막으려는 이런 의욕을 일으켜야 하는 결정적 이치는 없고, 단지 말의 편의에 따른 것일 뿐이다. 지금 말하는 4제는 유가사瑜伽師가 현관하는 단계 중의 앞뒤의 순서에 따른 것이다.[20]

어째서 현관의 순서는 반드시 그러한가?[21] 가행 단계 중에서 이와 같이 관찰하기 때문이다.[22] 어째서 가행할 때 반드시 이와 같이 관찰하는가?[23] 말하자면 만약 어떤 법이 애착하는 대상으로서 능히 핍박하고 괴롭히는 것이라면, 해탈의 원인을 구하기 위해 이 법을 이치상 최초로 관찰해야 하기 때문에 수행자는 가행 단계 중에서 최초로 괴로움을 관찰하는데, 괴로움이 곧 고제이다. 다음에는 다시 괴로움은 무엇을 원인으로 하는가를 관찰하니, 곧 괴로움의 원인을 관찰하는 것인데, 원인이 곧 집제이다. 다음에는 다시

....

20 답이다. 계속 진리를 현관할 때 먼저 관찰할 것을 먼저 말한 것이다. 만약 이
   와 다르다면 집·도의 원인을 먼저 말하고, 뒤에 고·멸의 결과를 말해야 할 것
   이다. 널리 순서를 밝히는 것에는 대략 세 가지가 있다. 첫째 혹 어떤 법은
   따라 생기는 순서로 설하니, 예컨대 4염주는 신념주가 앞에 생기므로 앞에 설
   하고, 나아가 법념주가 뒤에 생기므로 뒤에 설하는 것과 같다. '등'은 말하자
   면 모든 정려 등을 같이 취한 것이다. 둘째 혹 어떤 법은 편의에 따른 순서로
   설하니, 예컨대 4정단의 경우, 말하자면 이 중에는 첫째 이미 생긴 악법을 먼
   저 끊고, 둘째 아직 생기지 않은 악법을 뒤에 막으며, 셋째 아직 생기지 않은
   선법을 먼저 닦고, 넷째 이미 생긴 선법을 뒤에 증장시키려는, 이런 의욕을
   일으켜 부지런한 정진을 일으켜야 하는 결정적 이치는 없고, 단지 말의 편의
   에 따라 네 가지 순서를 설한 것일 뿐인 것과 같다. '등'은 말하자면 4신족 등
   을 같이 취한 것이다. 셋째 혹 어떤 법은 현관의 순서에 따랐으니, 예컨대 4제
   를 설한 것과 같다. 세 가지 순서 중 지금 4제를 말한 것은, 그 셋째로서, 유가
   사가 현관하는 단계 중에서의 앞뒤의 순서에 따른 것이다.
21 물음이다.
22 답이다. 순결택분(=소위 4선근)의 가행 단계 중에서 이와 같이 관찰하기 때
   문이다.
23 따지는 것이다.

괴로움은 무엇을 소멸로 하는가를 관찰하니, 곧 괴로움의 소멸을 관찰하는 것인데, 소멸이 곧 멸제이다. 뒤에는 괴로움의 소멸은 무엇을 길로 하는가를 관찰하니, 곧 소멸의 길을 관찰하는 것인데, 길이 곧 도제이다. 마치 병을 보고 나서 다음에 병의 원인을 찾고, 이어서 병의 쾌유를 생각하고, 뒤에 좋은 약을 구하는 것과 같다.

계경에서도 역시 4제의 순서에 대한 비유를 설하였다. 어느 계경에서 설했는가? 양의경良醫經을 말하는 것이다. 그 경에서, "대저 의왕醫王이란 네 가지 공덕을 갖추어 독화살[毒箭]을 뽑을 수 있는 분을 말하는 것이니, 첫째 병의 증상[病狀]을 잘 알고, 둘째 병의 원인[病因]을 잘 알며, 셋째 병의 치유[病愈]를 잘 알고, 넷째 좋은 약[良藥]을 잘 아는 것이다. 여래도 역시 그러해서 위대한 의왕으로서 고·집·멸·도를 여실하게 안다"라고 설한 것과 같다. 따라서 가행 단계에서 이와 같은 순서로 관찰하는데, 현관하는 단계 중의 순서도 역시 그러하니, 가행의 힘에 의해 인발引發되는 것이기 때문이다. 마치 땅을 관찰했다면 말을 풀어 치달리는 것과 같다.24

【현관의 뜻】 이 현관現觀이란 명칭은 어떤 뜻을 가리키는가?25 이는 현전에서 평등하게 깨닫는[現等覺] 뜻을 가리키는 것이라고 알아야 한다.26

어째서 이것은 오직 무루라고 설했는가?27 열반에 대향하여 경계를 바르게 깨닫기 때문[對向涅槃正覺境] 때문이니, 이 깨달음은 진실하고 청정하기[眞淨] 때문에 바르다는 명칭을 얻은 것이다.28 이 중 결과성[果性]의 취온을 고제라고 이름하고, 원인성[因性]의 취온을 집제라고 이름한 것이라고 알아야 할 것이니, 이것이 능히 일으키기 때문이다. 이 때문에 고제·집제는

---

24 답이다. 법과 비유를 들어서 나타내고, 증거를 인용하며, 총결하는 것인데, 글대로 알 수 있을 것이다. # '증거'로 인용한 '양의경'은 잡 [15]15:389경이다.
25 물음이다.
26 답이다. 이것은 현전에 평등하게 경계를 깨닫는 뜻[現前等覺境義]을 가리키는 것이라고 알아야 한다.
27 물음이다. # 앞의 게송 ①c에서 견도는 '오직 무루'라고 설하였다.
28 답이다. 이는 무루의 지혜가 열반의 결과에 대향하여 진리의 경계를 바르게 깨닫기 때문에 오직 무루이다. 이 깨달음은 진실하고 청정하기 때문에 바르다는 명칭을 얻은 것이다.

원인성·결과성의 부분으로서, 명칭에는 차이가 있어도 자체[物]에 차이가 있는 것은 아니지만, 멸제·도제는 자체에도 역시 차이가 있다.29

【성제聖諦의 뜻】 어떤 뜻에서 경 중에서 성제라고 설한 것인가?30 성자의 진리[聖者諦]이기 때문에 '성聖'이라는 명칭을 얻은 것이다.31 성자 아닌 자에게 이것이 어찌 거짓[妄]이 되겠는가?32 일체에게 이것은 진리이니, 성품에 전도됨이 없기 때문이다. 그렇지만 성자들만이 진실하게 볼 뿐[實見], 나머지는 아니니, 이 때문에 경 중에서 성제라고 이름했을 뿐이다. 성자 아닌 자의 진리[非聖諦]는 아니니, 전도되게 보기 때문이다. 마치 어떤 게송에서, "성자가 즐거움이라고 말하는 것을[聖者說是樂] 성자 아닌 자는 괴로움이라고 말하고[非聖說爲苦] 성자가 괴로움이라고 말하는 것을[聖者說爲苦] 성자 아닌 자는 즐거움이라고 말한다[非聖說是樂]"라고 말한 것과 같다.33 어떤 다른 논사가 말하였다. "2제는 오직 성제이지만, 나머지 2제는 성제와 비성제非聖諦에 통한다."34

....
29 4제의 체를 나타내는 것이다.
30 물음이다.
31 답이다.
32 힐난이다.
33 해석이다. 이 4제의 이치는 범부 및 성자 일체에게 모두 진리이니, 성품에 전도됨이 없기 때문이다. 그렇지만 성자들만이 진실하게 볼 뿐, 범부는 아니다. 이 때문에 경 중에서 성제라고 이름했을 뿐이다. 성자 아닌 자의 진리는 아니니, 범부는 비록 진리를 본다고 해도 결정적인 것이 아니어서, 뒤에 전도되게 볼 수 있기 때문이다. 마치 어떤 게송(=잡 [12]13:308 불염착경不染著經)에서, "성자들은 열반이 즐거움이라고 말하지만, 성자 아닌 자는 열반이 괴로움이라고 말한다"라고 말한 것과 같다. 유루법을 성자들은 괴로움이라고 말하지만, 성자 아닌 자는 그 중 낙수가 오직 그 즐거움일 뿐이라고 말하기 때문에 전도됨을 이루는 것이다.
34 다른 학설을 서술하는 것이다. 어떤 다른 경량부 논사의 설이거나 상좌부 논사의 설이다. 멸제·도제 두 가지는 오직 성제이니, 성자들만 성취하지, 범부는 성취하는 것이 아니기 때문이다. 범부는 단지 번뇌를 제복[伏]할 뿐, 바르게 끊을 수 없기 때문이며, 멸제도 성취할 수 없다. 나머지 고제·집제 두 가지는 성제 및 비성제에 통하니, 성자 및 범부가 모두 성취하기 때문이다. 이 논사는 득에 의거해 해석한 것이다. 또 해석하자면 멸제·도제는 오직 무루이기 때문이며, 오직 성자만 보기 때문에 그래서 오직 성제이고, 고제·집제는 성자도 역시 보기 때문에 그래서 성제라고 이름하고, 오직 유루이기 때문이며, 범부

제2절 특히 고제에 대하여

1. 고제와 세 가지 느낌

오직 느낌의 일부만이 괴로움 자체이고, 그 나머지는 모두 아닌데, 어떻게 모든 유루행有漏行은 모두가 고제라고 말할 수 있는가? 게송으로 말하겠다.

③ 괴로움은 3고와 부합함에 의해서이니[苦由三苦合]
　상응하는 바대로 일체[如所應一切]
　마음에 드는 것, 마음에 들지 않는 것[可意非可意]
　나머지 유루행의 법이다[餘有漏行法]35

논하여 말하겠다. 세 가지 괴로움의 성품이 있으니, 첫째 고고의 성품[苦苦性], 둘째 행고의 성품[行苦性], 셋째 괴고의 성품[壞苦性]이다. 모든 유루행은 그 상응하는 바대로 이 세 가지 괴로움의 성품과 부합하기 때문에 모두가 고제라고 해도 역시 허물이 없다.36 이 중 마음에 드는[可意] 유루행의 법은 괴고와 부합하기 때문에 괴로움이라고 이름하고, 마음에 들지 않는[非可意] 유루행의 모든 법은 고고와 부합하기 때문에 괴로움이라고 이름하며, 이를 제외한 그 나머지 유루행의 법은 행고와 부합하기 때문에 괴로움이라고 이름한다.37

....
도 역시 보기 때문에 비성제라고 이름한다.
35 이하는 곧 둘째 고제에 대해 따로 나타내는 것이다. 세 가지 느낌 중 오직 괴로운 느낌 일부만이 괴로움 자체이고, 그 나머지 유루는 모두 괴로운 느낌이 아닌데, 어떻게 모든 유루행(=유루의 형성된 것)은 모두가 고제라고 말할 수 있는가? 이는 곧 물음 및 게송에 의한 답이다.
36 위의 2구를 해석하는 것이다. 3고와 부합함에 의해 '고'라고 이름한 것이므로, 허물이 없다.
37 아래 2구를 해석하는 것이다. 이 모든 유루법 중 만약 마음에 드는 유루행의 법이라면 괴고와 부합하기 때문에 전체적으로 괴고라고 이름하고, 마음에 들지 않는 모든 유루행의 법이라면 고고와 부합하기 때문에 전체적으로 고고라고 이름하며, 이 두 가지를 제외한 나머지 유루행이라면 행고과 부합하기 때문에 전체적으로 행고라고 이름한다.

무엇을 마음에 드는 것, 마음에 들지 않는 것, 나머지라고 말하는가?[38] 말하자면 낙수 등의 3수는, 그 순서대로 3수의 힘에 의해 낙수 등에 수순하는 모든 유루행으로 하여금 마음에 드는 것 등이라는 명칭을 얻게 한다.[39] 까닭이 무엇인가?[40] 만약 모든 낙수라면 무너짐[壞]으로 말미암아 괴로운 성품을 이루니, 마치 계경에서, "모든 낙수는 생길 때 즐거움이며, 머물 때에도 즐거움이지만, 무너질 때에는 괴로움이다"라고 말한 것과 같다.[41] 만약 모든 고수라면 체가 괴로운 성품을 이루니, 마치 계경에서, "모든 고수는 생길 때에도 괴로움이고, 머물 때에도 괴로움이다"라고 말한 것과 같다.[42] 불고불락수는 행行으로 말미암아 괴로운 성품을 이루니, 온갖 연으로

....

38 물음이다.

39 답이다. 말하자면 낙수 등의 3수는, 그 순서대로 낙수의 힘에 의해 낙수에 수순하는 상응법·구유법 등의 모든 유루행으로 하여금 마음에 드는 것이라는 명칭을 얻게 하고, 고수의 힘에 의해 고수에 수순하는 상응법·구유법 등의 모든 유루행으로 하여금 마음에 들지 않는 것이라는 명칭을 얻게 하며, 사수의 힘에 의해 사수에 수순하는 상응법·구유법 등의 모든 유루행으로 하여금 마음에 드는 것도 아니고 마음에 들지 않는 것도 아닌 것이라는 명칭을 얻게 한다.

40 따지는 것이다.

41 이하는 답이다. 모든 유루행은 각각 한 가지 괴로움에 의한 때문에 괴로운 성품을 이룬다는 것을 밝히는 것이니, 이는 3고의 체성을 나타내는 것이다. 만약 모든 낙수라면 무너져 소멸하는 단계[壞滅位]에서 괴로운 성품을 이루기 때문이다. 『순정리론』제57권(=대29-662상)에서 경(=중 58:210 법락비구니경)에 대해 해석해 말하였다. "즐거운 느낌이 생길 때와 머물 때 즐거움인 것은 그 낙수는 성품이 즐거움이기 때문이다. 무너질 때 괴로움인 것은 말하자면 모든 유정은 아직 이염하지 않았을 때에는 마음이 항상 즐거움을 구하므로, 즐거움이 무너지는 단계에서 근심 등을 일으키기 때문에 낙수를 말하여 괴고의 성품이라고 한 것이다. 낙수가 무너질 때 가령 고수가 없다고 해도 괴로움이 나타나는 것과 유사하므로 또한 괴로움이라고 이름한다."

42 만약 모든 고수라면 체가 괴로운 성품을 이루기 때문이다. 경에서 "고수는 생길 때에도 괴로움이고, 머물 때에도 괴로움이기 때문에 괴로움이라고 이름한다"라고 말한 것은, 무너질 때에는 즐거움이기 때문이다. 『순정리론』(=상동)에서 경에 대해 해석해 말하였다. "그런데 박가범께서 계경 중에서, '고수는 생길 때에도 머물 때에도 괴로움이다'라고 말씀하신 것은 그 고수는 성품이 괴로움이기 때문이다. 무너질 때 즐거움인 것은, 고수가 무너질 때에는 가령 낙수가 없다고 해도, 고수가 쉬는 것은 즐거움이 나타나는 것과 유사하기 때문에 또한 즐거움이라고 이름하는 것이다. 상속이 쉬는 단계에 대해 무너진다는 명칭을 세우기 때문에 고수가 쉴 때 고수가 무너진다고 이름한 것이다."

만들어진 것이기 때문으로, 마치 계경에서, "만약 항상한 것이 아니라면 곧 괴로운 것이다"라고 말한 것과 같다.[43] 느낌처럼 느낌에 따르는 제행도 역시 그러하다.[44]

　어떤 다른 논사가 해석하였다. "고苦가 곧 괴로운 성품이므로 고고의 성품이라고 이름하고, 이와 같이 나아가 행行이 곧 괴로운 성품이므로 행고의 성품이라고 이름한 것이다."[45]

　여기에서 마음에 드는 것과 마음에 들지 않는 것을 괴고와 고고라고 말한 것은 공통되지 않기 때문이지만, 이치상 실제로 일체는 행고이기 때문에 괴로움이라고 알아야 할 것이다.[46] 이는 오직 성자만이 관찰해 볼 수 있는 것이기 때문에 어떤 게송에서 말하였다. "❶ 마치 한 올의 속눈썹을[如以一睫毛] 손바닥에 두면 사람이 느끼지 못하지만[置掌人不覺] 눈동자 위에 두면[若置眼睛上] 손해 되고 편안치 못하듯이[爲損及不安] ❷ 어리석은 범부는 손바닥처럼[愚夫如手掌] 행고의 속눈썹을 느끼지 못하지만[不覺行苦睫] 지혜로운 분은 눈동자처럼[智者如眼睛] 반연해 몹시 싫어하고 두려워한다[緣極生

----

43 불고불락수는 생멸무상한 행[生滅無常行]임으로 말미암아 괴로운 성품을 이루니, 온갖 연에 의해 만들어진 것이기 때문에 그 성품이 불안하여 순간순간 생멸하는 것이다. 마치 계경(＝잡 [17]17:474 지식경止息經)에서, "만약 항상한 것이 아니라면 곧 괴로운 것이다"라고 말한 것과 같다.

44 이와 같이 3수가 3고의 명칭을 얻는 것처럼, 느낌에 따르는 상응법·구유법 등의 형성된 것들도 역시 그러해서 3고라고 말한다고 알아야 한다.

45 이는 3고의 명칭에 대한 해석 중 어떤 다른 논사의 해석이다. 고가 곧 괴로운 성품이므로 고고의 성품이라고 이름하고, 괴가 곧 괴로운 성품이므로 괴고의 성품이라고 이름하며, 행이 곧 괴로운 성품이므로 행고의 성품이라고 이름하였다는 것이니, 모두 지업석에 의거한 것이다.

46 이는 3고의 넓고 좁음에 대해 밝히는 것이다. 여기에서 마음에 드는 것을 괴고라고 말하고, 마음에 들지 않는 것을 고고라고 말한 것은, 개별적인 괴로움으로서, 다른 것과 공통되지 않기 때문에 개별적인 것에 따라 명칭을 세운 것이지만, 이치상 실제로 일체 모든 유루행은 행고이기 때문에 괴로움이라고 알아야 할 것이다. 만약 이 글에 의한다면 마음에 드는 것에는 둘이 있으니, 말하자면 괴고와 행고이다. 체가 고수가 아니므로 고고라고는 이름하지 않는다. 마음에 들지 않는 것에도 둘이 있으니, 말하자면 고고와 행고이다. 무너질 때 즐겁기 때문에 괴고라고 이름하지는 않는다. 나머지 유루행은 행고라고만 이름할 뿐이니, 체가 고수가 아니므로 고고라고 이름하지 않으며, 무너질 때 즐거움을 낳을 수 있으므로 괴고라고 이름하지 않는다.

厭怖]" 어리석은 모든 범부들은 무간지옥에서 극심한 괴로움을 받는 온에 대해 괴롭고 두려운 마음을 낳지만, 뭇 성자들의 유정처의 온[有頂蘊]에 대한 것과 같지 못하다.47

【도제와 행고】 도제 역시 행고에 포함되어야 할 것이니, 유위의 성품이기 때문이다.48 도제는 괴로움이 아니다. 성자의 마음[聖心]에 어긋나고 거스르는 것이 행고의 모습인데, 성도가 일어나는 것은 성자의 마음에 어긋나고 거스르는 것이 아니니, 이에 의해 온갖 괴로움의 다함을 능히 견인하기 때문이다. "만약 모든 유위의 열반을 관찰한다면 적정寂靜이다"라는 것도 역시 먼저 그런 법이 괴로움임을 본 것에 의해, 뒤에 그 소멸을 관찰하면 적정이 된다는 것이기 때문에 '유위'라는 말은 오직 유루만을 나타내는 것이다.49

【즐거움도 고제로만 이름하는 이유】 만약 모든 법 중에 즐거움도 역시 있다고 인정한다면, 어째서 단지 괴로움만을 성제라고 말씀하셨는가?50 어떤 한 부류는 해석하였다. "즐거움은 적기 때문이다. 마치 녹두를 검은 콩 무더기 안에 두면, 적은 것은 많은 것에 따르기에 검은 콩 무더기라고 이름하는 것과 같다. 지혜 있는 자라면 누가, 흐르는 물에 등창을 댈 때 조금의 즐거움이 생길 수 있다고 해서 등창을 즐거운 것이라고 헤아리겠는가?"51 어

....
47 이는 행고의 미세함을 나타내는 것이다. 이 행고의 성품은 오직 성자들만이 관찰해 볼 수 있지, 범부는 관찰하더라도 깊이 깨달을 수 없다. 그래서 경량부의 논사인 구마라다鳩摩羅多가 읊은 이런 게송의 말이 있으니, 또 범부를 상대해 성자의 싫어함이 뛰어남[聖厭勝]을 나타내는 것이다.
48 물음이다.
49 답이다. 도제는 괴로움이 아니다. 성자의 마음에 어긋나고 거스르는 것이 행고의 모습인데, 성도를 반연하여 4행상을 일으키는 것은 성자의 마음에 어긋나고 거스르는 것이 아니니, 이 성도에 의해 온갖 괴로움의 다함을 능히 견인하는 것이다. 또 경에 대해 회통해 말한다. "만약 모든 유위의 열반(=소멸이라는 뜻)을 관찰한다면 적정이다"라는 것에 대해 해석해 말하자면, 역시 먼저 그런 유위법이 그 괴로움 성품임을 본 것에 의해, 뒤에 그 법 위의 소멸을 관찰하면 적정이 된다는 것이기 때문에 그 경에서 설한 '유위'라는 말은 오직 유루만을 나타내는 것이다. 도제는 괴로움이 아니며, 또한 열반도 없기 때문에 유위라는 말은 도제에는 통하지 않는다.
50 물음이다.

떤 다른 논사는 이에 대해 게송으로써 해석해 말하였다. "능히 괴로움의 원인이 되기 때문에[能爲苦因故] 능히 온갖 괴로움을 일으키기 때문에[能集衆苦故] 괴로움이 있어야 그것을 희구하기 때문에[有苦希彼故] 즐거움을 말하여 또한 괴로움이라고 이름하였네[說樂亦名苦]"52

이치상 실제로는, 성자는 모든 존재[有] 및 즐거움[樂]은 그 체가 모두 괴로움이라고 관찰한다고 말해야 할 것이니, 행고와 같은 한 맛[同一味]에 따르기 때문이다. 이 때문에 괴로움은 진리[諦]로 세우지만, 즐거움은 아니다.53

어떻게 낙수를 또한 괴로움이라고 관찰하겠는가?54 성품이 항상한 것이 아니며, 성자의 마음에 어긋나기 때문이니, 마치 괴로운 모습으로써 색 등을 관찰할 때 그 괴로운 모습은 고수와 한결같이 같은 것이 아닌 것과 같다.55 누군가가, "낙수는 괴로움의 원인이기 때문에 성자들은 그것도 역시 괴로움이라고 관찰한다"라고 말한다면, 이런 해석은 이치가 아니니, 능히 괴로움의 원인이 되는 것은 집集의 행상인데, 어찌 고苦를 관계시키겠는가? 또 성자들이 색계나 무색계에 태어나 그것을 반연할 때 어떻게 괴롭다는 지각의 일어남이 있겠는가? 거기에서의 모든 온은 고수의 원인이 되는 것이 아니다. 또 경에서 다시 행고를 설한 것은 무엇에 쓰겠는가?56

....

51 '어떤 한 부류'는 설일체유부 논사의 해석인데, 글대로 알 수 있을 것이다.
52 어떤 다른 경량부의 구마라다가 이에 대해 게송으로 해석해 말하였다. 이 낙수는 능히 미래의 고과苦果의 원인이 되기 때문에, 능히 미래의 온갖 고과를 일으키기 때문에, 괴로움의 핍박이 있어야 그 즐거움을 희구하기 때문에 그래서 낙수도 역시 괴로움이라고 이름한 것이다.
53 논주가 설일체유부의 바른 해석을 서술하는 것이다. 이치상 실제로는, 성자는 모든 세 가지 존재[三有] 및 세 가지 존재 중의 즐거움은 그 체가 모두 괴로움이라고 관찰한다고 말해야 할 것이니, 행고와 같은 한 맛에 따르기 때문이다. 이 때문에 괴로움은 진리로 세우지만, 즐거움은 아니다.
54 다른 부파의 물음이다.
55 논주의 답이다. '성품이 항상한 것이 아니며'는 멸제와 다르다고 구별하는 것이고, '성자의 마음에 어긋나기 때문'은 도제와 다르다고 구별하는 것이니, 그래서 괴로움이라고 이름하는 것이다. '마치 행고의 모습으로써 색 등을 관찰할 때 그 행고의 모습은 고수와 한결같이 같은 것[一如苦受]이 아닌 것과 같다'는 고수와의 차별을 나타내는 것이다.
56 논주가 앞의 경량부의 게송을 옮겨와서 논파하는 것이다. '괴로움의 원인'은 집제인데, 어찌 고제를 관계시키겠는가? 또 성자가 상계에 태어났을 때 그것

만약 항상한 것이 아니어서 낙수를 괴로움이라고 관찰한다면, 비상非常의 관찰과 고苦의 관찰은 행상이 어떻게 다른가?57 생멸하는 법이기 때문에 항상한 것이 아니라고 관찰하고, 성자의 마음에 어긋나기 때문에 그것을 괴로움이라고 관찰하는 것이다. 단지 항상한 것이 아님을 보는 것만으로 성자의 마음에 어긋나는 것임을 알기 때문에 비상非常의 행상이 능히 고苦의 행상을 견인하는 것이다.58

2. 낙수 실재에 관한 논쟁

(1) 경량부 등의 무락설無樂說

어떤 다른 부파의 논사는 이런 주장을 하였다. "결정코 실제의 낙수는 없으며, 느낌은 오직 괴로움일 뿐이다."59 어떻게 그런지 아는가?60 가르침과 이치에 의한 때문이다.61

【교증】어떤 것이 가르침에 의한 것인가?62 예컨대 세존께서, "존재하는 모든 느낌은 괴로움 아닌 것이 없다"라고 말씀하신 것과 같다. 또 계경에서, "그대는 괴로움으로써 낙수를 관찰해야 한다"라고 말씀하셨으며, 또 계경에서, "괴로움을 즐거움이라 여긴다면 전도라고 이름한다"라고도 말씀하셨다.63

....

을 반연하여 어떻게 괴롭다는 지각의 일어남이 있겠는가? 거기에서의 모든 온은 고수의 원인이 되는 것이 아니다. 만약 고고에 의거해 고제라고 이름한 것이라면, 또 경에서 다시 행고를 설한 것은 무엇에 쓰겠는가?

57 물음이다.

58 답이다. 생멸하는 법이기 때문에 항상한 것이 아니라고 관찰하고, 성자의 마음에 어긋나기 때문에 그것을 괴로움이라고 관찰하는 것이다. 단지 유루의 항상한 것 아님을 보는 것만으로 성자의 마음에 어긋나는 것임을 알기 때문에 비상非常의 행상이 능히 고苦의 행상을 견인하는 것이다.

59 다른 계탁을 서술하는 것이다. 어떤 다른 경량부, 대중부 등에서 이런 주장을 하였다. 결정코 실제의 낙수는 없으며, 일체 세 가지 느낌은 모두 오직 괴로움일 뿐이다. 여기에서 「결정코 낙수·사수는 없으며, 세 가지 느낌은 오직 괴로움일 뿐이다」라고 말해야 할 것이지만, 앞에서 낙수에 대해서만 물었기 때문에 다른 종지를 서술하려고 단지 낙수가 없다고만 말하고, 사수가 없다는 것은 말하지 않은 것이다.

60 물음이다.

61 다른 부파의 답이다.

62 따지는 것이다.

63 다른 부파에서 3경(=첫째 경은 앞에 나온 잡 [17]17:474 지식경 등. 둘째

【이증】어떤 것이 이치에 의한 것인가?64 모든 즐거움의 원인은 모두 결정적이지 않기 때문이다. 말하자면 존재하는 모든 의복, 음식, 차갑거나 따뜻한 등의 사물이, 모든 유정의 부류는 즐거움의 원인이 된다고 인정하지만, 이것이 만약 때가 아니거나 지나친 분량을 수용하면 곧 능히 괴로움을 낳아 다시 괴로움의 원인을 이루니, 즐거움의 원인이 아니어야 할 것이다. 증성한 단계나 혹은 비록 평등했더라도 단지 때가 아닌 것만으로 곧 괴로움의 원인을 이루어 능히 괴로움을 낳기 때문에 의복 등은 본래 괴로움의 원인이라고 알아야 할 것이지만, 괴로움이 증성할 때라야 그 모습이 비로소 나타나는 것이다.65 위의威儀가 바뀌어 벗어날 때의 이치도 역시 그러해야 할 것이다.66

....

경은 잡 [17]17:467 검자경劍刺經, 셋째 경은 중 38:153 수한제경鬚閑提經)을 인용해 답하는 것인데, 글대로 알 수 있을 것이다.

64 따지는 것이다.

65 다른 부파에서 이치로써 답하는 것이다. '모든 즐거움의 원인은 결정적이지 않기 때문'이라는 것은 실제의 낙수가 없음을 나타내는 것이다. 말하자면 존재하는 모든 의복 등의 사물을, 만약 때에 의거해 사용하거나 지나친 분량을 사용하지 않는다면, 모든 유정의 부류는 즐거움의 원인이 된다고 인정하지만, 이것이 만약 때가 아니거나 지나친 분량을 수용하면 곧 능히 괴로움을 낳아 다시 괴로움의 원인을 이룬다. 마치 여름에 가죽옷을 입거나 겨울에 거친 베옷을 걸치거나 음식을 포식한 뒤 다시 자주 마시고 먹거나 추운 날에 차가운 것에 이르거나 더위에 따뜻한 것을 취하는 등의 경우와 같은데, 이런 등은 모두 때 아닐 때의 수용이라고 이름하니, 의복, 음식, 차가움, 따뜻한 등의 사물은 곧 능히 괴로움을 낳아 다시 괴로움의 원인을 이루며, 그 의복 등은 비록 때에 의거해 수용했다고 해도 이것이 만약 지나친 분량을 수용한 것이라면 곧 능히 괴로움을 낳아 다시 괴로움의 원인을 이루므로, 즐거움의 원인이 아니어야 할 것이다. 증성한 단계나 지나친 분량을 수용했을 경우, 혹은 비록 평등했더라도 단지 때가 아닌 것만으로 곧 괴로움의 원인을 이루어 능히 괴로움을 낳기 때문에 의복 등은 본래 괴로움의 원인이라고 알아야 할 것이다. 괴로움이 미미할 때에는 깨닫지 못하다가, 괴로움이 증성할 때라야 그 모습이 비로소 나타나 마침내 괴로움을 깨닫는 것이다.

66 이는 유추해석하는 것이다. 행주좌와의 위의가 바뀌어 벗어날 때 모든 유정의 부류들이 즐거움의 원인이라고 헤아리는 이것도, 만약 때가 아니거나 혹은 다시 분량을 지나치면 괴로움의 원인 등을 이루므로 앞에 준해서 역시 그러해야 할 것이다. 이는 위의의 즐거움의 원인은 결정적이지 않음을 나타내면서, 실제의 낙수는 없다는 것을 밝히는 것이다.

또 괴로움을 대치할 때 비로소 즐거운 느낌을 일으키며, 아울러 괴로움이 바뀌어 벗어날 때 즐거운 느낌이 바로 생긴다.67 말하자면 굶주림, 목마름, 추위, 더위, 피로[疲], 욕망[欲] 등의 괴로움에 의한 핍박을 아직 만나지 않았을 때라면 즐거움의 원인에서 즐거운 느낌이 생기지 않는다. 그래서 무거운 괴로움을 대치하는 원인에 대해 어리석은 범부들은, 이것이 능히 즐거움을 낳는 것이라고 망령되이 헤아리지만, 결정적으로 능히 즐거움을 낳는 원인은 실제로 없다.68 괴로움이 바뀌어 벗어나면 어리석은 범부들은 즐거움이라고 여기지만, 마치 무거운 짐을 짊어졌다가 잠시 어깨를 바꾸는 등과 같은 것이다. 따라서 느낌은 오직 괴로움일 뿐, 실제의 낙수는 결정코 없다.69

(2) 설일체유부의 유락설有樂說

대법의 논사들은, 낙수는 실제로 있다고 하면서, 이 말이 이치에 맞다고 말한다.70 어떻게 그런지 아는가?71 우선 낙수가 없다고 부정하는 자에게

....

67 또 2장의 글을 열어 실제의 낙수가 없음을 나타내는 것이니, 첫째는 괴로움을 대치할 때 즐거움을 느끼는 것이고, 둘째 괴로움이 바뀔 때 즐거움을 느끼는 것이다.

68 제1장을 해석하는 것이다. '피疲'는 피로를 말하고, '욕欲'은 음욕을 말한다. 혹은 음욕으로 피로한 것을 말한다. '식食'은 굶주림을 대치하고, '음飮'은 목마름을 대치하며, '온溫'은 추위를 대치하고, '량涼'은 더위를 대치하며, 멈추어 쉬는 것과 앉거나 눕는 것은 '피욕疲欲'을 대치한다. 말하자면 굶주림 등의 괴로움에 의한 핍박을 아직 만나지 않았다면, 음식 등 모든 즐거움의 원인 중에서 즐거운 느낌을 낳지 않지만, 만약 굶주림 등의 괴로움에 의한 핍박을 만났다면 그 때 비로소 음식 등 모든 즐거움의 원인 중에서 즐거운 느낌을 낳는다. 따라서 굶주림 등의 무거운 괴로움을 대치하는 음식 등의 원인에 대해, 어리석은 범부들은 이런 괴로움을 경감하는 원인이 능히 즐거움을 낳는 것이라고 헤아리지만, 결정적으로 능히 즐거움을 낳는 원인은 실제로 없다.

69 제2장을 해석하는 것이다. 괴로움이 바뀌어 벗어나면 그 괴로움을 경감하는 것에 대해 어리석은 범부들은 즐거움이라고 여기지만, 마치 무거운 짐을 짊어졌다가 잠시 어깨를 바꾸는 등과 같은 것이다. 처음 괴로움이 경감될 때 망령되이 즐거움이라고 여기는 것이기 때문에 느낌은 오직 괴로움일 뿐, 결정코 실제의 즐거움은 없다. 따라서 느낌은 오직 괴로움일 뿐, 실제의 낙수는 결정코 없다.

70 논주가 설일체유부의 종지를 표방해 나타내는 것이다. 고수 외에 낙수가 실제로 있다고 하면서, 이 말이 이치에 맞다고 말한다.

도리어 따져야 할 것이니, 무엇을 괴로움이라고 이름하는가? 만약 핍박하는 것이라고 말한다면, 이미 적당한 기쁨[適悅]이 있는 것이므로 낙수 있음은 성립되어야 할 것이고, 만약 손해하는 것이라고 말한다면, 이미 요익하는 것이 있는 것이므로 낙수 있음은 성립되어야 할 것이며, 만약 사랑할 만한 것 아닌 것[非愛]이라고 말한다면, 이미 사랑할 만한 것[可愛]이 있는 것이므로 낙수 있음은 성립되어야 할 것이다.72

　만약 성자들이 염오를 떠날 때에는 사랑할 만한 것도 다시 사랑할 만한 것 아닌 것이 되기 때문에, 사랑할 만한 것의 체는 실제를 이루는 것이 아니라고 말한다면,73 그렇지 않으니, 성자가 염오를 떠날 때에는 다른 문門으로 관찰함에 의해 사랑할 만한 것이 사랑할 만한 것 아닌 것이 되기 때문이다. 말하자면 만약 어떤 느낌의 자상이 사랑할 만한 것이라면, 이런 느낌은 아직 사랑할 만한 것 아닌 것이 된 적이 없지만, 성자들이 염오를 떠날 때에는 다른 행상으로써 이런 느낌을 싫어하고 근심한다. 말하자면 이런 느낌은 방일의 처소[放逸處]로서, 반드시 광대한 공력에 의해야만 이루어지는 것이지만, 무상하게 변하고 무너지기 때문에 사랑할 만한 것이 아니라고 관찰하는 것이지, 그 자상이 사랑할 만한 것 아닌 법은 아니다. 만약 그 자체가 사랑할 만한 것이 아니라면, 그것에 대해 사랑을 일으키는 자가 있지 않아야 할 것이고, 만약 사랑을 일으키지 않는 것이라면, 염오를 떠날 때 성자도 다른 행상으로써 낙수를 관찰하여 깊이 염환厭患을 낳지 않아야 할 것이다. 따라서 자상에 의해서 실제의 낙수는 있다.74

　【제1교증 회통】그런데 세존께서, "존재하는 모든 느낌은 괴로움 아닌 것이 없다"라고 말씀하셨지만, 붓다께서 스스로 해석해 회통하셨으니, 계경에서 붓다께서 아난다[慶喜]에게 이르셨다고 말씀하신 것과 같다. "나는 형성

---

71 묻는 것이다.
72 간략히 세 번에 걸쳐 경량부에 대해 따지고 책망함으로써 실제로 낙수가 있다는 것을 나타내는 것이다.
73 이는 경량부 등의 변론을 옮겨온 것이다. 이미 염오를 떠날 때에는 성자가 사랑할 만한 것을 염환함으로써 다시 사랑할 만한 것 아닌 것이 되기 때문에 낙수는 실제로 없다는 이치가 성립된다는 것을 분명히 알 수 있다.
74 설일체유부의 논파인데, 글대로 알 수 있을 것이다.

된 모든 것은 모두 무상한 것이고, 또 모든 유위는 모두 변괴하는 것이라는 점에 의해 은밀하게, 존재하는 모든 느낌은 괴로움 아닌 것이 없다고 설하였다." 따라서 이 경은 고고苦苦에 의해 이와 같이 설하시지 않았다고 알아야 할 것이다. 만약 자상에 의해 느낌이 모두 괴로움이라고 설하신 것이라면, 어째서 아난다가 이렇게 여쭈었겠는가? "붓다께서는 다른 경에서 세 가지 느낌이 있다고 설하셨으니, 말하자면 즐거움 및 괴로움과 괴롭지도 않고 즐겁지도 않음입니다. 어떤 밀의密意에 의해 이 경에서는 다시, 존재하는 모든 느낌은 괴로움 아닌 것이 없다고 말씀하셨습니까?" 아난다는 단지, "어떤 밀의에 의해 세 가지 느낌이 있다고 설하셨습니까?"라고만 여쭈었어야 할 것이고, 세존께서도 역시 단지, "나는 이런 밀의에 의했기 때문에 세 가지 느낌이 있다고 설한 것이다"라고 답했어야 할 것이다. 경 중에 이미 이런 문답이 없으니, 따라서 자상에 의해 실제로 세 가지 느낌이 있는 것이다. 세존께서 이미, "나는 밀의로써, 존재하는 모든 느낌은 괴로움 아닌 것이 없다고 설하였다"라고 말씀하셨으니, 즉 여기에서 설한 경은 별도의 뜻[別意]에 의한 설로서. 진실한 요의了義가 아님을 이미 나타내어 보이신 것이다.[75]

【제2교증 회통】 또 계경에서, "그대는 괴로움으로써 낙수를 관찰해야 한

75 이하에서 설일체유부에서 경량부 등이 인용한 3경에 대해 회통하는데, 이는 곧 첫 경에 대해 회통하는 것이다. 경에서 모든 느낌은 괴로움 아닌 것이 없다고 말씀하신 것에 대해 붓다께서, "나는 형성된 모든 것은 무상하고, 유위는 변괴하는 것이라는 점에 의해 은밀하게, 모든 느낌은 괴로움 아닌 것이 없다고 설하였다"라고 말씀하셨다. 만약 무상에 의해 느낌이 괴로움이라고 설하신 것이라면 괴로움은 행고이고, 만약 변괴에 의해 느낌이 괴로움이라고 설하신 것이라면 괴로움은 괴고이니, 따라서 이 경은 단지 행고·괴고의 두 가지에 의해서만 느낌이 괴로움이라고 설하신 것이고, 고고에 의해 이렇게 설하신 것이 아니라고 알아야 할 것이다. 또 해석하자면 무상과 변괴는 모두 행고이다. 모든 느낌은 괴로움 아닌 것이 없다고 설하셨기 때문이다. 만약 괴고를 설한 것이라고 한다면 오직 낙수뿐이기 때문에 고수와 사수에는 통하지 않을 것이다. '만약 자상에 의해' 이하는 세 가지 느낌이 있음을 나타낸 것이다. 느낌이 모두 괴로움이라고 말씀하신 것은 밀의에 의해 말씀하셨다는 것이므로, 별도의 뜻이 있음을 나타내고, 진실한 요의가 아니라는 것이다. 세 가지 느낌이 있다고 설하신 것은 밀의라고 말씀하시지 않았으니, 요의는 실제로 세 가지 느낌이 있는 것임을 분명히 알 수 있다.

다”라고 말씀하셨지만, 이 경은 뜻으로, 낙수에는 두 가지 성품이 있음을 나타낸 것이라고 알아야 할 것이다. 첫째 즐거움의 성품이 있으니, 말하자면 이 낙수는 자상문自相門에 의하면 사랑할 만한 것이기 때문이다. 둘째 괴로움의 성품이 있으니, 말하자면 다른 문[異門]에 의하면 역시 무상하고 변괴하는 법이기 때문이다. 그런데 즐거움으로 관찰할 때에는 능히 계박하게 되니, 탐욕 있는 모든 자는 이런 맛을 탐내기 때문이다. 만약 괴로움으로 관찰할 때에는 능히 해탈하게 하니, 이와 같이 관찰하는 자는 탐욕에서 떠날 수 있기 때문이다. 붓다께서는 괴로움으로 관찰하면 능히 해탈하게 하기 때문에 유정들에게 즐거움을 괴로움으로 관찰하라고 권하신 것이다.76

어떻게 이것의 자상이 즐거움이라고 알겠는가?77 어떤 게송에서 말한 것과 같다. “모든 붓다 정변각들께서는[諸佛正遍覺] 형성된 모든 것은 항상한 것 아니며[知諸行非常] 그리고 유위는 변괴한다는 것 아시기에[及有爲變壞] 느낌은 모두 괴로움이라고 설하셨네[故說受皆苦]”78

【제3교증 회통】 또 계경에서, “괴로움을 즐거움이라고 여기는 것을 전도라고 이름한다”라고 말했지만, 이는 별도의 뜻으로 설한 것이다. 모든 세간에서는 모든 낙수, 묘욕妙欲, 모든 존재의 일부분의 즐거움에 대해 한결같이 즐거움이라고 헤아리기 때문에 전도를 이룬다는 것이다.79 말하자면 모

----

76 둘째 경에 대해 회통하는 것이다. 경에서, “괴로움으로써 낙수를 관찰하라”라고 말씀하셨지만, 이 괴로움은 즉 무상한 행고와 변괴하는 괴고이다. 낙수에는 두 가지가 있으니, 첫째 즐거움의 성품이 있고, 둘째 괴로움의 성품이 있다. 즐거움으로 관찰하면 허물과 병이므로 붓다께서 그렇게 관찰하기를 권하시지 않고, 괴로움으로 관찰하면 이익되기 때문에 붓다께서 그런 관찰을 권하신 것이지, 낙수가 없는 것이 아니다. 또 해석하자면 무상과 변괴는 모두 행고이다.

77 경량부 등의 물음이다.

78 설일체유부의 답이다. 게송(=잡 [17]17:473 선경禪經) 중에서 단지 비상非常의 행고와 변괴의 괴고에 의해서만 느낌이 모두 괴로움이라고 설하고, 고고에 의해 느낌이 모두 괴로움이라고 말하지 않았으니, 별도로 낙수의 자성이 있다는 것을 분명히 알 수 있다. 만약 즐거움의 성품이 괴로움이라면 어째서 또한 고고로써 관찰하지 않겠는가? 또 해석하자면 무상과 변괴는 모두 행고이다.

79 셋째 경에 대해 회통하는 것이다. 첫째 3장의 글을 열고, 둘째 개별적으로 옮겨와서 해석하는데, 이는 곧 글을 여는 것이다. 경에서, 괴로움을 즐거움이라

든 낙수는 다른 문에 의하면 괴로움의 성품도 역시 있는데도, 모든 세간에서는 오직 즐거움이라고만 관찰하기 때문에 전도를 이루며,80 모든 묘욕의 경계는 즐거움이 적고 괴로움이 많은데도 오직 즐거움이라고만 관찰하기 때문에 전도를 이루며,81 모든 존재에서도 역시 그러하다.82

따라서 이 경들에 의해 낙수가 실제로 없다는 이치의 성립을 증명할 수는 없다.83

【무락설 재비판】 만약 느낌의 자상이 실제로 모두 괴로움이라면, 붓다께서 무슨 뛰어난 이익이 있기에 세 가지 느낌을 설하셨겠는가?84 만약 세존께서 세속에 따라 설하신 것이라고 말한다면 바른 이치에 맞지 않으니, 세존께서, "나는 밀의로써 느낌은 괴로움 아닌 것이 없다고 설하였다"라고 말씀하셨기 때문이다.85 또 다섯 가지 느낌을 관찰하는 것에 대해 '여실하다'

....

고 여기는 것을 전도라고 말한 이것은 별도의 뜻으로 설한 것이다. 모든 세간에서는 첫째 모든 낙수에 대해, 둘째 모든 묘욕에 대해, 셋째 모든 3유의 일부분의 즐거움에 대해, 한결같이 즐거움이라고 헤아리기 때문에 전도를 이루니, 조금의 즐거움이라고 헤아리는 것을 이름하여 전도라고 한 것이 아니다.

80 이는 제1장을 해석하는 것이다. 말하자면 모든 낙수는 자상문에 의한다면 비록 성품이 즐거움이어서 고고가 아니지만, 다른 문에 의한다면 괴고 및 행고의 성품도 역시 있는데도, 세간에서는 오직 즐거움이라고만 관찰하고 괴로움이라고 관찰하지 않기 때문에 전도를 이룬다.

81 이는 제2장을 해석하는 것이다. 모든 묘욕의 경계는, 낙수에 따르는 것은 적고, 행고와 괴고에 따르는 것은 많은데도, 오직 즐거움이라고만 관찰하고, 괴로움이라고 관찰하지 않기 때문에 전도를 이룬다.

82 제3장을 해석하는 것이다. 모든 세 가지 존재도 역시 그러해서, 낙수에 따르는 것은 적고, 행고와 괴고에 따르는 것은 많은데도, 오직 즐거움이라고만 관찰하고, 괴로움이라고 관찰하지 않기 때문에 전도를 이룬다.

83 맺는 것이다. 따라서 이 인용된 3경에 의해 낙수가 실제로 없다는 이치의 성립을 증명할 수는 없다.

84 거듭 경량부 등을 나무라는 것이다.

85 변론을 옮겨와서 따지고 논파하는 것이다. 만약 세존께서 하나의 고수를 세속에 수순하여 3수로 설하신 것이라고 말한다면 바른 이치에 맞지 않으니, 붓다께서 "밀의로써 느낌은 괴로움 아닌 것이 없다고 설하였다"라고 말씀하셨기 때문이다. 만약 밀의로써 느낌은 모두 괴로움이라고 말씀하셨다면, 만약 현료설이라면 느낌에는 곧 세 가지가 있다는 것으로서, 이미 이치를 다해 말씀하신 것이다. 현설에 세 가지가 있으니, 세 가지는 세속에 수순한 것이 아님을 분명히 알 수 있다.

는 말씀을 하셨기 때문이다. 말하자면 계경에서, "존재하는 낙근과 존재하는 희근, 이 두 가지는 모두 낙수라고 알아야 한다. ‥‥"라고 설하셨고, 다시, "만약 이와 같은 5수근을 바른 지혜로써 여실하게 관찰해 본다면 세 가지 결박이 영원히 끊어질 것이다. ‥‥"라고 설하셨다.86

또 붓다께서는 어째서 하나의 고수를, 세속에 수순하여 세 가지로 분별해 설하셨겠는가? 만약 세간에서 하·상·중품의 괴로움에서 그 순서대로 즐거움 등의 세 가지 느낌을 일으키므로, 붓다께서 그것에 수순해 낙수 등의 3수를 설하신 것이라고 말한다면, 이치가 역시 그렇지 않다. 즐거움도 역시 셋일 것이기 때문에 하품 등의 세 가지 괴로움에서는 오직 상품 등의 즐거운 느낌만을 일으켜야 할 것이다.87

또 수승한 냄새·맛·감촉 등에서 생긴 즐거움을 향수할 때 어떤 하품의 괴로움이 있기에 세간에서 그 중에서 즐거운 느낌을 일으키겠는가? 만약

....

86 경에서 5수를 관찰하는 것에 대해 '여실하다'는 말씀을 하셨으므로 세 가지 느낌을 설하신 것은 세속에 수순한 말씀이 아님을 분명히 알 수 있다. 그 세 가지 느낌은 다섯 가지 느낌을 포함하기 때문에 다섯 가지 느낌이 여실한 것이라면 세 가지 느낌도 역시 실제이다. '세 가지 결박'은 유신견·계금취·의심을 말하는 것이니, 이 세 가지를 영원히 끊는다는 것은 예류과를 얻는 것이다. '나아가 자세히 말씀하셨다(=‥‥)'는 것은 또 탐·진·치를 끊고 엷게 해서 일래과를 얻고, 또 5하분결을 끊어 불환과를 얻으며, 또 일체 결박을 끊어 무학과를 얻는 것(에 대해 말씀하신 것)이다.

87 다시 거듭 나무라는 말이다. 또 붓다께서는 어째서 하나의 고수를, 세속에 수순하여 세 가지로 분별해 설하셨겠는가? 만약 세간에서 하·상·중품의 괴로움에서 그 순서대로, 하품의 괴로움에서는 즐거운 느낌을 일으키고, 상품의 괴로움에서는 괴로운 느낌을 일으키며, 중품의 괴로움에서는 중립적 느낌[捨覺]을 일으키므로, 붓다께서 그것에 수순해 낙수 등의 3수를 설하신 것이라고 말한다면, 이치가 역시 그렇지 않다. 어찌 단지 괴로움만 셋이겠는가? 즐거움도 역시 3품일 것이기 때문에 하품 등의 세 가지 괴로움에서는 오직 상품 등의 즐거운 느낌만을 일으켜야 할 것이다. 말하자면 하품의 괴로움에서는 오직 상품의 즐거운 느낌만을 일으키고, 중품의 괴로움에서는 오직 중품의 즐거운 느낌만을 일으키며, 상품의 괴로움에서는 오직 하품의 즐거운 느낌만을 일으키지, 중립적 느낌은 일으키지 않아야 할 것이다. 여기에서 힐난하는 뜻은, 괴로움과 즐거움도 각각 3품일 것이므로, 중립적 느낌은 없고, 오직 즐거움과 괴로움만 느껴야 한다는 것이다. 또 해석하자면 즐거움도 역시 3품일 것이기 때문에 하품 등의 세 가지 괴로움에서는 오직 상품 등의 즐거운 느낌만을 일으키고, 괴로운 느낌과 중립적 느낌은 일으키지 않을 것이다.

그 때 하품의 괴로움이 있다고 인정한다면, 이와 같은 하품의 괴로움이 이미 소멸하고 아직 생기지 않았을 경우, 세상 사람들에게 그 때에는 지극히 즐거운 느낌이 있어야 할 것이니, 이 단계에는 온갖 괴로움이 전혀 없기 때문이다.88 욕락을 향수할 때에 대해 따져 묻는 것도 역시 그럴 것이다.89

또 하품의 느낌이 현전할 때에는 느낌이 분명하고 맹리해서 취할 수 있다고 인정하면서, 중품의 느낌이 현전할 때에는 이와 상반된다고 인정한다면, 어떻게 이치에 맞겠는가? 또 아래 3선정에는 낙수가 있다고 설하기 때문에 하품의 괴로움이 있어야 할 것이며, 그 위의 여러 지에는 사수가 있다고 설하기 때문에 중품의 괴로움이 있어야 할 것인데, 선정이 수승할수록 괴로움이 증가한다면 어찌 바른 이치에 맞겠는가? 따라서 하품 등의 세 가지 괴로움에 의해 순서대로 낙수 등의 3수를 건립해서는 안 될 것이다.90

또 계경에서도 설하였다. "붓다께서 마하나마[大名]에게 이르셨다. '만약 신체가 한결같이 괴로운 것으로서, 즐거움이 아니며 즐거움이 따르는 것도 아니며‥‥‥'" 따라서 결정코 실제의 낙수가 조금 있다고 알아야 할 것이다.91

....

88 다시 현상에 의거해 힐난하는 것이다. 또 수승한 경계에서 생긴 즐거움을 향수할 때 어떤 하품의 괴로움이 있기에 즐거운 느낌을 일으키겠는가? 그대가 그 때 하품의 괴로움이 있다고 인정한다면, 이와 같은 하품의 괴로움이 과거의 것은 이미 소멸하고 미래의 것은 아직 생기지 않았을 경우, 그 때에는 지극히 즐거운 느낌이 있어야 할 것이니, 이 단계에서는 온갖 괴로움이 전혀 없기 때문이다.

89 이는 곧 유추해석하는 것이다. 음욕의 즐거움을 향수할 때에 대해 따져 묻는 것도 역시 그럴 것은, 앞에 준해서 알 수 있을 것이다.

90 품류에 의거하고 지에 의거해서 힐난하는 것이다. 또 하품의 고수가 현전할 때에는 낙수가 되는데, 분명하고 맹리해서 취할 수 있다고 인정하면서, 중품의 고수가 현전할 때에는 사수라고 이름하는데, 명료하게 취하는 것이 아니라고 인정한다면, 어떻게 이치에 맞겠는가?(=하품은 분명하고 맹리한 반면, 중품은 명료하지 못하다는 것은 이치에 맞지 않는다는 취지) 또 색계의 아래 3선정 중에는 낙수가 있다고 설하기 때문에 하품의 괴로움이 있어야 할 것이며 −3수에 의해 뜻을 밝힌다면 기쁨도 역시 낙수라고 이름하기 때문에 3선정에 통한다−, 제4선정 등 그 위의 5지에는 사수가 있다고 설하기 때문에 중품의 괴로움이 있어야 할 것인데, 선정이 수승할수록 괴로움이 증가한다면 어찌 바른 이치에 맞겠는가? 논파를 맺는 것은 알 수 있을 것이다.

91 다시 경(=잡 [3]3:81 부란나경富蘭那經)을 인용해 증명하는 것이다. 경에서는, 즐거움 등을 유정이 탐착하기 때문에 결정코 실제의 낙수가 조금 있다는

【제1이증 비판】 이와 같이 우선 그들이 인용한 가르침을 분별해서, 실제의 낙수가 없다는 주장의 증거로 삼는 것은 성립될 수 없음을 나타내었는데, 건립한 이치의 말도 역시 증거가 될 수 없다.[92] 우선 모든 즐거움의 원인은 모두 결정적이지 않기 때문이라고 한 이것은 바른 이치가 아니니, 원인의 뜻에 미혹한 것이기 때문이다. 말하자면 의지처의 분위의 차별과 여러 외적 경계를 관찰해야 비로소 즐거움의 원인이 되거나 괴로움의 원인이 되는 것이지, 오직 외적 경계만인 것은 아니다. 만약 이런 외적 경계가 이런 의지처의 이와 같은 분위에 이르렀다면 즐거움의 원인이 될 수 있지만, 이것에 아직 이르지 않았다면 즐거움의 원인이 되지 않으니, 그러므로 즐거움의 원인은 결정적이지 않은 것이 아니다. 예컨대 세간의 불은 삶기고 지져진 분위의 차별을 관찰해야 맛있게 익힌 원인이 되거나 어긋나는 원인이 되지, 오직 그 불만인 것은 아니어서, 만약 이 불이 이 삶기고 지져진 음식의 이와 같은 분위에 이르렀다면 맛있게 익힌 원인이 되지만, 아직 이것에 이르지 않았다면 맛있게 익힌 원인이 아니니, 따라서 맛있게 익히는 원인이 결정적이지 않은 것은 아닌 것과 같다. 즐거움의 원인도 역시 그러하므로, 결정적이라는 이치는 성립된다.[93]

....

것을 알 수 있다. # 현존 『잡아함경』의 해당 부분 표현을 갖추어 옮기면 아래와 같다. "마하남이여, 만약 신체가 한결같은 괴로움일 뿐, 즐거움이 아니고 즐거움이 따르는 것이 아니며 즐거움이 자라는 것이 아니고 즐거움에서 떠난 것이라면, 중생은 이로 인해 좋아하고 집착함을 일으키지 않을 것입니다. 마하남이여, 신체는 한결같은 괴로움으로서 즐거움이 아닌 것은 아니어서[非一向是苦非樂], 즐거움이 따르고 즐거움이 자라는 것이며 즐거움에서 떠나지 않는 것이니, 이 때문에 중생이 신체에 물들어 집착하는 것입니다."

92 이하에서 이치에 의한 증명도 역시 성립될 수 없음을 나타내는데, 장차 그 이치를 논파하려고 앞을 맺고 아래를 일으키는 것이다.

93 이하는 첫째 즐거움의 원인은 결정적이지 않다고 한 것을 논파하는 것이다. 대저 괴로움과 즐거움의 원인은 안 및 밖의 인연의 화합에 의하는데, 전후가 같지 않을 뿐, 원인이 되는 것은 결정적이니, 오직 외적 경계만인 것은 아니다. '의지처[所依]'는 의지하는 몸[所依身]을 말하고, '분위'는 전후의 분위를 말하며, '차별'은 전후가 같지 않음을 말하고, '혹은 어긋나는 원인이 된다'는 것은 맛있게 익힌 원인이 아님을 말하는 것이다. 나머지 글 및 비유는 생각하면 알 수 있을 것이다.

또 3정려 중의 낙수는 원인이 어찌 결정적이지 않겠는가? 그 원인이 없을 때에는 능히 괴로움을 낳을 것이기 때문이다.[94]

【제2이증 비판】 또 그들이 말한 바, 반드시 괴로움을 대치할 때라야 즐거운 느낌을 일으킨다는 것은, 앞에 준해서 이미 논파되었다. 말하자면 수승한 냄새·맛·감촉 등에서 생긴 즐거움을 향수할 때 어떤 괴로움을 대치했기에 세인들이 그 중에서 즐거운 느낌을 일으키겠는가? 설령 그 때에도 거친 괴로움을 대치했다고 인정한다면, 이렇게 능히 대치한 괴로움이 이미 소멸하고 아직 생기지 않은 그 때에는 바뀌어 지극히 즐거운 느낌을 낳아야 할 것이다. 또 정려의 낙수는 무엇을 대치했기에 생기는 것인가? 이런 등의 논파에 대해 앞에 준해서 말해야 할 것이다.[95]

【제3이증 비판】 또 그들이 말한 바, 괴로움이 바뀌어 벗어나면 즐거운 느낌이 바로 생기니, 마치 어깨를 바꾸는 것과 같다는 것은, 이런 몸의 분위가 실제로 능히 즐거움을 낳는다. 나아가 몸의 이런 분위가 아직 소멸하기 전까지는 반드시 즐거움의 생김이 있지만, 소멸하면 곧 그렇지 않다. 만약 이와 다르다면 이 분위 뒤의 시기에는 즐거움이 더욱 증가해야 할 것이니, 괴로움이 점차 미약해질 것이기 때문이(지만 그렇지 않)다. 이와 같이 몸의 네 가지 위의를 바꾸어 벗어날 때 즐거움이 생기고 피로가 풀리는 것도

---

94 상지에 의거해 힐난함으로써 즐거움의 원인이 결정적임을 나타내는 것이다. '3정려'라고 말한 것은 아래 3선정을 말하는 것이다. 나머지 글은 알 수 있을 것(=상계에는 낙수나 사수만 있을 뿐, 고수는 없지만, 선정 없는 하계에는 고수가 있다)이다.

95 이는 둘째 괴로움의 대치가 즐거움을 낳는다는 것에 대해 논파하는 것이다. 또 그들이 말한 바, 요컨대 괴로움을 대치할 때 즐거운 느낌을 일으킨다는 것은, 앞의 하품의 괴로움이 즐거움을 낳는다는 것에 관한 글에 준해서 이미 논파되었다. 말하자면 수승한 경계에서 생긴 즐거움을 향수할 때 어떤 괴로움을 대치했기에 즐거운 느낌을 일으키겠는가? 설령 그 때에도 거친 괴로움을 대치했다고 인정한다면, 이렇게 (거친 괴로움을) 능히 대치한 미세한 괴로움(='수승한 경계에서 생긴 즐거움')이 과거에 이미 소멸하고 미래의 것이 아직 생기지 않은 그 때에는 바뀌어 지극히 즐거운 느낌을 낳아야 할 것이다. 또 욕계에서는 거친 괴로움의 대치를 인정할 수 있으므로 미세한 괴로움을 즐거움이라고 헤아린다고 해도, 정려 중에서의 낙수는 어떤 괴로움을 대치했기에 생길 수 있는가? 이런 등의 논파에 대해, 앞의 하품의 괴로움이 즐거움을 낳는다는 것에 준해서 설명해야 할 것이다.

역시 그러하다고 알아야 할 것이다.96

　만약 먼저 괴로움이 없었다면, 최후 시기에 어째서 홀연 괴로운 느낌을 낳는가?97 몸이 변화하여 바뀐 분위의 차별에 의한 때문이니, 마치 술 등의 경우 뒤의 시기에 달고 신 맛[甘醋味]의 일어남이 있는 것과 같다.98

　그러므로 낙수는 실제로 있다는 이치는 성립된다.99 이에 의해 모든 유루행은 3고와 부합하기 때문에 상응하는 대로 괴로움이라고 이름한 것이라고 결정코 알아야 할 것이다.100

제3절 특히 집제에 대하여

....

96 이는 셋째 괴로움이 바뀌어 벗어나면 즐거움을 낳는다는 것에 대해 논파하는 것이다. 또 괴로움이 바뀌어 벗어나면 즐거운 느낌이 바로 생기니, 마치 어깨를 바꾸는 것과 같다는 것은, 이런 몸의 분위는 처음 어깨를 바꿀 때 실제로 능히 즐거움을 낳는다. 나아가 이런 몸의 이런 분위가 아직 소멸하기 전까지는 반드시 즐거움의 생김이 있지만, 소멸하면 곧 그렇지 않다. 만약 이와 다르다면 이 첫 분위 뒤의 시기에는 즐거움은 더욱 증가해야 할 것이니, 괴로움이 점차 미약해질 것이기 때문이다. 그렇지만 오래도록 바꾸고 있을 때 괴로움은 비록 점차 미약해진다고 해도, 즐거움을 낳지는 않는다. 따라서 낙수는 하품의 괴로움이 아님을 알 수 있다. 이와 같이 몸의 네 가지 위의를 바꾸어 벗어날 때 처음 바꾸는 단계에서 즐거움을 낳고 피로가 풀리는 것도 역시 그러하다고 알아야 할 것이다.

97 경량부 등의 물음이다. 만약 먼저 괴로움이 없었다면, 최후 시기에 어째서 홀연 괴로운 느낌을 낳는가? 진실로 첫 단계의 괴로움은 미미해서 느끼지 못하지만, 뒤에 점차 괴로움이 증장할 때 비로소 괴로움을 느낄 수 있는 것이리라.

98 설일체유부의 답이다. 몸이 변하여 바뀜으로써 전후의 분위가 차별되고 같지 않으므로 앞의 분위에서 즐거움이 생기고 뒤의 시기에 괴로움이 일어난다. 마치 술 등의 경우 뒤의 시기의 분위가 차별되고 같지 않으므로, 처음에는 단 맛이 일어나지만, 뒤에는 신 맛이 생기는 것과 같다. 먼저 있었기 때문에 뒤에 비로소 생기는 것이 아니다.

99 개별적으로 맺는 것이다. 그러므로 낙수는 실제로 있다고 우리가 말한 것은 이치에 의거해 역시 성립된다.

100 전체적으로 맺는 것이다. 이에 의해 이상 해석한 가르침과 이치는, 느낌은 모두 괴로움인 것이 아니라, 실제의 즐거움도 역시 조금 있다는 것을 나타낸다. 일체 모든 유루행은 3고와 부합하기 때문에 그 상응하는 바대로 괴로움이라고 이름한 것이지, 오직 고수만이므로 괴로움이라고 이름한 것이 아니라고 결정코 알아야 할 것이다.

곧 괴로움의 행[苦行] 자체를 역시 집제集諦라고 이름한다.101

이 설은 반드시 결정코 계경에 위배되니, 계경에서는 오직 갈애[愛]만을 말하여 집제라고 했기 때문이다.102 경은 뛰어난 것에 따랐기 때문에 갈애를 말하여 집제라고 했지만, 이치상 실제로는 그 나머지도 역시 집제이다.103

이와 같은 이치는 무엇에 의해 증지한 것인가?104 다른 계경 중에서는 또한 다른 것도 설했기 때문이니, 박가범께서 게송 중에서 말씀하신 것과 같다. "업과 갈애 및 무명을[業愛及無明] 원인으로 해서 뒤의 행을 초래해[爲因招後行] 여러 존재를 상속하게 하니[令諸有相續] 보특가라라고 이름한다[名補特伽羅]" 또 계경에서 다섯 가지 종자를 설했는데, 이는 곧 별도의 명칭으로써 취착 있는 의식[有取識]을 말한 것이며, 또 그 경에서 지계 중에 둔다[置地界中]고 설한 이것은 곧 별도의 명칭으로써 4식주四識住를 말한 것이다. 따라서 경에서 설한 것은 밀의密意의 말씀인데, 아비달마에서는 법상에 의거해서 말한다.105

....

101 이하에서 둘째 집제에 대해 밝히는데, 설일체유부에서 종지를 표방한 것이다. 곧 모든 유루의 괴로움의 행의 체성을 역시 집제라고 이름하니, 능히 과보를 낳기 때문이다.
102 경량부에서 힐난을 펴면서, 설이 경(=중 7:31 분별성제경)에 위배됨을 나타내는 것이다.
103 설일체유부에서 경에 대해 회통하는 것이다. 경은 뛰어난 것에 따랐기 때문에 갈애를 말하여 집제라고 했지만, 이치상 실제로는 그 나머지 일체 유루도 역시 집제이다. 갈애를 뛰어난 것이라고 말한 것은, 생 등을 윤택케 하는 것이 뛰어나다는 것이다.
104 경량부의 물음이다. 모든 유루법이 모두 집제라고 하는 이와 같은 이치는 무엇에 의해 증지하는가?
105 설일체유부의 답이다. 다른 경에서는 또한 다른 법도 집제라고 설했기 때문이다. 게송(=잡 [12]13:307 견법경見法經)에서는 오직 갈애만을 원인이라고 하신 것이 아니라, 업과 무명이 원인이 되어 뒤의 행을 초래한다고 설하셨기 때문에 집제는 오직 갈애만인 것이 아님을 알 수 있다. 또 계경에서 다섯 가지 종자를 설했으니, 첫째 뿌리, 둘째 줄기, 셋째 가지, 넷째 마디, 다섯째 씨앗인데, 이는 곧 별도의 명칭으로써 취착 있는 의식[有取識]을 비유한 것이다. '취착[取]'은 번뇌이니, 의식에 취착이 있기 때문에 '취착 있는 의식'이라고 이름한 것으로서, 마치 유루식有漏識이라는 말하는 것과 같다. 또 그 경 중에서 다섯 가지 종자를 지계地界 중에 둔다고 설한 이것은 곧 별도의 명칭으로써 4식주四識住(=색·수·상·행온)를 비유한 것이다. 종자 및 밭, 함께 생긴 싹 등은

그런데 경 중에서 갈애를 집제라고 설한 것은, 일으키는 원인[起因] 한 쪽만을 설한 것이고, 게송 중에서 업·갈애·무명을 모두 원인이라고 설한 것은, 낳는 원인[生因]과 일으키는 원인[起因] 및 그 원인의 원인[彼因因]을 갖추어 설한 것이다.106 어떻게 그런지 아는가?107 업이 낳는 원인이 되고, 갈애가 일으키는 원인이 되는 것은 경에서 설한 것이기 때문이다. 또 그 경 중에서, 뒤의 행 등은 원인[因]이 있고 조건[緣]이 있고 실마리[緒]가 있다고 순차 나타내어 보였기 때문이다.108 종자 및 밭을 별도로 건립하여 취착 있는 의식 및 4식주를 말했기 때문에 오직 갈애만이 집제의 체가 되는 것은 아니다.109

....

모두 그 원인이고, 의식 및 4식주는 모두 능히 결과를 낳으므로, 모두 집제라고 이름한다. 따라서 집제는 오직 갈애만인 것은 아님을 알 수 있다. 또 해석하자면 다섯 가지 종자는 곧 5취趣의 식을 비유하고, 지계 중에 둔다고 한 것은 곧 4식주를 비유하는데, 모두 능히 결과를 낳으므로 모두 집제이다. 따라서 경에서 갈애를 말하여 집제라고 한 것은 밀의密意의 말씀이고, 진정한 요의가 아니지만, 아비달마에서는 법상에 의거해 모든 유루는 모두 집제라고 말하는 것이다.

106 이하 설일체유부에서 앞 경에 대해 회통하여 해석하는 것이다. 그런데 경에서 밀설로써 갈애를 집제라고 설한 것은, 일으키는 원인[起因] 한 쪽만을 설한 것이고, 게송 중에서 업·갈애·무명이 모두 원인이라고 설한 것은, 업이 낳는 원인이 되고, 갈애가 일으키는 원인이 되며, 무명이 원인의 원인이 되는 것—업이라는 원인에 대해 원인이 되기 때문에 원인의 원인이라고 이름한 것이거나 혹은 업과 갈애라는 원인에 대해 원인이 되기 때문에 원인의 원인이라고 이름한 것이다—을 갖추어 설한 것이다. 낳는 것과 일으키는 것은 비록 다시 모두 획득되는 5온이지만, 업이라는 체가 낳기 때문에 낳는 원인이라고 이름하고, 갈애가 도와서 일으키기 때문에 일으키는 원인이라고 이름한 것이다.

107 경량부의 물음이다.

108 설일체유부의 답이다. 업이 낳는 원인이 되고, 갈애가 일으키는 원인이 되는 것은 경(=내용상 잡 [12]13:334 유인유연유박법경有因有緣有縛法經을 가리키는 것으로 보임)에서 설한 것이기 때문에 그래서 알 수 있다. 또 그 대인연법문경 중에서, 뒤의 행(=업) 등의 지분은 모두 다 원인[因]이 있고 조건[緣]이 있고 실마리[緒](=위 유인유연유박법경에서의 '속박[縛]')가 있다고 순차 나타내어 보였기 때문이다. 이 세 가지는 모두 무명 등의 다른 명칭이니, 뒤의 행 등의 결과가 생기는 것에, 무명 등은 능히 원인이 되기 때문이며 능히 조건이 되기 때문이며 능히 실마리가 되기 때문이다.

109 둘째 경을 해석하는 것이다. 그 계경 중에서 종자 및 밭을 별도로 건립하여 취착 있는 의식 및 4식주를 말했으니, 5온이 모두 능히 원인이 된다는 것을

어떤 법을 낳는다[生]고 이름하며, 어떤 법을 일으킨다[起]고 이름하는 가?110 3계·5취·4생 등의 품류로 차별되는 자체가 출현한다면 태어난다 [生]고 이름하고, 만약 차별 없이 후유後有가 상속한다면 일어난다[起]고 이름한다. 업과 존재에 대한 갈애[有愛]는 그 순서대로 그 두 가지의 원인이 된다. 비유하자면 종자가 곡식·보리 등 다른 종류의 싹에 대해 능히 낳는 원인[能生因]이 되고, 물이 일체 싹에 대해 차별 없이 능히 일으키는 원인 [能起因]이 되는 것처럼, 업과 존재에 대한 갈애가 낳는 원인과 일으키는 원인이 되는 것도 역시 그러하다고 알아야 할 것이다.111

갈애가 일으키는 원인이 되는 것은 어떤 이치를 증거로 한 것인가?112 갈애를 떠나서는 후유가 반드시 일어나지 않기 때문이다. 말하자면 갈애 가진 자[有愛]와 갈애 떠난 자[離愛], 둘이 같이 명종命終했다면, 오직 갈애 가진 자에게만 후유가 다시 일어나는 것을 볼 수 있으니, 이런 이치의 증거에 의해 갈애는 일으키는 원인이 된다. 일어남이 있거나 일어남이 없는 것은 결정코 갈애에 따르기 때문이다. 또 갈애에 의하기 때문에 상속이 뒤로 나아가니, 현재 볼 때 만약 이 곳에 갈애가 있다면 곧 마음의 상속은 자주 거기로 나아간다. 이에 의해 존재에 대한 갈애 때문에 능히 상속으로 하여

....
분명히 알 수 있다. 따라서 오직 갈애만이 집제의 체가 되는 것은 아니다.
110 경량부의 물음이다.
111 설일체유부의 답이다. 3계·5취 및 4생 등 갖가지 같지 않은 품류로 차별되는 자체가 출현하는 것을 태어난다(='낳는다의' 자동사)고 이름하고, 만약 차별 없이 단지 후유가 상속할 뿐이라면 모두 일어난다(='일으킨다'의 자동사) 고 이름한다. 업과 존재에 대한 갈애는 그 순서대로 그 두 가지의 원인이 된다. 업은 차별을 낳는 원인이 되니, 업은 계界 등에서 몸의 형태를 갖가지로 차별되게 하여 낳기 때문이며, 갈애는 차별 없이 일으키는 원인이 되니, 단지 후유를 상속시킬 뿐, 피차 구별하지 않고 갈애는 모두 능히 일으키는 것이다. '존재에 대한 갈애[有愛]'라고 말한 것은 존재에의 갈애[有之愛]이기 때문에 존재에 대한 갈애라고 이름한 것이다. 비유하자면 종자가 곡식·보리 등 다른 종류의 싹에 대해 능히 낳는 원인이 되는 것처럼 업이 차별되는 것을 낳는 원인이 되는 것도 역시 그러하다고 알아야 하고, 물이 일체 싹에 대해 차별 없이 능히 일으키는 원인이 되는 것처럼, 갈애가 차별 없이 일으키는 원인이 되는 것도 역시 그러하다고 알아야 할 것이다.
112 경량부의 물음이다.

금 후유로 치달아 나아가게 한다는 것을 추리해 알 수 있다. 또 후유의 몸을 취함에서, 탐애貪愛만큼 견고하게 붙잡는 법은 더 이상 없으니, 마치 목욕할 때 콩가루를 물에 개어 몸에 발랐다가 마르는 단계에 이르면 몸에 붙어 떼어내기 어렵기가 달리 더한 것이 없는 것처럼, 이와 같이 후유의 몸을 붙잡아 취하는 원인이 되는 법으로서 아애我愛만한 것은 달리 없다. 이런 이치의 증거에 의해 갈애는 일으키는 원인이 된다.113

제4절 세속제와 승의제

이와 같이 세존께서 진리에 네 가지가 있다고 설하셨는데, 다른 경에서는 다시 진리에 두 가지가 있다고 설하셨으니, 첫째 세속제世俗諦, 둘째 승의제勝義諦이다. 이와 같은 2제는 그 모습이 어떠한가? 게송으로 말하겠다.

④ 파괴되면 그 지각이 곧 없어지며[彼覺破便無]
　지혜로써 다른 것으로 분석되어도 역시 그러한[慧析餘亦爾]
　항아리·물과 같은 것이 세속제이고[如甁水世俗]
　이와 다른 것을 승의제라고 이름한다[異此名勝義]114

논하여 말하겠다. 만약 그 사물에 대한 지각[物覺]이, 그것이 파괴될 때 곧 없어진다면, 그 사물은 세속제라고 이름한다고 알아야 한다. 예컨대 항아리가 깨어져서 부서진 기와[碎瓦]로 되었을 때 항아리에 대한 지각이 곧 없어지는 것과 같고, 옷 등도 역시 그러하다.115 또 만약 어떤 사물이 지혜

---

113 설일체유부의 답이다. 세 가지 이치의 증거에 의해 갈애는 일으키는 원인이 된다. 첫째 갈애를 떠나서는 후유가 반드시 일어나지 않기 때문이고, 둘째 갈애의 힘에 의한 때문에 상속이 뒤로 나아가며, 셋째 후유의 몸을 붙잡아 취하는 것에는 아애가 가장 강하다. 이런 세 가지 이치에 의해 갈애는 일으키는 원인이 된다. '갈애 가졌다'는 것은 범부와 유학의 사람을 말하는 것이고, '갈애 떠났다'는 것을 모든 무학을 말하는 것이다. 나머지 글은 이해할 수 있을 것이다.
114 이하는 곧 둘째 2제(=세속제와 승의제)에 대해 밝히는 것이다.

로써 분석되어 제거될 때 그것에 대한 지각이 곧 없어진다면 역시 세속제이니, 마치 물이 지혜로써 색 등으로 분석될 때 물에 대한 지각이 곧 없어지는 것과 같고, 불 등도 역시 그러하다.116 즉 그 사물이 아직 파괴되거나 분석되지 않았을 때에는 세간의 지각에 의한 명칭[世想名]으로써 그것이라고 시설되니, 시설된 존재[施設有]이기 때문에 세속世俗이라고 이름하는데, 세속의 이치에 의해 항아리 등이 있다고 말할 경우, 이것이 진실이고 거짓이 아니라면 세속제라고 이름한다.117

만약 사물이 이와 다르다면 승의제라고 이름한다. 말하자면 그 사물에 대한 지각이, 그것이 파괴되더라도 없어지지 않고, 아울러 지혜로써 다른 것으로 분석되더라도 그것에 대한 지각이 그대로 있다면, 그 사물은 승의제라고 이름한다고 알아야 한다. 예컨대 색 등의 사물은 부서져 극미에 이르더라도, 혹은 뛰어난 지혜로써 맛[味] 등으로 분석되어 제거되더라도 그것에 대한 지각은 항상 있는 것과 같고, 느낌[受] 등도 역시 그러하다.118

....

115 이는 제1구 및 제3구 중 '항아리와 같은 것이 세속제[如甁世俗]'를 해석하는 것이다. 만약 그 사물에 대한 지각이, 그 사물이 파괴될 때 그 지각이 곧 없어진다면, 그 사물은 세속제라고 이름한다고 알아야 한다. 현상을 가리키는 것은 알 수 있을 것이다.

116 제2구 및 제3구 중 '물과 같은 것이 세속제[如水世俗]'를 해석하는 것이다. 또 만약 어떤 사물이 지혜로써 같은 무더기의 다른 법[同聚餘法]으로 분석될 때 그것에 대한 지각이 곧 없어진다면 역시 세속제이다. 마치 가유인 물이 4경(=지·수·화·풍)을 체로 하는 것을, 지혜로써 다른 색·향 등으로 분석될 때 물에 대한 지각은 곧 없어지는 것과 같고, 가유인 불·바람 등도 역시 그러하다.

117 세속제를 해석하는 것이다. 즉 그 사물인 항아리가 아직 파괴되지 않았을 때나 물이 아직 분석되지 않았을 때에는 세간의 지각에 의한 명칭으로써 항아리나 물이라고 시설되니, 임시로 시설된 존재[假施設有]이기 때문에 세속이라고 이름하는데, 세속의 이치에 의해 항아리 등이라고 말하는 이것이 진실이라면 세속제라고 이름한다.

118 제4구를 해석하는 것이다. 만약 어떤 사물의 체가 이 항아리 등과 다르다면 승의제라고 이름한다. 말하자면 그 사물에 대한 지각이, 그 사물이 파괴될 때에도 없어지지 않고, 아울러 지혜로써 다른 것으로 분석되더라도 그것에 대한 지각이 그대로 있다면, 그 사물은 승의제라고 이름한다고 알아야 한다. 예컨대 색 등의 사물은 부서져 극미에 이르더라도 하나하나의 극미를 모두 색 등이라고 이름하며, 혹은 뛰어난 지혜로써 맛 등으로 분석되더라도 하나하나의 극미를 모두 맛 등이라고 이름하는 것과 같으니, 그 색 등에 대한 지각은 거친

이것은 진실로 있는 것이기 때문에 승의라고 이름하는데, 승의의 이치에 의해 색 등이 있다고 말할 경우, 이것이 진실이고 거짓이 아니라면 승의제라고 이름한다.[119]

선대의 궤범사는 이렇게 말하였다. "예컨대 출세간의 지혜[智]와 아울러 이 뒤에 획득된 세간의 바른 지혜[正智]에 의해 인식된 모든 법과 같은 것을 승의제라고 이름하며, 예컨대 이의 나머지 지혜에 의해 인식된 모든 법과 같은 것을 세속제라고 이름한다."[120]

제3장 견도의 가행

제1절 총설

모든 진리를 분별했으니, 어떤 방편을 힘써 닦아야 진리를 보는 도[見諦道]로 나아가는지 논설해야 할 것이다. 게송으로 말하겠다.

⑤ 장차 진리를 보는 도로 나아가려면[將趣見諦道]
계에 머물러서 힘써[應住戒勤修]
문·사·수소성을 닦아야 하니[聞思修所成]
명칭·양자·뜻의 경계를 말한다[謂名俱義境][121]

것으로부터 미세한 것에 이르더라도 항상 있기 때문이다. 느낌[受] 등도 역시 그러하니, 무색인 법은 비록 미세하게 부수어 극미에 이르게 할 수는 없지만, 지혜로써 분석하여 찰나에 이르게 할 수 있는데, 그 느낌 등에 대한 지각은 항상 있기 때문이다. 이것은 진실로 있는 것이기 때문에 승의라고 이름하는데, 승의의 이치에 의해 색 등이 있다고 말할 경우, 이것이 진실이고 거짓이 아니라면 승의제라고 이름한다.
119 승의제를 해석하는 것이다.
120 경량부 중 선대의 궤범사는 이렇게 말하였다. 출세간의 지혜, 즉 무루관지無漏觀智와 아울러 이 출세간의 지혜 후에 획득된 세간의 바른 지혜(=후득지)에 의해 인식된 모든 법과 같은 것을 승의제라고 이름하며, 이의 나머지 지혜에 의해 인식된 모든 법과 같은 것을 세속제라고 이름한다. # 대승에서는 여기에서 나아가 출세간의 지혜, 즉 무루관지(=무분별지)의 대상만을 승의제라고 하고, 후득지의 대상도 세속제라고 한다.

논하여 말하겠다. 마음을 일으켜 장차 진리를 보는 것[견제見諦]에 나아가려는 모든 자는 먼저 청정한 계[尸羅]에 안주하고, 그런 뒤에 힘써 문소성聞所成의 지혜 등을 닦아야 한다. 말하자면 먼저 견제에 수순하는 들음[聞]을 섭수하고, 들은 뒤에는 힘써 들은 법의 뜻을 구하며, 법의 뜻을 들은 뒤에는 전도됨 없이 사유하고, 사유한 뒤라야 비로소 선정에 의지해 닦고 익힐 수 있다. 수행자는 이와 같이 계에 머물러서 힘써 닦음으로써 문소성혜聞所成慧에 의해 사소성혜思所成慧를 일으키고, 사소성혜에 의해 수소성혜修所成慧를 일으키는 것이다.122

이 세 가지 지혜의 모습의 차별은 어떠한가?123 비바사 논사들은 말하였다. "세 가지 지혜의 모습은 명칭[名], 양자[俱], 뜻[義]을 반연하므로 순서대로 차별이 있다. 문소성혜는 오직 명칭의 경계만을 반연하니, 아직 글을

....

121 이하는 당품 큰 글의 셋째 성도에 의거해 사람을 분별하는 것이다. 그 가운데 나아가면 첫째 성도의 가행에 대해 밝히고, 둘째 3도에 의거해 사람을 분별하며, 셋째 여러 도의 차별을 밝힌다. 성도의 가행을 밝히는 가운데 나아가면 첫째 가행문을 전체적으로 표방하고, 둘째 7가행(=5정심관·별상념주·총상념주의 3현+4선근)을 자세하게 밝히는데, 이는 곧 첫째 가행문을 전체적으로 표방하는 것이다. # 여기에 설명된 글의 구성과 뒤에 설명되는 글의 구성에 의거한 당품의 편성을 도표로 정리해 보이면 다음과 같다.

도의 체성			제1장 도의 체성	
도에 의해 증득되는 진리			제2장 성제	
성도에 의거한 사람 분별	성도의 가행	총설	제3장 제1절	제22권
		신기청정	제2절	
		5정심관	제3절	
		4념주	제4절	제23권
		4선근	제5절	
	3도에 의거한 사람 분별	3도 건립	제4장 견도	
			제5장 수도	제23~24권
			제6장 무학도	제24~25권
		7종 성자	제7장 학·무학에 걸친 여러 문제	제25권
		학·무학의 원만		
	여러 도의 차별		제8장 여러 도의 차별	

122 위의 3구를 해석하는 것이다. '견제에 수순하는 들음'은, 말하자면 진리를 보는 것에 수순하는 가르침을 듣는 것이다. 나머지 글은 알 수 있을 것이다.
123 이하는 제4구를 해석하면서 세 가지 지혜의 차별을 밝히는 것인데, 이는 곧 묻는 것이다.

버리고는 뜻을 관찰할 수 없기 때문이다. 사소성혜는 명칭과 뜻의 경계를 반연하니, 어떤 때에는 글에 의해 뜻을 이끌기도 하고, 어떤 때에는 뜻에 의해 글을 이끌기도 하는데, 아직 완전히 글을 버리고 뜻을 관찰하지 못하기 때문이다. 수소성혜는 오직 뜻의 경계만을 반연하니, 이미 글을 버리고 뜻만 관찰할 수 있기 때문이다. 비유하자면 어떤 사람이 깊고 빠른 물에 떠 내려갈 때, 일찍이 배우지 못한 자는 의지할 것[所依]을 버리지 못하고, 일찍이 배웠어도 아직 이루지 못한 자는 버리기도 하고 잡기도 하며, 일찍이 잘 배운 자는 의지할 것에 기대지 않고 자력으로 떠서 건너는 것처럼, 세 가지 지혜도 역시 그러하다."124

어떤 분은 말하였다. "만약 그렇다면 사소성혜는 성립되지 않을 것이다. 말하자면 이것은 이미 명칭의 반연과 뜻의 반연에 통하니, 순서대로 문소성혜와 수소성혜여야 할 것이다."125 지금 세 가지 지혜의 모습을 자세히 보면 특별한 허물이 없다. 말하자면 수행자가 지극한 가르침을 들음에 의해서 낳은 뛰어난 지혜를 문소성혜라고 이름하고, 바른 이치를 사유함에 의해서 낳은 뛰어난 지혜를 사소성혜라고 이름하며, 등지等持를 닦음에 의해서 낳은 뛰어난 지혜를 수소성혜라고 이름하는데, '소성所成'이라는 말을 한 것은, 세 가지 뛰어난 지혜가 문聞·사思 등의 세 가지 원인에 의해 성취되는 것임을 나타내는 것이니, 마치 세간에서 생명[命]·소[牛] 등에 대해 순서대로 밥[食]·풀[草]에 의해 성취되는 것이라고 말하는 것과 같다.126

---

124 문구[句]·문자[文]도 역시 반연하는데도 '명칭[名]'만을 말한 것은 처음을 들어 뒤를 나타내거나 영략호현한 것이다. '양자[俱]'는 말하자면 명칭 및 뜻을 반연한다는 것이다. 만약 세 가지 지혜가 만족을 이룬 단계의 시기에 의거한다면 모두 뜻만을 반연하겠지만, 지금 이 글에서 '문'은 오직 명칭만을 반연하고, '사'는 명칭과 뜻을 반연한다고 말한 것은, 가행 단계에 의거해 세 가지 지혜의 차별을 분별한 것이다. 나머지 글은 알 수 있을 것이다.

125 논주가, 여러 논사들의 비바사의 뜻 논파하는 것을 서술하는 것이다.

126 논주가 자기의 이해를 서술하는 것이다. '문'은 귀로 듣는 것을 말하고, '사'는 사량思量하는 것을 말하며, '수'는 삼매[等持]를 말하니, 이 세 가지가 능히 세 가지 원인을 이룬다. '소성所成'이라는 말을 한 것은, 세 가지 뛰어난 지혜가 문·사·수라는 세 가지 원인에 의해 성취되는 것임을 나타내는 것이니, 원인에 따라 이름하기 때문에 문소성혜 등이라고 말한 것이다. 밥이 성취하는 생명, 풀이 성취하는 소라고 말하는 것과 같다.

닦음[修]을 정성으로 힘써 배우려고 하는 모든 자는 어떻게 신기身器를 청정히 해야 닦음을 속히 이루게 하는가? 게송으로 말하겠다.

6 몸과 마음의 원리를 갖추고[具身心遠離]
　만족치 않음과 큰 욕망을 없앨지니[無不足大欲]
　말하자면 이미 얻은 것과 아직 얻지 못한 것을[謂已得未得]
　많이 구하는 것을 없앨 것이라고 이름한다[多求名所無]

7 대치는 상반되는 것으로서, 그 계는 셋과[治相違界三]
　무루이며, 무탐의 성품이고[無漏無貪性]
　4성종도 역시 그러한데[四聖種亦爾]
　앞의 셋은 오직 희족일 뿐이다[前三唯喜足]

8 셋은 삶의 도구, 후자는 업으로서[三生具後業]
　네 가지 탐애의 생기를 대치하기 위한 것이니[爲治四愛生]
　나의 소유와 나의 일에 대한 욕망을[我所我事欲]
　잠시 쉬고 영원히 제거하기 때문이다[暫息永除故]127

논하여 말하겠다. 신기身器의 청정은 대략 세 가지 원인에 의한다. 어떤

----

127 이하는 둘째 7가행(=5정심관·별상념주·총상념주의 3현+4선근)에 대해 자세히 밝히는 것이다. 그 안에 나아가면 첫째 신기의 청정에 대해 밝히고, 둘째 5정심위를 밝히며, 셋째 4념주를 밝히고, 넷째 4선근에 대해 밝히니, 이는 곧 첫째 신기의 청정에 대해 밝히는 것이다. 게송의 글에 나아가면 처음 1구는 첫째 원인을 나타내고, 다음 5구는 둘째 원인을 나타내며, 뒤의 6구는 셋째 원인을 나타내는 것이다. 둘째 원인 중 처음 1구는 표방하는 것이고, 뒤의 4구는 해석하는 것인데, 해석하는 것 중에 나아가면 앞의 2구는 대치대상[所治]을 열거하는 것이고, 뒤의 2구는 대치수단[能治]을 나타내는 것이다. 셋째 원인 중 앞의 2구는 체를 나타내는 것이고, 뒤의 4구는 뜻을 세우는 것이다.

것을 세 가지 원인이라고 말하는가? 첫째 몸과 마음의 멀리 떠남[신심원리身心遠離], 둘째 기꺼이 만족하고 욕망을 적게 하는 것[희족소욕喜足少欲], 셋째 4성종에 머무는 것[주사성종住四聖種]이다.128

【신심의 원리】 몸의 원리란 서로 섞여 머무는 것[相雜住]에서 떠나는 것이고, 마음의 원리란 불선의 심구[不善尋]에서 떠나는 것이다.129

【희족소욕】 이 두 가지는 기꺼이 만족함과 욕망을 적게 함[喜足少欲]에 의해 쉽게 이룰 수 있다. 기꺼이 만족한다고 말한 것은 기꺼이 만족치 않음을 없애는 것이고, 욕망을 적게 한다는 것은 큰 욕망을 없애는 것이다.130

없앨 것[所無] 두 가지의 차별은 어떠한가?131 대법의 논사들은 모두 이렇게 말한다. "이미 얻은 좋은 의복 등을 다시 많이 구하는 것을 기꺼이 만족치 않는 것이라고 이름하고, 아직 얻지 못한 좋은 의복 등을 많이 희구하는 것을 큰 욕망이라고 이름한다."132 다시 구하는 것도 어찌 역시 아직 얻지 못한 것을 반연하지 않겠는가? 이 두 가지의 차별은 곧 성립되지 않아야 할 것이다.133 그러므로 이에 대해서는 이렇게 말해야 할 것이다. "이미 얻은 것에 대해 좋지도 않으며 많지도 않다고 해서 섭섭해하며 바라고 기뻐하지 않는 것을 기꺼이 만족치 않는다고 이름하고, 아직 얻지 못한 의복 등

....

128 종류를 들고, 명칭을 열거하는 것이다.
129 첫 구를 해석하는 것이다.
130 제2구를 해석하는 것이다. 게송의 글에 '기꺼이 만족치 않음을 없앤다[無不喜足]'라고 말해야 할 것인데, '기꺼이[喜]'를 생략하고 말하지 않은 것이다.
131 이하에서 제3·제4구를 해석하는데, 이는 곧 묻는 것이다. 기꺼이 만족하는 것과 욕망을 적게 하는 것의, 없앨 것[所無](=없애야 할 것) 두 가지의 차별은 어떠한가?
132 답이다. '이미 얻은 좋은 의복 등을 다시 많이 구하는 것을 기꺼이 만족치 않는 것이라고 이름한다'는 것은 (게송 제3~4구의) '이미 얻은 것을 많이 구하는 것을 없앨 것이라고 이름한다'는 부분을 해석한 것이고, '아직 얻지 못한 좋은 의복 등을 많이 희구하는 것을 큰 욕망이라고 이름한다'는 것은, '아직 얻지 못한 것을 많이 구하는 것을 없앨 것이라고 이름한다'는 부분을 해석한 것이다.
133 힐난이다. 다시 구하는 것을 기꺼이 만족치 않는다고 이름한 것도 어찌 역시 아직 얻지 못한 것을 반연하지 않겠는가? 곧 큰 욕망과 같으니, 이 두 가지의 차별은 곧 성립되지 않아야 할 것이다.

의 사물에 대해 좋은 것을 구하고 많은 것을 구하는 것을 큰 욕망이라고 이름한다."134

기꺼이 만족하는 것과 욕망을 적게 하는 것은 이런 것을 능히 대치하기 때문에 이런 것과 상반되는 것이 그 차별이라고 알아야 할 것이다.135 기꺼이 만족하는 것과 욕망을 적게 하는 것은 3계와 무루에 통하지만, 그 대치 대상 두 가지는 욕계에만 계속되는 것이다.136 기꺼이 만족하는 것과 욕망을 적게 하는 것의 체는 무탐無貪이지만, 그 대치대상 두 가지는 욕탐을 성품으로 하는 것이다.137

【4성종에 머묾】 능히 뭇 성자[衆聖]를 낳기 때문에 성종聖種이라고 이름한 것인데, 4성종의 체도 역시 무탐이다.138 네 가지 중 앞의 세 가지의 체는 오직 기꺼이 만족하는 것일 뿐이니, 말하자면 의복·음식·침구에 대해, 얻은 것에 따라 모두 기꺼이 만족함을 낳는 것이다. 넷째 성종은 말하자면 요단수樂斷修이다.139 어째서 역시 무탐을 써서 체로 하는 것이겠는가?140 유탐

....

134 논주가 바른 이해를 펴는 것이다. 기꺼이 만족치 않는 것은 이미 얻은 것에 대해 바라는 것이고, 큰 욕망은 아직 얻지 못한 것에 대해 바라는 것이다.
135 (게송 제5구 중) '대치는 상반되는 것'을 해석하는 것이다. 기꺼이 만족하는 것은 기꺼이 만족치 않는 것을 능히 대치하고, 욕망을 적게 하는 것은 큰 욕망을 능히 대치하니, 이런 대치대상 두 가지와 상반되는 것이 그 차별이라고 알아야 할 것이다. 이미 얻은 것이 좋지 않고 많지 않더라도 만족할 줄 아는 마음에 머무는 것을 기꺼이 만족한다고 이름하고, 아직 얻지 못한 의복 등의 사물에 대해 좋은 것이나 많은 것을 구하지 않는 것을 욕망을 적게 하는 것이라고 이름한다.
136 (게송 제5~6구의) '그 계는 셋과 무루이며'를 해석하는 것이다. 기꺼이 만족하는 것과 욕망을 적게 하는 것은 모두 3계 및 무루에 통하지만, 그 대치대상 두 가지는 욕계에만 계속되는 것이다.
137 (게송 제6구의) '무탐의 성품'을 해석하는 것이다.
138 제7구를 해석하는 것이다. 이 4성종(=의복희족성종·음식희족성종·와구희족성종·요단수)은 능히 뭇 성자[衆聖]를 낳으니, 성자[聖]의 종자[種]이기 때문에 성종이라고 이름한 것인데, 4성종의 체도 앞과 같다는 것을 나타내려고 역시 무탐이라고 한 것이다.
139 제8구를 해석하는 것이다. 4성종 중 앞의 3성종의 체성은 오직 기꺼이 만족하는 것일 뿐이다. 첫째는 의복에 대해 얻는 것에 따라 기꺼이 만족하는 성종이고, 둘째는 음식에 대해 얻는 것에 따라 기꺼이 만족하는 성종이며, 셋째는 침구[臥具]에 대해 얻는 것에 따라 기꺼이 만족하는 성종이고, 넷째 성종은 존

有貪과 욕탐欲貪을 버릴 수 있기 때문이다.141

어떤 뜻을 나타내기 위해 4성종을 세운 것인가?142 여러 제자들이 세속에서의 삶의 도구[生具] 및 세속의 사업事業을 버리고, 해탈을 구하기 위해 붓다께 귀의해 출가했으므로, 법주法主이신 세존께서 그들을 불쌍히 여겨 도를 돕는 두 가지 일을 안립하셨으니, 첫째는 삶의 도구이고, 둘째는 사업이었다. 앞의 세 가지는 곧 도를 돕는 삶의 도구이고, 최후의 것은 곧 도를 돕는 사업이니, "그대들이 만약 앞의 삶의 도구에 의지해 뒤의 사업을 행할 수 있다면, 해탈은 먼 것이 아니리라"라고 하셨던 것이다.143

어째서 이와 같은 두 가지 일을 안립하셨는가?144 네 가지 탐애[愛]가 생기는 것을 대치하기 위한 것이다. 그래서 계경에서, "필추들이여, 잘 들으라. 탐애는 의복을 원인으로 해서 생겨야 할 때 생기고, 머물러야 할 때 머

재와 부존재에 대해 끊기를 좋아하고 닦기를 좋아하는 성종[於有無有 樂斷樂修聖種]이다. 『대비바사론』제181권(＝대27-909하)에서 요단요수에 대해 해석해 말하였다. "(문) 요단과 요수는 어떤 차별이 있는가? (답) 번뇌 끊는 것을 좋아하는 것과 성도 닦는 것을 좋아하는 것이다. 다시 다음에는 무간도를 요단이라고 이름하고, 해탈도를 요수라고 이름한다. 다시 다음에는 견도를 요단이라고 이름하고, 수도를 요수라고 이름한다. 다시 다음에는 요단은 모든 인忍을 나타내고, 요수는 모든 지智를 나타낸다."

140 물음이다.

141 답이다. 능히 유탐과 욕탐을 버리기 때문이다. '유탐'은 상계에 대한 탐욕을 말하고, '욕탐'은 욕계에 대한 탐욕을 말한다. 이 탐욕은 곧 존재[有]와 부존재[無有](＝존재의 단멸)에 대한 갈애이기 때문에 이 제4성종은 무탐을 체로 하는 것이다. 그래서 『순정리론』(＝제59권. 대29-670상)에서 말하였다. "이는 능히 존재와 부존재에 대한 탐욕을 대치하기 때문에 이것도 역시 무탐을 성품으로 하는 것이다. 넷째 성종은 어찌 역시 성냄 등도 능히 대치하지 못하겠는가? 곧 무진 등도 성품으로 해야 할 것이다. 이 뜻이 없는 것은 아니지만, 앞의 셋을 자량으로 하기 때문에, 앞의 셋이 오직 무탐을 성품으로 하는 것이기 때문에, 이것도 역시 스스로 능히 탐욕을 대치하는 것이기 때문에 강한 것에 따라 이 쪽만 말한 것이다. 또 해석하자면 (본문의 유욕탐有欲貪 중) '유'는 존재와 부존재를 말하고, '욕탐'은 곧 욕망이 탐욕임을 말하는 것이니, 존재·부존재·욕탐을 버릴 수 있기 때문이다.

142 제9구를 해석하는 것인데, 이는 곧 묻는 것이다.

143 답인데, 알 수 있을 것이다. 중 21:86 설처경說處經에 뒤의 말씀과 같은 취지의 글이 있다.

144 제10구를 해석하는 것인데, 이는 곧 묻는 것이다.

물며, 집착해야 할 때 집착한다"라고 말씀하시고, 이와 같이 음식·침구 및 존재·부존재를 원인으로 하는 탐애에 대해서도 모두 이와 같이 설하셨으니, 이 네 가지를 대치하기 위해 4성종을 설하신 것이다.145

곧 이 뜻에 의하여 다시 다른 문으로도 설하셨으니, 말하자면 붓다께서는 나의 소유와 나의 일에 대한 욕망을 잠시 쉬고, 영원히 제거하려고 하신 때문에 4성종을 설하신 것이다. '나의 소유의 일'이란 말하자면 의복 등이고, '나의 일'이란 말하자면 자신의 몸[自身]이며, 그런 것을 반연하는 탐욕을 '욕망'이라고 이름하는데, 앞의 세 가지 탐욕을 잠시 쉬게 하기 위해 앞의 3성종을 설하시고, 네 가지 탐욕을 영원히 제거하기 위해 제4의 성종을 설하신 것이다.146

제3절 5정심관

1. 총설

이와 같이 닦음이 의지할 신기[器]에 대해 설했는데, 어떤 문[門]에 의해 바르게 닦음에 들어갈 수 있는가? 게송으로 말하겠다.

....

145 답이다. 네 가지 탐애가 생기는 것을 대치하기 위한 것이다. 경(=『불설대집법문경大集法門經』 상권. 대1-229하)에서, "필추들이여, 탐애는 의복을 원인으로 해서 생겨야 할 때 생기고-처음 획득할 때이다-, 머물러야 할 때 머물며-다음 수용할 때이다-, 집착해야 할 때 집착한다-뒤에 견고하게 집착할 때이다-"라고 말씀하시고, 이와 같이 혹은 음식을 원인으로 하거나 침구를 원인으로 하거나 존재와 부존재를 원인으로 하는 탐애가 있는 것에 대해서도 모두 이와 같이 설하셨다. '존재'는 존재에 대한 갈애를 말하고, '부존재'는 부존재에 대한 갈애를 말한다. 이 네 가지 탐애를 대치하기 위해 4성종을 설하신 것이다.
146 뒤의 2구를 해석하는 것이다. 곧 이 중 4성종의 뜻에 의하여 다시 다른 문으로도 설하셨으니, 말하자면 붓다께서는 나의 소유의 일에 대한 욕망을 잠시 쉬게 하기 위해, 나의 일에 대한 욕망을 영원히 제거하기 위한 때문에 4성종을 설하신 것이다. '나의 소유의 일'이란 말하자면 의복·음식·침구이고, '나의 일'이란 말하자면 자신의 몸이니, 곧 존재와 부존재이며, 그런 네 가지를 반연하는 탐욕을 '욕망'이라고 이름하는데, 앞의 세 가지에 대한 탐욕을 잠시 쉬게 하기 위해 앞의 3성종을 설하시고, 네 가지에 대한 탐욕을 영원히 제거하기 위해 제4의 성종인 요단요수를 설하신 것이다.

⑨ 닦음에 들어가는 요점은 2문이니[入修要二門]
　부정관과 지식념인데[不淨觀息念]
　탐욕과 심구가 증상한 자가[貪尋增上者]
　순서대로 닦아야 할 것이다[如次第應修]147

　　논하여 말하겠다. 바르게 닦음에 들어가는 문으로 요긴한 것[正入修門要
者]에 두 가지가 있으니, 첫째는 부정관不淨觀, 둘째는 지식념持息念이다.148
　　누가 어느 문으로 바르게 닦음에 들어갈 수 있는가?149 순서대로 탐욕
[貪]·심구[尋]가 증상한 자라고 알아야 할 것이다. 말하자면 탐욕이 맹성猛
盛하여 자주 현전하는 이와 같은 유정을 탐행자貪行者라고 이름하는데, 그
는 부정不淨을 관찰함으로써 바르게 닦음에 들어갈 수 있으며, 심구가 많아
마음을 어지럽히면 심행자尋行者라고 이름하는데, 그는 숨에 대한 알아차림
[息念]에 의해 바르게 닦음에 들어갈 수 있다.150
　　어떤 다른 논사는 말하였다. "이 지식념은 많은 것을 반연하는 것이 아니
기 때문에 어지럽히는 심구[亂尋]를 멈출 수 있지만, 부정관은 현색·형상의
차별을 많이 반연하여 많은 심구를 견인하기 때문에 그것을 대치하는 공능
이 없다." 어떤 다른 분은 다시 말하였다. "이 지식념은 내문內門에서 일어나
기 때문에 어지럽히는 심구를 멈출 수 있지만, 부정관은 마치 안식眼識처럼
대부분 외문外門에서 일어나기 때문에 그것을 대치하는 공능이 없다."151

....
147 이하는 둘째 5정심의 단계를 밝히는 것이니, 7가행(=5정심관·별상염주·총
　　상염주의 3현위와 난·정·인·세제일법의 4선근) 중 5정심관(=부정관·자비
　　관·인연관·계분별관·수식관=지식념)이다. 그 안에 나아가면 첫째 전체적으
　　로 표방하고, 둘째 개별적으로 해석하는데, 이는 곧 전체적으로 표방하는 것
　　이다.
148 위의 2구를 해석하는 것이다. 바르게 닦음에 들어가는 문에는 비록 여러 종
　　류가 있지만, 요긴한 것에는 두 가지가 있는데, 글대로 알 수 있을 것이다.
149 아래 2구를 해석하는 것인데, 이는 곧 묻는 것이다.
150 답이다. 탐욕이 증상한 자를 탐행자라고 이름하고, 심구가 증상한 자를 심행
　　자라고 이름한다. 나머지 글은 알 수 있을 것이다.
151 다른 학설을 서술하는 것이다. 전자는 많은 것을 반연함에 의거하고, 후자는
　　외문을 반연함에 의거해서, 그래서 부정관은 심구를 멈출 수 있는 것이 아니
　　라는 것이다.

2. 부정관不淨觀

(1) 부정한 모습[不淨相]

이 중 먼저 부정관에 대해 분별해야 할 것인데, 이와 같은 관찰의 모습은 어떠한가? 게송으로 말하겠다.

⑩ 네 가지 탐욕을 통틀어 대치하기 위한 것인데[爲通治四貪]
   우선 골쇄의 관찰을 분별하자면[且辯觀骨鎖]
   바다에 이르도록 넓혔다가 다시 줄이는 것을[廣至海復略]
   처음 업을 익히는 단계라고 이름한다[名初習業位]

⑪ 발의 뼈를 없애고 머리 반쪽뼈에 이르는 것을[除足至頭半]
   이미 익숙하게 닦은 단계라고 이름하며[名爲已熟修]
   마음을 미간에 매어 두는 것을[繫心在眉間]
   작의를 초월한 단계라고 이름한다[名超作意位]152

논하여 말하겠다. 부정관을 닦는 것은 바로 탐욕을 대치하기 위해서이다. 그런데 탐욕의 차별에는 대략 네 가지가 있으니, 첫째 현색탐顯色貪, 둘째 형상탐[形色貪], 셋째 묘촉탐妙觸貪, 넷째는 공봉탐供奉貪이다. 푸른 어혈[靑瘀] 등을 반연하여 부정관을 닦으면 첫째 탐욕을 대치하고, 먹힌 것[被食] 등을 반연하여 부정관을 닦으면 둘째 탐욕을 대치하며, 벌레·파리 등을 반연하여 부정관을 닦으면 셋째 탐욕을 대치하고, 시체가 움직이지 않는 것을 반연하여 부정관을 닦으면 넷째 탐욕을 대치한다.153

....
152 이하는 둘째 개별적으로 해석하는 것이다. 그 안에 나아가면 첫째 부정관을 밝히고, 둘째 식념관念觀을 밝히는데, 부정관을 밝히는 가운데 나아가면 첫째 부정한 모습[不淨相]을 밝히고, 둘째 여러 문으로 분별한다. 이는 곧 첫째 부정한 모습을 밝히는 것이다.
153 처음 2구를 해석하는 것이다. 탐욕에는 대략 네 가지가 있다. 푸른 어혈 등을 반연하여 부정관을 닦으면 현색이 무너지기 때문에 현색탐을 대치하고, 벌레에 먹힌 것 등을 반연하여 부정관을 닦으면 형색形色(=색법 중 형상을 가리키는 것으로서 형상의 색법이라는 뜻이므로, 본문 중 '형색탐形色貪'은 형상탐

만약 골쇄骨鎖를 반연하여 부정관을 닦는다면, 이와 같은 네 가지 탐욕을 통틀어 대치할 수 있으니, 골쇄 중에는 네 가지 탐욕의 경계가 없기 때문이다. 우선 골쇄관을 닦는 것에 대해 분별해야 할 것인데, 이것은 오직 승해勝解작의에만 포함되기 때문이며, 적은 부분을 반연하기 때문에 번뇌를 끊지는 못하고, 오직 제복制伏하여 현행하지 못하게 할 수 있을 뿐이다.154

【골쇄관의 3단계】 그런데 유가사가 골쇄관을 닦는 것에는 모두 세 단계가 있으니, 첫째 처음으로 업을 익히는[初習業] 단계, 둘째 이미 익숙하게 닦은 [已熟修] 단계, 셋째 작의를 초월한[超作意] 단계이다.155

말하자면 관행자觀行者가 이와 같은 부정관을 닦고자 할 때에는 먼저 마음을 자신의 몸의 한 부분에 매어야 하니, 혹은 발가락에, 혹은 이마에, 혹은 나머지 좋아하는 곳에 따라 마음을 머물게 한 뒤, 승해의 힘에 의해 자신의 몸 한 부분을, 피부와 살은 문드러져 떨어지고 점차 뼈만 앙상하게 한 가상假想으로 사유하고, 나아가 온몸의 골쇄를 모두 관찰한다. 한 몸의 전체를 보고 나면 다시 두 번째 몸을 관찰하고, 이와 같이 점차 넓혀서 하나의 방, 하나의 사원, 하나의 원림, 하나의 마을, 하나의 나라에 이르며, 나아가 바다를 끝으로 한 그 중간의 대지에 두루 골쇄가 충만하다고 관찰하니,

---

이라고 번역하였다)이 무너지기 때문에 형상탐을 대치하며, 벌레·파리 등을 반연하여 부정관을 닦으면 오묘한 감촉이 무너지기 때문에 묘촉탐을 대치하고, 시체가 움직이지 않는 것을 반연하여 부정관을 닦으면 위의가 무너지기 때문에 공봉탐(=공양하여 받드는 것에 대한 탐욕)을 대치하니, 이런 네 가지 관찰을 지으면 각각 한 가지 탐욕을 대치한다.

154 만약 골쇄(=살 없이 뼈가 이어진 모습)를 반연하여 부정관을 닦는다면 네 가지 탐욕을 통틀어 대치하니, 골쇄에는 네 가지 탐욕의 경계가 없기 때문이다. 우선 골쇄관을 닦는 것에 대해 분별해야 할 것이다. 세 가지 작의(=앞의 제7권에서 논설된 자상작의·공상작의·승해작의) 중 이것은 오직 승해勝解작의에만 포함되기 때문에 가상관假相觀으로서, 번뇌를 끊을 수는 없고, 단지 현행하는 것을 누를 뿐이다. 대저 능히 번뇌를 끊으려면 상하를 두루 반연해야 하는데, 이 부정관은 적은 부분(=색온의 일부)을 반연하기 때문에 번뇌를 끊을 수는 없고, 단지 현행하는 것을 누를 뿐이다.

155 뒤의 6구를 해석하는 것인데, 이는 곧 글을 여는 것이다. 3단계 중 앞의 2단계는 작의가 바야흐로 현전하지만, 제3단계는 순숙淳熟하여 작의를 필요로 하지 않고 저절로[任運] 현전하므로 작의를 초월했다고 이름한다.

승해를 증장되게 하기 위한 때문이다. 그렇게 넓혔던 것을 점차 줄여서 관찰하여, 나아가 오직 한 몸의 전체 골쇄만을 관찰하기에 이르는데, 이와 같이 점차 줄인 부정관이 이루어지면 유가사가 처음으로 업을 익히는 단계[초습업위初習業位]라고 이름한다.156

줄여서 관찰하는 승해의 힘을 증장되게 하기 위해, 한 몸의 전체 중에서 먼저 발의 뼈를 제거한 나머지 뼈를 사유하는 것에 마음을 매어 머물고, 점차 나아가 머리의 반쪽 뼈를 제거한 반쪽의 뼈를 사유하는 것에 마음을 매어 머문다. 이와 같이 점점 줄인 부정관이 이루어지면, 유가사가 이미 익숙하게 닦은 단계[이숙수위已熟修位]라고 이름한다.157 줄여서 관찰하는 승해를 자재하게 하기 위해 반쪽의 머리뼈마저 제거하고, 마음을 미간에 매어 오로지 하나의 소연에 기울여 고요히 머물게 한다. 이와 같이 지극히 줄인 부정관이 이루어지면, 유가사가 작의를 초월한 단계[초작의위超作意位]라고 이름한다.158

【부정관의 소연·자재에 관한 4구분별】 부정관으로서 소연所緣은 작아도 자재自在는 작은 것이 아닌 경우가 있으니, 4구로 분별해야 할 것이다. 이는 작의에 이미 성숙한 것과 아직 성숙하지 않은 것, 아직 성숙하지 않은 것과 이미 성숙한 것의 차별 및 소연에 자신의 몸에서 바다에 이르기까지의 차별이 있기 때문이다.159

....
156 이는 제1장을 해석하면서 제3·제4구를 해석하는 것이다.
157 제2장을 해석하면서 제5·제6구를 해석하는 것이다.
158 제3장을 해석하면서 뒤의 2구를 해석하는 것이다.
159 부정관을 밝히는데, 소연과 자재에 작음과 큼이 같지 않음을 상대시킨 4구이다. 자재 중에 곧 작의가 이미 성숙한 것과 아직 성숙하지 않은 것, 아직 성숙하지 않은 것과 이미 성숙한 것 4단계의 차별이 있고, 소연 중에 곧 자신과 바다에 이르는 두 가지 차별이 있는 것이다. 제1구는 소연은 작지만, 자재는 작은 것 아닌 경우이니, 말하자면 작의가 이미 성숙한 단계에서 자신의 몸을 자주 관찰하는 경우이다. 제2구는 자재는 작아도 소연은 작은 것 아닌 경우이니, 말하자면 작의가 아직 성숙하지 않은 단계에서 잠시 바다에 이르기까지 관찰하지만, 자주 관찰할 수 없는 경우이다. 제3구는 소연도 작고 자재도 역시 작은 경우이니, 말하자면 작의가 아직 성숙하지 않은 단계에서 자신의 몸을 잠시 관찰할 뿐, 자주 관찰할 수 없는 경우이다. 제4구는 자재도 작은 것이 아니고, 소연도 작은 것이 아닌 경우이니, 말하자면 작의가 이미 성숙한

⑵ 부정관의 여러 문 분별

이 부정관은 어떤 성품이고, 몇 가지 지地이며, 어떤 경계를 반연하고, 어떤 처소에서 생기며, 어떤 행상이고, 어느 세世를 반연하는가? 유루인가, 무루인가? 이염득離染得인가, 가행득加行得인가? 게송으로 말하겠다.

⑫ 무탐의 성품이고, 10지이며[無貪性十地]
　욕계의 색경을 반연하고, 인취에서 생기며[緣欲色人生]
　부정의 행상이고, 자신의 세를 반연하며[不淨自世緣]
　유루이고, 두 가지 득에 통한다[有漏通二得]160

논하여 말하겠다. 앞에서 물은 대로 이제 순차 답하겠다. 말하자면 이 부정관은 무탐을 성품으로 한다.161 10지에 의지함에 통하니, 4정려 및 4근분정, 중간정, 욕계를 말한다.162

오직 욕계의 봄의 대상인 색경[欲界所見色境]만을 반연한다.163 '봄의 대상[所見]'이란 무엇인가?164 말하자면 현색顯色과 형상[形色]이니, 뜻[義]을 반연하여 경계로 삼는다는 것은 이에 의해 이미 이루어졌다.165 오직 인취에

　　단계에서 자주 바다에 이르기까지 관찰하는 경우이다.
160 이하는 곧 둘째 여러 문으로 분별하는 것이다. '무탐의 성품'은 처음 물음에 대한 답이고, '10지'는 둘째 물음에 대한 답이며, '욕계의 색경을 반연한다'는 것은 셋째 물음에 대한 답이고, '인취에서 생긴다'는 것은 넷째 물음에 대한 답이며, '부정(의 행상)'은 다섯째 물음에 대한 답이고, '자신의 세를 반연한다'는 것은 여섯째 물음에 대한 답이며, '유루'는 일곱째 물음에 대한 답이고, '두 가지 득에 통한다'는 것은 여덟째 물음에 대한 답이다.
161 '무탐의 성품'을 해석하는 것이다. 또 『대비바사론』 제40권(=대27-206하)에서도 논평하는 분이 말하였다. "이 부정관은 무탐의 선근을 자성으로 하는 것이니, 지혜[慧]도 아니고, 싫어함[厭]도 아니다. 왜냐하면 탐욕을 대치하기 때문이다. 만약 권속을 아우른다면 4온·5온을 그 자성으로 한다."
162 '10지'를 해석하는 것이다. (문) 어째서 무색계에는 의지하지 않는가? (답) 『대비바사론』(=제40권. 대27-206하)에서, "무색계에는 색법을 반연하는 부정관이 없기 때문이다"라고 말한 것과 같다.
163 '욕계의 색경을 반연한다'는 것을 해석하는 것이다.
164 물음이다.
165 답이다. 욕계의 일체 현색과 형상[形色]이다. 뜻은 반연하지만, 명칭은 아닌

서만 생기는데, 3주이고, 북구로주는 제외한다. 나머지 취도 오히려 아니거늘, 하물며 나머지 계에서 생기겠는가?166

이미 부정이라는 명칭을 세웠으니, 오직 부정의 행상行相이다.167 그 어느 세에 있든 자신의 세[自世]의 경계를 반연한다. 만약 불생법不生法이라면 3세를 반연하는 것에 통한다.168

이미 오직 승해작의와만 상응하는 것이니, 이 관은 이치상 오직 유루여야 할 것이다.169 이염득 및 가행득에 통하니, 일찍이 얻은 것과 아직 얻지 못한 것이 있기 때문이다.170

....

것은 이에 의해 이미 이루어졌다. 또『순정리론』제59권(=대29-672중)에서도 말하였다. 이 부정관의 힘은 욕계에 포함되는 일체 색처를 능히 두루 반연한다. 만약 "존자 아니율다는 하늘을 부정한 것으로 관찰할 수 없었으며, 사리자 등도 붓다의 색신을 역시 부정한 것으로 관찰할 수 없었는데, 어떻게 이 관이 욕계의 색처를 두루 반연하겠는가?"라고 말한다면, 이런 힐난은 그렇지 않다. 아니율다보다 뛰어난 자라면 하늘의 색법을 부정한 것이라고 관찰할 수 있기 때문이며, 붓다께서는 붓다의 미묘한 색신을 부정한 것으로 관찰하실 수 있기 때문이다. 이 때문에 이 관은 결정코 욕계의 색을 경계로 해서 두루 반연할 수 있으며, 이에 의해 뜻은 반연하지만, 명칭은 아님이 이미 드러났다."
166 '인취에서 생긴다'고 한 것을 해석하는 것이다. 또『대비바사론』(=제40권. 대27-208상)에서도 말하였다. "(문) 어떤 처소에서 이 부정관을 일으키는가? (답) 오직 인취의 3주에서만 처음 일으킬 수 있다. 하늘 중에는 푸른 어혈 등의 모습이 없기 때문이다. 6욕천에서는 뒤에만 일으킬 수 있다. 어떤 분은, 처음이든 뒤이든 모두 인취만이니, 6욕천 중에서는 푸른 어혈 등의 부정한 모습이 없기 때문에 전혀 일으킬 수 없다고 말하였다."
167 게송의 '부정(의 행상)'을 해석하는 것이다. 또『순정리론』(=제59권. 대29-672하)에서도 말하였다. "이 관의 행상은 오직 부정으로만 일어나지만, 선의 성품이기 때문에 체는 청정이어야 할 것이다. 행상에 의거했기 때문에 부정이라고 말한 것이다."
168 '자신의 세를 반연한다'는 것을 해석하는 것이다. 또『대비바사론』(=제40권. 대27-207중)에서도 말하였다. "과거라면 과거를 반연하고, 현재라면 현재를 반연하며, 미래에 생길 법이라면 미래를 반연한다. 만약 생기지 않을 법이라면 3세를 반연한다."
169 게송의 '유루'를 해석하는 것이다. 이 관은 이미 16행상에 포함되는 것이 아니고, 단지 가상假想일 뿐이므로, 이치상 오직 유루이다.
170 '두 가지 득에 통한다'는 것을 해석하는 것이다. 어떤 것은 일찍이 얻은 것이기 때문에 이염득이 있으며, 어떤 것은 아직 얻지 못한 것이기 때문에 가행득이 있다. 이는 우선 하나의 양상에 의거해 말한 것이고, 만약 자세하게 분별한다면 일찍이 얻은 것과 아직 얻지 못한 것 모두 두 가지에 통한다. 일찍이 얻

3. 지식념持息念

(1) 염念의 차별상

부정관의 모습의 차별에 대해 논설했으니, 다음으로 지식념持息念에 대해 분별해야 할 것인데, 이것이 차별되는 모습은 어떠한가? 게송으로 말하겠다.

⑬ 식념은 지혜로서, 5지이고[息念慧五地]
　바람을 반연하며, 욕계의 몸에 의지하고[緣風依欲身]
　두 가지 득이며, 진실작의이고, 외도에는 없으며[二得實外無]
　여섯이 있으니, 말하자면 수 등이다[有六謂數等]171

　논하여 말하겠다. '식념息念'이라고 말한 것은 즉 계경 중에서 설한 아나아파나념阿那阿波那念이다. '아나'라고 말한 것은 말하자면 숨을 지녀 들어오게 하는 것[持息入]이니, 밖의 바람을 당겨서 몸으로 들어오게 한다는 뜻이며, '아파나'란 말하자면 숨을 지녀 나가게 하는 것[持息出]이니, 안의 바람을 당겨서 몸에서 나가게 한다는 뜻인데, 지혜[慧]가 알아차림[念]의 힘에 의해 이것을 경계로 해서 관찰하기 때문에 아나아파나념이라고 이름한 것이다.172

....

은 것의 이염득은 말하자면 하지의 염오를 떠날 때 상지의 관찰을 얻는 것이고, 일찍이 얻은 것의 가행득은 말하자면 이염에 의해서가 아니라, 가행의 힘에 의해서 일찍이 얻은 것을 닦아서 얻는 것이다. 아직 얻지 못한 것의 이염득은 말하자면 유정지의 염오를 떠날 때 얻는 것(=뒤의 제26권 중 게송 ㉜ab와 그 논설 참조)이고, 아직 얻지 못한 것의 가행득은 말하자면 이염에 의해서가 아니라, 가행의 힘에 의해서 아직 얻지 못한 것을 닦아서 얻는 것이다.
171 이하는 둘째 식념관息念觀을 밝히는 것이다. 그 안에 나아가면 첫째 염念의 차별되는 모습을 밝히고, 둘째 식息의 차별되는 모습을 밝히니, 이는 곧 첫째 염의 차별되는 모습을 밝히는 것이다. 위의 3구는 차별을 분별하는 것이고, 제4구는 모습을 분별하는 것이다. 차별에는 여덟 가지가 있는데, 첫째는 명칭의 해석, 둘째는 체의 분별, 셋째는 의지하는 지, 넷째 소연, 다섯째 의지하는 몸, 여섯째 두 가지 득, 일곱째 가실假實, 여덟째 내외內外이다.
172 (게송 제1구 중) '식념'을 해석하는 것이니, 이는 곧 명칭의 해석이다. '아나 āna'는 여기 말로 지래持來(=가지고 온다는 뜻)이고, '아파나apāna'는 여기 말로 견거遣去(=보내어 가게 한다는 뜻)이다. '식혜息慧'라고 이름해야 할 것인

【지식념의 여러 문 분별】 지혜[慧]를 성품으로 한다. 그럼에도 '염念'이라고 말한 것은, 알아차림의 힘이 지니기 때문에 경계에 대해 분명하게 할 일이 이루어지는 것이, 마치 염주와 같기 때문이다.173

5지地에 통한다. 말하자면 초·제2·제3정려의 근분정, 중간정과 욕계이니, 이 지식념은 오직 사수와만 상응하기 때문이다. 말하자면 고수·낙수는 심구를 견인함[引尋]에 능히 수순하지만, 이 지식념은 심구를 대치하기 때문에 함께 일어나지 않으며, 희수·낙수는 오로지 집중하는 것[專注]에 능히 위배되지만, 이 지식념은 경계에 오로지 집중하기 때문에 이루지는 것이니, 이런 상위함 때문에 함께 일어나지 않는다. 어떤 분은, 아래 3근본정려 중에도 역시 사수가 있다고 말했으니, 그는 8지에 의지한다고 말한 것이다. 그 위의 정려가 현전하면 숨이 없기 때문이다.174

이것은 결정코 바람[風]을 반연한다.175 욕계의 몸에 의지해 일으키며,

....

데도 '식념'이라고 이름한 것은, 지혜가 알아차림의 돕는 힘에 의해 이 숨[息]을 경계로 해서 관찰하므로 지식념이라고 이름한 것이니, 알아차림[念]이 능히 숨을 지니므로[持息] 지식념이라고 이름한다. 나머지 글은 알 수 있을 것이다. # '계경'은 잡 [29]29:803 안나반나념경安那般那念經 등이다.

173 (게송 제1구 중) '지혜로서'를 해석하는 것이니, 이는 곧 체를 나타내는 것이다. 이 지식념은 지혜를 성품으로 한다. 그런데도 '염'이라고 말한 것은 이 품류는 알아차림이 뛰어나기 때문에 '염'이라는 명칭을 얻은 것이다. 알아차림의 힘이 기억해서 들숨날숨의 분량을 지니기 때문[由念力記 持入出息量故]에 지혜가 경계에 대해 분명하게 할 일(=숨의 관찰)이 이루어지기 때문이다. 마치 4념주는 지혜를 체로 하는데도 염주라고 이름하는 것과 같다.

174 '5지이고'를 해석하는 것이니, 의지하는 지의 문[依地門]이다. 아래 3근분정, 중간정, 욕계이다. 이 지식념은 오직 사수와만 상응하기 때문에 근본정려에는 있지 않다. 욕계의 고수·낙수는 심구를 견인함에 능히 수순하지만, 이 지식념은 심구를 대치하기 때문에 함께 일어나지 않는다. 3수에 의거해 뜻을 밝힌 것이니, 고수는 곧 우수를 포함하고, 낙수는 곧 희수를 포함한다. 색계의 희수·낙수는 들숨날숨의 경계에 오로지 집중하는 것에 능히 위배되지만, 이 지식념은 들숨날숨의 경계에 오로지 집중하기 때문에 이루지는 것이니, 역시 이런 상위함 때문에 함께 일어나지 않는다. 어떤 분은, 아래 3근본정려 중에도 역시 사수가 있다고 해서 다시 3지를 더한다고 말했으니, 그는 8지에 의지한다고 말한 것이지만, 이는 바른 뜻이 아니다. 제4정려 등 이상의 모든 선정이 현전할 때에는 숨이 없기 때문에 비록 사수가 있다고 해도 이런 관을 일으키는 것이 아니다.

175 게송 (제2구) 중 '바람을 반연하며'를 해석하는 것이니, 소연의 문이다.

오직 인취·천취인데, 북구로주를 제외한다.176

이염득 및 가행득에 통한다.177 오직 진실한 작의[眞實作意]와만 상응한다.178 정법正法의 유정이라야 비로소 닦고 익힐 수 있다. 외도에게는 없으니, 설하는 자가 없기 때문이며, 스스로는 미세한 법을 깨달을 수 없기 때문이다.179

【원만의 원인】 이것의 모습이 원만해지는 것은 여섯 가지 원인을 갖춤에 의하니, 첫째 수數, 둘째 수隨, 셋째 지止, 넷째 관觀, 다섯째 전轉, 여섯째 정淨이다.180

....

176 '욕계의 몸에 의지하고'를 해석하는 것이니, 의지하는 몸의 문[依身門]이다. 또『순정리론』제60권(＝대29-673하)에서 말하였다. "이 지식념은 처음에는 오직 욕계의 몸에서만 일으키는데, 오직 인취·천취만이고, 북구로주를 제외한다." 해석하자면 이미 '처음에는 오직 욕계의 몸에서만'이라고 말했으니, 색계의 몸에서도 뒤에 일으키는 것에는 역시 통한다는 것을 분명히 알 수 있으므로,『구사론』과는 같지 않다.

177 게송 (제3구) 중 '두 가지 득이며'를 해석하는 것이니, 곧 2득의 문이다. 전체적으로 말한다면 두 가지 득에 통한다.『순정리론』제60권(＝대29-673하)에서 논파해 말하였다. "오직 가행득일 뿐, 이염득이 아니다. 아직 이염하지 못한 자의 선정은 가행에 의해 현전하기 때문이고, 이염하여 얻은 지에 포함되는 것이 아니기 때문이며, 이미 모두 근분지에 포함되는 것으로서, 근본지는 아니라고 설했기 때문이다. 또 이 지식념은 오직 뛰어난 가행으로만 견인되기 때문에 이것에 이염득이 있다고 말해서는 안 될 것이다." 구사론사라면 변론해 말할 것이다. 「멸진정 중에서, 붓다께는 이염득 아닌 공덕이 하나도 없다고 말했으며(＝앞의 제5권 중 게송 ㊺a와 그 논설), 또 비상비비상지의 제9품의 염오를 떠난 3승의 사람은 진지盡智의 첫 마음에 9지 중의 유루의 공덕을 닦고(＝뒤의 제26권 중 게송 ㉜ab와 그 논설 참조), 또 중간정은 이염지에 포함되는데, 이런 등은 어찌 이염득이 아니겠는가?」

178 게송의 '진실(작의)이고'를 해석한 것이니, 가실문假實門이다. 이 지식념은 오직 진실한 작의와만 상응한다. 또『순정리론』제60권(＝대29-673하)에서 말하였다. "이것은 오직 진실한 작의와만 상응한다. 어떤 분은 승해작의에도 역시 통한다고 말하였다." 이 논서는『순정리론』의 앞 논사와 같고,『잡심론』과『대비바사론』은『순정리론』의 후설과 같다.

179 게송 중 '외도에는 없으며'를 해석하는 것이니, 내외문이다. 또『순정리론』제60권(＝대29-673하)에서 말하였다. "이것은 자아에 대한 집착과는 지극히 상위하기 때문이다. 그들에게는 자아에 대한 집착이 있기 때문에 이 지식념이 없다."

180 제4구를 해석하면서, 모습의 차별을 밝히는데, 이는 곧 글을 여는 것이다.

'수數'는 말하자면 마음을 매어 들숨날숨을 반연하되, 가행을 짓지 않고 몸과 마음을 놓아 버리고, 오직 들숨날숨만을 알아차려 기억해 지니고, 줄이지도 말며 늘리지도 말고 하나로부터 열에 이르기까지 세는 것이니, 마음이 경계에 극도로 모이거나 흩어지는 것을 두려워하기 때문이다. 그런데 여기에는 세 가지 허물이 있을 수 있다. 첫째 수가 감소하는 허물[數減失]이니, 둘을 하나로 여기는 것이다. 둘째 수가 증가하는 허물[數增失]이니, 하나를 둘로 여기는 것이다. 셋째 뒤섞여 어지러운 허물[雜亂失]이니, 들숨을 날숨으로 여기거나 날숨을 들숨으로 여기는 것이다. 만약 이와 같은 세 가지 허물을 떠난다면, 바른 셈[正數]이라고 이름한다. 만약 열에 이르는 중간에 마음이 산란해진다면 다시 하나로부터 순차 세어야 하고, 끝나면 다시 시작해서 나아가 선정을 얻기에 이르는 것이다.181

'수隨'는 말하자면 마음을 매어 들숨날숨을 반연할 때 가행을 짓지 않고 숨을 따라서 가되[隨息而行], 숨이 들어오고 나갈 때 각각 어느 곳으로 멀리 이르는지 알아차리는 것이다. 말하자면 숨이 들어올 때 온몸으로 가는지, 일부분으로 가는지 알아차리되, 그 숨이 들어오는 것을 따라가 목구멍, 심장, 배꼽, 엉덩이, 넓적다리, 정강이 내지 발가락에 이르는 것을 알아차리면서 항상 따라 쫓는 것[隨逐]이다. 만약 숨이 나가는 것을 알아차릴 때라면 몸을 떠나 1책磔, 1심尋에 이르는 것을, 이르는 방향에 따라 알아차리면서 항상 따라 쫓는 것이다.182 어떤 다른 논사는 말하였다. "숨이 나갈 때 지극히 멀다면, 나아가 풍륜風輪이나 폐람바吠嵐婆까지 이른다."183 이는 이치에

<hr>

181 제1장을 해석하는 것이다. 순숙淳熟한 이후에는 공력을 많이 쓰지 않아도 저절로 기억해 지니는 것을 '가행을 짓지 않는다'고 이름한다. 몸과 마음을 놓아 버린다고 해도 완전히 놓아 버리는 것은 아니다. 만약 아직 순숙하지 못하다면 세면서 가행을 닦을 때 신중하게 몸과 마음을 세우는데, 마음이 모이는 것을 두려워하기 때문에 열보다 줄이지 않으며, 마음이 흩어지는 것을 두려워하기 때문에 열보다 늘리지 않고, 하나로부터 열까지 이르되, 먼저 들숨부터 센다. 그래서 『대비바사론』(=제26권. 대27-135상)에서 말하였다. "먼저 들숨을 세고 뒤에 날숨을 셀 것이니, 태어날 때에는 숨을 들이쉬고, 죽을 때에는 숨을 내쉬기 때문이다." 나머지 글은 알 수 있을 것이다.
182 제2장을 해석하는 것인데, 글대로 알 수 있을 것이다. # '1책'은 손을 폈을 때 엄지와 새끼손가락 사이의 길이를 가리킨다.

맞지 않으니, 이 지식념은 진실한 작의와 함께 하는 것이기 때문이다.184

'지止'는 말하자면 알아차림을 매어 오직 코끝에 두거나, 혹은 미간에서 나아가 발가락에 이르기까지 좋아하는 바에 따른 곳에 두고, 그 마음을 편안히 멈추어[安止], 숨이 몸에 머무는 것을, 마치 구슬 속의 실처럼, 차갑게 하는지, 따뜻하게 하는지, 손해가 되는지, 이익이 되는지 관찰하는 것이다. '관觀'은 말하자면 이 숨의 바람을 관찰한 뒤, 숨과 함께 하는 대종과 소조색 및 색에 의지해 머무는 마음 및 심소를 아울러 관찰하는 것이니, 5온을 경계로 해서 모두 관찰하는 것이다.

'전轉'은 말하자면 숨의 바람을 반연한 깨달음[覺]을 이전移轉시켜 후후의 뛰어난 선근 중의 단계 내지 세간제일법의 단계에 안치하는 것이다. '정淨'은 말하자면 상승해 나아가 견도 등에 들어가는 것이다. 어떤 다른 논사는 말하였다. "염주念住를 처음으로 해서 금강유정金剛喩定을 뒤로 하는 것을 '전'이라고 이름하고, 진지盡智 등을 비로소 '정'이라고 이름한다."185

여섯 가지 모습을 포함하기 위해 게송으로 말하겠다. "지식념에는 알아야 할지니[持息念應知] 여섯 가지 다른 모습이 있다고[有六種異相] 말하자면 수, 수, 지, 관과[謂數隨止觀] 전, 상의 모습은 차별된다[轉淨相差別]"

(2) 숨[息]의 차별상

숨의 모습의 차별은 어떻게 알아야 하는가? 게송으로 말하겠다.

14 들숨날숨은 몸에 따르니[入出息隨身]

  둘의 차별에 의해 일어나는데[依二差別轉]

  유정수이지만, 유집수가 아니며[情數非執受]

....

183 다른 학설을 서술하는 것이다. '폐람바'는 철위산 사이의 바람이다. 또 진제眞諦 법사는, "폐람바는 여기 말로 항기恒起이니, 곧 해와 달을 움직여 돌게 하는 바람이다"라고 말하였다.

184 논주가 다른 논사를 논파하는 것이다. 이 지식념은 진실한 작의와 함께 하는 것이기 때문에 가상假相이 아닌데, 어찌 멀리 풍륜 등에까지 이를 수 있겠는가? 이로써 진실이 바른 것이라고 알아야 한다.

185 뒤의 4장을 해석하고, 아울러 거듭 게송으로 맺는 것인데, 글대로 알 수 있을 것이다.

등류성이고, 하지의 소연이 아니다[等流非下緣]186

논하여 말하겠다. 몸이 태어난 지地에 따라 숨도 그 지에 포함되니, 숨은 몸의 일부에 포함되기 때문이다.187

이 들숨날숨이 일어나는 것은 몸과 마음의 차별에 의지하니, 무색계에 태어난 자 및 갈랄람羯剌藍 등과 아울러 무심정 및 제4정려 등에 든 자에게는 이 숨이 거기에서는 모두 일어나지 않기 때문이다. 말하자면 반드시 몸 안에 여러 공극孔隙이 있고, 들숨날숨의 지[入出息地]의 마음이 바로 현전해야 숨은 그 때 비로소 일어날 수 있기 때문이다. 제4정려 등에서 나올 때 및 처음 태어날 때에는 숨이 가장 먼저 들어오고, 제4정려 등에 들어갈 때 및 뒤에 죽을 때에는 숨이 가장 뒤에 나간다.188

....
186 이하는 곧 둘째 숨의 차별상을 밝히는 것인데, 모두 6문이 있다.
187 이는 곧 첫 구를 해석하는 것이니, 몸과 마음의 매임의 문[身心繫門]이다. 몸에 따라 매인 것이다.
188 제2구를 해석하는 것이니, 몸과 마음에 의지하는 문[依身心門]이다. 이 들숨날숨이 일어나는 것은 몸의 차별에 의지하고 마음에 차별에 의지한다. 몸과 마음에는 여러 종류가 있으므로, 이 몸과 마음에 의지함이 있으면 다른 몸과 마음에는 의지하지 않기 때문에 몸과 마음의 차별에 의지한다고 이름한 것이다. 반드시 4연을 갖추어야 숨은 비로소 일어날 수 있다. 첫째 들숨날숨이 의지하는 몸이니, 곧 이는 반드시 몸 안이어야 한다는 말이다. 둘째 바람길이 통하는 것[風道通]이니, 소위 입, 코, 혹은 9공孔이다. 셋째 모공이 열리는 것[毛孔開]이다. 이상 두 가지는 곧 '여러 공극(＝구멍과 틈)이 있고'이다. '공극'에는 두 가지가 있으니, 첫째는 바람길이 통하는 것이고, 둘째는 모공이 열리는 것이다. 혹은 바람길이 통하는 것은 '공'이고, 모공이 열리는 것은 '극'이다. 넷째 들숨날숨의 지의 거친 마음이 현전하는 것이니, 곧 '들숨날숨의 지의 마음이 바로 현전하는 것'이다. 네 가지 중 앞의 세 가지는 몸의 차별을 나타내고, 넷째 한 가지는 마음의 차별을 나타낸다. 이 4연 중 어느 하나라도 결여되는 것이 있으면 숨은 모두 일어나지 않는다. 무색계에 태어나면 네 가지가 모두 없기 때문에 숨은 일어나지 않는다. 갈랄람 '등'은 알부담·폐시·건남을 같이 취한 것이니, 이 4위에는 비록 한 가지, 거친 마음의 현전은 있지만, 나머지 3연이 결여되므로 숨은 모두 일어나지 않는다. 그래서 『대비바사론』(＝제26권. 대27-132중)에서 말하였다. "(문) 무엇 때문에 갈랄람 단계에서는 숨이 일어나지 않는가? (답) 그것은 희박稀薄하기 때문이니, 만약 숨이 일어난다면 그것은 유동流動해야 할 것이다. (문) 무엇 때문에 알부담·폐시·건남의 여러 근이 아직 원만하지 못하며 성숙하지 못한 단계에서는 숨이 일어나지 않

숨은 유정수有情數에 포함되니, 유정의 몸의 일부이기 때문이다.189 유집수有執受가 아니니, 근根과 서로 분리된 것이기 때문이다.190

이것은 등류성等流性이니, 동류인에 의해 생기기 때문이다. 소장양所長養이 아니니, 몸이 증장할 때에는 그것은 손감하기 때문이다. 이숙생이 아니니, 끊어진 이후의 시기에 다시 상속하기 때문이다. 다른 이숙의 색에는 이런 일이 없기 때문이다.191 오직 자지·상지의 마음의 소연일 뿐이니, 하지

는가? (답) 그 몸은 그 때 바람길이 아직 통하지 않으며, 모공이 아직 열리지 않았으니, 만약 숨이 일어난다면 몸이 흩어져 부서져야 할 것이다."『대비바사론』의 글에 준하기 때문에 발라사거 단계의 여러 근은 원만하며 성숙해서 네 가지를 갖춘다는 것을 알 수 있다. 무심정에 들면 숨이 일어나지 않는 것은, 몸이 욕계 및 초지·제2지·제3지에 있으면서 두 가지 무심정에 들면, 비록 앞의 3연은 있어도, 거친 마음이 결여되기 때문에 숨은 역시 일어나지 않는 것이다. 제4정려에서 숨이 일어나지 않는 것은, 말하자면 몸이 욕계 및 초지·제2지·제3지에 있으면서 제4정려에 들면, 비록 앞의 2연은 있어도 뒤의 2연이 결여되므로 숨은 역시 일어나지 않는다. 그래서『대비바사론』(=제26권. 대27-132중)에서 말하였다. "이와 같이 만약 하지에 있으면서 제4정려에 들면 오직 숨이 의지하는 몸 및 바람길의 통함은 있지만, 모공이 열리지 않으며, 또한 숨의 지의 거친 마음의 현전도 없으니, 비록 두 가지가 있어도 두 가지가 결여되기 때문에 숨은 일어나지 않는다." 또『순정리론』제60권(=대29-674중)에서도 말하였다. "어째서 단지 제4정려에 들기만 하면 몸에 모공이 없는데, 다른 선정은 아닌가? 이 삼매는 지극히 순수하고 두텁기 때문에 제4정려의 대종을 견인해서 몸에 두루하게 한다. 곧 이 인연 때문에 존자 세우는, 그 선정에 들면 몸의 모공이 합쳐진다고 말하였다."

189 게송 (제3구 중) '유정수'를 해석하는 것이니, 곧 셋째 유정·비유정의 문이다. 유정의 몸의 일부이기 때문에 오직 유정수일 뿐이다. 그래서『순정리론』제60권(=대29-674하)에서 말하였다. "이 들숨날숨은 유정수에 포함된다. 지각이 없는 몸 중에는 숨이 없기 때문이다. 이것은 비록 밖으로부터 들어오지만, 안에 매여 속한다는 뜻이다."

190 '유집수가 아니며'를 해석하는 것이니, 곧 넷째 집수·비집수의 문이다. 근과 분리된 것이기 때문에 유집수가 아니다. 그래서『순정리론』제60권(=대29-674하)에서 말하였다. "이 들숨날숨은 유집수가 아니니, 숨은 집수의 모습을 결여했기 때문이다. 몸 안에 비록 유집수의 바람이 있다고 해도, 이 숨의 바람은 오직 무집수일 뿐이다."

191 게송 (제4구 중) '등류성이고'를 해석하는 것이니, 곧 다섯째 등류문이다. 동류인에 의해 생기기 때문에 등류성이다. 소장양이 아니니, 몸이 비대해질 때에는 숨이 손감하기 때문이고, 몸이 야위어 적어질 때에는 숨이 증장하기 때문이다. 이숙생이 아니니, 끊어진 이후의 시기에 다시 상속하기 때문이다. 다른 이숙의 색에는 끊어진 뒤 상속하는 일이 없기 때문이다. 그래서『순정리론

의 위의심·통과심의 경계가 아니기 때문이다.192

....
』제60권(＝대29-674하)에서 말하였다. "몸 안에 비록 장양된 바람이나 이숙의 바람이 있다고 해도, 이 숨의 바람은 오직 등류성일 뿐이다."
192 '하지의 소연이 아니다'를 해석하는 것이니, 곧 여섯째 관심연식문觀心緣息門(＝관찰하는 마음이 숨을 반연하는 문)이다. 이는 숨의 관찰은 자지와 상지에 있는 것이지, 하지에는 있지 않다는 것을 나타내는 것이니, 하지에 태어났을 때에는 상지의 숨이 없기 때문이다. 상지에 태어났을 때에는 하지의 (위의심·통과심 외의) 다른 마음을 성취하지 않기 때문에 비록 하지의 위의심·통과심을 일으키기는 하지만, 이 두 가지 마음은 숨의 관찰을 포함하는 것이 아니다. 또『순정리론』제60권(＝대29-674하)에서도 말하였다. "오직 자지와 상지 마음의 관찰대상일 뿐, 하지 마음의 소연의 경계가 아니기 때문이다. 말하자면 욕계에 태어나서 욕계의 마음을 일으키면, 그 욕계의 몸과 욕계의 숨은 욕계의 마음에 의지해 일어나므로, 곧 그 마음의 관찰대상이다. 만약 욕계에 태어나서 초정려의 마음을 일으키면, 그 욕계의 몸과 욕계의 숨은 초정려의 마음에 의지해 일어나므로, 곧 그 마음의 관찰대상이다. 제2·제3정려의 마음을 일으킨 경우도 모두 앞에 준해서 말해야 할 것이다. 초정려에 태어나서 3지의 마음을 일으키거나, 제2정려에 태어나거나 제3정려에 태어나서 2지의 마음을 일으키거나 자지의 마음을 일으킨 경우도 욕계에 태어난 경우에 준해서 이치대로 말해야 할 것이다. 만약 상지에 태어나서 하지의 마음을 일으키면 그 상지의 몸과 상지의 숨은 하지의 마음에 의지해 일어나지만, 그 마음의 관찰대상이 아니다. 이와 같이 욕계의 숨은 4지(＝욕계·초·제2·제3정려)의 마음의 관찰대상이고, 초·제2·제3정려의 숨은 그 순서대로 3지·2지·자지 마음의 관찰대상이다. 숨이 있는 지[有息地]는 넷(＝욕계·초·제2·제3정려)이고, 숨이 없는 지[無息地]는 다섯(＝제4정려와 4무색정)인데, 숨이 있는 지에 의지해 숨이 없는 지의 마음을 일으키면 숨은 반드시 일어나지 않고, 숨이 없는 지에 의지해 숨이 있는 지의 마음을 일으켜도 숨은 역시 일어나지 않는다. 숨이 있는 지에 의지해 숨이 있는 지의 마음을 일으켜야 그 상응하는 바에 따라 들숨날숨의 일어남이 있다."

제6 분별현성품(의 2)

제4절 4념주

제1항 별상념주別相念住

이와 같이 닦음에 들어가는 2문에 대해 논설했는데, 이 2문에 의해 마음은 곧 선정[定]을 얻는다. 마음이 선정을 얻은 뒤에는 다시 무엇이 닦을 것인가?1 게송으로 말하겠다.

⑮ 이미 닦아 이룬 멈춤에 의지해[依已修成止]
　관찰하기 위해 염주를 닦으니[爲觀修念住]
　자상과 공상으로써[以自相共相]
　몸·느낌·마음·법을 관찰하는 것이다[觀身受心法]

⑯ 자성은 문소성 등의 지혜이고[自性聞等慧]
　나머지는 상잡과 소연인데[餘相雜所緣]
　설한 순서는 생기에 따른 것이고[說次第隨生]
　전도를 대치하기 때문에 오직 넷뿐이다[治倒故唯四]2

....
1 이하는 셋째 4념주를 밝히는 것이다. 그 안에 나아가면 첫째 별상념주를 밝히고, 둘째 총상념주를 밝힌다. 이하는 곧 별상념주를 밝히는 것이니, 7가행 중제2의 가행이다. 앞을 맺고 물음을 일으켰다. 이와 같이 부정관과 지식념이라는, 닦음에 들어가는 2문을 논설했는데, 이 2문에 의해 마음은 곧 선정을 얻는다. 마음이 선정을 얻은 뒤에는 다시 무엇이 닦을 것인가?
2 게송에 의한 답에 나아가면 첫 게송은 명칭을 표방하고 전체적으로 열거하는 것이며, 다음 2구는 체를 나타내는 것이고, 다음 1구는 순서를 밝히는 것이며, 뒤의 1구는 오직 네 가지뿐임을 밝히는 것이다.

논하여 말하겠다. 이미 닦아 원만하게 이룬 뛰어난 사마타奢摩他에 의지해, 비발사나毘鉢舍那를 위해 4념주四念住를 닦는다.3

어떻게 4념주를 닦고 익히는가?4 말하자면 자상과 공상으로써 몸[身]·느낌[受]·마음[心]·법法을 관찰하는 것이다. 몸·느낌·마음·법의 각각 다른 자성을 자상이라고 이름하고, 일체 유위는 모두 항상한 것 아님[非常]의 성품이며, 일체 유루는 모두 괴로움[苦]의 성품이며, 아울러 일체법은 공空·비아非我의 성품인 것을 공상이라고 이름한다. 몸의 자성이란 대종과 소조색이며, 느낌·마음의 자성은 자신의 명칭에 의해 드러나는 것과 같으며, 법의 자성이란 세 가지를 제외한 나머지 법이다.5 전하는 학설로는, 선정에 있으면서 극미와 찰나로써 각각 따로 몸을 관찰하는 것을 신념주의 원만[身念住滿]이라고 이름하며, 나머지 3념주의 원만한 모습도 상응하는 대로 알아야 한다고 하였다.6

....
3 처음 2구를 해석하는 것이다. '사마타'는 여기 말로 멈춤[止]이고, '비발사나'는 여기 말로 관찰[觀]이다.
4 물음이다.
5 제3·제4구를 들어 답하는 것이다. 말하자면 자상으로써 몸·느낌·마음·법을 개별적으로 관찰하고, 말하자면 공상으로써 몸·느낌·마음·법을 개별적으로 관찰하는 것이다. (문) 어떻게 공상으로써 몸·느낌·마음·법을 개별적으로 관찰한다는 것을 알 수 있는가? (답) 『순정리론』 제60권(=대29-675중)에서, "자상·공상으로써 몸 등의 경계를 하나하나 개별적으로 관찰하는 것이다"라고 말하였고, 또 "혹은 신념주에서 자상을 관찰한다는 것은, 말하자면 몸의 각각 다른 자성을 관찰하는 것이다. 다음에 신념주에서 공상을 관찰한다는 것은, 말하자면 몸 위에서 다른 유위와 함께 무상의 성품을, 다른 유루와 함께 괴로움의 성품을, 나머지 일체법과 함께 공·무아의 성품을 관찰하는 것이다"라고 말한 것과 같다. 또 『법온족론』 제5권(=대26-476중 이하)에서도 신념주를 해석하는 가운데, 무상·고·공·비아로써 몸·느낌·마음·법을 하나하나 개별적으로 관찰한다고 하였다. 이런 등의 논서로써 공상으로써 몸 등을 개별적으로 관찰한다는 것을 증지할 수 있다. 몸·느낌·마음의 세 가지를 제외한 나머지 일체법을 법의 자성이라고 이름한다. 나머지 글은 알 수 있을 것이다.
6 관찰이 이루어지는 모습을 나타내는 것이다. 비바사 논사들이 전하는 학설로는, 선정에 있으면서 1극미로써, 1찰나로써 각각 따로 몸을 관찰하는 것을 신념주의 원만이라고 이름한다고 하였다. (문) 무표색은 극미가 아닌데, 어떻게 원만을 이룬다고 말하겠는가? (해) 이 글은 우선 장애되는 색에서 원만하게 이루는 것에 의거한 것이다. 혹은 이 글은 무표에도 통하는 것일 수 있으니, 비록 극미는 없어도 찰나가 있기 때문이다. 나머지 느낌·마음·법 세 가지의 원만한

【4념주의 체】어떤 것을 4념주의 체라고 이름하는가?7 이 4념주의 체에는 각각 세 가지가 있으니, 자성·상잡相雜·소연이 차별되기 때문이다.8 자성념주는 지혜를 체로 하는데, 이 지혜에도 세 가지가 있으니, 문소성 등을 말하는 것이다. 즉 이것들도 역시 세 가지 염주라고 이름한다.9 상잡념주는 지혜와 그 나머지 함께 있는 법을 체로 하며,10 소연념주는 지혜의 소연인 모든 법을 체로 한다.11

....

모습은 상응하는 대로 알아야 할 것이니, 모두 색이 아니기 때문에 극미는 없으므로 찰나로써 관찰할 것이다.

7 이하에서 제5·제6구를 해석하는데, 이는 곧 묻는 것이다.

8 글을 열고 전체적으로 답하는 것이다. 『순정리론』(=제60권. 대29-676중)에서 말하였다. "어째서 세 가지 염주를 말하는가? 행상·자량·소연 세 가지에 대해 어리석은 유정을 위한 때문에 세 가지를 말하는 것이다."

9 이는 제1장을 해석하는 것이다. 자성념주는 문·사·수 세 가지 지혜를 체로 하니, 곧 이 세 가지 지혜도 역시 세 가지 염주라고 이름한다. 명칭의 해석에 대해 말하자면, 자성이 지혜인데도 염주라고 이름한 것은, 지혜가 알아차림에 의해 머문다는 것[由念住]이다. 혹은 알아차림으로 하여금 머물게 하기[令念住] 때문에 자성념주라고 이름한 것이다.

10 제2장을 해석하는 것이다. 상잡념주는 지혜 및 지혜의 그 나머지 함께 있는 법을 체로 한다. 명칭의 해석에 대해 말하자면, 염주와 상응하는 법 및 함께 있는 법이 염주와 서로 섞였으므로[相雜] 상잡념주라고 이름한 것이다. (문) 상잡념주도 역시 지혜를 포함한다는 것을 어떻게 알 수 있는가? (답) 『현종론』 제30권(=대29-920상)에서 말한 것과 같다. "셋 중 상잡은 번뇌를 끊을 수 있지만, 두 가지는 끊을 수 있는 것이 아니니, 크게 감소하거나 증가한 것(='자성념주'는 다른 법과의 관계를 떠난 것이므로 크게 감소한 것이고, '소연념주'는 일체법을 가리키는 것임은 후술하는 바와 같으므로 크게 증가한 것이다)이기 때문이다. 그렇지만 상잡이라는 말은 지혜 자체도 역시 포함하니, 지혜와 함께 있는 법이 상호 서로 섞였기 때문이다." 또 『순정리론』 제60권(=대29-676하)에서도 말하였다. "자성념주도 또한 모든 번뇌를 끊을 수 없는 것은 아니니, 체가 지혜이기 때문이다. 그렇지만 자성이라는 명칭은 의지하는 것[所待]이 없는 것을 말하는데, 번뇌를 끊을 때에는 반드시 다른 법에 의지하기 때문에 번뇌를 끊는 단계의 지혜에 대하여 상잡이라는 명칭을 세운 것이다. 이에 의해 상잡념주라고 말하는 것이 능히 번뇌를 끊는다는 이치가 잘 성립된다."

11 제3장을 해석하는 것이다. 소연념주는 지혜의 소연인 모든 법을 체로 한다. 일체법은 모두 지혜의 소연이지 않은 것이 없기 때문이다. 명칭의 해석에 대해 말하자면 몸·느낌·마음·법은 염주의 소연이므로 소연념주라고 이름한 것이다.

자성념주는 지혜이고, 다른 것이 아님을 어찌 아는가?12 경에서, "몸에 대해 순신관循身觀에 머무는 것을 신념주라고 이름하고, 나머지 세 가지도 역시 그러하다"라고 설했는데, 모든 순관循觀이라는 명칭은 오직 지혜 자체를 가리키는 것이니, 지혜가 아니라면 따라 관찰하는 작용[循觀用]이 없기 때문이다.13

어째서 지혜에 대해 염주라는 명칭을 세웠는가?14 비바사 논사들은 말하였다. "이 품류는 알아차림[念]이 증성하기 때문이니, 알아차림의 힘이 지녀서 지혜가 일어날 수 있게 한다는 뜻이다. 마치 도끼가 나무를 쪼개는 것은 쐐기의 힘이 지님에 의하는 것과 같다."15 이치상 실제로는 지혜가 알아차림으로 하여금 머물게 하는 것이라고 말해야 할 것이다. 이 때문에 지혜에 대해 염주라는 명칭을 세운 것이니, 지혜가 관찰하는 바에 따라 능히 분명히 기억하기 때문이다. 이에 의해 아니율다[無滅]는 이렇게 말하였다. "만약 누군가가 몸에 대해 순신관에 머물 수 있다면, 몸을 반연하는 알아차림이 머물 수 있다. ·····" 세존께서도 역시 설하셨다. "만약 누군가가 몸에 대해 순신관에 머문다면, 알아차림이 곧 머물고 어긋나지 않는다."16

그런데 어떤 경에서 말하였다. "이 4념주는 무엇에 의한 때문에 일어나

----
12 물음이다.
13 경(=잡 [24]24:610 정념경正念經 등)을 인용해 답하는 것인데, 알 수 있을 것이다.
14 물음이다. 자성이 지혜라면 혜주慧住라고 이름해야 할 것인데, 어째서 지혜에 대해 염주라는 명칭을 세웠는가?
15 답이다. 도끼는 쐐기의 지님에 의해 나무를 쪼갤 수 있고, 지혜는 알아차림의 지님에 의해 경계에서 일어날 수 있다. 이는 곧 원인에 따라서 이름했다는 것이다.
16 논주가 해석하는 것이다. 이치상 실제로는 지혜가 알아차림으로 하여금 머물게 하는 것이라고 말해야 할 것이니, 결과에 따라서 이름한 것이다. 이 때문에 지혜에 대해 염주라는 명칭을 세운 것이니, 지혜가 관찰하는 바에 따라 알아차림이 능히 분명히 기억하기 때문이다. 이론[論](=잡 [19]19:535 독일경獨一經) 및 경(=잡 [11]11:281 영발목건련경縈髮目揵連經)을 인용한 것은 모두 지혜의 관찰에 의해 알아차림이 곧 머물 수 있다는 것이다. '무멸無滅'은 범어로 아니율다阿尼律陀Aniruddha인데, 예전에 아나율이라고 말하거나, 아니루두라고 말한 것은 잘못이다.

며, 무엇에 의한 때문에 소멸하는가? 먹이[食]·접촉[觸]·명색名色·작의作意가 일어나기 때문에 순서대로 몸·느낌·마음·법으로 하여금 일어나게 하며, 먹이·접촉·명색·작의가 소멸하기 때문에 순서대로 몸·느낌·마음·법으로 하여금 소멸하게 한다." 그것은 소연념주를 말한 것이라고 알아야 할 것이니, 알아차림을 그것에 안주할 수 있게 하기 때문이다. 또 염주의 개별 명칭은 소연에 따른 것으로서, 자신·남·양자의 상속을 반연함이 다르기 때문에 하나하나의 염주에는 각각 세 가지가 있는 것이다.17

【4념주의 순서】이 4념주를 설한 순서는 생기[生]에 따른 것이다.18 생기는 다시 어째서 순서가 이와 같은가?19 대상이 거친 것에 따라 먼저 관찰해야 하기 때문이다. 혹은 모든 욕탐은 몸의 처소에서 일어나기 때문에 4념주

....

17 경의 글을 회통하여 해석하는 것이다. 그런데 어떤 경(=잡 [24]24:609 집경集經)에서, "이 4념주는 무엇에 의한 때문에 일어나며, 무엇에 의한 때문에 소멸하는가?"라고 묻고, 경에서 다시 답하였다. "먹이가 일어나기 때문에 몸을 일어나게 하니, 단식에 의한 때문에 몸이 증장할 수 있다. 접촉이 일어나기 때문에 느낌을 일어나게 하니, 접촉이라는 원인에 의한 때문에 느낌이라는 결과가 일어날 수 있다. 명색이 일어나기 때문에 마음을 일어나게 하니, 명은 마음에게 상응인·구유인 등이 됨에 의해서, 색은 마음에게 의지처·소연 등이 됨에 의해서 마음이라는 결과가 생길 수 있다. 또 해석하자면 4식주에 의거할 때 색온은 색이고, 수·상·행온은 명이니, 식온은 능히 머무는 것으로서 곧 일어나는 대상이므로 이 때문에 식은 제외한다. 작의가 일어나기 때문에 법을 일어나게 하니, 작의가 일어나기 때문에 이 법 중 나머지 심소로 하여금 일어나게 한다. 만약 먹이·접촉·명색·작의라는 네 가지 원인이 소멸한다면 그 때문에 순서대로 몸·느낌·마음·법이라는 네 가지 결과로 하여금 소멸하게 한다." 만약 이 경에 의한다면 염주에는 넷이 있는데, 어떻게 지혜를 자성으로 한다고 말하겠는가? 논주가 해석해 말한다. 그것은 세 가지 염주 중 소연념주를 말한 것이라고 알아야 할 것이니, (지혜가) 알아차림을 그것(=소연)에 안주할 수 있게 하기 때문에 소연념주라고 이름한다. 또 4념주의 개별 명칭은 소연에 따른 것이다. 소연 중에서, 혹은 자신의 상속신을 반연하기도 하고, 혹은 남의 상속신을 반연하기도 하며, 혹은 자·타의 상속신을 반연하기도 하는, 세 가지가 다르기 때문에 –'양자[俱]'는 자·타를 반연하는 것을 말한다– 하나하나의 염주에는 자신·남·양자를 반연하는 각각 세 가지가 있으니, 곧 12염주를 이룬다. 따라서 그 경에서 말한 것은, 소연념주의 4념주 중 비록 신념주및 법념주는 상속이 아닌 것에도 역시 통하지만, 여기에서는 우선 상속에 의거해 논한 것이거나 혹은 많은 부분에 따라 설한 것이다.
18 제7구를 해석하면서 넷이 순차 생기는 것에 대해 밝히는 것이다.
19 물음이다.

에서 몸의 관찰을 처음에 둔 것이다. 그런데 몸을 탐내는 것은 느낌을 기뻐하고 좋아하기[欣樂] 때문이고, 느낌을 기뻐하고 좋아하는 것은 마음이 고르지 못하기[不調] 때문이며, 마음이 고르지 못한 것은 번뇌가 아직 끊어지지 않았기 때문이니, 그래서 느낌 등을 이와 같은 순서로 관찰하는 것이다.[20]

【넷뿐인 까닭과 잡연·부잡연 분별】 이 4념주는 순서대로 그 청정한 것 [淨], 즐거운 것[樂], 항상한 것[常], 자아인 것[我]이라는 네 가지 전도를 대치하기 때문에 오직 넷만 있고, 늘지도 않으며 줄지도 않는다.[21]

4념주 중 세 가지는 오직 부잡연不雜緣이지만, 제4념주의 소연은 잡·부잡에 통하니, 만약 법만을 관찰한다면 부잡연이라고 이름하고, 만약 몸 등의, 두 가지나 세 가지 혹은 네 가지를 전체적으로 관찰한다면 잡연雜緣이라고 이름한다.[22]

....

20 답이다. 대상이 거친 것에 따라 먼저 관찰해야 하기 때문이다. 네 가지 중에서는 색이 거칠므로 먼저 관찰하고, 뒤의 세 가지 중에서는 느낌이 거칠므로 먼저 관찰하니, 예컨대 손 등의 통증과 같으며, 뒤의 두 가지 중에서는 마음이 거칠므로 먼저 관찰하고, 법은 가장 미세하기 때문에 그래서 뒤에 관찰한다. 혹은 모든 욕탐은 몸의 처소에서 일어나기 때문에 4념주에서 몸의 관찰을 처음에 둔 것이다. 그런데 몸을 탐내는 것은 느낌을 기뻐하고 좋아하기 때문이거나 낙수를 기뻐하기 때문이므로 느낌의 관찰이 둘째며, 느낌을 기뻐하고 좋아하는 것은 마음이 고르지 못하기 때문이므로 셋째로 마음을 관찰하고, 마음이 고르지 못한 것은 번뇌가 아직 끊어지지 않았기 때문인데, 번뇌는 법에 포함되는 것이기 때문에 넷째로 법을 관찰하는 것이다.

21 제8구를 해석하면서 넷만 있다는 것을 밝히는 것이다. 4념주 중 몸의 청정하지 못함을 관찰하여 그 청정한 것이라고 하는 전도를 대치하고, 느낌이 괴로움임을 관찰하여 그 즐거운 것이라고 하는 전도를 대치하며, 마음의 무상함을 관찰하여 그 항상한 것이라고 하는 전도를 대치하고, 법의 무아임을 관찰하여 그 자아라고 하는 전도를 대치한다. 그래서 네 가지만 있고, 늘지도 않으며 줄지도 않는다.

22 네 가지 소연에 잡과 부잡이 있음을 나타내는 것이다. 네 가지 중 앞의 세 가지는 하나하나 따로 관찰하므로 오직 부잡연(=소연이 서로 뒤섞이지 않는다는 뜻)이다. 제4념주의 소연은 잡·부잡에 통한다. 만약 법만을 관찰한다면 부잡연이라고 이름한다. 몸 등의 네 가지 중 혹은 두 가지를 합쳐 관찰하거나 혹은 세 가지를 합쳐 관찰하거나 혹은 네 가지를 모두 관찰하기도 하니, 둘둘씩 합쳐 관찰하는 것에 여섯(=몸+느낌, 몸+마음, 몸+법, 느낌+마음, 느낌+법, 마음+법)이 있고, 셋셋씩 합쳐 관찰하는 것에 넷(=몸+느낌+마음, 몸+느낌+법, 몸+마음+법, 느낌+마음+법)이 있으며, 넷을 합쳐 관찰하는 것에

제2항 총상념주總相念住

이와 같이 몸 등을 섞어 반연하는 법념주를 익숙하게 닦은 뒤에는 다시 무엇이 닦을 것인가? 게송으로 말하겠다.

17 그는 법념주에 있으면서[彼居法念住]
　　4소연을 전체적으로 관찰하여[總觀四所緣]
　　비상 및 괴로움[修非常及苦]
　　공과 비아의 행상을 닦는다[空非我行相]

　논하여 말하겠다. 그 관행자觀行者는 소연이 모두 섞인 법념주에 있으면서, 소연인 몸 등의 네 가지 경계를 전체적으로 관찰하여 네 가지 행상을 닦으니, 이른바 비상非常·괴로움[苦]·공空·비아非我이다.23

....

　하나가 있으므로, 모두 열한 가지가 있는 것을 잡연의 법념주[雜緣法]이라고 이름한다. (몸·느낌·마음도) 공통으로 법이라고 이름하기 때문이다. 먼저 몸·느낌·마음·법을 섞지 않고 반연하고[不雜緣], 부잡연의 법념주 뒤에 무간에 잡연의 법념주를 인기하는 것이다.

23 이는 곧 둘째 총상념주에 대해 밝히는 것인데, 7가행 중 제3가행이다. 그 관행자觀行者는 소연이 모두 섞인 법념주에 있으면서, 오직 소연인 몸 등의 네 가지 경계만을 관찰하여 네 가지 행상을 닦으니, 모든 유위는 모두 비상의 성품이라고 관찰하고, 모든 유루는 모두 괴로움의 성품이라고 관찰하며, 일체법은 공·비아의 성품이라고 관찰하는 것이다. 잡연의 법념주에는 모두 세 가지가 있으니, 말하자면 둘·셋·넷(을 섞어 반연하는 것)인데, 오직 넷을 모두 반연하는 것만을 여기에서 닦는 것이라고 이름한다. 그 앞의 잡연은 오직 둘·셋뿐이기 때문에 앞과는 차별된다. (문)『대비바사론』(=3의관은 제188권. 대27-941하. 7처선은 제108권. 대27-559중)에서는 3의관三義觀과 7처선七處善도 말하는데, 이 논서에서는 무엇 때문에 말하지 않는가? '3의관'이란 말하자면 온·처·계를 순차 관찰하는 것이다. '7처선'이란 말하자면 색의 괴로움[苦]을 관찰하고, 색의 일어남[集]을 관찰하며, 색의 소멸[滅]을 관찰하고, 색의 (소멸에 이르는) 길[道]을 관찰하고, 색의 애미愛味(=사랑해 맛들임)을 관찰하고, 색의 과환過患을 관찰하며, 색에서의 출리出離를 관찰하는 것이다. 앞의 네 가지는 색의 4제를 관찰하는 것이고, 색의 애미라는 말은 거듭 색의 일어남을 관찰하는 것이며, 색의 과환이라는 말은 거듭 색의 괴로움을 관찰하는 것이고, 색의 출리라는 말은 거듭 색의 멸제를 관찰하는 것이다. 먼저 일어남

제5절 4선근

　제1항 4선근의 관행

이 관찰을 닦고 나면 어떤 선근善根을 낳는가? 게송으로 말하겠다.

⑱ 이로부터 난법을 낳아서[從此生煖法]
　4성제를 모두 관찰하고[具觀四聖諦]
　열여섯 가지 행상을 닦으니[修十六行相]
　다음에 생기는 정법도 역시 그러하다[次生頂亦然]

⑲ 이와 같은 두 가지 선근은[如是二善根]
　모두 처음은 법념주, 뒤는 4념주이지만[皆初法後四]
　다음 인법은 오직 법념주로서[次忍唯法念]
　하품·중품은 정법과 같다[下中品同頂]

⑳ 상품은 오직 욕계 고제의[上唯觀欲苦]
　1행상만을 관찰하는 1찰나이고[一行一刹那]
　세제일법도 역시 그러한데[世第一亦然]
　모두 지혜이며, 득을 제외한 5온이다[皆慧五除得]²⁴

....

　을 관찰하는 것은 설의 순서에 따른 것인데, 도를 말하지 않은 것은, 능히 관
　찰하는 모든 것은 대부분 도이기 때문이다. 수·상·행·식에 대해서도 각각 일
　곱 가지인 것은 역시 그러하다. 서른다섯이라고 말해야 할 것이지만, 일곱을
　지나가지 않기 때문에 7처선이라고 말한 것이다. (해) 역시 설이 있어야 할
　것인데도 설하지 않은 것은, 생략하고 논하지 않은 것이다. 또 해석하자면 3
　의관과 7처선은 성문들이 짓는 것으로서, 붓다 및 독각은 짓지 않으니, 여기
　에서는 공통으로 3승의 가행에 의거하므로 이 때문에 그 두 가지 관찰의 문을
　설하지 않은 것이다. (문) 3의관과 7처선은 어느 단계에서 일으키는가? (해)
　잡연의 법념주 뒤에 있는 것이니, 총상념주 앞의 가행 단계에서 이 두 가지를
　일으키는 것이다.
24 이하는 넷째 난법 등의 4선근을 밝히는 것이니, 7가행 중 후의 4가행이다. 그

1. 난법煖法과 정법頂法

논하여 말하겠다. 공상을 전체적으로 반연하는 법념주[總緣共相法念住]를 닦고 익혀서 점차 성숙시켜 나아가 상상품에 이르면, 이 염주로부터 뒤에 순결택분의 처음 선근이 생길 때가 있으니, 난법煖法이라고 이름한다. 이 법은 마치 따뜻함[煖]과 같으므로 난법이라는 명칭을 세운 것이니, 이것은 번뇌라는 섶을 능히 태우는 성도聖道의 불의 전조[前相]여서, 마치 불의 전조와 같기 때문에 '난'이라고 이름한 것이다.25

이 난법의 선근은 분위가 길기 때문에 능히 4성제의 경계를 모두 관찰하고, 아울러 16행상도 능히 모두 닦는다. 고성제를 관찰하면서 4행상을 닦으니, 첫째는 비상非常, 둘째는 고苦, 셋째는 공空, 넷째는 비아非我이고, 집성제를 관찰하면서 4행상을 닦으니, 첫째는 인因, 둘째는 집集, 셋째는 생生, 넷째는 연緣이며, 멸성제를 관찰하면서 4행상을 닦으니, 첫째는 멸滅, 둘째는 정靜, 셋째는 묘妙, 넷째는 리離이고, 도성제를 관찰하면서 4행상을 닦으니, 첫째는 도道, 둘째는 여如, 셋째는 행行, 넷째는 출出이다. 이 행상의 차별은 뒤에서 분별하는 것과 같다.26

이 난법의 선근이 하·중·상품으로 점차 증장하여 원만하게 이루어질 때에 이르면 선근 생기는 것이 있으니, 정법頂法이라고 이름한다. 이것은 더욱 수승하기 때문에 다시 다른 명칭을 세운 것이니, 움직이는 선근[동선근動善根] 중에서는 이 법의 가장 수승함이 마치 사람의 정수리와 같기 때문에 정법이라고 이름한 것이다. 혹은 이것이 나아가거나 물러나는 양쪽의 경계[進退兩際]인 것이 마치 산의 정상과 같기 때문에 '정'이라고 이름한 것이다. 이것도 난법처럼 4제를 모두 관찰하며, 아울러 16행상도 능히 모두 닦는다.27

....

안에 나아가면 첫째 선근의 관행에 대해 밝히고, 둘째 여러 문으로 분별하며, 셋째 선근의 뛰어난 이익을 밝히고, 넷째 3승의 전근轉根을 밝히며, 다섯째 과보를 닦는 기간[修果久近]에 대해 밝히니, 이는 곧 선근의 관행에 대해 밝히는 것이다.

25 제1구를 해석하는 것인데, 알 수 있을 것이다.

26 제2·제3구를 해석하는 것인데, 역시 이해할 수 있을 것이다. # 이 행상의 차별은 뒤의 제26권 중 게송 ⑬에 관한 논설에서 설명된다.

이와 같은 난·정법의 두 가지 선근이 처음 안족安足할 때에는 오직 법념주이다.[28] 어떤 뜻 때문에 처음 안족한다고 이름한 것인가?[29] 말하자면 그 어느 선근도 16행상으로써 최초로 4성제의 자취에서 노닐며 걷는다는 것 [最初遊踐 四聖諦跡]이다.[30] 뒤에 증진했을 때에는 4념주를 갖추는데, 먼저 획득된 모든 것은 뒤에는 현전하지 않으니, 그것에 대해서는 공경하고 존중하는 마음을 낳지 않기 때문이다.[31]

2. 인법忍法

이 정법의 선근이 하·중·상품으로 점차 증장하여 원만하게 이루어질 때에 이르면 선근 생기는 것이 있으니, 인법忍法이라고 이름한다. 4제의 이치를 능히 인가忍可하는 것 중 이것이 가장 수승하기 때문에, 또 이 단계에서 인가하면 퇴타退墮가 없기 때문에 인법이라고 이름한 것이다. 이 인법의 선근은 안족할 때이든 증진할 때이든 모두 법념주라는 점에서 앞과는 차별이 있다.[32]

그런데 이 인법에는 하·중·상품이 있는데, 하·중 2품은 정법과 같으니, 말하자면 4성제의 경계를 모두 관찰하고, 그리고 16행상을 능히 모두 닦는다.[33] 상품은 차이가 있어 오직 욕계의 고제만을 관찰하니, 세제일법世第一

....

27 제4구를 해석하는 것인데, 이것 또한 알 수 있을 것이다. # 난법과 정법은 물러남이 있을 수 있다는 뜻에서 '동선근'이라고 이름하고, 인법과 세제일법은 물러남이 있을 수 없으므로 '부동선근'이라고 이름한다.

28 제5구 및 제6구 중 '모두 처음은 법념주[皆初法]'라고 한 부분을 해석하는 것이다.

29 물음이다.

30 답이다.

31 제6구 중 '뒤는 4념주[後四]'라고 한 부분을 해석하는 것이다.

32 제7구를 해석하는 것이다. 4제의 이치를 인가하는 것 중 가장 수승하기 때문에 인법이라고 이름하며, 또 이 단계에서 인가하면 퇴타가 없기 때문에 인법이라고 이름한다. 또 『순정리론』(=제61권. 대29-678하)에서도 말하였다. "세제일법도 비록 성제를 역시 능히 인가하며, 무간에 반드시 능히 견도에 들기 때문에 반드시 퇴타가 없기는 해도, 4성제의 이치를 모두 관찰하지 않지만, 이것은 모두 관찰하기 때문에 이것만 인이라는 명칭을 얻었고, 그래서 이것만을 순제인順諦忍(=진리를 수순하는 인)이라고 이름한 것이다." 나머지 글은 알 수 있을 것이다.

33 제8구를 해석하는 것이다. 인법에는 3품이 있는데, 하품과 중품은 정법과 같

法과 서로 인접하기 때문이다. 이 뜻에 준해서 난법 등의 선근은 모두 능히 3계의 고제 등을 모두 반연한다는 뜻이 이미 성립되었으니, 가려낸 것이 없기 때문이다. 말하자면 유가사는 색·무색계의 대치도 등인 하나하나의 성제聖諦의 행상과 소연을 점차 줄이고 점차 생략해서, 나아가 단지 2찰나의 작의만을 가지고 욕계의 고성제의 경계를 사유하기에 이르는데, 이 이전까지를 중인中忍의 단계라고 이름한다. 이 단계로부터 무간에 뛰어난 선근을 일으킨, 1행상에 대한 1찰나를 상품의 인[上品忍]이라고 이름하니, 이 선근이 일어나면 상속하지 않기 때문이다.34

이 4제를 모두 관찰하고, 16행상을 닦는다. 이는 전체적인 모습을 말한 것이다. 만약 개별적으로 분별한다면 중품의 인에서는 처음은 상하의 8제를 모두 관찰하지만, 행상을 점차 줄여서 뒤의 단계에 이르면 진리도 역시 점차 줄이는데, 다음 뒤에서 설할 것이다.

34 제9·제10구를 해석하는 것이다. 상품의 경우 차이가 있어 오직 욕계의 고제만을 관찰하니, 세제일법과 서로 인접하기 때문이다. 이에 의해 상품의 인법은 오직 욕계의 고제만을 관찰하니, 이 뜻에 준해서 난법·정법 및 하·중품의 인법의 선근은 모두 능히 3계의 4제를 모두 반연한다는 뜻이 이미 성립되었다. 난법 등의 단계에서는 가려낸 것[簡別]이 없기 때문이다. '말하자면 유가사' 이하는 중인中忍·상인上忍 2단계의 경계를 나타내는 것이다. '대치도 등'은 나머지 7제를 같이 취한 것이니, 뒤를 들어서 앞을 같게 하는 것이다. 하나하나의 제에 대해 능히 반연하는[能緣] 행상 서른두 가지(=상·하계에 대해 각각 16행상) 및 소연인 경계인 상·하의 8제를, 그 상응하는 바에 따라 점차 줄이고 점차 생략해서 오직 2찰나의 마음만으로 욕계의 고제를 사유하(기에 이르)는데, 이 이전까지를 중인의 단계라고 이름하고, 그 뒤의 1찰나를 상인이라고 이름한다. 그래서 『순정리론』 제61권(=대29-678하)에서 말하였다. "인법의 하·중·상은 어떻게 분별되는가? 우선 하품의 인은 8부류의 마음을 갖춘다. 말하자면 유가사가 4행상으로써 욕계의 고제를 관찰하는 것을 1부류의 마음이라고 이름하는데, 이와 같이 다음에 색·무색계의 고제를 관찰하며, 집·멸·도제도 또한 이와 같이 관찰해서, 8부류의 마음을 이루는 것을 하품의 인이라고 이름한다. 중인은 행상과 소연을 줄이고 생략하는 것이다. 말하자면 유가사가 4행상으로써 욕계의 고제를 관찰하고, 나아가 4행상으로써 욕계의 도제를 관찰하는 것을 완전히 갖추기에 이르렀다가, 상계의 도제에 대해 1행상을 줄이니, 여기부터를 중품의 인의 처음이라고 이름하며, 이와 같이 순차 행상과 소연을 점차 줄이고 점차 생략해서, 나아가 지극히 적게 오직 2찰나의 마음만으로 욕계의 고제를 관찰하기에 이르니, 마치 고법인·고법지의 단계와 같은데, 여기까지를 중인 단계의 원만이라고 이름한다. 상인은 오직 욕계의 고제만을 관찰하는 1행상을 닦으므로 오직 1찰나이니, 이 선근이 일어나면 상속하지 않기 때문(=세제일법에 들기 때문)이다." (문) 중인에서는 어떻게

3. 세제일법

상품의 인법의 무간에 세제일법世第一法을 낳는데, 상품의 인법처럼 욕계의 고제를 반연하는 1행상을 닦으므로 오직 1찰나이다. 이것은 유루이기 때문에 '세간'이라고 이름하고, 가장 수승한 것이기 때문에 '제일'이라고 이름한다. 이 유루법은 세간 중에서 수승하니, 이 때문에 세제일법이라고 이름한 것이다. 사람의 작용의 힘[士用力]이 있어서, 동류인을 떠나 성도를 견인해 낳기 때문에 가장 수승하다고 이름한다.[35]

4. 4선근의 체

이와 같은 난법 등의 네 가지 선근은 염주의 성품이기 때문에 모두 지혜를 체로 한다. 만약 조반助伴의 법을 아우른다면 모두 5온의 성품이다. 그렇

....

행상을 줄이고 소연을 줄이는가? (해) 행상에는 서른두 가지가 있고, 소연에는 8제가 있으니, 말하자면 욕계의 고제와 상계의 고제, 욕계의 집제와 상계의 집제, 욕계의 멸제와 상계의 멸제, 욕계의 도제와 상계의 도제인데, 각각 4행상이 있다. 그 순서대로 뒤로부터 앞으로 향해 행상을 줄이고 소연을 줄인다. 제1주周에는 4행상으로써 욕계의 고제를 관찰하고, 이와 같이 나아가 4행상으로써 욕계의 도제를 관찰하지만, 뒤의 3행상으로 상계의 도제를 관찰함으로써 상계의 도제 하의 1행상을 줄인다. 제2주에는 2행상으로 상계의 도제를 관찰함으로써 다시 1행상을 줄이고, 제3주에는 1행상으로 상계의 도제를 관찰함으로써 다시 1행상을 줄이며, 제4주에는 4행상으로 욕계의 도제를 관찰하지만, 상계의 도제는 관찰하지 않으므로, 소연을 줄였다[減緣]고 이름한다. 소연을 줄일 때에는 행상도 역시 줄이지만, 소연의 줄임에 포함되기 때문에 행상을 줄였다[減行]고 이름하지 않는다. 상계의 도제에 대해서처럼 나머지 7제에 대해서도 역시 그렇게 하지만, 오직 소연 중 욕계의 고제 및 1행상만은 제외하지 않는다. 전체적으로 말한다면 상하의 8제 중 제마다 3행을 줄이니, 3×8=24주에 행상을 줄이고, 7주에 소연을 줄여서, (제31주가 지나면) 오직 욕계의 고제 및 1행상만을 남기는 것이다.(=제31주가 중인中忍의 원만이고, 제32주가 상인上忍) 또 해석하자면 24주에는 오직 행상만을 줄이고, 7주에는 행상도 줄이고 소연도 역시 줄이니, 능히 반연하는 쪽(=행상)에서 바라보면 감행減行이라고 이름하고, 소연 쪽에서 바라보면 감연減緣이라고 이름한다.

35 제11구를 해석하는 것이다. 상품의 인법 뒤에 곧 세제일법을 낳으니, 상품의 인처럼 고제의 행을 반연하는 1행상을 닦으므로 오직 1찰나이다. 유루이므로 '세'라고 이름하고, 수승하기 때문에 '제일'이라고 이름한 것이다. 능히 등무간연을 만드는 사람의 작용의 힘이 있어서, 동류인을 떠나 성도를 견인해 낳기 때문(=유루법인 세제일법은 견도의 무루지의 동류인이 아니라는 취지)에 가장 수승하다고 이름한 것이다.

지만 그 득은 제외하니, 모든 성자들의 난법 등의 선근은 거듭 현전하지 않아야 하기 때문이다.36

5. 4선근의 행수行修와 득수得修

이 중 난법이 처음 안족할 때에는 3제三諦를 반연하는 법념주에 현재 있다면 미래의 4념주를 닦으며, 그 중의 어느 한 행상에 현재 있든 미래의 4행상을 닦는다. 멸제를 반연하는 법념주에 현재 있다면 미래의 1념주를 닦으며, 그 중의 어느 한 행상에 현재 있든 미래의 4행상을 닦는다. 이 종성種姓은 먼저 아직 얻은 적이 없었으므로 반드시 동분同分인 것이라야 비로소 닦을 수 있기 때문이다.

후에 증진한 때에는 3제를 반연한다면 그 중의 어느 한 염주에 현재 있든 미래의 4념주를 닦으며, 그 중의 어느 한 행상에 현재 있든 미래의 16행상을 닦는다. 멸제를 반연하는 법념주에 현재 있다면 미래의 4념주를 닦으며, 그 중의 어느 한 행상에 현재 있든 미래의 16행상을 닦는다. 이 종성은 먼저 일찍이 얻었던 것이므로 부동분不同分인 것도 역시 닦을 수 있기 때문이다.37

....

36 제12구를 해석하는 것이다. 난법 등의 선근은 모두 지혜를 체로 한다. 만약 조반의 법을 아우른다면 모두 5온의 성품이다. 그렇지만 그 득은 제외하니, 모든 성자는 난법 등의 선근을 거듭 현전시키지 말아야 하기 때문이다. 본래 난법 등을 일으키는 것은 성도를 구하기 위한 것이므로, 이미 성도를 얻었다면 이치상 가행의 선근을 일으키지 않아야 할 것이니, 소용이 없기 때문이다. 그럼에도 성도를 얻은 뒤에 난법 등의 성취가 있어서, 만약 득도 체로 한다면 곧 난법 등이 거듭 현전하는 허물이 있을 것이다. 이 때문에 난법 등은 득을 체로 하는 것이 아니다.

37 이하에서 행수行修·득수得修의 염주와 행상에 대해 따로 밝히는데, 이는 난법을 처음 닦을 때와 뒤에 닦을 때에 대해 밝히는 것이다. 난법을 처음 닦는 단계의 경우 이 종성은 먼저 일찍이 얻은 적이 없어서 처음 진리를 반연해 일으키는 세력이 미약하므로 반드시 동분인 것이라야 비로소 닦을 수 있기 때문에 다른 제의 염주의 행상을 방수傍修(=같은 부류가 아닌 것을 곁다리로 닦는 것)할 수 없다.(='난법이 처음 안족할 때 3제를 반연하는 법념주에 현재 있으면 미래의 4념주를 득수하는 것'은 현재의 법념주의 수행력이 미래의 4념주를 견인해 일으키는 힘을 기르기 때문으로서, '방수'하는 것이 아님) 뒤에 증진한 때의 경우 이 종성은 먼저 이미 일찍이 얻었던 것이고, 이미 진리를 반연했기 때문에 세력이 강성하므로, 부동분인 것도 또한 닦을 수 있기 때문에 다른 제

정법이 처음 안족할 때에는 4제를 반연하는 법념주에 현재 있다면 미래의 4념주를 닦으며, 그 중의 어느 한 행상에 현재 있든 미래의 16행상을 닦는다. 후에 증진한 때 3제를 반연한다면 그 중의 어느 한 염주에 현재 있든 미래의 4념주를 닦으며, 그 중의 어느 한 행상에 현재 있든 미래의 16행상을 닦는다. 멸제를 반연하는 법념주에 현재 있다면 미래의 4념주를 닦으며, 그 중의 어느 한 행상에 현재 있든 미래의 16행상을 닦는다.[38]

인법에 처음 안족할 때 및 후에 증진한 때에는 4제를 반연하는 법념주에 현재 있다면 미래의 4념주를 닦으며, 그 중의 어느 한 행상에 현재 있든 미래의 16행상을 닦는다. 그렇지만 증진한 단계에서 소연을 생략할 때에는 생략한 그 소연에 따라서 그것의 행상도 닦지 않는다.[39]

....

의 염주의 행상을 방수할 수 있다. 무릇 순결택분은 모두 견도에 수순하는데, 견도단계 중에서는 오직 법념주이기 때문에 처음 단계에는 현재 오직 법념주이다. 뒤의 단계에는 조금 참여를 인정하므로[容預] 4념주를 상응함에 따라서 현재 닦는다. 또 고·집·도제에는 신체·느낌·마음 및 나머지 법이 있기 때문에 4념주를 갖추지만, 멸제는 오직 무위뿐이므로 단지 법념주만이 있다. 또 증진한 단계의 경우 13념주—말하자면 고·집·도제는 각각 4념주이고, 멸제는 오직 법념주이다—를 닦는다고 말해야 할 것이지만, 4념주를 초과하지 않기 때문에 4념주를 닦는다고 이름한 것이다. # 득수와 행수에 대해서는 뒤의 제26권 중 게송 33a에 관한 논설 참조. 그에 대해 『기』에서, 「현재든 미래든 처음 그 법을 얻는 것을 득수라고 이름한다. 이는 오직 첫찰나만이고, 후찰나에는 통하지 않는다. 단지 현재에 이르러 체가 현전하는 것을 습수習修라고 이름한다. 혹은 행수라고도 이름하는데, 이는 첫찰나와 후찰나에 통한다.」라고 설명한다. 그래서 『순정리론』(=제74권. 대29-745하)에서, "미래는 오직 득수뿐이고, 현재는 2수를 갖춘다"라고 말했는데, 본문에서 '미래의 …를 닦는다'는 것은 현재의 행수에 의해 획득되는 미래의 득수를 가리키는 취지이다.

38 이는 정법의 처음과 뒤의 양쪽 단계에서 닦는 염주와 행상에 대해 밝히는 것이다. 처음은 견도에 수순하므로 오직 법념주이지만, 일찍이 익힌 것이기 때문에 다른 제의 염주 및 행상도 방수할 수 있다. 뒤의 단계는 참여를 인정하기 때문에 4념주를 상응함에 따라서 현재 닦는다.

39 이는 인법의 단계에서 처음과 뒤에 능히 염주와 행상 닦는 것에 대해 밝히는 것이다. 점점 견도에 근접하므로 견도와 유사하기 때문에 그래서 처음과 뒤의 인법은 모두 법념주만이다. 일찍이 닦았던 것이기 때문에 다른 제의 염주와 행상도 방수하지만, 증진한 단계에서 소연을 생략할 때에는 생략한 그 소연에 따라서 그 행상도 닦지 않는다. 만약 소연을 생략했다면 곧 닦지도 못하고 행하지도 못하지만, 아직 소연을 줄임에 이르지 않았을 때에는 행을 모두 닦을 수 있기 때문이다.

세제일법에서는 욕계의 고제만을 반연하는 법념주에 현재 있으면서 미래의 4념주를 닦고, 현재 있는 한 행상에 따라 미래의 4행상을 닦는다. 다른 부분[異分]이 없기 때문이며, 견도와 유사하기 때문이다.40

제2항 4선근의 여러 문 분별

생기는 선근의 모습과 체를 분별했으니, 이제 다음으로 이의 차별되는 뜻을 분별해야 할 것이다. 게송으로 말하겠다.

21 이 순결택분의[此順決擇分]
　　4선근은 모두 수소성이고[四皆修所成]
　　6지인데, 2선근은 혹은 7지이며[六地二或七]
　　욕계의 몸 아홉 가지에 의지한다[依欲界身九]

22 3선근은 여·남이 두 가지를 얻지만[三女男得二]
　　제4선근은 여성만이 역시 그러하며[第四女亦爾]
　　성자는 지의 상실에 의해 버리고[聖由失地捨]
　　이생은 목숨이 끝남에 의해 버리며[異生由命終]

23 처음 2선근은 물러남에 의해서도 버리고[初二亦退捨]
　　근본지에 의지했다면 반드시 견제하며[依本必見諦]
　　버린 뒤 얻는 것은 이전의 것이 아니고[捨已得非先]
　　두 가지 버림의 성품은 비득이다[二捨性非得]41

....

40 이는 세제일법의 행수·득수의 염주와 행상을 밝히는 것이다. 세제일법은 욕계의 고제를 반연하니, 욕계의 고제는 두드러지게 나타나서 관찰하기 쉽기 때문에 욕계의 고제를 관찰해서 견도에 드는데, 법념주를 현재 닦으면서 미래의 4념주를 닦고, 현재의 한 행상에 따라 미래의 4행상을 닦는다. 다른 부분에 대한 힘이 없기 때문에 다른 제의 염주의 행상을 방수할 수 없고, 견도와 유사하기 때문에 오직 법념주만 현재 닦고, 오직 자제自諦의 염주의 행상만을 닦는 것이다.

1. 순결택분

논하여 말하겠다. 이 난·정·인·세제일법이라는 네 가지 수승한 선근을 순결택분順決擇分이라고 이름한다. 어떤 뜻에 의해 순결택분이라는 명칭을 세웠는가? '결'은 결단決斷을 말하고, '택'은 간택簡擇을 말하니, 결단과 간택은 모든 성도를 말하는 것이다. 모든 성도는 능히 의심을 끊기 때문이며, 그리고 4제의 모습을 능히 분별하기 때문이다. '분'은 분단分段을 말한다. 이 말의 뜻은, 수순하는 바가 오직 견도라는 일부분임을 나타내니, 결택하는 부분이기 때문에 결택분이라는 명칭을 얻은 것이다. 이 4선근은 결택분을 인기하는 연이 되고, 그것에 수순하여 이익하기 때문에 그것에 수순한다[順]는 명칭을 얻은 것이니, 그래서 이들을 순결택분이라고 이름한 것이다.[42]

2. 수소성

이와 같은 4선근 모두 수소성이고, 문·사소성이 아니니, 오직 등인의 지[等引地]이기 때문이다. 4선근 중 앞의 2선근은 하품에 포함되니, 모두 움직일 수 있어서 여전히 물러날 수 있기 때문이다. 인법은 중품에 포함되니, 앞의 2선근보다 뛰어나기 때문이며, 그 위가 되는 세제일법이 있기 때문이다. 세제일법은 홀로 상품이다.[43]

....

41 이하는 곧 여러 문으로 분별하는 것이다. 제1구는 전체 명칭을 표방하는 것이고, 제2구는 수소성이라는 것이며, 제3구는 의지하는 지[所依地]이고, 제4구는 의지하는 몸[所依身]이며, 제5~6구는 두 가지 의지신이 얻는 것[二依得]이고, 제7~9구는 성자와 범부의 버림이며, 제10구는 얻음의 원근[得久近]이고, 제11구는 거듭 얻는 것이 아니라는 것[非重得]이며, 제12구는 버림의 체성이다.

42 제1구를 해석하는 것이다. 결택과 간택은 모든 성도를 말하는 것으로, 지혜를 체성으로 한다. '분'은 분단을 말하는 것인데, 이 말의 뜻은, 수순대상[所順]이 오직 견도라는 일부분일 뿐, 수도·무학도를 결택하는 것이 아님을 나타내는 것이다. 성도에는 모두 세 종류가 있으니, 이른바 견도·수도·무학도의 세 부분이다. 이 4선근은 능히 결택분을 인기하는 뛰어난 연이 되고, 그것에 수순하여 이익하기 때문에 그것에 수순한다는 명칭을 얻은 것이다. '순'은 그 원인이고, '결택분'은 결과이니, 원인 및 결과에 따라서 이름한 것이다.

43 제2구를 해석하는 것이다. 4선근은 모두 수소성이고, 문·사소성이 아니니, 오직 등인等引이기 때문이다. 4선근 중 앞의 2선근은 하품에 포함되니, 모두 움직일 수 있어서(=동선근) 여전히 물러날 수 있기 때문이다. 인법은 중품에 포함되니, 앞의 2선근보다 뛰어나기 때문이며, 뒤의 세제일법이 있어 그 위가 되기 때문이다. 그래서 중품이라고 이름하니, 세제일법만이 홀로 상품이다. 3품이

3. 의지하는 지地

이 4선근은 모두 6지地에 의지하니, 말하자면 4정려, 미지정, 중간정이다. 욕계 중에는 없으니, 등인等引을 결여하기 때문이다. 나머지 상지에도 역시 없으니, 견도의 권속이기 때문이며, 또 무색계의 마음은 욕계를 반연하지 않기 때문으로, 욕계의 법은 먼저 변지遍知해야 하고, 끊어야 하기 때문이다. 이 4선근은 색계의 5온의 이숙을 능히 감득하는 것에 대해 원만하게 하는 원인은 되지만, 견인할 수는 없으니, 존재를 미워해 등지는 것이기 때문이다.44

'혹은'이라는 말은, 2선근에 대해 다른 학설이 있음을 나타내는 것이니, 말하자면 난·정법의 2선근에 대해 존자 묘음妙音은, 앞의 6지와 아울러 욕계의 7지에 의지한다고 말하였다.45

4. 의지하는 몸

이 4선근은 욕계의 몸에 의지해 일어나니, 북구로주를 제외한 인·천의 9처이다. 앞의 3선근은 3주洲에서 처음 일어나는데, 뒤에는 하늘의 처소에서 태어나더라도 역시 상속하여 현전한다. 제4선근은 하늘의 처소에서도 역시 (처음) 일어나니, 이는 처음과 뒤가 없는 1찰나이기 때문이다.46

....

같지 않기 때문에 네 가지로 나눈 것이다. 만약 『순정리론』(=제61권. 대29-681중)에 의한다면 하·중·상 및 상상품에 의해서 네 가지로 나눈다.

44 제3구를 해석하는 것이다. 이 4선근은 6지에 의지하니, 말하자면 4정려, 미지정, 중간정이다. 욕계 중에는 없으니, 등인을 결여하기 때문이다. 나머지 위의 무색지에도 역시 없으니, 견도에 가까운 권속이기 때문이며, 또 무색계의 마음은 욕계를 반연하지 않기 때문이다. 욕계의 고는 먼저 변지해야 하고, 욕계의 집은 먼저 끊어야 하기 때문이니, 그래서 무색계에는 견도가 없으며, 견도가 없기 때문에 난법 등도 없는 것이다. 이 4선근은 유루이기 때문에 색계의 5온의 이숙을 감득할 수 있는데, 원만하게 하는 원인은 되지만, 견인할 수는 없으니, 존재를 미워해 등지는 것이기 때문이다. 그래서 오직 색계에만 의지하는 것이다.

45 게송에서 '혹은'이라는 말을 한 것은, 2선근에 대한 다른 학설을 나타내는 것이니, 말하자면 난·정의 2선근에 대해 존자 묘음은, 앞의 6지와 아울러 욕계의 7지에 의지한다고 말했는데, 이는 바른 뜻이 아니다. 그래서 『순정리론』(=제61권. 대29-681하)에서 논파하여 말하였다. "대법의 논사들은 그의 말을 인정하지 않는다. 문·사소성은 결택분에 수순하는 것이 아니기 때문이다."

46 제4구를 해석하는 것이다. 이 4선근은 욕계의 몸에 의지해 일어나니, 북구로

5. 두 가지 의지신의 얻음

이 4선근은 오직 남·여에만 의지한다. 앞의 3선근은 남·여가 (남·여 몸의) 두 가지 선근을 얻는 것에 모두 통한다. 제4선근은 여자의 몸으로는 역시 두 가지 선근을 얻지만, 남자의 몸에 의지해서는 오직 남자 몸의 선근을 얻을 뿐이니, 이미 여자 몸의 비택멸을 얻었기 때문이다.[47]

6. 성자와 범부의 버림[捨]

성자가 이 지에 의지해 이 선근을 얻었다면, 이 지를 상실할 때 선근도 함께 버린다. '지를 상실한다[失地]'라는 말은 상지로 옮겨 태어나는 것을 나타낸다. 이생은 그 지를 상실하든 상실하지 않든 단지 중동분을 상실하기만 하면 반드시 이 선근을 버린다. 처음 2선근은 또한 물러남에 의해서도 버린다.

죽음과 물러남에 의해 버리는 것은 오직 이생일 뿐, 성자는 아니며, 지를 상실함에 의해 버리는 것은 오직 성자일 뿐, 이생은 아니다. 인법 및 세제일법은 이생도 역시 물러남이 없다.[48]

....

주를 제외한 인·천의 9처(=인취3주+6욕천)이다. 오직 욕계의 아홉 가지 몸에만 의지하는 것은, 그 몸에 의지해야 견도에 들어갈 수 있는 것이니, 그것 (=4선근)은 견도에 가까운 권속이기 때문이다. 다른 몸으로는 들어갈 수 없기 때문에 그것에 의지하지 않는다. 앞의 3선근은 3주(州)에서 처음 일어나는데, 뒤에는 하늘의 처소에서 태어나더라도 역시 상속하여 현전한다. 제4선근은 하늘에서도 역시 처음 일어나니, 1찰나이기 때문이다. 또 『대비바사론』제7권(=대27-33중)에서 말하였다. "(문) 무엇 때문에 하늘 중에서는 처음 일으킬 수 없는가? (답) 그 곳에서는 뛰어난 염리厭離 등의 작의가 없기 때문이다. (문) 악취 중에는 뛰어난 염리厭離 등의 작의가 있는데, 무엇 때문에 이 선근을 일으키지 못하는가? (답) 악취 중에는 뛰어난 소의신이 없기 때문이다. 만약 뛰어난 염리 등의 작의가 있고, 또한 뛰어난 소의신도 있다면, 곧 이 부류의 선근을 처음으로 일으킬 수 있다."

47 제5·제6구를 해석하는 것이다. 이 4선근은 오직 남·여에만 의지할 뿐, 선체·반택·무형·2형에는 의지하지 않는다. 앞의 3선근은 남·여의 두 가지 몸이 모두 두 가지(=남자 몸 중의 선근과 여자 몸 중의 선근)를 얻는 것에 통한다. 제4선근은 여자의 몸으로는 역시 남·여의 몸 중의 두 가지 세제일법을 얻으니, 남자로 될 수 있기 때문에 남자 몸의 세제일법을 얻는 것이다. 남자의 몸에 의지해서는 오직 남자 몸의 선근인 세제일법을 얻을 뿐이니, 상인上忍으로 증진한 시기에 이미 여자 몸의 비택멸을 얻었기 때문이다. 이 사람은 필경 다시 여자가 되지 못하니, 그래서 여자 몸의 세제일법을 얻지 않는 것이다.

7. 견도의 원근

근본지根本地에 의지해 난법 등의 선근을 일으켰다면, 그는 이 생에서 반드시 결정코 견제見諦를 얻으니, 생사를 싫어하는 마음이 지극히 맹리하기 때문이다.49

8. 거듭 얻는 것 아님[非重得]

만약 먼저 버린 뒤 후에 거듭 얻었다면 그 때 얻은 것은 반드시 먼저 버

....

48 제7~9구를 해석하는 것이다. 선근을 버리는 것에는 모두 세 종류가 있다. 첫째 지의 상실로 버리는 것, 둘째 목숨의 끝남으로 버리는 것, 셋째 물러남으로 버리는 것이다. 성자가 이 지에 의지해 이 선근을 얻었다면, 이 지를 상실할 때 선근도 함께 버린다. '지를 상실한다'라는 말은 하지에서 목숨이 끝나 상지로 옮겨 태어나는 것을 나타낸다. 이생은 그 지를 상실하든 상실하지 않든 다만 목숨이 끝나 중동분을 상실할 때에는 반드시 이 선근을 버린다. 그래서『순정리론』(=제61권. 대29-682상)에서 말하였다. "성자의 몸은 견도의 힘으로 자조[資]되기 때문에 이 4선근을 목숨이 끝날 때 버리는 일이 없다." 처음 2선근은 단지 지를 상실함과 목숨이 끝남에 의해서 버릴 뿐만 아니라, 또한 물러남에 의해서도 버리는데, 죽음과 물러남에 의해 버리는 것은 오직 이생일 뿐, 성자는 아니며, 지를 상실함에 의해 버리는 것은 오직 성자일 뿐, 이생은 아니다. 인법 및 세제일법은 이생도 역시 물러남이 없다.(=인법에 이르면 퇴타가 없기 때문)

49 제10구를 해석하는 것이다. 4근본지에 의지해 난법 등의 선근을 일으켰다면, 반드시 3선근이 생겨 원만하게 되므로 그는 이 생에서 반드시 결정코 견제見諦를 얻으니, 생사를 싫어하는 마음이 지극히 맹리하기 때문이다. 만약 미지정 및 중간정에 의지했다면 싫어하는 마음이 맹리한 것이 아니므로, 혹은 (견도에) 들기도 하고 들지 못하기도 한다[或入不入]. 또『대비바사론』(=제7권. 대27-32중)에서도 말하였다. "근본지에 의지해 난법 등을 일으킨 자라면 현세의 몸으로 반드시 정성이생에 든다. 왜냐하면 그는 성자의 도에 의해 난법 등을 견인하기 때문이다. 미지정이나 정려중간에 의지해 난법 등을 일으킨 자라면 이 경우는 곧 일정하지 않다. 왜냐하면 그는 난법 등에 의해 성자의 도를 견인하기 때문이다." 해석하자면 근본정은 낙도樂道(=소위 낙통행)여서 성자의 도가 일어나기 쉽고, 능히 난법 등을 견인하기 때문에 현세의 몸으로 성법[聖]에 들지만, 미지정과 중간정은 고도苦道(=소위 고통행)여서 성자의 도가 일어나기 어렵고, 난법 등에 의해 견인되기 때문에 그 지에 의해서는 혹은 들기도 하고 들지 못하기도 하는 것이다. 또『순정리론』(=제61권. 대29-682상)에서도 말하였다. "근본지에 의지해 난법 등의 선근을 일으켰다면 그는 이 생에서 반드시 결정코 견제를 얻는다. 근이 예리하기 때문에 싫어함에도 깊음[深]이 있기 때문이다. 미지정이나 중간정에 의지해 난법 등의 선근을 일으킨 자라면 이 생에서 반드시 견제에 듦을 얻지는 않는다[不必得入見諦]."

렸던 것이 아니니, 마치 버린 뒤 거듭 별해탈율의를 얻은 것과 같다. 아직 일찍이 익숙하게 닦은 적이 없던 것이어서 큰 공용이라야 이루기 때문이다. 만약 먼저 난법 등의 선근을 이미 얻었으나 생을 경과했기[經生] 때문에 버린 경우라면, 분위分位를 아는 훌륭한 설법사說法師를 만나면 곧 정법[頂] 등을 낳지만, 만약 만나지 못한다면 다시 근본부터 닦는다.50

9. 버림의 체성

상실과 물러남에 의한 두 가지 버림은 비득非得을 성품으로 한다. 물러남은 반드시 허물을 일으키지만, 상실은 반드시 그렇지는 않다.51

제3항 4선근의 뛰어난 이익

이런 선근을 얻으면 어떤 뛰어난 이익이 있는가? 게송으로 말하겠다.

....

50 제11구를 해석하는 것이다. 난법 등의 선근을 만약 먼저 버린 뒤 후에 거듭 얻었다면 그 때 얻은 것은 반드시 먼저 버렸던 것이 아니다. 마치 사람이 먼저 별해탈율의를 버린 뒤 후에 거듭 계를 얻었다면, 얻은 것은 반드시 먼저 버렸던 것이 아닌 것과 같다. 난법 등의 선근은, 시작 없는 때로부터 아직 일찍이 익숙하게 닦은 적이 없던 것이어서 반드시 광대한 공용이라야 이루기 때문이다. 아직 일찍이 얻은 적이 없던 것에 대해서는 공경과 존중을 낳기 때문에 먼저 얻지 못했던 것을 얻지만, 이미 얻은 적이 있는 것에 대해서는 기뻐하거나 좋아하지 않기 때문에 일찍이 얻었던 것을 얻는 것이 아니니, 성도로 나아가는 자는 승진昇進을 구하기 때문이다. 만약 다른 선정을 얻은 자라면 일찍이 익숙하게 닦았으므로 큰 공용에 의할 것이 아니기 때문에 뒤에 거듭 얻을 때 먼저 버렸던 것도 얻는다. 만약 먼저 난법 등의 선근을 이미 얻고 원만하게 닦고 익혔으나 생을 경과했기 때문에 버린 경우라면, 후생의 몸에 이르렀을 때 분위를 아는 훌륭한 설법사를 만나면 전생을 아는 지혜[宿住智]를 얻어 일찍이 과거에 이미 난법 등을 닦았던 것을 알므로, 그를 위해 정법 등을 설할 때 곧 정법 등을 낳지만, 만약 만나지 못한다면 다시 난법 등의 근본부터 닦기 때문에 혹은 지식념 등의 근본부터 닦는다.

51 뒤의 1구를 해석하는 것이다. 상실과 물러남에 의한 두 가지 버림은 얻었던 것을 버린 것이기 때문에 비득非得을 체로 한다. 물러남은 반드시 허물을 일으키니, 번뇌를 일으켜 물러났기 때문이다. 상실은 반드시 그렇지는 않다. 상실은 말하자면 목숨이 끝나거나 혹은 지를 바꾼 것이므로 반드시 허물을 일으키지는 않는다. 목숨이 끝나는 마음은 3성에 통하기 때문이다.

24 난법은 반드시 열반에 이르게 하고[煖必至涅槃]
　정법은 끝내 선근을 끊지 않게 하며[頂終不斷善]
　인법은 악취에 떨어지지 않게 하고[忍不墮惡趣]
　세제일법은 정성이생에 들게 한다[第一入離生]52

　논하여 말하겠다. 4선근 중 만약 난법을 얻었다면, 비록 물러나거나 선근을 끊거나 무간업을 짓거나 악취에 떨어지는 등의 일이 있더라도, 오래도록 유전함 없이 반드시 열반에 이르기 때문이다.53 만약 그렇다면 순해탈분과 무엇이 다른가?54 만약 장애가 없다면 견제見諦와의 거리가 가깝고, 이것은 견도와 행상이 같기 때문이다.55

　만약 정법을 얻었다면, 비록 물러나는 등의 일이 있더라도, 증장하고[增] 필경 선근을 끊지 않는다.56

　만약 인법을 얻었을 때라면 비록 목숨이 끝나서 버리고 이생의 단계에 머물더라도, 증장하고 물러남이 없으며, 무간업을 짓지 않고 악취에 떨어지지 않는다. 그런데 게송에서 단지 '악취에 떨어지지 않게 한다'는 말만을 한 것은, 뜻에 준해서 무간업을 짓지 않는다는 것을 이미 알았을 것이니, 무간업을 짓는 자는 반드시 악취에 떨어지기 때문이다. 인법의 단계에서 물러남이 없는 것은 앞에서 이미 분별한 바와 같다.

　이 단계에서 모든 악취에 떨어지지 않는 것은, 그것으로 나아가는 업과 번뇌를 이미 멀리 떠났기 때문이다. 만약 인법의 단계에 이르렀다면 일부

....
52 이하는 곧 셋째 4선근의 뛰어난 이익을 밝히는 것이다.
53 첫 구를 해석하는 것이다. 4선근 중 만약 난법을 얻었다면, 비록 네 가지 허물이 있더라도 한 가지 공덕이 있는데, 글대로 알 수 있을 것이다.
54 물음이다.
55 답이다. 만약 장애(=무간업을 짓거나 악취에 떨어지는 등)가 없다면 견도와의 거리가 (순해탈분=3현위보다) 가깝다. 혹은 2생에 의해, 혹은 1생만에 견도에 들어갈 수 있다.(=뒤의 게송 27과 그 논설 참조) 또 견도와 16행상이 모두 다 같기 때문이다.
56 제2구를 해석하는 것이다. 만약 정법을 얻었다면, 비록 다시 물러나거나 무간업을 지어서 악취에 떨어지는 일이 있더라도, 앞의 난법보다 다시 증장하고, 필경 선근을 끊지 않는다.

취趣·생生·처處·몸[身]·존재[有]·번뇌[惑]에 대해서 불생법을 얻기 때문이다. '취'는 모든 악취를 말하고, '생'은 난생·습생을 말하며, '처'는 무상천·북구로주·대범천의 처소를 말하고, '몸'은 선체·반택가·2형의 몸을 말하며, '존재'는 제8유 등의 존재를 말하고, '번뇌'는 견소단의 번뇌를 말한다. 이것들은 하품과 상품의 단계에서 상응하는 바에 따라 획득되니, 말하자면 하품의 인법에서는 악취에 대한 불생법을 얻고, 그 나머지 불생법은 상품의 인법에 이르러야 비로소 얻는다.[57]

세제일법을 얻었다면 비록 이생의 단계에 머물더라도 능히 정성이생正性離生으로 나아가 들어간다. 게송에서 비록 '목숨이 끝남에 의한 버림에서 떠났다[離命終捨]'고 말하지 않았지만, 이미 무간에 정성이생에 들어간다고 했으니, 뜻에 준해서 '목숨이 끝남에 의한 버림'이 없다는 것은 이미 이루어진

....

57 제3구를 해석하는 것이다. 만약 인법을 얻었을 때라면 비록 목숨이 끝남으로써 버리고 이생의 단계에 머무는 이런 두 가지 허물이 있더라도, 앞의 정법보다 증장하고 물러남이 없으며, 무간업을 짓지 않고 악취에 떨어지지 않는 이런 세 가지 공덕이 있다. 악취에 떨어지지 않는다면, 준해서 5무간업을 짓지 않는다는 것을 알 것이니, 악과惡果가 없다고 말한 것은 악인惡因이 없는 것도 나타내는 것이다. 인법의 단계에서 물러남이 없는 것은 앞에서 이미 분별한 바와 같으니, 그래서 앞의 글(=제1항 4선근의 관행)에서 "또 이 단계에서 인가하면 퇴타가 없기 때문에 인법이라고 이름한 것"이라고 말하였다. 만약 인법의 단계에 이르면 일부 취 등에 대해서 불생법을 얻기 때문이다. '취'는 3악취를 말하고, '생'은 난생·습생을 말하니, 『순정리론』(=제61권. 대29-682상)에서 말하였다. "이 2생은 많이 어리석기 때문이다." '처'는 무상천·북구로주·대범천의 처소를 말하니, 『순정리론』(=제61권. 대29-682중)에서 말하였다. "무상천과 대범천은 치우친 소견[僻見]의 처소이기 때문이고, 북구로주는 현관現觀이 없기 때문이다." '몸'은 선체 등을 말하니, 『순정리론』(=상동)에서 말하였다. "몸은 선체 등을 말하니, 여러 번뇌가 많기 때문이다. '존재'는 욕계의 제8유 등의 존재를 말하니, 『순정리론』(=상동)에서 말하였다. "존재는 제8유 등을 말하니, 성자(=인법을 얻으면 퇴타가 없으므로 반드시 견도에 이르러 성자가 되는데, 성자는 극칠반생極七返生이다)는 반드시 받지 않기 때문이다." '번뇌'는 견소단의 번뇌를 말하니, 『순정리론』(=상동)에서 말하였다. "번뇌는 견소단의 번뇌를 말하니, 반드시 다시 일으키지 않기 때문이다." 이 여섯 가지는 하품과 상품의 인에서 상응하는 바에 따라 획득되니, 말하자면 하품의 인에서는 악취에 대한 불생법을 얻고, 나머지 다섯에 대한 불생법은 상품의 인에 이르러야 비로소 얻는다. 중인의 단계에서는 별도의 불생법이 없기 때문에 말하지 않은 것이다.

것이다.58

어째서 오직 이것만 능히 이생離生에 들어가는가?59 이미 이생異生의 비택멸을 얻었기 때문이니, 마치 무간도처럼 능히 이생성을 버리기 때문이다.60

제4항 4선근에서의 3승의 전향

이 4선근에는 각각 3품이 있으니, 성문 등의 종성이 차별되기 때문이다. 그 중의 어떤 종성의 선근이 이미 생겼다면, 그는 다른 승으로 옮겨 전향[移轉向餘乘]할 수 있는가? 게송으로 말하겠다.

25 성문종성을 전향하면[轉聲聞種性]
　2선근은 붓다를, 3선근은 나머지를 이룰 수 있지만[二成佛三餘]
　인각유와 붓다는 전향 없으니[麟角佛無轉]
　한 번 앉으면 깨달음을 이루기 때문이다[一坐成覺故]61

논하여 말하겠다. 성문종성의 난법·정법이 이미 생겼더라도 전향하여 무상정각無上正覺을 이룰 수 있다고 인정된다. 그가 만약 인법을 얻었다면 붓다를 이룰 리가 없으니, 말하자면 악취를 이미 초월했기 때문이다. 보리살타菩提薩陀는 유정 이익하기를 소회로 하므로[利物爲懷] 유정을 교화하기 위

....
58 제4구를 해석하는 것이다. 세제일법을 얻었다면 비록 이생의 단계에 머무는 이런 한 가지 허물이 있더라도, 앞의 인위에 더해서, 능히 정성이생으로 나아가고, 아울러 이 단계에 이르면 목숨이 끝남에 의한 버림이 없다.
59 물음이다.
60 답이다. 증상인增上忍의 시기에는 세제일법이라는 1찰나의 이생성을 제외한, 나머지 일체 이생성에 대해 모두 비택멸을 얻으니, 세제일법에 이르기 때문이다. '이미 이생의 비택멸을 얻었기 때문'이라고 말한 것은, 세제일법에서는 마치 무간도처럼 능히 이생성을 버리기 때문이다. 고법인은 마치 해탈도처럼 이생성을 버린 것이기 때문에 세제일법이 현재에 머무는 때를 말하여 '들어간다'고 이름한다.
61 이하는 곧 넷째 3승의 전근轉根에 대해 밝히는 것인데, 물음 및 게송에 의한 답이다.

해 반드시 악취로 가야 하지만, 그 인법의 종성은 되돌려 바꿀 수 없으니, 이 때문에 결정코 붓다를 이룰 수 있는 뜻이 없는 것이다. 성문종성의 난·정·인법 세 가지는 모두 전향하여 독각을 이룰 수 있는 뜻이 있는데, 불승佛乘 밖에 있기 때문에 '나머지[餘]'라고 말한 것이다.62

'인각유와 붓다'라는 말은 인각유 및 무상각無上覺의 난법 등의 선근을 나타내는 것인데, 모두 다른 승으로 옮겨 전향하는 뜻이 없으니, 모두 제4정려를 의지처로 해서 한 번 앉으면 곧 자승自乘의 깨달음을 이루기 때문이다. 제4정려는 경동傾動하지 않으며, 가장 극도로 밝고 예리한 삼매이기 때문에 인각유와 무상각의 의지처가 될 수 있는 것이다. 여기에서 '깨달음[覺]'이라는 말은 진지와 무생지─뒤에 분별할 것이다─를 나타내는 것인데, 이는 보리菩提의 성품이기 때문이다. '한 번 앉으면'이라고 말한 것은, 난법의 선근으로부터 나아가 보리에 이르기까지 자리에서 일어나지 않는다는 것인데, 어떤 다른 논사는, "부정관으로부터 자리에서 일어나지 않고 나아가 보리에 이른다"라고 말하였다.63

인각유와는 상이한 다른 독각이 있는데, 그 종성의 처음 2선근을 일으키고 다른 승으로 전향하는 것은 이치상 장애가 없다.64

....

62 처음 2구를 해석하는 것이다. 무릇 불승의 순해탈분을 심은 성문종성은 다른 승인 독각으로 전향할 수 있는데, 악취로 갈 것이 아니기 때문에 인법의 단계에서도 전향을 이룰 수 있다. 그가 만약 불승으로 전향한다면 3무수 및 100겁을 경과한 뒤에 그것의 난법 등을 일으키고, 인각유로 전향한다면 100겁을 경과한 뒤에 그것의 난법 등을 일으키니, 모두 한 번 앉(아서 일으키)는 것이기 때문이다. '보리'는 깨달음을 말하고, '살타'는 유정을 말하는 것이니, '보살'이라고 말한 것은 줄인 것이다. 나머지 글은 알 수 있을 것이다.

63 아래 2구를 해석하는 것이다. (인각유 독각은) 기린이 뿔인 하나인 것처럼 홀로 나타나는 것이 붓다와 같다. 나머지 글은 알 수 있을 것이다. 자고로 모든 논사들이 모두 7가행 중에서 5정심관을 모두 짓는다고 말했지만, 지금 이 논서 및 『대비바사론』 등에 의하면 단지 부정관 및 지식념 중 어느 하나로도 역시 얻는다고 말하는데, 『대지도론』은 5정심관을 모두 말한다.

64 인각유와는 상이한, 다른 부행部行독각(=무리지어 다니는 독각)이 있는데, 그 종성의 처음 2선근을 일으키고 다른 승으로 전향하는 것은 이치상 장애가 없다. 성문에 대해 말한 것처럼 인법도 말해야 하지만, 생략하고 논하지 않은 것이다. 비록 처음 발심하는 것은 그 가르침의 힘에 의한다고 해도 뒤에 장차 성법에 들 때에는 홀로 도를 깨닫기 때문에 독각이라는 명칭을 얻었는데, 만

제5항 4선근에 이르는 수행기간

이 생에서 처음 가행을 닦아서 곧 이 생에서 순결택분을 인기하는 자가 혹시 있는가? 그렇지 않다. 어째서인가? 게송으로 말하겠다.

26 전생의 순해탈분은[前順解脫分]
　빠르면 3생에 해탈하는데[速三生解脫]
　문·사소성이며, 3업으로서[聞思成三業]
　심는 것은 인취의 3주에 있다[殖在人三洲]65

논하여 말하겠다. 순결택분을 금생에 일으키는 자는 반드시 전생에 순해탈분을 일으켰던 자이다. 처음 순해탈분을 심은 모든 자는 지극히 빠르다면 3생이라야 비로소 해탈을 얻는다. 말하자면 첫 생에서 순해탈분을 일으키고, 제2생에서 순결택분을 일으키며, 제3생에서 성도에 들어 나아가 해탈을 얻기에 이르는 것이다. 비유하자면 종자를 뿌리고 싹이 성숙하고 열매를 맺는 3단계가 같지 않은 것처럼, 몸이 법성法性에 들고 성숙하고 해탈하는 3단계도 역시 그러하다.66 전하는 학설은 이와 같다.67

....

약 인각유라면 혼자서만 도를 깨닫는다. 세제일법은 1찰나이기 때문에 전향한다고 말할 수 없기 때문에 여기에서는 말하지 않은 것이다.
65 이하는 곧 다섯째 과보를 닦는 기간을 밝히는 것이다.
66 위의 2구를 해석하는 것이다. '순해탈분'이라는 말에서 '해탈'은 열반을 말하니, 이 선은 그것에 수순하므로 '순해탈분'이라고 이름한 것이다. 비유하자면 밭에 씨앗을 심을 때 첫째 씨앗을 뿌리고, 둘째 싹이 성숙하며, 셋째 열매를 맺는 것이 같지 않은 것처럼 도를 닦는 것도 역시 그러하다. 제1생에 몸이 법성에 들어가니, 곧 순해탈분의 선을 심는 것이고, 제2생에 성숙하니, 곧 순결택분의 선근을 성취하는 것이며, 제3생에 해탈을 얻으니, 곧 능히 해탈 열반을 증득하는 것이다. 그래서 '3단계도 역시 그러하다'고 말한 것이다. 이것은 성문에 의거한 것이니, 지극히 빠르다면 3생 동안 가행을 닦고. 지극히 더디다면 60겁 동안 가행을 닦는다. 만약 독각에 의거한다면, 지극히 빠르다면 4생 동안 가행을 닦고, 지극히 더디다면 백 겁 동안 가행을 닦는다. 만약 불승에 의거한다면, 지극히 빠르다면 3무수겁 및 나머지 91겁 동안 가행을 닦고. 지극히 더디다면 3무수겁 및 나머지 100겁 동안 가행을 닦는다. 이상은 닦는

순해탈분은 오직 문·사소성일 뿐이며, 공통으로 3업을 체로 한다. 비록 가장 뛰어난 것에 나아가면 오직 의업일 뿐이지만, 이 의도와 서원[思願]에 포함되어 일어나는 신·어업도 역시 순해탈분이라고 이름할 수 있으니, 한 덩이의 밥을 보시하거나 한 가지 계를 지키는 등의 일을 갖는 것이 깊이 해탈을 좋아하는 서원의 힘으로 지녀진 것이라면, 곧 순해탈분을 뿌리고 심는 것이라고 이름할 것이다.68

....
자에 의거한 것으로서, 나머지는 곧 일정하지 않다. 혹은 심은 뒤 1겁을 경과하거나 한량없는 겁을 경과해도 능히 성도에 들지 못하는 자도 있다. 붓다는 시간이 길기 때문에 그 근이 가장 예리하다. 성문의 3생, 독각의 4생은 반드시 이근이어야 하는 것은 아니고, 둔근에도 통한다. 지극히 예리한 자라고 해도 (더딜 경우) 반드시 60겁을 경과하고, 반드시 100겁을 경과한다.{=『대비바사론』제101권(=대27-525중)에 의하면, 수행기간은 근기의 이·둔에 의하는 것이 아니라, 닦는 도가 협소한 도인가, 광대한 도인가에 의하는 것이라고 한다} 나머지 글은 알 수 있을 것이다. 『순정리론』제61권(=대29-682중)에서 논파해 말하였다. "지극히 빠르다면 3생이라야 비로소 해탈을 얻는다는 것은, 말하자면 첫 생에 순해탈분을 심고, 다음 생에 성숙하며, 제3생에 순결택분을 일으켜서 곧 성도에 든다는 것이다. 만약 제2생에 순결택분을 일으키고, 제3생에 성도에 들어 나아가 해탈을 얻기에 이른다고 말한다면, 그 말은 곧 앞에서의 말(=앞의 게송 ㉓b와 그 논설)과 상위할 것이다. 말하자면 근본지에 의지해 난법 등을 일으켰다면 그는 반드시 이 생에서 견제에 들 수 있다고 한 것이다. 혹은 그는 지극히 빠를 경우 2생이라고 인정해야 할 것이니, 말하자면 제2생에서 근본지에 의지해 난법 등을 일으킨다면 그는 현생에서 반드시 성도에 들어 해탈을 얻기 때문이다." 구사론사는 변론해 말한다. 「만약 근본지에 의지해 난법 등을 일으키는 자라면 반드시 전생에 이미 난법 등을 일으켰을 것이기 때문에 그 앞의 글과 상위하지 않으며, 또한 3생보다 줄어든다는 허물도 없다.」
67 비바사 논사들이 전하는 학설은 이와 같다. #『기』에는 더 이상 자세한 설명 없이 이 부분이 이어지는 순해탈분의 체에 관한 논설 앞에, 그 순해탈분의 체에 관한 '전하는 학설'처럼 편성되어 있는데, 문맥상 이 수행기간에 관한 '전하는 학설'로 보여서, 글의 위치를 여기로 옮겼다.
68 제3구를 해석하면서 체를 밝히는 것이다. 순해탈분은 오직 문·사소성일 뿐, 생득선이 아니며, 그것은 열등하기 때문에 수소성이 아니다. 오직 욕계일 뿐이기 때문에 3업을 체로 하는 것에 통한다. 비록 가장 뛰어난 것에 나아가면 오직 문·사와 상응하는 의업일 뿐이지만, 이 문·사의 지혜와 상응하는 의도·서원에 포함되어 일어나는 신·어업도 역시 순해탈분이라고 이름할 수 있다. 예컨대 한 덩이의 밥을 보시하거나 한 가지 계를 지키는 등의 일이 깊이 생사를 싫어하고 깊이 해탈을 좋아하는 서원의 힘으로 지녀진 것이라면 곧 순해탈분을 뿌리고 심는 것이라고 이름할 것이다. '서원[願]'은 믿음을 체로 한다. 혹은

순해탈분을 심는 것은 오직 인취의 3주洲뿐이니, 다른 곳에는 염리厭離와 반야般若가 상응하는 대로 없기 때문이다. 붓다의 출세出世를 만날 때 이런 선근을 심는데, 어떤 다른 논사는 독각을 만나는 경우도 말하였다.69

제4장 견도見道

  제1절 성제현관聖諦現觀의 16심

    제1항 16심과 현관의 돈·점

1. 현관 16심
  편의에 의해 순해탈분을 논설했는데, 관에 드는 순서가 바로 논설할 것이다. 그 중 모든 가행도는 세제일법이 그 가장 뒤가 된다는 것을 밝혔으니, 이로부터 다시 어떤 도가 생기는지 논설해야 할 것이다. 게송으로 말하겠다.

27 세제일법의 무간에[世第一無間]
    곧 욕계의 고제를 반연하는[卽緣欲界苦]
    무루의 법인을 낳고[生無漏法忍]
    법인 다음에 법지를 낳는다[忍次生法智]

28 그 다음에 나머지 계의 고제를 반연하는[次緣餘界苦]
....
    승해를 체로 하거나, 혹은 의욕을 체로 하니, 곧 의도와 상응하는 서원이다.
69 제4구를 해석하면서 처소에 대해 밝히는 것이다. 순해탈분을 심는 것은 오직 인취의 3주뿐이니, 나머지 3악취·천취·북구로주에서는 염리厭離와 반야가 상응하는 대로 없기 때문이다. 3악취는 비록 염리는 있으니, 괴로움을 싫어하기 때문이지만, 뛰어난 반야가 없으니, 지혜가 열등하기 때문이다. 천취는 비록 뛰어난 반야는 있지만, 깊은 염리가 없으니, 괴로움이 가볍기 때문이다. 북구로주는 염리가 없으니, 괴로움이 가볍기 때문이며, 뛰어난 반야도 없으니, 지혜가 열등하기 때문이다. 나머지 글은 알 수 있을 것이다. 또 『순정리론』(=제61권. 대29-682하)에서도 말하였다. "붓다의 출세가 있든 붓다가 없을 때이든 다 같이 순해탈분을 뿌리고 심을 수 있다."

유인과 유지를 낳고[生類忍類智]

집제·멸제·도제를 반연하여[緣集滅道諦]

각각 넷을 낳는 것도 역시 그러하다[各生四亦然]

29 이와 같은 16찰나의 마음을[如是十六心]

성제현관이라고 이름하는데[名聖諦現觀]

이것에는 모두 세 가지가 있으니[此總有三種]

견·연·사의 차별을 말한다[謂見緣事別]70

【고법지인】 논하여 말하겠다. 세제일법의 선근으로부터 무간에 곧 욕계의 고성제의 경계를 반연하는, 무루에 포함되는 법지인法智忍의 생기[生]가 있으니, 이 인을 고법지인苦法智忍이라고 이름한다. 이 인은 무루임을 나타내기 위한 때문에 뒤의 등류과를 들어 표방함으로써 구별한 것이니, 이것은 능히 법지를 낳는, 법지의 원인이므로 법지인이라는 명칭을 얻은 것으로서, 마치 화과수花果樹와 같다.71

곧 이것을 정성이생에 들어간다[入正性離生]고 이름하고, 또한 다시 정성결정에 들어간다[入正性決定]고 이름하니, 이것은 처음으로 정성이생에 들어가는 것이고, 또한 처음으로 정성결정에 들어가는 것이기 때문이다. 경에서, "정성正性은 소위 열반이다"라고 설했는데, 혹은 정성이라는 말은 모든 성도聖道를 가리킨다. '생生'은 말하자면 번뇌, 혹은 근기가 아직 성숙하지

....

70 이하는 큰 글의 둘째 세 가지 도에 의거해 사람을 분별하는 것이다. 그 안에 나아가면 첫째 세 가지 도의 건립을 밝히고, 둘째 일곱 종류 성자를 밝히며, 셋째 학·무학의 원만에 대해 밝힌다. 세 가지 도의 건립을 밝히는 것에 나아가면 현관단계에 의거해 밝히고, 둘째 수도·무학도에 의거하는데, 현관단계에 의거해 밝히는 것에 나아가면 첫째 16심을 밝히고, 둘째 단계에 의해 건립한다. 16심을 밝히는 것에 나아가면 첫째 바로 16심을 밝히고, 둘째 16심이 의지하는 지를 밝히며, 셋째 인忍과 지智의 순서를 밝히고, 넷째 견도·수도의 차별에 대해 밝히니, 이는 곧 첫째 바로 16심을 밝히는 것이다.

71 처음 3구를 해석하려고 뒤의 등류과를 들었으니, 곧 고법지이다. 나무[樹]가 꽃이라는 결과[花果]를 낳는 것을 화과수花果樹라고 이름하듯이, 인이 법지를 낳는 것을 법지인이라고 이름한다. 나머지 글은 알 수 있을 것이다.

않은 것인데, 성도로써 능히 초월하기 때문에 이생離生이라고 이름한 것이다. 능히 결정코 열반으로 나아가게 하기 때문에, 혹은 진리의 모습을 결정해 알게 하기 때문에 모든 성도는 '결정'이라는 명칭을 얻는다. 이런 단계에 이른 것을 말하여 '들어간다[入]'고 이름한 것이다.72 이 인이 생기고 나면 성자聖者라는 명칭을 얻으니, 이것이 미래에 있을 때 이생성異生性을 버리는 것이다. 말하자면 이 인이 미래에 생기는 시기에 이런 작용이 있지, 나머지는 아니라고 인정되니, 마치 등불 및 생상生相과 같다.73

어떤 다른 논사는, "세제일법이 이생성을 버리게 한다"라고 말하였다.74 이 뜻은 그렇지 않으니, 피차 같이 세간법이라고 이름하기 때문이다.75 성품이 서로 위배되기 때문에 역시 허물이 없으니, 마치 원수의 어깨에 올라가 능히 원수의 목숨을 해치는 것과 같다.76 어떤 다른 논사는, "이 두 가지가

....

72 '인'의 다른 명칭을 해석하는 것이다. 곧 이 고인苦忍을 정성이생에 들어간다고 이름하고, 또한 다시 정성결정에 들어간다고 이름하니, 이 인은 처음 들어가는 것이기 때문에 두 가지 명칭을 얻는 것이다. 경(=출전 미상)에서, "정성은 소위 열반이다"라고 말했는데, 혹은 성도를 가리킨다. '생'은 말하자면 번뇌이며, 혹은 말하자면 선근이 아직 성숙하지 않은 것을 '생'(=날 것이라는 뜻)이라고 이름한 것이다. '능히 결정코 열반으로 나아가게 한다'는 것은 말하자면 정성의 결정이라는 것이고, '혹은 진리의 모습을 결정해 알게 한다'는 것은 말하자면 정성이 곧 결정이라는 것이다. 그래서 모든 성도는 '결정'이라는 명칭을 얻는다. 고법지인이 처음 이런 단계에 이른 것을 말하여 '들어간다'고 이름한 것이다.

73 이 인이 생기고 나서 현재에 이른 단계에 성자라는 명칭을 얻으니, 이 인이 미래에 있을 때 능히 이생성을 버리는 것이다. 말하자면 이 인이 미래에 생기는 시기에 능히 이생성을 버리는 이런 작용이 있는 것이지, 나머지 법은 가능한 것이 아니라고 인정되니, 마치 등불 및 생상이 미래에 작용이 있는 것과 같다. 등불에는 어둠을 없애는 작용이 있어서, 어둠으로 하여금 그 생상이 법을 낳는 작용이 있음에 이르지 못하게 하는 것이다.

74 어떤 다른 논사의 설인데, 세제일법만이 홀로 능히 이생성을 버리게 한다는 것이다.

75 힐난이다. 피차(=이생성과 세제일법) 같이 세간법이라고 이름하기 때문이니, 어떻게 세간법이 능히 세간법을 버리게 하겠는가?

76 어떤 다른 논사의 해석이다. 비록 세제일법과 이생성은 같이 세간법이기는 해도 성품이 서로 위배되기 때문에 이생성을 버리게 할 수 있으므로 역시 허물이 없다. 마치 원수의 어깨에 올라가 능히 원수의 목숨을 해치는 것처럼, 두 사람은 비록 또한 같이 세간이지만, 성품이 서로 위배되기 때문에 한 사람이

함께 버리게 하니, 마치 무간도·해탈도와 같기 때문이다"라고 말하였다.77

【고법지·고류지인·고류지】 이 인忍의 무간에 곧 욕계의 고제를 반연하는 법지의 생기가 있으니, 고법지苦法智라고 이름한다. 이 지혜도 역시 무루에 포함되는 것이라고 알아야 할 것이니, 앞의 '무루'라는 말이 뒤로 두루 흐르기 때문이다.78

욕계 고성제의 경계를 반연하는 고법인·고법지의 생기가 있는 것처럼, 이와 같이 다시 그 법지의 무간에 나머지 계의 고성제의 경계를 전체적으로 반연하는 유지인類智忍의 생기가 있으니, 고류지인苦類智忍이라고 이름한다. 이 인의 무간에 곧 이 경계를 반연하는 유지類智의 생기가 있으니, 고류지苦類智라고 이름한다.79 최초로 모든 법의 진실한 이치를 증득해 알기 때문에 법지法智라고 이름하였고, 이 뒤의 경계에 대한 지혜는 앞의 지혜와 서로 유사하기 때문에 '유지類智'라는 명칭을 얻은 것이니, 뒤는 앞에 따라 경계를 증득했기 때문이다.80

【집법지인·집법지·집류지인·집류지】 욕계 및 나머지 계의 고제를 반연하여 법지인·유지인·법지·유지의 네 가지를 낳는 것처럼, 나머지 3제를 반연하여 각각 네 가지를 낳는 것도 역시 그러하다. 말하자면 다시 앞의 고류지

....

원수를 해칠 수 있다.

77 어떤 다른 논사의 설이다. 2법이 서로 도와서 함께 이생성을 버리게 하니, 세제일법은 마치 무간도와 비슷하고, 고법지인은 마치 해탈도와 비슷하다. 그래서 『대비바사론』 제3권(=대27-12중)에서 말하였다. "어떤 다른 논사는, 세제일법과 고법지인은 다시 상호 서로 도와서 이생성을 버리게 한다고 말하였다. 말하자면 세제일법은 이생성과는 비록 성품이 서로 위배되기는 하지만, 힘이 열등하기 때문에 홀로 버리게 할 수 없으니, 이 때문에 고법지인을 견인해 낳아서 함께 서로 돕는 힘으로 이생성을 버리게 한다. 비유하자면 연약한 사람이 건장한 사람에게 의지하여 다시 서로 돕는 힘으로 원수를 굴복시킬 수 있는 것과 같다. 이런 인연에 의해 세제일법은 무간도처럼, 고법지인은 해탈도처럼 이생성을 버리는 것이다." 이 논서와 『대비바사론』에 모두 3설이 있는데, 각각 한 가지 뜻에 의거한 것이므로 모두 서로 위배되지 않는다.

78 제4구를 해석하는 것이다. 앞의 제3구 중 '무루'라는 말은 두루 흘러서 뒤의 15심에 이르기 때문이다. 나머지 글은 알 수 있을 것이다.

79 제5·제6구를 해석하는 것이다.

80 법지와 유지를 해석하는 것인데, 글대로 알 수 있을 것이다.

후에 다음으로 욕계의 집성제의 경계를 반연하는 법지인의 생기가 있으니, 집법지인集法智忍이라고 이름하고, 이 인의 무간에 곧 욕계의 집성제를 반연하는 법지의 생기가 있으니, 집법지集法智라고 이름한다. 다음에 나머지 계의 집성제의 경계를 반연하는 유지인의 생기가 있으니, 집류지인集類智忍이라고 이름하고, 이 인의 무간에 곧 이 경계를 반연하는 유지의 생기가 있으니, 집류지集類智라고 이름한다.

【멸법지인·멸법지·멸류지인·멸류지】 다음에 욕계의 멸성제의 경계를 반연하는 법지인의 생기가 있으니, 멸법지인滅法智忍이라고 이름하고, 이 인의 무간에 곧 욕계의 멸성제를 반연하는 법지의 생기가 있으니, 멸법지滅法智라고 이름한다. 다음에 나머지 계의 멸성제의 경계를 반연하는 유지인의 생기가 있으니, 멸류지인滅類智忍이라고 이름하고, 이 인의 무간에 곧 이 경계를 반연하는 유지의 생기가 있으니, 멸류지滅類智라고 이름한다.

【도법지인·도법지·도류지인·도류지】 다음에 욕계의 도성제의 경계를 반연하는 법지인의 생기가 있으니, 도법지인道法智忍이라고 이름하고, 이 인의 무간에 곧 욕계의 도성제를 반연하는 법지의 생기가 있으니, 도법지道法智라고 이름한다. 다음에 나머지 계의 도성제의 경계를 반연하는 유지인의 생기가 있으니, 도류지인道類智忍이라고 이름하고, 이 인의 무간에 곧 이 경계를 반연하는 유지의 생기가 있으니, 도류지道類智라고 이름한다.

이와 같은 순서로 16심이 있으니, 전체적으로 말하여 성제현관聖諦現觀이라고 이름한다.[81]

2. 현관의 돈·점

이에 대해 다른 부파에서는 이런 말을 하였다. "모든 제諦에 대해 오직

---

81 제7~10구를 해석하는 것이다. 현관이라는 명칭은 이치상 견도·수도에 통하지만, 견도에서는 맹리하므로 이것만 그 명칭을 얻은 것이다. (문) 상하의 8제는 무엇 때문에 먼저 하계의 고제를 관찰하고, 뒤에 상계의 고제를 합쳐 관찰하며, 나아가 먼저 하계의 도제를 관찰하고, 뒤에 상계의 도제를 합쳐 관찰하는가? (해)『대비바사론』 제78권(=대27-405하)에서 한 가지 해석으로 말하였다. "욕계의 4제는 정지定地에 포함되는 것이 아니기 때문에 먼저 관찰하고, 색·무색계의 4제는 모두 정지에 포함되기 때문에 뒤에 합쳐 관찰하는 것이다." 자세한 것은 거기에서 말한 것과 같다.

단박에 현관할 뿐[唯頓現觀]이다."⁸² 그런데 그 취지는 다시 따져 보아야 할 것이니, 그 현관이라는 말에 차별이 없기 때문이다.

모든 현관을 상론한다면 모두 세 가지가 있으니, 말하자면 견見·연緣·사 事는 차별이 있기 때문이다. 오직 무루의 지혜만으로 모든 진리의 경계를 현견하는 것이 분명한 것을 견見현관이라고 이름하고, 이런 무루의 지혜와 아울러 다른 상응법이 하나의 소연을 같이 하는 것을 연緣현관이라고 이름 하며, 이 모든 능연能緣과 아울러 나머지 함께 있는 계戒, 생상生相 등의 불 상응법이 하나의 일을 같이 하는 것을 사事현관이라고 이름한다.⁸³ 고제를 볼 때 고성제에 대해서는 3현관을 갖추지만, 나머지 3제에 대해서는 오직 사현관할 뿐이니, 끊고[斷] 증득하고[證] 닦는 것[修]을 말하는 것이다.⁸⁴

....

82 이하에서 뒤의 2구를 해석하는데, 먼저 다른 계탁을 서술하는 것이다. 여기에 서 '다른 부파'는 곧 대중부 등인데, 이런 말을 하였다. "4제에 대해 1찰나의 마음이 오직 단박에 현관할 뿐이다."

83 설일체유부에서 따지는 것이다. 그런데 그 다른 부파가 가진 뜻의 취지는 다 시 따져 보아야 할 것이니, 그 현관이라는 말에 차별이 없기 때문에 결정코 어떤 현관에 의거해 말한 것인지 알 수 없다. 모든 현관을 상론한다면 모두 세 가지가 있으니, 말하자면 견見·연緣·사事이다. 오직 무루의 지혜만으로 모 든 진리의 경계를 현견하는 것이 분명한 것을 견현관이라고 이름한다. 심·심 소법은 능연이고, 경계는 소연인데, 심·심소법이 하나의 소연을 같이 하는 것 을 연현관이라고 이름한다. 혹은 심·심소법이 경계를 인식하는 것의 분명함 이 현관과 같으므로 연현관이라고 이름한다. '사事'는 사업事業을 말하는 것이 니, 곧 변지遍知·영단永斷·작증作證·수습修習의 네 가지 일인데, 말하자면 모든 능연能緣과 아울러 함께 있는 법이 하나의 일을 같이 하는 것을 사현관이라고 이름한다. '계'는 말하자면 수전계隨轉戒(=도공계)이고, 생상 '등'은 주·이·멸 상을 같이 취한 것이니, 구유인이기 때문이다. 널리 현관을 밝힌다면 이런 세 가지 있다. 그래서 『순정리론』(=제63권(=대29-687중)에서 말하였다. "이 와 같이 알아야 할 것이니, 불상응법에는 오직 한 가지 현관(=사현관)이고, 지혜를 제외한 나머지 심·심소법에는 두 가지 현관(=연현관·사현관)이 있으 며, 오직 무루의 지혜만이 세 가지를 완전히 갖추고 있다고."

84 3현관이 4제에 통하고 국한됨을 나타내는 것이다. 고제를 볼 때 고성제에 대 해서는 3현관을 갖춘다. 고를 보기 때문에 견현관이 있고, 고를 반연하기 때 문에 연현관이 있으며, 고를 알기 때문에 사현관이 있다. 곧 고제를 볼 때 나 머지 3제에 대해서는 오직 사현관할 뿐이니, 끊고 증득하고 닦는 것을 말하는 것이다. 고를 볼 때 번뇌를 끊기 때문에 곧 집을 끊는다고 이름하고, 고를 볼 때 택멸을 얻기 때문에 곧 멸을 증득한다고 이름하며, 고를 볼 때 무루가 현전 하므로 곧 도를 닦는다고 이름한다. 나머지 3제를 보는 것이 아니므로 견현관

만약 모든 진리에 대해 견현관에 의거해 단박에 현관한다고 말한 것이라면, 이치상 반드시 그렇지 않으니, 여러 진리에 대해서 행상이 다르기 때문이다. 만약 무아라는 한 가지 행상으로써 모든 진리를 모두 본다고 말한다면, 곧 고苦 등의 행상을 써서 고제 등을 보아서는 안 될 것이니, 이와 같다면 곧 계경과 상반될 것이다. 예컨대 계경에서, "성스러운 제자들이라면 고苦의 행상으로써 고제를 사유하고, 집集의 행상으로써 집제를 사유하며, 멸滅의 행상으로써 멸제를 사유하고, 도道의 행상으로써 도제를 사유한다"라고 말씀하신 것과 같은데, (여기에서 사유는) 무루작의와 상응하는 택법인 것이다.

만약 이 경은 수도 단계에 대해 설하신 것이라고 말한다면, 이것도 역시 그렇지 않으니, 견도처럼 닦기 때문이다. 만약 그가 다시, "1제를 볼 때 나머지 제에 대해 자재를 얻기 때문에 단박에 현관한다고 말하였다"라고 말한다면, 이치로는 역시 허물이 없지만, 이와 같이 현관하는 중간에 일어난다는 설[起]과 일어나지 않는다는 설[不起]이 있으므로 별도로 생각해 가려야 할 것이다.[85]

....

이 없고, 나머지 3제를 반연하는 것이 아니므로 연현관이 없다.

85 계탁을 옮겨와서 논파하는 것이다. 만약 모든 진리에 대해 견현관에 의거해 단박에 현관한다고 말한 것이라면, 이치상 반드시 그렇지 않으니, 4제에 대해서 16행상이 각각 차별되기 때문이다. 만약 무아라는 한 가지 행상으로써 모든 진리를 모두 보는 것을 견현관이라고 이름한다고 말한다면, 곧 고苦 등의 행상을 써서 고제 등을 보아서는 안 될 것이니, 이와 같다면 곧 계경과 서로 위배될 것이다. 예컨대 계경 중 아래에서 열거한, 위배되는 경과 같으니, 경(=출전 미상)에서는 행상을 개별적으로 설하여, 4제를 관찰함에서 행이 하나가 아님을 밝혔다. '사유'라는 말은 모두 작의를 나타내는 것으로서, 개별적인 작의를 열거해서 함께 하는 택법[俱擇法]을 취한 것이니, 이 모든 행상은 곧 무루 작의와 상응하는 택법인 것이다.

만약 이 경은 수도단계에서, 여러 행상으로써 진리를 따로 관찰하는 것을 설하신 것이라고 말한다면, 이것도 역시 그렇지 않으니, 견도 중에서 순차 진리를 관찰하는 것처럼 수도단계 중에서도 역시 순차 관찰하는 것이다. 만약 견도 중에서 단박에 진리를 현관한다면 수도단계에서도 역시 단박에 현관함이 있어야 할 것이다. 만약 그가 다시, "1제를 볼 때 나머지 제에 대해 자재를 얻기 때문에 단박에 현관한다고 말하였다"라고 말하는 이런 변론을 한다면, 우리의 도리에서도 역시 허물이 없다. 그렇지만 이와 같이 4제를 볼 때 현관 만약 그가 다시, "고제를 볼 때 곧 능히 집을 끊고 멸을 증득하고 도를 닦는 것을 단박에 현관한다고 말하였다"라고 말한다면, 이치로는 역시 허물이 없으니, 고제를 볼 때 나머지 3제에 대해서 사현관이 있다는 것을 먼저 이미 말했기 때문이다.86

견현관에 의할 경우, 계경 중에서 점차 현관한다[漸現觀]고 설한 진실한 글을 볼 수 있다. 예컨대 계경에서, "붓다께서 장자에게 이르셨다. 4성제를 단박에 현관하는 것이 아니라, 반드시 점차 현관한다. ‥‥"라고 설한 것과 같은데, 이와 같은 등의 3경이 있고, 하나하나의 경에 별도의 비유가 있다.87 만약 "어떤 경에서, '단지 고제에 대해 의혹이 없고 의심이 없기만 하

    중간에, 현관에서 나온다는 설이 있고, 현관에서 나오지 않는다는 설이 있어
    (=현관에서 나온다면 단박에 현관하는 것이 아니라는 취지) 여러 부파가 같
    지 않으니, 이와 같은 이치에 대해서는 별도로 생각해 가려야 할 것이다.
86 만약 그가 다시, "고제를 볼 때 곧 능히 집을 끊고 멸을 증득하고 도를 닦으므
    로 사현관에 의거해 단박에 현관한다고 말하였다"라고 말한다면, 이치로는 역
    시 허물이 없으니, 고제를 볼 때 나머지 3제에 대해서 사현관이 있다는 것을,
    우리가 먼저 이미 말했기 때문이다.
87 설일체유부에서 견현관에 의해 경을 인용해 점차임을 증명하는 것이다. '3경'
    이라고 말한 것은, 첫째 선수경善授經(=잡 [16]16:435 수달경須達經. '선수'는
    수달의 범어명 수닷따Sudatta의 의역명)이니, 곧 여기에 인용된 것이고, 둘째
    는 경희경慶喜經(=잡 [16]16:437 전당경殿堂經②. '경희'는 설법대상인 아난
    다의 의역명)이며, 셋째는 일필추경一苾芻經(=잡 [16]16:436 전당경①)이다.
    그래서 『순정리론』(=제63권. 대29-688상)에서 말하였다. "예컨대 선수경에
    서, 붓다께서 장자에게 말씀하신 것과 같다. '4성제에 대해, 단박에 현관하는
    것이 아니라, 반드시 점차 현관하는 것입니다. ‥‥ 고성제를 아직 현관하지
    않은 채 집성제를 현관할 수 있다는 것은, 도리가 없고 인정될 수 없습니다.
    이와 같이 나아가 멸성제를 아직 현관하지 않은 채 도성제를 현관할 수 있다
    는 것은, 도리가 없고 인정될 수 없습니다.' 이와 같이 경희경 및 일필추경에
    서 말씀하신 바의 뜻도 모두 같다. 이 3경 하나하나에 각각 별도의 비유가 있
    다." 해석하건대 선수는 범어로 소게다Sudatta라고 하는데, 예전에 수달이라고
    말한 것을 잘못이다. 그런데 그 장자가 세존께 여쭈었다. "진리를 현관할 때
    점차 합니까, 단박에 합니까?" 세존께서 말씀하셨다. "단박이 아니고 반드시
    점차입니다. 4성제의 경계는 자상이 다르기 때문입니다." 경희는 범어로 아난
    다라고 하는데, 예전에 아난이라고 말한 것은 잘못이다. 경희가 여쭌 경과 필
    추가 여쭌 경에서 문답한 말씀의 근본은 모두 선수경과 같다. 그렇지만 열거
    한 비유는 각각 같지 않다. 첫째 선수경에서는 이렇게 말씀하셨다. "4성제에
    대해, 단박에 현관하는 것이 아니라 반드시 점차 현관하는 것입니다. 4성제의

다면, 붓다에 대해서도 역시 없을 것이다'라는 이런 말을 했기 때문에 단박에 현관하는 것이다"라고 말한다면, 이것도 역시 증거가 아니니, 결정코 현행하지 않거나 혹은 반드시 끊어야 한다는 것에 의해 밀의密意로써 설한 것이기 때문이다.88

제2항 의지하는 지

현관이 16심을 갖추는 것을 분별했는데, 이 16심은 어떤 지地에 의지하는가? 게송으로 말하겠다.

30a 모두 세제일법과 더불어[皆與世第一]
　같이 하나의 지에 의지한다[同依於一地]

논하여 말하겠다. 세제일법이 의지하는 모든 지에 따라 곧 이 16심도 의

경계는 자상이 다르기 때문입니다. 마치 세간에서 누각을 만드는 자는 반드시 먼저 기초를 쌓고, 다음에 비로소 벽을 쌓으며, 다음에 들보를 올리고, 뒤에 판목을 덮는 것처럼, 이 네 가지는 앞뒤이고, 반드시 시간을 함께 하지 않습니다. 아직 기초를 쌓지 않고 곧 벽을 쌓는다는 것은 도리가 없고 인정될 수 없습니다. ···· " 둘째 경회경에서는 이렇게 말씀하셨다. "마치 네 개의 사다리[橙梯]를 오를 때 먼저 최초의 사다리에 올라야 비로소 두 번째 사다리에 오르지, 최초의 사다리에 오르지 않은 채 두 번째 사다리에 오르는 것은 도리가 없고 인정될 수 없는 것과 같다. ···· "셋째 일필추경에서는 이런 비유를 하셨다. "마치 네 개의 층계[級階]를 오를 때 먼저 최초의 층계에 올라야 비로소 둘째 층계에 오르지, 최초의 층계에 오르지 않고 둘째 층계에 오르는 것은 도리가 없고 인정될 수 없는 것과 같다. ···· " 이와 같은 비유에 의하면 반드시 점차이지, 단박이 아니다.

88 또 경을 옮겨와서 힐난에 대해 회통하는 것이다. 만약 "경(=잡 [16]16:420 의경疑經)에서, '단지 고제에 대해 의혹이 없고 의심이 없기만 하다면, 붓다에 대해서도 역시 의혹이 없고 의심이 없을 것이다'라는 이런 말을 했는데, 붓다는 도제에 포함되는 것이기 때문에 이미 불도佛道에 대해 의혹과 의심이 없을 것이라고 했으니, 이로써 단박에 현관한다는 것을 알 수 있다고 말한다면, 이것도 역시 증거가 아니다. 고를 볼 때 나머지 3제에 대해서도 역시 의심이 없다는 것은, 결정코 현행하지 않거나 혹은 반드시 결정코 끊어야 한다는 것에 의해 밀의로써 설한 것이기 때문이다.

지한다고 알아야 할 것인데, 그것이 6지에 의지한다는 것은 앞에서 이미 말한 것과 같다.[89]

제3항 인·지의 작용과 순서

어째서 이와 같은 인忍과 지智는 반드시 전후 순서가 있어 사이에 섞여[間雜] 일어나는가? 게송으로 말하겠다.

30c 인과 지는 순서대로[忍智如次第]
　　무간도와 해탈도이다[無間解脫道][90]

논하여 말하겠다. 16심 중 인忍은 무간도無間道이니, 끊어질 번뇌의 득得이 간격하여 장애할 능력[能隔礙]이 없음에 의거한 때문이다.[91] 지智는 해탈도解脫道이니, 번뇌의 득에서 이미 해탈하여 이계離繫의 득과 동시에 일어나기 때문이다. 두 가지 순서를 갖추는 것은 이치상 결정코 그러해야 하니, 마치 세간에서 도적을 몰아내고 문을 닫는 것과 같다.[92]

만약 두 번째 도도 오직 무간도로서, 이계의 득과 동시에 생기는 것이라고 말한다면, 곧 이 단계 중에서는 그러저러한 경계에 대해 의심을 이미 끊었음을 아는 지혜[已斷疑智]를 결정코 일으키지 않아야 할 것이다.[93]

....

89 이는 곧 둘째 16심이 의지하는 지를 밝히는 것이다. '6지'라고 말한 것은 말하자면 4정려·미지정·중간정이다.
90 이하는 곧 셋째 인과 지의 순서에 대해 밝히는 것이다.
91 현관위의 16심 중 8인은 무간도이다. '간'은 간격間隔을 말하는 것이다. 이 무간도가 이계과를 증득할 때 끊어질 번뇌의 득[所斷惑得]은 간격하는 장애가 됨으로써 과보를 증득하지 못하게 하는 능력이 없으니, 번뇌의 득이 비록 무간도와 함께 하더라도(=번뇌의 득이 존속하는 최후 찰나) 번뇌의 득을 견인하여 생상에 이르게 하는 능력이 없기 때문에 장애할 수 없는 것이다.
92 8지는 해탈도이다. 생상에 있을 때 번뇌의 득이 함께 하는 것이 아니므로 바로 해탈한다[正解脫]고 이름하고, 지금 현재에 이르면 이미 번뇌의 득에서 해탈했다[已解脫惑得]고 이름하니, 이계의 득과 동시에 일어나기 때문에 해탈도라고 이름한다. 무간도는 마치 도적을 몰아내는 것과 같고, 해탈도는 마치 문을 닫는 것과 같다.

만약 견도 단계에서는 오직 인忍만이 번뇌를 끊는다고 말한다면, 곧 근본 논서에서 설한 9결의 무리[九結聚]와 서로 어긋날 것이다.94 이 힐난은 그렇지 않다. 모든 인忍은 모두가 지혜[智]의 권속이기 때문이니, 마치 왕의 권속이 한 일은 왕이 한 일이라고 이름하는 것과 같다.95

제4항 16심의 견도·수도 분별

이 16심은 모두 4제의 이치를 보는 것인데, 모두가 견도에 포함된다고 말할 수 있는가?96 그렇지 않다.97 어떠한가?98 게송으로 말하겠다.

....

93 다른 계탁을 옮겨와서 논파하는 것이다. 만약 "첫찰나의 고법인 후의 제2찰나의 고류인도 오직 무간도로서, 욕계의 견고소단의 이계의 득과 동시에 생기는 것이니, 해탈도는 없고, 나아가 도류인에 이르기까지도 역시 그러하다고 알아야 할 것이다"라고 말한다면, 논파해 말한다. 곧 이 현관의 단계 중에서는 그러저러한 4법인의 경계와 4류인의 경계에 대해 의심을 이미 끊었음을 아는 지혜[已斷疑智]를 결정코 일으키지 않아야 할 것이다. 그래서 『순정리론』(=제63권(=대29-690상)에서 말하였다. "만약 고법인 후에 곧 고류인이 있다면 앞의 인의 결과인 끊어짐의 득도 함께 생기고, 나머지 단계에서도 역시 그러할 것인데, 여기에 무슨 허물이 있겠는가? 만약 그렇다면 이 단계에서 욕계의 고 등을 반연하여 의심을 이미 끊었음을 아는 지혜는 응당 생길 수 없을 것이다. 이것이 생기지 않는다고 헤아린다고 해서 다시 무슨 허물이 있겠는가? 곧 뒤의 수도 단계에서 '나는 이미 고를 알았다'라는 등의 모든 결정적인 지혜가 응당 생길 수 없을 것이니, 고 등의 경계에 대해 먼저 아직 지혜를 낳지 않았기 때문이다. 만약 앞 단계에서 아직 지혜의 생기가 없었는데, 뒤에 '이미 알았다'고 말한다면 곧 뜻이 없게 될 것이다."

94 힐난하는 것이다. 만약 견도 단계에서는 오직 8인만이 번뇌를 끊는다고 말한다면, 곧 근본논서(=『발지론』제5권. 대26-940하)에서 설한 9결의 무리와 서로 어긋날 것이다. 거기에서 9결은 지혜로 끊어지는 것[智斷]이라고 말했기 때문이다. '9결의 무리'라고 말한 것은, 말하자면 견도 중의 상·하의 8제로 끊어지는 것이 8결이 되고, 아울러 수도의 번뇌를 앞에 보태면 9결이 된다. 아홉 가지 지혜[九智]를 써서 끊으니, 곧 8제에 대한 지혜 및 수도의 지혜이다.

95 회통하는 것이다. 그 논서 중에서는 인을 지혜라고 말했기 때문이다. 모든 인忍은 모두가 지혜의 권속이기 때문에 인이 한 일은 곧 지혜가 한 일이라고 이름한다. 비유를 인용한 것은 알 수 있을 것이다.

96 이하는 넷째 견도·수도의 차별을 밝히는 것인데, 이는 곧 묻는 것이다.

97 답이다.

98 따지는 것이다.

앞의 15심이 견도이니[前十五見道]

　일찍이 본 적이 없던 것을 보기 때문이다[見未曾見故]⁹⁹

　논하여 말하겠다. 고법지인을 처음으로 하고 도류지인을 뒤로 하는 그
안에 모두 15찰나가 있는데, 모두 견도見道에 포함되는 것이니, 아직 보지
못했던 진리를 보기 때문이다. 제16찰나의 도류지의 시기에 이르면, 하나
의 진리도 아직 보지 못했던 것을 지금 본다는 이치는 없고, 일찍이 본 것
을 닦는 것과 같기[如修曾見] 때문에 수도修道에 포함된다.¹⁰⁰

　그 때 도류인을 관찰한 것은 도제를 보는 이치상 어찌 아직 보지 않았던
것을 지금 보는 것이 아니겠는가?¹⁰¹ 여기에서는 진리[諦]에 의거하고, 찰
나刹那에 의거하지 않는다. 1찰나의 아직 보지 못했던 것을 지금 본다고 해
서, 아직 보지 못했던 진리의 이치를 지금 본다고 이름할 수 있는 것은 아
니니, 마치 밭두둑의 나락을 벨 때 한 그루만 남았다고 해서 '이 밭두둑은
아직 베지 않았다'고 이름할 수 없는 것과 같다.¹⁰² 또 도류지는 결과에 포
함되는 것이기 때문이며, 8지智의 16행상을 단박 닦기 때문이며, 앞의 도를
버리기 때문이며, 상속하여 일어나는 것이기 때문에, 나머지 수도처럼 견도
에 포함되는 것이 아니다.¹⁰³

....

99 게송에 의한 답이다.
100 8제의 현관은 모두 16심인데, 앞의 15심은 모두 견도에 포함되는 것이니,
　　모든 진리의 이치 중 아직 보지 못했던 진리를 보기 때문이다. 제16찰나에 이
　　르면, 하나의 진리도 아직 보지 못했던 것을 지금 본다는 이치는 없고, 일찍이
　　본 것을 닦는 것과 같기 때문에 수도에 포함된다.
101 물음이다. 제16찰나의 도류지의 시기에 이르렀을 때 그 때의 도류지의 관찰
　　은, 바로 앞 찰나의 인(=도류지인)과 상응하거나 함께 있던 1찰나의 법이 도
　　제의 이치라고 해도, 어찌 아직 보지 않았던 것을 지금 보는 것이 아니겠는가?
102 답이다. 여기에서는 다만 상·하의 8제에 의거할 뿐, 찰나에 의거하지 않는
　　다. 도류지인의 1찰나의 법에서 아직 보지 못했던 것을 지금 보지만, 아직 보
　　지 못했던 진리의 이치를 지금 본다고 이름할 수 있는 것은 아니다. 비유로써
　　견주는 것은 알 수 있을 것이다.
103 또 해석한다. 도류지는 견도에 포함되는 것이 아니니, 결과에 포함되는 것이
　　기 때문에 나머지 과보를 닦는 것[餘修果]과 같은 것이다. 도류지는 견도에 포
　　함되는 것이 아니니, 8지의 16행상을 단박에 닦기 때문에 나머지 과보를 닦는

그렇지만 도류지에서는 반드시 물러나지 않으니, 견도소단의 끊어짐을 임지任持하기 때문이다.104 곧 이 때문에 견도에 포함되어야 할 것이다.105 이 힐난은 그렇지 않으니, 크게 지나치는 허물[太過失] 때문이다.106 그렇다면 어째서 7지智는 또한 견도에 포함되는가?107 모든 진리의 이치를 보는 것이 아직 완성되지 않았기 때문이니, 말하자면 아직 널리 두루 모든 진리의 이치를 보지 못한 중간에 일어난 것이기 때문에 또한 견도에 포함되는 것이다.108

제2절 견도위의 성자의 건립

....

것과 같은 것이다. 도류지는 견도에 포함되는 것이 아니니, 앞의 도(=15심은 향도向道에 속한다는 취지)를 버리기 때문에 나머지 과보를 닦는 것과 같은 것이다. 도류지는 견도에 포함되는 것이 아니니, 상속하여 일어나는 것(=1찰나가 아니라는 취지)이기 때문에 견도에 포함되는 것이 아니니, 나머지 수도와 같은 것이다.

104 외인의 힐난을 옮겨와서 회통하는 것이다. 외인의 힐난하는 뜻이 말한다. 「견도에서는 물러나지 않지만, 수도에서는 물러남이 있으니, 만약 도류지가 수도에 포함되는 것이라면 역시 물러남이 있어야 할 것인데, 어찌 도류지에서 반드시 물러나지 않는다고 하겠는가?」 논주가 회통하여 말한다. 「그렇지만 도류지에서는 반드시 물러나지 않으니, 견도소단 번뇌의 끊어짐을 능히 임지하기 때문에 그래서 물러나지 않는 것이다. 견도소단의 택멸은 물러나지 않는 것이기 때문에 도류지에서도 역시 물러나지 않는 것이다.」

105 힐난이다. 곧 도류지는 견도소단의 끊어짐을 임지하는 것이기 때문에 견도에 포함되어야 할 것이다.

106 논주의 논파이다. 일래과 등도 견소단법의 끊어짐을 역시 능히 임지하므로 역시 견도에 포함되어야 할 것(지만 그렇지 않)다. 만약 뒤의 단계는 수소단법의 끊어짐도 역시 능히 임지하므로 이런 허물이 없다고 말한다면, 이치가 역시 그렇지 않으니, 이미 두 가지 끊어짐을 임지한다면 두 가지 도에 포함되어야 할 것이다. 따라서 능히 그 끊어짐을 임지한다고 해서 곧 그 도에 포함된다고 말해서는 안 될 것이니, 크게 지나치는 허물인 것이다. 『순정리론』(=제63권. 대29-690상)의 뜻도 이 해석과 같다.

107 물음이다. 어째서 7지는 이미 본 것을 지금 보는 것인데도, 또한 견도에 포함되는가?

108 답이다. 모든 상·하의 8성제의 이치를 보는 것이 아직 완성되지 않았기 때문이니, 말하자면 아직 널리 두루 8제의 이치를 보지 못한 그 중간에 일어나는 7지이기 때문에 또한 견도에 포함되는 것이다.

제1항 15심에 의한 건립

견도·수도의 두 가지 도가 생기는 차이에 대해 논설했으니, 이런 도의 분위의 차별에 의해 여러 성자의 보특가라를 건립해야 할 것이다. 우선 견도의 15심의 단계에 의해 건립되는 여러 성자에 차별 있음에 대해 게송으로 말하겠다.

㉛c 수신행·수법행이라는 명칭은[名隨信法行]
　　근기의 둔함·예리함의 차별에 의한 것이다[由根鈍利別]

㉜ 수혹을 갖추었거나 1품[具修惑斷一]
　　내지 5품을 끊었다면 초과향이고[至五向初果]
　　다음 3품을 끊었다면 제2과향이며[斷次三向二]
　　8지를 떠났다면 제3과향이다[離八地向三]109

　　논하여 말하겠다. 견도단계 중의 성자에는 두 가지가 있으니, 첫째는 수신행隨信行, 둘째는 수법행隨法行인데, 근기의 둔하고 예리한 차별에 의해 두 가지 명칭을 세운 것이다. 모든 둔근은 수신행자라고 이름하고, 모든 이근은 수법행자라고 이름한다. 믿음에 의해 따라 행하는 것을 수신행이라고 이름하니, 그는 믿음에 따른 행을 가졌으므로 수신행자라고 이름한 것이다. 혹은 이런 믿음에 따른 행을 계속 익힘으로 말미암아 그 성품을 이루었기 때문에 수신행자라고 이름한 것이다. 그는 먼저 남을 믿고 그 뜻에 따라 행했기 때문이다. 수법행자도 이에 준하여 해석해야 할 것이니, 그는 먼저 스스로 계경 등의 법을 펼쳐 열람하고 그 뜻에 따라 행했기 때문이다.110

----

109 이하는 둘째 단계에 의해 건립하는 것인데, 그 안에 나아가면 15심에 의해 건립하고, 둘째 제16심에 의해 건립하니, 이는 곧 첫째 15심에 의해 건립하는 것이다. 생기生起 중에 나아가면 첫째는 전체적인 생기(＝수신행·수법행)이고, 둘째는 개별적인 생기(＝초과향 내지 제3과향)이며, 아울러 게송은 알 수 있을 것이다.

곧 이 두 성자는 수혹修惑을 갖추었음과 끊었음의 차이 있음에 의해 세 가지 향向을 세운다. 말하자면 그 두 성자가 만약 먼저 세간도[世道]로써 수소단의 번뇌를 아직 끊지 못했거나—구박具縛이라고 이름한다— 혹은 먼저 이미 욕계의 1품 내지 5품을 끊고 이 견도단계에 이르렀다면 초과향初果向이라고 이름하니, 초과로 나아갈 것이기 때문이다. '초과'라고 말한 것은 말하자면 예류과預流果이니, 이것은 모든 사문의 과보 중 반드시 처음에 얻기 때문이다. 만약 먼저 이미 욕계의 6품이나 7·8품을 끊고 이 견도단계에 이르렀다면 제2과향第二果向이라고 이름하니, 제2과로 나아갈 것이기 때문이다. '제2과'란 말하자면 일래과一來果이니, 두루 획득되는 과보 중 이것이 두 번째이기 때문이다. 만약 먼저 이미 욕계의 9품을 떠났거나, 혹은 먼저 이미 초정려의 1품을 끊었음에서 나아가 무소유처의 그것을 모두 떠남에 이르고 이 견도단계에 이르렀다면 제3과향第三果向이라고 이름하니, 제3과로 나아갈 것이기 때문이다. '제3과'란 말하자면 불환과不還果이니, 그 수는 앞에 준하여 해석할 것이다.111

....

110 처음 2구를 해석하는 것이다. 믿음에 의해 따라 행하는 것을 수신행이라고 이름하니, 그 사람은 믿음에 따른 행을 가졌으므로 수신행자라고 이름한 것이다. 이는 이루게 하는 것[成]에 의거해 해석한 것이다. 혹은 이런 믿음에 따른 행을 계속 익힘으로 말미암아 그 성품을 이루었기 때문에 수신행자라고 이름한 것이다. 이는 익힌 것[習]에 의거해 해석한 것이다. 견도단계에서 믿음을 명칭으로 표방한 까닭은, 그는 먼저 이생단계에서 남을 믿고 그 뜻에 따라 행했기 때문에 가행단계에 따라서 그 명칭을 세운 것이다. 이런 두 가지 해석에 준해서 수법행자도 해석해야 할 것이다. 견도단계에서 법을 명칭으로 표방한 까닭은, 그는 먼저 이생단계에서 스스로 계경 등의 법을 펼쳐 열람하고 그 뜻에 따라 행했기 때문에 그 가행단계에 따라서 그 명칭을 세운 것이다. '등'은 말하자면 나머지 11부경을 같이 취한 것이거나 혹은 나머지 2장(=율장·논장)을 같이 취한 것이다.

111 뒤의 4구를 해석하는 것이다. 수신행자와 수법행자가 먼저 이생단계 중에서 아직 세간도로써 수소단의 번뇌를 아직 끊지 못했거나—구박具縛이라고 이름한다— 혹은 먼저 이생단계 중에서 이미 욕계의 1품 내지 5품을 끊고 이 견도단계에 이르렀다면 초과향이라고 이름하니, 초과로 나아갈 것이기 때문이다. '초과'라고 말한 것은 말하자면 예류과이니, 이것은 모든 4사문과 중 반드시 처음에 얻기 때문이다. 만약 먼저 범부단계에서 이미 욕계의 6품이나 7품이나 8품의 염오를 끊고 이 견도단계에 이르렀다면 제2과향이라고 이름하니, 두 번째 과보로 나아갈 것이기 때문이다. '두 번째 과보'란 말하자면 일래과이

제2항 제16심에 의한 건립

1. 과보의 차별

다음 수도인 도류지의 시기에 의해 건립되는 여러 성자에 차별 있는 것에 대해 게송으로 말하겠다.

33 제16심에 이르면[至第十六心]
　　3향에 따라 과보에 머무니[隨三向住果]
　　신해와 견지라고 이름하는데[名信解見至]
　　역시 둔근과 이근의 차별에 의한 것이다[亦由鈍利別]112

논하여 말하겠다. 즉 앞의 수신행자·수법행자가 제16 도류지의 마음에 이르면, 과보에 머문다[住果]고 이름하고, 더 이상 향向이라고 이름하지 않는다. 앞의 세 가지 향에 따라서 이제 세 가지 과보에 머무니, 말하자면 앞

....
다. 만약 초월증에 의거한다면 역시 처음 얻는 것이지만, 지금은 차제증에 의거한 것이니, 두루 획득되는 과보 중에서는 이것이 두 번째이기 때문이다. 만약 범부단계에서 이미 욕계 제9품의 염오를 떠났거나, 혹은 먼저 이미 초정려의 1품을 끊었음에서 나아가 무소유처의 제9품의 염오를 모두 떠남에 이르고이 견도단계에 이르렀다면 제3과향이라고 이름하니, 세 번째 과보로 나아갈것이기 때문이다. '세 번째 과보'란 말하자면 불환과이니, 그 수는 앞의 일래과에 준하여 해석할 것이다. 만약 초월증에 의거한다면 역시 처음 얻는 것이지만, 지금은 차제증에 의거한 것이니, 두루 획득되는 과보 중에서는 이것이세 번째이기 때문이다. 전체적으로 말한다면 수신행·수법행의 두 가지 사람은 각각 73종류가 있다. 그래서 『순정리론』 제64권(=대29-692중)에서 말하였다. "이와 같이 수신행자와 수법행자는 먼저 구박具縛과 단혹斷惑에 차이가 있으므로 수를 나누면 각각 73종류가 된다. 말하자면 욕계의 구박이 처음이 되고, 제9품을 끊는 것에 이르면 제10이 되며, 이와 같이 나아가 무소유처에 이르기까지 지지마다 각각 9품이므로 73(=초정려 내지 무소유처 7지×9품=63과 욕계의 10)이 되는 것이다. 모든 뒤의 구박은 곧 그 앞의 제9품에서 떠난 것이기 때문에 뒤의 7지에는 별도의 구박이 없다." 이 논서 등에 준하건대 둔근도 역시 초월증의 과보를 증득할 수 있다.
112 이하는 곧 둘째 제16심에 의해 건립하는 것인데, 그 안에 나아가면 첫째 과보의 차별을 건립하고, 둘째 과보에 머묾은 향이 아님을 밝히니, 이는 곧 첫째 과보의 차별을 건립하는 것이다.

의 예류향은 이제 예류과預流果에 머물고, 앞의 일래향은 이제 일래과一來果에 머물며, 앞의 불환향은 이제 불환과不還果에 머문다. 아라한과는 반드시 최초로 얻는 일이 없으니, 견도로써는 수혹을 끊을 수 없기 때문이며, 세간도로써는 유정지를 떠날 수 없기 때문이다.113

과보에 머무는 단계에 이르면 두 가지 명칭을 버리고 얻는다. 말하자면 더 이상 수신행·수법행이라고 이름하지 않고, 바뀌어 신해信解·견지見至라는 두 가지 명칭을 얻는데, 이것도 역시 근기가 둔하고 예리한 차별에 의한 것이다. 모든 둔근자는 이전에는 수신행이라고 이름했지만, 이제 신해라고 이름하며, 모든 이근자는 이전에는 수법행이라고 이름했지만, 이제 견지라고 이름하니, 이 두 성자는 믿음[信]과 지혜[慧]가 서로 증상하기 때문에 신해·견지라는 명칭으로 차별을 표방한 것이다.114

2. 과보에 머묾은 향이 아님

먼저 욕계의 수혹 제1품 내지 제5품 등을 끊고 제16 도류지의 마음에 이르렀는데, 어째서 다만 예류과 등이라고 이름할 뿐, 후과後果의 향은 아닌가? 게송으로 말하겠다.

34 과보를 얻는 모든 단계에서는[諸得果位中]

....

113 위의 2구를 해석하는 것이다. 즉 앞의 수신행자·수법행자가 도류지에 이르면, 과보[果]라고 이름하니, 향向이 아니다. 앞의 73인이 세 가지 향인 것에 따라서 이제 세 가지 과보에 머무니, 말하자면 앞의 6인(=구박 및 욕계 제1~5품의 수혹을 끊은 분)의 예류향은 이제 예류과에 머물고, 앞의 3인(=욕계 제6~8품의 수혹을 끊은 분)의 일래향은 이제 일래과에 머물며, 앞의 64인의 불환향은 이제 불환과에 머무는 것이다. 아라한과는 4과 중 반드시 최초로 얻는 일이 없으니, 왜냐하면 견도로써는 수혹을 끊을 수 없기 때문이며, 과거 범부단계에 있을 때의 세간도로써는 유정지를 떠날 수 없기 때문(=뒤의 제24권 중 게송 47a와 그 논설)이다. 그래서 제4과는 반드시 최초로 얻는 것이 아니다.

114 아래 2구를 해석하는 것이다. 과보에 머무는 단계에 이르면 수신행·수법행이라는 두 가지 명칭을 버리고, 신해·견지라는 두 가지 명칭을 얻는다. '신해'라는 말에서 '신'은 청정한 믿음[淨信]을 말하고, '해'는 승해勝解를 말하니, 믿음이 증상함에 의해 승해가 드러나기 때문에 그래서 신해라고 이름한 것이다. '견지'라고 말한 것은 지혜의 증상함에 의해 정견正見이 드러나기 때문에 그래서 견지라고 이름한 것이다. '지至'라고 말한 것은 앞의 향의 견[向見]에 의해 과의 견에 이르게 되기[得至果見] 때문에 견지라고 이름한 것이다.

아직 승과도를 얻지 않았으니[未得勝果道]

그래서 아직 승과도를 일으키지 않았다면[故未起勝道]

과보에 머문다고 이름하는데, 향이 아니다[名住果非向]115

　논하여 말하겠다. 과보를 얻는 모든 시기에는 승과도勝果道를 반드시 결정코 아직 얻지 않았으니, 그래서 과보에 머무는 자가 나아가 아직 승과도를 일으키지 않았을 때까지는 단지 과보에 머문다[住果]고 이름할 뿐, 후과의 향이라고 이름하지 않는다.116

　그렇지만 먼저 욕계 수혹의 제1품 내지 제5품 등을 끊은 모든 자가 과보의 획득에 이르렀을 때에는 이 생에서 반드시 결정코 승과도를 일으키니, 이 때문에 먼저 3정려의 염오를 떠난 자가 그 후 하지下地에 의지해 견도에 들었다면, 그는 과보를 얻은 뒤 현생 중에서 반드시 능히 후의 승과도를 견

115　이하는 곧 둘째 과보에 머묾은 향이 아님을 밝히는 것이다. 제5품 '등'은 제6품 등 내지 무소유처의 제9품을 끊는 것을 같이 취한 것이고, 예류과 '등'은 일래과·불환과를 같이 취한 것이다. 묻는다. 어째서 범부단계에서 먼저 욕계 수혹의 제1품 내지 제5품 등을 끊고 제16 도류지의 마음에 이르렀는데, 다만 앞의 3과에 머문다고 이름할 뿐, 후과의 3향은 아닌가? 이는 곧 물음 및 게송에 의한 답이다.

116　도류지에 이르러 3과를 얻었을 때에는 승과도를 반드시 결정코 아직 얻지 않았으니, 그래서 3과에 머물고 아직 승과도를 일으키지 않았다면 단지 3과에 머문다고 이름할 뿐, 후과의 3향이라고는 이름하지 않는다. 그래서 『순정리론』(=제64권. 대29-692하)에서 말하였다. "성도의 획득에 의해 8성聖을 건립하는 것은 먼저 이미 말한 것과 같다. 따라서 과보를 얻을 때에는 승과도를 반드시 결정코 아직 얻지 못했으니, 과보를 얻는 마음은 승과도에 의해 대치되는 번뇌에 대해 대치가 아니기 때문이다. 그것의 대치가 아닌 것이 현전할 때 그것의 대치도를 얻는 것이 아님은 먼저 이미 말한 것과 같다. 또 과보를 얻을 때에는 곧 승과도에 의해 끊어지는 번뇌의 이계득의 생기가 있는 것이 아니다. 도류인은 그 계繫의 득을 끊을 수 없기 때문이다. 만약 도의 힘이 능히 그 계의 득을 끊고 이 도가 그 이계득을 견인하여 생기게 한다면, 이 도는 능히 그것의 멸을 증득하는 것이라고 말할 수 있을 것이다. 앞의 과보를 얻을 때에는 아직 승과도를 얻지 않았기 때문에 과보에 머무는 자가 나아가 아직 승과도를 일으키지 않았을 때까지는 비록 먼저 그 수소단의 번뇌인 욕계의 제1품 등을 이미 끊었다고 해도 단지 과보에 머문다고 이름할 뿐, 후과의 향이라고는 이름하지 않는다. 뒤의 어느 시기에 먼저 끊은 수혹의 이계의 무루득을 얻는가? 승과도가 현전할 때 얻는다."

인하여 낳는다. 만약 이와 다르다면, 성자로서 상지에 태어나는 자에 대해 결정코 낙근을 성취한다고 말할 수 없어야 할 것이다.117

제5장 수도修道

제1절 수혹과 대치도의 수

이와 같이 선구先具와 배리욕倍離欲 및 전리욕全離欲으로 견제見諦에 든 분의 16심의 단계에 의해서 여러 성자의 차별을 세웠으니, 수혹에 의거해서 점차 낳는 능대치도能對治道의 분위의 차별에 대해 분별하겠다. 게송으로 말하겠다.

③⑤a 지지마다 과실과 공덕이 아홉이니[地地失德九]
　　하·중·상품에 각각 셋이다[下中上各三]118

---

117 그렇지만 먼저 욕계 수혹의 제1 내지 제5품 등을 끊은 모든 자가 과보의 획득에 이르렀을 때에는 이 생에서 반드시 결정코 승과도를 일으킨 연후에 목숨이 끝나지, 미처 일으키지 않고 목숨이 끝나는 자는 반드시 없다. 곧 증거를 인용해서 말한다. 이 때문에 범부단계에서 먼저 아래 3정려의 염오를 떠난 자가 그 후 하지下地에 의지해 견도에 들었다면, 그는 과보를 얻은 뒤 현생 중에서 반드시 능히 후의 승과도를 인기한다. 만약 이와 다르다면, 성자로서 제4정려 이상의 모든 지에 태어나는 자에 대해 결정코 낙근을 성취한다고 말할 수 없어야 할 것(=낙근이 있는 아래 3정려의 염오는 이미 떠났고, 제4정려 이상에는 낙근이 없기 때문)이다. 그런데 근본논서(=『발지론』 제6권. 대26-947상)에서 모두, 성자로서 상지에 태어난 자는 결정코 낙근(=무루의 낙근)을 성취한다고 말하기 때문에, 이 몸은 결정코 후의 승과도를 능히 일으킨다는 것을 알 수 있다. '승과도'란 후과향의 도[後果向道]이니, 앞의 과보보다 뛰어나기 때문에 승과도라고 이름한 것이다. 혹은 후과를 뛰어나다고 이름하는데, 이 도로 거기로 나아가기 때문에 승과도라고 이름한 것이다.
118 이하는 둘째 수도·무학도에 의거한 것인데, 그 안에 나아가면 첫째 공덕과 과실의 수를 밝히고, 둘째 단계를 거치는 것[歷位]을 널리 밝히니, 이는 곧 공덕과 과실의 수를 밝히는 것이다. # '선구'는 먼저 갖추었다는 뜻으로, '구박'을 가리키고, '배리욕'은 욕계 수혹 중 제6 내지 제8품을 떠난 것을 가리키며, '전리욕'은 욕계의 수혹 전부를 떠난 것을 가리킨다.

논하여 말하겠다. '실失'은 말하자면 과실過失이니, 곧 대치대상인 장애[所治障]이고, '덕德'은 말하자면 공덕功德이니, 곧 대치주체인 도[能治道]이다. 앞에서 이미 욕계 수소단 번뇌의 9품 차별을 분별한 것처럼, 이와 같이 상지도 나아가 유정지에 이르기까지 비례해서 역시 그러해야 할 것이다. 끊을 장애가 하나하나의 지마다 각각 9품이 있듯이, 능히 대치하는 모든 도―무간도와 해탈도―의 9품도 역시 그러하다.[119]

과실과 공덕은 어떻게 각각 9품으로 나뉘는가?[120] 말하자면 근본품에 하·중·상이 있고, 이 3품도 각각 하·중·상으로 나뉘어 차별된다. 이에 의해 과실과 공덕은 각각 9품으로 나뉘니, 말하자면 하하·하중·하상, 중하·중중·중상, 상하·상중·상상의 품이다. 이 중 하하품의 도의 세력은 능히 상상품의 장애를 끊고, 이와 같이 나아가 상상품의 도의 세력은 능히 하하품의 장애를 끊는다고 알아야 할 것이니, 상상품 등의 능히 대치하는 모든 공덕은, 처음에는 아직 있지 않았기 때문이며, 이런 공덕이 있을 때에는 상상품 등의 과실은 이미 없어졌기 때문이다. 마치 옷을 세탁하는 단계에서 거친 때가 먼저 제거되고, 그 후로 갈수록 점차 미세한 때가 제거되는 것처럼, 또 마치 두드러진 어둠은 작은 광명으로도 소멸시킬 수 있지만, 반드시 큰 광명이라야 비로소 미세한 어둠을 소멸시키는 것처럼, 과실과 공덕이 상대되는 이치도 역시 그러해야 할 것이다. 백법의 힘은 강하고 흑법의 힘은 열등하기 때문에 찰나경에 하열한 도가 현행하면 무시 이래로 점점 증익되어 온 상품의 모든 번뇌를 능히 단박에 끊어지게 하니, 마치 오랜 세월을 거치면서 모인 온갖 병은 조금의 양약만 복용해도 능히 단박에 낫게 하는 것과 같고, 또 장시간에 모인 큰 어둠은 1찰나경의 작은 등불로도 능히 소멸시키는 것과 같다.[121]

제2절 예류과預流果

....
119 제1구를 해석하는 것이다.
120 이하에서 제2구를 해석하는데, 이는 곧 묻는 것이다.
121 답이다. 과실과 공덕 각각 9품이 순역으로 상대되는 것 및 비유인데, 알 수 있을 것이다.

과실과 공덕이 차별되는 9품을 분별했으니, 다음에는 그것에 의해 성자의 차별을 건립하겠다. 우선 모든 유학有學을 수도단계 중에서 전체적으로는 역시 신해와 견지라고 이름하지만, 단계에 따라 다시 여러 종류의 차별이 있으니, 먼저 전혀 아직 끊지 못한 자를 건립해야 할 것이다.122 게송으로 말하겠다.

᠁c 아직 수소단의 과실을 끊지 못하고[未斷修斷失]
　과보에 머무는 자는 극칠반생이다[住果極七返]

　논하여 말하겠다. 과보에 머무는 모든 자가 일체 지地의 수소단의 과실을 전혀 아직 끊지 못했을 때 예류預流라고 이름하는데, 그의 태어남은 극칠반생極七返이다. '칠반七返'이라는 말은 일곱 번 반복하여 태어나는 것[七往返生]을 나타내니, 이 사람은 인·천 중에 각각 일곱 번 태어난다는 뜻이다. '극極'이라는 말은 생을 받는 최대한[受生最多]을 나타내기 위한 것이니, 모든 예류가 모두 칠반의 생을 받는 것은 아니다. 따라서 계경에서 '극칠반생'이라고 설한 것은, 그는 최대한 일곱 번 반복하여 태어난다는 뜻이다.123

　모든 무루의 도를 전체적으로 '류流'라고 이름하니, 이것이 열반으로 나아가는 원인이 되기 때문이다. '예預'라는 말은 최초로 획득에 이르렀음[至得]을 나타내기 위한 것이니, 그는 흐름[流]에 참여[預]했기 때문에 예류라

----

122 이하는 둘째 단계를 거치는 것을 자세히 밝히는 것이다. 그 안에 나아가면 첫째 예류의 7생을 밝히고, 둘째 일래향·과를 밝히며, 셋째 불환향·과를 밝히고,(=여기까지가 제5장 수도이다) 넷째 무학향·과를 밝히니, 이는 곧 예류의 7생을 밝히는 것이다. 게송 앞에 넷이 있다. 첫째는 앞을 맺는 것이니, '과실과 공덕이 차별되는 9품을 분별했다'라고 한 것을 말하고, 둘째는 전체적으로 아래를 낳는 것이니, '다음에는 그것에 의해 성자의 차별(에 대해 분별하겠다)'이라고 한 것을 말하며, 셋째는 개별적으로 수도를 낳는 것이니, '우선 모든 유학을 수도단계 중에서 전체적으로는 역시 신해와 견지라고 이름하지만, 단계에 따라 여러 종류'라고 한 것을 말하고, 넷째는 따로 게송의 글을 일으키는 것이니, '먼저 전혀 아직 끊지 못한 자를 건립해야 할 것'이라고 한 것을 말한다.
123 알 수 있을 것이다. # '계경'은 중 1:4 수유경水喩經, 중 2:10 누진경漏盡經 등이다.

고 이름한 것이다.124

이 예류라는 명칭은 어떤 뜻을 가리키는 것인가? 만약 처음으로 도 얻는 것을 예류라고 이름한다면 곧 예류라는 명칭은 여덟 번째를 가리켜야 할 것이고, 만약 처음으로 과보 얻는 것을 예류라고 이름한다면 곧 배리욕·전리욕의 수행자가 도류지에 이르렀을 때에도 예류라고 이름해야 할 것이다.125 이 예류라는 명칭은 처음으로 과보 얻는 것을 가리키지만, 일체 과보를 두루 얻을 자가 처음으로 얻는 과보에 의하여 이 명칭을 건립한 것이다. 일래와 불환은 결정코 처음으로 얻는 과보가 아니지만, 이것은 결정코 처음으로 얻는 것이기 때문에 예류라고 이름한 것이다.126 어째서 이 명칭은 여덟 번째를 가리키지 않는가?127 반드시 도류지를 얻기에 이를 때라야 향向·과果의 무루도를 모두 얻기 때문이며, 견見·수修의 무루도를 모두 얻기 때문이며, 현관의 흐름[現觀流]을 두루 얻기에 이르기 때문에 예류라고

....

124 '예류'라는 명칭을 해석하는 것이다. 모든 무루의 도를 전체적으로 '류'라고 이름하니, 이 무루가 열반으로 흘러 나아가는 원인이 되기 때문이다. '예'라는 말은 최초로 획득에 이르렀다[至得]는 뜻을 나타내기 위한 것이니, 그는 무루법의 흐름[流] 중에 참여[預]했기 때문에 예류라고 이름한 것이다.

125 물음이다. 만약 처음으로 성도 얻는 것을 예류라고 이름한다면, 곧 예류라는 명칭은 여덟 번째(=예류향)를 이름하는 것이어야 할 것이다. 4향4과를 뒤로부터 앞을 향한다면 초과향이 여덟 번째이다. 그래서 『대비바사론』 제46권(=대27-239하)에서 말하였다. "여덟 번째 성자는 수신행 및 수법행을 말하는 것이니, 뛰어남에 따라 헤아린다면 여덟 번째이기 때문이다." 또 해석하자면 8인 중 뒤로부터 앞을 향해 헤아린다면 고법인이 여덟 번째가 되기 때문이다.(=요컨대 처음으로 성도 얻는 것을 예류라고 이름한다면, 예류향을 '향'이 아니라, 예류라고 이름해야 한다는 취지) 만약 처음으로 과보 얻는 것을 예류라고 이름한다면, 곧 배리욕이나 전리욕의 수행자가 도류지에 이르러 일래과를 얻거나 불환과를 얻을 때 이것도 역시 처음으로 과보 얻는 것이므로 예류라고 이름해야 할 것이다.

126 답이다. 이 예류라는 명칭은 처음으로 과보 얻는 것을 가리키고, 여덟 번째를 가리키지 않는다. 그렇지만 일체 네 가지 과보를 두루 얻을 자가 처음으로 얻는 과보에 의하여 이 명칭을 건립한 것이니, 일래와 불환은 결정코 처음으로 얻는 과보가 아니니, 비록 초월증자에게는 처음으로 얻는 뜻이 있지만, 만약 차제증자라면 곧 처음으로 얻는 것이 아니다. 이것은 만약 얻을 때 결정코 처음으로 얻는 것이라면 그 때문에 예류라고 이름한다.

127 물음이다.

이름하지만, 여덟 번째 성자는 그렇지 않기 때문에 예류라는 명칭은 여덟 번째를 가리키지 않는다.128

【칠생七生의 뜻】 그는 이 후에 따로 인취 중에서 최대한 일곱 번의 중유와 생유를 맺고, 천취 중에서도 역시 그러해서 모두 스물여덟 번이지만, 모두가 일곱으로 같기 때문에 극칠생極七生이라고 말한 것이니, 마치 칠처선七處善 및 칠엽수七葉樹와 같다. 비바사 논사들이 말하는 것은 이와 같다.129

만약 그렇다면 어째서 계경 중에서, "견見이 원만한 자가 다시 제8의 존재[第八有]를 받는 경우가 있을 수 있다는 뜻은, 도리가 없고 인정될 수 없다"라고 말씀하셨겠는가?130 이 계경의 뜻은 하나의 취趣에 의거해 설하신 것이다. 만약 말씀 그대로 집착한다면 중유도 없어야 할 것이다.131 만약

----

128 답이다. 반드시 도류지를 얻기에 이를 때라야, 첫째 향·과의 무루도를 모두 얻기 때문이며, 둘째 견·수의 무루도를 모두 얻기 때문이며, 셋째 현관의 흐름인 4제 16심을 두루 얻기에 이르기 때문에, 이런 세 가지 뜻을 갖추므로 예류라고 이름한다. 여덟 번째 성자는 그렇지 않아서 세 가지 뜻을 갖추기 못하기 때문에 예류라는 명칭은 여덟 번째를 가리키지 않는다.

129 이하는 '칠생七生'을 따로 해석하는 것이다. 그는 이 몸으로 성과聖果를 얻었을 때로부터 이후에 따로 인취 중에서 최대한 일곱 번의 중유와 생유를 맺고, 천취 중에서도 역시 그러해서, 모두 4×7=28생이 있으므로 28생이라고 말해야 할 것이지만, 모두가 일곱으로 같기 때문에 '극칠생'이라고 말한 것이다. 마치 칠처선과 같다는 것은, 5온에 각각 일곱(=고·집·멸·도·애미·과환·출리)이므로 35처선이 있다고 말해야 할 것인데도 7처선이라고 말한 것은 7이 같기 때문에 단지 7이라고만 말한 것이다. 칠처선이란 앞(=이 권 앞의 총상념주에 관한 설명)에서 말한 것과 같다. '마치 칠엽수와 같다'는 것은, 서방에 가지가지 위에 모두 일곱 나뭇잎이 있는 나무가 있으니, 실제로 말한다면 나뭇잎이 한량없는데도 칠엽수라고 말한 것은 (가지마다) 일곱으로 같기 때문이다. 비바사 논사들이 말하는 것은 이와 같다. '결結'(=본문 중 중유와 생유를 '맺고'라고 한 부분)은 맺는 것이 이어져 끊어지지 않는다는 뜻이다. 혹은 '결'은 번뇌를 말하는 것이니, 결에 의해 7생을 받는다는 것이다.

130 힐난인데, 혹은 미사새부彌沙塞部Mahīsāsaka(=소위 화지부化地部)의 힐난이다. 그들은 인·천취를 합쳐서 7생을 받는다고 주장한다. 만약 인·천에서 각각 7생을 받는 것이라면 어째서 경(=중 47:181 다계경多界經)에서, "견見이 원만한 자가 다시 제8의 존재를 받을 수 있다는 뜻은 도리가 없고 인정될 수 없다"라고 말씀하셨겠는가?

131 설일체유부의 답이다. 이 계경의 뜻은 하나의 취에 의거해 제8유를 받지 않는다는 이런 말씀을 설하신 것이다. 만약 말씀 그대로 제8유를 받지 않는다고 집착한다면 중유도 없어야 할 것이다.

그렇다면 유정천을 극한으로 하는 상류자[上流極有頂者]도 역시 하나의 취에서는 제8생이 없어야 할 것이다.132 욕계에 의하여 말한 것이기 때문에 이런 허물은 없다.133

이는 무엇을 증거로 한 것인가? 가르침인가, 이치인가? 그는 인·천 중에서 각각 7생을 받는 것이지, 합쳐서 7생을 받는 것이 아님을 무엇으로 증명하는가?134 계경에서, "천취의 일곱 및 인취"라고 설했으며, 음광부飮光部의 경에서, "인·천의 처소에서 각각 7생을 받는다"라고 분명히 따로 설했으니, 이 때문에 이에 대해 고집해서는 안 될 것이다.135

만약 인취에서 예류과를 얻는다면 그는 인취로 돌아와서 반열반을 얻고, 천취에서 얻는다면 다시 천취로 돌아와서 얻는다.136

어째서 그는 제8의 존재를 받는 일이 없는가?137 상속이 여기에 제한되어 반드시 성숙하기 때문이니, 성도의 종류는 법이 응당 이러해야 하는 것이다. 마치 칠보七步의 뱀이나 제4일의 학질과 같다.138 또 그에게는 7결이

----

132 힐난이다. 만약 하나의 취에 여덟 번째 생이 없다는 뜻이라고 말한다면, 위로 가서 두루 태어나고 나아가 유정천에 이르는 상류반열반자(=뒤의 제24권 중 게송 國b와 그 논설 참조)도 역시 하나의 취에서는 제8생이 없어야 할 것이다. (그런데도 어째서 최대한 15생을 받는가?)

133 답이다. 제8생이 없다고 말한 것은 욕계에 의해 말한 것이기 때문에 허물이 없다.

134 따지는 것이다.

135 설일체유부의 답이다. 계경(=출전 미상)에서, "천취의 일곱 및 인취"라고 설했는데, 이미 '및'이라는 말을 했으니, 각각 7생이라는 것을 분명히 알 수 있다. 음광부의 경(=출전 미상)에서도 역시 "각각 7생을 받는다"라고 설하였다. 이 때문에 이에 대해 인·천을 합쳐서 7생이라고 고집해서는 안 될 것이다.

136 7생을 채우는 처소를 밝히는 것이다. 만약 인취에서 예류과를 얻는다면, 일곱 번 천상에 태어나고 일곱 번 인간 중에 태어나므로, 제7생에 이르렀을 때 그는 인취로 돌아와서 반열반을 얻는다. 만약 천취에서 예류과를 얻는다면, 일곱 번 인간으로 내려와 태어나고 일곱 번 천상에 태어나므로, 제7생에 이르렀을 때 그는 다시 천취로 돌아와서 반열반을 얻는다. 이로써 도를 얻은 몸은 제외한다는 것을 알 수 있다. 만약 도를 얻은 몸도 취한다면 곧 29유가 될 것이다.

137 물음이다.

138 답이다. 말하자면 상속신이 이 7생에 제한되어 그에게 존재하는 성도가 반드시 성취하기 때문이다. 이는 업의 힘[業力] 때문에 7생을 받는다는 것을 나

남아 있기 때문이니, 2하분결과 5상분결을 말하는 것이다.139 중간에 비록

....

타낸다. 성도의 종류가 제7생에 이르면 법이 응당 이러해서 능히 번뇌를 다 끊는다. 이는 도의 힘[道力] 때문에 제8에 이르지 않는다는 것을 나타낸다. 마치 칠보七步의 뱀과 같다. 그래서 『대비바사론』(=제46권. 대27-240하)에서 말하였다. "다시 다음에 그는 업의 힘 때문에 7유를 받을 수 있지만, 성도의 힘 때문에 제8유에 이르지 못한다. 마치 7보의 독사에게 물리면 대종의 힘 때문에 7보를 갈 수 있지만, 독의 세력 때문에 제8보에 이르지 못하는 것과 같다." 또한 마치 제4일의 학질과 같다. 여러 학질 환자는 발병할 때가 같지 않으니, 혹자는 반 날은 발병하지 않고 반 날은 발병하며, 혹자는 하루는 발병하지 않고 하루는 발병하며, 혹 지극히 더디게 발병하는 자는 첫 날에 발병하고 둘째 날과 셋째 날에는 발병하지 않지만, 넷째 날에 이르면 반드시 발병하니, 이를 제4일의 학질이라고 이름하니, 제4일에 이르면 법이 그러해서 이 학질은 반드시 결정코 발병한다. 성도도 역시 그러해서 반드시 7생을 지나지 않고, 제7생에 이르면 저절로 반드시 결정코 남은 번뇌를 다 끊고 반열반한다.
139 두 번째 해석이다. 또 그에게는 7결이 남아 있기 때문에 그래서 7생을 받는다. 말하자면 2하분결인 욕탐·성냄과 5상분결인 색애·무색애·도거·거만·무명을 말하는 것이다. (문) 예류과에 머물면 몇 생을 받을 수 있는가? (해) 『열반경』(=북전 『대반열반경』 제36권. 대12-578상)에서 말한 것과 같다. "수다원에는 널리 두 가지가 있으니, 첫째는 이근, 둘째는 둔근이다. 둔근인 사람은 인·천으로 일곱 번 왕복하는데, 이 둔근인 사람은 다시 다섯 종류가 있으니, 혹은 6·5·4·3·2생이 있는 종류이다. 이근인 사람은 현재의 몸으로 수다원과 내지 아라한과를 획득한다." 또 『대비바사론』 제46권(=대27-241상)에서도 말하였다. "일곱 번 천상에 태어나고 일곱 번 인간 중에 태어난다는 이것은 원만한 예류에 의해 말했기 때문이다. 인·천에 같이 7생을 받음도 있지만, 인·천에 태어나는 것이 다른 예류도 있다. 말하자면 천7·인6이거나 인7·천6이거나 천6·인5이거나 인6·천5이거나 천5·인4이거나 인5·천4이거나 천4·인3이거나 인4·천3이거나 천3·인2이거나 인3·천2이거나 천2·인1이거나 인2·천1이기도 하다. 이들 중 우선 최대한 태어나는 것을 설했기 때문에 예류는 인·천으로 각각 7생이라고 말한 것이다." 『대비바사론』에서는 최대한 많을 경우에 의해 곧 인·천으로 각각 7생을 받는다고 말하면서도, 최소한으로 인1·천1인 경우를 말하지 않았다. 따라서 예류과에 머무는 자로서 1생을 받는 경우는 없다는 것을 알 수 있다. 그러나 지금 해석은 그렇지 않으니, 예류과에 머물면서 7생을 받는 경우도 있고, 나아가 1생을 받는 경우도 있다. 논서의 글에서 이미 '최대한'이라는 말을 한 것은 생을 받는 것의 최대한을 나타내기 위한 것이지, 모든 예류가 모두 7반복을 받는 것은 아니다. 이로써 최소일 경우 1생을 받기도 하는 것을 부정하지 않는다고 알아야 한다. 『대비바사론』에서 인1·천1의 각각 1생을 말하지 않은 것은, 우선 앞에 편승함에 의거해 서로 많고 적은 경우를 꾸미느라 각각 1생인 것을 말하지 않은 것이지, 실제로 말한다면 각각 1생을 받을 수 있다. 만약 말하지 않았다고 해서 곧 없다고 말한다면, 거기에서 천6·인6인 경우 등도 말하지 않았으니, 인·천으로 각각 6생인

성도의 현전이 있더라도 다른 업의 힘이 지탱해서 원적圓寂을 증득하지 못한다.140 제7의 존재에 이르렀을 때 불법佛法이 없는 시절을 만났다면, 그는 집에 머물러 있으면서 아라한과를 얻고, 이미 과보를 얻었다면 반드시 집에 머물지 않으니, 자연히 스스로 필추의 형상을 얻는다. 어떤 분은, "그는 다른 도로 가서 출가한다"라고 말하였다.141

어째서 그것을 퇴타 없는 법[無退墮法]이라고 이름하는가?142 퇴타하는 업을 생장시키지 않기 때문이며, 그가 생장시킨 업이 여과與果하는 것을 거스르기 때문이며, 강성한 선근이 그의 몸을 지키기 때문이며, 가행과 의요가 모두 청정하기 때문이니, 모든 존재의, 결정코 악취에 떨어지게 하는 업은 오히려 인법에서도 일어나지 않거늘, 하물며 예류과를 얻은 분이겠는가? 그래서 어떤 게송에서 말하였다. "어리석으면 지은 죄가 작아도 역시 악취에 떨어지고[愚作罪小亦墮惡], 지혜로우면 지은 죄가 커도 역시 괴로움에서 벗어나니[智爲罪大亦脫苦], 마치 쇠뭉치는 작아도 역시 물에 가라앉고[如團鐵小亦沈水], 쇠발우는 커도 역시 능히 물에서 뜨는 것과 같도다[爲鉢鐵大亦能浮]"143

....

경우 등도 없어야 할 것이다. 따라서 생략해서 논하지 않은 것이거나 영략호현한 것이라고 알아야 할 것이다. 어떤 도리가 있기에 천2·인1, 인2·천1인 경우 등을 인정하면서, 그 각각 1생을 받는 경우를 인정하지 않겠는가?

140 그 7생의 중간에 비록 성도의 현전이 있더라도 다른 업의 힘이 지탱해서 원적을 증득하지 못한다. 범어 반열반parinirvāṇa에서 '반pari'은 원圓이라고 말하고, '열반nirvāṇa'은 적寂이라고 말한다.

141 7생이 찼는데도 불법이 없을 때 그 몸의 형상을 밝히는 것이다. 앞 논사의 뜻이 말하는 것은, 불법이 없을 때를 만나 아라한과를 얻었다면 반드시 집에 머물지 않고, 자연히 스스로 필추의 형상을 얻어서 머리를 깎고 옷을 물들이지만, 계를 얻는다고는 말하지 않는다. 계를 얻는 열 종류 중에서 아라한과를 얻었을 때에는 계를 얻는다고 말하지 않기 때문이다. 뒷 논사의 뜻이 말하는 것은, 그는 여러 다른 외도로 가서 출가하여 외도의 형상을 만든다는 것이다. 2설 중 앞의 설이 바른 것이다.

142 물음이다. 예류도 역시 불선의 수혹을 일으키는데, 어떻게 계경에서 그 예류를 이름해서, 악취로 퇴타함이 없는 법이라고 이름했는가?

143 답이다. 첫째 퇴타하는 업을 생장시키지 않기 때문이며, 둘째 그가 생장시킨 업이 여과하는 것을 거스르기 때문이며, 셋째 강성한 선근이 그의 몸을 지키기 때문이며, 넷째 신·어의 가행 및 의요가 모두 청정하기 때문이며, 다섯째

경에서, "예류는 괴로움의 끝을 만든다[作苦邊際]"라고 설했는데, 어떤 뜻에 의해 괴로움의 끝이라는 명칭을 세웠는가?144 이 태어남[生]에 제한되어 그 후에는 더 이상 괴로움이 없다는 뜻에 의한 것이니, 그 후의 괴로움을 상속하지 않게 한다는 뜻이다. 혹은 괴로움의 끝은 소위 열반이다.145 어떻게 열반이 만들어진 것[所作]일 수 있겠는가?146 그 획득에 대한 장애를 제거했기 때문에 만든다는 말을 한 것이니, 예컨대 허공을 만든다[作空]는 말이 누각을 허무는 것을 말하는 것과 같다.147

....

모든 존재의, 결정코 악취에 떨어지게 하는 업은 오히려 인법[忍]에서도 일어나지 않거늘, 하물며 예류과를 얻은 분이겠는가? 열등한 것으로써 뛰어난 것에 견준 것이다. 그래서 어떤 게송에서 말하였다. "어리석으면 지은 죄가 작아도 역시 악취에 떨어지고─참·괴가 없기 때문이다─, 지혜로우면 지은 죄가 커도 역시 악취의 고과에서 능히 벗어난다─참·괴가 있기 때문이다─" 비유로써 견주는 것은 알 수 있을 것이다. (문) 성자도 역시 번뇌를 일으키는데, 어째서 퇴타하는 것이 아닌가? (해) 비록 수혹을 일으키지만, 견혹의 도움이 없기 때문에 3악취를 감득할 수 없는 것이다. 그래서 『대비바사론』 제125권(=대27─652하)에서 말하였다. "2부의 결박이 모든 유정을 악취에 떨어지게 하니, 견소단·수소단의 결박을 말한다. 모든 예류자는 비록 아직 수소단의 결박을 영원히 끊지 못했지만, 견소단의 결박을 영원히 끊었으니, 한 가지 자량이 결여되어 악취에 떨어지지 않는다. 마치 수레의 두 바퀴가 실어 운반하는 바가 있게 하고, 새에 두 날개가 있어 허공을 날 수 있지만, 하나가 결여되면 그렇지 못한 것처럼, 이것도 역시 그러하기 때문에 예류자는 악취에 떨어지지 않는 것이다."

144 경(=잡 [6]6:133 생사유전경生死流轉經 등)에 의해 물음을 일으킨 것이다.
145 답인데, 이 중에 양 해석이 있다. 앞의 해석은 괴로움이 다하는 곳[苦盡處]에 의거해 괴로움의 끝이라고 이름한 것이고, 뒤의 해석은 괴로움에서 나오게 하는 곳[出苦處]에 의거해 괴로움의 끝이라고 이름한 것이다. 그래서 『대비바사론』(=제46권. 대27─241중)에서 말하였다. "괴로움의 끝을 만든다는 것은 괴로움의 끝을 증득한다는 뜻이다."
146 뒤의 해석에 대해 묻는 것이다.
147 답이다. 그 열반의 획득에 대한 장애를 제거했기 때문이다. 이의 획득이 다른 번뇌의 장애를 입으면 생기지 못하지만, 만약 번뇌의 장애를 끊으면 그 열반을 얻으니, 이의 획득이 일어나기 때문에, 열반의 체가 드러나기 때문에 열반을 말하여 만들어진 것이라고 한 것이다. 또 해석하자면 그 번뇌의 득의 장애를 제거하면 열반의 획득을 일으켜 열반이 나타나기 때문에 만들어진 것이라는 말을 한 것이다. 예컨대 허공을 만든다[作空]는 말이 누각을 허무는 것을 말하는 것으로서, 허공이 드러난다는 뜻의 측면에서 허공을 만들어진 것이라고 이름한 것처럼, 열반도 역시 그러하다.

나머지 단계에도 역시 최대한 일곱 번 반복하여 태어나는 경우가 있지만, 결정적인 것이 아니니, 이 때문에 설하지 않은 것이다.148

<hr />

148 나머지 이생의 단계에서도 비록 최대한 일곱 번 반복해 태어나고 반열반을 얻는 경우가 역시 있지만, 결정적인 것이 아니며, 혹은 허물이 있는 것이니, 이 때문에 설하지 않은 것이다. 성자의 경우 최대한 7생뿐이니, 이 때문에 따로 설한 것이다.

아비달마구사론
제24권

제6 분별현성품(의 3)

제3절 일래과一來果

과보에 머물더라도 아직 수혹을 끊지 못했다면 예류라고 이름하며, 최대한 일곱 번 반복해 태어난다는 것을 분별했으니, 이제 다음에는 끊은 단계[斷位]의 여러 성자들을 분별해야 할 것이다. 우선 일래一來의 향·과를 건립해야 할 것인데,1 게송으로 말하겠다.

㊱ 욕계 3·4품의 수혹을 끊고[斷欲三四品]
　　세 번, 두 번 태어나는 분은 가가이며[三二生家家]
　　끊음이 5품에 이르면 제2과향이고[斷至五二向]
　　6품을 끊었다면 일래과이다[斷六一來果]2

1. 가가家家

논하여 말하겠다. 곧 예류과의 성자가 증진하여 수혹을 끊을 때, 만약 세 가지 연[三緣]이 갖추어진다면 가가家家라고 바꾸어 이름한다.3 첫째 번뇌를 끊음[斷惑]에 의해서이니, 욕계 수소단의 3품·4품을 끊었기 때문이다.4

----

1 이하는 둘째 일래향·과를 밝히는 것이다. 이 글 중에 나아가면 첫째 앞을 맺고, 둘째 전체적으로 아래를 낳으며, 셋째 따로 게송을 일으키는 것이다.
2 게송에 의한 답이다. 그 안에 나아가면 위의 3구는 향을 밝히는 것이고, 아래 1구는 과를 밝히는 것이다. 향을 밝히는 것에 나아가면 위의 2구는 가가를 밝히는 것이고, 제3구는 바로 향을 밝히는 것이다.
3 이하 위의 2구를 해석하는데, 이는 곧 전체적으로 표방하는 것이다. 만약 세 가지 연이 갖추어진다면 가가라고 바꾸어 이름하지만, 그 중에 결여된 것이 있다면 가가라고 이름하지 않는다.
4 첫째 번뇌를 끊음에 의해서이니, 욕계 수소단의 3품·4품을 끊었기 때문이다. 말하자면 혹은 먼저 이생의 단계에서 끊었거나 혹은 이제 예류에서 수도단계

둘째 근을 성취함[成根]에 의해서이니, 그것을 대치할 수 있는 무루근을 얻었기 때문이다.5 셋째는 생을 받음[受生]에 의해서이니, 다시 욕계의 존재 3생·2생을 받기 때문이다.6

게송 중에서 처음과 뒤의 연만을 말한 것은, 예류과 후에 증진하여 번뇌를 끊는 경우를 말한 것이므로, 그것을 대치할 수 있는 무루근을 성취한 것은 의미상 준해서 이미 이루어졌기 때문에 갖추어 말하지 않은 것이다.7 그렇지만 세 번, 두 번 태어나는 것은 다시 말했어야 하니, 증진함이 있는 경우이므로 생을 받는 것에서 혹은 적거나 혹은 없거나 혹은 이를 초과하기

....
로 증진해 끊은 것이다. '3품·4품'은 1품·2품·5품을 끊은 것과 구별하는 것이니, 비록 1품·2품·5품을 끊음이 있는 경우 혹은 출관하는 자도 있고, 혹은 물러나는 자도 있지만, 반드시 중간에 죽음과 태어남을 거치는 자는 없기 때문에 1품·2품·5품을 끊고 가가라고 이름하는 자는 없다. 그래서 『대비바사론』제53권(=대27-276상)에서 말하였다. "다시 다음으로 모든 예류자가 만약 욕계 1·2품의 결박을 끊었다면 죽어서 태어나는 뜻이 없기 때문에 말하지 않았으니, 마치 5품을 끊은 경우와 같다. 말하자면 유가사는 초과를 얻은 뒤에는 욕계의 수소단의 결박을 끊기 위해 큰 가행을 일으키므로 1대품大品(=상상·상중·상하의 3품)의 결박을 미처 끊지 못한 채 죽어서 태어나는 자는 반드시 없다. 따라서 마치 5품을 끊은 경우 제6품의 결박을 미처 끊지 못한 채 죽어서 태어나는 뜻이 반드시 있을 수 없는 것과 같다. 가가 등의 셋(=3생가가·2생가가·일래향, 혹은 천가가·인가가·일래향)은 죽어서 태어남이 있기 때문에 여기에서는 이것만 말한 것이다." 그 논서의 글에 준하기 때문에 1품·2품·5품을 끊은 경우 중간에 죽어서 태어남이 있는 뜻은 반드시 없다.
5 둘째 연이니, 말하자면 근의 성취에 의해서이다. 그 3품·4품을 대치할 수 있는 무루의 모든 근을 얻은 것이니, 먼저 범부 단계에서 3품·4품을 끊고 뒤에 초과에 머물면서 아직 승과도를 일으키지 않은 경우, 비록 첫째 연은 있다고 해도 여전히 그 무루근을 아직 성취하지 못했기 때문이다.
6 셋째 연이다. 말하자면 생을 받음에 의해서이니, 다시 욕계의 존재로 세 번, 두 번 태어남을 받기 때문이다. 만약 3품을 끊었다면 다시 3생을 받고, 만약 4품을 끊었다면 다시 2생을 받는다. 1품·2품·5품을 끊고 중간에 죽어서 태어나는 경우는 없기 때문에 5생·4생·1생·반생의 가가는 없다.(=6품을 끊으면 일래이다. 욕계 9품 중 상상품이 2생을 초래하고, 상중·상하·중상품이 각각 1생씩을 초래하며, 중중·중하품이 1생을 초래하고, 아래 3품이 1생을 초래한다)
7 이는 게송 중에서 둘째 연을 말하지 않은 까닭을 해석하는 것이다. 3연 중 게송에서 처음과 뒤의 연만을 설한 것은, 예류과 후에 다시 증진하여 3품·4품의 번뇌를 끊는 경우를 설한 것이므로, 그것을 대치할 수 있는 무루근을 성취한 것은 의미상 준해서 이미 이루어졌기 때문에 갖추어 말하지 않은 것이다.

도 하기 때문이다.8

어째서 이 가가에 5품을 끊은 자는 없는가?9 제5품을 끊으면 반드시 제6품도 끊기 때문이다. 1품의 번뇌가 마치 일간一間처럼 과보의 획득을 장애할 수 있는 것이 아니니, 아직 계界를 초월하지 못하기 때문이다.10

모두 두 종류 가가가 있다고 알아야 할 것이다. 첫째는 천가가天家家이니, 말하자면 욕계 천취에서 세 집[三家], 두 집[二家]에 태어나 원적을 증득하는데, 혹 1천처天處이거나 2천처이거나 3천처이다. 둘째는 인가가人家家이니, 말하자면 인취에서 세 집, 두 집에 태어나 원적을 증득하는데, 혹 1주처洲處이거나 2주처이거나 3주처이다.11

....

8 이는 숨은 힐난을 풀어주는 것이다. 숨은 힐난의 뜻이 말하는 것은, 「게송 중에서 역시 뒤의 연도 설하지 않았어야 할 것이니, 3품·4품을 끊었다면 그 뜻에 준해서 3생·2생을 받는다는 것도 역시 알 것이기 때문이다」라는 것이다. 이 숨은 힐난을 회통하기 위해 이런 말을 한 것이다. "그렇지만 세 번, 두 번 태어나는 것은 다시 말했어야 하니, 증진함이 있는 경우이므로 번뇌를 끊었을 때 생을 받는 것에서 혹은 3생·2생보다 적거나 혹은 3생·2생도 없거나 혹은 3생·2생을 초과하기도 한다. 예컨대 1생을 받거나 반생을 받는다면 혹은 적다고 이름하고, 예컨대 욕계에서 현반열반한다면 혹은 없다고 이름하며, 예컨대 상계로 가서 네 번 이상 태어난다면(=상류반열반자 중 반초·변몰의 경우가 그러함은 뒤의 게송 ㊳cd~㊴ab에 관한 논설과 그 설명 참조) 혹은 이를 초과한다고 이름한다. 그래서 게송의 글에서 따로 수생하는 것을 말한 것이니, 둘째 연과는 같지 않다.

9 물음이다.

10 답이다. 제5품을 끊고 만약 물러나지 않는다면 이 생 중에서 반드시 제6품도 끊지, 중간에 목숨이 끝나고 생을 받는 경우는 없다. 만약 물러나지 않는다면 반드시 제6품을 끊지, 제6의 1품의 번뇌가 능히 일래과의 획득을 장애함이, 마치 일간一間과 같은 것이 아니다. 제8품을 끊었지만, 아직 제9품을 끊지 못했다면, 하나의 종자를 받으니(='일간'='일종一種'), 제9품을 끊으면 욕계를 초월하기 때문에 그 제9품은 지극히 장애가 되므로, 비록 제8품을 끊었다고 해도 제9품에 머물러 생을 받는 것이다. 제5품을 끊은 자는 제6품을 끊어도 아직 계를 초월하지 못하기 때문에, 이 제6품은 지극히 장애가 되는 것이 아니다. 그래서 제5품을 끊어도 경생經生을 얻지 않고, 반드시 제6품을 끊고 일래과를 얻는 것이다.

11 가가를 따로 해석하는 것이다. 모두 두 종류 가가가 있다고 알아야 한다. 첫째는 천가가이니, 말하자면 욕계 천취에서 세 집, 두 집에 태어나 원적을 증득하는데, 혹 1천처에서 3생·2생을 받거나 2천처에서 3생·2생을 받거나 3천처에서 3생을 받는다. 둘째는 인가가이니, 말하자면 인취에서 세 집, 두 집에 태어

2. 일래향과 일래과

곧 예류자가 증진하여 욕계의 1품 내지 5품의 수혹을 끊었다면, 바뀌어 일래과의 향이라고 이름한다고 알아야 할 것이다.

만약 제6품의 수혹을 끊었다면 일래과를 이룬다. 그는 천상으로 갔다가 인간으로 한 번 오면 반열반하므로 일래과라고 이름한 것이니, 이를 지난 이후에는 더 이상 태어남이 없기 때문이다. 이런 분을 혹은 탐·진·치가 엷어진 분[薄貪瞋癡]이라고 이름하니, 오직 하품의 탐·진·치만이 남았기 때문이다.12

....

나 원적을 증득하는데, 혹 1주처에서 3생·2생을 받거나 2주처에서 3생·2생을 받거나 3주처에서 3생을 받는다.(=요컨대 반열반하는 곳이 하늘인지, 인간인지에 의해 천가가·인가가로 구분된다는 취지) 지금 이 논서를 살펴건대 1천처나 1주처에서 3생·2생을 받는 것을 인정하는데, 또 『대비바사론』 제53권(=대27-276하)에 준하더라도 역시 1천가나 1인가에서 3생·2생을 받는 것을 인정한다. 그래서 그 논서에서 말하였다. "혹 1천가나 2천가나 3천가에서 2생·3생을 받기도 한다." 또 말하였다. "혹 1인가나 2인가나 3인가에서 2생·3생을 받기도 한다." (문) 3생가가나 2생가가의 경우 인·천에서 각각 3생·2생을 받는가? (해) 만약 천의 3생가가라면 천3생·인2생이고, 만약 천의 2생가가라면 천2생·인1생이다. 만약 인가가라면 이와 반대라고 알아야 한다. 그래서 『순정리론』 제64권(=대29-694하)에서 말하였다. "만약 천가가로서 3생을 받는 자라면 인간에서 2생을 받고 천상에서 3생을 받으며, 2생을 받는 자라면 인간에서 1생, 천상에서 2생을 받는다. 상응하는 대로 인간 중의 가가도 비례해서 해석할 것이다."

12 아래 2구를 해석하는 것이다. 곧 예류자가 증진하여 욕계의 1품 내지 5품의 수혹을 끊었다면, 바뀌어 일래과의 향이라고 이름한다고 알아야 한다. 제6품의 무간도는 역시 응당 향인데도 게송에서 말하지 않은 것은, 제6품 전부가 향인 것은 아니기 때문이니, 절반(=해탈도)은 과에 포함되는 것이다. 만약 제6품을 끊는 해탈도가 현전하면 일래과를 이룬다. 도를 얻은 몸을 제외하고 그는 천상으로 갔다가 인간으로 한 번 오면 반열반하므로 일래과라고 이름한 것이니, 이를 지난 이후에는 더 이상 태어남이 없기 때문이다. 만약 온다면 필시 갔기 때문에 일래라고 말한 것이다. 이 글은 우선 인간 중에서 도를 얻는 경우에 의거했기 때문에 '그는 천상으로 갔다가 인간으로 한 번 오면'이라고 말한 것이니, 만약 하늘 중에서 도를 얻는 경우에 의거한다면 역시, '그는 인간으로 갔다가 천상으로 한 번 오면'이라고 말해야 한다고 할 수 있다. 이 일래과는 혹은 탐·진·치가 엷어진 분[薄貪瞋癡]이라고 이름하니, 9품 중 이미 두텁고 무거운 상·중의 6품을 이미 끊고, 오직 하3품의 엷은 탐·진·치만이 남았기 때문이다.

제4절 불환과不還果

제1항 불환향·불환과 총설

일래향·일래과의 차별에 대해 분별했으니, 다음에는 불환향·불환과를 건립해야 할 것이다. 게송으로 말하겠다.

③⑦ 7품 혹은 8품을 끊고[斷七或八品]
　한 번 태어나는 분을 일간이라고 이름하니[一生名一間]
　이는 곧 제3과의 향이며[此卽第三向]
　9품을 끊었다면 불환과이다[斷九不還果]13

1. 일간一間

　논하여 말하겠다. 곧 일래과의 성자가 증진하여 남은 수혹을 끊을 때, 만약 세 가지 연이 갖추어진다면 일간一間이라고 바꾸어 이름한다. 첫째 번뇌를 끊음에 의해서이니, 욕계의 수소단 중 7품 혹은 8품을 끊었기 때문이다. 둘째 근을 성취함에 의해서이니, 그것을 대치할 수 있는 무루근을 얻었기 때문이다. 셋째 생을 받음에 의해서이니, 다시 욕계의 존재로 남은 1생을 받기 때문이다. 게송 중에서 단지 처음과 뒤의 2연만을 말하고, 근의 성취를 말하지 않은 뜻은 앞에서 해석한 것과 같다.14

....
13 이하는 곧 셋째 불환향·불환과를 밝히는 것이다. 그 안에 나아가면 첫째 불환향·불환과를 밝히고, 둘째 불환의 차별을 밝힌다. 이는 곧 첫째 불환향·불환과를 밝히려고 앞을 맺고 일으키는 것이다. 게송에 의한 답에 나아가면 위의 3구는 불환향을 밝히는 것이고, 아래 1구는 불환과를 밝히는 것인데, 불환향 중에 나아가면 위의 2구는 일간에 대해 밝히는 것이고, 제3구는 바로 향을 밝히는 것이다.
14 이하는 위의 2구를 해석하는 것이다. 곧 일래과의 성자가 증진하여 남은 수혹을 끊을 때, 만약 세 가지 연이 갖추어진다면 일간이라고 바꾸어 이름하지만, 그 중에 결여되는 것이 있으면 일간이라고 이름하지 않는다. 첫째 번뇌를 끊음에 의해서이니, 욕계의 수소단 중 7품 혹은 8품을 끊었기 때문이다. 둘째 근을 성취함에 의해서이니, 그것을 대치할 수 있는 무간·해탈의 무루근을 얻

어째서 1품의 번뇌가 불환과의 획득을 장애하는가?[15] 그가 만약 끊는다면 곧 계界를 초월하기 때문이다. 앞에서 "세 시기의 업은 지극히 장애가된다"라고 말했는데, 번뇌도 역시 업과 같다고 알아야 할 것이니, 그 등류와 이숙의 지地를 초월하기 때문이다.[16]

'간間'은 간격間隔을 말하는 것이니, 그는 남은 1생이 간격하기 때문에 원적을 증득하지 못하며, 혹은 남은 1품의 욕계 수소단의 번뇌가 간격하기 때문에 불환과를 얻지 못하니, 하나의 간격이 있는 자를 말하여 일간이라고이름한 것이다.[17]

2. 불환향과 불환과

곧 수혹 7품·8품을 끊은 분을 또한 불환과향이라고도 이름한다고 알아야할 것이다. 먼저 3·4품이나 7·8품의 수혹을 끊고 견제見諦에 든 분이 그 후에 과보를 얻었을 때, 나아가 아직 후의 승과도勝果道를 닦지 않은 동안은여전히 가가家家나 일간一間이라고 이름하지 않으니, 그것을 대치하는 무루근을 아직 성취하지 않았기 때문이다.[18]

....

없기 때문이다. 셋째 생을 받음에 의해서이니, 다시 욕계의 존재로 천신이나인간 중 남은 1생을 받기 때문이다. 게송 중에서 단지 처음과 뒤의 2연만을말하고, 근의 성취를 말하지 않은 뜻은 준해서 앞의 가가 중에서 해석한 것과같다.

15 물음이다. 어째서 제9의 1품의 번뇌가 불환과의 획득을 장애하는가?

16 답이다. 그가 만약 끊는다면 곧 욕계를 초월하기 때문이다. 앞(=제18권 중 게송 ⑩c와 그 논설)에서 "세 시기(=인법·불환과·아라한과를 얻을 때)의 업은 지극히 장애가 된다"라고 설했는데, 번뇌도 역시 업과 같다고 알아야 할것이다. 만약 제9품을 끊는다면, 그 욕계에 계속되는 번뇌의 등류과의 지와이숙과의 지를 초월하기 때문에 지극히 장애가 되는 것이다.

17 '일간'이라는 명칭을 해석하는 것인데, 앞은 이숙에 의거하고, 뒤는 번뇌에 의거해 일간이라는 명칭을 해석하였다. 또『순정리론』(=제64권. 대29-695상)에서 말하였다. "'간'이라고 말한 것은 간극[隙]의 다른 명칭이다. 말하자면 그단계에서는 하나의 간극이 있어 1생을 얻기 때문에 아직 열반을 얻지 못하는것이다."

18 제3구를 해석하는 것이다. 곧 수혹의 7품·8품을 끊은 분을 또한 불환과향이라고도 이름한다고 알아야 한다. '일간'은 연을 갖춘 것으로써 건립하고, 향은단지 번뇌를 끊은 것만에 의거하기 때문에 둘은 차별된다. 만약 범부단계에서먼저 3·4품의 수혹이나 7·8품의 수혹을 끊고 견제見諦에 든 분이 그 후에 예류과나 일래과를 얻었을 때, 나아가 아직 3·4품이나 7·8품 후의 승과도를 닦

만약 제9품을 끊었다면 불환과를 이루니, 반드시 욕계로 돌아와 태어나지 않기 때문이다. 이런 분을 혹은 '5하분결이 끊어진 분[五下結斷]'이라고 이름하니, 비록 필시 먼저 두 가지나 세 가지를 끊었겠지만, 그렇더라도 이 때 끊어짐을 모두 모았기 때문이다.19

　　제2항 불환과의 차별

1. 7종 불환

　　불환의 단계에 의해 여러 계경에서 갖가지 문으로 차별을 건립하므로, 이제 다음에는 그 차별되는 모습을 분별해야 할 것이다. 게송으로 말하겠다.

38 이들은 중, 생, 유행[此中生有行]

　　무행으로 반열반하거나[無行般涅槃]

　　상류로서 만약 정려를 잡수했다면[上流若雜修]

　　능히 색구경천으로 가되[能往色究竟]

39 전초나 반초나 변몰이고[超半超遍殁]

　　나머지는 능히 유정천으로 가며[餘能往有頂]

　　무색계로 가는 불환에는 네 종류가 있고[行無色有四]

....

　　지 않은 동안은 여전히 가가나 일간이라고 이름하지 않으니, 비록 2연을 갖추었다고 해도 그 3·4품의 수혹이나 7·8품의 수혹을 대치하는 무루근을 아직 성취하지 않았기 때문이다. # 요컨대 7품까지 끊었든 8품까지 끊었든 구별 없이, 차제증일 경우 모두 일간이고 불환향이지만, 초월증일 경우 아직 승과도를 닦지 않았다면 불환향일 뿐, 일간은 아니라는 취지이다.

19 제4구를 해석하는 것이다. 만약 제9품을 끊었다면 불환과를 이루니, 반드시 욕계로 돌아와 태어나지 않기 때문에 불환과라고 이름한다. 이 불환과를 혹은 또한 '5하분결이 끊어진 분[五下結斷]'이라고도 이름하는데, 만약 초월증의 사람이라면 먼저 탐욕·성냄의 두 가지 결박을 끊고, 뒤에 유신견·계금취·의심의 세 가지 결박을 끊으며, 만약 차제증의 사람이라면 먼저 유신견·계금취·의심의 세 가지 결박을 끊고, 뒤에 탐욕·성냄의 두 가지 결박을 끊으니, 비록 필시 먼저 두 가지나 세 가지를 끊었겠지만, 그렇더라도 이 때 끊어짐을 모두 모았기 때문에 5하분결이 끊어진 분이라고 이름한다.

여기 머물면서 반열반하기도 한다[住此般涅槃]20

(1) 색계로 가는 5불환

논하여 말하겠다. 이 불환의 성자를 전체적으로 말한다면 일곱 가지가
있다. 우선 색계로 가는 경우의 차별에 다섯이 있으니, 첫째 중반열반中般涅
槃, 둘째 생반열반生般涅槃, 셋째 유행반열반有行般涅槃, 넷째 무행반열반無行
般涅槃, 다섯째 상류上流이다. 이런 분은 중간中間에 반열반하기 때문에 이를
말하여 중반열반이라고 이름하였고, 이와 같이 이런 분은 태어난 뒤[生已],
이런 분은 가행 있음에 의해[由有行], 이런 분은 가행 없음에 의해[由無行]
반열반하기 때문에 '생반열반' 등이라고 이름했으며, 이런 분은 상지로 유
전하기[上流] 때문에 '상류'라고 이름했다고 알아야 할 것이다.21

【중반열반】 '중반'이라고 말한 것은, 색계로 가서 중유의 단계에 머물면서
곧 반열반하는 것을 말한다.22

....

20 이하는 불환의 차별인데, 그 안에 나아가면 첫째는 7종 불환이고, 둘째는 9종
불환이며, 셋째는 7선七善 불환이고, 넷째는 상계에 태어나는 것이 아닌 경우
에 대해 밝히며, 다섯째는 잡수정려에 대해 밝히고, 여섯째는 정거천은 오직
다섯임을 밝히며, 일곱째는 신증身證 불환에 대해 밝힌다. 이는 곧 첫째 7종
불환에 대해 밝히는 것인데, 경(=잡 [23]32:866 중반열반경 및 중 2:6 선인
왕경善人往經 등)에 의해 일으키고 아울러 게송을 들어 분별한 것이다.
21 이 불환과의 성자를 통틀어 3계에 의거해 모두 말한다면 일곱 가지가 있다.
이제 우선 색계로 가는 경우에 나아가 차별한다면, 그것에는 다섯 가지가 있
는데, 명칭을 열거하는 것은 알 수 있을 것이다. 다섯 중 앞의 넷은 오직 이
몸에서 결정코 반열반하기 때문에 그래서 이들에만 반열반이라는 명칭을 주
었고, '상류上流'는 다수의 행을 받아야 비로소 반열반하는 경우도 있을 수 있
어서 모든 상류들이 모두 결정코 열반하는 것이 아니므로 일정하지 않기 때문
에 그래서 반열반이라고 말하지 않은 것이다. 명칭의 해석에 대해 말한다면,
이런 분은 2취의 중간에 반열반하기 때문에 중반열반이라고 이름하였고, 이
와 같이 이런 분은 처음 태어나고 나서, 이런 분은 가행 있는 도[有行道]에 의
해, 이런 분은 가행 없는 도[無行道]에 의해 반열반하기 때문에 '생반열반' 등
의 3인이라고 이름했으며, 이런 분은 2생 이상 상지로 향해 유전하기[向上流]
때문에 '상류'라고 이름했다고 알아야 한다.
22 이하는 개별적으로 해석하는 것이다. '중반'이라고 말한 것은, 말하자면 욕계
에서 죽어 색계로 가서 중유의 단계에 머물면서 응당 태어나야 할 지의 성도
를 일으켜 현전시켜 남은 번뇌를 끊고 아라한이 되어, 곧 반무여열반하기 때

【생반열반】 '생반'이라고 말한 것은, 색계로 가서 태어난 뒤 오래지 않아 곧 반열반하는 것을 말하니, 부지런한 수행[勤修]과 속히 증진하는 도[속진도速進道]를 갖추었기 때문이다. 여기에서 말한 반열반은 유여의有餘依열반을 말하는 것이다.23 어떤 다른 논사는, 또한 무여의無餘依이기도 하다고 말하였다.24 이는 이치에 맞지 않으니, 그는 수명을 버리는 것에 자재함이 없기 때문이다.25

....

문에 중반이라고 이름한 것이다. 그래서 『대비바사론』 제174권(=대27-874중)에서 말하였다. "그로부터 목숨이 끝나고 색계의 중유를 일으키는데, 곧 그 중유에 머물면서 이와 같은 종류의 무루도를 얻고, 이 도에 의해 바야흐로 증진해 남은 결박을 끊고 무여의열반계로 반열반하니, 이를 중반열반이라고 이름한다." 『대비바사론』의 글에 준해서 무여의에 의거해 중반을 해석한 것인데, 또 해석하자면 유여의에도 역시 통한다. 『대비바사론』에서 말하지 않은 것은 모습이 드러나지 않으므로 생략하고 말하지 않은 것이다. 어찌 번뇌를 끊고 제2찰나에 곧 무여의에 들 수 있겠는가? 따라서 유여의에도 역시 통한다고 알아야 할 것이다.

23 '생반'이라고 말한 것은, 욕계에서 죽어서 색계로 가서 태어난 뒤 오래지 않아 능히 성도를 일으켜 남은 번뇌를 끊고 아라한이 되어 곧 반열반하는 것을 말하니, 부지런한 수행과 속히 증진하는 두 가지 도를 갖추었기 때문에 태어나고 오래지 않아 곧 반열반하는 것이다. '태어난 뒤'는 중반과 다르다고 구별한 것이고, '두 가지 도를 갖추었기 때문'은 유행·무행과 다르다고 구별한 것(=부지런한 수행이 있으므로 무행과 다르고, 속진도가 있으므로 유행과 다르다)이다. 이 생반 중에서 말한 반열반은 유여의열반을 말하는 것이다. 뒤에 수명이 다해야 비로소 무여의에 들기 때문에 유여의에 의거해 생반을 해석하고, 무여의에 의거하지 않았다. 앞의 중반 중에서 따로 열반에 대해 해석하지 않은 까닭은 모습이 드러나지 않기 때문이다. 아래의 유행반열반 등의 경우 생반에 준해 알 수 있기 때문에 역시 해석하지 않는다.

24 어떤 다른 논사는, 생반은 단지 유여의에 의거할 뿐만 아니라, 또한 무여의에도 의거한다고 말한다. 번뇌를 끊고 나면 곧 무여의에 들기 때문에 두 가지에 통한다. 이 논사의 뜻은 말하자면 중반과 같다는 것이다. 중반열반의 사람은 남은 번뇌를 끊고 반유여의열반하면 번뇌의 윤생潤生이 이미 없어서 생유를 구하지 않으므로 곧 반무여의열반하는데, 그에 비례해서 생반열반도 역시 무여의이기도 하다는 것이다.

25 논주의 논파이다. 이는 이치에 맞지 않으니, 그는 수명을 버리는 데 자재함이 없기 때문이다. 그는 색계 중에서 수명을 버리고 곧 열반에 드는 것에 자재함이 없기 때문이다. 처음 태어날 때 남은 번뇌를 다 끊는 것을 생반이라고 이름한 것이므로, 뒤에는 그 수명을 다해야 비로소 반무여의열반하기 때문에 생반의 해석은 무여의에 의거하지 않는다.

【유행반열반】 '유행반'이란 색계로 가서 태어난 뒤 오랜 시간 가행을 쉬지 않고 공용이 있음에 의해야 비로소 반열반하는 것을 말하니, 이 분에게는 부지런한 수행만 있을 뿐, 속진도速進道가 없기 때문이다.26

【무행반열반】 '무행반'이란 색계로 가서 태어난 뒤 오래도록 가행을 게을리하여 쉬며 공력을 많이 쓰지 않고 곧 반열반하는 것을 말하니, 부지런한 수행과 속진도를 결여했기 때문이다.27 어떤 분은, "이 두 가지에 차별이 있는 것은 유위와 무위를 반연하는 성도에 의한 것이니, 그 순서대로 열반을 얻기 때문이다"라고 말하였다.28 이 설은 이치가 아니니, 크게 지나친 허물 때문이다.29

그런데 계경 중에서 무행반열반을 먼저 말하고, 뒤에 유행반열반을 말했는데, 이와 같은 순서가 이치와 상응하는 것이다. 속진도가 있는가, 속진도가 없는가에 의해 무행과 유행이 성취되기 때문이니, 공용에 의하지 않고 획득되는 것과 공용에 의해 획득되는 것이기 때문이다. 생반열반은 가장 속히 증진하는 최상품의 도를 얻고 수면이 가장 하열하기 때문에 태어나고 오래지 않아 곧 반열반하는 것이다.30

....

26 '유행반'이란 욕계에서 죽어서 색계로 가서 태어난 뒤 오랜 시간 가행을 부지런히 닦고 많은 공용에 의해야 비로소 반유여의열반하는 것을 말한다. 이 분에게는 부지런한 수행만 있기 때문에 유행이라고 이름하니, 속진도가 없기 때문이다. '태어난 뒤'는 중반과 다르다고 구별하는 것이고, '오랜 시간'은 생반과 다르다고 구별하는 것이며, '부지런한 수행만 있다'는 것은 무행과 다르다고 구별한 것이다.

27 '무행반'이란 욕계에서 죽어서 색계로 가서 태어난 뒤 오래도록 가행을 게을리하여 쉬며 공력을 많이 쓰지 않고 곧 반유여의열반하는 것을 말하니, 부지런한 수행과 속진도의 2도를 결여했기 때문에 무행이라고 이름한 것이다. '태어난 뒤'는 중반과 다르다고 구별한 것이고, '오래도록'은 생반과 다르다고 구별한 것이며, '부지런한 수행을 결여했다'는 것은 유행과 다르다고 구별한 것이다.

28 다른 학설을 서술하는 것이다. 유위의 성도(=도제)를 반연하여 번뇌를 끊고 열반을 얻는 것을 유행이라고 이름하고, 무위의 성도(=멸제)를 반연하여 번뇌를 끊고 열반을 얻는 것을 무행이라고 이름한다는 것이다.

29 논주의 논파이다. 중반·생반 등도 역시 유위와 무위를 반연하여 번뇌를 끊으니, 역시 유행과 무행이라고 이름해야 할 것이다.

30 경량부의 해석을 서술하는 것이다. 그런데 계경(=잡 [29]29:821 학경學經

【상류반열반】 '상류上流'라고 말한 것은 상계로 간다[上行]는 뜻이니, 류流와 행行은 그 뜻이 동일하기 때문이다. 말하자면 욕계에서 죽어서 색계로 가서 태어나지만, 아직 곧 거기에서는 능히 원적을 증득하지 못하고, 반드시 상지로 옮겨 태어나야 비로소 반열반한다.31

곧 이 상류의 차별에는 두 가지가 있으니, 원인 및 결과에 차별이 있기 때문이다. 원인의 차별이란, 이들은 정려에 잡수雜修와 무잡수無雜修가 있기 때문이며, 결과의 차별이란, 색구경천色究竟天 및 유정천有頂天이 극한의 처소[極處]가 되기 때문이다.32

말하자면 만약 정려에 잡수가 있었던 분이라면 능히 색구경천으로 가서 비로소 반열반하는데, 곧 이에는 다시 세 가지 차별이 있으니, 전초全超·반초半超·변몰遍歿이 다르기 때문이다. '전초全超'라고 말한 것은,. 말하자면 욕계에 있으면서 4정려를 이미 갖추어 잡수했다가 인연을 만나 위의 3정려에서 퇴실하고, 초정려에 대한 애미愛味가 인연이 되어 목숨이 끝나자 범중천처로 올라가 태어난 분이, 선세先世에 계속 익힌 세력에 의해 다시 제4정려

....

등) 중에서 무행반열반을 먼저 설하고, 뒤에 유행반열반을 설했는데, 이와 같은 순서가 이치와 상응하는 것이다. 논주의 뜻은 경량부의 벗인 까닭에 옳다고 인정하는 것이다. 부지런한 수행은 없어도 속진도가 있는 것은 무행의 사람이 성취하기 때문이며, 속진도는 없어도 부지런한 수행이 있는 것은 유행의 사람이 성취하기 때문이다. 무행이나 유행으로 능히 무학과를 성취하기 때문이니, 무행의 사람은 속진도를 일으킴으로써 공용에 의하지 않고 반열반을 획득하고, 유행의 사람은 부지런한 수행을 일으켜서 반드시 공용에 의해야 반열반을 획득하기 때문이다. 이런 의미상의 편의로 인해 다시 생반열반을 해석하자면, 최상품의 도를 얻고 수면은 가장 하열하기 때문에 태어나고 오래지 않아 곧 반열반하므로 생반이라고 이름한 것이다. # 이 점에 대해 『현종론』(=제31권. 대29-927하)은 다음과 같이 말하였다. "그런데 어떤 경에서는 무행의 설을 앞에 두고, 또한 어떤 경에서는 유행을 먼저 설했는데, (반열반하는) 시기에는 이미 차이가 없으니, 어느 것을 설하더라도 어긋남은 없지만, 유행이 존중할 만한 것이기 때문에 우리는 먼저 말하였다." 『순정리론』(=제65권. 대29-696하)에서도 같다.

31 말하자면 색계에 태어나되 제2생 이후에 반열반하는 분을 전체적으로 상류라고 이름한다. 이들은 오직 상지로만 유전할 뿐, 하지로는 유전하지 않기 때문에 상류라고 이름한 것이니, 이생인 사람은 비록 상지로 유전함이 있지만, 하지로도 유전하기 때문에 상류라고 이름하지 않는다.

32 상류의 차별에 대해 밝히는데, 글을 열면서 간략히 해석한 것이다.

를 능히 잡수하고, 그 처에서 죽어서 색구경천에 태어나는 것이다. 최초의 처에서 죽어서 최후의 하늘에 태어남으로써 단박에 중간을 초월하는 것이 '전초'의 뜻이다. '반초半超'라고 말한 것은, 거기로부터 점차 아래 정거천 내지 중간천에 태어나되, 능히 1처를 초월하고 색구경천에 태어나는 것이다. 전부 아닌 하늘[非全]을 초월하기 때문에 '반초'라고 이름한 것이다. 성자는 반드시 대범천처大梵天處에는 태어나지 않는다. 편벽된 소견의 처소[僻見處]이기 때문이니, 유일한 도사導師라고 하기 때문이다. '변몰遍歿'이라고 말한 것은, 거기로부터 점차 일체 천처에서 모두 두루 생을 받고, 최후에 비로소 능히 색구경천에 태어나는 것이다. 일체 처에서 죽기 때문에 '변몰'이라고 이름한 것이다. 불환의 성자는 이미 태어난 곳에서 두 번째 생을 받는 경우는 없으니, 그는 태어남에서 동등하거나 하열한 것 아닌, 뛰어난 것으로의 증진[勝進]을 구한다고 인정되기 때문이다. 곧 이에 의한 때문에 불환의 뜻이 만족되니, 반드시 일찍이 태어난 곳으로는 돌아와 태어나지 않기 때문이다. 오히려 본래 처소에도 태어나지 않거늘, 하물며 하지에 태어남이 있겠는가? 이들이 말하자면 두 가지 상류 중 잡수정려라는 원인이 있었음에 의해 색구경천으로 가서 반열반하는 분들이라고 알아야 할 것이다.[33]

....
33 잡수(=무루정려 중간에 유루정려를 섞어서 닦는 것을 가리킴은 뒤의 게송 ⑬과 그 논설 참조)의 상류를 개별적으로 해석하는 것인데, 그 중에 셋이 있다. 첫째는 전초이니, 처음에 범중천에 태어나고 다음에 색구경천에 태어남으로써 중간의 14천처를 단박에 초월하므로[超] 전초라고 이름한다. 둘째는 반초이니, 색계 중 16천처에, 그 범중천으로부터 점점 순차로 (색구경천) 아래의 정거천에 태어나는데, 혹은 13처나 12처 내지 중간의 1처를 능히 초월해 색구경천에 태어나므로, 전부 아닌 하늘[非全]을 초월한다고 해서 반초라고 이름한 것이다. 성자는 반드시 대범천의 처에는 태어나지 않는다. 이는 계금의 편벽된 소견을 일으키는 처소이기 때문이니, 스스로 궁극의 유일한 도사導師(=인도하는 스승)라고 말하기 때문에 그래서 거기에는 태어나지 않는 것이다. 무상천에도 태어나지 않지만, 이치상 말이 끊어진 곳에 있기 때문에 따로 가려내지 않았다. 혹은 영략호현한 것일 수도 있다. 이 반초의 사람은 16천 중 최소한 3천에 태어나니, 처음에 범중천에 태어나고, 다음 14천 중의 어느 1처에 태어나며, 뒤에 색구경천에 태어나는 것이다. 만약 최대한이라면 15천에 태어나니, 16천 중 그 상응하는 바에 따라 중간에 1천을 초월하고, 나머지 15천에 태어나는 것이다. 셋째는 변몰이니, 그 범중천으로부터 점차 뒤의 14천처에 태어나 모두 생을 받고, 최후에 비로소 능히 색구경천에 태어난다. 일

정려에 잡수가 없었던 나머지 분이라면 능히 유정천으로 가서 비로소 반열반한다. 말하자면 그는 먼저 잡수정려가 없었으므로 모든 선정에 대한 애미愛味가 인연이 되어 여기에서 죽어서 색계의 모든 천처에 두루 태어나는데, 오직 5정거천으로만 갈 수 없으며, 색계에서 목숨이 끝나면 3무색천에 순차 태어나고 나서 뒤에 유정천에 태어나 비로소 반열반하는 것이다.34

두 가지 상류 중 전자는 관행觀行이고, 후자는 지행止行이니, 지혜를 즐기거나[樂慧] 선정을 즐긴[樂定] 차별이 있기 때문이다. 두 가지 상류의 성자는 아래 지 중에서 반열반할 수 있다는 견해는 이치에 어긋나지 않는다. 그럼에도 이들이 색구경천 및 유정천으로 간다고 말한 것은 극한의 처소가 된다는 것이니, 이들은 거기를 지나서는 갈 곳이 없기 때문이다. 마치 예류의 성자가 최대한 일곱 번 반복하여 태어난다[極七返生]고 하는 것과 같다.35

....

체 처에서 죽기 때문에 변몰이라고 이름한 것이다. '일체 처'는 말하자면 16처이다. 불환의 성자는 이미 태어난 곳에서 두 번째 생을 받는 경우는 없으니, 그는 태어남에서 뛰어난 것으로의 증진[勝進]을 구한다고 인정되는 까닭에 상지에 태어난다. 동등한 것을 구하는 것이 아니기 때문에 거듭 태어나지 않고, 열등한 것을 구하는 것이 아니기 때문에 하지에 태어나지 않는다. 곧 이에 의한 때문에 불환의 뜻이 만족되니, 일찍이 태어난 곳으로 다시 돌아와 태어나지 않기 때문이다. 오히려 본래 처소에도 태어나지 않거늘, 하물며 하지에 태어남이 있겠는가? 곧 이런 뜻에 의해 욕계에 태어나는 성자는 불환이라고 이름하지 않는다는 것을 나타낸다. 다시 전체적으로 맺어 말하였다. 이들이 말하자면 두 가지 상류 중 잡수정려라는 원인이 있었음에 의해 색구경천으로 가서 반열반하는 분들이라고 알아야 할 것이다.

34 무잡수의 상류를 개별적으로 해석하는 것이다. 다른 상류가 있으니, 모든 정려에 잡수가 없었던 분이라면 능히 유정천으로 가서 비로소 반열반한다. 말하자면 그는 먼저 잡수정려가 없었으므로 모든 4선정에 대한 애미愛味가 생의 인연이 되어서, 여기에서 죽으면 색계의 11천처에 두루 태어나고, 오직 5정거천으로만 갈 수 없으며, 다시 색계의 광과천에서 죽어서 아래 3무색천에 순차 태어나고 나서 뒤에 유정천에 태어나 비로소 반열반하는 것이다. 선정을 즐긴 [樂定] 상류는 15처(=5정거천을 제외한 색계 11천과 무색계 4천) 중, 전초는 2생을 받고, 반초는 최소한 3생, 최대한 14생을 받으며, 변몰은 15생을 받는다고 알아야 할 것이다.

35 두 가지 상류가 차별되고 같지 않음을 밝히는 것이다. 두 가지 상류 중 전자는 관행이고, 후자는 지행이니, 지혜를 즐기거나 선정을 즐긴 차별이 있기 때문이다. 두 가지 상류의 성자는 2생 이상일 경우 그 아래의 지 중에서 반열반할 수 있다는 견해는 이치에 어긋나지 않는다. 그런데도 이들이 색구경천 및 유

이런 다섯 가지를 색계로 가는 분이라고 한다.36

(2) 무색계로 가는 불환

무색계로 가는 분의 차별에는 네 가지가 있다. 말하자면 욕계에 있으면서 색계의 탐욕을 떠났다면, 여기에서 목숨이 끝나고 무색계에 태어나는데, 이들의 차별에는 네 가지가 있을 뿐이니, 태어나고 반열반하는 것에 차별이 있기 때문이다. 이들과 아울러 앞의 다섯 가지가 여섯 가지 불환을 이룬다.37

(3) 현반열반

다시 색계·무색계로 가지 않고 곧 여기에 머물면서 능히 반열반하는 분이 있어 현반열반現般涅槃이라고 이름하는데, 앞의 여섯 가지와 아울러 일곱 가지가 된다.38

2. 9종 불환

색계로 가는 5불환 중에는 다시 다른 문이 있으므로 그 차별을 드러내겠다. 계송으로 말하겠다.

....

정천으로 간다고 말한 것은 극한의 처소가 된다는 것이니, 이들은 거기를 지나서는 갈 곳이 없기 때문이다. 마치 예류의 성자가 최대한 일곱 번 반복하여 태어난다고 해도, 그 중에는 1생·2생 등인 경우도 역시 있는 것과 같다.

36 또 전체적으로 맺어 말하였다. 이 다섯 가지를 색계로 가는 분이라고 이름한다. 선정을 즐긴 상류는 비록 유정천에 태어난다고 해도 일찍이 색계에 태어남을 거쳤기 때문에 역시 색계로 가는 분이라고 이름하는데, 이런 분은 5불환 중 상류에 포함된다.

37 이상은 앞의 6구를 해석한 것이고, 이는 제7구를 해석하는 것이다. 무색계로 가는 분의 차별에는 네 가지가 있다. 말하자면 욕계에 있으면서 색계의 탐욕을 떠났다면 여기에서 목숨이 끝난 뒤 색계에 태어나지 않고 건너뛰어 무색계에 태어나는데, 이들의 차별에는 네 가지가 있을 뿐이니, 생반 등에 차별이 있기 때문이다. 앞의 다섯 중 오직 중반을 제외(=무색계에는 중유가 없기 때문)한 이런 네 가지를 합쳐서 무색계로 가는 불환이라고 이름한다. 이 무색(으로 가는 불환)은 한 가지이고, 앞의 다섯 가지와 아울러 여섯 가지 불환을 이룬다.

38 제8구를 해석하는 것인데, 이는 현반열반을 밝히는 것이다. 다시 색계·무색계로 가지 않고 곧 이 욕계에 태어나 머무는 중에 불환과를 얻고, 이미 과보를 얻은 뒤 곧 이 생에서 능히 반열반하는 분이 있어 현반열반이라고 이름한다. 가령 욕계에서 일찍이 7생을 거쳤거나 가가·일래·일간 등의 사람도 이 단계 중에 이르면 역시 현반이라고 이름한다. 이 현반이 한 가지이고, 앞의 여섯 가지와 아울러 7종 불환이 된다.

40 색계로 가는 분에는 아홉이 있으니[行色界有九]

　말하자면 세 가지를 각각 셋으로 나눈 것으로서[謂三各分三]

　업·번뇌·근기에 차이가 있기[業惑根有殊]

　때문에 세 가지와 아홉 가지 차별을 이룬다[故成三九別]39

논하여 말하겠다. 곧 색계로 가는 다섯 종류의 불환을 전체적으로 세 가지로 세우고, 각각 세 가지로 나누었기 때문에 아홉 가지를 이룬다.40 어떤 것이 세 가지인가?41 중반·생반·상류의 차별이 있기 때문이다.42

어떻게 세 가지를 각각 세 가지로 나누었는가?43 우선 중반열반을 세 가지로 나눈 것은, 빠르게[速], 빠르지 않게[非速], 오래 경과하여[經久] 반열반을 얻는 것이니, 세 가지 불꽃의 비유[三火星喻]에 의해 드러나는 것이기 때문이다. 생반열반도 역시 세 가지로 나뉘니, 생·유행 등의 반열반 때문이다. 이들은 모두 태어난 뒤 반열반을 얻는 것이니, 이 때문에 모두 생반이라고 이름해야 할 것들이다. 그 상류도 역시 세 가지로 나누니, 전초·반초 등의 차별이 있기 때문이다.44 그런데 모든 세 가지는 일체 모두가 빠르게, 빠르지 않게, 오래 경과하여 반열반을 얻는 것이기 때문에 다시 상호 서로 바라보더라도 뒤섞여 어지러운 허물이 없다.45

....

39 이하는 곧 둘째 9종 불환에 대해 밝히는 것이다.

40 이는 곧 전체적으로 표방하는 것이다.

41 물음이다.

42 답이다.

43 다시 아홉 가지에 대해 묻는 것이다.

44 답이다. 중반은 세 가지로 나뉘니, 첫째 빠르게, 둘째 빠르지 않게, 셋째 오래 경과하여 반열반을 얻는 것이다. 세 가지 불꽃의 비유는 앞(=제8권 중 게송 13d에 관한 논설 참조)에서와 같다고 알아야 할 것이다. 생반열반도 역시 세 가지로 나뉘니, 첫째 생반열반, 둘째 유행반열반, 셋째 무행반열반 때문이다.(=경량부에 의하면 둘째와 셋째의 순서가 바뀌어야 할 것이다) 그 상류도 역시 세 가지이니, 첫째 전초, 둘째 반초, 셋째 변몰의 차별이 있기 때문이다.

45 세 가지의 세 가지는 하나가 아니므로 '모든 세 가지'라고 이름한 것이다. 그런데 모든 세 가지는 일체 모두가 빠르게, 빠르지 않게, 오래 경과하여 반열반을 얻는 것이기 때문에 아홉 가지로 나눈 것이니, 다시 상호 서로 바라보더라도 뒤섞여 어지러운 허물이 없다. 중반의 셋은 빠른 것이고, 생반의 셋은 빠르

이와 같은 세 가지와 아홉 가지 불환은 업·번뇌·근기에 차별이 있기 때문에 빠르고, 빠르지 않고, 오래 경과하는 같지 않음이 있는 것이다.46 우선 전체적으로 세 가지를 이루니, 순기업順起業·순생업順生業·순후업順後業을 지어 증장시킨 차별 때문이며, 그 순서대로 하·중·상품의 번뇌가 현행하는 차별이 있기 때문이며, 아울러 상·중·하의 근기의 차별 때문이다.47

이 세 가지는 하나하나가 그것이 상응하는 바대로 업·번뇌·근기에 역시 차별이 있기 때문에 각각 세 가지 차별이 있으니, 그래서 아홉 가지를 이루는 것이다. 말하자면 첫째·둘째의 세 가지는 번뇌와 근기의 차별에 의해 각각 세 가지를 이루고, 업의 차이에 의한 것이 아니지만, 뒤의 세 가지는 역시 순후수업에도 차별이 있기 때문에 나뉘어 세 가지를 이룬 것이다. 그래서 이와 같이 색계로 가는 불환은 업·번뇌·근기가 달라서 세 가지와 아홉 가지 차별을 이룬 것이라고 말하였다.48

....

지 않은 것이며, 상류의 셋은 오래 경과하는 것인데, 이 세 가지의 세 가지에 나아가 각각 세 가지로 나눈 것도 첫째는 빠른 것, 둘째는 빠르지 않은 것, 셋째는 오래 경과하는 것이다.

46 세 가지와 아홉 가지 불환을 개별적으로 해석하는데, 이는 곧 전체적으로 표방하는 것이다.

47 이는 곧 세 가지 불환을 개별적으로 해석하는 것이다. 우선 전체적으로 세 가지를 이룬다. 순기업順起業을 지어서 증장시켰기 때문에 중반이라고 이름한다. 중유를 '기起'라고 이름하니, 미래의 생[當生]을 대향하여 잠시 일으키는 것이기 때문임은 앞에서 이미 말한 것과 같다. 순생업順生業을 지어서 증장시켰기 때문에 생반이라고 이름하고, 순후업順後業을 지어서 증장시켰기 때문에 상류라고 이름한다. 그 순서대로 세 가지에 배분해 해석하는 것이다. 혹은 그 순서대로 중반은 하품, 생반은 중품, 상류는 상품의 번뇌가 현행하는 차별이 있기 때문에 세 가지로 나눈 것이다. 아울러 중반은 상근, 생반은 중근, 상류는 하근의 차별이 있기 때문에 세 가지로 나눈 것이다.

48 이는 곧 아홉 가지 불환을 개별적으로 해석하는 것이다. 중반·생반·상류의 이 세 가지는 하나하나가 그것이 상응하는 바대로 업·번뇌·근기에 역시 차별이 있기 때문에 각각 세 가지 차별이 있으니, 그래서 아홉 가지를 이루는 것이다. 이 세 가지는 모두가 업·번뇌·근기에 의한 것은 아니기 때문에 '그것이 상응하는 바대로'라고 말한 것이다. 말하자면 첫째·둘째의 세 가지─곧 중반의 세 가지와 생반의 세 가지이다─는 단지 번뇌와 근기에만 차별이 있기 때문에 각각 세 가지를 이룬 것이다. 업의 차이에 의한 것이 아니니, 중반의 3인은 같이 기업을 받는 분으로서 차별이 없기 때문이며, 생반의 3인은 같이 생업을 받는 분으로서 차별이 없기 때문이다. 뒤의 세 가지 상류는 단지 번뇌와 근기에 같

3. 7선사취善土趣

만약 그렇다면 어째서 여러 계경 중에서, 붓다께서 7선사취善土趣가 있다고만 설하셨는가? 게송으로 말하겠다.

④ 7선사취를 세운 것은[立七善土趣]

　상류에 차별이 없기 때문인데[由上流無別]

　선은 행하고 악은 행하지 않으며[善惡行不行]

　감은 있어도 돌아옴이 없기 때문이다[有往無還故]49

논하여 말하겠다. 중반과 생반이 각각 세 가지이고, 상류가 한 가지가 되니, 경에서는 이에 의해 7선사취를 세운 것이다. 상지로 유전하는 법을 가졌기 때문에 상류라고 이름하니, 이 뜻이 같음에 의해 또 한 가지로 세운 것이다.50

....

지 않음이 있는 것에 의해서만 아니라, 역시 순후수업에도 차별이 있기 때문에 나뉘어 세 가지를 이룬 것이다. 상류에는 전초·반초·변몰하는 업의 차이가 있을 수 있기 때문에 세 가지로 나눈 것이다. 그래서 이와 같이 색계로 가는 불환은 업·번뇌·근기가 달라서 세 가지와 아홉 가지 차별을 이룬 것이라고 말하였다. '순후수업'이라고 말한 것은, 오직 4업(=순현수·순생수·순후수·부정업) 중 순후수의 정업만은 아니니, 성자는 부정업도 역시 짓기 때문에 순후수업이라는 말은 중반·생반을 상대해 말한 것이다. 또 해석하자면 이치상 실제로 성자는 부정업도 역시 짓기는 하지만, 이 글은 우선 순후수의 정업을 말한 것이다. 전체적으로 맺는 것은 알 수 있을 것이다.

49 이하에서 곧 셋째 7선사취에 대해 밝히려고 물었다. 만약 색계로 가는 분에 9종 불환이 있다면, 어째서 경(=중 2:6 선인왕경善人往經) 중에서 붓다께서 오직 7선사취가 있다고만 설하셨는가? 물음과 아울러 게송에 의한 답이다.

50 위의 2구를 해석하는 것이다. 중반과 생반 두 가지는 각각 셋으로 나누어지고, 상류는 한 가지가 되니, 경(=중 2:6 선인왕경)에서는 이에 의해 7선사취를 세운 것이다. 말하자면 상류의 사람은 상지로 유전하는 법[上流法]을 가졌기 때문에 상류라고 이름하니, 이 뜻이 같음에 의해 비록 세 가지가 있어도 또 한 가지로 세운 것이다. 또 『대비바사론』 제175권(=대27-878중)에서 말하였다. "(문) 생반[生]과 중반[不生]에는 각각 세 종류가 있으며, 상류에도 역시 그러하니, 말하자면 전초·반초·변몰인데, 어째서 하나로 설했는가? (답) 생반과 중반은 각각 한 존재의 상속이어서 그 중의 분위의 차별을 알기 어려우므로 알게 하고자 각각 세 가지로 말하지만, 상류의 세 가지는 생의 수가

어째서 유독 이들에 의해서만 선사취를 세우고, 그 나머지 유학의 성자들에는 의하지 않았는가? '취趣'는 '행行'이라는 뜻이니, 그 나머지 유학도 모두 선업을 행하는 점에 차별이 없기 때문이다.[51] 오직 이 일곱 가지 불환만은 모두 선업을 행하고 악업을 행하지 않지만, 나머지는 곧 그렇지 않다. 또 오직 일곱 가지 불환만은 상계로 가서 다시 돌아오지 않지만, 나머지는 곧 그렇지 않다. 그래서 유독 이들에 의해서만 선사취를 세운 것이다.[52]

만약 그렇다면 어째서 계경 중에서, "무엇을 선사善士라고 말하는가? 말하자면 만약 유학의 정견正見을 성취하고 ‥‥"라고 말씀하셨는가?[53] 나머지 모든 유학도 만약 다른 문에 따른다면 역시 선사의 성품이 있다고 말할 수 있으니, 모든 유학은 다섯 종류의 악에 대해 모두 필경 행하지 않는 율의[不作律儀]를 획득하기 때문이며, 불선의 번뇌가 대부분 이미 끊어졌기 때

스스로 갖추어져서 차별을 알기 쉬우니, 이 때문에 단지 상지로 간다는 뜻의 뛰어남에 따라서만 합쳐서 한 가지로 말한 것이다. 다시 다음으로 생반과 중반은 1기의 시간이 짧아서 그 차별되는 뜻이 그 만큼에만 있으므로 쉽게 건립할 수 있으니, 이 때문에 셋으로 나누었지만, 상류는 시간이 길고 차별이 여러 종류여서 한계를 분별하기 어렵기 때문에 합쳐서 하나로 세운 것이다. 다시 다음으로 생반과 중반은 선사취의 모습이 현전해서 알기 쉬우면서, 그들은 빠르게 반열반으로 나아가기 때문에 셋으로 나누었지만, 그 상류의 성자는 선사취의 모습이 미미하고 은밀해서 알기 어려우면서, 그들은 오히려 다수의 생사를 거치기 때문에 합쳐서 하나로만 말한 것이다."

51 아래 2구를 해석하려고 묻는 것이다. 어째서 유독 이들에 의해서만 선사취를 세우고, 그 나머지 예류·일래의 유학의 성자들에 의해서는 선사취를 세우지 않았는가? '취趣'는 '행行'이라는 뜻이니, 그 나머지 유학인 예류와 일래도 모두 선업을 행한다는 점에서 불환인 사람과 차별이 없기 때문이다.

52 답이다. 오직 이 일곱 가지 불환만은 모두 선업을 행하고 악업을 행하지 않지만, 나머지 예류 등은 곧 그렇지 않기 때문이니, 그들은 비록 선을 행하지만, 악도 역시 행하기 때문이다. 또 오직 일곱 가지 불환만은 상계로 가서 다시 욕계로 돌아와 수생하지 않지만, 나머지 예류 등은 곧 그렇지 않기 때문이니, 상계로는 가지 않고 욕계에만 태어나기 때문이다. 그래서 유독 이들에 의해서만 선사취를 세운 것이다.

53 힐난이다. 만약 그렇다면 어째서 계경 중에서, "무엇을 선사善士라고 말하는가? 말하자면 만약 유학의 정견正見을 성취하고 ‥‥"라고 말씀하셨는가?(=현존 선인왕경에는 이렇게 표현되어 있지 않지만, 그 뜻은 이와 같다) 8정八正(=유학의 8정도)을 모두 성취했다면 이는 곧 유학이므로 모두 선사라고 이름해야 할 것인데, 어째서 나머지는 선사취가 아니라고 말하는가?

문이다. 그러나 선사취를 세운 것은, 그런 다른 문에 따르지 않고, 오직 선만을 행하고 악을 행하지 않음에 의거했기 때문이며, 오직 뛰어난 원인에 의해 상계로 가는 것에 의탁했기 때문이다.54

4. 경생經生의 성자

성자의 단계에 있으면서 일찍이 생을 거친 분들에게도 이런 등의 차별되는 모습이 역시 있는가? 그렇지 않다. 어째서인가? 게송으로 말하겠다.

42 욕계의 생을 거친 성자는[經欲界生聖]

다른 계로 가서 태어나지 않으니[不往餘界生]

이들 및 상계로 가서 태어난 분에게는[此及往上生]

근의 연마와 물러남이 없다[無練根幷退]55

논하여 말하겠다. 만약 성자 단계에 있으면서 욕계의 생을 거친 분이라면 반드시 색계·무색계로 가서 태어나지 않으니, 그가 불환과를 증득하고 나면 결정코 그 현세의 몸에서 반열반하기 때문이다. 만약 색계에서 생을 거친 성자라면 무색계로 올라가 태어나는 뜻이 있을 수 있으니, 마치 유정천을 극한으로 해서 색계로 가는 분과 같다.56

....

54 회통하는 것이다. 나머지 모든 유학도 만약 8정을 성취했다는 다른 문에 따른다면 역시 선사의 성품이 있다고 말할 수 있으니, 모든 유학은 8정을 성취했으므로 다섯 종류의 악인 살생·투도·사음·허광어·음주에 대해 모두 필경 행하지 않는 율의를 획득하기 때문이며, 불선의 번뇌가 대부분 이미 끊어졌기 때문에 선사라고 이름해야 할 것이다. 그러나 지금 세운 선사취는, 그런 다른 문에 따르지 않고, 오직 선만을 행하고 악을 행하지 않음에 의거했기 때문이며, 오직 뛰어난 원인에 의해 상계로 가는 것에 의탁했기 때문에 선사취로 세운 것이다.

55 이하는 곧 넷째 상계에 태어나지 않는 경우를 밝히는 것인데, 위의 2구는 상계에 태어나지 않는 분을 밝히는 것이고, 아래 2구는 연근과 물러남이 없음을 밝히는 것이다.

56 욕계에서 생을 거친 성자가 만약 힘써 노력해서 성도의 획득을 일으키면 모든 번뇌를 끊으므로 반드시 상계에 태어나지 않는다. 욕계의 생의 많은 고뇌를 싫어하기 때문에 상계에 태어나면 욕계에서처럼 긴 세월의 괴로움이 있을 것을 두려워하기 때문이니, 그래서 욕계에서 생을 거친 분은 상계에 태어나지

그런데 천제석이, "일찍이 색구경이라고 이름하는 하늘이 있다고 들었는데, 저는 후에 물러나 떨어진다면 장차 거기에 태어나겠습니다"라는 이런 말을 한 것에 대해, 비바사 논사들은 이렇게 해석하였다. "그는 대법對法의 모습을 알지 못했기 때문인데, 그로 하여금 기쁘게 하기 위해 붓다께서도 막지 않으신 것이다."57

즉 이렇게 이미 욕계의 생을 거친 성자 및 이미 여기로부터 상계로 가서 태어난 모든 성자들에게는 반드시 근의 연마[練根]와 물러남[退]이 없다.58 어째서 욕계의 생을 거친 성자 및 상계에 태어난 성자에게 근의 연마와 물러남이 있는 것을 인정하지 않는가?59 반드시 없기 때문이다.60 어째서 반드시 없는가?61 생을 거친 성자는 익힌 근[習根]이 지극히 성숙했기 때문이

....

않는 것이다. 색계에는 괴로움이 없어서 싫어하는 마음이 열등하기 때문에 그래서 색계에서 생을 거친 성자는 무색계에 태어날 수 있다. (문) 욕계에서 생을 거친 성자가 상계에 태어나지 않는다면, 욕계에서 생을 거친 성자는 다시 욕계에도 태어나지 않아야 할 것이다. (해) 비록 욕계에서 생을 거친 성자는 극도로 싫어해 떠나려함을 낳기는 하지만, 번뇌를 끊기 어렵기 때문이며, 도가 아직 성숙하지 못했기 때문에 그래서 다시 욕계의 여러 생을 받는 것이다.

57 경(=중 33:134 석문경釋問經)의 글을 회통해 해석하는 것이다. 그런데 천제석은 다섯 가지 쇠퇴의 모습[五衰相](=증일 49:51:3경 참조)이 나타났을 때 세존께 와서 귀의하자 붓다께서 그를 위해 설법하셔서 예류과를 얻었는데, 비록 과보를 얻었지만, 이런 말을 하였다. "일찍이 색구경이라고 이름하는 하늘이 있다고 들었는데, 제가 목숨이 끝나고 후에 인간 중으로 물러나 떨어진다면, 붓다의 제자가 되어서 만약 아라한과를 획득하지 못하면 장차 그 하늘에 태어나기를 원합니다." 이에 대해 비바사 논사들은 이렇게 해석하였다. "그 천제석은 비록 예류를 얻었지만, 능히 대법의 모습을 알지 못했기 때문에 이런 그릇된 말을 한 것이다. 만약 그릇된 말이라면 붓다께서 어째서 막지 않으셨겠는가? 제석으로 하여금 일시 기쁘게 하기 위해 붓다께서도 막지 않으신 것이다." 그래서 『순정리론』 제65권(=대29-698중)에서 해석하여 말하였다. "천제석은 다섯 가지 죽음의 모습을 반연하여 극도로 근심과 괴로움을 낳자 세존께 와서 귀의함으로써 죽음의 모습이 겨우 제거되었을 때 곧 이런 말을 한 것이므로, 그를 기쁘게 하기 위해, 또 그것을 부정해도 많은 이익을 없을 것이라고 보셨기 때문에 붓다께서 막지 않으신 것이다."

58 아래 2구를 해석하면서 경생의 성자에게는 연근과 물러남이 없음을 밝히는 것이다.

59 물음이다.

60 답이다.

61 따지는 것이다.

며, 아울러 수승한 의지처[所依止]를 얻었기 때문이다.62

어째서 유학으로서 아직 욕탐을 떠나지 못한 분은 중유 중에서 반열반하는 일이 없는가?63 그들의 성도는 아직 맑게 성숙하지 못했기 때문[未淳熟故]이며, 아직 쉽게 현전케 할 수 없기 때문이며, 가진 수면이 지극히 열등한 것이 아니기 때문이다. 비바사 논사들은 이렇게 해석하였다. "욕계의 모든 법은 지극히 초월하기 어렵기 때문이며, 그들에게는 오히려 행해야 할 것이 많이 남아 있기 때문이다. 말하자면 증진하여 불선·무기의 두 가지 번뇌를 끊어야 하기 때문이며, 아울러 증진하여 두 가지나 세 가지 사문과를 얻어야 하기 때문이며, 아울러 3계의 법을 모두 초월해야 하기 때문인데, 중유의 단계에 머물면 이와 같은 능력이 없기 때문이다."64

5. 잡수雜修정려

앞에서 상류는 잡수정려가 원인이 되어 능히 색구경천으로 간다고 설했

----

62 해석하는 것이다. 생을 거친 성자는 익힌 근이 지극히 성숙했기 때문이며, 아울러 수승한 의지처의 몸[所依身]을 얻었기 때문이다. 과거에 범부의 몸이었을 때에는 아직 수승하다고 이름하지 못했지만, 생을 거친 성자는 오직 성자의 몸뿐이므로 바야흐로 수승하다고 이름한다. 혹은 상계의 몸도 역시 수승하다고 이름한다. 이에 의해 그들에게는 근을 연마하거나 물러난다는 이치가 없다. 또 해석하자면 '생을 거친 성자는 익힌 근이 지극히 성숙했기 때문'은 근의 연마가 없음을 나타내고, '아울러 수승한 의지처를 얻었기 때문'은 물러남이 없음을 나타내는 것이다.

63 물음인데, 뜻(='유학으로서 아직 욕탐을 떠나지 못한 분'은 아직 불환과에 이르지 못한 성자이므로, 중반열반하는 경우가 없다)은 알 수 있을 것이다.

64 답이다. 첫째 성도가 아직 성숙하지 못했고, 둘째 현행케 하기 어려우며, 셋째 수면이 열등한 것이 아니기 때문에 그 중유에 머물면서 반열반하는 경우가 없다. 또 비바사 논사들은 이렇게 해석하였다. 첫째 욕계의 모든 법은 지극히 초월하기 어렵기 때문이며, 둘째 그들에게는 오히려 행해야 할 일이 많이 남아 있기 때문이다. '할 일이 많다'는 것은 말하자면 증진하여 욕계의 불선 및 상계의 무기의 두 가지 번뇌를 끊어야 하기 때문이며, 그리고 증진하여 두 가지 사문과나-일래로부터 증진하여 불환·아라한과를 얻는 것을 말한다- 세 가지 사문과-예류로부터 증진하여 일래·불환·아라한과를 얻는 것을 말한다-를 얻어야 하기 때문이며, 아울러 3계에서 생사하는 유루법을 모두 초월해야 하기 때문이다. 또 해석하자면, 그리고 증진하여 제2의 일래과를 얻고, 제3의 불환과를 얻어야 하며, 아울러 3계의 법을 모두 초월하여 아라한과를 얻어야 하기 때문이다. 중유의 단계에 머물면 이와 같은 능력이 없다. 색계는 그렇지 않기 때문에 중유에 머물면서 반열반할 수 있는 것이다.

는데, 먼저 어떤 정려를 잡수해야 하고, 어떤 단계에 의해 잡수의 성취를 알며, 다시 어떤 인연을 위해 정려를 잡수하는가? 게송으로 말하겠다.

43 먼저 제4정려를 잡수해야 하고[先雜修第四]
　　성취는 1찰나의 섞임에 의하며[成由一念雜]
　　생을 받음과 현세의 즐거움[爲受生現樂]
　　및 번뇌에 의한 물러남을 막기 위해서이다[及遮煩惱退]65

　　논하여 말하겠다. 4정려를 잡수하려고 하는 모든 자는 반드시 먼저 제4 정려를 잡수할 것이니, 그 등지等持가 가장 감당에 능하기 때문이며, 모든 낙행樂行 중 그것이 가장 뛰어나기 때문이다.66
　　이와 같이 모든 정려를 잡수하는 자는 아라한 혹은 불환이다. 그는 반드시 먼저 제4정려에 드는데, 여러 찰나[多念]의 무루의 상속이 현전하면, 이로부터 여러 찰나의 유루를 견인해 낳고, 뒤에 다시 여러 찰나의 무루의 현전을 견인해 낳는다. 이와 같이 되돌아서 돌면[旋還] 뒤로 갈수록 점점 감소하여 나아가 최후로 2찰나의 무루에 이르는데, 다음에 2찰나의 유루를 견인해 현전시키고, 그 무간에 다시 2찰나의 무루를 낳으면, 잡수정려의 가행이 원만을 이루었다[雜修定加行成滿]고 이름한다. 그 다음 뒤에 오직 1찰나의 무루로부터 1찰나의 유루를 견인해 현전시키고, 그 무간에 다시 1찰나의 무루를 낳는다. 이와 같이 중간 찰나의 유루가 그 전후 찰나의 무루에 섞이면 그 때문에 잡수정려의 근본이 원만하게 이루어졌다[雜修定根本圓成]고 이름하는데, 앞의 2찰나는 무간도와 유사하고, 제3찰나는 해탈도와 유사하다. 이와 같이 제4정려를 잡수하고 나면 이 세력에 편승하여 그 상응하는 바에 따라 또한 아래 3정려도 잡수할 수 있다.

....
65 이하는 곧 다섯째 잡수정려에 대해 밝히는 것이다. 첫 구는 첫 물음에 대한 답이고, 제2구는 둘째 물음에 대한 답이며, 아래 2구는 셋째 물음에 대한 답이다.
66 첫 구를 해석하는 것이다. 등지가 감당에 능하며, 낙행(=뒤의 제25권 중 게송 59와 그 논설에서 설명되는 4통행 중의 낙통행) 중 가장 뛰어난 것이기 때문에 먼저 제4정려를 잡수해야 뒤에 비로소 아래 3정려를 잡수한다.

먼저 욕계 인취의 3주洲에서 이와 같이 모든 정려를 잡수하고 나면, 그 후 만약 퇴실하여 색계 중에 태어나더라도 역시 앞에서와 같이 정려를 잡수할 수 있다.67

정려의 잡수는 세 가지 인연을 위한 것이다. 첫째는 생을 받기 위해서이고, 둘째는 현세의 즐거움을 위해서이며, 셋째는 번뇌를 일으켜 물러남을 막기 위해서이다. 말하자면 불환 중 모든 이근자는 현세의 즐거움 및 정거천에 태어남을 위해서, 모든 둔근자는 또한 물러남을 막기 위해서이기도 하니, 그는 물러남을 두려워하기 때문이다. 이와 같은 잡수는 미상응味相應의 등지를 멀리하게 하기 때문이다. 모든 아라한은, 만약 이근자라면 현세의 즐거움을 위해서, 만약 둔근자라면 또한 번뇌를 일으켜 물러남을 막기 위해서이기도 하다.68

....

67 제2구를 해석하는 것이다. 불환이나 무학이라야 비로소 잡수할 수 있다. 여러 찰나의 마음을 일으키는 것은 먼 가행이고, 2찰나의 마음에 이르면 가행이 원만을 이룬다. 그 다음 뒤에 오직 1찰나의 무루-마치 무간도와 같다-로부터 곧 유루로 들어가면 불염오무지인 선정의 장애의 성취와 득이 함께 소멸하는데, 1찰나의 유루를 인기해 현전시키고-역시 무간도와 같다- 곧 무루로 들어가면, 불염오무지인 선정의 장애의 성취와 득이 함께 소멸한다. 앞 찰나(＝무루)에서 바라보면 응당 해탈도여야 할 것이니, 무루로부터 유루로 들어갈 때의 불염오무지인 선정의 장애의 불성취의 득과 함께 생기기 때문이지만, 지금은 단지 뒤의, 유루로부터 무루로 들어갈 때 불염오무지인 선정의 장애의 성취와 득이 함께 소멸하는 것에서 바라보기 때문에 마치 무간도와 같다는 것이다. 제3찰나에 무루심이 일어나는 것은, 유루로부터 무루로 들어갈 때의 불염오무지인 선정의 장애의 불성취의 득과 함께 생기기 때문에 마치 해탈도와 같은 것이다. 이와 같이 중간 찰나의 유루가 그 전후 찰나의 무루에 섞이면 그 때문에 잡수정려의 근본이 원만하게 이루어졌다고 이름하는데, 앞의 2찰나는 번뇌를 끊는 무간도와 유사해서 불염오무지의 성취와 득과 함께 소멸하고, 제3찰나는 해탈도와 유사해서 불염오무지의 불성취의 득과 함께 생긴다. 이와 같이 제4정려를 잡수하고 나면 이 세력에 편승하여 그 상응하는 바에 따라 또한 아래 3정려도 잡수할 수 있다. 이렇게 정려를 잡수할 때 세력이 일어나기 때문에, 먼저 욕계 인취의 3주에서 정려를 잡수하고 나면, 그 후 만약 퇴실하여 색계 중에 태어나더라도 역시 앞의 욕계에서와 같이 정려를 잡수할 수 있다. 3주에서는 싫어함이 강하고, 또 지혜가 뛰어나기 때문에 처음 잡수할 수 있지만, 나머지 처에는 통하지 않는다.

68 아래 2구를 해석하는 것인데, 글대로 알 수 있을 것이다. # '미상응의 등지'(＝소위 미등지[味定]＝염오등지)에 대해서는 뒤의 제28권 중 게송 ⑥과 그

6. 5정거천

정려의 잡수가 정거淨居에 태어나기 위해서라면, 어째서 정거의 처소에 다섯만이 있는가? 게송으로 말하겠다.

44a 잡수의 5품으로 말미암아[由雜修五品]
　　태어나는 곳에 5정거천이 있다[生有五淨居][69]

　　논하여 말하겠다. 제4정려를 섞어 훈수熏修하는 것에 5품이 있기 때문에 정거천도 오직 다섯이다.[70] 무엇을 5품이라고 말하는가?[71] 말하자면 하·중·상·상승上勝·상극上極품으로 차별되기 때문이다. 이 중 첫 품은 3심의 현전으로 곧 원만을 이루게 되니, 말하자면 첫 찰나에 무루를 일으키고, 다음 찰나에 유루를 일으키며, 뒷 찰나에 무루를 일으키는 것이다. 제2품은 6심, 제3품은 9심, 제4품은 12심, 제5품은 15심이다. 이와 같은 5품의 잡수정려에 의해 그 순서대로 5정거천을 감득하는 것이다. 여기에서 무루의 세력이 유루를 훈수熏修하여 정거천을 감득케 하는 것이라고 알아야 할 것이다.[72]

　　논설 참조. '미味'는 맛들여 집착하는 것[味著]을 뜻한다.
69 이하는 곧 여섯째 정거가 다섯뿐임을 밝히는 것이다.
70 간략한 해석인데, 알 수 있을 것이다.
71 물음이다.
72 답이다. 첫째 하품, 둘째 중품, 셋째 상품, 넷째 상승품, 다섯째 상극품으로 차별되기 때문이다. 이 중 첫 품은 원만을 이루는 시기에 의거할 때 3심이 현전하면 곧 원만을 이루게 된다. 제2품이 원만을 이루는 것은 다시 3심이 있어 앞에 더하면 6심이 되고, 제3품이 원만을 이루는 것은 다시 3심이 있어 앞에 더하면 9심이 되며, 제4품이 원만을 이루는 것은 다시 3심이 있어 앞에 더하면 12심이 되고, 제5품이 원만을 이루는 것은 다시 3심이 있어 앞에 더하면 15심이 되는 것이다. 그래서 『대비바사론』 제175권(＝대27-880하)에서 말하였다. "이 각각의 품이 원만을 이루는 단계에는 모두 3심이 있으니, 1심은 유루이고, 2심은 무루이다. 이와 같이 모두 15심이 있다고 말한 것 중 5심은 유루이고, 10심은 무루이다." 또 해석하자면 첫 품은 가장 하열해서 닦음이 3심에 이르면 곧 원만을 이루게 되고, 제2품은 점점 뛰어나 3심을 일으키기에 이르는 것은 오히려 가행이 되고, 다시 3심을 일으켜야 비로소 원만을 이루니, 가까운 가행을 함께 말하기 때문에 제2품에 6심이 있다고 말한 것이다. 뒤의 3품의 마음을 준해서 해석하는 것은 알 수 있을 것이다. 그래서 『순정리

어떤 다른 논사는, "믿음[信] 등의 5법이 순차 증상함에 의해 5정거천을 감득한다"라고 말하였다.73

7. 신증身證

경에서는 불환을 말하여 신증身證이라고 이름한 것이 있는데, 어떤 뛰어난 공덕에 의해 신증이라는 명칭을 세웠는가? 게송으로 말하겠다.

44c 멸진정을 획득한 불환은[得滅定不還]
　　신증이라고 바꾸어 이름한다[轉名爲身證]74

논하여 말하겠다. 멸진정의 획득이 있었다면 멸진정을 획득했다고 이름하는데, 곧 불환의 성자로서 만약 그 몸 안에 멸진정의 획득이 있다면 신증이라고 바꾸어 이름한다. 말하자면 불환의 성자가 몸에 의해 열반과 유사한 법을 증득했기 때문에 신증이라고 이름한 것이다.75

....

론』 제65권(=대29-699상)에서 말하였다. "이 중 첫 품은 3심이 현전하면 곧 원만을 이루게 되니, 말하자면 첫 찰나에 무루를 일으키고, 다음 찰나에 유루를 일으키며, 뒷 찰나에 무루를 일으키는 것이다. 둘째 중품은 6심이 현전해야 비로소 원만을 이루게 되니, 말하자면 2유루가 4무루에 의해 잡수되는 것이다. 이와 같이 그 나머지는 그 순서에 따라 9·12·15찰나의 마음이 상응하는 대로 현전해야 비로소 원만을 이루게 되는 것이다." 비록 양 해석이 있지만, 앞의 해석이 낫다고 하겠다.
　　이와 같은 5품의 잡수정려에 의해 그 순서대로 5정거천을 감득하는 것이다. 여기에서 전후의 무루의 세력이 중간의 유루를 훈수熏修하여 정거천을 감득케 하는 것이라고 알아야 한다. 무루가 감득하는 것은 아니니, 존재를 버리고 등지는 것이기 때문이다. 5품이 있음으로 인해 정거천도 다섯뿐이다.
73 어떤 다른 논사는, "믿음 등의 5법(=믿음·정진·알아차림·삼매·지혜의 5근)이 순차 증상함에 의해 5정거천을 감득하는 것이다"라고 말하였다. 말하자면 혹 신근이 증상할 때 정려의 잡수가 있기도 하고, 내지 혜근이 증상할 때 정려의 잡수가 있기도 하니, 이런 차별에 따라 5정거천을 감득하기 때문에 다섯만 있다는 것이다.
74 이는 곧 일곱째 신증인 불환에 대해 밝히는 것(=본문 중 '경'은 중 51:194 발다화리경跋陀和利經 등)이다.
75 멸진정의 획득의 일어남이 있었다면 멸진정을 획득했다고 이름하는데, 곧 불환의 성자로서 만약 그 몸 안에 멸진정의 획득이 있다면 신증이라고 바꾸어 이름한다. 말하자면 불환의 성자가 이 색신에 의해 열반과 유사한 멸진정이라

어째서 그를 말하여 다만 신증이라고만 이름하는가?76 마음이 없기 때문이며, 몸에 의지해 생긴 것이기 때문이다.77 이치상 실제로는 이렇게 말해야 할 것이다. "그가 멸진정으로부터 일어나면 먼저 아직 얻지 못했던, 의식 있는 몸[有識身]의 적정寂靜을 획득하고, 곧 '이 멸진정은 가장 적정해서 지극히 열반과 유사하겠구나!'라는 이런 생각을 한다. 이와 같이 몸의 적정을 증득했기 때문에 신증이라고 이름한 것이니, 획득 및 지혜의 현전에 의해 몸의 적정을 증득했기 때문[證得身寂靜故]이다."78

계경에서 18유학十八有學이 있다고 설했는데, 어째서 그 중에서 신증을 설하지 않았는가?79 의지하는 원인[依因]가 없기 때문이다.80 무엇을 의지

....

는 법을 능히 증득했기 때문에 신증이라고 이름한 것이다.
76 물음이다.
77 답이다. 멸진정에 들면 마음이 없기 때문이며, 몸에 의지해 생긴 것이기 때문에 신증이라고 이름한 것이다. 뒤에 출정하더라도 여전히 그것을 획득했다고 이름하는데, 획득이 몸에 의지해 생겼기 때문에 역시 신증이라고 이름한다.
78 논주가 경량부의 해석을 서술하는 것이다. 이치상 실제로는, 바로 그 멸진정에 들었을 때를 신증이라고 이름한 것이 아니라고 말해야 할 것이다. 그가 멸진정으로부터 일어나면 이전에는 아직 얻지 못했던, 의식 있는 몸—색신에 의식이 있는 것을 의식 있는 몸이라고 이름한 것이니, 의식 없는 단계와 구별하는 것이다—의 적정을 획득하고, 처음 멸진정에서 나와서 이 몸이 적정한 앞의 멸진정을 되돌아 반연하여 곧 '이 멸진정은 가장 적정해서 지극히 열반과 유사하겠구나'라는 이런 생각을 한다. 이와 같이 출정한 단계에서의 몸의 적정[出定位中身之寂靜]을 증득했기 때문에 신증이라고 이름한 것이니, 멸진정의 획득 및 출정 후의, 멸진정을 반연하는 지혜의 현전에 의해 몸의 적정을 증득했기 때문이다. 또 해석하자면 몸의 적정의 증득 및 출정했을 때의 지혜의 현전에 의해 몸의 적정을 증득한 것이다. # 요컨대 설일체유부는 멸진정에 들었을 때 마음이 없는 단계의 몸의 적정의 증득에 의거한 반면, 경량부는 출정 후의 의식 있는 몸의 적정의 증득에 의거해 신증이라고 이름한 것이라는 취지(=경량부에서는 멸진정의 실재성을 인정하지 않는다)이다.
79 경(=중 30:127 복전경福田經)에 의해 물음을 일으킨 것이다. '열여덟'이라고 말한 것은 27현성 중 9무학을 제외한 것이다. 그래서 『순정리론』 제65권(=대29-699중)에서 말하였다. "어째서 붓다께서 유학의 복전을 설하시면서 신증인 불환을 그 수에 넣지 않으셨는가? 말하자면 세존께서 급고독 장자에게 이르셨다. '장자여, 복전에는 두 가지가 있다고 알아야 하니, 첫째는 유학이고, 둘째는 무학인데, 유학은 열여덟이고, 무학은 아홉뿐입니다. 어떤 것을 18유학이라고 이름하는가 하면, 말하자면 예류향, 예류과, 일래향, 일래과, 불환향, 불환과, 아라한향, 수신행, 수법행, 신해, 견지, 가가, 일간, 중반, 생반, 유행

하는 원인이라고 말하는가?[81] 말하자면 모든 무루의 3학 및 결과이니, 그 차별에 의지해 유학을 건립했기 때문이다. 멸진정은 3학이 아니며 또한 3학의 결과도 아니기 때문에 그 성취에 의거해서 유학의 차별을 설하지 않은 것이다.[82]

【불환의 종류】불환이 차별되는 대체적인 모습은 이와 같지만, 만약 자세하게 분석한다면 그 수는 수천 가지가 될 것이다.[83] 그 뜻은 어떤 것인가?[84] 우선 중반中般과 같은 경우 근기[根]에 의거해 건립한다면 곧 세 가지가 되니, 하·중·상근의 차별이 있기 때문이다. 지地에 의거해 건립한다면 곧 네 가지가 되니, 초정려지로 가는 등의 차별이 있기 때문이다. 종성種性에 의거해 건립한다면 곧 여섯 가지가 되니, 퇴법退法 종성 등의 차별이 있기 때문이다. 처소[處]에 의거해 건립한다면 열여섯 가지가 되니, 범중천 등의 처소가 차별되기 때문이다. 지地와 이염離染에 의거한다면 서른여섯 가지가 되니, 색계의 구박具縛 내지 제4정려의 8품의 염오를 이미 떠났기 때문이다. 처소와 종성과 이염과 근기에 의거해 건립한다면 모두 2천5백92 가지가 된다.[85]

....

반, 무행반, 상류, 이를 열여덟이라고 이름합니다. 어떤 것을 아홉 가지 무학이라고 이름하는가 하면, 말하자면 퇴법退法, 사법思法, 호법護法, 안주법安住法, 감달법堪達法, 부동법不動法, 불퇴법不退法, 혜해탈慧解脫, 구해탈俱解脫, 이를 아홉 가지라고 이름합니다.'" 해석하자면 이 논서 제25권(=게송 60ab에 관한 논설 중 (3) 경량부의 퇴·불퇴론)에서, 근의 연마에 의해 얻은 것이 아닌 것을 불퇴법이라고 이름하고, 근의 연마에 의해 얻는 것을 부동법이라고 이름한다고 하였다.

80 답이다.
81 따지는 것이다.
82 해석하는 것이다. 말하자면 모든 무루의 계·정·혜의 3학 및 택멸이라는 결과(=이계과)의 법이니, 그 차별에 의지해 유학을 건립했기 때문이다. 그래서 '의지하는 원인'이라고 이름한 것이니, 그것을 원인으로 하기 때문에 그래서 원인이라고 이름한 것이다. 이 멸진정은 3학이 아니니, 유루이기 때문이고, 또한 3학의 결과도 아니니, 유위이기 때문이다. 그래서 그 성취에 의거해서는 유학의 차별을 설하지 않은 것이다.
83 앞을 맺으면서 뒤를 일으키는 것이다.
84 물음이다.
85 답이다. 우선 중반열반과 같은 경우 근기에 의거한다면 셋이 되고, 지에 의거

어찌 하여 이와 같은가?[86] 우선 1처의 종성에 여섯 가지가 있고, 각각의 종성은 이염문에 의거한 차별이 아홉 가지가 되니, 말하자면 그 중의 어떤 정려지에서도 구박이 처음이 되며, 나아가 이미 8품을 떠난 것이 뒤가 되는 것이다. 이와 같이 여섯의 아홉이므로 54가 되는데, 16처를 54에 곱하면 864가지가 되며, 이것에 근기를 곱하면 다시 3배가 되기 때문에 모두 2,592가지가 되는 것이다. 하지의 9품의 염오를 떠난 모든 분을 곧 말하여 상지의 구박이라고 이름하는데, 각각의 지의 이염의 수와 같게 되기 때문이다. 이와 같이 나아가 상류에 이르기까지도 역시 그러하기 때문에 다섯 종류의 불환의 수를 모두 쌓아서 전체적으로 계산하면 도합 12,960가지가 되는 것이다.[87]

제6장 무학도

제1절 아라한향·과의 차별

제3의 향·과의 차별에 대해 분별했으니, 다음에는 제4의 향·과를 건립해야 할 것이다. 게송으로 말하겠다.

45 상계의 수혹 중에서[上界修惑中]

....

한다면 넷이 되며, 종성에 의거한다면 여섯이 되고, 처소에 의거한다면 열여섯이 되며, 지와 이염에 의거한다면 서른여섯이 되니, 색계의 구박 내지 제4 정려의 8품의 염오를 이미 떠난 분이기 때문(=4×9)이다. 제9품을 떠났다면 곧 공무변처의 구박이기 때문에 말하지 않은 것이다. 그래서 처소와 종성과 이염과 근기에 의거해 건립한다면 모두 2천5백92가지가 된다.

86 물음이다.

87 답이다. 하지의 9품의 염오를 떠난 모든 분을 곧 말하여 상지의 구박이라고 이름하니, 4정려의 각각 지의 이염은 아홉으로서, 수가 모두 같게 되기 때문이다. 하지의 제9품의 염오를 끊었다면 하지에 태어나지 않기 때문이다. 그래서 제9품을 끊으면 상지의 구박이라고 하는데, 하지의 제9품과 아울러 상지의 전8품을 끊는 것이 곧 아홉 품류가 되기 때문에 '이염은 아홉으로서 수가 같게 된다'고 이름한 것이다. 나머지 글을 비례해서 해석할 것이다. 전체적으로 맺는 것은 알 수 있을 것이다.

초정려의 1품[斷初定一品]

내지 유정지의 8품을 끊었다면[至有頂八品]

모두 아라한향이다[皆阿羅漢向]

46 유정지 제9품의 무간도를[第九無間道]

금강유정이라고 이름하는데[名金剛喩定]

멸진의 득과 함께 하는 진지가[盡得俱盡智]

무학의 응과를 이룬다[成無學應果]88

1. 아라한향과 금강유정

논하여 말하겠다. 즉 불환의 성자가 증진하여 색계 및 무색계의 수소단의 번뇌를 끊을 때, 초정려의 1품을 끊는 것이 처음이 되는 것으로부터, 유정지의 8품을 끊는 것이 뒤가 되기에 이르기까지를, 아라한향이라고 바꾸어 이름한다고 알아야 할 것이다.89

곧 여기에서 말한 아라한향 중 유정지의 번뇌 제9품을 끊는 무간도를 말하여 또한 금강유정金剛喩定이라고도 이름하는데, 일체 수면을 모두 능히 파괴하기 때문이다. 먼저 이미 파괴되었기 때문에 일체를 파괴하지는 않지만, 실제로는 일체를 파괴할 수 있는 공능이 있으며, 능히 번뇌를 끊는 모든 무간도 중에서는 이 선정과 상응하는 것이 가장 뛰어나기 때문이다.90

---

88 이하는 넷째 아라한향·아라한과에 대해 밝히는 것이다. 그 안에 나아가면 첫째 향·과의 차별을 밝히고, 둘째 논의의 기회에 대치도에 대해 밝히며, 셋째 진지 후의 지혜[後智]에 대해 밝히고, 넷째 편의상 도의 과보를 통틀어 밝히며, 다섯째 여섯 가지 종성에 대해 밝힌다. 이는 곧 첫째 향·과의 차별을 밝히는 것인데, 먼저 첫째 앞을 맺고, 둘째 아래를 낳으며, 셋째 게송으로 해석하였다. 게송 중에 나아가면 앞의 1게송반은 향에 대해 밝히는 것이고, 뒤의 2구는 과에 대해 밝히는 것이다.

89 처음 1수의 게송을 해석하는 것인데, 글대로 알 수 있을 것이다.

90 제5·제6구를 해석하는 것이다. 이 선정은 비유에 따라 이름했기 때문에 금강유정이라고 이름한 것이니, 마치 세간의 금강이 능히 모든 것을 부수듯이 이 선정도 역시 그러해서 능히 일체 번뇌를 부순다는 것이다. 그래서『순정리론』(=제65권. 대29-700상)에서 말하였다. "이 선정의 견고함과 예리함[堅銳]은 비유하자면 금강과 같다."

금강유정에는 많은 종류가 있다고 말하니, 말하자면 유정지 제9품의 번뇌를 끊는 무간도가 생기는 것은 9지에 공통으로 의지하기 때문이다. 이 선정은 지혜[智]·행상[行]·소연[緣]이 차별된다고 말하는데, 미지정지에 포함되는 것에는 쉰두 가지가 있다. 말하자면 고·집류지가 유정지의 고·집제를 반연하는 것에 각각 4행상이 있으므로 여덟 가지가 있어야 하고, 멸·도법지에 각각 4행상이 있으므로 여덟 가지가 있어야 하며, 멸류지에는 8지의 멸제 하나하나를 반연하는 것에 각각 4행상이 있으므로 도합 서른두 가지가 있어야 하고, 도류지에는 8지의 도제를 반연하는 것에 전체적으로 4행상이 있으므로 네 가지가 있어야 하니, 8지를 대치하는 유지품의 도는 같은 부류로서 서로 원인하여 반드시 전체적으로 반연하기 때문이다.91 미지정지에 포함되는 것에 쉰두 가지가 있는 것처럼, 중간정려지와 4정려지도 역시 그러하다고 알아야 할 것이다. 공무변처에 포함되는 것은 스물여덟 가

....
91 모두 3설이 있는데, 이는 곧 첫 논사이다. 금강유정에는 많은 종류가 있다고 말한다. 말하자면 유정지 제9품의 번뇌를 끊는 무간도가 생기는 것은 9지(=미지정·중간정·4정려와 아래 3무색정)에 공통으로 의지하기 때문이다. 이 선정은 여러 지혜[智]에 의거해 차별되고, 행상[行]에 의거해 차별되며, 소연인 진리[諦]에 의거해 차별된다고 말하는데, 미지정(에 의지해 일으키는 금강유정)에 포함되는 것에 쉰두 가지가 있는 것은 글대로 알 수 있을 것이다. # 멸·도류지에 대한 설명 중 '8지'는 4정려와 4무색지를 말하는 것이다. 이 부분에 대한 법보의『소』제24권의 다음과 같은 설명이 이해에 도움이 된다. 「금강유정에 많은 종류가 있음을 밝힌다. 이 선정은 4유지와 멸·도법지, 이 여섯 가지 지혜 중의 하나에 따라서 현전하며, 그리고 16행상 중의 하나에 따라서 현전한다. 그렇지만 고·집제를 반연하는 것은 오직 유정지[非想地]만을 소연으로 하며, 멸·도법지는 오직 욕계의 멸·도제만을 반연한다.(=따라서 유정지를 반연하는 것 아닌 고·집법지에 따라 현전하는 금강유정은 없다. 그러나 뒤의 제26권 중 게송 ⑨와 그 논설에서 밝히는 것처럼, 멸·도법지는 수도 단계 중에서 유정지의 수소단도 대치할 수 있다) 이상에 관한 설에는 다시 다른 주장이 없지만, 멸·도류지에 대해서는 설에 차별이 있다. 제1설은 모든 지의 도제는 전체적으로만 반연할 뿐[總], 개별적으로 반연함[別]은 없지만, 멸제는 개별적으로만 반연할 뿐, 전체적으로 반연함은 없다고 하며, 제2설은 모든 지의 도제 및 멸제는 모두 개별적으로만 반연한다고 하고, 제3설은 모든 지의 도제는 전체적으로 반연하지만, 멸제는 전체적으로도 개별적으로도 반연한다고 한다. 이에 의해 같지 않게 그 많은 종류를 이루는 것이다.」본문은 이 제1설과 같다.

지이고, 식무변처에 포함되는 것은 스물네 가지이며, 무소유처에 포함되는 것은 스무 가지이니, 무색지에 의지하는 것에는 법지 및 하지의 멸제를 반연하는 멸류지가 없기 때문이지만, 하지를 반연하는 대치도는 같은 품의 도에 대해 상호 원인이 되기 때문이다.92

어떤 분은 말하였다. "이 선정은 지혜·행상·소연이 차별되므로, 미지정지에 포함되는 것에는 여든 가지가 있다. 말하자면 도류지도 8지의 도제를 반연하는 것에 역시 각각 별도로 4행상이 있으니, 이 때문에 앞의 쉰두 가지에 스물여덟 가지를 더해야 한다. 미지정지에 포함되는 것에 여든 가지가 있는 것처럼, 중간정려지와 4정려지도 역시 그러하다고 알아야 하며, 공무변처에 포함되는 것은 마흔 가지이고, 식무변처에 포함되는 것은 서른두 가지이며, 무소유처에 포함되는 것은 스물네 가지이다."93

....
92 미지정에 포함되는 것에 쉰두 가지가 있는 것처럼, 정려중간 및 4정려에도 역시 그러하다고 알아야 한다. 공무변처에 포함되는 것은 스물여덟 가지이니, 말하자면 앞의 쉰두 가지 중 멸·도제를 반연하는 2법지를 제외하고, 또 아래 4정려를 반연하는 멸류지를 제외하므로, 모두 6지혜의 각각 4행상, 스물네 가지를 제외하면 스물여덟 가지가 남아 있는 것(='남아 있는 것'은 고·집류지가 유정지의 고·집제를 반연하는 것에 각각 4행상이 있으므로 여덟 가지가 있고, 멸류지는 4정려를 반연하는 것을 제외한 4지의 멸제 하나하나를 반연하는 것에 각각 4행상이 있으므로 도합 열여섯 가지가 있으며, 도류지에는 8지의 도제를 반연하는 것에 전체적으로 4행상이 있으므로 네 가지가 있어 스물여덟 가지이다)이다. 식무변처에 포함되는 것은 스물네 가지이니, 앞의 스물여덟 가지에서 또 공무변처를 반연하는 멸류지의 4행상을 제외하며, 무소유처에 포함되는 것은 스무 가지이니, 앞의 스물네 가지에서 또 식무변처를 반연하는 멸류지의 4행상을 제외한 것이다. 무색지에 의지하는 것에는 법지 및 하지의 멸제를 반연하는 멸류지가 없기 때문에 그래서 법지 및 하지를 반연하는 멸류지를 제외한 것이다. 그렇지만 하지를 반연하는 대치도는 같은 품의 도에 대해 상호 서로 원인이 되기 때문에 3무색지의 도류지는 능히 9지의 도를 반연하는 것이다.
93 둘째 논사의 해석이다. 어떤 분은, 이 선정은 지혜에 의거해, 행상에 의거해, 소연에 의거해 차별되기 때문에 미지정지에 포함되는 것에는 여든 가지가 있다고 한다. 말하자면 도류지도 8지의 도제를 반연함에 역시 각각 별도로 4행상이 있으므로, 4×8=32가지여야 하는데, 그 중 네 가지는 앞의 쉰두 가지 중에 이미 들어갔기 때문에, 이 때문에 앞의 쉰두 가지에 스물여덟 가지를 더하면 여든 가지가 되는 것이다. 미지정에 포함되는 것에 여든 가지가 있는 것처럼, 중간정려와 4정려도 역시 그러하다고 알아야 한다. 공무변처지에 포함되

다시 어떤 분은, 금강유정은 지혜·행상·소연이 차별되므로, 미지정지에 포함되는 것에 모두 백예순네 가지가 있게 하고자 하였다. 말하자면 멸류 지가 8지의 멸제를 반연하는 것에는 개별적인 것도 있고 전체적인 것도 있으면서 각각 4행상과 상응하니, 이 때문에 처음의 쉰두 가지에 백열두 가지 를 더해야 한다는 것이다. 미지정지에 포함되는 것이 백예순네 가지인 것처럼, 중간정려지와 4정려지도 역시 그러하다고 알아야 하며, 공무변처에 는 쉰두 가지, 식무변처에는 서른여섯 가지, 무소유처에 스물네 가지라고 하였다.[94]

....

는 것은 마흔 가지이니, 멸·도제를 반연하는 법지 및 4정려를 반연하는 4멸류 지와 4도류지의, 10지에 각각 별도로 있는 4행상을 모두 제외하면 모두 마흔 가지를 제외하기 때문에 여든 가지 중 마흔 가지만 있는 것이다. 식무변처지 에 포함되는 것은 서른두 가지이니, 앞의 마흔 가지에서 또 공무변처를 반연 하는 멸·도류지 8행상을 제외하면 서른두 가지만 있는 것이다. 무소유처지에 포함되는 것은 스물네 가지이니, 앞의 서른 두 가지에서 또 식무변처를 반연 하는 멸·도류지 8행상을 제외하면 스물네 가지만 있는 것이다. # 이는 위 법 보의 『소』제2설과 같다.

94 셋째 논사의 해석이다. 다시 어떤 분은, 금강유정은 지혜에 의거해, 행상에 의거해, 소연에 의거해 차별되기 때문에 미지정지에 포함되는 것에는 모두 백 예순네 가지가 있게 하고자 하였다. 말하자면 멸류지가 8지의 멸제를 반연함 에는 개별적인 것도 있고 전체적인 것도 있으면서 각각 4행상과 상응하니, 8 지를 개별적으로 반연하는 여덟 가지가 있는 것은 첫 논사의 설과 같고, 전체 적으로 반연하는 것을 말한다면 2지를 합쳐 반연하는 것에 일곱 가지가 있고, 3지를 합쳐 반연하는 것에 여섯 가지가 있으며, 4지를 합쳐 반연하는 것에 다 섯 가지가 있고, 5지를 합쳐 반연하는 것에 네 가지가 있으며, 6지를 합쳐 반 연하는 것에 세 가지가 있고, 7지를 합쳐 반연하는 것에 두 가지가 있으며, 8지를 합쳐 반연하는 것에 한 가지가 있어서, 앞에 보태면 스물여덟 가지 (=7+6+5+4+3+2+1)가 된다. 무릇 이 합쳐 반연하는 것은 인접하는 다음 과 합쳐 반연하는 것이지, 사이를 건너뛰어 반연할 수는 없다. 4행상을 곱하 면, 스물여덟 가지 지혜에 각각 4행상이 있으므로 백열두 가지가 되기 때문에 '이 때문에 첫 논사의 쉰두 가지 위에 백열두 가지를 더해야 한다'고 말한 것 이니, 모두 백예순네 가지가 된다. 미지정지에 포함되는 것이 백예순네 가지 인 것처럼, 정려중간지 및 4정려지도 역시 그러하다고 알아야 한다.
   공무변처지에 쉰두 가지인 것은, 다만 멸제를 합쳐 반연하는 것만 더하고, 나머지는 모두 첫 논사와 같다. 합쳐 반연하는 것을 말한다면, 2지를 합쳐 반 연하는 것에 세 가지가 있고, 3지를 합쳐 반연하는 것에 두 가지가 있으며, 4지를 합쳐 반연하는 것에 한 가지가 있으니(=하지를 반연하지는 않는다), 앞에 보태면 여섯 가지가 되는데, 4행상을 앞의 여섯 가지 지혜에 곱하면 스

만약 종성과 근기 등에 나아가 분별한다면 더욱 많은 종류가 될 것이니, 이치대로 생각해야 할 것이다.95

2. 진지盡智와 아라한과

이 선정은 유정지의 제9품의 번뇌를 끊을 수 있으니, 능히 이 번뇌 멸진[惑盡]의 득과 함께 작용하는 진지盡智를 견인해 일어나게 한다. 금강유정은 번뇌를 끊는 중의 최후의 무간도이며, 이것에 의해 생긴 진지는 번뇌를 끊은 것 중 최후의 해탈도이다. 이 해탈도는 모든 번뇌 멸진[漏盡]의 득과 최초로 함께 생기는 것이기 때문에 진지라고 이름한 것이다.

이와 같은 진지가 이미 생긴 때에 이르면 곧 무학無學의 아라한과를 이루니, 무학의 응과법應果法을 이미 얻었기 때문에, 다른 과보를 얻기 위해 닦아야 할 학[所應修學]이 이들에게는 없기 때문에 무학이라는 명칭을 얻는다. 곧 이들은 오직 남을 위한 일을 행해야 할 뿐이기 때문[唯應作他事故]에, 염오 있는 모든 자들이 응당 공양해야 할 대상이기 때문[所應供故]에, 이런 뜻에 의해 아라한이라는 명칭을 세운 것이다. 그 뜻에 준해서 앞에서 분별한 4향·3과는 모두 유학有學이라고 이름한다는 것은 이미 성립되었다.96

....

물네 가지이므로 첫 논사의 스물여덟 가지 위에 스물네 가지를 더하기 때문에 쉰두 가지가 되는 것이다. 식무변처지에 서른여섯 가지인 것은, 다만 멸제를 합쳐 반연하는 것만 더하고, 나머지는 모두 첫 논사와 같다. 합쳐 반연하는 것을 말한다면, 2지를 합쳐 반연하는 것에 두 가지가 있고, 3지를 합쳐 반연하는 것에 한 가지가 있으니(=역시 하지를 반연하지는 않는다), 앞에 보태면 세 가지가 되는데, 4행상을 앞의 세 가지 지혜에 곱하면 열두 가지이므로 첫 논사의 스물네 가지 위에 열두 가지를 더하기 때문에 서른여섯 가지가 되는 것이다. 무소유처지에 스물네 가지인 것은, 다만 멸제를 합쳐 반연하는 것만 더하고, 나머지는 모두 첫 논사와 같다. (합쳐 반연하는 것을 말한다면) 2지를 합쳐 반연하는 오직 한 가지만 있으니(=역시 하지를 반연하지는 않는다), 4행상을 한 가지 지혜에 곱하면 네 가지가 되므로, 첫 논사의 스무 가지 위에 네 가지를 더하여 스물네 가지가 되는 것이다. # 이는 위 법보의『소』제3설과 같다.

　3설 중 제3설이 바른 것이라고 하겠다. 그래서『대비바사론』제28권(=대27-143하)에서 논평하는 분이 말하였다. "여시설자는 미지정지에 의지하는 것에 백예순네 가지 금강유정이 있다고 하였다."
95 이 금강유정을 만약 여섯 가지 종성과 세 가지 근기 등에 나아가 분별한다면 더욱 많은 종류가 될 것이니, 이치대로 생각해야 할 것이다.

【유학有學】 어떤 이유에서 앞의 일곱 가지 성자는 유학이라는 명칭을 얻었는가?97 번뇌의 멸진을 얻기 위해 배우는 것을 항상 즐기기 때문[常樂學故]이다. 배우는 것에는 반드시 세 가지가 있다. 첫째 증상의 계[增上戒], 둘째 증상의 마음[增上心], 셋째 증상의 지혜[增上慧]이니, 계·정·혜가 세 가지의 자체가 된다.98

만약 그렇다면 이생도 유학이라고 이름해야 할 것이다.99 그렇지 않다. 아직 여실하게 진리의 이치[諦理]를 보고 알지 못하기 때문이며, 그들은 뒤

....

96 뒤의 2구를 해석하는 것이다. 이 선정은 이미 유정지의 제9품의 번뇌를 능히 끊으니, 능히 이 제9품의 번뇌 멸진의 득과 함께 작용하는 진지盡智를 견인해 일어나게 해서 생상에 이르게 한다. 또 해석하자면 능히 이 번뇌 멸진의 득을 견인해 일어나게 하고, 능히 이 번뇌 멸진의 득과 함께 작용하는 진지를 견인해 일어나게 한다. 금강유정은 최후의 무간도이며, 진지는 최후의 해탈도이다. 이 해탈도는 모든 번뇌 멸진의 득과 최초로 함께 생기는 것이니, 함께 생기는 득에 따라 이름했기 때문에 진지라고 이름한 것이다. 나머지 무생지 등은 비록 멸진의 득과 함께 하기는 해도 최초가 아니기 때문이다. 이와 같은 진지가 현재 이미 생긴 때에 이르면 곧 무학의 아라한과를 이룬다. 아라한은 여기 말로 응應이다. 무학의 응과법應果法(=응이라는 과보의 법)을 이미 얻었기 때문에, 다른 과보를 얻기 위해 닦아야 할 학學이 이들에게는 없기 때문에 무학이라는 명칭을 얻은 것이다. 곧 이 무학은 오직 남을 이익하는 일[他利益事]을 응당 행해야 할 뿐이기 때문에, 염오 있는 모든 자들이 응당 공양해야 할 대상이기 때문에, 응應의 뜻에 의해 아라한이라는 명칭을 세운 것이다. 또 『대비바사론』 제94권(=대27-487중)에서 해석해 말하였다. "다시 다음으로 '아라'란 일체 번뇌를 말하고, '한'은 능히 해친 것[能害]을 이름한 것이니, 예리한 지혜의 힘을 써서 번뇌의 도적을 해쳐 남음 없게 했기 때문에 아라한이라고 이름한 것이다. 다시 다음으로 '라한'은 생生이라고 이름하고, '아'는 없다는 뜻이니, 생이 없기 때문에 아라한이라고 이름한 것이다. 그는 모든 계, 모든 취, 모든 생의 생사법 중에 다시 태어나지 않기 때문이다. 다시 다음으로 '한'은 일체 악하고 불선한 법을 이름하고, '아라'라고 말한 것은 멀리 떠났다[遠離]는 뜻이니, 모든 악하고 불선한 법을 멀리 떠났기 때문에 아라한이라고 이름한 것이다." 그 뜻에 준해서 앞에서 분별한 4향·3과는 모두 유학有學이라고 이름한다는 것은 이미 성립되었다.

97 물음이다.

98 답이다. 번뇌의 멸진을 얻기 위해 배우는 것을 항상 즐기기 때문이다. 학學의 체에는 셋이 있으니, 계·정·혜를 말하는 것이다. '정定'이라고 말한 것은 마음이니, 의지처에 따라서 이름한 것이다.

99 힐난이다. 만약 그렇다면 이생도 유학이라고 이름해야 할 것이니, 역시 번뇌의 멸진을 얻기 위해 그 계·정·혜 배우기를 항상 즐기기 때문이다.

에 바른 배움[正學]에서 퇴실할 수 있기 때문이다. 이 때문에 선서께서 학이라는 말을 재차 설하셨으니, 예컨대 계경 중에서 붓다께서 담파憺怕에게, "배워야 할 것을 배운다면[學所應學], 배워야 할 것을 배우는 이런 사람만을 나는 유학이라고 이름합니다"라고 말씀하신 것과 같다. 바르게 배워야 할 것을 배우되, 퇴실함이 없어야 유학이라고 이름한다는 것을 요지하게 하기 위해, 그래서 박가범께서 학이라는 말을 거듭 말씀하셨던 것이다.100

성자가 본성本性에 머문다면 어떻게 유학이라고 이름하겠는가?101 배우려는 뜻이 아직 만족되지 않았기 때문이니, 마치 길가던 자가 잠시 쉬는 것과 같다. 혹은 유학법의 득[學法得]이 항상 따라서 쫓기 때문[常隨逐故]이다.102

3. 유학의 법과 무학의 법

유학의 법[學法]은 어떤 것인가? 말하자면 유학인 성자의 무루의 유위법

---

100 해석하는 것이다. 그렇지 않다. 이생은 비록 계 등을 배운다고 해도, 아직 무루의 지혜를 얻어 여실하게 4성제의 이치를 보고 알지 못하기 때문이며, 그들은 뒤에 바른 배움에서 퇴실하여 여러 외도에 들어가 삿된 배움을 행할 수 있기 때문이다. 그래서 그들에 대해서는 유학이라는 명칭을 세우지 않는다. 모든 유학은 이미 능히 여실하게 진리를 보고, 바른 배움에서 퇴실함이 없으므로 유학이라는 명칭을 얻는다. 이 때문에 선서께서 결정적이라는 뜻을 나타내기 위해 유학에 대해 학이라는 말을 재차 설하셨으니, 예컨대 계경(=잡[35]35:976 시바경尸婆經) 중에서 붓다께서 담파憺怕에게, "배워야 할 무루의 정법을 배운다면, 배워야 할 무루의 정법을 배우는 이런 사람만을 나는 유학이라고 이름합니다"라고 말씀하신 것과 같다. 논주가 경을 해석하기를, 바르게 배워야 할 무루의 계 등을 배우고, 퇴실함이 없어야 유학이라고 이름한다는 것을 요지하게 하기 위해, 그래서 박가범께서 학이라는 말을 거듭 말씀하셨다는 것이다. 성자는 비록 물러남이 있더라도, 완전히 물러나 삿된 배움을 행한다는 이치는 반드시 없기 때문에 물러나지 않는다고 이름한다.

101 물음이다. '본성本性에 머문다'라고 말한 것은, 혹은 퇴전하지 않고, 혹은 전진하여 닦지 않는 것이다. 그래서 『대비바사론』 제176권(=대27-883하)에서 말하였다. "말하자면 유학이 본성에 머무는 것은 두 가지 인연이 있는 것을 본성에 머문다고 이름하니, 첫째 현선賢善의 성품을 지키면서 퇴전함이 없는 것, 둘째 자신의 분위를 지키면서 전진해 닦지 않는 것이다." 자세한 것은 거기에서 해석한 것과 같다.

102 답이다. 비록 본성에 머문다고 해도 배우려는 뜻이 아직 만족되지 않았으니, 마치 길가던 자가 잠시 쉴 때에도 가려는 뜻이 쉬지 않았으므로 역시 길가는 사람이라고 이름하는 것과 같다. 또 해석하자면, 혹은 본성에 머문다고 해도, 혹은 유학법의 득이 항상 따라서 쫓기 때문에 역시 유학이라고 이름한다.

이다. 무학의 법은 어떤 것인가? 말하자면 무학인 성자의 무루의 유위법이다.[103]

어째서 열반은 유학의 법이라고 이름하지 않는가? 무학과 이생도 역시 성취하기 때문이다. 이것은 다시 어떤 이유에서 무학의 법이라고 이름하지 않는가? 유학과 이생도 역시 성취하기 때문이다.[104]

4. 여덟 성보특가라[八聖補特伽羅]

이와 같이 유학과 무학의 성자가 전체적으로 8성보특가라를 이루니, 향을 행하는 분[行向]과 과보에 머무는 분[住果]에 각각 넷이 있기 때문이다. 말하자면 예류과를 증득하기 위한 향 내지 증득된 아라한과이다. 명칭에는 비록 여덟이 있어도, 체[事]에는 다섯만이 있으니, 말하자면 4과보에 머무는 분 및 초과향初果向이다. 뒤의 3과의 향은 앞의 과보와 분리되지 않기 때문이다. 이는 점차 과보를 얻는 분에 의해 말한 것이니, 만약 배리욕倍離欲·전리욕全離欲의 수행자가 견도 중에 머물면 일래과향·불환과향이라고 이름하는데, 앞의 과보에 포함되는 것이 아니다.[105]

제2절 유루도와 무루도

1. 유루·무루도와 이염離染

앞에서 설한 것처럼 수도에는 두 가지가 있으니, 유루도와 무루도의 차

---

103 문답하여 유학의 법과 무학의 법을 밝히는 것인데, 알 수 있을 것이다.
104 이는 열반(=무위의 택멸)은 유학도 무학도 아님(=이생도 유루도에 의해 성취할 수 있다는 취지)을 밝히는 것인데, 글대로 알 수 있을 것이다.
105 이는 전체적으로 맺는 것이다. 이와 같이 유학과 무학의 성자인 4향·4과가 전체적으로 8성보특가라를 이룬다. 명칭에는 비록 여덟이 있어도, 그 체[事]에는 다섯만이 있으니, 말하자면 4과보에 머무는 분 및 초과향이다. 뒤의 3과의 향은 앞의 3과와 분리되지 않기 때문이니, 앞의 과보를 휴대하고 후과의 향을 행하기 때문인데, 초과향은 포함될 앞의 과보가 없기 때문에 따로 하나로서 세운 것이다. 이는 점차 과보를 얻는 분(=소위 차제증)에 의해 말한 것이니, 만약 전6품의 염오를 배리욕한 수행자 및 9품의 염오를 전리욕한 수행자가 견도 중에 머물면 일래과향·불환과향이라고 이름하는데, 다시 명칭은 하나여도 그 체는 둘로서, 앞의 예류과·일래과에 포함되는 것이 아니다. 혹은 앞의 과보에 포함되는 것이 아닌 것은, 이전에 과보가 없었기 때문이다.

별이 있기 때문이다. 어떤 도에 의해 어떤 지의 염오를 떠나는가? 게송으로 말하겠다.

47a 유정지는 무루도에 의해[有頂由無漏]
　나머지는 두 가지 도에 의해 이염한다[餘由二離染]106

　논하여 말하겠다. 무루도로써만 유정지의 염오를 떠나고, 유루도로써는 아니다. 왜냐하면 이 위로는 더 이상 세속도가 없기 때문이며, 자지自地의 세속도는 자지의 번뇌를 대치할 수 없기 때문이니, 자지의 번뇌에 의해 수증되기 때문이다. 만약 그 번뇌가 이것에서 수증한다면 이것은 반드시 그 번뇌를 대치할 수 없으며, 만약 이것의 힘이 그것을 대치할 수 있다면 곧 그것은 이것에서 반드시 수증하지 않는다. 따라서 자지의 세속도는 자지의 번뇌를 대치하지 못하는 것이다. 나머지 8지의 염오 떠나는 것은 공통으로 두 가지 도에 의하니, 세간도·출세간도로써 모두 떠날 수 있기 때문이다.107

．．．．．．．．．．．．．．．．．．．．．．．

106 이하는 둘째 논의의 기회에 대치도에 대해 밝히는 것이다. 그 안에 나아가면 첫째 지에서 도에 의해 이염하는 것[地由道離染], 둘째 도가 인기하는 이계의 득[道引離繫得], 셋째 도에 의해 지를 떠남의 통·국[道離地通局], 넷째 근분에 포함되는 도의 차별[近分攝道別], 다섯째 세속도의 소연과 행상[世俗道緣行]이니, 이는 곧 첫째 지에서 도에 의해 이염하는 것이다.
107 무루도로써만 유정지의 염오를 떠나니, 이것은 무루의 세력이 증강增强해서 자지·상지 등을 모두 능히 대치하지만, 유루도로써는 아니다. 까닭이 무엇이 겠는가? 오직 차상의 근분지 중에서 세속도를 일으켜 하지의 번뇌를 대치하는데, 이 유정지 위로는 더 이상 세속의 근분도가 없기 때문에 하지의 번뇌를 끊는 상지의 도가 없는 것이다. 비록 자지의 유루의 대치도는 있지만, 자지의 유루도는 자지의 번뇌를 대치할 수 없기 때문이다. 왜냐하면 자지의 대치도는 자지의 번뇌에 의해 수증되기 때문에, 마치 묶인 사람은 스스로 풀 수 없는 것과 같다. 다시 바른 이치를 말한다. 만약 그 번뇌가 이 도에서 수증한다면 이 도는 반드시 그 번뇌를 대치할 수 없으며, 만약 이 도의 힘이 그것을 대치할 수 있다면 곧 그 번뇌는 이 도에서 반드시 수증하지 않는다. 그래서 자지의 세속도는 자지의 번뇌를 대치하지 못하는 것이다. 비록 하지의 도는 상지의 번뇌에 의해 수증되는 것은 아니지만, 세력이 열등하기 때문에 하지의 도가 상지의 번뇌를 끊는 것은 아니다. 아래 1구를 해석하는 것은 글대로 알 수 있을 것이다.

2. 유루·무루도와 이계의 득

이미 공통으로 두 가지 도에 의해 8지의 염오를 떠난다고 했으니, 각각 몇 가지 이계의 득이 있는가? 게송으로 말하겠다.

47c 성자가 두 가지 도로 8지의 수혹을 떠날 때[聖二離八修]
　각각 두 가지 이계를 획득한다[各二離繫得]

논하여 말하겠다. 모든 유학의 성자가 유루도를 써서 아래 8지의 수소단의 염오를 떠날 때 두 가지 이계의 득을 능히 갖추어 견인해 낳으며, 무루도를 써서 그것을 떠날 때에도 역시 그러하니, 두 가지 도는 하는 일[所作]이 같기 때문이다.108

어떤 다른 논사는 이렇게 해석하였다. "무루도로써 그 염오를 떠날 때 유루의 이계득도 역시 낳는다는 것을 어째서 증지하는가 하면, 무루의 이계득을 버릴 때에도 번뇌의 성취되지 않음이 있기 때문이다. 말하자면 유학의 성자가 무루도로써 그 염오를 떠날 때, 만약 같은 대치[同治]인 유루의 이계득을 견인해 낳지 않는다고 한다면, 곧 성도로써 8지의 염오를 모두 떠나고 그 후 정려에 의해 전근轉根을 획득할 때, 이전까지의 모든 둔근의 성도를 단박에 버리고 오직 정려에 의한 이근의 과보[利果]인 성도를 획득할 뿐이므로, 상지 번뇌의 이계는 모두 성취하지 않아야 하며, 이런 즉 다시 그 번뇌를 성취해야 할 것이(지만 그렇지 않)기 때문이다."109 이 증명은

---

108 이하는 곧 둘째 도가 인기하는 이계의 득인데, 글대로 알 수 있을 것이다.
　# '두 가지 이계의 득'이란 그 아래에 나오는 무루의 이계득과 유루의 이계득을 말하는 것이다.
109 다른 해석을 서술하는 것이다. 이 논사의 뜻은, 무루도로써 염오를 떠날 때 반드시 유루의 이계득도 능히 인기한다는 것은, 무루의 득을 버릴 때에도 번뇌의 성취되지 않음이 있기 때문에 증명된다는 것이다. 말하자면 유학의 성자가 무루도로써 그 지의 염오를 떠날 때, 만약 같은 대치인 유루의 이계득을 견인해 낳지 않는다고 한다면, 곧 성도로써 아래 8지의 염오 떠남과 9지의 승과도 얻음을 갖추고, 그 후 정려에 의해 전근轉根을 획득할 때에는, 이전까지 9지에 있던 과·향의 모든 둔근의 성도를 단박에 버리고, 오직 정려에 의한 이근의 과보인 성도를 획득할 뿐이므로(=그 의미는 뒤의 제25권 중 게송 84와

이치가 아니다. 까닭이 무엇이겠는가? 그 성자에게 설령 유루단의 득이 없다고 해도 역시 상지의 번뇌를 성취하지 않으니, 마치 부분적으로 유정지를 떠나 전근을 획득할 때 및 이생이 상지에 태어날 때 번뇌를 성취하지 않는 것과 같기 때문이다. 말하자면 예컨대 부분적으로 유정지의 염오를 떠난 뒤 정려에 의해 전근을 획득할 때 무루단의 득은 이미 단박에 버려지고, 그 지의 이계에 유루단의 득이 없다고 해도 그 지의 번뇌를 역시 성취하지 않는 것처럼, 또 예컨대 이생이 제2정려지 등에 태어날 때 비록 욕계 등의 번뇌단의 득을 버렸다고 해도 욕계 등의 번뇌를 성취하지 않는 것처럼, 이것도 역시 그러해야 하기 때문에 증거가 되지 못한다.110

성자가 두 가지 도로써 8지의 수혹을 떠날 때 각각 두 가지 이계득을 능히 견인하여 낳는다고 이미 설했으니, 그 뜻에 준하면 이생은 유루도를 써서 오직 유루단의 득만을 능히 인기하고, 아울러 모든 성자가 무루도를 써

그 논설 참조), 8지 중 아래 5지(=욕계와 4정려지)의 이계는 무루득이 있다고 말할 수 있어도, 위의 3무색지 번뇌의 이계는 모두 성취되지 않아야 할 것이니, 그 무루득은 둔근의 도에 따른 것이어서 그 이계득을 버릴 때 이미 성취되지 않았을 것이다. 이런 즉 다시 그 번뇌를 성취해야 할 것이(지만 실제로는 그렇지 않다)라는 것이다.

110 논주의 논파이다. 왜냐하면 그 성자에게 설령 유루단의 득(=유루의 이계득)이 없다고 해도 역시 그 상지의 번뇌를 성취하지 않으니, 마치 성자가 부분적으로 유정지의 1품 내지 8품을 떠나 전근을 획득할 때 및 이생이 상지에 태어날 때 번뇌를 성취하지 않는 것과 같기 때문이다. 말하자면 예컨대 성자가 부분적으로 유정지의 1품 내지 8품의 염오를 떠난 뒤 정려에 의해 전근을 획득할 때 무루단의 득은 이미 단박에 버려지고 그 지의 이계에 유루단의 득이 없다고 해도 그 지의 번뇌는 역시 성취되지 않는 것과 같고, 또 예컨대 이생이 제2정려지 등에 태어날 때 비록 욕계 등의 번뇌단의 득을 버렸다고 해도 욕계 등의 번뇌를 성취하지 않는 것과 같다. 그래서 『순정리론』(=제66권. 대29-701하)에서 말하였다. "욕계 등의 유루의 이계득은 초정려 등에 포함되니(=초정려의 근분정으로 대치되는 것이라는 취지), 오직 그것만이 대치할 수 있기 때문이다. 만약 상지에 태어난다면 이 득은 반드시 버려지니, 상지에 태어나면 반드시 하지의 유루선을 버리기 때문이다." (문) 이 두 가지 이계의 득이 이미 없다면 번뇌가 어찌 성취되지 않겠는가? (답) 『순정리론』(=상동)에서, "이 두 가지 번뇌단의 득이 비록 없다고 해도 뛰어남으로 나아갔기[勝進] 때문에 번뇌의 득이 생기는 것을 막는다"라고 말한 것과 같다. 이것도 역시 그러해야 하기 때문에 증명을 이루지 못한다.

서 견소단의 번뇌 및 유정지의 수혹을 떠날 때에는 오직 무루단의 득만을 견인하여 낳을 뿐이다.111

3. 도에 의해 지를 떠남의 通通·국局

어떤 지의 도에 의해 어떤 지의 염오를 떠나는가? 게송으로 말하겠다.

48 무루인 미지정지의 도는[無漏未至道]
　능히 모든 지의 염오를 떠나고[能離一切地]
　나머지 8지의 도는 자지·상지의 염오를 떠나며[餘八離自上]
　유루도는 바로 아래 지의 염오를 떠난다[有漏離次下]

　논하여 말하겠다. 무루도가 만약 미지정지에 포함되는 것이라면 능히 욕계 내지 유정지의 염오를 떠나고, 정려중간 및 4정려지와 3무색정지에 포함되는 것이라면 그 상응하는 바에 따라 각각 자지 및 상지의 염오를 능히 떠나지만, 하지의 염오를 떠나지는 않으니, 떠났기 때문이다.

　모든 유루도는 모두 오직 바로 아래 지[次下地]의 염오만을 떠날 수 있고, 자지 등의 염오는 아니니, 자지의 번뇌에 의해 수증되기 때문이며, 세력이 열등하기 때문이며, 이미 떠났기 때문이다.112

....

111 이는 곧 유추해석하는 것이다. 그 뜻에 준하면, 이생은 유루도를 써서 아래 8지의 염오를 떠나면 오직 유루단의 득만을 능히 인기하고, 무루를 닦지 않으니, 아직 성법[聖]에 들지 못했기 때문이다. 아울러 모든 성자가 무루도를 써서 견소단의 번뇌 및 유정지의 수혹을 떠날 때에는 오직 무루단의 득만을 견인하여 낳을 뿐이다. 세속도를 닦지 않으니, 세속도와는 일이 같지 않기 때문이다.

112 이는 곧 셋째 도에 의해 지를 떠남의 공통됨과 국한됨이다. 모든 무루도는 통틀어 9지에 의하니, 말하자면 4정려·미지정지·중간정지 및 3무색정지이다. 만약 미지정지에 포함되는 것이라면 능히 9지를 떠나고, 나머지 8지에 포함되는 것이라면 그 상응하는 바에 따라 각각 능히 자지 및 상지의 염오를 떠나니, 초정려 및 중간정은 능히 자지 및 위의 7지의 염오를 떠나며, 나아가 무소유처는 능히 자지 및 위의 유정지의 염오를 떠나지만, 하지의 염오를 떠날 수는 없으니, 상지의 도가 현전할 때에는 하지의 염오를 이미 떠났기 때문이다. 모든 유루도는 모두 오직 바로 아래 지[次下地]의 염오만을 떠날 수 있고, 자지의 염오는 아니며, 상지의 염오도 아니며, 아래의 하지도 다시 아니다. 예컨대 제2정려의 근분정에 의지해 일으킨 세속도는 오직 바로 아래인 초정

4. 근분정에 포함되는 도의 차별

근분정에 의지한 모든 도는 하지의 염오를 떠나는데, 마치 무간도가 모두 근분정에 포함되는 것처럼 모든 해탈도도 역시 근분정에 포함되는가? 그렇지 않다. 어떠한가? 게송으로 말하겠다.

🔟 근분정에 의해 하지의 염오를 떠날 때[近分離下染]
　　처음 3지의 뒤의 해탈도는[初三後解脫]
　　근본정 혹은 근분정이지만[根本或近分]
　　그 위의 지의 그것은 오직 근본정이다[上地唯根本]

논하여 말하겠다. 모든 도가 의지하는 근분정에는 여덟이 있으니, 말하자면 4정려와 4무색정의 아래 가장자리[下邊]이다. 떠날 대상[所離]에는 아홉이 있으니, 말하자면 욕계와 8선정(의 염오)이다. 처음 3근분정으로 아래 3지의 염오를 떠날 경우, 제9해탈도가 현전할 때에는 혹은 근본정에 들어가기도 하고, 혹은 곧 근분정이다. 위의 5근분정으로 각각 하지의 염오를 떠날 경우, 제9해탈도가 현전할 때에는 반드시 근본정에 들고, 곧 근분정이 아니니, 근분정과 근본정이 같이 사근捨根이기 때문이다. 아래 3정려의 근분정과 근본정은 수근受根이 다르기 때문에, 능히 들어가지 못하는 자와 다른 수근으로 바꾸어 들어가는 것에 어려움이 적은 자가 있기 때문이지만, 하지의 염오를 떠날 때에는 반드시 상지를 기뻐하기 때문에 만약 느낌에 차이가 없다면 반드시 근본정에 드는 것이다.113

려의 염오만을 떠날 수 있는 것과 같으니, 자지의 번뇌에 의해 수증되기 때문에 자지의 염오를 떠날 수 없고, 세력이 열등하기 때문에 상지의 염오를 떠날 수 없으며, 욕계를 이미 떠났기 때문에 하계의 염오를 떠날 수 없다.

113 이는 곧 넷째 근분정에 포함되는 도의 차별이다. 근분정으로는 단지 아래 8지의 염오만을 떠날 수 있으므로, 이 글에서 떠날 대상은 여덟—유정지를 제외한 것을 말한다—이 있다고 말해야 할 것인데도 '아홉'이라고 말한 이것은 통틀어 열거한 것이다. 또 해석하자면 초정려의 근분정으로서 무루인 것은 유정지의 염오를 떠나는 것에도 또한 능히 통하기 때문에 아홉이라고 말한 것이다. 실제로 말한다면 초정려의 근분정(=미지정)은 상지의 염오도 떠날 수 있으니, 앞의 문구 중에서 '근분정으로 아래(3지의 염오)를 떠날 경우'라고 말한

5. 유루도의 소연과 행상

모든 출세간도의 무간도와 해탈도는, 앞에서 이미 4제의 경계를 반연하는 16행상에 대해 논설했으니, 그 뜻이 준해서 저절로 이루어졌다. 세간도는 무엇을 반연하며, 어떤 행상을 짓는가? 게송으로 말하겠다.

50 세간도의 무간도·해탈도는[世無間解脫]
　　순서대로 하지와 상지를 반연하여[如次緣下上]
　　추·고·장의 3행상[作麤苦障行]
　　및 정·묘·리의 3행상을 짓는다[及靜妙離三]114

논하여 말하겠다. 세속의 무간도 및 해탈도는 순서대로 능히 하지와 상지를 반연하여 거친 것[추麤], 괴로운 것[고苦], 장애되는 것[장障] 및 적정한 것[정靜], 미묘한 것[묘妙], 떠난 것[리離]이라고 한다. 말하자면 모든 무간도는 자지와 바로 아래 지의 모든 유루법을 반연하여 추·고 등의 3행상 중 어느 하나의 행상을 짓고, 만약 모든 해탈도라면 그 바로 위의 지의 모든 유루법을 반연하여 정·묘 등의 3행상 중 어느 하나의 행상을 짓는 것이다.

적정寂靜한 것이 아니기 때문에 거친 것이라고 이름한 것이니, 큰 노력에 의해야 비로소 초월할 수 있기 때문이다. 미묘美妙한 것이 아니기 때문에 괴로운 것이라고 이름한 것이니, 많은 거칢과 무거움[麤重]이 능히 어기고 해치기 때문이다. 출리出離한 것이 아니기 때문에 장애되는 것이라고 이름한 것이니, 이것이 자지를 초월하는 것을 능히 장애하기 때문이다. 마치 감옥의 두터운 벽이 능히 벗어나는 것을 장애하는 것과 같다. 적정한 것, 미묘한 것, 떠난 것의 세 가지는 이와 반대로 해석해야 할 것이다.115

....
것은 많은 부분에 따라 말한 것이다. 초정려와 제2정려의 근본은 희수이고, 제3정려의 근본은 낙수이며, 근분정은 모두 사수이기 때문에 '수근이 다르다' 고 말한 것인데, 위의 5지는 근분정과 근본정이 모두 사수이다. 나머지 글은 알 수 있을 것이다.

114 이하는 곧 다섯째 세속도의 소연과 행상이다. 위의 2구는 첫 물음에 대한 답이고, 아래 2구는 뒤의 물음에 대한 답이다.

115 말하자면 모든 무간도는 자지와 바로 아래 지의 모든 유루법을 반연하여

제3절 진지 후의 지혜

방론을 마쳤으니, 본래의 뜻을 분별해야 할 것인데, 진지盡智의 무간에 어떤 지혜[智]의 생기가 있는가? 게송으로 말하겠다.

⑤ 부동의 아라한은 진지 후에[不動盡智後]
　반드시 무생지를 일으키지만[必起無生智]
　나머지는 진지 혹은 정견을 일으키니[餘盡或正見]
　이 정견은 응과에 모두 있는 것이다[此應果皆有]116

논하여 말하겠다. 부동不動종성의 모든 아라한은 진지의 무간에 무생지無生智를 일으키지, 다시 진지와 무학의 정견의 생기가 있는 것은 아니다. 부동법을 제외한 나머지 아라한에게는 진지의 무간에 진지의 생기가 있거나, 혹은 곧 무학의 정견을 견인하여 낳지만, 무생지는 아니니, 뒤에 물러날 수 있기 때문이다.117

. . . .

추·고 등의 3행상 중 어느 하나의 행상을 짓고, 만약 모든 해탈도라면 그 바로 위의 지의 모든 유루법을 반연하여 정·묘 등의 3행상 중 어느 하나의 행상을 짓는다.(=소위 유루도의 6행관行觀) 하지의 유루법은 상지와 같이 적정한 것이 아니기 때문에 거친 것이라고 이름한 것이니, 큰 노력에 의해야 비로소 초월할 수 있기 때문이다. 하지의 유루법은 상지와 같이 미묘한 것이 아니기 때문에 괴로운 것이라고 이름한 것이니, 하지의 유루법은 많은 번뇌의 추중에 의해 부드럽게 조절되지 못한 성품이 능히 어기고 해치기 때문이다. 하지의 유루법은 상지와 같이 출리한 것이 아니기 때문에 장애되는 것이라고 이름한 것이니, 이것이 자지를 초월하는 것을 능히 장애하기 때문이다. 마치 감옥의 두터운 벽이 능히 벗어남을 장애하는 것과 같다. 해탈도에 대해 적정한 것, 미묘한 것, 떠난 것의 세 가지는 그 순서대로 이 무간도의 추·고·장 셋과 반대라고 알아야 할 것이니, 그에 준해서 해석할 것이다.
116 이하는 곧 셋째 진지 후의 지혜에 대해 밝히는데, 맺으면서 묻고 게송으로 답한 것이다.
117 부동不動종성의 모든 아라한은 진지의 무간의 후에 반드시 무생지를 일으키고, 진지 후에 다시 진지와 무학의 정견이 무간에 생기가 있는 것은 아니다. 부동법을 제외한 나머지 다섯 종류 아라한에게는 진지의 무간의 후에 혹은 진지의 생기가 있거나, 혹은 곧 무학의 정견을 견인하여 낳지만, 무생지는 아니

앞의 부동종성에게는 정견의 생기가 없는가?[118] 정견의 생기가 있다. 그런데도 말하지 않은 것은 일체 응과應果에는 모두 이것이 있기 때문이다. 말하자면 부동법은 무생지 후에 무생지의 일어남 혹은 무학의 정견이 있다.[119]

제4절 도의 과보[道果]

1. 사문의 성품과 사문의 과보

앞에서 네 가지 과보를 말했는데, 이것은 누구의 과보인가?[120] 이 네 가지는 사문의 과보[沙門果]라고 알아야 할 것이다.[121] 무엇을 사문의 성품[沙門性]이라고 말하며, 이 과보의 체는 무엇이며, 과위果位의 차별에는 모두 몇 가지가 있는가?[122] 게송으로 말하겠다.

52 무루도가 사문의 성품이고[淨道沙門性]

유위와 무위가 사문의 과보인데[有爲無爲果]

이것에는 여든아홉 가지[此有八十九]

....
니, 뒤에 물러날 수 있기 때문이다.
118 물음이다.
119 답이다. 정견의 생기가 있다. 그런데도 말하지 않은 것은 일체 응과에 모두 이 정견이 있기 때문이다. 말하자면 부동법은 무생지 후에 혹은 무생지의 일어남이 있거나 혹은 무학의 정견이 생긴다. 그래서 『순정리론』 제66권(=대 29−706상)에서 말하였다. "이 단계에 대해 전체적으로 뜻을 간략히 한다면, 만약 부동법이라면 처음 진지를 일으키는 것은 오직 1찰나뿐이지만, 다음의 무생지는 역시 1찰나이거나 상속함도 있다. 만약 시해탈(=부동법 이외의 5종성)이라면 처음 일으키는 진지는 1찰나이거나 상속함도 있다. 이 두 가지가 일으키는 무학의 정견은 모두 결정적임이 없어서 찰나이거나 상속하는 것이 앞에서 말한 것과 같으니, 그것은 바로 구한 것이 아니기 때문이다."
120 이하는 곧 넷째 편의상 도의 과보를 통틀어 밝히는 것이다. 그 안에 나아가면 첫째 사문의 성품·과보·수이고, 둘째 4과보를 세운 인연이며, 셋째 따로 중간의 2과보에 대해 밝히고, 넷째 사문과의 다른 명칭을 밝히며, 다섯째 사문과가 의지하는 몸이니, 이하는 곧 첫째 사문의 성품·과보·수이다. 이는 곧 묻는 것이다.
121 답이다.
122 다시 세 가지를 묻는다.

해탈도 및 택멸이 있다[解脫道及滅]123

논하여 말하겠다. 모든 무루도[諸無漏道]가 사문의 성품이다. 이런 도를 품은 자를 사문이라고 이름하니, 능히 힘써 노력하여 번뇌를 종식시키기 때문이다. 예컨대 계경에서, "능히 힘써 노력하여 갖가지 악하고 불선법을 종식시켜 제거‥‥하기 때문에 사문이라고 이름한다"고 설한 것과 같다. 이생은 이와 다름 없이 궁극적으로 열반으로 나아갈 수 없기 때문에 진정한 사문이 아니다.124

유위와 무위가 사문의 과보이다.125 계경에서는 이것의 차별에 네 가지가 있다고 설했지만, 이치상 실제로 단계에 나아가면 여든아홉이 있는데, 모두 해탈도와 택멸을 성품으로 하는 것이다. 말하자면 견소단의 번뇌를 영원히 끊기 위해 8무간도와 8해탈도가 있고, 아울러 수소단의 번뇌를 영원히 끊기 위해 81무간도와 81해탈도가 있다. 모든 무간도는 오직 사문의 성품일 뿐이지만, 모든 해탈도는 또한 사문의 유위의 과보의 체이기도 하니, 이는 그것의 등류과·사용과이기 때문이다. 하나하나의 택멸은 오직 사문의 무위의 과보의 체일 뿐이니, 이는 그것의 이계과·사용과이기 때문이다. 이와 같은 것을 합하면 여든아홉 가지가 되는 것이다.126

....
123 첫 구는 첫 물음에 대한 답이고, 제2구는 둘째 물음에 대한 답이며, 아래 2 구는 셋째 물음에 대한 답이다.
124 첫 구를 해석하는 것이다. '사문śrāmaṇa'은 여기 말로 근식勤息이니, 능히 힘써 노력하여 번뇌를 종식시키기 때문[勤勞息煩惱故]이다. 모든 이생의 부류는 비록 번뇌를 끊고자 하더라도, 무상無想을 능히 열반으로 나아가는 것이라고 계탁함이 있으니, 이를 다르게 열반으로 나아가는 것[異趣涅槃]이라고 이름한다. 그래서 '이생은 이와 다름 없이 열반으로 나아갈 수 없으므로 진정한 사문이 아니다'라고 말한 것이다. 설령 열반을 구한다고 해도 역시 궁극적인 것이 아니기 때문에 '이생은 궁극적으로 열반으로 나아갈 수 없기 때문에 진정한 사문이 아니다'라고 말한 것이다. 나머지 글은 알 수 있을 것이다. # 본문 중 '계경'은 중 48:182 마읍경馬邑經(상)이다.
125 제2구를 해석하는 것이다. 유위인 무루의 5온 및 택멸 무위가 사문의 과보의 체이다.
126 아래 2구를 해석하는 것이다. 경(=잡 [29]29:797 사문법사문과경沙門法沙門果經 등)은 별도의 뜻에 의해 이 과보의 체의 차별에 네 가지가 있다고 설했지

2. 네 가지 과보를 세운 인연

만약 그렇다면 세존께서 어째서 갖추어 설하지 않으셨는가?127 과보가 많이 있는데도 설하지 않은 것에 대해 게송으로 말하겠다.

53 다섯 가지 인연에 의해 4과를 세웠으니[五因立四果]
　이전의 도를 버리고, 뛰어난 도를 얻으며[捨曾得勝道]
　끊어짐을 모으고, 8지를 얻으며[集斷得八智]
　단박에 16행상을 닦는 것이다[頓修十六行]

논하여 말하겠다. 만약 끊어짐이나 도의 단계에서 다섯 가지 인연을 완전히 갖추었다면, 붓다께서 경 중에서 과보로 건립하셨다. 다섯 가지 인연이라고 말한 것은, 첫째 이전의 도를 버리는 것[捨曾道]이니, 말하자면 이전에 획득한 과·향의 도를 버리기 때문이다. 둘째 뛰어난 도를 얻는 것[得勝道]이니, 말하자면 과보에 포함되는 수승한 도를 얻기 때문이다. 셋째 끊어짐을 전체적으로 모으는 것[總集斷]이니, 말하자면 전체적으로 하나를 얻음으로써 모든 끊어짐을 얻기 때문이다. 넷째 8지를 얻는 것[得八智]이니, 말하자면 4법지와 4유지를 얻기 때문이다. 다섯째 16행상을 능히 단박에 닦는 것이니, 말하자면 능히 무상 등을 단박에 닦기 때문이다. 네 가지 과보의 단계에서는 다섯 가지 인연을 모두 갖추지만, 나머지 단계에서는 그렇

....

만, 논서는 법상에 의한다. 이치상 실제로 단계에 나아가 나누면 여든아홉이 있는데, 모두 해탈도와 택멸을 체로 한다. 말하자면 견소단의 번뇌를 영원히 끊기 위해 8인의 무간도와 8지의 해탈도가 있고, 아울러 9지의 수소단의 번뇌를 영원히 끊기 위해 각각 9품의, 81무간도와 81해탈도가 있다. 견도·수도 단계 중의 모든 무간도는 사문의 성품일 뿐, 사문의 과보가 아니니, 능히 장애를 끊고 그것(=사문의 과보)을 견인해 일으키기 때문이다. 모든 해탈도는 사문의 성품이면서 또한 사문의 유위의 과보의 체이기도 하니, 이는 그것의 무간에 인기된 등류과·사용과이기 때문이다. 하나하나의 택멸은 오직 사문의 무위의 과보의 체일 뿐이니, 이는 그 무간도의 이계과·사용과이기 때문이다. 곧 『순정리론』(=제43권. 대29-584중)에서의 불생不生사용과이다. 이와 같은 것을 모두 합쳐 말하면 여든아홉 가지 사문과가 되는 것이다.
127 이하는 곧 둘째 네 가지 과보를 세운 인연인데, 묻는 것이다.

지 않기 때문에 붓다께서 설하시지 않은 것이다.128

3. 사문의 성품과 일래·불환의 2과

　만약 무루도[淨道]만이 사문의 성품이라면, 유루도의 힘에 의해 획득된 두 가지 과보가 어떻게 역시 사문의 과보에 포함되는가? 게송으로 말하겠다.

54　세속도로 획득된 끊어짐이[世道所得斷]

　　성도로 획득된 것과 섞였기 때문이며[聖所得雜故]

　　무루의 득이 임지하기 때문에[無漏得持故]

　　역시 사문과라고 이름한다[亦名沙門果]129

　논하여 말하겠다. 세속도로써 두 가지 과보를 획득했을 때 이 과보들은 오직 세속도로써 획득된 택멸만을 단과[斷果]의 성품으로 하는 것이 아니라, 아울러 견도로써 획득된 택멸도 그 중에 서로 섞여서 전체적으로 하나의 과보를 이루는 것이니, 같이 하나의 과도[果道]로써 획득대상을 획득했기 때문이다. 이 때문에 계경에서도, "어떤 것이 일래과인가? 세 가지 결박을 끊고 탐·진·치가 엷어진 것을 말한다. 어떤 것이 불환과인가? 5하분결을 끊은 것을 말한다"라고 말했던 것이다.130 또 세속도에 의해 획득된 택멸은

────────────────

128 답이다. 끊어짐의 단계에서든, 도의 단계에서든 5인연을 완전히 갖추었다면 붓다께서 경 중에서 과보로 건립하셨다. 다섯 가지 인연이라고 말한 것은, 첫째 이전의 도를 버리는 것이니, 말하자면 먼저 일찍이 얻었던 과도·향도를 버리기 때문이다. 예류과라면 단지 향도를 버릴 뿐이지만, 뒤의 3과라면 앞의 과도 및 앞의 향도를 버린다. 둘째 뛰어난 도를 얻는 것이니, 말하자면 과보의 단계에 포함되는 수승한 도를 얻기 때문이다. 셋째 끊어짐을 전체적으로 모으는 것이니, 말하자면 전체적으로 능히 한 부류의 뛰어난 득을 일으킴으로써 모든 끊어짐을 얻기 때문이다. 오직 한 가지 득만으로 모든 끊어짐을 얻는 것은 아니다. (넷째와 다섯째) 지[智]를 얻고, 행상을 얻는 것은 글대로 알 수 있을 것이다.

129 이하는 곧 셋째 중간의 2과인 일래·불환에 대해 따로 밝히는 것인데, 물음 및 게송에 의한 답이다.

130 위의 2구를 해석하는 것이다. 세속도로써 6품의 번뇌를 끊고 일래과를 획득했거나 9품의 번뇌를 끊고 불환과를 획득했을 때 이 과보들은 오직 세속도로 획득된 택멸만을 단과[斷果]의 성품으로 하는 것이 아니라, 아울러 견도로써 획

무루단의 득에 의해 임지任持되기 때문이니, 이것의 힘으로 임지됨으로 말미암아 물러나더라도 목숨이 끝나지 않기 때문에 역시 사문과의 체라고 이름할 수 있는 것이다.131

4. 사문의 성품의 다른 명칭

이 사문의 성품에 다른 명칭이 있는가?132 또한 있다.133 어떤 것인가?134 게송으로 말하겠다.

55 앞에서 말한 사문의 성품을[所說沙門性]
　　또한 바라문이라고도 이름하며[亦名婆羅門]
　　또한 범륜이라고도 이름하니[亦名爲梵輪]

....

득된 택멸도 그 중에 서로 섞여서 전체적으로 하나의 과보를 이루는 것이니, 같이 한 부류의 과도果道의 수승한 득을 일으켜 그 획득대상인 모든 택멸을 획득했기 때문이다. 이 때문에 계경(＝앞의 잡 [29]29:797 사문법사문과경)에서도, "어떤 것이 일래과인가? 말하자면 견도소단의 세 가지 결박을 끊고 아울러 수도소단의 6품을 끊은 것을 탐·진·치가 엷어진 분이라고 이름한다. 어떤 것이 불환과인가? 5하분결－5하분결 중 셋은 견도소단이고, 둘은 수도 소단이다－을 끊은 것을 말한다"라고 말했던 것이다. 경을 인용한 뜻은 2과는 서로 섞인 것임을 증명하려는 것이다. 따라서 세속도로 획득된 택멸이 무루도로 획득된 것과 섞였기 때문에 적은 것을 많은 것에 따르게 함으로써 사문과라고 이름한 것이다. 그래서 『대비바사론』 제66권(＝대27-340하)에서 말하였다. "많은 것에 따라 명칭을 세운 것이라고 말해야 할 것이니, 많은 것이 성도로써 획득된 결과이기 때문이다. 말하자면 세속도로 2과를 획득했을 때 3계의 일체 견소단의 끊어짐은 모두 성도의 힘으로 획득된 것이기 때문에 사문과라고 이름한 것이다. 비록 욕계의 6품·9품의 수소단의 끊어짐은 성도로써 획득된 것이 아니지만, 많은 부분에 따라 역시 사문과라는 명칭을 건립할 수 있는 것이다."

131 아래 2구를 해석하는 것이다. 또 세속도에 의해 획득된 택멸은 또한 무루단의 득을 현행시켜 일으킴이 있어 임지되기 때문이다. 이 무루득의 힘으로 임지됨으로 말미암아 물러나더라도 목숨이 끝나지 않고 다시 과보를 얻기 때문이니{=『대비바사론』 제61권(대27-318상)에서, "근본 과보의 단계는 유가사가 본래 구한 대상이기 때문에 과보에서 물러났더라도 만약 아직 다시 얻지 못했다면 반드시 목숨이 끝나지 않는다"라고 말하였다}, 무루단의 득에 의해 곧 날인된 것[所印]이기 때문에 역시 사문과의 체라고 이름할 수 있는 것이다.

132 이하는 넷째 사문과의 다른 명칭인데, 앞을 옮겨와서 물음을 일으킨 것이다.

133 답이다.

134 따지는 것이다.

진정한 범에 의해 굴려진 것이기 때문이다[眞梵所轉故]

56 그 중 오직 견도만을[於中唯見道]
　　말하여 법륜이라고 이름했으니[說名爲法輪]
　　신속함 등이 바퀴와 유사하며[由速等似輪]
　　혹은 바퀴살 등을 갖추었기 때문이다[或具輻等故]135

　(1) 바라문婆羅門과 범륜梵輪

　논하여 말하겠다. 곧 앞서 말한 진실한 사문의 성품[眞沙門性]을, 경에서
는 또한 바라문성婆羅門性이라고도 이름했으니, 능히 모든 번뇌를 제거했기
때문이다. 곧 이것을 또한 범륜梵輪이라고도 이름했으니, 진정한 범왕의 힘
에 의해 굴려진 것[眞梵王力所轉]이기 때문이다. 붓다께서는 위없는 청정한
공덕[梵德]과 상응하는 분이시니, 그러므로 세존만이 유독 '범'이라고 이름
해야 할 분이시다. 계경에서도, "붓다는 또한 범이라고 이름하며, 또한 적정
寂靜이라고 이름하며, 또한 청량淸凉이라고 이름한다"라고 설하였다.136

　(2) 법륜法輪

　곧 이 중에서 오직 견도에 의해서만 세존께서 법륜法輪이라고 이름하여
설하신 곳이 있는데, 마치 세간의 바퀴에 신속함 등의 모습이 있는 것처럼,
견도도 그것과 유사하기 때문에 법륜이라고 이름하신 것이다.137 견도가

---

135 답인데, 첫 게송은 다른 명칭을 분별하는 것이고, 뒤의 게송은 법륜에 대해
　　밝히는 것이다.
136 첫 게송을 해석하는 것이다. 세속의 이치에 의한다면 곧 모든 사문은 바라문
　　과는 다르지만, 승의의 이치에 의한다면 곧 앞에서 말한 진실한 사문의 성품
　　을, 경(＝앞에 나온 중 48:182 마읍경)에서는 또한 바라문이라고 이름하였다.
　　능히 모든 번뇌를 제거하기 때문에 능히 힘써 노력하여 모든 번뇌를 쉰다는
　　뜻이 서로 비슷하기 때문이니, 그래서 사문의 체는 곧 바라문이다. 곧 이 바라
　　문은 또한 범륜이라고도 이름하니, 진정한 범왕의 힘에 의해 굴려진 것이기
　　때문이다. 범梵이 굴리는 바퀴이기 때문이 범륜이라고 이름한 것이다. 붓다께
　　서는 위없는 청정한 공덕[梵德]과 상응하는 분이시니, 그러므로 세존만이 유
　　독 '범'이라고 이름해야 할 분이시다. 계경에서도, "붓다는 또한 범 등이라고
　　이름한다"라고 설했는데, '범梵'은 여기 말로 청정[淨]이다.
137 제5·제6구를 해석하는 것이다. 곧 이 범륜 중에서 오직 견도에 의해서만 세

어떻게 그것과 서로 유사한가?138 신속하게 가는[速行] 등이 그 바퀴와 유사하기 때문이다. 말하자면 견제見諦의 도는 신속하게 가기 때문이며, 버리고 취함이 있기 때문이며, 아직 항복하지 않은 것을 항복시키기 때문이며, 이미 항복한 것을 진압하기 때문이며, 위아래로 회전하기 때문이니, 이런 다섯 가지 모습을 갖춘 것이 세간의 바퀴와 유사하다.139

존자 묘음妙音은 이렇게 말하였다. "마치 세간의 바퀴에 바퀴살 등의 모습이 있는 것처럼, 8지성도도 그것과 유사하므로 '바퀴[輪]'이라고 이름한 것이다. 말하자면 정견·정사유·정정진[正勤]·정념은 세간의 바퀴의 바퀴살과 유사하고, 정어·정업·정명은 바퀴통과 유사하며, 정정正定은 바퀴테와 유사하기 때문에 법륜이라고 이름한 것이다."140

법륜이 오직 견도만이라고 어찌 알겠는가?141 교진나憍陳那 등에게 견도

....

존께서 법륜이라는 명칭으로 설하신 곳(=잡 [15]15:379 전법륜경轉法輪經)이 있으니, 법이 바퀴가 되기 때문에 법륜이라고 이름한 것이다. 마치 세간의 전륜성왕의 바퀴와 같기 때문이다. 신속함 등 다섯 가지 모습(=이어지는 글에서 설명됨)이 있어서 견도도 그것과 유사하기 때문에 법륜이라고 이름하신 것이다.

138 이하에서 제7구를 해석하는데, 이는 곧 묻는 것이다.

139 답인데,『순정리론』제67권(=대29-709상)에서 말한 것과 같다. "전륜성왕의 바퀴의 가는 작용이 신속한 것처럼, 견도도 역시 그러하니, 각각 1찰나이기 때문이다. 마치 성왕의 바퀴가 앞을 취하고 뒤를 버리는 것처럼, 견도도 역시 그러하니, 고 등의 경계를 버리고, 집 등의 경계를 취하기 때문이다. 이는 곧 4성제를 보는 것은 반드시 시간을 같이 하지 않는다는 것을 나타내어 보이는 것이다. 마치 성왕의 바퀴가 아직 항복하지 않은 것을 항복시키고, 이미 항복한 것을 진압하는 것처럼, 견도도 역시 그러하니, 아직 보지 않은 것을 능히 보고, 아직 끊지 않은 것을 능히 끊으며, 이미 보고 끊은 것은 미혹해 물러나는 일이 없기 때문이다. 마치 성왕의 바퀴가 위·아래로 회전하는 것처럼, 견도도 역시 그러하니, 위의 고 등을 보고 나면 아래의 고 등을 보기 때문이다. 이 때문에 견도를 유독 법륜이라고 이름한 것이다."

140 뒤의 1구를 해석하는 것이다. 존자 묘음은 이렇게 말하였다. "세간의 바퀴에 바퀴살·바퀴통·바퀴테가 있는 것처럼, 8지성도도 그것과 유사하므로 '바퀴'라고 이름한 것이다. 말하자면 정견 등 넷이 계에 의지해 경계를 반연하는 것은 세간의 바퀴의 바퀴살과 유사하고, 정어 등 셋은 계를 체로 하니, 계는 온갖 행의 의지처이기 때문에 세간의 바퀴의 바퀴통과 유사하며, 정정은 능히 정견 등의 넷을 거두어 흩어지지 않게 하기 때문에 세간의 바퀴의 바퀴테와 유사하다. 그래서 법륜이라고 이름한 것이다."

가 생겼을 때 설하기를, '이미 바른 법륜을 굴리셨다[已轉正法輪]'라고 이름했기 때문이다.142

【3전轉 12행상行相과 법륜】 어떤 것이 3전 12행상인가?143 '이것이 고성제이다', '이것은 두루 알아야 할 것이다', '이것은 이미 두루 알았다'라고 하는 이것을 3전이라고 이름하고, 곧 이와 같은 것을 하나하나 굴릴 때마다 따로따로 눈[眼]·지혜[智]·밝음[明]·깨달음[覺]을 일으켜 낳는 이것을 말하여 12행상이라고 이름한다. 이와 같은 3전 12행상은 제諦마다 모두 있지만, 그 수가 같기 때문에 다만 3전 12행상이라고 설했을 뿐이니, 마치 2법·7처선 등이라고 말하는 것과 같다. 이에 의해 3전은 순서대로 견도·수도·무학도의 세 가지를 나타내어 보이는 것이다. 비바사 논사들이 설하는 것은 이와 같다.144

....

141 물음이다.
142 답이다. 교진나 등의 5필추대중에게 견도가 생겼을 때 땅과 하늘의 천신이 곧 전하여 외쳐 말하기를, '세존께서 이미 바른 법륜을 굴리셨다'라고 했기 때문이니(=앞에 나온 잡 [15]15:379 전법륜경), 그래서 견도를 법륜이라고 이름한 것임을 알 수 있다. 비록 붓다 자신은 이전에 이미 굴리셨지만, 붓다의 마음은 남을 이익하시려고 남에 의거해 말한 것이기 때문에 다시 '붓다께서 굴리셨다'라고 말한 것이니, 설하는 분[能說]의 손을 주어 그 바퀴를 굴렸기 때문이다. 교진나는 바라문 중의 한 성姓이니, 성에 따라 이름한 것이다. 만약 아야교진나라고 말한다면, 아야다ajñata는 여기 말로 이미 이해했다[已解]는 것이고, 교진나는 앞에서 말한 것과 같다.
143 이 뜻의 기회에 편의상 다시 3전 12행상에 대해 묻는 것이다.
144 답이다. '이것이 고성제이다'는 견도를 말한 것이 되고, '이것은 두루 알아야 할 것이다'는 수도를 말한 것이 되며, '이것은 이미 두루 알았다'는 무학도를 말한 것이 되니, 이를 3전이라고 이름한다. 곧 이와 같은 것을 하나하나 굴릴 때마다 따로따로 눈·지혜·밝음·깨달음을 일으켜 낳으니, 이것을 말하여 12행상이라고 이름한다. 세 단계 중 각각 고제를 관찰하는 것에 4행상이 있으니, 셋의 넷이므로 곧 12행상이 되는 것이다. '눈·지혜·밝음·깨달음'이라고 말한 것에 대해 『대비바사론』 제79권(=대27-411상)에서 말하였다. "'눈'이란 법지인을 말하고, '지혜'란 모든 법지를 말하며, '밝음'이란 모든 유지인을 말하고, '깨달음'이란 모든 유지를 말한다. 다시 다음으로 '눈'은 관찰해 본다[觀見]는 뜻이고, '지혜'는 결단決斷한다는 뜻이며, '밝음'은 환히 비춘다[照了]는 뜻이고, '깨달음'은 경계하고 살핀다[警察]는 뜻이다." 해석하자면 앞의 해석은 견도에 의거한 것이고, 뒤의 해석에 3도에 통하는 것이다. 이와 같은 3전 12행상은 제諦마다 모두 있으므로 12전 48행상이라고 말해야 할 것이지만, 각

만약 그렇다면 3전 12행상은 오직 견도만인 것이 아닌데, 어떻게 견도에 대해서만 법륜이라는 명칭을 세운 것이라고 말할 수 있겠는가?[145] 그러므로 오직 곧 이 3전 12행상이 있는 법문法門을 법륜이라고 이름한 것일 뿐이라고 해야 바른 이치에 맞을 수 있다.[146]

어떤 것이 3전인가?[147] 세 번 돌려서 굴렸기 때문[三周轉故]이다.[148] 어떻게 12행상을 갖추는가?[149] 세 번 돌려서 4성제를 돌아서 거쳤기 때문[三周循歷四聖諦故]이다. 말하자면 '이것이 고이다', '이것이 집이다', '이것이 멸이다', '이것이 도이다', '이것은 두루 알아야 할 것이다', '이것은 영원히 끊어야 할 것이다', '이것은 작증해야 할 것이다', '이것은 닦고 익혀야 할 것이다', '이것은 이미 두루 알았다', '이것은 이미 영원히 끊었다', '이것은 이미 작증하였다', '이것은 이미 닦고 익혔다'라고 하는 것이다.[150]

....
각의 제에 모두 그 수가 같기 때문에 다만 3전 12행상이라고 설했을 뿐이다. 마치 2법이라고 말하면 '2'는 눈과 형색, 내지 뜻과 법을 말하는 것이므로 12라고 말해야 할 것이지만 '2'라고 말한 것은 그 수가 같기 때문인 것처럼, 마치 '7처선'은 5온에 각각 7이므로 35라고 말해야 할 것이지만, '7'이라고 말한 것은 그 수가 같기 때문인 것처럼, 3전 12행상도 역시 그러하다고 알아야 한다. 이에 의해 3전은 그 순서대로, 초전(=소위 시전示轉)은 견도를 나타내어 보이고, 제2전(=소위 권전勸轉)은 수도를 나타내어 보이며, 제3전(=소위 증전證轉)은 무학도를 나타내어 보이는 것이다. 비바사 논사들이 설하는 것은 이와 같다.

145 경량부의 힐난 혹은 논주의 힐난이다. 만약 3전이 3도를 나타내어 보이는 것이라고 말한다면, 이는 곧 3전 12행상은 오직 견도만인 것이 아니라, 수도와 무학도 두 가지에도 통할 것인데, 어떻게 견도에 대해서만 법륜이라는 명칭을 세운 것이라고 말할 수 있겠는가?

146 경량부의 이해를 서술하는 것, 혹은 논주가 바른 이해를 펴는 것이다. 그러므로 곧 이 3전 12행상이 있는 말씀의 가르침인, 4성제의 법문을 법륜의 체라고 이름한 것일 뿐이라고 해야 바른 이치에 맞을 수 있다.

147 물음이다.

148 경량부의 답, 혹은 논주의 답이다. 세 번 돌려서 4성제를 굴렸기 때문에 3전이라고 이름한 것이다.

149 물음이다.

150 경량부의 답, 혹은 논주의 답이다. 세 번 돌려서 4성제를 돌아서 거쳤기 때문에 셋의 넷이니, 12이다. '12'라고 말한 것은, 말하자면 붓다께서 그들을 위해, '이것이 고이다', '이것이 집이다', '이것이 멸이다', '이것이 도이다'라고 설하셨는데, 이는 견도로써 증득할 4제를 설하신 것으로, 교진나 등은 붓다의

어째서 굴렸다고 이름했는가?151 이에 의해 법문이 다른 상속으로 가서 뜻을 이해하게 했기 때문이다. 혹은 모든 성도는 모두가 법륜으로서, 교화될 유정의 몸 안으로 굴렸기 때문이며, 다른 상속에게 견도가 생겼을 때 처음 굴렸음[轉初]에 이미 이르렀기 때문에 '이미 굴리셨다'라고 이름한 것이다.152

5. 사문과가 의지하는 몸

어떤 사문의 과보가 어떤 계界에 의지해 획득되는가? 게송으로 말하겠다.

57 3과는 욕계에, 후자는 3계에 의지하는 것은[三依欲後三]

상계에는 견도가 없으니[由上無見道]

들음이 없으며, 하계 반연함이 없고[無聞無緣下]

싫어함이 없어서이며, 아울러 경 때문이다[無厭及經故]153

....

말씀에 의지해 능히 견도에 들었으니, 이를 처음 굴리신 4행상이라고 이름하며, 또 붓다께서 그들을 위해, '이 고는 두루 알아야 할 것이다', '이 집은 영원히 끊어야 할 것이다', '이 멸은 작증해야 할 것이다', '이 도는 닦고 익혀야 할 것이다'라고 설하셨는데, 이는 수도로써 증득할 4제를 설하신 것으로, 교진나 등은 붓다의 말씀에 의지해 수도에 전진해 들어갔으니, 이는 제2전의 4행상이며, 또 붓다께서 그들을 위해, '이 고는 이미 두루 알았다', '이 집은 이미 영원히 끊었다', '이 멸은 이미 작증하였다', '이 도는 이미 닦고 익혔다'라고 설하셨는데, 교진나 등은 붓다의 말씀에 의지해 무학도에 들어갔으니, 이는 제3전의 4행상이다. 그 12행상 중 처음 넷은 시상示相의 전이고, 중간의 넷은 권학勸學의 전이며, 뒤의 넷은 인증引證의 전이다.

151 물음이다.

152 경량부의 답, 혹은 논주의 답이다. 이에 의해 3전 12행상에 있는 법문이 다른 상속신 안으로 가서 뜻을 이해하게 했기 때문에 그래서 굴리셨다고 이름한 것이다. 교법의 바퀴[敎法輪]에 의거해 굴리셨다고 이름한 것이다. 혹은 모든 견도·수도·무학도의 성도는 모두가 법륜으로서, 교화될 유정의 몸 안으로 굴렸기 때문에 그래서 굴리셨다고 이름한 것이니, 성도의 법륜에 의거해 굴리셨다고 이름한 것이다. 교진나라는 다른 상속의 몸에 견도가 생겼을 때 처음 굴렸음에 이미 이르렀기 때문에 '이미 굴리셨다'라고 이름한 것이다. 이치상 실제로는 3도를 모두 법륜이라고 이름하지만, 경에서 견도를 법륜이라고 이름하여 말한 것은, 법륜의 처음[法輪初]이기 때문에 처음에 따라 이름을 세우고, 나머지 둘에는 의하지 않은 것이다.

153 이하는 곧 다섯째 사문과가 의지하는 몸이다. 어떤 사문의 과보가 어떤 계에 의지해 획득되는가 묻는데, 윗 구는 바로 답하는 것이고, 아래 3구는 까닭을 해석하는 것이다.

논하여 말하겠다. 앞의 3과는 단지 욕계의 몸에만 의지해 획득되며, 아라한과의 획득은 3계의 몸에 의지한다.154

앞의 2과는 아직 욕망을 떠나지 못했기 때문에 상계의 몸에 의지해 획득되는 것이 아님은 이치상 우선 그럴 수 있지만, 제3과는 어째서 상계의 몸에 의지해 획득되는 것이 아닌가?155 이치와 가르침에 의한 때문이다.156

우선 이치는 어떤 것인가?157 상계의 몸에 의지할 경우, 견도가 없기 때문이니, 견도를 떠나서는 이미 욕망을 떠난 자도 초월하여 불환과를 증득하는 뜻이 있을 수 있는 것이 아니다.158 어째서 상계에는 반드시 견도가 없는가?159 우선 무색계에는 바른 청문[正聞]이 없기 때문이다. 또 그 계 중에서는 하계를 반연하지 않기 때문이다. 색계의 이생은 뛰어난 선정의 즐거움에 집착하고, 또 고수가 없어서 싫어함[厭]을 낳지 않기 때문이다. 싫어함이 없이 견도를 얻을 수 있는 것은 아니다.160

가르침은 다시 어떠한가?161 경에서 설했기 때문이다. 경에서, "다섯 보

....

154 제1구를 해석하는 것이다. 4과 중 앞의 3과는 단지 욕계의 몸에만 의지해 획득되며, 아라한과의 획득은 공통으로 3계의 몸에 의지한다.
155 이하에서 뒤의 3구를 해석하려고 묻는 것이다. 앞의 2과인 예류·일래과는 아직 욕망을 떠나지 못했기 때문에 상계에 의지해 획득되는 것이 아님은 이치상 우선 그럴 수 있지만, 제3의 불환과는 어째서 상계에 의지해 획득되는 것이 아닌가? 이미 욕망을 떠난 자도 역시 얻을 수 있을 것이기 때문이다.
156 답이다.
157 물음이다.
158 답이다. 상2계의 몸에 의지할 경우, 견도가 없기 때문이니, 견도를 떠나서는 이미 욕망을 떠난 자도 초월하여 불환과를 증득하는 뜻이 있을 수 있는 것이 아니다. 그래서 불환과는 상계에 의지해 획득되는 것이 아니다.
159 물음이다.
160 답이다. 우선 무색계에서는 바른 청문이 없기 때문이다. 바른 가르침을 듣는 것을 떠나서는 반드시 결정코 견도에 들 수 없기 때문이다. 이는 (제3구 중) '들음이 없으며'를 해석하는 것이다. 또 몸이 그 무색계 중에 태어나면 하계를 반연하지 않기 때문이다. 견도는 먼저 욕계의 고를 반연하기 때문이다. 이는 '하계를 반연함이 없고'를 해석하는 것이다. 이 때문에 무색계는 견도의 의지처가 아니다. 색계의 이생은 뛰어난 선정의 즐거움에 집착하고, 또 고수가 없어서 뛰어난 싫어함을 낳지 않기 때문이다. 뛰어난 싫어함이 없이 견도를 얻을 수 있는 것은 아니다. 이는 (제4구 중) '싫어함이 없어서이며'를 해석하는 것이다. 그래서 색계의 몸에 의지해서는 견도를 일으키지 않는다.

특가라가 있어 이 곳에서 통달하고 저 곳에서 궁극에 이르니, 이른바 중반 내지 상류이다"라고 말씀하셨는데, 여기에서 '통달'이라는 말은 오직 견도만을 가르키니, 원적圓寂을 증득하는 최초의 가행이기 때문이다. 이에 의해 견도는 상계에는 결정코 없다.162

....
161 물음이다.
162 답이다. 경(=출전 미상)에서, "다섯 보특가라가 있어 이 욕계의 처소에서 4성제를 통달하고, 저 상계의 처소에서 궁극적으로 번뇌를 다하니, 이른바 중반 내지 상류이다"라고 말씀하셨는데, 여기에서 '통달'이라는 말은 오직 견도만은 가르키니, 열반을 증득하는 최초의 가행이기 때문이다. 경에서 이미 저곳에서 통달한다고 말씀하시지 않았으니, 이에 의해 견도는 상계에는 결정코 없다.

아비달마구사론
제25권

제6 분별현성품(의 4)

제5절 아라한의 6종성

제1항 여섯 종류 아라한

앞에서 설한 것처럼 부동不動의 응과應果는 최초의 진지盡智 후에 무생지
無生智를 일으키는데, 아라한들도 예류 등처럼 차별이 있는가?[1] 역시 있다.[2]
어떤 것인가?[3] 게송으로 말하겠다.

58 아라한에는 여섯 종류가 있으니[阿羅漢有六]
　말하자면 퇴법 내지 부동법인데[謂退至不動]
　앞의 다섯은 신해에서 생기는 것으로서[前五信解生]
　전체적으로 시해탈이라고 이름하며[總名時解脫]

59a 후자는 불시해탈로서[後不時解脫]
　앞의 견지로부터 생긴다[從前見至生][4]

....
1 이하는 다섯째 여섯 가지 종성에 대해 밝히는 것이다. 그 안에 나아가면 첫째
　여섯 종류 아라한을 밝히고, 둘째 6종성의 선후先後를 밝히며, 셋째 종성·과보
　로부터 물러남에 대해 밝히고, 넷째 유학과 범부의 종성에 대해 밝히며, 다섯째
　세 가지 물러남의 같지 않음을 밝히고, 여섯째 과보로부터 물러났을 때의 모습
　에 대해 밝히며, 일곱째 연근練根의 같지 않음을 밝히고, 여덟째 무학의 9인을
　밝힌다. 이하는 곧 첫째 여섯 종류 아라한을 밝히는데, 앞을 옮겨와서 물음을
　일으킨 것이다.
2 답이다.
3 따지는 것이다.
4 게송에 의한 답이다.

논하여 말하겠다. 계경 중에서, 아라한에는 종성種性의 차이에 의한 때문에 여섯 종류가 있다고 설했으니, 첫째 퇴법退法, 둘째 사법思法, 셋째 호법護法, 넷째 안주법安住法, 다섯째 감달법堪達法, 여섯째 부동법不動法이다.5

이 여섯 가지 중 앞의 다섯 가지는 이전 유학 단계의 신해信解 종성으로부터 생긴 것으로서, 곧 이들을 전체적으로 시애심해탈時愛心解脫이라고 이름하니, 항시恒時 애호愛護하며, 아울러 마음이 해탈했기 때문[心解脫故]이다. 또한 시해탈時解脫이라고도 이름하니, 반드시 때를 기다려야 하며, 아울러 해탈했기 때문이다. 마치 연유항아리[酥瓶]라고 말하는 것처럼 첫 말을 생략했기 때문이다. 이 때문에 때를 기다려야 비로소 선정에 들 수 있기 때문이니, 말하자면 자구資具, 병 없을 처소[無病處] 등의 뛰어난 인연과 화합할 때를 기다려야 비로소 선정에 들기 때문이다.6

....

5 처음 2구를 해석하는 것인데, 수를 들고 명칭을 열거하였다. 또 『순정리론』 제67권(＝대29-710상)에서 말하였다. "그런데 다른 경(＝중 30:127 복전경福田經)에서 무학에 아홉 가지가 있다고 설했는데, 말하자면 처음은 퇴법이고, 최후는 구해탈俱解脫이다. 그 (제7의) 불퇴법은 여기의 부동법에 포함되고, 그 두 가지 해탈(＝제8의 혜해탈과 제9의 구해탈)은 공통으로 여기의 여섯 가지에 포함된다. 그래서 아비달마에서는 여섯 가지만 있다고 설한다."

6 제3·제4구를 해석하는 것이다. 이 6종성 중 앞의 다섯 가지는 이전 유학 단계의 둔근 종성인 신해 종성으로부터 생긴 것으로서, 곧 이 다섯 가지를 전체적으로 말하여 시애심해탈이라고 이름하니, 항시 증득한 법을 애호하기 때문에 '시애時愛'라고 이름하며, 아울러 마음이 번뇌의 속박으로 해탈했기 때문에 '심해탈'이라고 이름한다. 이런 두 가지 뜻을 갖추었기 때문에 시애심해탈이라고 이름한 것이다. 유학의 둔근은 비록 항시 애호하기는 하지만, 마음이 해탈하지 못했으며, 무학의 이근은 비록 마음이 해탈했다고 해도, 항시 애호하는 것이 아니니, 각각 한 가지 뜻을 결여하므로 시애심해탈이라고 이름하지 않는다. 이 시애심해탈을 또한 시해탈이라고도 이름하는 것은, 반드시 때를 기다려야 비로소 선정에 들 수 있으며, 아울러 번뇌의 속박으로부터 능히 해탈했기 때문이니, 이런 두 가지 뜻을 갖추었으므로 시해탈이라고 이름한 것이다. 유학의 둔근은 비록 반드시 때를 기다려야 하지만, 해탈한 것이 아니며, 무학의 이근은 비록 다시 해탈했지만, 반드시 때를 기다려야 하는 것이 아니니, 각각 한 가지 뜻을 결여했으므로 시해탈이라고 이름하지 않는다. 완전히 갖춘다면 '대시해탈待時解脫'이라고 말해야 하지만, 처음의 '대待'라는 말을 생략하고 단지 시해탈이라고만 말한 것이니, 마치 연유항아리[酥瓶]라는 말을 완전히 갖춘다면 연유를 담은 항아리[盛酥瓶]라고 말해야 하지만, 처음의 '성盛'자를 생략하고 단지 연유항아리라고만 말한 것과 같다. 이 때문에 둔근은 반드시 뛰어난 때를 기다

부동법의 종성을 말하여 '후자[後]'라고 이름했는데, 곧 이를 부동심해탈 不動心解脫이라고 이름한다. 물러나는 동요[退動]가 없으며, 아울러 마음이 해탈했기 때문이다. 또한 불시해탈不時解脫이라고도 이름하니, 때를 기다리지 않으며, 아울러 해탈했기 때문이다. 말하자면 삼매가 바람[欲]에 따라 현전하므로 뛰어난 인연과 화합할 때를 기다리지 않기 때문이다. 혹은 잠시暫時의 해탈과 필경畢竟의 해탈에 의해 시해탈과 불시해탈의 명칭을 건립한 것이니, 퇴타할 때가 있을 수 있고, 퇴타할 때가 없기 때문이다. 이는 유학 단계의 견지見至 종성으로부터 생긴 것이다.[7]

....

려야 비로소 선정에 들 수 있다. '뛰어난 때'라고 말한 것은, 말하자면 자구-자구에는 세 가지가 있으니, 첫째 좋은 옷, 둘째 좋은 음식, 셋째 좋은 침구이다-, 병 없을 처소-곧 좋은 처소이다- 등인데, '등'은 말하자면 좋은 설법을 얻는 것 및 좋은 사람을 얻는 것을 같이 취한 것이니, 이와 같은 여섯 가지 뛰어난 인연과 화합할 때를 기다려야 비로소 능히 선정에 들기 때문이다. 그래서 『대비바사론』 제101권(=대27-525상)에서 말하였다. "때에는 비록 많은 것이 있겠지만, 줄이면 여섯 가지가 있으니, 첫째 좋은 옷을 얻을 때, 둘째 좋은 음식을 얻을 때, 셋째 좋은 침구를 얻을 때, 넷째 좋은 처소를 얻을 때, 다섯째 좋은 설법을 얻을 때, 여섯째 좋은 보특가라를 얻을 때이다."

7 뒤의 2구를 해석하는 것이다. 6종성 중 부동법의 종성을 말하여 '후자'라고 이름했으니, 곧 이것을 부동심해탈이라고 이름한다. 번뇌에 의해 물러나는 동요되지 않기 때문이며, 아울러 마음이 번뇌의 속박으로부터 해탈했기 때문이다. 이런 두 가지 뜻을 갖추었으므로 부동심해탈이라고 이름한다. 유학의 이근은 비록 물러나는 동요가 없다고 해도 마음이 해탈하지 못했으며, 무학의 둔근은 비록 마음은 해탈했어도 물러나는 동요가 있어서, 각각 한 가지 뜻을 결여했으므로 부동심해탈이라고 이름하지 않는다. 또한 불시해탈이라고도 이름하니, 때를 기다리지 않고 능히 선정에 들기 때문이며, 아울러 번뇌의 속박으로부터 능히 해탈했기 때문이니, 이런 두 가지 뜻을 갖추었으므로 불시해탈이라고 이름한 것이다. 유학의 이근은 비록 때를 기다리지는 않지만, 해탈한 것이 아니며, 무학의 둔근은 비록 또한 해탈했어도, 때를 기다리지 않는 것이 아니니, 각각 한 가지 뜻을 결여했으므로 불시해탈이라고 이름하지 않는다. '때를 기다리지 않는다'고 말한 것은, 말하자면 삼매가 바람[欲]에 따라 현전하므로 앞에서 말한 여섯 가지 뛰어난 인연과 화합할 때를 기다리지 않기 때문이다. 또 다시 해석하자면 혹은 잠시 해탈했음에 의했기 때문에 시해탈이라는 명칭을 건립했으니, 퇴타할 때가 있을 수 있기 때문이며, 필경 해탈했음에 의했기 때문에 불시해탈이라는 명칭을 건립했으니, 퇴타할 때가 없기 때문이다. 이 부동종성은 먼저 유학 단계의 견지 종성으로부터 생긴 것이다. 만약 『대비바사론』(=제101권. 대27-524하)의 심해탈에 대한 해석에 의한다면, 심해탈은 승해勝解를 체로 하는 것이다.

제2항 6종성의 선후

이와 같이 밝힌 바, 여섯 종류 아라한에게 있는 종성은 먼저 있던 것인가, 후에 비로소 획득된 것인가?8 일정하지 않다.9 어떠한가?10 게송으로 말하겠다.

59c 먼저 있던 종성도 있고[有是先種性]
　후의 연근으로 획득된 것도 있다[有後練根得]11

논하여 말하겠다. 퇴법 종성은 반드시 먼저 있었던 것이지만, 사법 등의 5종성은 후에 획득된 것도 또한 있다. 말하자면 먼저부터 사법 종성인 경우도 있고, 먼저 퇴법 종성이었다가 후에 근기를 연마해 사법이 된 경우도 있으며, 나아가 부동법에 이르기까지 상응함에 따라 말해야 할 것이다.12

퇴법退法이라고 말한 것은, 말하자면 적은 인연을 만나더라도 곧 획득한 것에서 물러나는 것이니, 사법思法 등은 아니다. 사법이라고 말한 것은, 말하자면 퇴실退失할 것을 두려워해서 항상 자해自害하려고 생각하는 것이다. 호법護法이라고 말한 것은, 말하자면 획득한 것을 기뻐하며 스스로 방호하는 것이다. 안주법安住法이란 뛰어난 퇴실의 인연을 떠났기에 비록 스스로 방호하지 않더라도 능히 물러나지도 않지만, 뛰어난 가행을 떠나서 증진하지도 않는 것이다. 감달법堪達法이란 그 성품이 감당에 능해서, 근기를 닦고

---

8 이하에서 둘째 종성의 선후에 대해 밝히는 것 중 묻는 것이다. 무학의 6종성은 유학의 단계에서 먼저 있었던 것인가, 뒤의 무학일 때 비로소 획득한 것인가?
9 답이다.
10 따지는 것이다.
11 게송에 의한 답이다.
12 바로 게송의 글을 해석하는 것이다. 무학위 중 퇴법 종성은 반드시 유학위에서 먼저 있었던 것이지만, 사법 등의 5종성은 후의 무학에 이르러 비로소 획득된 것도 또한 있다. 말하자면 먼저부터 유학위에서 사법 종성이었고, 후에 무학에 이르러서도 역시 사법 종성인 경우도 있고, 혹 먼저 유학위에서는 퇴법 종성이었다가 후에 무학위에 이를 때 근기를 연마해 사법이 된 경우도 있다. 나아가 부동법에 이르기까지 상응함에 따라 말해야 할 것이다.

연마하기를 좋아해 신속히 부동법不動法에 도달하는 것이다. 부동법이란 그에게는 반드시 물러남이 없는 것이다.[13]

이 6종성은 먼저 유학 단계 중에서, 처음 2종성은 항시恒時 및 존중尊重의 가행을 결여했지만, 근기에 차이가 있기 때문에 차별이 있는 것이다. 제3종성은 오직 항시의 가행만이 있었고, 제4종성은 오직 존중의 가행만이 있었으며, 제5종성은 두 가지 가행을 갖추었지만, 둔근이고, 제6종성은 이근으로서 두 가지 가행을 갖추었던 분이다.[14]

퇴법 종성도 반드시 결정코 물러나는 것은 아니며, 나아가 감달법도 반드시 능히 도달하는 것은 아니다. 단지 있을 수 있음에 의거해 이런 명칭을 건립한 것이기 때문에 여섯 종류 아라한은 공통으로 3계에 모두 있다.[15] 만약 퇴법은 반드시 결정코 물러나야 하며, 나아가 감달법은 반드시 능히 도달한다고 주장한다면, 그는 "욕계에는 6종성을 모두 갖추고 있지만, 색계·무색계 중에는 오직 안주법과 부동법뿐이다"라고 주장해야 할 것이니, 거기

....

13 여섯 가지 종성이 차별되어 같지 않음을 개별적으로 해석하는 것이다. 퇴법이라고 말한 것은, 말하자면 적은 인연을 만나더라도 곧 획득한 것에서 물러나는 것이니, 사법 등은 적은 인연을 만나서 물러나는 것이 아니다. 사법이라고 말한 것은, 말하자면 획득한 공덕에서 퇴실할 것을 두려워해서 칼로 머리를 쳐서[以刀扣頭] 항상 자해하려고 생각하는 것이다. 호법이라고 말한 것은, 말하자면 획득한 것에서 퇴실할 것을 두려워하기 때문에 기뻐하며 스스로 방호하는 것이다. 안주법이란 뛰어난 퇴실의 인연을 떠났기에 비록 스스로 방호하지 않더라도 능히 물러나지도 않지만, 뛰어난 가행을 떠나서 증진하지도 않으며 대부분 자신의 지위에 머물기 때문에 안주라고 이름한 것이다. 감달법이란 그 성품이 감당에 능해서 근기를 닦고 연마하기를 좋아해 신속히 부동법에 도달하는 것이다. 부동법이란 물러나거나 동요하지 않기 때문[不退動故]에 그에게는 반드시 물러남이 없는 것이다.
14 또 여섯 가지 종성이 차별되어 같지 않음을 해석하는 것이다. '항시'는 말하자면 긴 시간 동안 닦는 것이고, '존중'은 말하자면 (가행을) 일으킬 때 맹리해서 뛰어남을 우러러보고 간절하며 무겁게 여기는 것[尊勝愍重]이다. 처음 2종성은 두 가지를 결여하였고, 뒤의 2종성은 두 가지를 갖추었지만, 근기가 다르기 때문(=제1·제5는 둔근, 제2·제6은 이근)이다. 나머지 글은 알 수 있을 것이다.
15 따로 명칭의 건립에 대해 해석하는 것이다. 6종성 중 앞의 5종성은, 다만 있을 수 있음에 의거해 이런 명칭을 건립한 것이기 때문에 여섯 종류 아라한은 공통으로 3계에 모두 있는 것이다.

에는 퇴실, 자해, 스스로 방호함 및 근기를 닦고 연마함이 없기 때문에 오직 두 가지만 있을 것이다.16

　　　제3항 종성·과보로부터 물러남

1. 아라한의 종성·과보로부터의 퇴·불퇴
　이와 같은 6종성의 아라한 중 누가 무엇으로부터 물러나는가? 종성인가, 과보인가? 게송으로 말하겠다.

⑥a 넷은 종성으로부터 물러나고[四從種性退]
　다섯은 과보로부터 물러나지만, 먼저 것으로부터는 아니다[五從果非先]17

　논하여 말하겠다. 부동법의 종성은 반드시 물러날 리 없지만, 앞의 5종성은 모두 물러나는 뜻이 있다. 그 중 뒤의 넷은 종성으로부터 물러남이 있지만, 퇴법 한 가지는 종성으로부터 물러날 리 없으니, 이 종성은 가장 아래에 있기 때문이다. 5종성은 모두 과보로부터 물러나는 뜻이 있다. 비록 같이 물러남이 있다고 해도, 모두 먼저 것[先]으로부터는 아니다.18

----

16 다른 집착을 서술하고 논파하는 것이다. 만약 앞의 5종성은 반드시 물러나야 한다는 등을 주장한다면, 욕계 중에는 여섯 가지를 갖출 수 있겠지만, 위의 2계 중에는 오직 안주법과 부동법의 두 가지만 있고, 나머지 네 가지는 없을 것이니, 거기에는 퇴실함이 없기 때문에 퇴법 종성이 없을 것이고, 거기에는 자해가 없기 때문에 사법 종성이 없을 것이며, 거기에는 스스로 방호함이 없기 때문에 호법 종성이 없을 것이고, 거기에는 근기의 연마가 없기 때문에 감달법 종성이 없을 것이다. 따라서 오직 두 가지만 있을 것이다.
17 이하는 곧 셋째 종성·과보로부터 물러남에 대해 밝히는 것인데, 묻고 게송으로 답한 것이다.
18 전체적으로 표방하면서 게송을 해석하는 것이다. 6종성 중 부동법의 종성은 반드시 종성으로부터 물러날 이치 및 과보로부터 물러날 이치가 없지만, 앞의 5종성은 모두 물러나는 뜻이 있다. 앞의 5종성 중 뒤의 사법 등 4종성은 모두 종성으로부터 물러날 수 있는 뜻이 있으니, 예컨대 감달법 등으로부터 물러나 안주법 등에 이르는 것과 같지만, 퇴법 한 가지는 종성으로부터 물러날 리 없으니, 이 종성은 가장 아래에 있기 때문에 더 이상 물러날 곳이 없다. 5종성은

말하자면 여러 무학이 먼저 유학 단계 중에서 머물렀던 종성이라면, 그는 이 종성으로부터는 반드시 물러날 리 없으니, 유학·무학의 도에 의해 이루어진 것이어서 견고하기 때문이다. 만약 여러 유학이 먼저 범부 단계 중에서 머물렀던 종성이라면, 그는 이 종성으로부터는 역시 물러날 리 없으니, 세간·출세간도에 의해 이루어진 것이어서 견고하기 때문이다. 만약 이런 단계에 머문 뒤에 연근練根을 닦아 획득한 사법 등 네 가지 종성이라면, 그는 이런 종성으로부터는 물러나는 이치가 있을 수 있다.[19]

두 가지 먼저 단계 중에서 사법 등의 종성에 머물렀다면 반드시 이 획득된 과보로부터도 역시 물러남이 없고, 오직 먼저 퇴법이었을 경우에만 과보로부터 물러나는 뜻이 있다.[20]

....

모두 과보로부터 물러나는 뜻이 있다. 비록 사법 등의 4종성은 같이 종성으로부터 물러나며, 아울러 과보로부터 물러나는 뜻이 있다고 해도, 모두 먼저 것으로부터는 아니다. 이전의 퇴법을 말하지 않은 까닭은, 이전의 퇴법의 경우 과보로부터 물러나는 뜻이 있기 때문이다. 여기에서 '모두 먼저 것으로부터는 아니다[並非先]'라고 말한 것은, 퇴법을 포함하지 않는 것이다. 혹은 이 글에서 '모두 먼저 것으로부터는 아니다'라고 말한 것은, 많은 부분에 따라 말한 것일 수도 있다. 이치상 실제로 퇴법은 먼저의 과보로부터도 역시 물러나는 것이다.

19 이는 곧 종성으로부터의 퇴·불퇴에 대해 따로 밝히는 것이다. 말하자면 여러 무학이 먼저 유학 단계 중에서 머물렀던 사법 등의 네 가지 종성이라면, 그는 이 종성으로부터는 반드시 물러날 리 없으니, 유학·무학의 2도에 의해 이루어진 것이어서 지극히 견고하기 때문이다. 만약 여러 유학이 먼저 범부 단계 중에서 머물렀던 사법 등의 네 가지 종성이라면, 그는 이 종성으로부터는 역시 물러날 리 없으니, 세간·출세간의 2도에 의해 이루어진 것이어서 지극히 견고하기 때문이다. 본문은 바로 무학에 대해 밝히면서, 유학은 뜻의 편의상 겸하여 밝힌 것이다. 만약 무학위에 머무는 분 및 유학위에 머무는 분이 퇴법 종성으로부터 뒤에 연근練根을 닦아 획득한 사법 등 네 가지 종성이라면, 그는 이런 종성으로부터는 물러날 이치가 있을 수 있다. 이런 종성은 2도에 의해 이루어진 것이 아니어서 견고하지 못하기 때문이다.

20 이는 곧 과보로부터의 퇴·불퇴에 대해 따로 밝히는 것이다. '두 가지 먼저[二先]'이라고 말한 것은, 첫째 유학 단계의 먼저이고, 둘째 범부 단계의 먼저이다. 말하자면 여러 무학이 먼저 유학 단계 중에서 사법 등의 4종성에 머물렀다면 반드시 이 무학의 과보로부터도 역시 물러남이 없으니, 이 종성은 2도에 의해 이루어진 것이어서 견고하기 때문이다. 만약 여러 유학이 먼저 범부 단계 중에서 사법 등의 4종성에 머물렀다면 반드시 이 유학의 과보로부터도 역시 물러남이 없으니, 이 종성은 2도에 의해 이루어진 것이어서 견고하기 때문이다. 오직 먼저 유학 단계에서 퇴법 종성이었다가 무학의 단계에 이르렀을

또 먼저 획득된 과보로부터는 역시 물러남이 없지만, 뒤에 획득된 과보로부터는 물러나는 뜻이 있을 수 있다. 그러므로 예류과로부터는 결정코 물러나는 일이 없다.

이에 의해 아라한과[應果]의 퇴법에는 세 가지가 있으니, 첫째 근기를 증진하는 경우, 둘째 물러나 유학에 머무는 경우, 셋째 자신의 단계에 머물면서 반열반하는 경우이다. 사법에는 네 가지가 있으니, 세 가지는 앞에서 설한 것과 같고, 물러나 퇴법 종성에 머무는 한 가지를 다시 더한 것이다. 나머지 3종성에는 순서대로 다섯·여섯·일곱 가지가 있으니, 뒤로 갈수록 한 가지씩 증가하기 때문이라고 알아야 할 것이다. 사법 등의 4종성이 물러나 유학 단계에 머물 때에는 퇴법으로 돌아가 머물고, 나머지로는 아니다. 만약 이와 다르다고 한다면 뛰어난 종성을 획득했기 때문에 증진했고, 물러난 것이 아니어야 할 것이다.21

....

경우에만 과보에서 물러나는 뜻이 있으며, 오직 먼저 범부 단계 중에서 퇴법 종성이었다가 후에 유학 단계에 이르렀을 경우에만 과보에서 물러나는 뜻이 있다. 무학 단계 및 유학 단계 중에서, 혹은 퇴법 종성에 머물고 있었다면 과보로부터 물러나는 뜻이 있다. 퇴법이 비록 먼저 획득된 것이었다고 해도 역시 2도에 의해 이루어진 것이어서 종성이 가장 열등하기 때문이며, 이것도 퇴법이기 때문에 과보로부터 물러날 수 있는 것이다. 혹은 무학 및 유학 단계에 이르러 퇴법 종성으로부터 후에 능히 연근을 닦아 사법 등의 4종성을 획득했다면, 역시 과보로부터 물러날 수 있으니, 이 종성은 2도에 의해 이루어진 것이 아니어서 견고하지 못하기 때문이다. 비록 무학 및 유학이 과보로부터 물러남에서 5종성이 같지 않지만, 모두 오직 먼저 퇴법이었던 경우에만 과보로부터 물러나는 뜻이 있다고 말할 수 있다.

이상 종성으로부터 물러남 및 과보로부터 물러남의 뜻에 준하면, 결정코 두 가지 먼저 단계 중 사법 등의 종성에 머물고 있다가 뒤에 무학 및 유학 단계 중에 이르러 사법 등의 3종성으로부터 연근의 행을 닦아서 호법 등의 3종성을 획득했다면 모두 종성으로부터 물러날 수 있으며, 전환된 호법 등으로서 증진하여 유학의 과보(=상위의 유학의 과보)를 획득했을 경우에도 역시 과보로부터 물러날 수 있다고 알아야 한다. 그래서 『순정리론』 제67권(=대29-711상)에서도 말하였다. "그가 사법 등으로부터 연근의 행을 닦아서 호법 등을 전환해 획득했다면 오직 종성으로부터만 물러날 수 있지만, 전환하여 획득한 종성으로서 증진하여 유학의 과보를 획득했을 경우에는 역시 물러날 수 있으니, 이 종성은 2도에 의해 이루어진 것이 아니어서 견고하지 못하기 때문이다."

21 네 가지 과보 중에 나아가 과보로부터 물러나는 뜻에 대해 밝히는 것이다. 비

2. 4사문과의 퇴·불퇴에 관한 논쟁

(1) 예류과 불퇴의 이유

어떤 이유에서 먼저 획득된 과보로부터는 결정코 물러나는 자가 없는가?[22] 견소단의 번뇌는 체 없는 것[無事]에 의한 것이기 때문이다. 말하자면 유신견은 자아라는 대상[我處]에 의지해 일어나고, 견소단의 번뇌는 이

....

록 5종성은 모두 과보로부터 물러날 수 있다고 해도, 또 먼저 획득된 과보로부터는 역시 물러남이 없다. 4과 중 먼저 획득된 것으로부터는 반드시 결정코 물러나지 않는 것이다. 만약 예류과의 획득이라면 반드시 먼저 획득된 것이고, 일래·불환을 초월증한 경우도 역시 먼저 획득된 것이다.(=이에 의하면 '먼저 획득된 것'은 최초로 획득된 과보라는 의미이다) 뒤에 획득된 과보로부터는 물러나는 뜻이 있을 수 있다. 만약 제1과가 먼저가 된다면 곧 제2·3·4과가 뒤가 되고, 만약 제2과가 먼저가 된다면 곧 제3·4과가 뒤가 되며, 만약 제3과가 먼저가 된다면 곧 제4과가 뒤가 될 것이다. 그러므로 예류과로부터는 결정코 물러나는 일이 없다. 예류과는 반드시 먼저 얻기 때문에 이들 중 이것만 말한 것이다. 일래·불환은 일정하지 않기 때문(=초월증의 경우는 먼저 얻은 것이지만, 차제증의 경우는 뒤에 얻은 것)에 그래서 따로 열거하지 않은 것이다. 예류는 오직 먼저일 뿐, 뒤가 아니며, 아라한은 오직 뒤일 뿐, 먼저가 아니며, 일래·불환은 모두 먼저와 뒤에 통한다.

까닭에 아라한과의 퇴법에는 세 가지가 있으니, 첫째 근기를 증진하는 경우, 둘째 물러나 유학에 머무는 경우, 셋째 자신의 단계에 머물면서 반열반하는 경우이다. 단지 물러나 유학 단계에 머문다고만 말했을 뿐, 물러나 이생에 머문다고는 말하지 않으니, 이로써 초과로부터 물러나는 것은 아님을 분명히 알 수 있다. 사법에는 네 가지가 있으니, 세 가지는 앞에서 설한 것과 같고, 다시 물러나 퇴법 종성에 머무는 한 가지를 더한 것이다. 나머지 3종성은 순서대로, 호법에는 다섯 가지가 있으니, 네 가지는 앞에서 설한 것과 같고, 다시 물러나 사법 종성에 머무는 한 가지를 더한 것이며, 안주법에는 여섯 가지가 있으니, 다섯 가지는 앞에서 설한 것과 같고, 다시 물러나 호법 종성에 머무는 한 가지를 더한 것이며, 감달법에는 일곱 가지가 있으니, 여섯 가지는 앞에서 설한 것과 같고, 다시 물러나 안주법 종성에 머무는 한 가지를 더한 것이다. 사법 등의 4종성이 물러나 유학 단계에 머물 때에는 이전의 퇴법 종성으로 돌아가 머물고, 나머지 사법 등의 4종성으로는 아니다. 만약 이와 다르다고 한다면, 먼저 유학위의 시기에는 퇴법 종성이었는데, 이제 물러나 유학의 사법 등의 4종성에 머문다면, 뛰어난 종성을 획득했기 때문에 증진했고, 물러난 것이 아니어야 할 것이다.

22 이하는 4과로부터의 퇴·불퇴에 관한 여러 부파의 논쟁에 대해 밝히는 것이다. 만약 설일체유부에 의한다면 초과로부터는 물러나지 않지만, 뒤의 3과로부터는 물러날 수 있다는 것은 앞에서 갖추어 설한 것과 같으므로, 어떤 이유에서 이전의 과보로부터 물러남은 결정코 없는 것인지 묻는 것이다.

소견을 근본으로 하는데, 자아는 체體가 이미 없으므로 체 없는 것[無事]에 의한 것이라고 이름한 것이니, 체가 없기 때문에 반드시 물러날 이치가 없는 것이다.23

만약 그렇다면 이 번뇌는 없는 것[無]을 반연한다고 말해야 할 것이다.24 이것은 없는 것을 반연하는 것이 아니니, 진리[諦]를 경계로 하기 때문이다. 그렇지만 진리의 경계를 여실하게 반연하지 않는 것이다.25

(2) 무사혹無事惑과 유사혹有事惑

모든 번뇌 중 무엇이 이와 같지 않겠는가?26 비록 모두 이와 같다고 해도 차별이 있다. 수소단의 번뇌는 각각 개별적 체[別事]가 있으니, 즉 마음에 들거나 마음이 들지 않는 것 등으로서, 소연의 경계에 이런 모습이 없는 것이 아니다. 견소단의 번뇌는 자아 등이 있다고 계탁하지만, 모든 진리의 경계에는 자아 등의 모습이 있는 것이 아니니, 체[事]가 없기 때문에 수소단의 번뇌와는 다르다. 말하자면 색 등의 소연의 경계 중에서 아견我見으로 망령되이 증익함으로써 작자作者나 수자受者가 자재하게 일어나지만, 실제 자아[實我]의 성품이 아니다. 변집견 등은 이에 따라 생기니, 그래서 모두 체 없는 것에 의한 번뇌[依無事惑]라고 말하는 것이다. 만약 수소단인 탐욕·성냄·거만·무명이라면, 색 등의 경계 중에서 물들어 집착하거나[染著] 미워해 등지거나[憎背] 높이 올리거나[高擧] 알지 못하는[不了] 행을 일으킴으로써만 일어나기 때문에 모두 체 있는 것에 의한 번뇌[依有事惑]라고 말하는 것이다.27

....

23 설일체유부의 답이다. 견소단의 번뇌는 체 없는 것[無事]에 의한 것이기 때문에 반드시 물러날 이치가 없다. # 여기에서 '사事'는 제6권에서 설명된 다섯 가지 사事 중 자체自體를 의미하는 소위 자성의 사라고 할 것이다.
24 힐난이다. 이미 자아라는 것이 없으니, 없는 것[無]을 반연한다고 말해야 할 것이다.
25 회통하는 것이다. 이 아견은 없는 법을 반연하는 것이 아니니, 진리[諦]를 경계로 하기 때문이다. 그렇지만 진리의 경계를 여실하게 반연하지 않는 것이다.
26 따지는 것이다.
27 체 있는 것[有事]과 체 없는 것[無事]은 차별되고 같지 않음을 해석하는 것이다. '작자'는 능히 세간을 조작하는 주체[能造作世間]를 말하고, '수자'는 능히 세간을 수용하는 주체[能受用世間]를 말하는 것이니, 이런 조작과 수용에 대해

또 견소단의 번뇌는 진리의 이치[諦理] 중에서 자아와 자아의 소유, 단멸·상주하는 것이라고 보는 등으로 집착하는 것이지만, 진리 중에는 조금이라도 자아 등의 체가 있는 것이 아니며, 견소단의 탐욕 등은 이를 반연하여 생기니, 이 때문에 모두 체 없는 것에 의한 번뇌[依無事惑]라고 이름하는 것이다. 수소단의 번뇌는 색 등에 대해 좋다거나 추하다는 등으로 여기는 것인데, 색 등의 경계에는 좋거나 추한 등의 차별이 조금이라도 없는 것은 아니니, 이 때문에 체 있는 것에 의한 번뇌[依有事惑]라고 이름할 수 있는 것이다.28

또 견소단의 번뇌는 진리의 이치[諦理]에 미혹해 일어나므로 체 없는 것에 의한 것이라고 이름하지만, 수소단의 번뇌는 거친 현상[麤事]에 미혹해 생기므로 체 있는 것에 의한 것이라고 이름한다. 진리의 이치[諦理]는 진실이어서, 닦아서 결정코 의지할 만한 것이니, 성스러운 지혜[聖慧]로써 증득했다면 반드시 물러날 이치가 없지만, 현상의 모습[事相]은 덧없는 거짓[浮僞]이어서 결정코 의지할 만한 것이 없으니, 그것에 미혹한 번뇌를 끊었다고 해도 실념失念하여 물러남이 있는 것이다.29

....

자재를 얻기 때문이다. 사랑할 만한 경계에 대해서는 탐욕을 일으켜 물들어 집착하고, 사랑할 만하지 못한 경계에 대해서는 성냄을 일으켜 미워해 등지며, 열등하거나 동등하거나 뛰어난 경계에서 거만을 일으켜 높이 올리고, 현상을 알지 못하기 때문에 무명을 일으키는 것이다. 나머지 글은 알 수 있을 것이다.

28 또 체 있는 것과 체 없는 것은 차별되고 같지 않음을 해석하는 것이다. 또 견소단의 번뇌는 진리의 이치 중 유신견으로 자아나 자아의 소유를 집착하고, 변집견으로 단멸한다고 집착하거나 상주한다고 집착하고, 사견으로 없다고 집착하는 것이다. '등'이란 견취·계금취·무명·의심을 같이 취한 것이니, 이 일곱 가지는 모두 진리의 이치에 미혹해서 일어나는 것이다. 진리 중에는 조금이라도 자아 등의 체가 있는 것이 아닌데도 견소단 중 탐욕·성냄·거만 세 가지는 그 일곱을 반연하여 생기니, 이 때문에 모두 체 없는 것에 의한 번뇌라고 이름한다. 수소단의 번뇌는 색 등에 대해 좋다거나 추하다는 등으로 여기는 것인데, 좋거나 추한 등의 차별이 조금이라도 없는 것은 아니니, 이 때문에 체 있는 것에 의한 번뇌라고 이름할 수 있다.

29 또 (유사혹·무사혹과 퇴·불퇴의 관계에 대해) 해석하는 것이다. 이치에 미혹한 번뇌[迷理惑]를 끊은 까닭에 물러나지 않고, 현상에 미혹한 번뇌[迷事惑]를 끊은 까닭에 물러날 수 있다. # 이 단락에서의 '사'는 체라고 번역해도 무방하

혹은 수소단의 번뇌는 자세한 사려[審慮]에 의해 생기는 것이 아니니, 어둡고 무딘 성품[昧鈍性]이기 때문이지만, 견소단의 번뇌는 자세한 사려에 의해 생기는 것이니, 헤아리는 성품[推度性]이기 때문이다. 성자라도 자세히 사려하지 않으면 거친 현상에 대해 실념失念이 혹 생기기도 하지만, 자세히 사려하면 그렇지 않으니, 마치 밧줄 등에 대해 문득[率爾] 뱀이라고 여기는 것과 같다. 그래서 수소단의 번뇌는 성자라도 물러나 일으킬 수 있지만, 문득 견혹을 일으킬 수 있는 것은 아니니, 성자가 만약 자세히 사려한다면 곧 진리의 이치를 보기 때문이다. 그래서 성자는 견소단에서 결정코 물러나는 뜻이 없는 것이다.30

⑶ 경량부의 퇴·불퇴론

경량부 논사들은, 아라한과로부터도 역시 물러나는 뜻이 없다고 말했는데, 그들의 설이 이치에 맞다.31 어떻게 그런지 아는가?32 가르침과 이치에 의한 때문이다.33

【응과 불퇴론의 교증】 어떤 것이 가르침에 의한 것인가?34 경에서, "필추가 성스러운 지혜로써 번뇌를 끊은 것을 진실한 끊음[實斷]이라고 이름한다"라고 말씀하셨고, 또 계경에서, "나는 유학에게는 방일해서는 안 된다고 말하지만, 아라한에게는 아니다"라고 말씀하셨다.35

....

지만, (연기의) 이치와 대비해 사용된 것이므로 연기의 이치에 의해 일어나는 개별적 현상이라는 의미에서 '현상'이라고 번역하였다.

30 또 해석하는 것이다. 수혹은 자세한 사려에 의해 생기는 것이 아니므로 성자도 물러나 일으킬 수 있지만, 견혹은 자세한 사려에 의해 생기는 것이기 때문에 성자는 물러나지 않는다. 이상은 설일체유부의, 최초로 획득된 과보[初得果]에서 물러나지 않는다고 하는 뜻에 대해 밝힌 것이다.

31 이하는 경량부에서 4과의 퇴·불퇴에 대해 밝히는 것이다. 논주의 뜻은 경량부의 벗이기 때문에 '그들의 설이 이치에 맞다'라고 말한 것이다. 경량부의 뜻이 말하는 것은, 예류과와 아라한과는 성스러운 지혜[聖慧](=성도 즉 무루도에 의한 지혜)로써만 끊으므로 반드시 물러남이 없고, 일래과와 불환과는 세속도로써도 얻으므로 물러남이 역시 있을 수 있지만, 무루도로 끊었다면 역시 물러나지 않는다는 것이다.

32 물음이다.

33 경량부의 답이다.

34 따져 묻는 것이다.

비록 붓다께서 아난다[慶喜]에게, "나는 이양利養 등도 역시 아라한을 장애한다고 말한다"라고 이르신 경이 있지만, 아라한과에서 물러난다고 설하시지 않았으니, 단지 현법락주現法樂住에서 퇴실한다고 설하신 것일 뿐이다.36 경에서, "흔들리지 않는 마음의 해탈[부동심해탈不動心解脫]을 몸으로 작증하면, 나는 결정코 이로부터 물러날 인연이 없다고 말한다"라고 말씀하셨기 때문이다.37 만약, "물러나는 경우가 있다. 경에서 시애해탈時愛解脫이 있다고 설했기 때문이다"라고 말한다면, 나도 역시 그렇다고 인정한다. 다만 그가 물러나는 대상[所退]을 관찰해야 할 것이니, 응과應果의 성품이라고 하겠는가, 정려 등이라고 하겠는가? 그렇지만 그의 근본정려와 등지等持는 반드시 때[時]를 기다려야 현전하기 때문에 '시해탈'이라고 이름하고, 그는 현법낙주를 획득하기 위해 자주 현전하기를 희구하기 때문에 '애'라고 이름한 것이다. "이 선정은 사랑하여 맛들이는 것[所愛味]이다"라는 말이 있는데, 모든 아라한과의 성품인 해탈은 항상 따라 쫓는 것이기 때문에 '시'라고 이름해서는 안 되며, 더 이상 기뻐해 구하지 않기 때문에 '애'라고 이름해서

---

35 답이다. 경(=출전 미상)에서, "무루의 성스러운 지혜로써 번뇌를 끊은 것을 진실한 끊음이라고 이름한다"라고 말씀하셨는데, 아라한과는 오직 성스러운 지혜로써만 끊는 것이다. 이미 진실한 끊음이라고 말씀하셨으니, 물러나지 않는다는 것을 분명히 알 수 있다. 경(=잡 [8]8:212 불방일경 및 중 51:195 아습구경阿濕具經)에서 유학을 경계시켜서 "방일해서는 안 된다"라고 말씀하신 것은 유학이 물러날 것을 두려워하셨기 때문이지만, "아라한에게 방일해서는 안 된다고 설하시는 것이 아니다"라고 하셨으니, 물러나지 않는다는 것을 분명히 알 수 있다.

36 경량부에서 경(=출전 미상)의 글을 회통해 해석하는 것이다. 비록 붓다께서 아난다에게, "나는 이양 등도 역시 아라한을 장애한다고 말한다"라고 말씀하신 경이 있지만, 비록 이런 말씀이 있어도 아라한과의 무루의 모든 법에서 물러난다고 말씀하시지 않았으니, 단지 현법락주인 유루의 모든 선정에서 퇴실한다고 말씀하신 것일 뿐이다.

37 경량부에서 증거를 인용하는 것이다. 또 경(=현존본의 표현은 다소 다르지만, 중 49:191 대공경大空經을 가리키는 것으로 보인다)에서, "번뇌에 의해 흔들리지 않는, 번뇌로부터의 마음의 해탈을 몸 중에서 증득해 소멸시켰다면, 나는 결정코 이로부터 물러날 인연이 없다고 말한다"라고 말씀하셨기 때문이다. '흔들리지 않는다[不動]'는 것은 곧 아라한과이기 때문에 물러나지 않는다는 것을 알 수 있다.

는 안 될 것이다.38

　만약 응과의 성품으로부터 물러남이 있을 수 있다면, 어째서 세존께서 다만 증득한 현법락주에서 물러날 수 있는 이치가 있다고만 설하셨겠는가? 이에 의해 모든 아라한과의 성품인 해탈은 반드시 부동不動임을 증지할 수 있다. 그렇지만 이양 등이 흔들어 어지럽히는 허물에 의해, 획득한 현법락주에서 자재自在로부터 퇴실하는 일이 있으니, 모든 둔근자를 말하는 것이다. 만약 모든 이근자라면 곧 퇴실하는 일이 없다. 그래서 획득한 현법락주로부터 물러남이 있기도 하고 물러남이 없기도 하기 때문에 퇴법·불퇴법이라고 이름한 것이다. 이와 같이 사법思法 등도 이치대로 생각해야 할 것이다.39

....

38 경량부에서 변론을 옮겨와서 회통해 해석하는 것이다. 만약, "물러나는 경우가 있다. 경에서 '시애해탈'이 있다고 설했기 때문이다"라고 말한다면, 나도 역시 물러난다고 인정한다. 다만 그가 물러나는 대상을 관찰해야 할 것이니, 응과의 무루의 성품이라고 하겠는가, 유루의 정려 등이라고 하겠는가? 우리의 종지에서 물러남을 말하는 것은, 유루의 선정으로부터 물러난다는 것이다. 이 시해탈은 유루정에 의거해 말한 것이다. 다시 명칭을 해석해 말한다. 그렇지만 그 근본 네 가지 정려와 무색의 등지는 둔근인 사람의 경우 반드시 뛰어난 때를 기다려야 비로소 현전하기 때문에, 선정의 장애로부터 해탈했다[解脫定障]고 해서 '시해탈'이라고 이름하고, 그는 현법낙주를 획득하기 위해 선법에 대한 욕구를 갖고 자주 현전하기를 희구하기 때문에 '애'라고 이름한 것이다. 어떤 분은, "이 유루정은 그런 탐애로 사랑하여 맛들이는 대상[所愛味處]이기 때문에 애愛라고 이름한다"라는 이런 말을 했는데, 시해탈의 해석은 앞과 같다고 알아야 할 것이다. 모든 아라한의 무루과의 성품인, 번뇌로부터의 해탈[解脫煩惱]은 일체시에 항상 따라 쫓는 것이기 때문에 '시'라고 이름해서는 안 되며, 이미 항상 따라 쫓는 것은 곧 만족된 것이어서 더 이상 기뻐해 구하지 않기 때문에 '애'라고 이름해서는 안 될 것이다.

39 경량부에서 도리어 힐난하는 것이다. 만약 무루인 응과로부터도 체성이 둔근일 경우 역시 퇴실이 있을 수 있다고 말한다면, 어째서 세존께서 다만 증득된 유루의 모든 선정의 현법락주에서 물러날 수 있는 이치가 있다고만 설하시고, 무루에 대해서는 설하시지 않았겠는가? 이에 의해 모든 아라한과의 성품은 반드시 부동不動임을 증지할 수 있다. '부동'은 결정적이어서 물러나거나 흔들리지 않는 것이다. 그렇지만 이양 등이 흔들어 어지럽히는 허물에 의해, 획득한 현법락주에서 자재自在로부터 퇴실하여 성취하지 못하는 일이 있다. 따라서 이 자재로부터 물러나는 것은 모든 둔근자를 말하는 것이고, 만약 모든 이근자라면 현법락주에서 곧 퇴실하는 일이 없다. 그래서 획득한 현법락주로부터 물러남이 있기 때문에 첫째를 퇴법이라고 이름하고, 물러남이 없기 때문에 여섯째 불퇴법이라고 이름한 것이다. 이와 같이 사법 등의 네 가지 종성도 이

불퇴, 안주, 부동은 어떻게 다른가?40 연근에 의해 획득한 것이 아닌 것을 불퇴법이라고 이름하고, 연근에 의해 획득한 것을 부동법이라고 이름하는데, 이 두 가지가 일으키는 수승한 등지等至는, 설령 물러날 인연을 만나더라도 역시 물러날 이치가 없다. 안주법이란 단지 이미 머물고 있는 모든 뛰어난 공덕 중에서 능히 퇴실함이 없을 뿐, 더 이상 다른 뛰어난 공덕을 능히 견인해 낳지는 않고, 설령 다시 견인해 낳는다고 해도 그로부터는 물러날 수 있다. 이것이 불퇴 등 세 가지의 차별이다.41

그런데 교저가憍底迦는 과거 유학 단계에 있을 때 시해탈에 지극히 맛들였기 때문에, 또 둔근이었기 때문에 자주자주 퇴실하자, 깊은 염증과 자책으로 칼을 들고 자해했는데, 신명身命을 사랑하고 아끼는 바 없었으므로 명종할 때에 임하여 아라한과를 획득하고 곧 반열반한 것이다. 따라서 교저가도 역시 아라한과에서 퇴실한 것은 아니다.42

....

치대로 생각해야 할 것이다. 물러남이 있기 때문에 사법이라고 이름하고, 물러남이 없기 때문에 여섯째 불퇴법이라고 이름하며, 이와 같이 나아가 물러남이 있기 때문에 감달법이라고 이름하고, 물러남이 없기 때문에 여섯째 불퇴법이라고 이름한 것이다. 여섯째는 부동이라고도 이름한다. 경량부는 단지 유루정의 측면에 의거해서만 6종성이 차별되어 같지 않다고 밝히는 것이다. 만약 무루과의 성품이라는 뜻의 측면에 의거한다면 오직 부동일 뿐, 여섯 가지 차별은 없으며, 또한 물러남도 없다는 것이다. 또 해석하자면 물러남이 있는 것을 첫째 퇴법이라고 이름하고, 물러남이 없는 것을 여섯째 불퇴법이라고 이름하며, 사법 등 4종성은 이치대로 생각해야 할 것인데, 그렇지만 모두 현법락주로부터 물러날 수 있으므로, 생각함이 있는 것을 둘째 사법이라고 이름하고, 생각함이 없는 것을 불사법이라고 이름하니, 곧 제6이며, 이와 같이 나아가 감달이 있는 것을 다섯째 감달법이라고 이름하고, 감달이 없는 것을 불감달법이라고 이름하니, 곧 제6이다.

40 물음이다. 제6의 불퇴를 부동이라고도 이름하니, 제3의 안주법과 세 가지는 서로 유사한데, 어떻게 차별되는가?

41 경량부의 답이다. 불퇴는 본성으로 얻는 것이고, 연근에 의한 것이 아니다. 만약 연근에 의해 얻는다면 부동이라고 이름한다. 이 두 가지가 일으키는 유루의 공덕인 수승한 등지等至는 물러날 인연을 만나더라도 물러나지 않는다. 안주법은 단지 이미 머물고 있는 모든 뛰어난 공덕 중에서 능히 퇴실함이 없을 뿐, 더 이상 다른 뛰어난 유루의 여러 공덕을 능히 견인해 낳지는 않고, 후에 설령 다시 견인해 낳는다고 해도 그로부터는 물러날 수 있다. 이것이 세 가지의 차별이다.

42 경량부에서 또 경(=잡 [39]39:1091 구지가경瞿低迦經)에 대해 다시 회통하

또 증십경增十經에서 이렇게 설하였다. "하나의 법을 일으켜야 하니, 시애심해탈時愛心解脫을 말한다. 하나의 법을 증득해야 하니, 부동심해탈不動心解脫을 말한다." 만약 응과의 성품을 시애심해탈이라고 이름한다면, 어째서 이 증십경 중에서 다시 응과에 대해 설했겠는가? 또 일찍이 아라한과를 말하여 '일으켜야 할 것[應起]'이라고 이름한 곳이 없고, 단지 '증득해야 할 것[應證]'이라고만 이름하였다. 또 둔근에 포함되는 응과를 말하여 '일으켜야 할 것'이라고 이름한 것이라면, 무슨 뜻을 나타내기 위한 것이겠는가? 만약 그 능히 일으켜 현전시키는 주체[能起現前]를 나타내기 위한 것이라면, 곧 나머지 이근도 가장 능히 일으키는 주체[能起]여야 할 것이며, 만약 그 응당 일으켜 현전시켜야 할 것[應起現前]을 나타내기 위한 것이라면, 나머지 이근 자로서도 가장 일으켜야 할 것[所應起]일 것이다. 따라서 시해탈은 응과의 성품이 아니다.43

....

는 것이다. 이 경의 글을 회통해야 하는 까닭은 설일체유부의 뜻이, 「교저가라는 이름의 아라한이 있었는데, 둔근이었기 때문에 여섯 번 반복해 아라한으로부터 퇴실한 뒤 일곱 번째로 반복했다가 다시 아라한과를 얻었을 때 다시 퇴실할 것을 두려워해서 칼로써 자해했다」라고 하기 때문에 지금 회통해 말하는 것이다. 그런데 교저가가 여섯 번 반복해 퇴실한 것은, 과거 유학 단계에 있을 때 시해탈의 유루정을 지극히 맛들였기 때문에, 또 둔근자였기 때문에 여섯 번 반복해 퇴실하자, 깊은 염증과 자책으로 칼을 들고 자해했지만, 신명을 사랑하고 아끼는 바 없었으므로 일곱 번 반복하고 명종에 임했을 때에 이르러 아라한과를 획득하고 곧 반열반한 것이다. 따라서 교저가도 단지 유학 단계에서 유루정으로부터 물러난 것일 뿐, 역시 아라한과에서 퇴실한 것은 아니다.

43 경량부에서 증거를 인용해 응과의 체성은 시해탈이 아님을 증명하는 것이다. '증십'이라고 말한 것은 한 가지의 법문으로부터 늘려서 열 가지에 이르므로 증십경이라고 이름한 것이다. 또 아함경 중 증십경(=장 9:10 십상경 중 졸역 2.1)에서 이렇게 말하였다. "하나의 법을 일으켜야 하니, 시애심해탈時愛心解脫을 말한다. 하나의 법을 증득해야 하니, 부동심해탈不動心解脫을 말한다."(=현존본에는, "어떤 것이 한 가지 생기게 해야 할 법이겠습니까? 유루의 해탈[有漏解脫]을 말합니다. 어떤 것이 한 가지 증득해야 할 법이겠습니까? 걸림 없는 마음의 해탈[無礙心解脫]을 말합니다"라고 표현되어 있다) 그래서 경에 의해 나무라는 것인데, 글대로 알 수 있을 것이다. 따라서 시해탈은 유루일 뿐, 응과의 성품이 아니다. 혹은 시해탈이라고 이름하고, 혹은 시애해탈이라고 이름하며, 혹은 시애심해탈고 이름하지만, 자세하고 간략함이 다를 뿐, 뜻은 모두 서로 비슷하다. 때를 기다리고 자주 희구하여 마음이 선정의 장애로부터 벗어

만약 그렇다면 어째서 '시해탈의 응과[時解脫應果]'라고 설했겠는가?44 말하자면 어떤 응과는 근성이 둔하기 때문에 반드시 때를 기다려야 그 때문에 선정이 비로소 현전한다는 것이다. 만약 그와 상반된다면 불시해탈不時解脫이라고 이름한다.45

아비달마에서도 역시 이렇게 말하였다. "욕탐수면은 세 가지 도리에 의해 일어나니, 첫째 욕탐수면을 아직 단변지斷遍知하지 못했기 때문이며, 둘째 그것에 따르는 전纏의 법이 바로 현전하기 때문이며, 셋째 그것에 대해 바로 비리작의를 일으키기 때문이다." 만약 그것은 원인을 갖출 때 생긴다는 점에 의거해 말한 것이라고 말한다면, 다시 원인이 갖추어지지 않고도 생기는 어떤 법이 있겠는가?46

이상을 가르침에 의한 것이라고 이름한다.

【응과 불퇴론의 이증】 어떤 것이 이치에 의한 것인가?47 만약 아라한에게 번뇌를 필경 일으키지 않게 함이 있는 것은 대치도가 이미 생겨서라면, 이런

....

나는 것을 시애심해탈이라고 이름한다. 불시해탈은 이에 준해서 (이와 반대라고) 알아야 할 것이다. 만약 부동심해탈이라고 말한다면 무루의 응과이니, 물러나거나 흔들림 없이 마음이 번뇌로부터 해탈한 것이다.

44 설일체유부의 힐난이다. 만약 시해탈이 응과의 체가 아니라면, 어째서 '시해탈의 응과'라고 설했겠는가?

45 경량부의 답이다. 말하자면 어떤 응과는 근성이 둔하기 때문에 반드시 때를 기다려야 그 때문에 모든 유루의 선정이 비로소 현전하므로 시해탈이라고 이름한 것이지, 시해탈이 응과의 성품이라고 말한 것이 아니다. 만약 그와 상반된다면 불시해탈의 응과라고 이름하는데, 준해서 해석할 것임은 알 수 있을 것이다.

46 경량부에서 다시 논서의 가르침을 인용해서, 무학의 사람은 과보에서 물러나지 않는다는 것을 증명하는 것이다. 논서(=『품류족론』 제3권. 대26-702중)에서 세 가지 원인을 갖추어야 번뇌가 비로소 일어날 수 있다고 하였다. 응과는 번뇌를 일으키는 세 가지 원인을 갖추지 않으니, 물러나지 않는다는 것을 분명히 알 수 있다. 만약 그것은 세 가지 원인을 완전히 갖출 때 번뇌를 낳는다는 것에 의거해 말한 것이라고 말한다면, 다시 어떤 번뇌의 법이 있어서 원인이 완전히 갖추어지지 않고도 생기겠는가? 만약 무학이 물러나 번뇌를 일으키는 것은 원인이 갖추어지지 않고도 생기는 것이라고 말한다면, 번뇌가 이미 끊어졌는데, 어떻게 일어날 수 있겠는가? 이는 곧 이치로써 따져서 나무라는 것이다. 반드시 원인을 갖출 것을 필요로 한다.

47 물음이다.

즉 물러나 번뇌를 일으키지 않아야 할 것이다. 만약 아라한에게 이런 도가 아직 생기지 않았다면, 아직 능히 번뇌의 종자를 영원히 뽑지 못했기 때문에 번뇌가 다한 것이 아니어야 할 것인데, 만약 번뇌가 다한 것이 아니라면 어찌 응과라고 말할 수 있겠는가? 이것을 이치에 의한 것이라고 이름한다.48

만약 그렇다면 탄유계경炭喩契經에서 예컨대, "많이 들은 성스러운 제자들도 가든 머물든 어떤 처소나 어떤 때에 알아차림을 잃기 때문에 악하고 불선한 사유를 낳는다"라고 설한 것과 같은 것에 대해 해석해야 할 것이다. 이 경은 오직 아라한과만을 설한 것이니, 이 경에서, "그런 성스러운 제자는 마음이 긴 세월 동안 원리에 수순하고[隨順遠離] ···· 열반에 듦에 임해[臨入涅槃]"라고 설했기 때문이다. 다른 계경 중에서도 곧 이런 원리에 수순하는 등을 말하여 응과의 힘[應果力]이라고 이름한 것이 있으며, 또 이 경에서도, "그는 번뇌에 수순하는 모든 것을 이미 능히 영원히 버렸고, 이미 청량淸涼을 얻었다"라고 설했으니, 이에 의해 결정코 아라한임을 알 수 있다.49 실제로 뒤에 설한 것은 아라한이다. 그렇지만 그가 ··· 가거나 머물

....

48 경량부의 답이다. 만약 아라한에게 번뇌를 필경 일으키지 않게 함이 있는 것은 무루의 대치도가 이미 생겨서 진실로 끊어졌기 때문이라면, 이런 즉 물러나 번뇌를 일으키지 않아야 할 것이다. 만약 아라한에게 대치도가 아직 생기지 않았다면, 아직 능히 번뇌의 종자를 영원히 뽑지 못했기 때문에 번뇌가 다한 것이 아니어야 할 것인데, 만약 번뇌가 다한 것이 아니라면 어찌 응과라고 말할 수 있겠는가? 나아가든 물러나든 따져서 나무라는 것이다. 아라한인 사람은 반드시 물러남이 없다. 이것을 이치의 의한 것이라고 이름한다.

49 설일체유부에서 다시 경을 인용해 힐난하는 것이다. 만약 응과는 결정코 물러나지 않는다고 말한다면, 탄유계경(＝현존본 잡 [10]43:1173 고법경苦法經)의 글을 해석해야 할 것이다. 이 경에서 이미, "많이 들은 성스러운 제자들도 어떤 때에는 알아차림을 잃어서 불선한 사유를 낳는다"라고 설했으니, 응과도 물러날 수 있음을 분명히 알 수 있다. 어떻게 그가 응과라는 것을 알 수 있는가 하면, 이 경은 아라한에 대해서만 설했기 때문이다. 다시 어떤 글로써 응과라는 것을 증지하는가 하면 이 탄유계경 중에서, "그런 성스러운 제자는 마음이 긴 세월 동안 원리에 수순했다"라는 등이라고 설했는데, 이미 원리에 수순했다고 설했으니, 곧 아라한과임을 분명히 알 수 있다. 다시 원리에 수순하는 것이 아라한이라는 것을 어떻게 아는가 하면, 다른 계경 중에서도 곧 이런 원리에 수순하는 등을 말하여 응과의 힘이라고 이름한 것이 있으며, 또 이 탄유계경에서도, "그는 번뇌에 수순하는 모든 것을 이미 능히 영원히 버렸다"라고 말한 것은 일체 유루를 능히 영원히 끊었다는 것을 나타내고, "이미 청량을

때 아직 잘 통달하지 못한 분이라면 이런 일이 있을 수 있다. 말하자면 유학인 자는 가거나 머물 때 알아차림을 잃기 때문에 번뇌를 일으킬 수 있지만, 후에 무학을 성취하면 곧 일으키는 뜻이 없다. 앞은 유학 단계에 의한 것이기 때문에 말씀에 허물이 없다.[50]

그러나 비바사 논사들은 결정코 이렇게 말한다. "아라한과도 역시 물러나는 뜻이 있다."[51]

제4항 유학과 범부의 종성

오직 아라한에게만 종성에 여섯 가지가 있는가, 나머지에도 역시 여섯 가지 종성이 있는가? 만약 있다면 모두 능히 연근練根을 닦는가?[52] 게송으로 말하겠다.

60c 유학·이생에게도 역시 6종성이 있지만[學異生亦六]

....
언었다"라고 말한 것은 그가 이미 청량한 열반을 얻었음을 나타내니, 이에 의해 탄유계경에서 설한 것은 아라한임을 결정코 알 수 있다.

50 경량부에서 경에 대해 회통하는 것이다. 실제로 뒤에 설한 것, 혹은 탄유계경 중 뒤의 글에서 설한 바, "이미 능히 영원히 버렸고, 이미 청량을 얻었다"라고 한 것은 아라한이다. 그렇지만 그 인용된 탄유계경의 앞의 글의 '성스러운 제자들'은, 가거나 머물 때 아직 4성제의 이치를 잘 통달하지 못했다면, 어떤 때에는 알아차림을 잃어서 불선한 사유를 낳을 수 있는 이런 일이 있을 수 있다. 말하자면 유학의 성자인 일래·불환이 세속도로써 그 2과를 얻었을 경우에는 가거나 머물 때 알아차림을 잃기 때문에 번뇌를 일으킬 수 있지만, 후에 성스러운 지혜로써 나머지 수혹을 끊고 무학과를 성취하면 4성제의 이치를 잘 통달해서 곧 일으키는 뜻이 없다. 앞에 인용된 경문은 유학 단계에 의한 것이기 때문에 물러난다는 말씀에 허물이 없다. 혹은 탄유계경 중의 앞의 글은 (물러남을) 말한 것일 수 있다.

51 논쟁을 자세하게 밝히는 것을 마치고 본래의 종지로 돌아가는 것이다. 만약 『종륜론』에 의한다면, 대중부 등에서는 예류의 성자는 물러나는 뜻이 있지만, 아라한은 물러나는 뜻이 없다고 하였다.

52 이하는 곧 넷째 유학과 범부의 종성을 밝히는 것인데, 묻는다. 오직 아라한에게만 종성에 여섯 가지가 있는가, 나머지 유학과 이생에게도 역시 여섯 가지 종성이 있는가? 만약 있다면 모두 능히 연근練根을 닦는가?

연근은 견도에서는 아니다[練根非見道]

논하여 말하겠다. 유학과 이생도 종성은 역시 여섯 가지이니, 여섯 종류의 응과는 그것이 선행했기 때문[爲先故]이다. 그렇지만 견도 단계에는 반드시 연근이 없으니, 이 단계에서는 가행을 일으킬 수 없기 때문이다. 오직 신해信解와 이생 단계 중에서만 마치 무학 단계에서처럼 연근을 닦을 수 있다.53

제5항 세 가지 물러남

예컨대 계경에서, "나는 이 증득된 네 가지 증상한 심소의 현법락주 중의 어느 하나에 의해서, 획득된 것으로부터 물러남이 있다고 말하지만, 부동심해탈을 몸으로 작증했다면, 나는 결정코 이로부터는 물러날 인연이 없다고 말한다"라고 설했는데, 어떻게 부동법이 현법락주에서 물러나는가?54 게송으로 말하겠다.

....

53 답이다. 먼저 범부 단계에 여섯 가지가 있었기 때문에 유학에도 여섯 가지가 있고, 앞의 유학에게 여섯 가지가 있었기 때문에 응과에도 여섯 가지가 있는 것이다. 견도는 신속하므로 가행을 일으킬 수 없지만, 나머지 단계에서는 일으킬 수 있으므로 연근을 닦을 수 있는데, 오직 신해와 이생 단계 중에서만(= 견지는 이근이어서 연근이 없다는 취지) 마치 무학 단계에서처럼 능히 연근을 닦는다.

54 이하는 곧 다섯째 세 가지 물러남의 같지 않음을 밝히는 것인데, 경(=앞에 나온 중 49:191 대공경)에 의해 물음을 일으킨 것이다. 예컨대 계경에서, "나는 이 증득된 바 네 가지 근본정려의 증상한 심소가 현전한 법락에 머묾 중의 어느 하나가 현행함에 의해, 나머지(=세 가지)에서는 물러남이 있다고 말하지만, 획득된 부동(심해탈)으로부터는 물러남이 없다고 말한다"라고 설했는데, 어떻게 부동법이 현법락주에서 물러나는가? '심소'는 삼마지[定] 혹은 승해의 심소를 말하는 것이다. 그래서 『대비바사론』 제81권(=대27−417하)에서 말하였다. "(문) 어째서 증상한 심소라고 이름했는가? (답) 이 심소는 곧 삼매이다. 삼매로서 큰 세력을 갖추고 큰 공용을 가지며 능히 큰 일을 이루는 것은 능히 근본4정려와 같은 것이 없기 때문에 이것을 유독 증상한 심소라고 이름한 것이다. 다시 다음으로 4정려 중에는 한량없는 종류의 증상한 심소의 수승한 공덕이 있는 것이 마치 4무량 등과 같아서이다."

61 물러남에는 셋이 있다고 알아야 하니[應知退有三]

　이득·미득·수용으로부터인데[已未得受用]

　붓다께는 최후의 것만 있고[佛唯有最後]

　이근에게는 중간과 뒤의 것이, 둔근에게는 셋이 있다[利中後鈍三]55

　논하여 말하겠다. 모든 물러남에는 모두 세 가지가 있다고 알아야 할 것이다. 첫째는 이득퇴已得退이니, 이미 획득한 수승한 공덕에서 물러나는 것을 말한다. 둘째는 미득퇴未得退이니, 수승한 공덕을 아직 능히 획득하지 못한 것을 말한다. 셋째는 수용퇴受用退이니, 이미 획득한 여러 수승한 공덕이 현전하지 않는 것을 말한다.56

　이 세 가지 중 세존께는 오직 수용퇴 한 가지만 있으니, 온갖 공덕을 갖추셨어도 일시에 단박 현전할 수는 없기 때문이다. 나머지 부동법은 수용퇴 및 미득퇴를 갖추고 있으니, 자기 것보다 뛰어난 수승한 공덕을 또한 여전히 아직 획득하지 못했기 때문이다. 나머지 5종성은 세 가지를 갖추고 있으니, 이미 획득한 공덕으로부터도 또한 퇴실할 수 있기 때문이다.57

　수용퇴에 의거해 부동법의 현법락주로부터의 물러남을 설한 것이므로 서

....

55 위의 2구는 세 가지 물러남을 열거한 것이고, 뒤의 2구는 사람에 의거해 밝힌 것이다.

56 위의 2구를 해석하는 것인데, 글대로 알 수 있을 것이다. 『순정리론』(＝제70권. 대29-721중)에서 말하였다. "셋 중 앞의 둘은 비득을 체로 하는 것이고, 셋째는 오직 그것이 현전하지 않은 것일 뿐이다."

57 아래 2구를 해석하는 것이다. 그 세 가지 중 세존께는 오직 최후의 한 가지인 수용퇴만 있으니, 온갖 공덕을 갖추셨어도 일시에 단박 현전할 수는 없기 때문에 그 중의 어느 한 가지가 현전하면 나머지는 현전하지 않으므로 수용퇴라고 이름한다. 나머지 이근인 부동법의 아라한과 독각은 세 가지 물러남 중 뒤의 수용퇴 및 중간의 미득퇴가 있으니, 자기 것보다 뛰어난 불공불법不共佛法이라는 수승한 공덕을 또한 여전히 아직 획득하지 못했기 때문이다. 이는 (제4구 중) '이근에게는 중간과 뒤의 것이'를 해석한 것이니, 이미 획득한 공덕으로부터는 반드시 물러나지 않기 때문에 이득퇴는 없다. 나머지 5종성은 세 가지를 갖춘 것이 인정되니, 둔근이기 때문에 이미 획득한 공덕으로부터도 또한 퇴실할 수 있기 때문이다. 이는 (제4구 중) '둔근에게는 셋이 있다'를 해석한 것이다.

로 어긋나는 허물이 없다.58 그러나 무퇴론자無退論者는 이렇게 말한다. "모든 무루의 해탈은 모두 부동이라고 이름한다. 그럼에도 제6의 부동법을 별도로 세운 것은 앞에서 해석해서 회통한 것과 같으므로, 힐난이 되지 않아야 할 것이다."59

제6항 과보로부터 물러났을 때의 모습

아라한들도 이미 과보로부터 물러난다고 인정했으니, 다시 태어나게 되는가? 과보에 머물 때 짓지 않던 여러 일을 물러났을 때에는 짓는가?60 그렇지 않다.61 어째서인가?62 게송으로 말하겠다.

62 모두 과보로부터 물러나더라도[一切從果退]
　　반드시 획득하고 명종하지 않으며[必得不命終]
　　과보에 머물 때 하지 않던 일은[住果所不爲]
　　참이 증상하기 때문에 짓지 않는다[慚增故不作]63

....
58 앞의 힐난에 대해 바로 회통하는 것이다. 경에서 물러남을 말한 것은, 세 가지 물러남 중 수용퇴에 의거해 부동법도 모두 현법락주로부터 물러남을 설한 것이므로 상위하는 허물이 없다.
59 경량부의 종지를 서술하는 것이다. 무퇴론자는 이렇게 말한다. "무학의 몸 중의 모든 무루의 해탈은 모두 부동이라고 이름하니, 물러나거나 흔들림이 없기 때문이다." 숨은 힐난으로, 「만약 무학의 몸 중의 모든 무루법은 모두 물러나거나 흔들림이 없다면 6종성은 모두 부동이라고 이름해야 할 것인데, 어째서 제6의 부동법을 별도로 건립했는가?」라고 말하므로, 이런 숨은 힐난에 대해 회통하기 위해 이렇게 말하였다. "그럼에도 6종성 중 제6의 부동법을 별도로 세운 것은, 유루정인 현법락주에 의거해 6종성을 밝힌 것이니, 앞의 5종성은 물러남이 있지만, 제6은 물러나지 않으므로 부동이라고 이름한 것으로서, 무루에 의거하지 않았다는 것은 앞에서 해석해서 회통한 것과 같으므로, 힐난이 되지 않아야 할 것이다."
60 이하는 여섯째 과보로부터 물러났을 때의 모습을 밝히는 것인데, 앞을 옮겨와서 물음을 일으켰다.
61 답이다.
62 따지는 것이다.
63 게송에 의한 답이다.

논하여 말하겠다. 과보로부터 물러나더라도 중간에 목숨이 끝나는 일이 없으니, 물러난 뒤 잠깐 만에[須臾] 반드시 다시 획득하기 때문이다. 마치 계경에서, "필추들이여, 알아야 할지니, 이와 같이 많이 들은 성스러운 제자들은 바른 알아차림[正念]에서 퇴실하더라도, 물러나 일으킨 것[所退起]을 신속하게 다시 능히 다하게 하고, 가라앉게 하고, 소멸시키고, 떠나게 한다"라고 설한 것과 같다. 만약 그렇지 않다고 말한다면, 범행을 닦더라도 과보가 안온하게 맡기고 믿을 만한 것[可委信處]이 아니어야 할 것이다.64

또 과보에 머무는 단계에서 응당 하지 않았던, 과보에 어긋나는 일은, 참慚이 증상하기 때문에 잠시 물러났을 때에도 역시 반드시 짓지 않으니, 비유하자면 장사壯士는 비록 넘어질지언정 엎드리지 않는 것과 같다.65

제7항 연근練根의 같지 않음

위에서 말한 것처럼 근기를 연마하여 무학·유학을 획득하는 경우도 있는데, 바로 근기를 연마할 때에는 각각 몇 가지 무간도와 몇 가지 해탈도이며, 어떤 성품에 포함되며, 무엇이 의지처인가? 게송으로 말하겠다.

63 연근은 무학위에서는[練根無學位]
　　아홉 가지 무간도와 해탈도이니[九無間解脫]
　　오래 익혔기 때문이며, 유학위에서는 한 가지씩인데[久習故學一]
　　무루이며, 인취의 3주에 의지한다[無漏依人三]

64 무학은 9지에 의지하고[無學依九地]
　　유학은 단지 6지에만 의지하니[有學但依六]
　　과보와 승과도를 버리고[捨果勝果道]

....
64 위의 2구를 해석하는 것이다. 이는 과보로부터 물러나더라도 반드시 목숨이 끝나지 않는다는 것을 밝히는 것인데, 글대로 알 수 있을 것이다. # 본문의 '계경'은 앞에 나온 잡 [10]43:1173 고법경苦法經이다.
65 아래 2구를 해석하는 것인데, 글대로 알 수 있을 것이다.

오직 과도만을 얻기 때문이다[唯得果道故]66

　　논하여 말하겠다. 뛰어난 종성을 추구하여 연근을 닦는 성자가 무학 단계 중에서 각각의 종성을 바꾸는 것은 각각 9무간도와 9해탈도이니, 마치 응과를 획득할 때와 같다. 까닭이 무엇이겠는가? 그 둔근의 성품은 오래도록 계속 익혔으므로 적은 공력으로 바뀌게 할 수 있는 것이 아니니, 유학도와 무학도에 의해 이루어진 것은 견고하기 때문이다. 유학 단계 중에서 각각의 종성을 바꾸는 것은 각각 1무간도와 1해탈도이니, 마치 초과를 획득할 때와 같다. 위와 상반되기 때문이다. 그 가행도는 모든 단계에서 각각한 가지이다.67

　　이와 같은 무간도 및 해탈도는 일체가 오직 무루의 성품에 포함된다. 성자는 반드시 유루도를 써서 근을 바꿀 리가 없으니, 증상한 것이 아니기 때문이다.68

　　'의지한다'는 것은 몸[身]과 지地를 말하는 것인데, 이것이 의지하는 몸은 오직 인취의 3주이니, 나머지에는 물러남이 없기 때문이다.69

⋯⋯⋯⋯⋯⋯⋯⋯⋯⋯⋯⋯

66 이하는 곧 일곱째 연근의 같지 않음을 밝히는 것이다. 처음 3구는 첫 물음에 대한 답이고, (제4구 중) '무루이며'는 둘째 물음에 대한 답이며, '인취의 3주에 의지한다' 이하는 셋째 물음에 대한 답이다.

67 처음 3구를 해석하는 것이다. 무학이 근을 연마해 각각의 종성을 바꾸는 것은 각각 9무간도와 9해탈도이니, 마치 응과를 획득할 때 9무간도와 9해탈도로써 유정지의 번뇌를 끊는 것과 같다. 둔근은 오래도록 계속 익혔고, 유학도와 무학도에 의해 이루어진 것은 견고하기 때문이다. 유학이 근을 연마해 각각의 종성을 바꾸는 것은 각각 1무간도와 1해탈도이니, 마치 처음 예류과를 획득할 때 1무간도와 1해탈도로써 상계의 견혹을 끊는 것과 같다. 오래도록 계속 익힌 것이 아니어서 바꾸기 쉽기 때문이다. 그 가행도는 유학·무학의 단계에서 각각의 종성을 바꿀 때 각각 1가행이다. 만약 무학 단계라면 1가행·9무간·9해탈도이고, 만약 유학 단계라면 1가행·1무간·1해탈도이다.

68 (제4구 중) '무루이며'를 해석하는 것이다. 이는 무간도 및 해탈도에 의거해 무루라고 말한 것으로서, 만약 가행도에 의한다면 유루와 무루에 통한다. #『순정리론』제70권(＝대29－723상)에서 말하였다. "성자는 유루도로써 근을 바꿀 리가 반드시 없으니, 세속의 법은 체가 증상한 것이 아니어서 감당할 능력이 없기 때문이다."

69 (제4구 중) '인취의 3주에 의지한다'를 해석하는 것이다. 오직 3주에서만 물

이것이 의지하는 지는, 무학의 경우 9지에 통하니, 말하자면 미지정, 중간정, 4근본정, 3무색정이며, 유학의 경우 오직 6지이니, 말하자면 뒤의 3지를 제외한 것이다. 까닭이 무엇이겠는가? 대저 전근에는 과보[果] 및 향도[勝果道]를 버리는 경우가 있다고 인정되는데, 획득되는 것은 오직 과보일 뿐, 향도는 아니기 때문이며, 유학의 과보는 무색지에 포함되는 것이 없기 때문에 유학의 연근은 6지에만 의지하는 것이다.[70]

제8항 아홉 가지 무학

모든 무학 단계의 보특가라에는 모두 몇 종류가 있으며, 어떤 차별에 의한 것인가? 게송으로 말하겠다.

55a 일곱 성문과 두 붓다이니[七聲聞二佛]
　차별은 9품의 근기에 의한 것이다[差別由九根]

논하여 말하겠다. 무학 단계에 머무는 성자에는 아홉이 있으니, 말하자면 일곱 종류 성문 및 두 종류 깨달은 분[覺者]이다. 퇴법 등의 5종성과 부동법을 둘로 나눈 것이니, 후後와 선先의 차별 때문에 일곱 성문이라고 이름했으며, 독각獨覺과 대각大覺을 두 종류 깨달은 분이라고 이름했으니, 하하품

러남을 두려워하기 때문에 그래서 연근을 닦는다. 북구로주와 악취는 성도가 없기 때문이고, 나머지 천취 중에는 비록 성도는 있지만, 물러남이 없기 때문에 연근을 닦지 않는다.
70 뒤의 1게송을 해석하는 것이다. 무학은 9지에 의지하고, 유학은 6지에 의지한다. 만약 과보에 머물 때 전근한다면 곧 과보를 버리고 과보를 얻지만, 만약 승과도(=향도)에 머물 때 전근한다면 과보 및 향도를 버리는데, 획득되는 것은 오직 과보일 뿐이다. 이런 일정하지 않음 때문에 '있다고 인정된다'는 말을 한 것이다. 마음이 오직 과보만을 기뻐하는 까닭에 획득되는 것은 오직 과보만이니, 그 뜻이 열등한 것을 모두 버리려고 한 까닭에 버림은 과보와 향도에 공통되는 것이다. # '유학의 과보는 무색지에 포함되는 것은 없다'는 것은, 3무색지에 의지한 무루도(=욕계를 반연하지 않으므로 견혹 및 욕계의 수혹을 끊을 수 없다)는 유학의 3과보를 획득하는 도가 아님을 가리킨다.

등 9품의 근기의 차이에 의해 무학의 성자를 아홉 종류로 차별되게 한 것이다.71

제7장 유학·무학에 걸친 여러 문제

제1절 7종 성자

1. 7종 성자의 건립

유학위와 무학위에 일곱 종류 성자가 있는데, 일체 성자는 모두 여기에 포함되니, 첫째 수신행隨信行, 둘째 수법행隨法行, 셋째 신해信解, 넷째 견지見至, 다섯째 신증身證, 여섯째 혜해탈慧解脫, 일곱째 구해탈俱解脫이다. 무엇에 의해 일곱을 세웠으며, 체의 차별[事別]에는 몇 가지가 있는가? 게송으로 말하겠다.

65c 가행과 근기와 멸진정과[加行根滅定]

　해탈 때문에 일곱이 되었는데[解脫故成七]

66a 이것의 체의 차별은 오직 여섯이니[此事別唯六]

　3도에 각각 둘이기 때문이다[三道各二故]72

논하여 말하겠다. 가행의 차이에 의해 처음 두 가지를 세웠으니, 말하자면 이전 시기에 남[他] 및 법에 따라, 구하는 바의 뜻에 대해 가행을 닦은

----

71 이는 곧 아홉 종류 무학을 밝히는 것이다. 부동법에 둘이 있으니, '후'는 연근에 의해 획득한 것이고, '선'은 이전부터 본래 획득한 것(=불퇴법)이다. 나머지 글은 알 수 있을 것이다.

72 이하는 큰 글(=3도에 의거해 사람을 분별하는 글)의 둘째 일곱 종류의 성자인 사람을 밝히는 것이다.(='큰 글의 둘째'인데도 '제7장'의 '제1절'로 제목한 것은 앞의 제22권에서 이 품의 과목을 아래 도표와 같이 편성했기 때문이다) 그 안에 나아가면 첫째 일곱 종류의 사람을 건립한 것에 대해 밝히고, 둘째 혜해탈·구해탈에 대해 밝히니, 이는 곧 첫째 일곱 종류의 사람을 건립한 것에 대해 밝히는 것이다. 그 일곱 가지 명칭에 의해 두 가지를 물었는데, 위의 2구는 첫 물음에 대한 답이고, 아래 2구는 뒤의 물음에 대한 답이다.

것에 의해 수신행과 수법행이라는 명칭을 세웠다. 근기가 같지 않음에 의해 그 다음 두 가지를 세웠으니, 말하자면 둔근과 이근이 신근信根과 혜근慧根의 증상함에 의해 순서대로 신해와 견지라고 이름한 것이다. 멸진정을 얻었음에 의해 신증이라는 명칭을 세웠으니, 몸에 의해 멸진정을 증득했기 때문이다. 해탈의 차이에 의해 뒤의 두 가지를 세웠으니, 말하자면 오직 지혜[慧]에 의해 번뇌의 장애[煩惱障]를 떠난 성자를 혜해탈로 세우고, 아울러 선정[定]을 얻었음에 의해 해탈의 장애[解脫障]마저 떠난 성자를 구해탈로 세웠다.73

이렇게 명칭은 비록 일곱이지만, 체[事]의 차별은 오직 여섯일 뿐이다. 말하자면 견도 중에 두 성자가 있으니, 첫째 수신행, 둘째 수법행이며, 이들이 수도에 이르면 따로 두 가지 명칭을 세우니, 첫째 신해, 둘째 견지이며, 이들이 무학에 이르면 다시 두 가지 명칭을 세우니, 말하자면 시해탈과 불시해탈이다.74

....

도의 체성		제1장 도의 체성	
도에 의해 증득되는 진리		제2장 성제	
성도에 의거한 사람 분별	성도의 가행	총설	제3장 제1절	제22권
		신기청정	제2절	
		5정심관	제3절	
		4념주	제4절	제23권
		4선근	제5절	
	3도에 의거한 사람 분별	3도 건립	제4장 견도	
			제5장 수도	제23~24권
			제6장 무학도	제24~25권
		7종 성자	제7장 학·무학에 걸친 여러 문제	제25권
		학·무학의 원만		
	여러 도의 차별		제8장 여러 도의 차별	

73 위의 2구를 해석하는 것이다. 멸진정을 해탈이라고 이름하는데, 여덟 가지 해탈 중 제8해탈이다. 불염오무지는 장애를 체성으로 하는데, 다른 해탈[他解脫](=제8해탈)을 장애함에 의거한 때문에 해탈장解脫障이라고 이름한 것이다. 멸진정을 획득할 때 능히 해탈장을 떠나기에 해탈의 장애를 떠났다고 이름하기 때문에, '아울러 멸진정을 얻음에 의해 해탈의 장애마저 떠난 성자를 구해탈로 세웠다'라고 말한 것이다. 나머지 글은 알 수 있을 것이다.

74 아래 2구를 해석하는 것이다. 일곱 가지 중 '신증'은 곧 여섯 가지 중 신해·견지의 두 가지에 포함되는 것이므로, 명칭은 있어도 체[事]는 없다. 일곱 가지

이들 중 첫째 수신행의 경우, 근기 때문에 세 가지가 되니, 하·중·상품을 말하며, 종성 때문에 다섯 가지가 되니, 퇴법 등의 종성을 말하며, 도 때문에 열다섯 가지가 되니, 8인忍과 7지智를 말하며, 이염離染 때문에 일흔세 가지가 되니, 구박具縛과 8지의 염오를 떠난 분을 말하며, 의지하는 몸 때문에 아홉 가지가 되니, 3주와 6욕계천[欲天]을 말한다고 알아야 할 것이다. 만약 근기·종성·도·이염과 의지하는 몸을 서로 곱하면 도합 14만 7,825가 지가 될 것이다. 수법행 등에 대해서도 이치대로 생각해야 할 것이다.75

2. 구해탈과 혜해탈에 대해

어떤 것을 구해탈 및 혜해탈이라고 이름하는가? 게송으로 말하겠다.

66c 구해탈은 멸진정을 얻었음에 의하며[俱由得滅定]
나머지는 혜해탈이라고 이름한다[餘名慧解脫]

논하여 말하겠다. 모든 아라한으로서 멸진정을 획득했다면 구해탈이라고 이름하니, 지혜[慧]와 선정[定]의 힘에 의해 번뇌·해탈의 장애에서 해탈했기 때문이다. 그 나머지 아직 멸진정을 획득하지 않은 분은 혜해탈이라고 이름하니, 다만 지혜의 힘에 의해 번뇌의 장애로부터 해탈을 얻었기 때문이다.76

....

중 혜해탈·구해탈은 모두 공통으로 여섯 가지 중 시해탈·불시해탈에 포함되는 것이다.

75 '구박'이 한 가지가 되고, (아래)8지의 염오를 떠난 분이 8지에 9품이어서 일흔두 가지이므로 모두 일흔세 가지가 된다. '욕천欲天'은 6욕계천을 말하는 것이다. '수법행 등'은 나머지 네 사람(=수법행·신해·견지·신증)을 같이 취한 것이다. 나머지 글은 알 수 있을 것이다. # '14만 7825'(=3×5×15×73×9)를 한역문에서는 '一億四萬七千八百二十'이라고 표현하고 있는데, 이 논서에서 '10만'을 '억'이라고 한역한 것은 앞의 분별세품에서도 보았다.

76 이는 곧 둘째 혜해탈과 구해탈에 대해 밝히는 것인데, 이전에 아직 해석하지 않았기 때문에 다시 따로 밝히는 것이다. 아라한으로서 멸진정을 획득했다면 구해탈이라고 이름하니, 지혜의 힘에 의해 번뇌의 장애로부터 해탈했기 때문이며, 멸진정의 힘에 의해 그 해탈의 장애에서 해탈했기 때문에 구해탈이라고 이름한다. 그 나머지 아직 멸진정을 획득하지 않은 아라한은 혜해탈이라고 이름하니, 다만 지혜의 힘에 의해 번뇌의 장애로부터 해탈을 얻었기 때문이다.

제2절 유학·무학의 원만

예컨대 세존께서, "다섯 가지 번뇌가 끊어져서 견인될 수 없다고 해도[不可牽引] 아직 원만한 유학[滿學]이라고 이름하지 못한다"라고 설하신 것과 같다면, 유학위와 무학위는 각각 몇 가지 원인에 의해 같은 단계 중에서 유독[獨] 원만하다고 칭하는가?77 게송으로 말하겠다.

67 유학을 원만하다고 이름하는 것은[有學名爲滿]
　　근기·과보·선정의 셋에 의하며[由根果定三]
　　무학이 원만하다는 명칭을 얻는 것은[無學得滿名]
　　단지 근기·선정의 둘만에 의한다[但由根定二]78

논하여 말하겠다. 유학이 유학위에서 유독 원만[滿]하다는 명칭을 얻는 것은 모두 세 가지 원인에 의하니, 말하자면 근기[根]·과보[果]·선정[定]이다. 어떤 유학의 성자는 단지 근기에 의해서만 원만하다는 명칭을 역시 얻으

....

곧 이 번뇌가 능히 지혜가 생기는 것을 장애하므로 번뇌의 장애라고 이름한 것이다. 또 『순정리론』 제70권(=대29-724중)에서 말하였다. "어떤 것을 해탈장의 체라고 이름하는가? 모든 아라한은 마음이 이미 해탈했으면서도 다시 해탈을 구하는 것은 그 장애로부터 벗어나기 위한 것이니, 말하자면 모든 해탈을 장애하는 것 중에 무부무기의 성품인 열등한 무지[劣無知](=불염오무지)가 있어 능히 해탈을 장애하는 것이 해탈장의 체이다. 그러저러한 계에서 이염을 획득할 때 비록 이미 남김 없이 끊고 해탈을 일으켰더라도 그것(=해탈장)이 현행하지 않을 때라야 비로소 해탈이라고 이름하는 것이다."
77 이하는 큰 글의 셋째 유학·무학의 원만에 대해 밝히는 것인데, 이는 묻는 것이다. 「예컨대 세존께서, "5하분의 번뇌가 영원히 끊어져서-이는 불환과이다 - 더 이상 욕계의 번뇌와 업에 의해 견인되는 바 될 수 없어서, 욕계의 수생에서는 비록 근기와 과보가 원만하다고 해도, 그가 아직 멸진정을 얻지 못했다면 그 때문에 아직 원만한 유학이라고 이름하지 못한다"라고 설하신 것과 같다면」이라고, 경(=출전 미상)에 의해 물음을 일으키는 것이다. 유학위와 무학위는 각각 몇 가지 원인에 의해, 같은 유학의 단계와 같은 무학의 단계 중에서 유독 원만하다고 칭하는가?
78 답 중에 나아가면 위의 2구는 유학의 원만에 대해 밝히는 것이고, 아래 2구는 무학의 원만에 대해 밝히는 것이다.

니, 아직 욕계의 염오를 떠나지 않은 모든 견지見至를 말한다. 어떤 유학의 성자는 단지 과보에 의해서만 원만하다는 명칭을 역시 얻으니, 아직 멸진정을 얻지 못한 신해信解의 불환을 말한다. 어떤 유학의 성자는 근기와 과보에 의해서 원만하다는 명칭을 역시 얻으니, 아직 멸진정을 얻지 못한 견지의 불환을 말한다. 어떤 유학의 성자는 과보와 선정에 의해서 원만하다는 명칭을 역시 얻으니, 멸진정을 얻은 모든 신해를 말한다. 어떤 유학의 성자는 모두 세 가지에 의해서 유독 원만하다는 명칭을 얻으니, 멸진정을 얻은 모든 견지를 말한다. 그렇지만 유학의 성자로서 단지 선정만에 의해서, 그리고 근기와 선정만에 의해서 역시 원만하다는 명칭을 얻는 분은 없다.79

모든 무학의 성자는 무학위에서 근기·선정의 두 가지에 의해서 유독 원만하다는 명칭을 얻으니, 무학위 중에는 과보가 원만한 것 아닌 분은 없기 때문에 과보에 의해서 역시 원만하다는 명칭을 건립하는 경우는 없다.

....

79 위의 2구를 해석하면서 유학의 원만에 대해 밝히는 것이다. '근기'는 이근을 말하니, 둔근보다 뛰어나기 때문이고, '과보'는 불환과를 말하니, 앞의 2과보다 뛰어나기 때문이며, '선정'은 멸진정을 말하니, 지극히 적정寂靜한 것이기 때문이고, 혹은 8해탈 중 앞의 7해탈보다 뛰어나기 때문이다. 유학위에서 만약 세 가지 원인을 갖춘다면 유독 원만하다는 명칭을 얻지만, 만약 세 가지 중에 결여되는 것이 있으면, 비록 부분적으로 원만하다[分滿]고 이름하더라도, '유독[獨]'이라고는 이름하지 않는다. 『순정리론』(=제70권. 대29-724하)의 뜻은, 반드시 세 가지 원인을 갖추어야 비로소 원만하다고 이름하고, 그 중에 결여되는 것이 있다면 모두 원만하다고 이름하지 못한다는 것으로서, 『구사론』에 대해 논파해 말하였다. "이것은 의지할 만하지 못한 것이다. 어떻게 유학이 모든 유학의 뛰어난 공덕들을 여전히 아직 갖추어 증득하지 못했는데도 원만하다고 이름하는 것을 인정하겠는가?" 구사론사가 변론해 말한다. 「원만에는 두 가지가 있다. 첫째는 모두 원만한 것[具滿]이니, 말하자면 세 가지 원인을 갖추어 유독 원만하다고 칭하는 경우이다. 둘째는 부분적으로 원만한 것[分滿]이니, 말하자면 세 가지 원인 중 두 가지를 얻거나 한 가지를 얻은 경우이다. 부분에 의거해 원만하다고 이름하더라도 뜻에 어긋남은 없다.」 # 본문 중 '모두 세 가지에 의해서 유독 원만하다는 명칭을 얻는 분'을 '멸진정을 얻은 모든 견지'라고 한 부분에는, 과보의 원인을 나타내는 표현이 없다. 그래서 『현종론』(=제33권. 대29-939중)과 『순정리론』(=제70권. 대29-724하)에서는 이를 '견지의 신증[見至身證]'이라고 표현하고 있는데, 이 표현이 세 가지 원인을 모두 담은 것이다. 같은 이유에서 본문 중 그 앞의 '과보와 선정에 의해서 원만하다는 명칭을 얻는 분'을 '멸진정을 얻은 모든 신해'라고 한 부분도 '신해의 신증'이라고 표현해야 할 듯하다.

어떤 분은 단지 근기에 의해서만 원만하다는 명칭을 역시 얻으니, 아직 멸진정을 얻지 못한 불시해탈을 말한다. 어떤 분은 단지 선정에 의해서만 원만하다는 명칭을 역시 얻으니, 멸진정을 얻은 시해탈을 말한다. 어떤 분은 모두 두 가지에 의해서 유독 원만하다고 이름하니, 이미 멸진정을 얻은 불시해탈을 말한다.80

제8장 여러 도의 차별

제1절 가행·무간·해탈·승진의 4도

모든 도를 자세하게 말한다면 한량없이 차별되니, 말하자면 세간도와 출세간도, 견도와 수도 등인데, 간략하게 말한다면 몇 가지 도가 두루 포함할 수 있는가? 게송으로 말하겠다.

68 일체 도를[應知一切道]
　　간략히 말하면 넷이 있을 뿐이라고 알아야 하니[略說唯有四]
　　말하자면 가행도, 무간도[謂加行無間]
　　해탈도와 승진도이다[解脫勝進道]

논하여 말하겠다. 가행도란 말하자면 이것으로부터 뒤에 무간도가 생기는 것이다. 무간도란 말하자면 끊어야 할 장애를 능히 끊는 이것이다. 해탈

<hr />

80 아래 2구를 해석하면서 무학의 원만에 대해 밝히는 것이다. 무학위에서는 만약 근기·선정을 갖춘다면 유독 원만하다는 명칭을 얻지만, 만약 두 가지 중에 결여되는 것이 있으면, 비록 부분적으로 원만하다고 이름하더라도, 유독이라고는 이름하지 않는다. 유학위에서는 세 가지 과보가 있기 때문에 과보에 의한 원만을 말할 수 있지만, 무학은 오직 하나뿐이므로 과보에 의거해 논하지 않는 것이다. 『순정리론』(=제70권. 대29-725상)의 뜻은, 반드시 두 가지 원인을 갖추어야 비로소 원만하다고 칭하고, 그 중에 결여된 것이 있다면 모두 원만하다고 이름하지 못한다는 것이니, 『순정리론』의 논파하는 뜻은 앞에 준해서 말해야 할 것이며, 구사론사의 변론하는 뜻도 역시 앞에 준해서 말할 것이다.

도란 말하자면 끊어야 할 장애로부터 이미 해탈한 최초에 생기는 것이다. 승진도란 말하자면 세 가지의 나머지 도이다.81

도道의 뜻은 어떤 것인가?82 말하자면 열반의 길[涅槃路]이니, 이를 타고 능히 열반이라는 성[涅槃城]으로 가기 때문이다. 혹은 다시 도란 말하자면 구함이 의지하는 것[求所依]이니, 이것에 의지해 열반의 과보를 찾아 구하기 때문이다.83

그렇다면 해탈과 승진을 어떻게 도라고 이름하겠는가?84 도와 부류가 같으면서 위의 품류로 구르기 때문이다. 혹은 전전前前의 힘에 의해 후후後後에 이르기 때문이며, 혹은 능히 무여의열반[無餘依]으로 향해 들어가기 때문이다.85

제2절 4통행

....

81 이하는 큰 글의 셋째 여러 도의 차별에 대해 밝히는 것이다. 그 안에 나아가면 첫째 4도의 차별을 밝히고, 둘째 네 가지 통행을 밝히며, 셋째 보리분법을 밝히고, 넷째 네 가지 증정證淨을 밝히며, 다섯째 정지·정해탈[正智解脫]을 밝히며, 여섯째 염·리의 통·국[厭離通局]을 밝히니, 이는 곧 첫째 4도의 차별을 밝히는 것이다. 자세한 것을 들어 간략한 것을 묻고 아울러 해석하는 것인데, 알 수 있을 것이다.

82 물음이다.

83 답이다. 말하자면 열반의 길이니, 3승의 성자대중들이 이를 타고 능히 열반이라는 성으로 가기 때문에 그래서 '도'라고 이름한다. 혹은 다시 도란 구함이 의지하는 것[求所依]이니, 이것에 의지해 열반의 과보를 찾아 구하기[尋求] 때문에 그래서 '도'라고 이름한다.

84 물음이다. 가행도와 무간도는 열반으로 나아가고 구하므로 도라고 이름할 수 있겠지만, 해탈도와 승진도는 이미 나아가거나 구하는 것이 아닌데, 어째서 도라고 이름하는가?

85 답이다. 해탈도·승진도는 가행도·무간도와 도의 부류가 같기 때문에 도라고 이름한다. 또 해석하자면 해탈도·승진도는 점점 뒤의 상품으로 굴러 향하기 때문에 뒤에 대해서 도가 되니, 그래서 도라고 이름한다. 또 해석하자면 해탈도는 가행도·무간도와 같은 부류이기 때문에 도라고 이름하며, 승진도라면 위의 품류로 구르기 때문에 도라고 이름한다. 혹은 전전前前의 해탈도·승진도의 힘에 의해 그 상응하는 바에 따라 능히 후후後後의 여러 도의 단계에 이르기 때문에 도라고 이름하며, 혹은 이 두 가지는 함께 능히 무여의열반[無餘依]으로 향해 들어가기 때문에 도라고 이름한다.

도를 다른 곳에서는 통행通行이라는 명칭으로 세웠으니, 능히 통달하여 열반으로 나아가기 때문[能通達趣涅槃故]이다. 이것에는 몇 가지가 있으며, 무엇에 의해 건립한 것인가?86 게송으로 말하겠다.

69 통행에는 네 가지가 있는데[通行有四種]
　　낙통행은 근본정려에 의지하고[樂依本靜慮]
　　고통행은 나머지 지에 의지하며[苦依所餘地]
　　지통행과 속통행은 둔근과 이근이다[遲速鈍利根]87

　　논하여 말하겠다. 경에서 통행에는 모두 네 가지가 있다고 설했으니, 첫째 고지통행苦遲通行, 둘째 고속통행苦速通行, 셋째 낙지통행樂遲通行, 넷째 낙속통행樂速通行이다.
　　근본4정려에 의지해 생긴 도를 낙통행이라고 이름하니, (선정의) 지분[支]을 섭수하고, 지止·관觀이 평등하여 저절로 일어나기 때문[任運轉故]이다. 무색정·미지정·중간정에 의지한 도를 고통행이라고 이름하니, 지분을 섭수하지 않고, 지·관이 평등하지 않아 어렵고 힘들게 일어나기 때문[艱辛轉故]이다. 말하자면 무색정에서는 관이 감소하고 지가 증가하며, 미지정·중간정에서는 관이 증가하고 지가 감소하는 것이다.
　　곧 이런 낙·고의 2통행 중 둔근을 지통행이라고 이름하고, 이근을 속통행이라고 이름하니, 2통행이 경계를 통달하는 것이 더디기 때문[稽遲故]에 지통행이라고 이름하고, 이와 반대되므로 속통행이라고 이름한 것이다. 혹은 더딘 둔근자가 일으킨 통행을 지통행이라고 이름하고, 속통행은 이와 상반되는 것이다.88

....
86 이하는 4통행에 대해 밝히는 것인데, 이는 물음이다. 도를 다른 곳(=장 8:9 중집경衆集經 등)에서는 통행通行이라는 명칭으로 세웠는데, '통'은 통달通達을 말하고, '행'은 행적行跡을 말하니, 능히 바르게 통달하는 것을 '통'이라고 이름하고, 열반으로 향해 나아가는 것을 '행'이라고 이름한 것이다. 이것에는 몇 가지가 있으며, 무엇에 의해 건립한 것인가?
87 윗 구는 첫 물음에 대한 답이고, 아래 3구는 둘째 물음에 대한 답이다.
88 지地의 차별에 의해 고통행·낙통행을 밝히고, 근기 혹은 사람에 의해 지통행·

제3절 보리분법菩提分法

1. 보리분법의 수와 전체적 해석

도道를 또한 보리분법菩提分法이라고도 이름하는데, 이것에는 몇 가지가 있으며, 명칭과 뜻은 어떠한가? 게송으로 말하겠다.

70 각분은 서른일곱 가지이니[覺分三十七]
  말하자면 4념주 등인데[謂四念住等]
  각은 진지와 무생지를 말하며[覺謂盡無生]
  이에 수순하기 때문에 분이라고 이름하였다[順此故名分]

논하여 말하겠다. 경에서 각분覺分에는 서른일곱 가지가 있다고 설했으니, 말하자면 4념주念住, 4정단正斷, 4신족神足, 5근根, 5력力, 7등각지等覺支, 8성도지聖道支이다.

진지와 무생지를 말하여 각覺이라고 이름하는데, 깨달은 분의 차별에 따라 세 가지 보리菩提를 세우니, 첫째 성문보리, 둘째 독각보리, 셋째 무상無上보리이다. 무명과 수면睡眠이 모두 영원히 끊어졌기 때문이며, 아울러 자기 일을 이미 지어서 다시는 짓지 않을 것을 여실하게 알기 때문에 이 두 가지를 각이라고 이름한 것인데, 37법은 보리에 수순하여 나아가는 것이니, 이 때문에 모두 보리분법이라고 이름한 것이다.89

속통행을 밝히는 것이다. 근본정려에 의지하면 지·관이 고르고 평등해서 거기에 있는 성도가 일어날 때 저절로인 것을 낙통행이라고 이름하는데, 낙수樂受가 아니다. 만약 나머지 지에 의지한다면 지·관이 평등하지 않아 거기에 있는 성도가 일어날 때 어렵고 힘든 것을 고통행이라고 이름하는데, 고수가 아니다. '지분[支]'은 정려지(=뒤의 제28권 중 게송 7·8과 그 논설 참조)를 말하는 것이다. 나머지 글은 알 수 있을 것이다. 또 『순정리론』 제71권(=대29-726상)에서 말하였다. "이 통행은 5온·4온을 성품으로 하는 것이다. 유색정·무색정의 차별에 의한 것인데도 '통'이라고 이름한 것은 지혜가 뛰어남을 나타내기 때문이니, 마치 견도위에서는 비록 5온을 갖추지만, 지혜가 뛰어나기 때문에 치우쳐 견이라는 명칭을 세운 것과 같다."
89 이하는 셋째 보리분법에 대해 밝히는 것이다. 그 안에 나아가면 첫째 수를 들

2. 보리분법의 체

이 37법은 체가 각각 다른가? 그렇지 않다. 어떠한가? 게송으로 말하겠다.

⑦ 이것의 실제의 체는 열 가지뿐이니[此實事唯十]
　　말하자면 지혜·정진·선정·믿음[謂慧勤定信]
　　알아차림·기쁨·평정·경안과[念喜捨輕安]
　　아울러 계·심구를 체로 한다[及戒尋爲體]

논하여 말하겠다. 이 각분의 명칭은 비록 서른일곱 가지이지만, 실제의 체[實事]는 오직 열 가지뿐이니, 즉 지혜·정진 등이다. 말하자면 4념주와 혜근慧根·혜력慧力·택법각지·정견은 지혜[慧]를 체로 하고, 4정단과 정진근·정진력·정진각지·정정진은 정진[勤]을 체로 하며, 4신족과 정근定根·정력定力·선정각지[定覺支]·정정正定은 선정[定]을 체로 하고, 신근信根과 신력信力은 믿음[信]을 체로 하며, 염근念根·염력念力·알아차림각지[念覺支]·정념正念은 알아차림[念]을 체로 하고, 기쁨각지[喜覺支]는 기쁨[喜]을 체로 하며, 평정각지[捨覺支]는 행사行捨를 체로 하고, 경안각지는 경안을 체로 하며, 정어·정업·정명은 계戒를 체로 하고, 정사유는 심구[尋]를 체로 한다. 이와 같이 각분의 실제의 체는 오직 열 가지뿐인데, 곧 믿음[信] 등의 다섯 가지 근·힘 위에 다시 기쁨·평정·경안·계·심구를 더한 것이다.

그런데 비바사 논사들은, "열한 가지가 있으니, 신업과 어업은 서로 섞이지 않기 때문에 계는 두 가지로 나뉘며, 나머지 아홉 가지는 앞과 같다"라

고 전체적으로 해석하며, 둘째 바로 체성을 나타내고, 셋째 염주 등의 세 가지를 밝히며, 넷째 각분의 증가에 대해 밝히고, 다섯째 유루·무루에 대해 밝히며, 여섯째 지地에 의거해 분별하니, 이는 곧 첫째 수를 들고 전체적으로 해석하는 것이다. 무명과 수면睡眠(='수면'은 '각'의 뜻과 정면으로 배치되므로 특히 열거한 취지)이 모두 영원히 끊어졌기 때문이며, 아울러 4성제의 경계와 자기 일을 이미 지어서—이것이 진지이다— 다시는 짓지 않을 것을—이것이 무생지이다— 여실하게 알기 때문에 이 두 가지를 각이라고 이름한 것이다. 범어로 보리bodhi라고 말하는 것을 여기에서는 '각'이라고 말한다. 나머지 글은 알 수 있을 것이다.

고 말하였다.90

3. 염주·정단·신족의 체와 5근·5력의 구별

염주 등의 세 가지 명칭에는 특별히 속한 것[別屬]이 없는데, 어째서 유독 지혜·정진·선정이라고 말하는가?91 게송으로 말하겠다.

⑦ 네 가지 염주, 정단과[四念住正斷]
　신족은 증상한 것에 따라[神足隨增上]
　지혜·정진·선정이라고 말했지만[說爲慧勤定]
　실제로는 모든 가행선이다[實諸加行善]

논하여 말하겠다. 4념주 등 세 품류의 선법의 체는 실제로 모든 가행선을 두루 포함하지만, 같은 품류의 증상한 선근에 따라 순서대로 지혜와 정진 및 선정이라고 말한 것이다.92

....

90 이는 곧 둘째 바로 체성을 나타내는 것이다. 명칭은 비록 서른일곱 가지이지만, 실제의 체는 오직 열 가지만 있다. 비바사 논사들은 열한 가지가 있다고 설하니, 신업과 어업은 서로 섞이지 않기 때문에 계는 두 가지로 나뉜다고 한다. 정명은 곧 정어와 정업이기 때문에 따로 말하지 않은 것이고, 나머지 아홉 가지는 앞과 같다. 『대비바사론』 제96권(=대27-496상)에는 3설이 있는데, 양설은 이 논서와 같고, 다시 1설이 있다. 정어·정업 외에 정명이 있기 때문이니, 만약 세 가지가 있다고 말한다면 곧 열두 가지가 있는 것이다. 비록 다시 나누고 합친 것은 같지 않지만, 모두 계를 체로 한다. 전체적으로 말한다면, 명칭은 서른일곱 가지이지만, 실제의 체는 오직 열 가지뿐이니, 말하자면 지혜·정진·선정·믿음·알아차림(=5력근 다섯 가지)과 기쁨·평정·경안 및 계·심구를 체로 한다. (문) 무엇 때문에 75법 중 이 10법을 각분으로 세우고, 나머지는 세우지 않는가? (해) 만약 청정에 수순함이 치우치게 강하다면[順淨偏强] 각분으로 세우지만, 나머지는 청정에 수순하는 것이 아니기 때문에 모두 세울 것이 아니다.

91 이하는 셋째 염주 등 세 가지에 대해 밝히는 것이다. 물음이다. 염주·신족·정단 세 가지 명칭 중에는 특별히 해당법에 속한 것이 다시 없는데, 어째서 염주는 유독 지혜라고 말하고, 어째서 정단은 유독 정진이라고 말하여, 어째서 신족은 유독 선정이라고 말하는가?

92 답이다. 4념주·4정단·4신족이라는 3품의 선근은, 만약 상응법 및 구유법에 의거해 체성을 나타낸다면 그 체는 실제로 모든 가행선을 두루 포함하는 것이다. 그렇지만 같은 품류의 증상한 선근에 따라 체성을 나타낸다면 순서대로

【4념주】어째서 지혜에 대해 염주라는 명칭을 세웠는가?93 비바사 논사들은 이렇게 말하였다. "지혜가 알아차림의 힘이 지님에 의해서 (경계에) 머물게 하기 때문이다."94 이치상 실제로는 지혜가 알아차림으로 하여금 경계에 머물게 하는 것이니, 여실하게 본다면 능히 분명히 기억하기 때문이다. 저 염주 중에서 이미 자세히 성립시킨 것과 같다.95

【4정단】어째서 정진을 말하여 정단이라고 이름했는가?96 끊음과 닦음을 바르게 닦고 익히는 단계[正修習斷修位] 중에서 이 정진의 힘이 능히 해태를 끊기[斷懈怠] 때문이다. 혹은 정승正勝이라고도 이름하는데, 몸·말·마음을 바르게 지녀 책려하는 것 중 이것이 가장 뛰어나기 때문이다.97

【4신족】어째서 선정에 대해 신족이라는 명칭을 세웠는가?98 신령스럽고 오묘한 모든 공덕이 의지하는 것이기 때문[諸靈妙德 所依止故]이다.99

....

염주는 지혜이고, 정단은 정진이며, 신족은 선정이라고 말해야 할 것이다.
93 물음이다.
94 답이다. 지혜를 염주라고 이름한 것은 원인에 따라 이름한 것(=알아차림[念]이 지혜의 원인이라는 취지=설일체유부의 입장)이다.
95 논주의 바른 해석이다. 지혜를 염주라고 이름한 것은 결과에 따라 이름한 것(=알아차림이 지혜의 결과라는 취지)이라고, 앞(=제23권 중 게송 16a와 그 논설)에서의 뜻과 같다고 가리킨 것이다.
96 물음이다.
97 답이다. 바르게 닦고 익혀서 2악(=이생악과 미생악)을 힘써 끊고, 2선(=이생선과 미생선)을 힘써 닦는 단계 중에서 이 정진의 힘으로 능히 해태를 끊으니, 이 때문에 네 가지를 통틀어 정단이라고 이름한 것이다. '네 가지'라고 말한 것은, 첫째 이미 생긴 악법을 방편으로 끊어지게 하고, 둘째 아직 생기지 않은 악법을 막아서 생기지 않게 하며, 셋째 아직 생기지 않은 선법을 방편으로 생기게 하고, 넷째 이미 생긴 선법을 닦아서 증광되게 하는 것이다. (문) 이 네 가지를 어째서 정단이라고 말했는가? (답) 이 네 가지에 의해 능히 바르게 끊기 때문이다. (문) 앞의 두 가지는 그럴 수 있겠지만, 뒤의 두 가지는 어째서인가? (답) 처음 것으로써 이름한 것이기 때문에 허물이 없다. 혹은 이 네 가지에는 모두 끊는다는 뜻이 있다. 말하자면 앞의 두 가지는 번뇌장을 끊고, 뒤의 두 가지는 소지장을 끊는 것이니, 선법을 닦을 때 무지無知를 끊기 때문이며, 잠시 끊든 영원히 끊든 모두 끊는다고 이름하기 때문이다.(=오히려 본문은, 네 가지 모두의 '해태를 끊는다'는 뜻이 '정단'이라는 명칭의 근거로 보는 취지) '혹은 정승' 이하는 다른 명칭에 대한 해석을 서술하는 것인데, 글대로 알 수 있을 것이다.
98 물음이다.

어떤 다른 논사는, "'신神'은 즉 선정이고, '족足'은 말하자면 의욕[欲] 등이다'라고 말하였다.100 그에게 각분의 체는 열세 가지가 있어야 할 것이니, 의욕[欲]과 마음[心]을 늘려야 하기 때문이다. 또 경설에도 위배된다. 예컨대 계경에서, "내가 이제 그대들을 위해 신족神足 등을 설명하겠다. '신'은 말하자면 갖가지 신통의 경계[神境]를 수용하여 하나를 나누어 여럿으로 만들고 ‥‥이고, '족'은 말하자면 의욕[欲] 등에 의한 네 가지 삼매이다'라고 설한 것과 같으니, 여기에서 붓다께서 선정의 결과를 말하여 '신'이라고 이름하셨고, 의욕 등이 낳은 삼매[等持]를 '족'이라고 이름하셨다.101

....
99 답이다. 말하자면 신령스럽고 뛰어나게 오묘한 모든 공덕 때문에 '신'이라고 이름하고, 선정이 그런 '신'이 의지하는 것이기 때문에 '족'이라고 이름한 것이니, '신'의 '족'이기 때문에 신족이라고 이름한 것이다.
100 다른 논사의 설을 서술하는 것이다. '신'은 곧 선정이니, 신통의 작용이 있기 때문이며, '족'은 의욕·정진·마음·관찰이라는 네 가지(=4신족의 네 가지 원인)를 말한다는 것이다.
101 논주가 다른 논사를 논파하는 것이다. 만약 '족'이 의욕 등을 말하는 것이라고 한다면, 그에게 각분의 체는 열세 가지가 있어야 할 것이니, 앞의 비바사 논사들의 열한 가지 체 위에 의욕·마음의 두 가지가 증가하기 때문에 열세 가지가 있을 것이다. 정진과 관찰 두 가지는 열한 가지에 이미 있기 때문(='관찰'의 체는 지혜)에 증가한다고 말하지 않지만, 의욕과 마음은 있는 것이 아니기 때문에 따로 증가한다고 말한 것이다. 고래로부터 여러 대덕이 '마음'은 선정이라고 말했지만, 이 뜻은 그렇지 않다. 만약 마음이 선정이라면 의욕만 증가해야 할 것이니, 선정은 먼저 있었기 때문이다. 지금 의욕과 마음이 증가한다고 했으니, 마음은 선정이 아님을 알 수 있다. 만약 '신神'이 곧 선정이라면 또 경설에 위배된다. 계경(=출전 미상)에서 이미 말씀하시기를, '신'은 하나를 나누어 여럿을 만드는 등의 갖가지 신통의 경계를 수용하는 것이라고 하셨기 때문에 '신'은 신령스럽고 오묘한 공덕이라고 알아야 하며, '족'은 의욕 등의 4삼매를 말한다고 하셨기 때문에 이 '신'이 의지하는 선정을 '족'이라고 이름한 것이라고 알아야 할 것이다. 논주는 경에 대해, "여기에서 붓다께서 선정의 결과를 말하여 '신'이라고 이름하셨고, 의욕 등의 네 가지 원인이 낳은 삼매를 '족'이라고 이름하셨다"라고 해석했기 때문에 이 '신'이 곧 선정인 것은 아니라고 알아야 하지만, 실질을 논한다면 선정을 체성으로 하는 것이다. 그런데도 4신족이라고 말한 것은, 원인에 따라 '4'라고 말하고, 결과에 나아가 '신'이라고 이름하며, 작용에 나아가 '족'이라고 칭한 것이다. 그래서『대비바사론』제141권(=대27-720상)에서 말하였다. "하나의 삼매가 네 가지 원인에 의해 생기기 때문에 원인되는 것에 따라서 네 가지 명칭을 세운 것이다." (문) 네 가지 원인으로부터 생긴다면 동시에 의거한 것인가, 전후에 의거한 것인가? (해) 이는 동시에 의거해 명칭을 세운 것이니, 선정과 동시에 많은

【5근과 5력】 어떤 이유에서 믿음[信] 등에 대해 앞에서는 근根이라고 말하고, 뒤에서는 힘[力]이라고 이름했는가?102 이 다섯 가지 법은 하품과 상품에 의해 전자와 후자로 나뉘기 때문이다. 또 굴복시킬 수 있음[可屈伏]과 굴복시킬 수 없음에 의한 때문이다.103

믿음 등은 어째서 순서가 이와 같은가?104 말하자면 인과에 대해 먼저 믿는 마음을 일으키면 결과를 위해 원인을 닦으므로 다음에 정진을 일으킨다. 정진에 의한 때문에 알아차림이 소연에 머물고, 알아차림의 힘이 지님에 의해서 마음이 곧 선정을 얻으며, 마음이 선정을 얻기 때문에 능히 여실하게 안다. 이 때문에 믿음 등은 이와 같은 순서이다.105

4. 수행단계에서 증가하는 보리분법

어떤 단계에서 어떤 각분이 증가하는지 말할텐데, 게송으로 말하겠다.

73 초업위, 순결택분위[初業順決擇]

....

법이 있다고 해도, 이 네 가지가 삼매를 돕고 이익하는 것이 뛰어나기 때문이다. 의욕은 희구希求하는 것을 말하고, 정진은 힘써 책려하는 것[勤策]을 말하며, 마음은 의지하는 것[所依]을 말하고, 관찰은 관찰觀察하는 것을 말하니, 따라서 동시의 네 가지 원인에 따라 이름한 것이다. 또 해석하자면 이는 가행에 의거해 명칭을 세운 것이다. 의욕이란 이 선정을 일으키려는 의욕이니, 말하자면 가행단계에서 의욕의 힘에 의한 때문에 선정을 인발引發해 일으키는 것이다. 정진이란 이 선정을 닦는 정진이니, 말하자면 가행단계에서 정진의 힘에 의한 때문에 선정을 인발해 일으키는 것이다. 마음이란 (선정이라는) 심소가 의지하는 것이니, 말하자면 마음의 힘에 의한 때문에 선정을 인발해 일으키는 것이다. 관찰이란 경계를 관찰하는 지혜이니, 말하자면 가행단계에서 관찰의 힘에 의한 때문에 선정을 인발해 일으키는 것이다. 가행단계 중에 비록 많은 법이 있다고 해도 이 네 가지가 돕는 것이 뛰어나므로 네 가지에 따라 이름한 것이니, 네 가지라고 말한 것은, 첫째 의욕의 신족[欲神足], 둘째 정진의 신족[勤神足], 셋째 마음의 신족[心神足], 넷째 관찰의 신족[觀神足]이다.

102 물음이다. 어째서 믿음 등의 5법은 체가 모두 근과 힘인데, 앞에서는 근이라고 말하고, 뒤에서는 힘이라고 말했는가?

103 답이다. 이 5법은, 하품에 의해 먼저 근이라고 말하고, 상품에 의해 뒤에 힘이라고 말한 것이다. 또 굴복시킬 수 있는 것에 의해 근이라고 이름하고, 굴복시킬 수 없는 것에 의해 힘이라고 이름한 것이다.

104 물음이다.

105 답인데, 글대로 알 수 있을 것이다.

및 수도위와 견도위에서[及修見道位]
염주 등의 7품이[念住等七品]
순차 증가한다고 알아야 한다[應知次第增]106

논하여 말하겠다. 처음 업을 닦는 단계[初業位]에서는 몸 등의 네 가지 경계를 자세하게 비추어 알 수 있는 지혜의 작용이 뛰어나기 때문에 염주가 증가한다고 말한다.

난법煖法 단계에서는 상이한 품류의 수승한 공덕을 증득할 수 있는 정진의 작용이 뛰어나기 때문에 정단이 증가한다고 말한다. 정법頂法 단계에서는 수승한 선을 지니고 물러남 없는 공덕으로 나아갈 수 있는 선정의 작용이 뛰어나기 때문에 신족이 증가한다고 말한다. 인법忍法 단계에서는 반드시 퇴타하지 않는 선근이 견고하여 증상한 뜻을 얻기 때문에 근根이 증가한다고 말한다. 세제일법 단계에서는 번뇌와 세속법에 의해 굴복될 수 있는 것이 아니어서 굴복 없는 뜻을 얻기 때문에 힘[力]이 증가한다고 말한다.

수도 단계에서는 깨달음의 단계에 가까워서 깨달음을 돕는 것이 뛰어나기 때문에 각지가 증가한다고 말한다. 견도 단계에서는 빠르게 일어나고 통행通行이 뛰어나기 때문에 도지道支가 증가한다고 말한다.

그런데도 계경에서는 수의 증가에 따라서 먼저 7각지, 뒤에 8도지를 설한 것이지, 닦음의 순서가 아니다. 8도지 중 정견은 도道이면서 또한 도지道支이지만, 나머지는 도지이지, 도가 아니며, 7각지 중 택법은 각覺이면서 또한 각지覺支이지만, 나머지는 각지이지, 각이 아니다. 비바사 논사들의 설명은 이와 같다.107

....
106 이하는 곧 넷째 각분의 증가에 대해 밝히는 것인데, 이상은 물음과 게송에 의한 답이다.
107 처음 업을 닦는 단계(=순해탈분을 닦는 3현위)에서는 능히 몸 등의 네 가지 경계의 자상·공상을 자세하게 비추어 아는 지혜의 작용이 뛰어나기 때문에 염주가 증가한다고 말한다. 난법 단계에서는 상이한 품류인 결택분의 선이라는 수승한 공덕을 능히 증득하기 때문에 정단이 증가한다고 말한다. 정법 단계에서는 능히 수승한 선을 지니고 인법의 물러남 없는 공덕으로 나아가기 때문에 신족이 증가한다고 말한다. 인법 단계에서는 반드시 물러나지 않고 반

【다른 학설】 어떤 다른 분은, 이에 대해 계경에서 설한 순서를 허물지 않고 염주 등을 건립하였다. 말하자면 수행자가 장차 수행하고자 할 때에는 여러 경계로 그 마음이 치달려 흩어지므로 먼저 염주를 닦아 그 마음을 제어하여 조복한다. 그래서 계경에서도, "이 4념주는 능히 경계에 그 마음을 매어 묶고, 아울러 즐기고 좋아함이 의지하는 생각[耽嗜依念]을 바로 제거한다"라고 말하였다. 이 때문에 염주에 대한 설이 최초에 있는 것이다.

이것의 세력에 의해 정진이 마침내 증장하여 네 가지 일을 이루기 위해 바로 마음을 책려해 지니니, 이 때문에 정단의 설이 둘째가 된 것이다. 정진에 의하기 때문에 근심·후회의 마음을 없애고, 곧 뛰어난 선정을 닦고 다스림을 감당할 수 있으니, 이 때문에 신족의 설이 셋째에 있는 것이다. 뛰어난 선정이 의지가 되어 곧 믿음 등으로 하여금 출세간법에게 증상연이 되게 하니, 이 때문에 5근의 설이 넷째가 된 것이다. 근의 뜻이 이미 건립되어 능히 대치대상의 현행을 바로 조복 제거하고 성법을 견인해 낳으니, 이 때문에 5력의 설이 다섯째가 된 것이다.108

견도 단계에 7각지를 건립하니, 여실하게 4성제를 깨달아 알기 때문이다. 공통으로 두 가지 단계에 8도지를 건립하니, 다 같이 곧바로 열반의 성으로 가는 것에 통하기 때문이다.109 예컨대 계경에서, "8도지를 닦아서 원만하게

....

드시 악취에 떨어지지 않는 선근이 견고하여 증상한 뜻을 얻기 때문에 근이 증가한다고 말한다. 세제일법 단계에서는 모든 번뇌의 법 및 나머지 세속법에 의해 굴복될 수 있는 바 아니기 때문에 힘이 증가한다고 말한다. 수도 단계에서는 깨달음의 단계에 가까워서 깨달음을 돕는 것이 뛰어나기 때문에 각지가 증가한다고 말한다. 견도 단계에서는 15찰나에 빠르게 일어나고 통행通行이 뛰어나기 때문에 도지道支가 증가한다고 말한다. 그런데 계경(=잡 [2]10:263 응설경應說經 등)에서는 수의 증가에 따라 먼저 7각지, 뒤에 8도지를 설한 것이지, 닦음의 순서가 아니다. 만약 닦음의 순서에 의거한다면 먼저 8도지, 뒤에 칠각지이다. '8도지 중' 이하는 뜻의 편의상 겸하여 밝힌 것인데, 비바사 논사들의 설명은 이와 같다.(=『대비바사론』 제96권. 대27-496하)

108 다른 논사의 설을 서술하는 것이다. '네 가지 일'이라고 말한 것은 2악을 끊는 것에 힘쓰는 것과 2선을 닦는 것에 힘쓰는 것이다. 명칭의 열거는 앞에서와 같다. 힘[力]은 굴복시킬 수 없다는 뜻이니, 능히 대치대상인 번뇌를 바로 제거하여 현행하지 않게 하고 성법을 견인해 낳는 것은 이 5력에 의하므로 다섯째로 설한 것이다. 나머지 글은 알 수 있을 것이다. # 본문 중 '계경'은 중 58:198 조어지경調御地經이다.

하면 4념주 내지 7각지도 역시 닦음이 원만할 것이다"라고 설한 것과 같다.110 또 계경에서, "필추들이여, 여실한 말을 베푸는 것은 4성제를 설하는 것을 비유하고, 본래의 길에 의지해 속히 가서 나가게 하는 것은 8성도지를 닦고 익히게 하는 것을 비유한 것이라고 알아야 한다"라고 설하셨다.111 따라서 8도지는 공통으로 두 가지 단계에 의해 설한 것임을 알 수 있다.112

5. 보리분법의 유루·무루 분별

증가하는 단계에 따라 설의 순서가 이미 그러하다면, 이치상 실제로 이 37보리분법 중 몇 가지가 유루에 통하며, 몇 가지가 무루에 통하는지 설해야 할 것이다. 게송으로 말하겠다.

....

109 견도위에 7각지를 건립하니, 여실하게 4성제를 깨달아 알기 때문이며, 견도·수도의 2단계에 공통으로 8성도지를 건립하니, 다 같이 곧바로 무여열반의 성으로 가는 것에 통하기 때문이다. 혹은 이 열반은 유여열반에도 역시 통하는 것이다.

110 다른 논사가 경(=잡 [12]13:305 육입처경)을 인용해 8성도지는 수도단계에도 역시 통한다는 것을 증명하는 것이다. 경문에서 이미, 8도지를 닦아서 원만하게 하면 내지 7각지도 역시 닦음이 원만할 것이라고 설했기 때문에 8도지는 수도에도 역시 통한다는 것을 알 수 있다. 만약 7각지는 수도이고, 8도지는 견도에 있다고 말한다면, 어찌 8도지를 닦을 때 7각지도 역시 원만하겠는가? 이로써 수도단계에 의거해 8도지를 닦아서 원만하게 할 때를 '닦아서 원만하게 한다'라고 이름한 것임을 분명히 알 수 있다.

111 다시 경(=잡 [10]43:1175 긴수유경緊獸喩經)을 인용해 8도지가 수도에 통함을 증명하는 것이다. '여실한 말을 베푸는 것은 붓다 세존께서 4성제를 설하신 것을 비유한다'는 이것은 견도를 나타내는 것이니, 4성제는 모두 여실한 것이기 때문이다. '본래의 길에 의지해 속히 가서 나가게 하는 것은 8성도지를 닦고 익히게 하는 것을 비유한다'는 이것은 수도를 나타내는 것이니, 8도지는 모두 과거에 붓다께서 본래 밟았던 길이기 때문이다. 예컨대 계경(=중 34:136 상인구재경商人求財經) 중에서, "과거의 모든 붓다들도 모두 다 이 수도라는 본래의 길에 의지해서 생사로부터 벗어났으니, 만약 생사의 바다로부터 벗어나기를 구하고자 한다면, 과거의 모든 붓다들의 본래의 길에 의지해서 속히 가서 벗어나야 할 것이다. 속히 벗어나기를 구한다면 8성도지를 힘써 닦고 익혀야 할 것이다" 이로써 수도에도 역시 통한다는 것을 알 수 있다. 또 해석하자면 '본래의 길'이라는 말은 견도·수도를 공통으로 비유하는 것이다. 만약 이렇게 이해한다면 8도지는 견도·수도에 통한다는 것이 증명될 것이다.

112 두 가지 증거의 인용을 마치고, 다른 논사가 총결하는 것이다.

74 7각지와 8도지는[七覺八道支]

　　한결같이 무루이고[一向是無漏]

　　세 가지 4법과 5근·5력은[三四五根力]

　　모두 두 가지에 통한다[皆通於二種]

　　논하여 말하겠다. 이들 중 7각지와 8성도지는 오직 무루이니, 오직 수도
위와 견도위 중에만 비로소 건립되기 때문이다. 세간에도 역시 정견 등의
법이 있지만, 그것은 성도지聖道支라는 명칭을 얻지 못하는 것이다. 그 나머
지는 모두 유루·무루에 통한다.113

6. 보리분법이 의지하는 지地

　　이 37보리분법은 어떤 지地에 몇 가지가 있는가? 게송으로 말하겠다.

75 초정려에는 모두가 있고[初靜慮一切]

　　미지정에서는 희근을 제외하며[未至除喜根]

　　제2정려에서는 심구를 제외하고[二靜慮除尋]

　　제3·4정려와 중간정에서는 두 가지를 제외한다[三四中除二]

76 앞의 3무색지에서는[前三無色地]

　　계와 앞의 두 가지를 제외하고[除戒前二種]

　　욕계와 유정지에서는[於欲界有頂]

　　각지 및 도지를 제외한다[除覺及道支]

　　논하여 말하겠다. 초정려 중에는 37법을 갖춘다. 미지지未至地에는 기쁨
각지[喜覺支]가 제외되니, 근분지 중에서는 힘을 써야 일어나기 때문이며,
하지의 법에서는 여전히 의심하면서 생각하기 때문이다. 제2정려에는 정사
유正思惟가 제외되니, 그 정려 중에는 이미 심구가 없기 때문이다. 이 때문
에 2지에는 각각 36법이다. 제3·제4정려와 중간정려에는 기쁨과 심구를

....
113 이는 곧 다섯째 유루·무루에 대해 밝히는 것인데, 글대로 알 수 있을 것이다.

쌍으로 제외한 각각 35법이다.

앞의 3무색지에서는 계戒의 3지분을 제외하고, 아울러 기쁨·심구를 제외한 각각 32법이며, 욕계와 유정지에서는 각지·도지를 제외한 각각 22법이니, 무루가 없기 때문이다.114

제4절 네 가지 증정證淨

각분이 일어날 때에는 반드시 증정證淨을 얻는데, 이것에는 몇 가지가 있으며, 어떤 단계에 의해 얻으며, 실제의 체는 어떤 법이며, 유루인가, 무루인가? 게송으로 말하겠다.

77 증정에는 네 가지가 있으니[證淨有四種]
　　말하자면 불·법·승·계인데[謂佛法僧戒]
　　3제를 볼 때에는 법·계의 증정을 얻고[見三得法戒]
　　도제를 볼 때에는 아울러 불·승의 증정도 얻는다[見道兼佛僧]

78 법은 말하자면 3제 전부와[法謂三諦全]
　　보살·독각의 도이며[菩薩獨覺道]
　　믿음과 계 두 가지를 그 체로 하고[信戒二爲體]
　　4증정은 모두 오직 무루이다[四皆唯無漏]115

....
114 이는 곧 여섯째 지에 의거해 분별하는 것이다. 힘써야 일어나기 때문이며, 여전히 의심(＝하지의 번뇌에 의해 장애되지 않을까 라는 등의 의심)하면서 생각하기 때문에 그래서 기쁨이 없는 것이다. 나머지 글은 알 수 있을 것이다. 이 글은 다만 모든 지에 의거해 전체적으로 말한 것일 뿐이니, 만약 현행에 의거한다면 4념주 중에서는 한 가지만 취해야 하고, 나머지는 함께 일어날 수 있을 것이다. 그래서 『대비바사론』 제96권(＝대27－503상)에서 말하였다. "미지정 중에는 36보리분법이 있지만, 3념주를 제외한 33법만이 동시에 현전한다. 왜냐하면 4념주의 소연은 각각 다르므로 오히려 두 가지도 동시에 현전함이 없거늘, 하물며 세 가지, 네 가지가 있겠는가? 초정려 중에는 37보리분법이 있지만, 3념주를 제외한 34법만이 동시에 현전한다." # 본문 중 '계의 3지분'은 정업·정어·정명을 말하는 것이다.

논하여 말하겠다. 경에서, 증정證淨에는 모두 네 가지가 있다고 설했으니, 첫째 붓다에 대한 증정[於佛證淨], 둘째 법에 대한 증정, 셋째 승가[僧]에 대한 증정, 넷째 성계聖戒의 증정이다.116

우선 견도 단계에서 3제를 볼 때 하나하나의 제에서 오직 법·계의 증정만을 얻지만, 도제를 보는 단계에서는 아울러 붓다·승가의 증정도 얻는다. 말하자면 그 때에는 아울러 붓다를 이루는 모든 무학법과 성문승가[聲聞僧]를 이루는 유학·무학법에 대해서도 역시 증정을 얻는 것이다. '아울러[兼]'라는 말은 도제를 볼 때 법 및 계의 증정도 역시 얻는다는 것을 나타내기 위한 것이다. 그런데 믿음의 대상인 법에는 간략히 두 가지가 있으니, 첫째는 개별적인 것[別], 둘째는 전체적인 것[總]이다. 전체적인 것은 4제에 통하지만, 개별적인 것은 오직 3제 전부와 보살·독각의 도만이다. 따라서 4제를 볼 때 모두 법의 증정을 얻으며, 성자들이 사랑하는 계는 현관現觀과 함께 하기 때문에 일체 시에 역시 획득되지 않음이 없다.117

....

115 이하는 곧 큰 글의 넷째 네 가지 증정에 대해 밝히는 것이다. 모두 네 가지 물음이 있는데, 처음 2구는 첫 물음에 대한 답이고, 다음 4구는 둘째 물음에 대한 답이며, 제7구는 셋째 물음에 대한 답이고, 제8구는 넷째 물음에 대한 답이다.

116 처음 2구를 해석하는 것이다. 진리의 이치를 증득함에 의해 붓다에 대해 믿음을 일으키는 것을 붓다에 대한 증정[佛證淨]{='증정'은 증득[證]에 의한 청정[淨](한 믿음)이라는 뜻인데, 잡 [30]30:833 리차경離車經 등에서는 '불괴정不壞淨'(=무너지지 않는 청정한 믿음이라는 뜻)이라고 표현하고 있다}이라고 이름하는데, 법·승가에 대한 것도 준해서 해석할 것이다. 성자인 사람이 사랑하고 그리워하는 계[聖人所愛慕戒]이기 때문에 성계라고 이름하는데, 그 계체戒體의 청정함을, 증득에 의해 일으키기 때문에 역시 증정이라고 이름한 것이다. 앞의 세 가지는 믿음의 소연이기 때문에 '에 대한[於]'이라는 말을 둔 것이고, 넷째 것은 증득에 의한 것이기 때문에 '에 대한'이라는 말이 없다.

117 다음 4구를 해석하는 것이다. 우선 견도 단계에서 앞의 3제를 볼 때 하나하나의 제에서 오직 법·계의 증정만을 얻는다. 증득대상인 3제는 이치상 법보인데, 그것을 반연하여 믿기 때문에 법에 대한 증정이라고 이름하고, 도가 일어날 때 반드시 함께 하는 계[俱戒]가 있는 것을 계의 증정이라고 이름한다. 도제를 보는 단계에서는 단지 법·계의 증정 두 가지만을 얻지 않고, 아울러 붓다·승가에 대한 증정도 얻는다. 붓다·승가의 체는 유위 무루의 도제에 포함되기 때문에 나머지 3제에는 통하지 않는다. 말하자면 그 때에는 아울러 붓다를 이루는 모든 무학법과 성문승가를 이루는 유학·무학법에 대해서도 역시 증정

믿음의 대상이 다르기 때문에 명칭에 네 가지가 있지만, 실제의 체는 오직 두 가지만 있다고 알아야 한다. 말하자면 붓다 등에 대한 세 가지 증정은 믿음을 체로 하며, 성계의 증정은 계를 체로 하기 때문에 오직 두 가지만 있는 것이다. 이와 같은 네 가지는 오직 무루이니, 유루의 법은 증정이 아니기 때문이다.118

....

을 얻는 것이다. 행수行修는 비록 법에 대한 증정이지만, 득수得修는 3보를 개별적으로 반연하기 때문에 다시 별도로 붓다·승가에 대한 2증정을 얻는 것이다.(=행수·득수에 대해서는 앞의 제23권의 제5절 4선근 중 제1항의 5. 및 뒤의 제26권 중 게송 ㉝a에 관한 논설 참조) '아울러'라는 말은 도제를 볼 때 법 및 계의 증정도 역시 얻는다는 것을 나타내기 위한 것이다.

그런데 믿음의 대상인 법에는 간략히 두 가지가 있으니, 첫째는 개별적인 것, 둘째는 전체적인 것이다. 전체적인 것은 4제에 통하니, 모두가 법이기 때문이다. 개별적인 것은 오직 고·집·멸의 3제 전부와 도제의 일부(=도제 중 '붓다를 이루는 모든 무학법과 성문승가를 이루는 유학·무학법'은 불·승에 속하기 때문에 '법'에서 제외된다는 취지)이니, 말하자면 보살의 도, 즉 보살의 몸 중의 유학의 법과 아울러 독각의 도, 즉 독각의 몸 중의 유학·무학의 법은 모두 법에 포함되는 것이다. 대저 '승가[僧]'라고 말한 것은 4인 이상이 화합한 것을 승가라고 이름하는데, 보살과 독각은 각각 홀로 세상에 출현하기 때문에 승가(=성문승가)라고 이름하지 않는다. '보살'은 34찰나에 의거(=앞의 제5권 중 게송 ㉝ab와 그 논설 참조)하고, '독각'은 인각유에 의거한 것이다. 따라서 4제를 볼 때에는 모두 법의 증정을 얻으며, 성자들이 사랑하는 계도 현관과 함께 하기 때문에 일체 시에 역시 획득되지 않는 일이 없다. 4제 중에서 행수로서는 비록 단지 법과 계의 증정뿐이지만, 득수로서는 (3보를) 개별적으로 반연하기 때문에 네 가지를 갖추는 것이다. 그래서 『순정리론』(=제74권. 대29-730하)에서 말하였다. "만약 무루의 믿음이 개별적인 법을 반연하여 생긴 것이라면 법증정에 대한 부잡연[不雜緣於法證淨]이라고 이름하고, 만약 무루의 믿음이 불·승을 겸하여 반연하는 것이라면 법증정에 대한 잡연[雜緣於法證淨]이라고 이름한다. 따라서 3제를 볼 때에는 오직 두 가지만 얻지만, 도제를 볼 때에는 네 가지를 완전히 갖추어 얻는 것이다. (문) 도제를 보는 단계에서 현전에 불·법·승의 3증정을 얻게 되는가? (답) 모두를 현전에 얻는 것은 아니다. 도제를 볼 때에는 현행은 모든 도제를 전체적으로 반연하기 때문에 현재는 오직 잡연의 법증정 하나만 있지만, 이 세력을 타고 미래의 많은 찰나의 믿음을 닦아서 얻는데, 그 중에 개별적으로 불·법·승을 반연함도 있으며, 혹은 2보·3보를 전체적으로 반연함도 있다고 알아야 할 것이니, 개별적으로 반연하는 모든 것은 세 가지 증정이라고 이름하고, 전체적으로 반연하는 모든 것은 법증정에 포함되는 것이다." 『대비바사론』 제103권(=대27-533하)에서 논평한 분의 뜻도 『순정리론』과 같다.

118 뒤의 2구를 해석하는 것이다. 믿음의 대상이 같지 않기 때문에 명칭에 네

【증정證淨의 뜻】어떤 뜻에 의해 증정이라는 명칭을 세운 것인가?119 여실하게 4성제의 이치를 깨달아 알았기 때문에 증證이라고 이름하고, 믿음의 대상인 삼보 및 오묘한 계를 모두 정淨이라고 이름한 것이니, 믿지 못함의 때[不信垢]와 파계의 때[破戒垢]를 떠났기 때문이다. 청정을 증득했음[證得淨]에 의해 증정이라는 명칭을 세운 것이다.120

현관에서 나올 때 현행해 일어나는 순서와 같기 때문에 현관 내의 순서가 이와 같다고 말한다.121 어떤 것이 출관할 때 현행해 일어나는 순서인가?122 말하자면 출관하는 단계에서 먼저 세존이 정등각正等覺한 분임을 믿고, 다음에 바른 법과 비나야毗奈耶에 대해 선설善說임을 믿으며, 뒤에 성자들의 승가[聖僧]가 오묘한 수행자임을 믿으니, 삼보는 마치 좋은 의사와 같으며, 아울러 좋은 약과 좋은 간병인과 같다고 바르게 믿기 때문이며, 마음이 청정해졌기 때문에 청정한 계를 일으키니, 이 때문에 계에 대한 설이 넷째가 된 것이다. 반드시 청정한 믿음을 갖추어야 이것이 마침내 현전하니, 마치 세 가지 인연을 만날 때 병이 비로소 제거되는 것과 같기 때문이다. 혹은 이 네 가지는 마치 인도하는 스승, 도로, 상인들 및 타는 수레와 같다.123

제5절 정지正智와 정해탈正解脫

....

가지가 있지만, 실제의 체는 오직 두 가지만 있으니, 믿음과 계를 체로 하는 것이다. 네 가지는 오직 무루이니, 유루의 법은 증정證淨(=여기에서는 증득된 청정, 또는 증득할 청정이라는 뜻)이 아니기 때문이다.
119 물음이다.
120 답이다. 말하자면 무루의 지혜로써 여실하게 4성제의 이치를 깨달아 알았기 때문에 '증'이라고 이름하고, 바르게 삼보 및 오묘한 계를 믿는 것을 모두 '정'이라고 이름했으니, 믿지 못함의 때를 떠났기 때문에 믿음을 청정이라고 이름하고, 파계의 때를 떠났기 때문에 계를 청정이라고 이름한 것이다. 4제를 증득해서 믿음과 계의 청정을 얻었음에 의해 증정이라는 명칭을 세운 것이다.
121 네 가지의 순서를 밝히는 것이다.
122 물음이다.
123 답이다. 이 중에 양 해석이 있는데, 앞의 해석은 알 수 있을 것이다. 뒤의 해석에서, 혹은 이 네 가지는, 붓다는 인도하는 스승과 같고, 법은 도로와 같으며, 승가는 상인들과 같고, 계는 타는 수레와 같다고 말한다.

1. 무학의 바른 지혜[正智]와 바른 해탈[正解脫]

경에서, "유학위에서는 8지支를 성취하고, 무학위에서는 10지를 모두 성취한다"라고 설했는데, 어째서 유학위 중에는 정해탈正解脫 있음 및 정지正智 있음을 설하지 않았는가? 정해탈과 정지는 그 체가 무엇인가?124 게송으로 말하겠다.

79 유학은 남은 계박이 있기 때문에[學有餘縛故]
　정해탈·정지의 지분이 없어서이니[無正脫智支]
　해탈에는 유위와 무위가 있는데[解脫爲無爲]
　승해와 번뇌의 소멸을 말한다[謂勝解惑滅]

80 유위해탈이 무학의 지분이니[有爲無學支]
　곧 두 가지 해탈온이며[卽二解脫蘊]
　정지는 각분에서 설한 것처럼[正智如覺說]
　진지와 무생지를 말한다[謂盡無生智]125

논하여 말하겠다. 유학위 중에는 오히려 남은 계박이 있어 아직 해탈하지 못했기 때문에 해탈이라는 지분이 없다. 조금의 계박을 떠났다고 해서 해탈자라고 이름할 수 있는 것은 아니며, 해탈의 체가 없는데도 해탈했다는 지혜를 세울 수 있는 것이 아니다. 무학은 이미 모든 번뇌의 계박에서 벗어났으며, 다시 해탈했음을 아는 두 가지 지혜를 일으킬 수 있으니, 두 가지가 뚜렷이 드러나므로 2지분을 세울 수 있지만, 유학은 그렇지 않기 때문에 8지분만을 이룬다.126

....

124 이하는 다섯째 정지·정해탈에 대해 밝히는 것이다. 그 안에 나아가면 첫째 2지분을 바로 밝히고, 둘째 해탈의 시기를 밝히며, 셋째 장애를 끊는 시기를 밝히고, 넷째 멸滅·리離·단斷에 대해 밝힌다. 이는 곧 첫째 2지분을 바로 밝히는 것인데, 경(=중 49:189 성도경聖道經)에 의해 두 가지를 물었다.
125 처음 2구는 첫 물음에 대한 답이고, 뒤의 6구는 둘째 물음에 대한 답이다.
126 위의 2구를 해석하는 것이다. 유학위 중에는 오히려 남은 번뇌의 계박이 있어 아직 해탈하지 못했기 때문에 해탈의 지분이 없다. 조금의 계박을 떠났다

해탈의 체에는 두 가지가 있으니, 말하자면 유위와 무위이다. 유위해탈은 무학의 승해를 말하며, 무위해탈은 일체 번뇌가 소멸한 것을 말한다. 유위해탈을 무학의 지분[無學支]이라고 이름하니, 지분이라는 명칭을 세우는 것은 유위에 의하기 때문이다. 지분에 포함되는 해탈에는 다시 두 가지가 있다. 즉 다른 경에서 심해탈心解脫과 혜해탈慧解脫이라고 말한 것이니, 이 두 가지가 곧 해탈온이라고 알아야 할 것이다.127

만약 그렇다면 계경 중에서 이렇게 설하지 않았어야 할 것이다. "어떤 것이 해탈의 청정이 가장 뛰어난 것인가? 말하자면 마음이 탐욕으로부터 염오를 떠나 해탈하고, 아울러 성냄·어리석음으로부터 염오를 떠나 해탈한 것이니, 그런 해탈온이 아직 원만하지 않으면 원만하게 하기 위해, 이미 원만하다면 섭수하기 위해 의욕·정진 등을 닦는다." 따라서 해탈온은 오직 승해만인 것은 아니다.128 만약 그렇다면 무엇인가?129 어떤 다른 논사가 말

....

고 해서 해탈자라고 이름할 수 있는 것이 아니며, 해탈의 체가 없는데도 그에 해탈했음을 아는 지혜가 있다고 세울 수 있는 것이 아니기 때문에 유학위에는 2지분을 세우지 않는다. 무학은 이미 모든 번뇌의 계박에서 벗어났으므로 해탈의 지분을 세우며, 다시 해탈했음을 아는 그 진·무생의 2지혜를 능히 일으키므로 정지의 지분을 세우는 것이다. 무학위에는 정해탈·정지의 두 가지가 뚜렷이 드러나기 때문에 2지분을 세울 수 있지만, 유학은 그렇지 않기 때문에 8지분만을 이루는 것이다.

127 다음 4구를 해석하는 것이다. 전체적으로 해탈을 밝힌다면 그 두 가지가 있는 것은 글대로 알 수 있을 것이다. 두 가지 해탈 중 유위해탈을 무학의 지분이라고 이름하니, 지분이라는 명칭의 건립은 유위에 의하기 때문이다. 무위해탈은 지분으로서의 작용이 없기 때문에 그것에 의해서는 건립하지 않는다. 유위 중에 나아가면 지분에 포함되는 해탈에는 다시 두 가지가 있다. 즉 다른 경(=잡 [4]2:42 칠처경七處經 등)에서 첫째 심해탈, 둘째 혜해탈이라고 말한 것이니, 즉 마음[心]·지혜[慧]와 상응하는 승해이다. 이 두 가지가 5분법신 중 곧 해탈온에 포함되는 것이라고 알아야 할 것이다.

128 경량부의 힐난이다. 만약 해탈온의 체가 오직 승해만이라고 한다면, 경(=잡 [21]21:565 바두경婆頭經을 가리키는 것으로 보인다)에서 "어떤 것이 해탈의 청정이 가장 뛰어난 것인가?"라고 한 것에 대해, "말하자면 마음이 탐욕으로부터 염오를 떠나 해탈하고, 아울러 성냄·어리석음으로부터 염오를 떠나 해탈한 것이니, 만약 유학의 사람이라면 그런 해탈온이 아직 원만하지 않으므로 원만하게 하기 위해 의욕·정진 등의 뛰어난 행을 닦아 원만하게 하며, 만약 무학의 사람이라면 그런 해탈온이 이미 원만하므로 섭수해 퇴실하지 않게 하기 위해 의욕·정진 등의 뛰어난 행의 공덕을 닦는다"라고 답하지 않았어야 할

하였다. "진지眞智의 힘에 의해 탐·진·치를 제거한 것, 즉 마음이 번뇌의 때를 떠난 것을 해탈온이라고 이름한다."130

이와 같이 바른 해탈의 체를 말했는데, 바른 지혜[正智]의 체는 앞의 각분에서 설한 것과 같으니, 말하자면 곧 앞에서 말한 진지와 무생지이다.131

2. 무학의 바른 해탈의 시기

마음이 어떤 세世에 바로 해탈을 얻기에 무학의 심해탈이라고 말하는가?132 게송으로 말하겠다.

⑧a 무학의 마음이 생길 때[無學心生時]
　　바로 장애로부터 해탈한다[正從障解脫]

논하여 말하겠다. 예컨대 근본논서에서, "처음 무학의 마음이 미래에 생길 때 장애로부터 해탈한다"라고 설한 것과 같다.133

무엇을 장애라고 말하는가?134 말하자면 번뇌의 득得이니, 그것이 이 마

....

것이다. 경 중에서 이미 마음이 탐욕 등으로부터 염오를 떠나 해탈한 것을 말했기 때문에 해탈온은 오직 승해만인 것은 아님(=그 취지는 이어지는 물음에 대한 답에서 드러난다)을 알 수 있다. '의욕·정진 등'이라고 말한 것은, 믿음·경안·알아차림·지혜·의도·평정을 같이 취한 것이다.

129 물음이다.

130 경량부의 답이다. 어떤 다른 경량부의 논사가 말하였다. "진지眞智의 힘에 의해 탐·진·치를 제거한 것, 즉 마음이 번뇌의 때를 멀리 떠났다는 뜻을 해탈온이라고 이름한 것이다."

131 제7·제8구를 해석하면서 앞을 맺는 것이다. 바른 지혜의 체는 앞의 37각분 중에서 설한 것과 같다. 말하자면 곧 앞에서 설한 진지와 무생지를 바른 지혜라고 이름한 것이니, 즉 5분법신 중의 해탈지견온이다.

132 이하는 둘째 바른 해탈을 밝히는 것인데, 이는 물음이다. 3세 중 마음이 어느 세에서 바로 해탈을 얻기에 무학의 심해탈이라고 말하는가?

133 답이다. 근본논서(=『발지론』제1권. 대26-922중)에서 말한 것과 같다. '처음'이라는 말은 뒤와 구별하는 것이고, '무학'은 유학 등과 구별하는 것이며, '마음'이라는 말은 심소 등도 역시 포함하니, 심소 등은 반드시 결정코 마음에 따르기 때문이고, '미래'는 과거·현재와 구별하는 것이며, '생길 때'는 나머지 미래와 구별하는 것이니, 바로 생길 때에 있으면 장애로부터 해탈한다.

134 물음이다.

음이 생기는 것을 능히 막기 때문이다. 금강유정이 바로 소멸하는 단계[正滅位]에 그것의 득이 바로 끊어지면서 처음 무학의 마음이 바로 생기는 단계[正生位]에서 바로 해탈을 얻는 것이다. 금강유정이 이미 소멸한 단계는, 그것의 득은 이미 끊어졌으며, 처음 무학의 마음은 이미 생긴 단계이므로, 이미 해탈했다[已解脫]고 이름한다. 아직 생기지 않은 무학의 마음 및 세속의 마음도 바로 그 때 역시 해탈한다고 이름하겠지만, 지금은 우선 결정코 생기는 것을 말한 것이니, 그 때에 몸[身]과 세[世]에 작용하기 때문이다.135

　모든 세속의 마음은 무엇으로부터 해탈하는가?136 역시 곧 마음이 생기는 것을 막는 그런 장애로부터이다.137 아직 해탈하지 못한 단계라고 해서 이것이 어찌 생기지 않겠는가?138 비록 이미 생긴 것이 있다고 해도 지금의 것과는 같지 않다.139 그것이 어떻게 같지 않은가?140 번뇌의 득과 함께 하지만, 이것이 뒤에 만약 생긴 것이라면, 번뇌의 득과 함께 하는 일이 없다.141

....

135 답이다. 말하자면 번뇌의 득이니, 그 번뇌의 득이 무학의 첫 마음이 생기는 것을 능히 막기 때문에 장애라고 이름한다. 금강유정이 현재세에 바로 소멸하는 단계에 그 번뇌의 득이 생상에 이르지 못하는 것을 바로 끊어진다[正斷]고 이름하는데, 바로 끊어지기 때문에 능히 장애가 되지 않아 처음 무학의 마음이 다시 생상에 이르니, 바로 생기는 단계에 바로 해탈을 얻는 것이다. 번뇌의 득과 함께 하는 것이 아닌 것을 바른 해탈이라고 이름한다. 금강유정이 흘러서 과거에 이미 소멸한 단계에 이르면, 그 번뇌의 득은 이미 끊어졌다고 이름하고, 처음 무학의 마음이 흘러서 현재에 이미 생긴 단계에 이르면, 이미 해탈했다고 이름한다. 아직 생기지 않은 무학의 마음 및 (무학의) 세속의 마음도 무학의 처음 마음이 생상인 바로 그 때 역시 해탈한다고 이름하겠지만, 지금은 우선 결정코 생기는 것을 말한 것이니, 그 때 무학의 첫 마음이 결정코 현재의 몸[現身]과 현재의 세[現世]에 작용하기 때문이다. 나머지 마음은 혹 생기기도 하고 생기지 않기도 하여 일정하지 않기 때문에 말하지 않는 것이다.
136 물음이다. 무학의 미래의 모든 세속심은 어떤 장애로부터 해탈을 얻는가?
137 답이다. 역시 곧 그 모든 번뇌의 득이 마음이 생기는 것을 막는 그런 장애로부터이다.
138 물음이다. 아직 해탈하지 못한 단계라고 해서 이런 세속의 선심이 어찌 생기지 않겠는가?
139 답이다. 아직 해탈하지 못한 단계에서는 비록 이미 생긴 세속의 선심이 있다고 해도 지금 무학의 몸 중의 세속의 선심과는 같지 않다.
140 물음이다.
141 답이다. 아직 해탈하지 못한 단계에서는 세속의 선심이 생기더라도 번뇌의 득과 함께 하지만, 이 첫 마음 후에 세속의 선심이 만약 생긴다면 번뇌의 득과

3. 도가 장애를 끊는 시기

도는 어느 단계에서 생기의 장애[生障]를 끊어지게 하는가? 게송으로 말하겠다.

⟦81⟧c 도는 바로 소멸하는 단계에서만[道唯正滅位]
　　능히 그 장애를 끊어지게 한다[能令彼障斷]

논하여 말하겠다. 바로 소멸하는 단계[正滅位]라는 말은 현재에 머무는 것을 나타내고, 바로 생긴다[正生]는 말은 미래세를 나타낸다. 따라서 도가 능히 장애를 끊는 것은 오직 바로 소멸하는 때이니, 나머지 단계에는 결정코 장애를 끊는 작용이 없기 때문이다. 해탈의 경우 아직 생기지 않은 것에도 통하는 것과 같은 것이 아니니, 생긴 것이든 아직 생기지 않은 것이든 장애 떠났음[離障]이 같기 때문이다.142

4. 단斷·이離·멸滅의 3계界

경에서, 말하자면 단斷·이離·멸滅의 3계界를 설했는데, 무엇을 체로 하며, 차별은 어떠한가? 게송으로 말하겠다.

⟦82⟧ 무위해탈을 3계로 설한 것이니[無爲說三界]
　　이계는 오직 탐결을 떠난 것만이고[離界唯離貪]

....

함께 하는 일이 없기 때문에 해탈했다고 이름하는 것이다.
142 이는 곧 셋째 도가 장애를 끊는 것에 대해 밝히는 것이다. '바로 소멸하는 단계'라는 말은 현재에 머물며 멸상과 함께 하는 것을 나타내고, '바로 생긴다'는 말은 미래세이기 때문에 생상과 함께 하는 것을 나타낸다. 바로 소멸하는 것(＝금강유정의 도)과 바로 생기는 것(＝무학의 첫 마음)은 동시이면서, 별개의 세(＝현재와 미래)이니, 여기에서 바로 소멸하는 것을 밝히면서 겸하여 바로 생기는 것을 나타낸 것은 동시이기 때문이다. 도가 능히 장애를 끊는 것은 오직 현재 바로 멸상에 머물 때이니, 현재의 번뇌의 득을 쇠퇴시켜, 세력이 뒤의 번뇌의 득을 견인해 그 생상에 이르게 함이 없게 하는 그 때 끊어진다고 이름한다. 나머지 단계에는 결정코 장애를 끊는 작용이 없기 때문이다. 해탈은 아직 생기지 않은 것에도 통하는 것과 같은 것이 아니니, 생상의 시기이든 아직 생상에 이르지 않은 시기이든 장애를 떠난 것이 같기 때문에 공통으로 양쪽 단계에서 모두 해탈이라고 이름하지만, 장애를 끊는 것은 그렇지 않다.

단계는 나머지 결박을 끊은 것이며[斷界斷餘結]

멸계는 그 따르는 것들을 소멸시킨 것이다[滅界滅彼事]143

논하여 말하겠다. 단斷 등의 3계는 즉 앞에서 설한 무위해탈을 나눈 것을 자체로 한다. 이계離界라고 말한 것은 다만 탐욕을 떠난 것만을 말하며, 단계斷界라고 말한 것은 나머지 결박을 끊은 것을 말하며, 멸계滅界라고 말한 것은 그 나머지 탐욕 등의 수면에 의해 수증되는 것들[事]을 소멸시킨 것을 말한다. 그래서 경에서 3계를 곧 무위해탈이라고 설한 것이다.144

제6절 싫어함과 떠남의 통通·국局

만약 법이 능히 싫어하는 것[能厭]이라면 반드시 능히 떠나는 것[能離]인가?145 그렇지 않다.146 어떠한가?147 게송으로 말하겠다.

....

143 이하에서 곧 넷째 단斷·이離·멸滅의 3계界에 대해 밝히는데, 경(=잡 [17] 17:464 동법경同法經인데, 이계離界는 무욕계無欲界라고 되어 있다)에 의해 두 가지 물음을 일으켰다. 위의 1구는 첫 물음에 대한 답이고, 뒤의 3구는 뒤의 물음에 대한 답이다.

144 단 등의 3계는 곧 앞에서 설한 무위해탈을 나눈 것을 자체로 한다. 이계離界 (=떠났음의 계)라고 말한 것은 다만 탐욕(=탐결=애결)을 떠난 것만을 말하며, 단계斷界(=끊어졌음의 계)라고 말한 것은 나머지 8결(=6수면 중 소견을 견결·취결의 둘로 나눈 일곱 가지에, 시기·아낌의 2전을 더한 소위 9결 중 탐결=애결을 제외한 것)을 끊은 것을 말하며, 멸계滅界(=소멸의 계)라고 말한 것은 그 나머지 탐욕 등의 수면에 의해 수증되는 것들[事], 즉 그 나머지 모든 유루법을 소멸시킨 것을 말한다. 그래서 경에서 3계를 곧 무위해탈이라고 설한 것이다. 이 3계는 모두 택멸을 체로 하는 것이기 때문에 경에서 3계는 곧 무위해탈이라고 설했지만, 우선 세속에 의거해 3계의 차이를 말한 것인데, 만약 진실한 뜻에 의거한다면 체에 차별이 없으니, 하나하나의 택멸은 모두 다 단·이·멸이라고 이름하기 때문이다.

145 이하는 큰 글의 여섯째 ('염리厭離'라는 말 중) 싫어함[厭]과 떠남[離]의 통·국에 대해 밝히는 것인데, 이는 곧 묻는 것이다.

146 답이다.

147 따지는 것이다.

83 싫어함은 고·집을 반연하는 지혜이고[厭緣苦集慧]
　　떠남은 4제를 반연하여 능히 끊는 것이니[離緣四能斷]
　　서로 대하면 상호 넓거나 좁기[相對互廣狹]
　　때문에 4구로 분별해야 한다[故應成四句]

　　논하여 말하겠다. 오직 고·집을 반연하여 일으키는 인忍·지智만을 말하여 싫어함[厭]이라고 이름하고, 나머지는 곧 그렇지 않아서, 4제의 경계에 대해 일으키는 인·지로서 능히 번뇌를 끊는 것은 모두 떠남[離]이라는 명칭을 얻으니, 넓고 좁음에 차이가 있기 때문에 4구를 이룬다.148

　　싫어함이면서 떠남 아닌 것이 있으니, 말하자면 고·집을 반연하면서 번뇌를 끊어지게 하지 못함을 가진 인·지이다. 싫어하는 경계를 반연하기 때문이며, 염오를 떠나는 것이 아니기 때문이다.149 떠남이면서 싫어함 아닌 것이 있으니, 말하자면 멸제·도제를 반연하면서 능히 번뇌를 끊어지게 함을 가진 인·지이다. 좋아하는 경계를 반연하기 때문이며, 능히 염오를 떠나기 때문이다.150 싫어함이면서 떠남이기도 한 것이 있으니, 말하자면 고제·

----

148 단지 고·집을 반연하는 것은 모두 싫어함[厭]이라고 이름하니, 싫어할 경계를 반연하기 때문이며, 단지 4제의 경계를 반연하여 능히 번뇌를 끊는 것은 모두 떠남[離]이라고 이름하니, 능히 염오를 떠나기 때문이다. 넓고 좁음이 같지 않으므로 곧 4구를 이룬다.

149 제1구이니, 싫어함이면서 떠남 아닌 것이 있다. 말하자면 고·집을 반연하면서 번뇌를 끊어지게 하지 못함을 가진 인·지이다. 싫어하는 경계를 반연하기 때문에 싫어함이 있으며, 염오를 떠나는 것이 아니기 때문에 떠남이 아니다. 『순정리론』 제72권(=대29-734하)에서 해석해 말하였다. "이렇게 알아야 할 것이다. 이 중 먼저 욕계의 염오를 떠나고 뒤에 진리를 보는 자의 고·집법인 및 견도 중의 고지·집지는 단지 싫어함이라고 이름할 뿐이니, 싫어하는 경계를 반연하기 때문이다. 인(=무간도)은 떠남이라고 이름하지 않으니, 번뇌를 먼저 끊었기 때문이며, 지(=해탈도)는 떠남이라고 이름하지 않으니, 단대치(=무간도)가 아니기 때문이다. 아울러 수도 중의 가행·해탈·승진도에 포함되는 고지·집지는 단지 싫어함이라고 이름할 뿐이니, 싫어하는 경계를 반연하기 때문이며, 떠남이라고 이름하지 않으니, 단대치가 아니기 때문이다."

150 제2구이니, 떠남이면서 싫어함 아닌 것이 있다. 말하자면 멸·도를 반연하면서 능히 번뇌를 끊어지게 함을 가진 인·지이다. 좋아하는 경계를 반연하기 때문에 싫어함이 아니며, 능히 염오를 떠나기 때문에 떠남이 있는 것이다. 『순정

집제를 반연하면서 능히 번뇌를 끊어지게 함을 가진 인·지이다.151 싫어함
도 아니고 떠남도 아닌 것이 있으니, 말하자면 멸제·도제를 반연하면서 번
뇌를 끊어지게 하지 못함을 가진 인·지이다.152

이 중 먼저 욕계의 염오를 떠나고 뒤에 4제를 보는 자에게 있는 법인法忍
및 모든 지智 중 가행·해탈·승진도에 포함되는 것은 번뇌를 끊게 하지 못한
다고 알아야 할 것이니, 번뇌가 이미 끊어졌기 때문이며, 단대치[斷治]가 아
니기 때문이다.153

....

리론』제72권(＝대29-735상)에서 해석해 말하였다. "이렇게 알아야 할 것이
다. 이 중 아직 욕계의 염오를 떠나지 않고 견제에 든 자의 멸·도법인 및 존재
하는 모든 멸·도류인과 아울러 수도 중의 무간도에 포함되는 멸지·도지는 단
지 떠남이라고 이름할 뿐이니, 단대치이기 때문이며, 싫어함이라고 이름하지
않으니, 좋아하는 경계를 반연하기 때문이다."

151 제3구이니, 싫어함이면서 떠남이기도 한 것이 있다. 말하자면 고·집을 반연
하면서 능히 번뇌를 끊어지게 함을 가진 인·지이니, 싫어하는 경계를 반연하
기 때문에 싫어함이 있으며, 능히 염오를 떠나기 때문에 떠남도 있는 것이다.
『순정리론』제72권(＝대29-735상)에서 해석해 말하였다. "이 중 아직 욕계
의 염오를 떠나지 않고 견제에 든 자의 고·집법인 및 존재하는 모든 고·집류
인과 아울러 수도 중의 무간도에 포함되는 고·집지라고 알아야 할 것이다."

152 제4구이니, 싫어함도 아니고 떠남도 아닌 것이 있다. 말하자면 멸·도를 반연
하면서 번뇌를 끊어지게 하지 못함을 가진 인·지이니, 좋아하는 경계를 반연
하기 때문에 싫어함이 아니며, 염오를 떠나는 것이 아니기 때문에 떠남이 아
닌 것이다. 『순정리론』제72권(＝대29-735상)에서 해석해 말하였다. "이 중
먼저 욕계의 염오를 떠나고 뒤에 진리를 보는 자의 멸·도법인 및 견도 중의
멸지·도지와 아울러 수도 중의 가행·해탈·승진도에 포함되는 멸지·도지라고
알아야 할 것이다."

153 앞의 글을 거듭 해석하는 것이다. 이렇게 알아야 할 것이다. 이 4구 중 먼저
욕계의 염오를 떠나고 뒤에 진리를 보는 자에게 있는 법인法忍이, 만약 고·집
을 반연하는 것이라면 싫어함은 있지만, 떠남이 아니니, 싫어하는 경계를 반
연하기 때문이며, 번뇌가 이미 끊어졌기 때문에 제1구에 포함되지만, 만약
멸·도를 반연하는 것이라면 싫어함도 아니고, 떠남도 아니니, 좋아하는 경계
를 반연하기 때문이며, 번뇌가 이미 끊어졌기 때문에 제4구에 포함된다. 그리
고 모든 지智 중 견도위의 해탈도에 포함되거나 만약 수도위의 가행·해탈·승
진도에 포함되는 것이, 만약 고·집을 반연하는 것이라면 싫어함은 있지만, 떠
남이 아니니, 싫어하는 경계를 반연하기 때문이며, 단대치가 아니기 때문에
제1구에 포함되지만, 만약 멸·도를 반연하는 것이라면 싫어함도 아니며, 떠남
도 아니니, 좋아하는 경계를 반연하기 때문이며, 단대치가 아니기 때문에 제4
구에 포함된다.

阿毘達磨俱舍論
아비달마구사론

第七 分別智品
제7 분별지품

尊者世親 造
존자세친 조

三藏法師玄奘 奉詔譯
삼장법사현장 봉조역

아비달마구사론
제26권

제7 분별지품分別智品1(의 1)

제1장 인忍·지智·견見의 차별

앞 품의 서두에서 모든 인忍과 모든 지智에 대해 논설하고, 뒤에 다시 정견正見과 정지正智에 대해 논설했는데, 인忍으로서 지智 아닌 것이 있으며, 지智로서 견見 아닌 것이 있는가?2 게송으로 말하겠다.

① 성혜 중 인은 지가 아니고[聖慧忍非智]
　　진지·무생지는 견이 아니며[盡無生非見]

....

1 '분별지품'이란, 결단하고 거듭 알기[決斷重知] 때문에 '지'라고 이름하는데, 이 품에서 자세히 밝히기 때문에 '분별'이라고 이름한 것이다. 다음에 지품을 밝히는 까닭은, 앞 품에서 결과를 밝혔으므로 이 품에서 원인을 밝히는 것이니, 원인은 결과에서 바라볼 때 가깝기 때문에 다음에 지智를 분별하는 것이다.

2 이 품 안에 나아가면 큰 글에 둘이 있으니, 첫째 모든 지혜의 차별을 밝히고, 둘째 지혜가 이루는 공덕을 밝힌다. 지혜의 차별을 밝히는 가운데 나아가면 첫째 인忍·지智·견見의 차별을 밝히고, 둘째 10지의 모습의 차이를 밝히며, 셋째 10지의 행상을 밝히고, 넷째 여러 문으로 지혜를 분별한다. 이는 곧 첫째 인[kṣānti]·지[jñāna]·견[dṛṣṭi]의 차별을 밝히는 것인데, 앞을 옮겨와서 물음을 일으켰다. 앞의 현성품의 처음 견도 단계에서 모든 8인을 설하고, 모든 8지를 설했으며, 그 품 뒤의 8성도 중에서 다시 정견을 설하고, 10무학 중에서 다시 정지를 설했는데, 인으로서 지 아닌 것이 있으며, 지로서 견 아닌 것이 있는가?
＃ 위에 설명한 이 품의 글의 구성과, 뒤에서 보는 것처럼 큰 글의 '둘째 지혜가 이루는 공덕'은 붓다의 18불공법과 공통의 공덕으로 나눌 수 있는 점에 의거해서, 이 품의 편성을 다음 도표와 같이 나누었다.

	인·지·견의 차별	제1장	
모든 지혜의 차별	10지의 모습의 차이	제2장	제26권
	10지의 행상	제3장	
	지혜의 여러 문 분별	제4장	
지혜가 이루는 공덕	붓다의 18불공법	제5장	제27권
	공통의 공덕	제6장	

나머지는 둘이고, 유루혜는[餘二有漏慧]

모두 지인데, 여섯은 견의 성품이다[皆智六見性]3

논하여 말하겠다. 지혜[慧]에는 두 가지가 있으니, 유루와 무루인데, 무루의 지혜[無漏慧]에 대해서만 성聖이라는 명칭을 세운다. 이 성혜聖慧 중 8인忍은 지智의 성품이 아니니, 스스로 끊어야 할 의심[自所斷疑]이 아직 끊어지지 않았기 때문인데, 견見의 성품에는 포함될 수 있으니, 헤아리는 성품[推度性]이기 때문이다.4

....

3 게송에 의한 답 중에 나아가면 위의 2구 및 (=제3구 중) '나머지는 둘'은 무루에 의거해 밝히는 것이고, '유루혜는' 및 뒤의 아래 1구는 유루에 의거해 분별하는 것이다. '인忍'은 범凡·성聖에 통하므로 '성'이라는 말은 '범'과 구별하는 것이다. 이 인忍은 비록 혜慧이기는 해도 지智는 아니다. 널리 모든 인忍을 말한다면 대략 네 가지가 있다. 만약 인욕忍辱을 인이라고 이름한 것이라면, 곧 성냄없음[無瞋]을 인이라고 이름한다. 만약 편안히 괴로움을 받아들이는 인[安受苦忍]을 인이라고 이름한 것이라면 곧 정진精進을 인이라고 이름한다. 만약 인허忍許하는 것을 인이라고 이름한 것이라면 곧 믿음[信]을 인이라고 이름한다. 만약 법을 관찰하는 인[觀察法忍]을 인이라고 이름한 것이라면 곧 혜慧를 인이라고 이름한다. 여기에서 말한 인은 혜를 성품으로 하는 것(=넷째의 법을 관찰하는 인)이다. 널리 모든 견見을 말한다면 대략 두 가지가 있다. 첫째 헤아리는 것[推度]을 견이라고 이름하니, 혜를 성품으로 하는 것이다. 둘째 비추어 보는 것[照矚]을 견이라고 이름하니, 곧 안근 및 10지인데, 성품에 모두 앞의 경계를 비추어 보는 작용이 있기 때문이다. 여기에서 말한 견은 헤아리는 것을 견이라고 이름한 것이기 때문에 진지·무생지는 견이 아니라고 말한 것이다. 나머지는 장항과 같다.

4 첫 구를 해석하는 것이다. 전체적으로 말한다면 혜에는 두 가지가 있으니, 첫째는 유루, 둘째는 무루인데, 무루혜에 대해서만 성聖이라는 명칭을 세운다. 능히 여실하고 바르게 4제를 관찰하기 때문에 성이라고 이름하니, 유루혜도 비록 4제를 관찰하지만, 분명하지 않기 때문에 성이라고 이름하지 않는다. 성혜 중에 나아가면 8인忍은 지智의 성품이 아니다. 결단하는 것을 지라고 이름하는데, 의심은 망설이는 것이므로 (지智와) 자성이 상위하는 것이다. 8인이 일어날 때에는 스스로 끊어야 할 의심의 득과 바로 함께 하므로, 그 때 바로 끊는 것[正斷](=인)은 (의심과) 적대하여 서로 거스르지만, 아직 끊어지지 않았기 때문에 결단하는 것이 아니니, 결단하는 것이 아니기 때문에 지라고 이름하지 못한다. 그렇지만 견見의 성품에는 포함될 수 있으니, 헤아리는 성품이기 때문이다. 비록 먼저 이욕한 자의 4법인의 단계에서는 스스로의 의심은 이미 끊어졌다고 해도, 의심의 득과 함께 하는 인의 부류[忍流類]이기 때문에 역시 지가 아니다. 이생이 번뇌를 끊는 모든 무간도는, 비록 의심의 득과 함께 한다고 해도, 진정

진지·무생지의 2지는 견의 성품이 아니니, 추구하는 마음을 이미 종식시켜서 헤아리지 않기 때문이다.5 그 나머지는 모두 지·견의 두 가지 성품에 통하니, 스스로의 의심을 이미 끊었고, 헤아리는 성품이기 때문이다.6

모든 유루의 지혜[有漏慧]는 모두 지의 성품에 포함되는데, 그 중 여섯 가지만은 또한 견의 성품이기도 하니, 말하자면 다섯 가지 염오의 소견과 세속의 정견이 여섯 가지가 된다.7

....

한 대치가 아니고 지극히 상위하는 것이 아니며 뒤에 물러날 수 있기 때문에 지라는 명칭을 얻는다. 그래서 『대비바사론』 제44권(=대27-229상)에서 말하였다. "다시 다음에 인은 끊어야 할 의심의 득과 함께 하므로 지에 포함되는 것이 아니다. 설령 함께 하지 않는다고 해도 그 부류인 것이다. 유루의 무간도는 진정한 대치가 아니기 때문에 비록 의심의 득과 함께 한다고 해도 역시 지이다."

5 제2구를 해석하는 것이다. 성혜 중 진지·무생지의 두 가지 지는 결단하는 성품이기 때문에, 혹은 거듭 안 것[重知]이기 때문에 견의 성품이 아니다. 이미 추구하는 마음을 종식시켜서 (더 이상) 헤아리지 않기 때문이다.

6 제3구 중 '나머지는 둘'을 해석하는 것이다. 앞의 8인 및 진지·무생지를 제외한 그 나머지 무루혜는 하나하나가 모두 지·견의 두 가지 성품에 통하니, 스스로의 의심을 이미 끊어서 결단하는 성품이기 때문에, 혹은 거듭 안 것이기 때문에 지라고 이름하며, 헤아리는 성품이기 때문에 견이라고 이름한다.

7 (제3구 중) '유루혜는' 및 아래 1구를 해석하는 것이다. 모든 유루혜는 결단하는 성품[決斷性]이기 때문에 모두 지의 성품에 포함된다. 그 중 여섯 가지는 또한 견의 성품이기도 함이 분명하니, 헤아리는 성품이기 때문이다. 말하자면 유신견 등의 5염오견 및 의식과 상응하는 세속의 정견이 여섯 가지가 된다. (문) 인의 경우 의심의 득과 함께 하는 인은 곧 지라고 이름하지 못한다면, 의심과 함께 생기는 혜도 역시 지라고 이름하지 못해야 할 것이다. (해) 의심과 하는 혜는 서로 수순하면서 같이 반연하여 경계에 대해 결단하므로 역시 지라고 이름한다. 그래서 『대비바사론』 제106권(=대27-547중)에서 말하였다. "(문) 무엇 때문에 지라고 이름하며, 지는 어떤 뜻인가? (답) 결단하는 뜻이 지의 뜻이다. (문) 만약 그렇다면 의심과 상응하는 혜는 지라고 이름하지 않아야 할 것이니, 소연의 경계에 대해 결정하지 않기 때문이다. (답) 그것도 역시 지이니, 1찰나 경에는 소연의 경계에 대해 결정하기 때문이다. 그렇지만 이 무리 안에서는 의심의 세력의 작용이 뛰어나서 마음으로 하여금 경계에 대해 여러 찰나 동안 유예하여 결정하지 않으므로 의심의 무리라고 이름하는 것이다. 마치 삼매는 1찰나 중에는 경계에서 항시 머물지만, 만약 도거와 상응하는 때가 있어 여러 찰나 동안 경계에서 바뀌어 옮긴다면 산란하다고 이름하는 것과 같다." 또 해석하자면 모든 유루혜는 거듭 안 것[重知]이기 때문에 모두 지의 성품에 포함된다. 견에 대해서는 앞에서 해석한 것과 같다. 그래서 『대비바사론』 제44권(=대27-229상)에서 말하였다. "한 유정도 일체 경계에서 비롯함

이와 같이 논설한 무루혜[聖慧]와 유루혜는 모두 법을 간택하는 것[擇法]이기 때문에 모두 지혜[慧]의 성품에 포함된다.[8]

제2장 10지智의 모습의 차이

제1절 10지의 전개

1. 유루지·무루지와 3지智

지智에는 몇 가지가 있으며, 모습의 차별은 어떠한가? 게송으로 말하겠다.

② 지는 열 가지인데, 총괄하면 두 가지가 있어[智十總有二]
　유루와 무루로 차별되니[有漏無漏別]
　유루는 세속지라고 칭하고[有漏稱世俗]
　무루는 법지·유지라고 이름한다[無漏名法類]

③ 세속지는 두루 경계로 하고[世俗遍爲境]
　법지 및 유지는[法智及類智]
　순서대로 욕계와 상계의[如次欲上界]
　고제 등의 진리를 경계로 한다[苦等諦爲境][9]

....

이 없는 때로부터 유루혜로써 자주자주 이를 관찰한 것이 아닌 자가 없기 때문에 유루혜는 모두 지에 포함되는 것이다." (문) 5식과 함께 하는 혜는 순간순간 따로 반연하고, 이미 거듭 알지 않았으니, 지라고 이름하지 않아야 할 것이다. (해) 5식과 함께 하는 혜는, 비록 거듭 반연하는 것은 아니지만, 자신의 종류에 의거한다면 거듭 반연하는 것이라고 말하기 때문이며, 유루의 의식이 그 5경을 반드시 결정코 일찍이 반연한 것을, 5식과 함께 하는 혜가 지금 다시 반연하므로 거듭 안 것이라고 이름할 수 있기 때문에 역시 지라고 이름할 것이다.

8 이와 같은 무루혜 및 유루혜는 모두 소연인 법을 능히 간택하는 것이기 때문에 모두 지혜[慧]의 성품에 포함된다.

9 이하는 둘째 모든 지의 모습의 차이를 밝히는 것이다. 그 안에 나아가면 첫째 점차 늘려서 10지에 이르는 것을 밝히고, 둘째 진지·무생지의 차별을 밝히며, 셋째 10지를 건립한 것에 대해 밝히고, 넷째 법지·유지가 아울러 대치하는 것에 대해 밝힌다. 첫째 점차 늘려서 10지에 이르는 것을 밝히는 것에 나아가면,

논하여 말하겠다. 지智에는 열 가지가 있어 일체 지를 포함한다. 첫째 세속지世俗智, 둘째 법지法智, 셋째 유지類智, 넷째 고지苦智, 다섯째 집지集智, 여섯째 멸지滅智, 일곱째 도지道智, 여덟째 타심지他心智, 아홉째 진지盡智, 열째 무생지無生智이다. 이와 같은 10지를 총괄하면 오직 두 가지이니, 유루·무루의 성품이 차별되기 때문이다. 이와 같은 2지는 모습의 차별에 세 가지가 있으니, 말하자면 세속지와 법지·유지이다. 앞의 유루지는 모두 세속지라고 이름하니, 대부분 항아리 등 세속의 경계를 취하기 때문이며, 뒤의 무루지는 법지와 유지로 나누어 구별된다. 세 가지 중 세속지는 일체 유위와 무위를 두루 소연의 경계로 하며, 법지·유지의 두 가지는 그 순서대로 욕계·상계의 4제를 경계로 한다.10

2. 9지의 전개

곧 이와 같은 두 가지 지智에 대해 게송으로 말하겠다.

④ 법지·유지는 경계의 차별에 의해[法類由境別]
 고지 등의 네 가지 명칭을 세우니[立苦等四名]
 모두 진지·무생지에 통하는데[皆通盡無生]
 그 최초는 오직 고류지·집류지이다[初唯苦集類]11

<hr>

첫째 2지·3지에 대해 밝히고, 둘째 3지에서 9지에 이르는 것을 밝히며, 셋째 9지에서 10지에 이르는 것을 밝히니, 이는 곧 첫째 2지·3지에 대해 밝히는 것이다. (게송 중) '지는 열 가지'는 첫 물음에 대한 답이고, 나머지는 둘째 물음에 대한 답이다. 혹은 이 게송 중 '지는 열 가지'는 전체적으로 명칭과 수를 표방한 것이고, 나머지 글은 개별적으로 2지·3지에 대해 밝히는 것이다.

10 이 부분 논서의 글은 대부분 알 수 있을 것이다. 또『순정리론』제73권(=대 29−735하)에서 말하였다. "앞의 유루지는 모두 세속지라고 이름하니, 항아리·옷 등의 사물은 성품이 허물어질 수 있는 것으로서 세속의 생각을 나타내는 것이기 때문에 세속이라고 이름한다. 이 지는 대부분 세속의 경계를 취하기 때문이며, 대부분 세간의 세속의 일에 따라 일어나기 때문에 많은 쪽에 따라서 세속지라는 명칭을 건립한 것인데, 승의를 취하거나 승의의 일에 따라 일어나는 것이 없는 것은 아니지만, 이는 애착하는 경계로서 안의 온갖 번뇌를 쉽게 하는 뛰어난 공능이 없기 때문에 무루가 아니다."

11 이하는 곧 둘째 3지에서 증가하여 9지에 이르는 것을 밝히는 것이다.

논하여 말하겠다. 법지와 유지는 경계의 차별에 의해 고지·집지·멸지·도지의 4지로 나누어진다.[12] 이와 같은 6지가, 만약 무학에 포함되는 것이면서, 견의 성품이 아니라면, 진지·무생지라고 이름한다. 이 2지가 처음 생기는 것은 오직 고류지·집류지이니, 고제·집제를 반연하는 여섯 가지 행상으로써 유정지의 온을 경계로 해서 관찰하기 때문이다.[13]

금강유정의 경계도 이와 같은가?[14] 고제·집제를 반연할 때에는 같지만, 멸제·도제를 반연할 때에는 다르다.[15]

3. 타심지와 10지

앞에서 논설한 아홉 가지 지智에 대해 게송으로 말하겠다.

----

12 위의 2구를 해석하는 것이다. 앞의 3지 중 법지와 유지는 경계의 차별에 의해 다시 네 가지로 나누어진다. 『순정리론』 제73권(＝대29-736하)에서 말하였다. "어째서 세속지도 고 등을 반연하여 고 등의 행상을 짓는데, 고 등의 지가 아닌가? 그것은 먼저 고 등의 행상으로써 고 등을 관찰했다가 뒤에 다시 고 등의 경계를 반연하여 낙 등으로 관찰할 수 있기 때문이다. 또 이와 같은 세속지를 얻었어도 뒤에 진리를 반연하는 의심이 현행할 수 있기 때문이다."

13 아래 2구를 해석하는 것이다. 이와 같은 법지·유지 및 4제에 대한 지가, 만약 무학에 포함되는 것이면서, 견의 성품이 아니라면, 진지·무생지라고 이름한다. 이 진지·무생지가 만약 후의 시기에 있는 것이라면 통틀어 4제를 반연하여 14행상(＝16행상 중 고제를 반연하는 공·비아의 2행상을 제외한 것)을 짓지만, 이 2지가 최초로 생길 때에는 오직 고류지·집류지이니, 고제·집제를 반연하는 여섯 가지 행상(＝고제를 반연하는 비상·고의 2행상과 집제를 반연하는 4행상)으로써 유정지의 온을 경계로 해서 관찰하기 때문이다. (문) 어째서 최초 단계에는 오직 유정지의 고·집제만을 경계로 해서 반연하는가? (해) 유정지의 고·집은 비롯함이 없는 때로부터 끊어짐을 획득할 수 없었는데, 지금 시기에 최초로 끊기 때문에 먼저 그것을 반연하여 스스로 축하와 위로를 낳는 것이다. (문) 무엇 때문에 공·비아의 행상은 짓지 않는가? (해) 이 2지는 세속에 관계하는 것이니, 말하자면 출관 후에 나의 태어남(은 이미 다했다는) 등의 이해를 짓기 때문에 그 전의 관찰 중에 공·비아의 행상을 짓지 않는 것이다. 이는 곧 원인이 결과에 관계하므로, 그 전의 관찰 중에 공·비아의 행상을 지으면, 뒤의 출관하는 마음도 역시 나의 태어남 등에 대한 이해를 지을 수 없는 것이다.

14 물음이다.

15 답이다. 금강유정으로서, 만약 비상지(＝유정지)의 고·집제를 반연하는 것이라면 곧 같지만, 만약 9지의 멸·도제를 반연하는 것이라면 곧 다르니, 3계의 멸·도제를 반연하여 모두 능히 그 번뇌를 끊기 때문이다.

⑤ 법지·유지, 도지, 세속지는[法類道世俗]
   타심지를 성취함이 있지만[有成他心智]
   뛰어난 지, 근기, 단계와[於勝地根位]
   과거·미래세의 마음은 알지 못한다[去來世不知]

⑥ 법지·유지는 서로 알지 못하며[法類不相知]
   성문, 인각유, 붓다는[聲聞麟喩佛]
   순서대로 견도의[如次知見道]
   2찰나, 3찰나, 일체 찰나를 안다[二三念一切]16

논하여 말하겠다. 법지·유지와 도지 및 세속지는 타심지他心智를 성취함
이 있지만, 나머지 지는 곧 그렇지 않다.17
이 타심지는 경계에 대해 결정적 양상[決定相]이 있으니, 말하자면 뛰어
난 마음[勝心] 및 과거·미래의 마음을 알지 못하는 것이다. 뛰어난 마음에
는 셋이 있으니, 말하자면 지地, 근기[根], 단계[位]이다.18 '지地'란, 하지의
타심지는 상지의 마음을 알지 못하는 것을 말하고,19 '근기[根]'란, 신해와

....
16 이하는 곧 셋째 9지로부터 증가하여 10지에 이르는 것을 밝히는 것이다.
17 위의 2구를 해석하는 것이다. 앞에서 설한 9지 중 법지·유지와 도지 및 세속
   지는 타심지를 성취함이 있으니, 만약 남의 무루심을 안다면 법지·유지와 도
   지의 타심지로써 아는 것이고, 만약 남의 유루심을 안다면 세속지의 타심지로
   써 아는 것이다. 나머지 5지는 곧 그렇지 않으니, 무루의 타심지는 유루심을
   알지 못하기 때문에 고지·집지는 아니며, 멸제는 무위이기 때문에 멸지도 아
   니며, 타심지는 견의 성품인데, 진지·무생지는 견의 성품이 아니기 때문에 진
   지·무생지도 아니다.
18 이하 제3·제4구를 해석하는데, 이는 곧 글을 여는 것이다.
19 개별적으로 해석하는 것이다. 이미 하지의 타심지[下地智]는 상지의 마음을 알
   지 못하니, 그 뜻에 준하면 (타심지는) 자지와 하지의 일체 마음을 알 수 있지
   만, 하지의 타심지는 상지의 마음을 알지 못하는데, 이 자지와 하지를 아는
   것에도 곧 차별이 있다. 그래서 『대비바사론』 제99권(=대27-514상)에서 말
   하였다. "일찍이 얻은 유루의 심·심소법에는 열다섯 가지가 있으니, 이것이
   타심지가 취해야 할 경계이다. 말하자면 욕계 및 4정려에 각각 하·중·상 3품
   의 심·심소법이 있는 것이다. 일찍이 얻은 유루의 타심지에는 열두 가지가 있
   으니, 말하자면 4정려 각각에 하·중·상 3품의 타심지가 있는 것이다. 이 중

시해탈 근기의 타심지는 견지와 불시해탈의 마음을 알지 못하는 것을 말하며, '단계[位]'란, 불환, 성문의 응과, 독각, 대각의, 전전 단계의 타심지는 후후의 뛰어난 단계인 분의 마음을 알지 못하는 것을 말하는 것이다.20 이 타심지가 과거·미래의 마음을 알지 못하는 것은, 오직 현재 다른 상속 중의 마음 등만을 경계로 해서 반연할 수 있기 때문이다.21

또 법지·유지의 품류는 상호 서로 알지 못한다. 말하자면 법지에 포함되는 모든 타심지는 유지의 품류를 알지 못하며, 유지에 포함되는 모든 타심지는 법지의 품류를 알지 못하니, 법지와 유지는 욕계와 상계의 전부 대치

초정려에서 일찍이 얻은 유루의 타심지의 하품이라면, 능히 욕계의 3품 및 초정려의 하품이 일찍이 얻은 유루의 심·심소법을 알고, 중품이라면 능히 욕계의 3품 및 초정려의 하·중 2품이 일찍이 얻은 유루의 심·심소법을 능히 알며, 상품이라면 능히 욕계 및 초정려의 각각 3품이 일찍이 얻은 유루의 심·심소법을 알고, 이와 같이 계속 나아가 제4정려에서 일찍이 얻은 유루의 상품의 타심지에 이르면, 능히 욕계 및 4정려 각각의 3품이 일찍이 얻은 유루의 심·심소법을 능히 안다. 일찍이 얻은 유루의 열두 가지 타심지가 열다섯 가지 일찍이 얻은 유루의 심·심소법을 아는 것처럼, 아직 일찍이 얻지 못했던 유루의 열두 가지 타심지가 열다섯 가지 아직 일찍이 얻지 못했던 유루의 심·심소법을 아는 것도 역시 그러하다. 무루의 심·심소법에는 열두 가지가 있는데, 이것이 타심지가 취해야 할 경계이며, 무루의 타심지에도 역시 열두 가지가 있으니, 말하자면 4정려에 각각 3품이 있는 것이다. 이 중 제2정려의 무루의 타심지의 하품이라면, 능히 초정려 및 제2정려의 각각 오직 하품인 무루의 심·심소법만을 알고, 중품이라면 능히 초정려 및 제2정려의 각각 하·중 2품의 무루의 심·심소법을 알며, 상품이라면 능히 초정려 및 제2정려의 각각 3품의 무루의 심·심소법을 안다. 이와 같이 계속 나아가 제4정려의 상품의 무루의 타심지에 이르면 능히 4정려 각각 3품의 무루의 심·심소법을 안다. (문) 어째서 상지의 하·중품의 유루의 타심지는 다 같이 능히 하지의 3품의 유루의 심·심소법을 아는데, 상지의 하·중품의 무루의 타심지는 하지의 중·상품의 무루의 심·심소법을 알지 못하는가? (답) 유루·무루의 심·심소법의 건립은 각각 다르다. 말하자면 유루의 심·심소법은 상속에 의해 건립하니, 하나의 몸이 상속하는 가운데 3품의 유루의 심·심소법을 성취함이 있지만, 무루의 심·심소법은 근기의 품류에 의해 건립되니, 하나의 몸이 상속하는 가운데 2품의 무루의 심·심소법을 성취하는 일이 없다. 하물며 3품을 성취하는 일이 있겠는가? 건립하는 것이 이미 다르기 때문에 아는 것에도 차이가 있는 것이다.

20 이미 위의 근기와 위의 단계를 능히 알지 못한다고 했으니, 그 뜻에 준하면 자신의 근기와 아래 근기, 자신의 단계와 아래 단계는 알 수 있다.
21 그 3세 중 오직 현재의 남의 마음 등의 작용만을 알 뿐, 과거·미래의 것은 작용이 없기 때문에 알 수 없다.

[全分對治]를 소연으로 하기 때문이다.22

【견도 단계와 타심지】 이 타심지는 견도 중에는 없으니, 4제의 이치에 대한 전체적 관찰[總觀]이 지극히 빠르게 일어나기 때문이다. 그렇지만 모두 이 타심지의 소연이 되는 것은 인정된다.23

만약 여러 유정이 장차 견도에 들려고 할 때 성문과 독각이 미리 가행을 닦아서 그 견도 단계의 마음을 알고자 했을 경우, 그 여러 유정이 견도 단계에 들 때 성문의 법지 부분[法分]의 가행이 만약 원만하다면 그 견도의 처음 2찰나의 마음을 안다. 만약 다시 유지 부분[類分]의 마음을 알기 위해 별도로 가행을 닦는다면, 그 가행이 원만에 이르렀을 때 그는 이미 건너서 제16찰나의 마음에 이르렀을 것이므로, 비록 이 마음을 알았다고 해도 견도를 안 것은 아니다.24

....

22 제5구를 해석하는 것이다. 법지는 욕계의 전부 대치를 소연으로 하기 때문이며, 유지는 상계의 전부 대치를 소연으로 하기 때문에 그래서 법지와 유지는 상호 서로 반연하지 않는 것이다. 비록 욕계의 멸·도법지는 상계의 수혹도 역시 대치할 수 있지만, 전부 대치가 아니며(=뒤의 게송 ⑨와 그 논설 참조), 고·집법지와 견도 단계의 법지는 상계를 대치하지 못하기 때문이다.

23 이하는 뒤의 3구를 해석하는 것이다. 이 타심지는 남의 개별적인 모습을 아는 것이므로 수도에 참여함이 인정되지만[容預修道], 견도 중에는 없으니, 4제의 이치를 전체적으로 관찰하는 것이 지극히 빠르게 일어나기 때문이다. 비록 행수와 득수는 없지만, 이 타심지의 소연이 되는 것은 인정된다. 혹은 4제의 이치를 전체적으로 관찰하는 것이기 때문에 행수가 없고, 지극히 빠르게 일어나기 때문에 득수도 없다.

24 성문은 혹은 상품의 가행에 의하거나 혹은 중품의 가행에 의해, 가행이 원만에 이르렀다면 능히 견도의 처음 2찰나의 마음(=고법지인·고법지)을 안다. 우선 처음에 의거해 말했기 때문에 단지 2찰나라고 말한 것일 뿐, 후의 13찰나도 모두 역시 타심지의 소연이 될 수는 있다. (문) 앞의 처음 2찰나의 마음을 알았다면, 무엇 때문에 제3찰나의 유지 부분의 마음 등을 곧 알지 못하는가? (해) 법지와 유지는 같지 않아서 소연의 경계가 다르기 때문에 능히 알지 못하는 것이다. 만약 다시 유지 부분의 마음을 알기 위해 별도를 가행을 닦는다면, 13찰나를 거쳐서 가행에 원만에 이르렀을 때 그는 이미 건너서 제16찰나의 마음에 이르렀을 것이니, 비록 이 마음을 알았다고 해도 견도는 아닌 것(=제16찰나의 도류지는 수도에 속한다)이다. # 앞 부분의 '상품' 또는 '중품'의 가행에 관해, 『순정리론』 제73권(=대29−737중)에서 말하였다. "3승의 성자가 이 타심지를 일으킬 때 중·하의 2승(=독각과 성문)은 반드시 가행을 필요로 한다. 성문의 가행은 상품이나 중품을 필요로 하고, 인각유는 단지 하

인각유의 경우 법지 부분의 가행이 만약 원만하다면 그 견도의 처음 2찰나의 마음을 알고, 만약 다시 유지 부분의 마음을 알기 위해 별도로 가행을 닦아 가행의 원만에 이르렀다면, 그 제8찰나인 집류지의 마음을 아니, 이는 단지 하품의 가행에만 의하기 때문이다. 어떤 분은, "처음 2찰나 및 제15찰나의 마음을 안다"라고 말하였다.25

세존께서는 아시고자 한다면 가행에 의하지 않고도 그 견도의 일체 마음을 능히 아신다.26

제2절 진지·무생지의 차별

진지·무생지의 두 가지는 모습이 어떻게 다른가? 게송으로 말하겠다.

7 지혜가 4성제에 대해[智於四聖諦]
　나는 이미 알았다는 등과[知我已知等]

....
　품의 가행을 필요로 할 뿐이지만,(=각각의 품에 필요한 시간이 몇 찰나인지 명확하게 설명한 글은 없다) 붓다는 가행이 없어도 바라는 대로 현전한다."
25 독각은 능히 견도의 3찰나의 마음을 안다. 처음 2찰나의 마음을 안 뒤 다시 5찰나의 가행(=하품의 가행)을 닦으면 제8찰나의 마음을 아니, 이는 단지 하품의 가행에만 의하기 때문이다. 우선 한 가지 모습에 의거해 이런 3찰나를 안다고 한 것인데, 나머지 12찰나도 모두 역시 타심지의 소연이 될 수는 있다. 어떤 분은, 독각은 처음 2찰나를 알고, 다시 12찰나 동안 가행해서 제15 찰나의 마음을 안다고 말하였다. 또『순정리론』제73권(=대29-737하)에는 독각에 대해 4설이 있는데, 처음 2설은 이 논서와 같고, 뒤의 2설에 대해 말하였다. "어떤 분은 인각유는 4찰나를 아니, 말하자면 처음 2찰나의 마음과 제8·제14 찰나이다. 이 말이 이치에 맞다. 왜냐하면 처음 2찰나의 마음을 알고 나서부터 오직 5찰나만 건너 제8심을 안다고 인정하는데, 만약 다시 법지 부분의 가행을 닦아 5찰나 경을 거치면 가행이 성취되어야 할 것인데, 어찌 제14찰나를 아는 것을 인정하지 못하겠는가? 어떤 다른 분도 역시 4찰나를 안다고 말했으니, 말하자면 처음 2찰나와 제11·제12 찰나이다." 또『대비바사론』제100권(=대27-515하)에도 역시 4설이 있어『순정리론』과 같은데, 논평하는 분은 없다.
26 세존께서는 아시고자 한다면 가행에 의하지 않아도 견도의 15찰나의 마음을 모두 아신다.

더 이상 알지 않아야 한다는 등을 아는 것이[不應更知等]

순서대로 진지와 무생지이다[如次盡無生]

논하여 말하겠다. 근본논서에서 설한 것과 같다. "어떤 것이 진지인가? 말하자면 무학 단계에서 만약, '나는 이미 고를 알았다', '나는 이미 집을 끊었다', '나는 이미 멸을 증득했다', '나는 이미 도를 닦았다'라고 바르게 스스로 안다면, 이에 의해 있는 지智·견見·명明·각覺·해解·혜慧·광光·관觀, 이 것을 진지라고 이름한다. 어떤 것이 무생지인가? 말하자면 '나는 이미 고를 알았으니, 더 이상 알아야 할 것이 없다', ···· '나는 이미 도를 닦았으니, 더 이상 닦아야 할 것이 없다'라고 바르게 스스로 안다면, 이에 의해 있는 ····, 이것을 무생지라고 이름한다."27

어떻게 무루지無漏智가 이와 같은 앎을 지을 수 있는가?28 가습미라의 논

----

27 이하는 곧 둘째 진·무생지의 차별에 대해 밝히는 것인데, 근본논서(=『품류족론』 제1권. 대26-694상)의 글을 인용해 2지의 차별을 나타내었다. '지智'는 결단決斷하는 것을 말하거나 거듭 안 것[重知]을 말하고, '견見'은 추구推求하는 것을 말하거나 현재 비추는 것[現照]을 말하며, '명明'은 비추어 밝히는 것[照明]을 말하고, '각覺'은 깨닫는 것[覺悟]을 말하며, '해解'는 통달해 이해하는 것[達解]을 말하고, '혜慧'는 간택簡擇하는 것을 말하며, '광光'은 지혜의 빛[慧光]을 말하고, '관觀'은 관찰觀察하는 것을 말하는 것이니, 지智 등의 여덟 가지는 모두 혜慧의 다른 명칭이다. 『순정리론』 제73권(=대29-738중)에서 말하였다. "어째서 논서에서 무생지를 설하면서 다시, '나는 이미 고를 알았으니'라는 등의 말을 했는가? 이치상 단지 '더 이상 알아야 할 것이 없다'라는 등만 말해야 할 것이니, 2행이 동시에 일어나지 않아야 하기 때문이다. 만약 순차 일어난다면 앞의 진지와 차별이 없기 때문에 거듭 말하지 않아야 할 것이다. 이 말의 뜻은 의심을 제거하기 위한 것이라고 알아야 할 것이다. 「시해탈은 먼저 진지를 일으키고 후에 무생지를 얻는 것처럼, 이와 같이 불시해탈은 먼저 무생지를 일으키고 뒤에 진지를 얻는다고 인정해야 하는가?」라는 의심을 낳는 자가 있을 것을 염려해서, 일체 진지는 먼저 일어난다는 것을 나타내기 위해서 다시 먼저 '이미 알았다'라는 등의 말을 한 것이다. 혹은 먼저 단지 '나는 이미 알았다'는 등의 말을 한 것은, 시해탈은 진지만 있다는 것을 나타내고, 뒤에 다시 '나는 이미 알았으니'라는 등의 말을 거듭 한 것은, 불시해탈은 진지 후에 무생지를 일으킨다는 것을 나타내는 것이다.(=앞의 제24권 중 게송 51과 그 논설 참조) 따라서 비록 거듭 말했더라도 허물이 없다."

28 물음이다. 어떻게 무루지가 '나는 이미 고 등을 알았다'라는 등으로 이해하는 이와 같은 앎을 지을 수 있는가?

사들이 말하였다. "2무루지로부터 나온 후에 얻은 지혜 중에서 이와 같은 앎을 짓기 때문에 허물이 없다. 이런 후득의 2지의 차별에 의해 앞의 현관 중의 2지의 차별을 나타낸 것이다."[29] 어떤 분은, "무루지도 역시 이와 같은 앎을 짓는다"라고 말하였다.[30]

그리고 '견見'이라는 말을 한 것은 말의 편의에 편승했기 때문이다. 혹은 진리의 이치를 현재 비추면서[現照] 일어나기 때문이니, 이에 의해 근본논서에서 역시, "우선 모든 지智는 또한 견見이기도 하다"라는 이런 말을 한 것이다.[31]

【10지의 상호포함관계】이와 같은 10지가 서로 포함하는 것은 어떠한가?[32] 말하자면 세속지는 1지의 전부와 1지의 일부를 포함하고, 법지·유지는 각각 1지의 전부와 7지의 일부를 포함하며, 고·집·멸지는 각각 1지의 전부와 4지의 일부를 포함하고, 도지는 1지의 전부와 5지의 일부를 포함하며, 타심지는 1지의 전부와 4지의 일부를 포함하고, 진지·무생지는 각각 1지의 전부와 6지의 일부를 포함한다.[33]

....

29 답이다. 설일체유부의 바른 뜻은, 진·무생의 2지는 관찰로부터 나온 후에 얻은 유루지 중에서 '나는 이미 고를 알았다'는 등의 앎을 짓는 것이지, 무루관에서 이와 같은 앎을 짓는 것이 아니기 때문에 허물이 없다. 이런 후득의 2지라는 결과의 차별에 의해 앞의 현관 중의 2지라는 원인의 차별을 나타낸 것이다. 두 가지 원인의 견인에 의한 것이므로 그 사용과이니, 이는 곧 결과로써 원인을 구별한 것이다.

30 서방의 사문과 경량부 등의 계탁은, 무루지로서 16행상을 짓지 않고 '나는 이미 고를 알았다'라는 등의 이와 같은 앎을 짓는 것도 있다고 말한다.

31 근본논서의 글(=앞의 『품류족론』의 글에, "우선 모든 지는 또한 견이라고도 이름하지만, 견으로서 지가 아닌 것이 있으니, ……"라는 이어지는 설명이 있다)에 대해 회통하는 것이다. 실제로 말한다면 진지·무생지는 추구를 종식시킨 것이므로 견이 아닌데, 근본논서에서 그 10지를 해석하면서 하나하나에서 모두 지·견 등의 여덟 가지를 말하고, 진지·무생지에 이르러 여전히 견이라고 말한 것은 말의 편의에 편승했기 때문이다. 또 해석하자면 진지·무생지는 만약 추구를 종식시켰음에 의거한다면 곧 견이라고 이름하지 않아야 하지만, 모든 4제의 이치를 현재 비추면서[現照] 일어나기 때문에 역시 견이라고도 이름한다. 이에 의해 근본논서에서도 역시 "우선 모든 지는 역시 견이기도 하다"라는 이런 말을 한 것이다.

32 물음이다.

33 답이다. 말하자면 세속지는 자신의 1지 전부와 타심지 1지의 일부를 포함하

제3절 10지 건립의 이유

어떤 이유에서 두 가지 지혜를 10지로 건립했는가?34 게송으로 말하겠다.

⑧ 자성, 대치[由自性對治]
　행상, 행상과 경계[行相行相境]
　가행, 성취, 원인의 원만에 의했기[加行辨因圓]
　때문에 10지를 건립하였다[故建立十智]

논하여 말하겠다. 일곱 가지 인연에 의했기 때문에 두 가지 지혜를 10지로 건립하였다. 첫째 자성 때문에 세속지를 건립했으니, 승의지勝義智를 자성으로 하는 것이 아니기 때문이다. 둘째 대치 때문에 법지·유지를 건립했으니, 전부[全]가 능히 욕계·상계를 대치하기 때문이다.

셋째 행상 때문에 고지·집지를 건립했으니, 이 2지의 경계는 체에 차별이 없기 때문이다. 넷째 행상과 경계 때문에 멸지·도지를 건립했으니, 이 2지는 행상과 경계에 모두 차별이 있기 때문이다.

다섯째 가행 때문에 타심지를 건립했으니, 이것이 남의 심소법을 알지 못하는 것은 아니지만, 본래 가행을 닦은 것은 남의 마음을 알기 위해서였으므로, 비록 원만을 이루었을 때 심소도 역시 알지만, 가행에 의거한 때문에 타심지라는 명칭을 세운 것이다. 여섯째 일의 성취[事辨] 때문에 진지를 건립했으니, 일이 성취된 몸 안에 최초로 생기기 때문이다. 일곱째 원인의 원만 때문에 무생지를 건립했으니, 일체 성도가 원인이 되어 생기기 때문이다.35

고, 법지·유지는 각각 자신의 1지 전부와 고지·집지·멸지·도지·진지·무생지·타심지 7지의 일부를 포함하며, 고지·집지·멸지는 각각 자신의 1지 전부와 법지·유지·진지·무생지 4지의 일부를 포함하고, 도지는 자신의 1지 전부와 법지·유지·진지·무생지·타심지 5지의 일부를 포함하며, 타심지는 자신의 1지 전부와 법지·유지·도지·세속지 4지의 일부를 포함하고, 진지·무생지는 각각 자신의 1지 전부와 고지·집지·멸지·도지·법지·유지 6지의 일부를 포함한다.
34 이하는 셋째 10지를 건립한 것에 대해 밝히는 것이다. 어떤 이유에서 유루·무루의 2지를 10지로 건립했는지 묻는 것이다.

제4절 법지·유지의 대치의 한계

위에서 말한 것처럼 법지·유지는 전부가 욕계와 상계의 법을 능히 대치하는데, 일부 상계와 욕계를 대치하는 것도 있는가?[36] 게송으로 말하겠다.

⑨ 멸제·도제를 반연하는 법지는[緣滅道法智]

....

35 답이다. 일곱 가지 인연에 의했기 때문에 2지를 10지로 건립하였다. 첫째 자성 때문에 세속지를 건립했으니, 체가 유루의 세속법이기 때문이다. 이 세속지는 무루의 승의지를 자성으로 하는 것이 아니기 때문이다. 만약 앞의 글(=②c에 관한 논설)에 의거한다면 또한 경계에 따라 명칭을 건립한 것이기도 하기 때문에 앞의 글에서, "앞의 유루지는 모두 세속지라고 이름하니, 대부분 항아리 등 세속의 경계를 취하기 때문이며"라고 말한 것이다. 둘째 대치 때문에 법지·유지를 건립했으니, 법지는 전부가 능히 욕계를 대치하고, 유지는 전부가 능히 상계를 대치한다. 멸·도법지는 비록 상계의 수혹도 역시 대치할 수 있지만, 전부가 아니기 때문이다. 셋째 행상 때문에 고지·집지를 건립했으니, 이 2지의 경계는 체에 차별이 없기 때문이다. 단지 능연의 행상이 같지 않을 뿐이니, 무상 등의 4행상에 의하기 때문에 고지를 건립하고, 인因·집集 등의 4행상에 의하기 때문에 집지를 건립한 것이다. 넷째 행상과 경계 때문에 멸지·도지를 건립했다. 이 2지는 행상에 차별이 있기 때문이니, 1지는 멸 등의 네 가지 행상을 짓고, 1지는 도 등의 네 가지 행상을 짓는다. 이 2지는 경계에 차별이 있기 때문이니, 1지는 무위를 반연하고, 1지는 유위를 반연한다. 행상이 같지 않고, 또 경계가 차별되므로 멸지·도지를 건립한 것이다. 다섯째 가행 때문에 타심지를 건립했다. 가행에 따라 명칭을 세운 것이니, 마음이 주된 것[主]이기 때문에 처음에는 마음만을 안다. 여섯째 일의 성취 때문에 진지를 건립했으니, 말하자면 아라한의 일이 성취된 몸 안에 최초로 생기기 때문이다. 일곱째 원인의 원만 때문에 무생지를 건립했으니, 견도·수도 및 무학도의 일체 성도를 갖춘 것이 동류인이 되어 생기기 때문에 원인의 원만이라고 이름한 것이다. 처음 진지가 생기는 것은 비록 견도·수도의 성도를 원인으로 하지만, 아직 무학의 성도를 원인으로 하지 않으므로 원인이 원만하다고 이름하지 않으며, 뒤에 상속하는 단계는 비록 무학의 성도도 원인으로 하므로 원인이 원만하다고 이름해야 하지만, 최초에 의거해 말하기 때문이다. 혹은 그 진지는 무생지가 원인이 되기 때문에 생기는 것이 아니므로 원인의 원만이라고 이름하지 못하는 것이다.

36 이하에서 곧 넷째 법지·유지가 아울러 대치하는 것에 대해 밝히려고 앞을 옮겨와서 물음을 일으킨 것이다. 위에서 말한 것처럼 법지는 전부가 욕계의 법을 능히 대치하고, 유지는 전부가 상계의 법을 능히 대치하는데, 상계를 대치하는 일부 법지도 있으며, 욕계를 대치하는 일부 유지도 있는가?

수도 단계 중에서[於修道位中]
아울러 상계의 수소단도 대치하지만[兼治上修斷]
유지는 욕계를 능히 대치하는 것이 없다[類無能治欲]

논하여 말하겠다. 수도에 포함되는 멸·도법지는 아울러 상계의 수소단도 대치할 수 있으니, 욕계의 멸·도는 상계(의 고·집)보다 뛰어나기 때문에 자계의 원수[自怨]를 이미 제거했다면 아울러 타계의 그것도 제거할 수 있기 때문이다. 이에 의해 유지는 욕계를 능히 대치하는 것이 없다.37

제3장 10지의 행상

제1절 10지의 행상의 차별

이 10지 중 무엇이 어떤 행상을 갖는가? 게송으로 말하겠다.

⑩ 법지 및 유지는[法智及類智]
행상이 모두 열여섯 가지이고[行相俱十六]
세속지는 이것들 및 다른 것이며[世俗此及餘]
4제의 지는 각각 네 가지이다[四諦智各四]

----

37 답이다. 수도에 포함되는 멸·도법지는 아울러 상계의 수소단도 대치할 수 있으니, 욕계의 멸·도의 법은 상계의 고·집의 법보다 뛰어나기 때문에 그래서 하계의 뛰어남을 반연하는 것이 상계의 열등함을 대치할 수 있는 것이다. 욕계의 고·집은 거칠고, 상계의 고·집은 미세하니, 거친 것을 반연하는 것은 미세한 것을 대치할 수 없기 때문에 고·집법지는 상계의 수혹을 대치하지 못한다. 또 자계의 원수를 이미 제거했다면 아울러 타계의 원수도 제거할 수 있기 때문이다. 이에 의해서 유지는 욕계를 대치할 수 있는 것이 없다. 그래서 『순정리론』(=제73권. 대29-739상)에서 말하였다. "반드시 자계에서 할 일이 이미 원만해야 비로소 아울러 타계의 할 일을 할 수 있는 것인데, 모든 유지의 경우 자기 일이 성취되었을 때 타계의 일이 아직 성취되지 않아 도움을 필요로 하는 뜻이 있는 것이 아니기 때문에 유지가 욕계의 법을 대치할 경우는 없다."

⑪ 타심지 중 무루는[他心智無漏]

　말하자면 도제를 반연하는 오직 네 가지이고[唯四謂緣道]

　유루는 자상을 반연하는데[有漏自相緣]

　모두 단지 한 가지만을 반연한다[俱但緣一事]

⑫a 진지·무생지는 열네 가지이니[盡無生十四]

　공·비아를 제외한 것을 말한다[謂離空非我]38

1. 7지의 행상

　논하여 말하겠다. 법지와 유지는 각각 비상非常·고苦 등의 16행상을 갖추고 있는데, 16행상에 대해서는 뒤에서 자세히 해석하겠다. 세속지에는 이 것들이 있으며, 그리고 다시 다른 것도 있으니, 능히 일체법의 자상·공상 등을 반연하기 때문이다. 고지 등 4지의 하나하나에는 각각 자제自諦의 경계를 반연하는 네 가지 행상이 있다.39

2. 타심지의 행상

(1) 타심지의 행상과 소연

　타심지 중 만약 무루라면 오직 도제를 반연하는 네 가지 행상만 있으니, 이는 곧 도지道智에 포함되는 것이기 때문이다. 만약 유루라면 자신의 소연인 심·심소법의 자상의 경계를 취한다. 따라서 마치 경계가 자상인 것처럼 행상도 역시 그러하기 때문에 이것은 앞의 16행상에 포함되는 것이 아니다.

　이와 같은 두 가지는 모든 때에 1찰나에 단지 한 가지[一事]만을 경계로 해서 반연한다. 말하자면 마음을 반연할 때에는 심소를 반연하지 않으며, 느낌[受] 등을 반연할 때에는 지각[想] 등을 반연하지 않는다.40

----

38 이하는 곧 셋째 10지의 행상을 밝히는 것이다. 그 안에 나아가면 첫째 10지의 행상을 밝히고, 둘째 행상이 청정(=무루)을 모두 포함하는지[行淨攝盡]를 밝히며, 셋째 실제의 체와 능·소에 대해 밝히니, 이는 곧 10지의 행상을 밝히는 것이다.

39 첫 게송을 해석하는 것이다. ('일체법의 자상·공상 등' 중) '등'은 가상관假想觀(=부정관 등) 등을 같이 취한 것이다. 나머지 글은 알 수 있을 것이다.

40 둘째 게송을 해석하는 것이다. 무루의 타심지는 비록 공상을 짓기는 하지만,

(2) 타심지의 소연인 22심

　㈏ 22심에 관한 설일체유부의 해석

　만약 그렇다면 무엇 때문에 박가범께서, "탐욕 있는 마음[有貪心] 등을 여실하게 안다"라고 설하셨는가?41 탐욕 등 및 마음을 동시에 취하는 것이 아니니, 마치 옷 및 때[垢]를 동시에 취하지 않는 것과 같다.42 탐욕 있는 마음이란 두 가지 뜻에서 탐욕 있는 것이니, 첫째 탐욕과 상응하는 것[貪相應], 둘째 탐욕에 의해 계박된 것[貪所繫]이다. 탐욕과 상응하는 마음은 두 가지 뜻에 모두 의한 것이지만, 나머지 유루의 마음은 오직 탐욕에 의해 계박된 것일 뿐이다.43

....

　　기뻐할 행[欣行](=무루심을 아는 것이기 때문)이기 때문에 능히 개별적으로 관찰한다. 그래서 『순정리론』 제73권(=대29-737상)에서 말하였다. "남의 몸의 무루의 심·심소법은 미세하기 때문이며 뛰어나기 때문에 자기의 유루의 타심지의 경계가 아니라는 그 이치는 그럴 수 있지만, 어째서 자기 몸의 무루의 타심지가 남의 유루의 심·심소를 능히 알지 못하는가? 유루의 경계에 대해 무루지가 생기는 것은, 행상과 소연이 이 지와 다르기 때문이다. 말하자면 무루지가 유루를 반연할 때에는 반드시 싫어해 등질 것을 전체적으로 반연하는 행상이니, 이 때문에 결정코 능히 남의 심·심소를 개별적으로 반연하여 타심지를 이루지 않는다. 모든 성지聖智가 유루를 반연할 때에는 반드시 소연에 대해 깊이 싫어해 등지려 함을 낳으므로 전체적으로 버리는 것을 좋아하지, 개별적으로 관찰하는 것을 좋아하지 않지만, 무루를 반연할 때에는 기뻐해 좋아함을 낳기 때문에 이미 전체적으로 관찰했다면 개별적으로 관찰하는 것도 역시 좋아하는 것이다." 나머지 글은 알 수 있을 것이다.

41 힐난이다. 만약 타심지가 심·심소법을 하나하나 개별적으로 반연한다면, 무엇 때문에 붓다께서, "탐욕 있는 마음 등을 여실하게 안다"라고 설하셨는가? 이 경(=중 24:98 염처경念處經 등)의 글에 준하면 탐욕 등(=심소)과 마음을 동시에 취하는 것이리라.

42 답이다. 마치 옷을 취하고 때를 취하지 않거나 때를 취하고 옷을 취하지 않는 것처럼, 탐욕 등과 마음을 취하는 것은 전후에 따로 취하는 것이지, 동시에 취하는 것이 아니다.

43 곧 경 중의 '탐욕 있는 마음' 등에 대해 해석하는 것이다. 모두 열한 가지 상대되는 마음을 밝히는데, 이하는 첫째 탐욕 있는 마음과 탐욕 여읜 마음을 해석하는 것이다. 널리 탐욕 있는 마음을 밝힌다면, 두 가지 뜻에서 탐욕 있는 것이니, 첫째 탐욕과 상응하는 것을 탐욕 있는 마음이라고 이름하고, 둘째 탐욕에 의해 계박된 것을 탐욕 있는 마음이라고 이름한다. 탐욕과 상응하는 마음은 두 가지 뜻에 의함(=탐욕과 상응함 및 탐욕에 의해 계박됨)을 갖춘 것이지만, 나머지 유루의 마음은 오직 탐욕에 의해 계박된 것일 뿐이다.

어떤 분이 말하였다. "경에서 탐욕 있는 마음이라고 말한 것은 오직 첫째 인 탐욕과 상응하는 마음만을 설한 것이고, 탐욕 여읜 마음[離貪心]이란 탐욕을 대치하는 마음을 말한다. 만약 탐욕과 상응하지 않는 것을 탐욕 여읜 마음이라고 이름한다면, 나머지 번뇌와 상응하는 것도 탐욕 여읜 마음이라 는 명칭을 얻어야 할 것이다."44 만약 그렇다면 탐욕을 대치하는 것이 아니 면서 불염오의 성품인 마음이 있는데, 이 마음은 탐욕 있는 마음도 아니고 탐욕 여읜 마음도 아니라는 등을 인정해야 할 것이다.45 그러므로 다른 논 사가 말한 것처럼 탐욕에 의해 계박된 것도 탐욕 있는 마음이라고 인정해 야 할 것이다.46 나아가 어리석음 있는 마음과 어리석음 여읜 마음에 이르 기까지도 역시 그러하다.47

....

44 이하는 여러 논사의 타심지에 대한 해석이다. 경에서의 '탐욕 있는 마음' 등에 대해 설일체유부의 어떤 한 논사는 말하였다. "이 경에서 탐욕 있는 마음이라 고 말한 것은 앞의 두 가지 중 오직 첫째인 탐욕과 상응하는 마음만을 설한 것이고, 탐욕 여읜 마음이란 탐욕을 대치하는 마음을 말한다. 곧 유루·무루의 선심으로서 단지 탐욕을 능히 대치하는 것만을 탐욕 여읜 마음이라고 이름한 다. 만약 나의 말과는 다른, 어떤 다른 논사의 말처럼 탐욕과 상응하지 않는 것을 탐욕 여읜 마음이라고 이름한다면, 나머지 성냄 등의 번뇌와 상응하는 것도 탐욕 여읜 마음이라는 명칭을 얻어야 할 것이다. 그렇지만 그것을 말하 여 탐욕 여읜 마음이라고 이름할 수 없으니, 염오한 것이기 때문이다."
45 논주의 힐난이다. 만약 그렇다면 탐욕을 대치하는 것이 아니면서 불염오의 성 품인 마음이 있으니, 곧 무부무기와 일부 선심인데, 이 마음은 탐욕 있는 마음 이라고 이름할 것도 아니고—탐욕과 상응하기 않기 때문이다— 탐욕 여읜 마 음이라고 이름할 것도 아니라는 것—탐욕을 대치하지 않기 때문이다—을 인정 해야 할 것이다. 그렇지만 그것도 역시 탐욕 있는 마음이니, 탐욕에 계박된 것이기 때문이다. '등'이란 성냄 있는 마음 등을 같이 취한 것이다. 만약 포함 되는 것이 아니라고 한다면, 곧 11상대(=22심)가 마음을 포함하는 것에 다 하지 못한 것이 있을 것이다.
46 논주가 힐난을 마치고 다시 이렇게 말하였다. "그러므로 설일체유부의 다른 논사가 말한 것처럼 탐욕에 의해 계박된 것도 탐욕 있는 마음이라고 이름하 되, 탐욕을 대치하는 마음은 탐욕 여읜 마음이라고 이름한다고 인정해야 할 것이다." 그 탐욕 여읜 마음은 첫째 논사와 같기 때문에 따로 말하지 않은 것 이다.
47 이는 곧 유추해석하는 것이다. 제2대인 성냄 있는 마음과 성냄 여읜 마음, 제 3대인 어리석음 있는 마음과 어리석음 여읜 마음도 역시 그러하다고 알아야 할 것이다.

비바사 논사들은 이렇게 말하였다. "모인 마음[聚心]이란 말하자면 선심善心이니, 이것은 소연에서 치달려 흩어지지 않기 때문이며, 흩어진 마음[散心]이란 말하자면 염오심[染心]이니, 이것은 흩어져 움직임[動]과 상응하여 일어나기 때문이다."48 서방의 논사들은 이렇게 말하였다. "잠[眠]과 상응하는 것을 모인 마음이라고 이름하고, 나머지 염오심을 흩어진 마음이라고 이름한다."49 이는 이치에 맞지 않다. 모든 염오심이 만약 잠과 상응한다면, 모인 마음과 흩어진 마음에 통해야 하기 때문이다. 또 근본논서에서, "모인 마음을 여실하게 아는 것은 4지를 완전히 갖추고 있으니, 말하자면 법지·유지·세속지·도지이다"라고 말한 것에도 응당 위배될 것이다.50

가라앉은 마음[沈心]이란 말하자면 염오심이니, 이것은 해태懈怠와 상응하여 일어나기 때문이며, 책려하는 마음[策心]이란 말하자면 선심이니, 이것은 바른 정진[正勤]과 상응하여 일어나기 때문이다.51

....

48 제4대인 모인 마음과 흩어진 마음이다. '흩어져 움직임[動]'은 곧 산란의 다른 명칭인데, 체는 곧 선정[定]이니, 상속하는 단계에 의거할 때 자주 흩어져 움직이기 때문에 '흩어져 움직임'이라는 명칭을 세운 것이다. (문) 흩어져 움직임을 선정이 능히 제거하는데, 흩어져 움직임이 선정을 체로 하는 것이라면, 지혜가 무명을 제거하니, 무명은 지혜를 체로 하는가? (해) 상속하는 단계에 의거해 선정을 흩어져 움직임이라고 말하지만, 만약 찰나에 의거한다면 선정도 역시 흩어지지 않는데, 무명은 그렇지 않으니, 상속이든 찰나든 모두 지혜가 없기 때문이다. 따라서 그 체는 지혜가 아니다. 나머지 글은 알 수 있을 것이다.
49 '서방의 논사들'은 곧 건타라국의 논사들이다.
50 비바사 논사의 논파이다. 이는 이치에 맞지 않다. 모든 염오심이 만약 잠과 상응한다면, 모인 마음과 흩어진 마음에 통해야 할 것이기 때문이다. 잠이기 때문에 모인 마음이라고 이름하고, 염오이기 때문에 흩어진 마음이라고 이름할 것이다. 또 근본논서 『발지론』(＝제19권. 대26-1026중)에서, "모인 마음을 여실하게 아는 것은 4지를 완전히 갖추고 있으니, 말하자면 법지·유지·세속지·도지이다"라고 말한 것에 위배될 것이다. 또 『대비바사론』 제190권(＝대27-950하)에서도 말하였다. "모인 마음[略心]을 모인 마음이라고 여실하게 아는 이것은 4지이니, 말하자면 법지·유지·세속지·도지이고, 흩어진 마음을 흩어진 마음이라고 여실하게 아는 이것은 1지이니, 말하자면 세속지이다." 만약 수면睡眠을 말하여 모인 마음이라고 이름한 것이라면 『대비바사론』의 글에 준할 때 단지 하나의 세속지만으로 안다고 말해야 할 것인데, 어째서 4지로써 안다고 말했겠는가? 『대비바사론』의 논평한 분도 이 논서와 같이 논파하였다.
51 제5대인 가라앉은 마음과 책려하는 마음이다.

작은 마음[小心]이란 말하자면 염오심이니, 청정품[淨品]이 적은 자들이 좋아해 익히는 것이기 때문이며, 큰 마음[大心]이란 말하자면 선심이니, 청정품이 많은 자들이 좋아해 익히는 것이기 때문이다. 혹은 근根, 가치[價], 권속, 따라 일어나는 것[隨轉], 힘의 작용[力用]의 적고 많음에 의했기 때문에 작은 마음과 큰 마음이라고 이름한 것이다. 염오심은 근이 적으니, 많아야 2근과 상응하기 때문이며, 선심은 근이 많으니, 항상 3근과 상응하기 때문이다. 염오심은 가치가 적으니, 공력을 써서 이루는 것이 아니기 때문이며, 선심은 가치가 많으니, 큰 자량으로 이루는 것이기 때문이다. 염오심은 권속이 적으니, 미래수未來修가 없기 때문이며, 선심은 권속이 많으니, 미래수가 있기 때문이다. 염오심은 따라 일어나는 것이 적으니, 오직 3온뿐이기 때문이며, 선심은 따라 일어나는 것이 많으니, 4온에 통하기 때문이다. 염오심은 힘의 작용이 적으니, 끊어진 선근도 반드시 다시 상속하기 때문이며, 선심은 힘의 작용이 많으니, 인忍은 반드시 모든 수면을 영원히 끊기 때문이다. 이에 의해 염오심과 선심이 작은 마음과 큰 마음이라는 명칭을 얻은 것이다.52

....

52 제6대인 작은 마음과 큰 마음이다. 작은 마음이란 말하자면 염오심이니, 청정품이 적은 사람이 좋아해 익히는 것이기 때문이며, 큰 마음이란 말하자면 선심이니, 청정품이 많은 사람이 좋아해 익히는 것이기 때문이다. 혹은 3근의 적고 많음에 의해, 혹은 가치의 수가 적고 많음에 의해, 혹은 권속의 적고 많음에 의해, 혹은 따라 일어나는 것의 적고 많음에 의해, 혹은 힘의 작용의 적고 많음에 의했기 때문에 작은 마음과 큰 마음이라고 이름한 것이다. 염오심은 근이 적으니, 만약 독두무명과 함께 일어나는 것이라면 곧 1근(=무명의 불선근)과 상응하고, 만약 탐욕·성냄과 함께 일어나는 것이라면 곧 2근과 상응하니, 탐욕·성냄이 일어날 때에는 반드시 상응무명이 있기 때문이다. 그래서 '많아야 2근과 상응한다'고 말한 것이다.(=선심과 항상 상응하는 '3근'은 3선근) 이치의 실제로 현재의 염오법은 닦는다[修]고 역시 이름하지 않고, 현재의 선법은 역시 닦는다고 이름하지만, 우선 미래에서 바라보고(=미래수) 권속을 밝힌 것이다. 염오심은 따라 일어나는 것이 적으니, 오직 수·상·행의 3온뿐이기 때문이며, 선심은 따라 일어나는 것이 많으니, 산심의 경우라면 비록 수·상·행의 3온이 따라 일어나지만, 만약 정심에 있는 경우라면 색·수·상·행의 4온(=정구계定俱戒의 무표색이 따라 일어나기 때문)이 따라 일어난다. 나머지 글은 알 수 있을 것이다. # 본문 중 선심의 힘의 작용이 많다고 한 부분에 관해, 『대비바사론』 제190권(=대27-951상)에, "마치 1찰나의 고법

들뜬 마음[掉心]이란 말하자면 염오심이니, 도거와 상응하기 때문이며, 들뜨지 않은 마음[不掉心]이란 말하자면 선심이니, 능히 그것을 대치하기 때문이다.53 고요하지 못한 마음[不靜心]과 고요한 마음[靜心]도 역시 그러하다고 알아야 할 것이다.54

집중되지 않은 마음[不定心]이란 말하자면 염오심이니, 흩어져 움직임[散動]과 상응하기 때문이며, 집중된 마음[定心]이란 말하자면 선심이니, 능히 그것을 대치하기 때문이다.55

닦지 않는 마음[不修心]이란 말하자면 염오심이니, 득수得修와 습수習修에 모두 포함되지 않기 때문이며, 닦는 마음[修心]이란 말하자면 선심이니, 2수修가 있다고 인정되기 때문이다.56

....
지인이 생기면 능히 욕계의 견고소단의 10수면을 단박에 영원히 끊는 등과 같다"라는 설명이 있다.
53 제7대인 들뜬 마음과 들뜨지 않은 마음이다. 능히 그것(=들뜬 마음)을 대치하기 때문에 곧 선정의 마음[定心]이다. 그래서 『대비바사론』(=제190권. 대27-951상)에서 말하였다. "들뜨지 않은 마음이란 말하자면 선심이니, 사마타와 상응하기 때문이다." 혹은 능히 그것을 대치하는 것은 곧 행사行捨(=행온의 평정)이다. 그래서 『대비바사론』(=제151권. 대27-770중)에서 말하였다. "들뜨지 않은 마음이란 말하자면 선심이니, 행사와 상응하기 때문이다."
54 제8대인 고요하지 못한 마음과 고요한 마음은 들뜬 마음과 들뜨지 않은 마음에 준해서 해석할 것이다. 그래서 『대비바사론』(=제151권. 대27-770중)에서 말하였다. "고요하지 못한 마음이란 말하자면 염오심이니, 고요하지 못함[不寂靜]과 상응하기 때문인데, 일체 번뇌는 모두 고요하지 못한 성품이다. 고요한 마음이란 말하자면 선심이니, 고요함[寂靜]과 상응하기 때문인데, 일체 선법은 모두 고요한 성품이다."
55 제9대인 집중되지 않은 마음과 집중된 마음이다. 말하자면 능히 그 흩어져 움직이는 마음을 대치하니, 곧 선정의 마음이다. 그래서 『대비바사론』(=제151권. 대27-770중)에서 말하였다. "집중되지 못한 마음이란 말하자면 염오심이니, 산란과 상응하기 때문이다. 집중된 마음이란 말하자면 선심이니, 등지等持와 상응하기 때문이다."
56 제10대인 닦지 않는 마음과 닦는 마음이다. 닦지 않는 마음이란 말하자면 염오심이니, 득수得修·습수習修의 2수修에 모두 포함되지 않기 때문이며, 닦는 마음이란 말하자면 선심이니, 득수·습수의 2수修가 있다고 인정되기 때문이다. 종래 아직 얻지 못했던 것을 지금 시기에 처음으로 얻는 것을 득수라고 이름하는데, 이는 법구득 및 법전득에 통한다. 체가 현전하는 것을 곧 습수라고 이름하는데, 이는 처음이든 뒤이든 공통으로 모두 습수라고 이름한다. 선법 중에는 혹은 득수로서 습수 아닌 것이 있으니, 예컨대 미래의 선법을 지금

해탈하지 못한 마음[不解脫心]이란 말하자면 염오심이니, 자성과 상속이 해탈하지 못했기 때문이며, 해탈한 마음[解脫心]이란 말하자면 선심이니, 자성이나 상속이 해탈했다고 인정되기 때문이다.57

　(나) 22심에 관한 다른 학설

이와 같은 해석은 계경에 수순하지 않으며, 또한 여러 문구의 차별되는 뜻도 능히 분별하지 못한 것이다.58

....

시기에 처음으로 닦는 것과 같으며, 혹은 습수로서 득수 아닌 것이 있으니, 예컨대 일찍이 닦았던 선법의 체가 현전하는 것과 같으며, 혹은 득수이면서 습수이기도 한 것이 있으니, 예컨대 미래의 일찍이 닦았던 선법이 지금 처음으로 현전하는 것과 같으며, 혹은 득수도 아니고 습수도 아닌 것이 있으니, 앞의 세 가지 양상을 제외한 것이다. 모두 갖추고 있는 것은 아니기 때문에 '인정된다'는 말을 둔 것이다. 그래서 『대비바사론』(=제151권. 대27-770하)에서 말하였다. "닦는 마음이란 말하자면 득수·습수 중의 어느 한 가지, 혹은 모두를 닦는 마음이다."

57 제11대인 해탈하지 못한 마음과 해탈한 마음이다. 해탈하지 못한 마음이란 말하자면 염오심이니, 체가 염오이기 때문에 자성이 해탈하지 못했으며, 번뇌 있는 몸 안에서 일어나기 때문에 상속이 해탈하지 못했다고 이름한다. 해탈한 마음이란 말하자면 선심이니, 자성이 해탈했다고 인정되거나, 상속이 해탈했다고 인정되기 때문이다. 일체 선심은 간략히 두 가지가 있으니, 첫째 유루, 둘째 무루이다. 만약 무루인 것이라면 자성이 해탈했다고 이름하니, 체가 계박을 떠났기 때문인데, 유학과 무학에 통한다. 모든 선심의 법을 모두 해탈했다고 이름할 것이 아니기 때문에 '인정된다'는 말을 둔 것이다. 선심이 몸에 의지하는 것도 간략히 두 가지가 있으니, 첫째 번뇌 있는 몸, 둘째 번뇌 없는 몸이다. 만약 번뇌 없는 몸에 의지한 것이라면 상속이 해탈했다고 이름한다. 이는 장애에서 벗어났음에 의거해 해탈신解脫身이라고 이름한다. 모든 의지하는 몸을 모두 해탈했다고 이름할 것이 아니기 때문에 '인정된다'는 말을 둔 것이다. 말하자면 선심 중 혹은 자성이 해탈한 것도 해탈한 마음이라고 이름하며, 혹은 상속이 해탈한 몸에 의지하는 것도 해탈한 마음이라고 이름할 것이므로, 4구로 분별해야 할 것이다. 혹은 자성해탈이면서 상속해탈이 아닌 선심이 있으니, 유학의 무루심을 말하며, 혹은 상속해탈이면서 자성해탈이 아닌 선심이 있으니, 무학의 유루의 선심을 말하며, 혹은 자성해탈이면서 상속해탈기도 한 선심이 있으니, 무학의 무루심을 말하며, 혹은 자성해탈도 아니고 상속해탈도 아닌 선심이 있으니, 유학의 유루 및 이생의 선심을 말한다. 4구 중 앞의 3구는 해탈한 마음이라고 이름한다. 그래서 『대비바사론』(=제151권. 대27-770하)에서 말하였다. "해탈한 마음이란 말하자면 자성해탈·상속해탈 중의 어느 한 가지, 혹은 모두 해탈한 마음이다."

58 경량부 논사의 물음이다. 이와 같은 해석은 첫째 곧 계경에 수순하지 않으며, 둘째 여러 문구의 차별되는 뜻도 능히 분별하지 못한 것이다.

어떻게 이런 해석이 계경에 수순하지 않했는가?59 경에서 말하였다. "이 마음이 어떠하면 안으로 모인 것[內聚]인가? 말하자면 마음이 만약 혼침[惛], 수면[眠]과 함께 작용하거나, 혹은 안과 상응하되 멈춤[止]이 있고 관찰[觀]이 없는 것이다. 어떠하면 밖으로 흩어진 것[外散]인가? 말하자면 마음이 5묘욕妙欲의 경계에서 노닐면서 따라 흩어지고 따라 흐르거나, 혹은 안과 상응하되 관찰이 있고 멈춤이 없는 것이다."60

염오심이 잠과 함께 한다면, 곧 하나의 마음이 모인 것과 흩어진 것에 통하는 허물이 있다고 어찌 앞에서 말하지 않했는가?61 비록 그렇게 말했지만, 이치가 아니니, 잠과 함께 하는 모든 염오심은 흩어진 마음이라고 인정되지 않기 때문이다.62 어찌 또 근본논서와 상위한다고 말하지 않했는가?63

....

59 비바사 논사의 물음이다.
60 경량부 논사의 답이다. 경(=출전 미상. 중 42:164 분별관법경에, 물음에 해당하는 글은 있지만, 답의 내용이 이 논서와는 많이 달라서 이 경을 가리키는 것이라고 보기 어렵다)에서, "이 마음이 어떠하면 안으로 모인 것인가? 말하자면 마음이 만약 혼침과 함께 작용하거나 수면과 함께 작용하는 것, 혹은 안과 상응하되 멈춤이 있고 관찰이 없는 것이다"라고 말한 것은, 말하자면 무색정이거나, 혹은 '안'이라고 말한 것은 말하자면 안의 마음 중 반드시 선정에 있어야 하는 것은 아니라는 것이다. 경량부에 의하면 선정과 지혜는 함께 일어나지 않기 때문에 그래서 멈춤이 있고 관찰이 없는 것이라고 말했으니, 이런 등의 부류는 모두 안으로 모인 것이라고 이름한다. "어떠하면 밖으로 흩어진 것인가? 말하자면 마음이 형색 등의 5경에서 노닐면서 따라 흩어지고 따라 흐르거나, 혹은 안과 상응하되 관찰이 있고 멈춤이 없는 것이다"라고 말한 것은, 말하자면 미지정·중간정이거나, 혹은 '안'이라고 말한 것은 말하자면 안의 마음 중 반드시 선정에 있어야 하는 것은 아니라는 것이다. 경량부에 의하면 선정과 지혜는 함께 일어나지 않기 때문에 그래서 관찰이 있고 멈춤이 없는 것이라고 말했으니, 이런 등의 부류는 모두 밖으로 흩어진 것이라고 이름한다.
61 비바사 논사가 나무라는 것이다. 서방의 논사들이 염오심이 잠과 함께 하는 것이라고 하는 것에 대해, 곧 하나의 마음이 모인 것과 흩어진 것에 통하는 허물이 있다고 어찌 앞에서 힐난하지 않했는가?
62 경량부 논사의 해석이다. 비록 그렇게 말했지만, 이치가 아니니, 우리의 종지로는, 잠과 함께 하는 모든 염오심은 흩어진 마음이라고 인정되지 않기 때문이다. 잠과 함께 하는 염오심은 오직 모인 마음일 뿐이기 때문이니, 따라서 하나의 마음이 모인 것과 흩어진 것에 통하는 허물은 없다.
63 비바사 논사의 힐난이다. 어찌 또 근본논서에서, 모인 마음은 4지를 완전히 갖추어서 안다고 한 것에 상위한다고 말하지 않했는가?

차라리 논서의 글에 어긋날 지언정, 경설經說에 어긋나서는 안 될 것이다.64

어떤 것이 여러 문구의 차별되는 뜻을 분별하지 못한 것인가?65 말하자면 그런 해석에 의한다면 흩어진 마음 등과 모인 마음 등 여덟 가지 마음의 다른 모습을 분별해 알 수 없기 때문이다.66 우리의 해석에 의하더라도 이런 계경 중의 8문구의 차별되는 뜻을 분별할 수 없는 것은 아니다. 말하자면 비록 흩어진 마음 등은 같이 염오심이지만, 그 허물의 차별을 나타내기 위하여, 그리고 비록 모인 마음 등은 같이 선심이지만, 그 공덕의 차별을 나타내기 위하여 여덟 가지 뜻에 의해 여덟 가지 명칭을 별도로 세운 것이다.67 이미 위배되는 경설經說을 회통시킬 수 없었으니, 분별한 문구의 뜻도 이치상 역시 이루어질 수 없다. 또 만약 가라앉은 마음[沈心]이 곧 들뜬 마음[掉心]이라면, 경에서 응당 "만약 마음이 가라앉는 그 때 가라앉는 것을 두려워하면서 경안·선정·평정의 3각지를 닦는다면 때 아닐 때에 닦는다[非時修]고 이름하며, 만약 마음이 들뜨는 그 때 들뜨는 것을 두려워하면서 택법·정진·기쁨의 3각지를 닦는다면 때 아닐 때에 닦는다고 이름한다"라고 설하시지 않았어야 할 것이다.68

....
64 경량부 논사의 답이다.
65 비바사 논사의 물음이다.
66 경량부 논사의 답이다. 11대 중 처음 3대인 탐욕 등은 함께 하지 않으므로 분명히 차별하여 말한 것은 이치가 우선 그럴 수 있지만, 흩어진 마음 등과 모인 마음 등 8대의 다른 모습은 분별하여 알 수가 없을 것이니, 말하자면 1찰나의 염오심은 곧 흩어진 마음 등의 여덟 가지 마음일 것이고, 1찰나의 선심은 곧 모인 마음 등의 여덟 가지 마음일 것이다.
67 비바사 논사의 변론이다. 우리의 해석에 의하더라도 이 계경 중의 8문구의 차별되는 뜻을 분별할 수 없는 것은 아니다. 말하자면 비록 흩어진 마음 등이 같이 염오심이기는 해도 그 허물의 차별을 나타내기 위한 때문에 여덟 가지 뜻에 의해 따로 여덟 가지 명칭을 세운 것이니, 유정들로 하여금 염리厭離를 낳게 하고자 한 때문이며, 그리고 모인 마음 등이 같이 선심이기는 해도 그 공덕을 차별을 나타내기 위한 때문에 여덟 가지 뜻에 의해 따로 여덟 가지 명칭을 세운 것이니, 유정들로 하여금 흔락欣樂을 낳게 하고자 한 때문이다.
68 경량부 논사의 논파이다. 이미 위배되는 경설을 회통시킬 수 없었으니, 분별한 8문구의 뜻도 경에 의하지 않았기 때문에 이치상 역시 이루어질 수 없다. 또 만약 가라앉음과 상응하는 마음이 곧 들뜸과 상응하는 마음이라면, 경(=잡 [27]27:714 화경火經 등)에서 응당, "만약 마음이 가라앉는 그 때 가라앉

어찌 각지를 닦는 것에 산위에서의 별도의 이치[散別理]가 있겠는가?69 이는 작의하여 닦고자 하는 것[作意欲修]에 의거해 닦는다고 이름한 것이지, 현전에 닦는 것이 아니기 때문에 허물이 없다.70

어찌 우리의 설도 역시 경에 어긋나지 않는다고 하지 않겠는가? 비록 모든 염오심은 모두 가라앉은 마음과 들뜬 마음이라고 이름하지만, 해태가 증성한 것을 경에서 가라앉은 마음이라고 설하고, 도거가 증성한 것을 경에서 들뜬 마음이라고 설한 것이며, 항상 상응한다는 점에 의거해 우리는 체가 하나라고 말한다.71 자신의 뜻에 따라 말하는 것을 누가 다시 막을 수 있겠는가? 그렇지만 실제로 이 경의 뜻은 그와 같지 않다.72

앞에서 탐욕에 의해 계박된 일체 마음은 모두 탐욕 있는 마음이라고 이름한다고 말했는데, 탐욕의 계박[貪繫]은 무슨 뜻인가? 만약 탐욕의 득이 따르기 때문이라면, 유학의 무루심도 탐욕 있는 것이라고 이름해야 할 것이니, 탐욕의 득이 따르기 때문이다. 만약 탐욕의 소연이기 때문이라면, 무학의 유루심도 탐욕 있는 것이라고 이름해야 할 것이니, 탐욕의 소연이기

....

는 것을 두려워하면서 경안·선정·평정의 3각지를 닦는다면, 때 아닐 때에 닦는다고 이름하고, 택법·정진·기쁨각지를 닦는다면, 때에 의해서 닦는다고 이름하며, 만약 마음이 들뜨는 그 때, 들뜨는 것을 두려워하면서 택법·정진·기쁨의 3각지를 닦는다면, 때 아닐 때에 닦는다고 이름하고, 경안·선정·평정각지를 닦는다면, 때에 의해서 닦는다고 이름한다"라고 설하시지 않았어야 할 것이다. 이 경의 뜻이 말하는 것은, 마음이 가라앉으면 책려가 필요하고, 마음이 들뜨면 억제가 필요하다는 것이다. 가라앉은 마음과 들뜬 마음을 경에서 이미 차별해 설했으니, 가라앉음과 들뜸이 일어나는 것은 시간을 같이 하지 않는다는 것을 분명히 알 수 있다. 어떻게 가라앉은 마음이 곧 들뜬 마음이라고 말할 수 있겠는가?

69 비바사 논사의 힐난이다. 7각지는 선정에 있는 것이므로 지분이 반드시 갖추어져 있을 것인데, 어찌 각지를 닦는 것에 대해 산심 중에 따로 닦는 도리가 있기에 어떻게 때와 때 아님이 차별된다고 말하겠는가?
70 경량부 논사의 해석이다. 이는 작의하여 장차 선정에 들려고 할 때 각지를 닦고자 하는 것에 의거해 닦는다고 이름한 것이지, 현전에 무루각지를 닦는 것이 아니기 때문에 허물이 없다.
71 비바사 논사의 경에 대한 해석이다. 만약 한 쪽이 증성한 것에 의거한다면 가라앉음과 들뜸을 따로 말하고, 만약 항상 가라앉음·들뜸과 상응하는 것에 의거한다면 염오심으로서 그 체가 하나라고 우리는 말한다.
72 경량부 논사의 비판이다.

때문이다. 만약 그것이 탐욕의 소연이 되는 것을 인정하지 않는다면, 어떻게 그 마음이 유루가 될 수 있겠는가? 만약 공상혹共相惑의 연이 되는 것에 의해서라고 말한다면, 어리석음 있는 마음이라고 이름해야 할 것이니, 어리석음의 소연이기 때문이다. 그렇지만 타심지는 탐욕의 득을 반연하지 않으며, 또한 마음을 반연하는 탐욕을 반연한다고 말할 수도 없는데, 어찌 남의 마음이 탐욕 있는 마음 등이라고 알겠는가? 따라서 탐욕에 의해 계박된 것을 탐욕 있는 마음이라고 이름한 것이 아니다.73

【논주의 해석】 만약 그렇다면 무엇을 말하는 것인가?74 이제 경의 뜻을 살피건대 탐욕과 상응하기 때문에 탐욕 있는 마음이라고 이름하며, 탐욕과 상응하지 않는 것을 탐욕 여읜 마음이라고 이름하는 등이다.75 만약 그렇다면

----

73 논주가 앞에서 힐난하면서 임시로 인정했던 둘째 논사의 해석(=탐욕에 의해 계박된 것도 탐욕 있는 마음이라는 해석)을 이제 다시 따져서 논파하는 것이다. 앞에서 탐욕에 의해 계박된 일체 마음은 모두 탐욕 있는 마음이라고 말했는데, 탐욕의 계박은 무슨 뜻인가? 계탁을 옮겨와서 따져 묻는 것이다. 만약 탐욕의 득이 따르기 때문에 탐욕에 의해 계박된 것이라고 이름한 것이라면, 유학의 무루심도 탐욕 있는 마음이라고 이름해야 할 것이니, 탐욕의 득이 따르기 때문이다. 만약 탐욕의 소연이기 때문에 탐욕에 의해 계박된 것이라고 이름한 것이라면, 무학의 유루심도 탐욕 있는 마음이라고 이름해야 할 것이니, 역시 다른 사람의 탐욕의 소연이 되기 때문이다. 만약 그 무학의 유루심이 탐욕의 소연이 되는 것을 인정하지 않는다면, 어떻게 그의 마음이 유루가 될 수 있겠는가? 그대가 만약 계탁을 바꾸어서, 말하자면 무학의 유루심은 소견 등 공상혹의 연이 되기 때문에 유루심이라고 이름하는 것이지, 탐욕 등 자상혹의 연이 되지 않기 때문에 탐욕 있는 마음이라고 이름하지 않는다고 말한다면, 탐욕의 연이 되지 않으므로 가히 탐욕 있는 것이 아닐 것이고, 이미 무명이라는 공상혹의 연이 되므로 어리석음 있는 마음이라고 이름해야 할 것이니, 어리석음의 소연이기 때문이다. 다시 이치로써 논파한다. 그렇지만 타심지는 탐욕의 득을 반연하지 않으며, 또한 그 마음을 반연하는 탐욕을 반연한다고 말할 수도 없는데, 어찌 남의 마음이 탐욕 있는 마음 등이라고 알겠는가? 따라서 탐욕에 의해 계박된 것을 탐욕 있는 마음이라고 이름하는 것이 아니다. 그의 경에 대한 해석도 역시 뜻을 얻지 못한 것이기 때문에 이제 논주가 다시 서술하여 따지고 논파한 것이다.
74 앞의 둘째 논사의 물음이다.
75 논주가 셋째로 바르게 해석하는 것이다. 이제 경의 뜻을 살피건대 탐욕과 상응하기 때문에 탐욕 있는 마음이라고 이름하며, 탐욕과 상응하지 않는 것을 탐욕 여읜 마음이라고 이름하니, 곧 모든 선심 및 모든 무부무기심이다. '등'이란 성냄 있는 마음 등을 같이 취한 것이니, 준해서 해석하는 것은 알 수 있

어째서 다른 계경에서, "탐욕·성냄·어리석음을 여읜 마음은 다시 3유有에 떨어지지 않는다"라고 말했겠는가?76 그 득을 여읜 것에 의해 설한 것이기 때문에 허물이 없다.77

어찌 앞에서, "나머지 번뇌와 상응하는 것도 탐욕 여읜 마음이라는 명칭을 얻어야 할 것이니, 그것도 역시 탐욕과 상응하지 않기 때문이다"라고 해서 이미 이 설을 논파하지 않았던가?78 만약 이 뜻에 의한다면, 인정하더라도 역시 어긋남이 없다. 그렇지만 탐욕 여읜 마음이라고 말하지 않는 것은 그것이 성냄 있는 마음이나 어리석음 있는 마음 등에 속하기 때문이다.79

....

을 것이다.

76 둘째 논사의 힐난이다. 만약 탐욕·성냄·어리석음을 여읜 마음이 유루에도 통한다고 말한다면, 어째서 경(=잡 [18]18:499 석주경石柱經)에서, "탐욕·성냄·어리석음을 여읜 마음은 다시 3유有에 떨어지지 않는다"라고 말했겠는가? 이미 3유에 떨어지지 않는다고 말했으니, 탐욕 여읜 마음 등은 오직 무루라는 것을 분명히 알 수 있다.

77 논주가 경에 대해 회통하는 것이다. 3계의 번뇌의 득을 여의는 것에 의해 설했기 때문에 다시 3유에 떨어져 수생하지 않는다고 말한 것이지, 오직 무루의 체만이 그 3유에 포함되는 것에 통하지 않는 것은 아니다. 그 경은 득을 여읨에 의거해 3유에 떨어지지 않는 것을 탐욕 여읜 마음 등이라고 이름한 것이고, 우리는 탐욕과 상응하지 않는 것에 의거해 탐욕 여읜 마음 등이라고 이름한 것이니, 각각 한 가지 뜻에 의거했기 때문에 허물이 없다.

78 둘째 논사가 앞과 같다고 가리킴에 의해 논파하는 것이다. 어찌 앞의 첫째 논사에 대해, "만약 탐욕과 상응하지 않는 것을 탐욕 여읜 마음이라고 이름한다면, 나머지 번뇌와 상응하는 것도 탐욕 여읜 마음이라는 명칭을 얻어야 할 것이니, 그것도 역시 탐욕과 상응하지 않기 때문이다"라고 해서 이미 이 설을 논파하지 않았던가? 어째서 논파된 뜻을 세우는가?

79 논주의 변론이다. 우리는 이치를 바른 것으로 삼는다. 어찌 앞에서 논파했다고 해서 곧 그른 것이겠는가? 만약 이 뜻에 의한다면, 나머지 번뇌와 상응하는 것도 역시 탐욕 여읜 것이라고 이름한다고 인정하더라도 역시 어긋남이 없다. 그렇지만 탐욕 여읜 마음이라고 말하지 않는 것은, 그것이 성냄 있는 마음이나 어리석음 있는 마음 등에 속하기 때문이다. 이에 준하기 때문에 유루·무루의 선심 및 무부무기심을 모두 탐욕 여읜 마음이라고 이름한다고 알아야 할 것이다.

널리 두 가지 뜻에 의해서 마음을 탐욕 있는 것이라고 이름하니, 첫째 탐욕과 상응하는 것, 둘째 탐욕에 의해 계박된 것이다. 널리 두 가지 뜻에 의해 마음을 탐욕 여읜 것이라고 이름하니, 첫째 탐욕과 상응하지 않는 것, 둘째 탐욕을 대치하는 것이다. 위에 모두 세 가지 해석이 있었으니, 첫째 논사는 탐욕과 상응하는 것에 의했기 때문에 탐욕 있는 마음이라고 이름하고, 탐욕을

(3) 타심지의 행상 결론

이제 방론을 그치고 본론을 서술해야 할 것이다. 여기서 밝힌 타심지는 남의 마음의 소연所緣도 역시 취할 수 있으며, 아울러 남의 마음의 능연能緣의 행상도 역시 취하는가?[80] 모두 취할 수 없으니, 그 마음을 알 때 그 소연과 능연의 행상을 관찰하지 않기 때문이다. 말하자면 단지 그 염오 있는 등의 마음만을 알 뿐, 그 마음이 오염된 형색 등을 알지 못하며, 그 능연의 행상도 역시 알지 못한다. 그렇지 않다면 타심지는 형색 등도 역시 반연해야 할 것이며, 또 능히 스스로를 반연하는 허물도 또한 있어야 할 것이다.[81]

모든 타심지에는 결정적 모습이 있다. 말하자면 오직 욕계·색계에 계박된, 그리고 계박된 것 아닌, 남의 상속 중의 현재 같은 부류의 심·심소법의 한 가지 실제의 자상[一實自相]만을 능히 취하여 소연의 경계로 삼을 뿐이

....

대치하기 때문에 탐욕 여읜 마음이라고 이름했으며, 둘째 논사는 탐욕에 계박된 것에 의했기 때문에 탐욕 있는 마음이라고 이름하고, 탐욕을 대치하기 때문에 탐욕 여의 마음이라고 이름했으며, 셋째로 논주는 탐욕과 상응하는 것에 의했기 때문에 탐욕 있는 마음이라고 이름하고, 탐욕과 상응하지 않는 것을 탐욕 여읜 마음이라고 이름하였다.

80 논쟁을 그치고 종지를 서술하는 것인데, 물었다. 여기서 밝힌 타심지는 이미 남의 마음을 아는데, 남의 마음의 소연인 형색 등의 경계도 역시 능히 취하는가? 아울러 남의 마음 가문[他心家]의 능연의 행상도 역시 취하는가? 예컨대 어떤 다른 사람이 그 남의 마음을 (알기 위해) 반연하는 것과 같은 경우, 이 다른 사람의 마음을 남의 마음 가문의 능연의 행상이라고 이름한다.

81 답이다. 모두 취할 수 없으니, 그 마음을 알 때 그 마음의 소연을 관찰하지 않으며, 그 마음 가문의 능연의 행상을 관찰하지 않기 때문이다. 말하자면 타심지는 단지 그 마음에 염오 있는 등의 마음만을 알 뿐, 그 마음 가문이 오염된 형색 등을 알지 못하며, 그 마음 가문의 능연의 행상도 역시 알지 못한다. 만약 남의 마음의 소연의 경계를 안다면, 곧 타심지는 형색 등도 반연하므로 타색지他色智라고도 역시 이름해야 하는 허물이 있을 것이며, 만약 남의 마음 가문의 능연의 행상을 안다면, 또 능히 스스로를 반연하는 허물도 또한 있어야 할 것이니, 타심지가 그 남의 마음의 능연의 행상을 알기 때문이다. 그렇지만 이 부파는 마음이 스스로를 반연하는 것을 인정하지 않는다. 또 해석하자면 타심지가 일어날 때 남의 마음이 연이 된다는 측면은 타심의 소연이고, 다시 남의 마음을 반연하는 것은 타심의 능연의 행상인데, 만약 타심지가 남의 마음의 소연과 능연의 행상을 안다면, 또 능히 스스로를 반연하는 허물이 또한 있어야 할 것이니, 타심지가 아니다. 이는 곧 (소연과 능연에 대해) 쌍으로 논파하는 것이다.

다. 공空·무상無相과는 상응하지 않으며, 진지·무생지에는 포함되지 않는 것으로서, 견도와 무간도 중에는 있지 않다. 나머지는 부정되지 않을 것이니, 상응하는 대로 있을 수 있다.[82]

3. 진지·무생지의 행상

진지·무생지는 공空·비아非我를 제외한 나머지 14행상을 각각 갖추고 있으니, 이 2지는 비록 승의에 포함되지만, 세속과 교섭하는 것[涉於世俗]이기 때문에 공·비아를 떠나는 것이다. 말하자면 그것의 힘에 의해 출관할 때, '나의 태어남은 이미 다했고 범행은 이미 확립되었으며 할 일은 이미 다해서 후유를 받지 않는다'라는 이런 말을 하는 것이다.[83]

....

82 자기 종지를 서술하는 것이다. 또 해석하자면 이 글은 역시 앞의 물음에 대한 답이기도 하니, 타심지는 남의 마음의 소연과 능연을 알지 못한다는 것을 나타내는 것이다. 모든 타심지에는 결정적 모습이 있다. 말하자면 오직 욕계·색계에 계박된, 그리고 계박된 것이 아닌-'욕계 등'이라는 말은 무색계와 다르다고 가려낸 것이니, 상계를 알지 못하기 때문이다- 남의 상속의-자신을 가려내는 것이다- 현재-과거·미래를 가려내는 것이니, 그 과거·미래에 대해서는 작용이 없기 때문이다- 같은 부류의-말하자면 법지 부분은 법지 부분을 알고, 유지 부분은 유지 부분을 알며, 유루는 유루를 알고, 무루는 무루를 아는 것이니, 이는 곧 다른 부류를 가려내는 것이다- 심·심소법의-형색 등을 가려내는 것이니, 형색 등의 경계는 능히 알지 못하기 때문이다- 한 가지-두 가지 등을 가려내는 것이니, 말하자면 단지 한 가지만 알 뿐, 두 가지 등은 아니기 때문이다- 실제의-가법[假]을 가려내는 것이니, 타심지는 가법을 알지 못하기 때문이다- 자상-공상을 가려내는 것이니, 공상을 알지는 못하기 때문이다. 예컨대 식이 요별하는 것을 자상이라고 이름하는 등과 같다. 무루의 타심지는 비록 공상도 짓지만, 한 가지 법을 따로 관찰하고 여러 법을 관찰하지 않기 때문에 역시 자상이라고 이름한다-만을 능히 취하여 이런 등의 법을 소연의 경계로 할 뿐이다. 도제의 4행상을 짓기 때문(=도지道智에 속하기 때문)에 무원삼매와 상응하지만, 다른 행상을 짓지 않으므로 공·무상삼매와는 상응하지 않는다.(=3삼매의 행상에 대해서는 뒤의 제28권 중 게송 [24]와 그 논설 참조) 진지·무생지에는 포함되지 않으니, 타심지는 견의 성품이지만, 이것들은 추구를 종식시킨 것이어서 견의 성품이 아니기 때문이다. 고지·집지·멸지는 앞에서 이미 가려낸 것과 같지만, 진지·무생지는 도제에도 통하기 때문에 다시 거듭 가려낸 것이다. 견도에는 있지 않으니, 빠르기 때문에 참여할 수 있는 것이 아니기 때문이다. 무간도에도 있지 않으니, 장애를 끊는 것이기 때문에 참여할 수 있는 것이 아니기 때문이다. 나머지 수도 중의 가행·해탈·승진도 중에는 그 상응하는 대로 있을 수 있기 때문이다.

83 뒤의 2구를 해석하는 것이다. 진지·무생지가 처음 일어날 때에는 오직 유정지

제2절 무루지와 16행상

무루에는 이 16행상을 넘어 다시 그 밖의 다른 행상에 포함되는 것이 있는가? 게송으로 말하겠다.

⑫c 무루에는 16행상을 넘어서는 없는데[淨無越十六]
　다른 분은 있다고 말했으니, 논서 때문이다[餘說有論故][84]

논하여 말하겠다. 가습미라국의 논사들은, 무루의 행상은 이 열여섯 가지를 넘어서는 없다고 말했는데,[85] 외국의 논사들은, 그 열여섯 가지를 넘어

의 고·집제만을 반연하여 6행상을 짓지만, 만약 뒤의 시기에 있을 때라면 4제를 통틀어 반연하되, 16행상 중 공·비아를 제외한 나머지 14행상을 각각 갖춘다. 공·비아의 행상을 짓지 않는 까닭은, 이 2지는 비록 승의에 포함되지만, '나의 태어남은 이미 다했다'라는 등으로 세속과 교섭하는 것이기 때문에 관찰이 안에 있더라도 공·비아를 제외하는 것이다. 이는 곧 앞의 원인이 뒤의 결과에 이른 것이니, 말하자면 안의 진·무생을 관찰한 힘에 의해 출관할 때의 후득지 중에서 '나의 태어남은 이미 다했다'라는 등의 이런 말을 하는 것이다. 따라서 관찰이 안에 있을 때 공·비아를 떠났으니, 공·비아는 '나'와 어긋나기 때문이다. 그래서 『대비바사론』 제29권(=대27-150중)에서 말하였다. "'나의 태어남은 이미 다했다'는 것은 집제를 반연하는 4행상이고, '범행은 이미 확립되었다'는 것은 도제를 반연하는 4행상이며, '할 일은 이미 다했다'는 것은 멸제를 반연하는 4행상이고, '후유를 받지 않을 것이다'라는 것은 고제를 반연하는 2행상이니, 말하자면 고·비상이다."

84 이하는 곧 둘째 행상이 청정(=무루)을 모두 포함하는지 밝히는 것인데, 윗 구는 바른 종지를 서술하는 것이고, 아랫 구는 다른 학설을 서술하는 것이다.

85 윗 구를 해석하는 것이다. 『순정리론』 제73권(=대29-739하)에서 말하였다. "진지·무생지는 반드시 스스로 '나의 태어남' 등을 안다고 말한 것이 어찌 있지 않았는가? 이것은 상위하지 않는다고 앞에서 이미 말했기 때문이다. 말하자면 무루관 후의 세속지 중에서 이런 행상을 짓는 것이지, 무루지에서 이런 행상이 일어나는 것이 아니라고 앞에서 이미 말했으니, 진지·무생지가 세속지를 견인해 일으키므로 공功을 그 근본에 미루어 그것이 안다고 말한 것이다. 그래서 이 지혜는 공·비아를 떠난 것이라고 인정한 것이다." 또 말하였다. "만약 그렇다면 이미 무루의 타심지가 있으니, 16행상을 넘어서 무루의 행상이 있어야 할 것이다. 말하자면 타심지는 모두 한 가지 실제의 자상을 경계로 하는데, 도지道智 등의 행상은 모두 쌓여 모인 것들[聚集]의 공상을 경계로 하니, 피차 이미 다르므로 16행상을 떠나서 결정코 별도로 무루의 행상이 있다는

서 다시 남은 무루의 행상이 있다고 말하였다.86 어떻게 그런지 아는가?87 근본논서 때문이니, 예컨대 근본논서에서 말하였다. "불계不繫의 마음으로서 욕계에 매인 법을 능히 요별하는 것이 혹시 있는가? 능히 요별한다고 말한다. 말하자면 비상非常이라고 하기 때문이고, 고苦라고 하기 때문이며, 공空이라고 하기 때문이고, 비아非我라고 하기 때문이며, 인因이라고 하기 때문이고, 집集이라고 하기 때문이며, 생生이라고 하기 때문이고, 연緣이라고 하기 때문이며, 이런 도리[是處]가 있다고 하고, 이런 일[是事]이 있다고 하니, 여리작의[如理]에 의해 견인되어 요별한다." 만약 그 글은, 불계의 마음이 욕계에 매인 법을 요별할 때 앞에서 밝힌 8행상을 제외한 밖에 '이런 도리가 있다'고 하는 행상과 '이런 일이 있다'고 하는 행상이 별도로 있음을 나타내어 보이기 위한 것이 아니라, 단지 8행상을 짓는 여기에는 이런 도리가 있으며 여기에는 이런 일이 있다는 것을 나타내어 보이기 위한 것일 뿐이라고 말한다면, 이 해석은 그렇지 않으니, 다른 곳에서는 그렇게 말하지 않았기 때문이다. 말하자면 만약 그 논서에서 이런 뜻에 의해 말한 것이라면, 다른 곳에서도 역시 이런 말을 했어야 할 것이다. 그렇지만 그 논서의 다른 글에서는 단지 이렇게 말했을 뿐이다. "견소단의 마음으로서 욕계에 매인 법을 능히 요별하는 것이 혹시 있는가? 능히 요별한다고 말한다. 말하자면 나[我]라고 하기 때문이고, 나의 소유[我所]라고 하기 때문이며, 단멸한다[斷]고 하기 때문이고, 상주한다[常]고 하기 때문이며, 무인無因이라고

....

것을 알 수 있다. 결정코 인정할 것이 아니기 때문에 힐난한 바는 그렇지 않다. 말하자면 우리의 종지에서는 결정코 공상의 행상은 다만 쌓여 모인 것들만 반연한다고 인정하지 않으니, 느낌·마음의 2념주가 있다고 인정하기 때문이다. 예컨대 한 가지 느낌의 체가 비상非常인 것을 관찰하는 것과 같으니, 이 지혜가 생길 때 공상의 행상으로써 한 가지 실제의 자상을 관찰해서 경계로 삼는 것을 공히 인정한다. 이와 같거늘 어찌 무루의 타심지가 공상의 행상으로써 한 가지 실제의 자상을 반연하는 것을 인정하지 않을 것인가? 말하자면 남의 마음을 아는 것은 진정한 도(=도지) 등이니, 즉 한 가지 실제를 반연하는 것도 도 등의 행상인 것이다."

86 이하는 아랫 구를 해석하는 것이다. '외국의 논사'는 곧 서방(=건타라국)의 사문인데, 이는 다른 학설을 서술하는 것이다.
87 가습미라 논사의 물음이다.

하기 때문이고, 무작無作이라고 하기 때문이며, 감손減損하기 때문이고, 존
귀하다[尊]고 하기 때문이며, 뛰어나다[勝]고 하기 때문이고, 위[上]라고 하
기 때문이며, 제일이라고 하기 때문이며, 능히 청정케 하는 것이라고 하기
때문이고, 능히 해탈케 하는 것이라고 하기 때문이며, 능히 출리케 하는 것
이라고 하기 때문이고, 미혹하기[惑] 때문이며, 의심하기[疑] 때문이고, 유
예猶豫하기 때문이며, 탐내기 때문이고, 성내기 때문이며, 거만하기 때문이
고, 어리석기 때문이니, 비리작의[不如理]에 의해 견인되어 요별한다." 여기
등에서도 역시 '이런 도리가 있다'는 등의 말을 했어야 할 것인데, 이미 이
런 말이 없기 때문에 해석이 이치가 아닌 것이다.[88]

....
88 외국 논사의 답이다. 근본논서 때문이라고 한 것은 즉 『식신족론』(=제6권.
대26-562상)이니, 예컨대 그 근본논서에서 말한 것과 같다. "무루의 불계不
繫의 마음으로서 욕계에 매인 법을 능히 요별하는 것이 혹시 있는가? (답) 능
히 요별한다고 말한다. 말하자면 비상 등의 여덟 가지 행상 및 이런 도리[處]
가 있다고 하는 것-'처處'는 도리에 부합해서 수용한다는 뜻이다- 및 이런 일
[事]이 있다고 하는 것-'사事'는 일의 작용[事用]을 말한다-이다." 이 열 가지
를 모두 '여리작의에 의해 견인되어 요별한다'고 이름하였다. 근본논서에서
이미 8행상을 떠난 밖에 별도로 이런 도리가 있다는 것과 이런 일이 있다는
것을 말했는데, 이는 불계의 마음이기 때문에 16행상을 떠난 밖에 별도로 무
루심이 있다는 것을 알 수 있다.
　그대들 가습미라의 논사들이 만약 그 글은, 불계의 마음이 욕계에 매인 법
을 요별할 때 앞에서 밝힌 8행상을 제외한 밖에 '이런 도리가 있다'고 하는
행상과 '이런 일이 있다'고 하는 행상이 별도로 있음을 나타내기 위한 것이 아
니라, 단지 불계의 마음이 8행상을 지어서 욕계에 매인 법을 반연하는 여기에
는 이런 도리가 있으며 여기에는 이런 일이 있다는 것을 나타내기 위한 것일
뿐으로, 앞의 여덟 가지는 개별적으로 말한 것이고, 뒤의 두 가지는 전체적으
로 맺는 것이지, 별도의 체성은 없는 것이라고 말한다면, 이 해석은 그렇지
않으니, 다른 곳에서는 이런 말이 없기 때문이다. 말하자면 만약 근본논서가
이런 뜻에 의해 말한 것이라면, 다른 곳의 글에서도 역시, 이런 도리가 있으며
이런 일이 있다고 앞의 글을 전체적으로 맺는 이런 말을 했어야 할 것이다.
그렇지만 그 논서의 다른 글에서는 단지 이렇게 말했을 뿐이다. "견소단의 마
음으로서 욕계에 매인 법을 능히 요별하는 것이 혹시 있는가? (답) 능히 요별
한다. 말하자면 나라고 하기 때문이고, 나의 소유라고 하기 때문이며-이상은
유신견이다-, 단멸한다고 하기 때문이고, 상주한다고 하기 때문이며-이상은
변집견이다-, 무인無因이라고 하기 때문이고, 무작無作이라고 하기 때문이며,
감손減損하기 때문이고-이상은 사견이다. 혹은 무인은 집제 하의 사견이고,
무작은 도제 하의 사견이며, 감손은 멸제 하의 사견이다. 혹은 무인은 원인을

제3절 16행상의 실제의 체와 그 능·소

16행상의 실제의 체[實事]에는 몇 가지가 있으며, 무엇을 행상行相, 행의 주체[능행能行], 행의 대상[소행所行]이라고 말하는가? 게송으로 말하겠다.

⑬ 행상은 실제로 열여섯으로서[行相實十六]
　이것들의 체는 오직 지혜이고[此體唯是慧]
　능행은 소연을 갖는 법이며[能行有所緣]
　소행은 존재하는 모든 법이다[所行諸有法][89]

1. 16행상의 실제의 체

....

비방하는 사견이고, 무작은 결과를 비방하는 사견이며, 감손은 인과를 비방하는 사견이다ー, 존귀하다고 하기 때문이며, 뛰어나다고 하기 때문이고, 위라고 하기 때문이며, 제일이라고 하기 때문이며ー이상은 견취이다. 혹은 존귀하다는 것은 고제 하의 견취이고, 뛰어나다는 것은 집제 하의 견취이며, 위라는 것은 멸제 하의 견취이고, 제일이라는 것은 도제 하의 견취이다. 혹은 존귀하다는 것은 예류를 뛰어나다고 계탁하는 것이고, 뛰어나다는 것은 일래를 뛰어나다고 계탁하는 것이며, 위라는 것은 불환을 뛰어나다고 계탁하는 것이고, 제일이라는 것은 응과를 뛰어나다고 계탁하는 것이다ー, 능히 청정케 하는 것이라고 하기 때문이고, 능히 해탈케 하는 것이라고 하기 때문이며, 능히 출리케 하는 것이라고 하기 때문이고ー이상의 계금취이다. 혹은 능히 청정케 한다는 것은 욕계이고, 능히 해탈케 한다는 것은 색계이며, 능히 출리케 한다는 것은 무색계이다. 혹은 능히 청정케 한다는 것은 번뇌장이고, 능히 해탈케 한다는 것은 업장이며, 능치 출리케 한다는 것은 이숙장이다ー, 미혹하기 때문이며, 의심하기 때문이고, 유예하기 때문이며ー이상은 의심이다. 또 해석하자면 미혹은 욕계이고, 의심은 색계이며, 유예는 무색계이다. 또 해석하자면 미혹은 붓다이고, 의심은 법이며, 유예는 승가이다ー, 그리고 탐욕·성냄·거만과 아울러 의심의 수면이 비리작의에 의해 견인되어 요별한다.” 여기 등에서도 역시 ‘이런 도리가 있다’와 ‘이런 일이 있다’는 말을 했어야 할 것인데, 견소단의 마음에서는 뒤에 맺는 말이 이미 없기 때문에 가습미라 논사의 앞의 해석은 이치가 아닌 것이다.

89 이하는 곧 셋째 실제의 체와 능·소에 대해 밝히는 것인데, 첫째 16행상의 실제의 체는 몇 가지가 있는지 묻고, 둘째 무엇을 행상이라고 말하는 것인지 물으며, 셋째 능히 행하는 주체를 묻고, 넷째 행해지는 대상을 물었다. 게송 중의 4구는 그 순서대로 앞의 네 가지 물음에 대해 답하는 것이다.

⑴ 7체설

논하여 말하겠다. 어떤 다른 논사가 말하였다. "16행상은, 명칭은 비록 열여섯 가지이지만, 실제의 체[實事]는 오직 일곱 가지이다. 말하자면 고제를 반연하는 것은 명칭과 실제의 체가 모두 네 가지이며, 나머지 3제를 반연하는 것은 명칭은 네 가지이지만, 실제의 체는 한 가지이다."[90]

⑵ 16체설

㈎ 제1해

여시설자如是說者는 실제의 체도 역시 열여섯 가지라고 하였다. 말하자면 고성제에 4행상이 있으니, 첫째 비상非常, 둘째 고苦, 셋째 공空, 넷째 비아非我이다. 연에 의지하기 때문[待緣故]에 비상이고, 핍박하는 성품이기 때문[逼迫性故]에 고이며, 아소견에 어긋나기 때문[違我所見故]에 공이고, 아견에 어긋나기 때문[違我見故]에 비아이다. 집성제에 4행상이 있으니, 첫째 인因, 둘째 집集, 셋째 생生, 넷째 연緣이다. 종자와 같은 이치이기 때문[如種理故]에 인이고, 동등하게 나타내는 이치이기 때문[等現理故]에 집이며, 상속하는 이치이기 때문[相續理故]에 생이고, 성취하는 이치이기 때문[成辦理故]에 연이니, 비유하자면 진흙덩이·물레·밧줄·물 등의 여러 인연이 화합하여 항아리 등을 성취하는 것과 같다. 멸성제에 4행상이 있으니, 첫째 멸滅, 둘째 정靜, 셋째 묘妙, 넷째 리離이다. 모든 온이 다했기 때문[諸蘊盡故]에 멸이고, 세 가지 불이 종식되었기 때문[三火息故]에 정이며, 온갖 병이 없기 때문[無衆患故]에 묘이고, 온갖 재앙에서 벗어났기 때문[脫衆災故]에 리이다. 도성제에 4행상이 있으니, 첫째 도道, 둘째 여如, 셋째 행行, 넷째 출出이다. 통하는 행의 뜻이기 때문[通行義故]에 도이고, 바른 이치와 계합하기 때문[契正理故]에 여이며, 바르게 취향하는 것이기 때문[正趣向故]에 행이고, 능히 영원히

....

90 이하에서 제1구를 해석한다. 이는 다른 학설을 서술하는 것인데, 바르지 못한 뜻이다. 어떤 다른 논사는, 16행상의 명칭은 비록 열여섯 가지이지만, 실제의 체는 오직 일곱 가지이니, 말하자면 고제를 반연하는 네 가지 행상은 네 가지 전도를 대치하는 것이기 때문에 명칭과 실제의 체가 모두 네 가지이며, 나머지 3제를 반연하는 네 가지 행상은 전도를 대치하는 것이 아니기 때문에 명칭에는 네 가지가 있지만, 실제의 체는 오직 한 가지라고 말하였다.

초월하는 것이기 때문[能永超故]에 출이다.91

   ⑭ 제2해

  또 궁극이 아니기 때문[非究竟故]에 비상이고, 무거운 짐을 짊어진 것과 같기 때문[如荷重擔故]에 고이며, 내적으로 사람을 떠났기 때문[內離士夫故]에 공이고, 자재하지 못하기 때문[不自在故]에 비아이다. 견인하는 뜻이기 때문[牽引義故]에 인이고, 출현시키는 뜻이기 때문[出現義故]에 집이며, 번성시켜 낳는 뜻이기 때문[滋産義故]에 생이고, 의지처가 되는 뜻이기 때문[爲依義故]에 연이다. 이어지지 않고 상속이 끊어졌기 때문[不續相續斷故]에 멸이고, 세 가지 유위상을 떠났기 때문[離三有爲相故]에 정이며, 승의의 선이기 때문[勝義善故]에 묘이고, 지극한 안온이기 때문[極安隱故]에 리이다. 삿된 도를 대치하기 때문[治邪道故]에 도이고, 불여를 대치하기 때문[治不如故]에 여이며, 열반의 궁으로 취향해 들어가기 때문[趣入涅槃宮故]에 행이고, 일체 존재를 내쳐 버리기 때문[棄捨一切有故]에 출이다.92

....

91 이것이 바른 뜻이다. 여시설자는 실제(의 체)도 역시 열여섯 가지라고 하는데, 모두 네 번의 16행상에 대한 해석이 있다. 이는 곧 첫 번째이다. 고제에 4행상이 있으니, 온갖 연에 의지해 생기는 것이기 때문에 비상이고, 천류하여 핍박하는 성품이기 때문에 고이며, 아소견我所見에 어긋나는 것이기 때문에 공이고, 아견我見에 어긋나는 것이기 때문에 비아이다. 집성제에 4행상이 있으니, 마치 종자가 싹을 낳는 것과 같은 도리이기 때문에 인이고, 능히 동등하게 결과를 나타내는 이치이기 때문에 집이며, 결과로 하여금 상속하게 하는 이치이기 때문에 생이고, 능히 결과를 성취하는 이치이기 때문에 연인데, 비유로 견주는 것은 알 수 있을 것이다. 멸성제에 4행상이 있으니, 모든 유루온이 끊어져 다했기 때문에 멸이고, 탐·진·치라는 세 가지 불이 종식되었기 때문에 정이며, 체에 온갖 병이 없기 때문에 묘이고, 온갖 재앙과 횡액에서 벗어났기 때문에 리이다. 도성제에 4행상이 있으니, 중성衆聖에 통하는 행의 뜻(= 혹은 통하여 가는 뜻)이기 때문에 도이고, 바른 이치와 계합하기 때문에 여이며, 바르게 열반으로 취향하는 것이기 때문에 행이고, 능히 영원히 생사를 초월하는 것이기 때문에 출이다.

92 두 번째 해석이다. 궁극의 열반의 항상함이 아니기 때문에 비상이고, 유루행의 법은 마치 사람이 무거운 짐을 짊어진 것과 같기 때문에 고이며, 5온 안은 사람이라는 자아[士夫我]를 떠난 것이기 때문에 공이고, 체가 자재한 것이 아니기 때문에 비아이다. 결과를 견인하는 뜻이기 때문에 인이고, 능히 결과를 출현시키는 뜻이기 때문에 집이며, 결과를 번성시켜 낳는 뜻이기 때문에 생이고, 능히 결과를 부여함에 의지처가 되는 뜻이기 때문에 연이다. 멸의 성품은

⒟ 제3해

이와 같이 옛 사람의 해석은 이미 하나의 문門이 아니니, 그래서 좋아하는 바에 따라 다시 따로 해석하기도 하였다. 생멸하기 때문[生滅故]에 비상이고, 성자의 마음에 어긋나기 때문[違聖心故]에 고이며, 여기에는 나가 없기 때문[於此無我故]에 공이고, 자체가 나가 아니기 때문[自非我故]에 비아이다.[93]

인因, 집集, 생生, 연緣은 경에서 해석한 것과 같으니, "말하자면 5취온은 욕망[欲]을 뿌리[根]로 하고, 욕망을 일으킴[集]으로 하며, 욕망을 부류[類]로 하고, 욕망을 낳음[生]으로 한다"라고 했는데, 오직 이 생生이라는 말이 뒤에 있어야 하는 것만이 논서와 다른 점이다.[94]

이 네 가지의 체상의 차별은 어떠한가?[95] 단계[位]의 차별에 따라 네 가지 욕망에 차이가 있다. 첫째는 현재의 전체적 자아[現總我]에 집착하여 전체적 자체[總自體]에 대한 욕망을 일으키는 것이고, 둘째는 미래의 전체적 자아[當

....

상속하지 않음으로써 모든 세 가지 존재의 상속을 끊어지게 한 것이기 때문에 멸이고, 생·이·멸의 3유위상을 떠났기 때문에 정이며, 열반의 선과 항상함은 네 가지 선 중 승의의 선이기 때문에 묘이고, 이런 열반에 이르러 지극한 안온을 얻었기 때문에 리이다. 외도의 삿된 도를 대치하기 때문에 도이고, 이치와 같지 않음[不如理]를 대치하기 때문에 여이며, 열반의 궁으로 취향해 들어가기 때문에 행이고, 일체 세 가지 존재를 내쳐 버리기 때문에 출이다.

93 논주의 말이다. 이와 같이 옛 사람의 해석은 이미 한 가지 문이 아니니, 그래서 좋아하는 바에 따라 다시 또 뒤의 두 가지 해석을 했는데, 이는 곧 세 번째 해석이다. 체가 생멸하는 것이기 때문에 비상이고, 유루의 법은 성자의 마음에 어긋나는 것이기 때문에 고이며, 이런 온 중에는 나가 없기 때문에 공이니, 마치 집[舍] 안에 사람이 없는 것과 같고, 즉 온 자체가 나가 아니기 때문에 비아이니, 마치 즉 집[舍]은 사람이 아니라고 말하는 것과 같다.

94 논주가 경량부의 해석을 서술하는 것이다. 집제의 4행상인 인·집·생·연은 경(=잡 [4]2:58 음근경陰根經인데, 표현이 본문과 조금 다르다)에서 해석한 것과 같다. 모든 5취온은 탐욕을 뿌리로 하니, 뿌리는 능히 생장하는 것이므로 곧 인의 뜻이다. 탐욕을 일으킴으로 하니, 일으킴은 능히 결과를 집기集起하는 것이다. 탐욕을 부류로 하니, 부류는 종류를 말하는 것으로서, 곧 여러 연이다. 탐욕을 낳음으로 하니, 낳음은 곧 능히 결과를 낳는 것이다. 이 네 가지 중 오직 생이라는 말이 연의 뒤에 말이 있는 것만(=본문에서는 경을 기준으로 할 때 '오직 이 생이라는 말이 뒤에 있어야 하는 것만'이라고 표현)이 논서와 다른 점이라고 알아야 할 것이니, 논서에서는 생을 셋째로 말했기 때문이다. 인·집·생·연은 모두 탐욕을 체로 하는 것이다.

95 물음이다.

總我]에 집착하여 전체적 후유[總後有]에 대한 욕망을 일으키는 것이며, 셋째
는 미래의 개별적 자아[當別我]에 집착하여 개별적 후유[別後有]에 대한 욕망
을 일으키는 것이고, 넷째는 상속하여 태어나는 자아[續生我]에 집착하여 상
속하여 태어날 때[續生時] 욕망을 일으키는 것, 혹은 업을 짓는 자아[造業我]
에 집착하여 업을 일으킬 때[造業時] 욕망을 일으키는 것이다. 첫째는 괴로움
에 대해 최초의 원인이기 때문에 그것을 말하여 인이라고 이름한 것이니, 마
치 결실에 대한 종자와 같다. 둘째는 괴로움을 동등하게 불러 모으기 때문에
그것을 말하여 집이라고 이름한 것이니, 마치 결실에 대한 싹 등과 같다. 셋
째는 괴로움에 대해 개별적 조건이 되기 때문에 그것을 말하여 연이라고 이
름한 것이니, 마치 결실에 대한 밭 등과 같다. 말하자면 밭·물·거름 등의 힘
에 의한 때문에 결실의 맛·세력·성숙의 공덕을 개별적으로 생기게 하는 것
이다. 넷째는 괴로움을 능히 가까이에서 낳기 때문에 그것을 말하여 생이라
고 이름한 것이니, 마치 결실에 대한 꽃술[華蕊]과 같다.96

....
96 경량부의 답이다. 분위分位가 차별되어 같지 않음에 따라 네 가지 탐욕도 다르
   다. 첫째는 현재의 전체적 자아[現總我]에 집착하여 전체적 자체[總自體]에 대
   한 욕망을 일으키는 것이니, 말하자면 모든 유정이 최초 단계에서 현재의 5온
   을 전체적으로 나라고 헤아려서 집착하여 전체적으로 자체에 대한 탐욕을 일
   으키는 것이다. 둘째는 미래의 전체적 자아[當總我]에 집착하여 전체적 후유
   [總後有]에 대한 욕망을 일으키는 것이니, 말하자면 모든 유정이 다음 그 후의
   단계에서 미래의 5온을 전체적으로 나라고 헤아려서 집착하여 전체적으로 후
   유에 대한 탐욕을 일으키는 것이다. 셋째는 미래의 개별적 자아[當別我]에 집
   착하여 개별적 후유[別後有]에 대한 욕망을 일으키는 것이니, 말하자면 모든
   유정이 다음 그 후의 단계에서 미래의 5온을 개별적으로 나라고 헤아려서 집
   착하여 개별적으로 후유에 대한 탐욕을 일으키는 것이다. 혹은 사천왕천을 헤
   아리거나 혹은 삼십삼천 등을 헤아리는 것은 미래의 개별적 자아라고 이름한
   다. 넷째는 상속하여 태어나는 자아[續生我]에 집착하여 상속하여 태어날 때
   [續生時] 욕망을 일으키는 것이니, 말하자면 모든 유정이 다음 그 후의 단계에
   서 그 미래의 중유의 5온에 집착하여 상속하여 태어나는 자아라고 여기고 상
   속하여 태어날 때 탐욕을 일으키는 것이다. 또 해석하자면 그 미래의 생유의
   최초 단계를 상속하여 태어나는 자아라고 집착하여 상속하여 태어날 때 탐욕
   을 일으키는 것이다. 또 해석하자면 중유·생유 두 가지를 모두 상속하여 태어
   나는 자아라고 이름하니, 미래의 중유·생유에 대해 상속하여 태어날 때 탐욕
   을 일으키는 것이다. 혹은 업을 짓는 자아[造業我]에 집착하여 업을 일으킬 때
   욕망을 일으키는 것이니, 말하자면 모든 유정이 이 현재에 미래의 업을 짓는

혹은 계경에서 설한 것처럼 두 가지 5애행愛行과 두 가지 4애행이 있어 네 가지 욕망이 된 것이다. 현재의 전체적 자아에 집착하는 것에 다섯 가지 차이가 있으니, 첫째 자아가 현재 결정코 존재한다[現決定有]고 집착하는 것, 둘째 자아가 현재 이와 같이 존재한다[現如是有]고 집착하는 것, 셋째 자아가 현재 변이하면서 존재한다[現變異有]고 집착하는 것, 넷째 자아가 현재 존재한다[現有]고 집착하는 것, 다섯째 자아가 현재 없어진다[現無]고 집착하는 것이다. 미래의 전체적 자아에 집착하는 것에도 역시 다섯 가지 차이가 있으니, 첫째 자아가 미래에 결정코 존재할 것[當決定有]이라고 집착하는 것, 둘째 자아가 미래에 이와 같이 존재할 것[當如是有]이라고 집착하는 것, 셋째 자아가 미래에 변이하면서 존재할 것[當變異有]이라고 집착하는 것, 넷째 자아가 미래에 존재할 것[當有]이라고 집착하는 것, 다섯째 자아가 미래에 없어질 것[當無]이라고 집착하는 것이다. 미래의 개별적 자아에 집착하는 것에는 네 가지 차이가 있으니, 첫째 자아가 미래에 개별적으로 존재할 것[當別有]이라고 집착하는 것, 둘째 자아가 미래에 결정코 개별적으로 존

자아에 집착하여 업을 지을 때 탐욕을 일으키는 것이 넷째가 된다.
　다음에 개별적으로 배대해 해석해서 말하였다. 첫째 현재의 전체적 자아에 집착하여 욕망을 일으키는 것은 고과苦果에 대해 최초의 원인이기 때문에 그것을 말하여 인이라고 이름한 것이다. 마치 멀리 결실에서 바라본 종자와 같으니, 즉 경 중의 '욕망을 뿌리로' 하는 것이다. 둘째 미래의 전체적 자아에 집착하여 욕망을 일으키는 것은, 고과에서 바라볼 때 점점 근접하여 동등하게 불러 모으는 것이기 때문에 그것을 말하여 집이라고 이름한 것이다. 마치 싹·줄기 등이 결실에 점점 근접하는 것과 같으니, 즉 경 중의 '욕망을 일으킴으로' 하는 것이다. 셋째 미래의 개별적 자아에 집착하여 욕망을 일으키는 것은 고과에서 바라볼 때 개별적 조건[別緣]이 되는 것이기 때문에 그것을 말하여 연이라고 이름한 것이니, 마치 생기는 결실에 대한 밭 등과 같다. 말하자면 밭·물·거름 등의 힘에 의한 때문에 생기는 결실의 맛에 달콤함 등이 있고, 세력이 차별되며, 성숙하여 변하는 것이 같지 않은 공덕의 작용을 개별적으로 생기게 하는 것인데, 굶주림·목마름 등을 제외한 것을 공덕이라고 이름한 것이다. 즉 경 중의 '욕망을 부류로' 하는 것이다. 넷째 상속하여 태어나는 자아에 집착하여 욕망을 일으키는 것, 혹은 업을 짓는 자아에 집착하여 욕망을 일으키는 것은, 고과에서 바라볼 때 능히 가까이에서 낳는 것이기 때문에 그것을 말하여 생이라고 이름한 것이다. 마치 꽃술이 가까이에서 결실을 낳는 것과 같으니, 즉 경 중의 '욕망을 낳음으로' 하는 것이다.

재할 것[當決定別有]이라고 집착하는 것, 셋째 자아가 미래에 이와 같이 개별적으로 존재할 것[當如是別有]이라고 집착하는 것, 넷째 자아가 미래에 변이하면서 존재할 것[當變異別有]이라고 집착하는 것이다. 상속하여 태어나는 자아 등에 집착하는 것에도 역시 네 가지 차이가 있으니, 첫째 자아가 미래에도 존재할 것[亦當有]이라고 집착하는 것, 둘째 자아가 미래에도 결정코 존재할 것[亦當決定有]이라고 집착하는 것, 셋째 자아가 미래에도 이와 같이 존재할 것[亦當如是有]이라고 집착하는 것, 넷째 자아가 미래에도 변이하면서 존재할 것[亦當變異有]이라고 집착하는 것이다.97

유전이 끊어졌기 때문[流轉斷故]에 멸이고, 온갖 괴로움이 종식되었기 때문[衆苦息故]에 정이니, 예컨대 "필추여! 형성된 모든 것은 모두가 괴로움이

....

97 또 네 가지 욕망에 대해 해석하는 것이다. 혹은 경(=잡 [35]35:984 애경愛經)에서 설한 것처럼 두 가지 5애행과 두 가지 4애행이 있어 네 가지 욕망이 된 것이다. 현재의 전체적 자아에 집착하는 것에 다섯 가지 차이가 있다. 첫째 전체적 자아가 현재 결정코 그 자성으로서 존재한다고 집착하는 것, 둘째 전체적 자아가 현재 이와 같이 혹은 바라문으로서, 혹은 끄샤뜨리야 등으로서 존재한다고 집착하는 것, 셋째 전체적 자아가 현재 변이하면서 존재한다고 집착하는 것이니, 말하자면 어린아이·동자·소년·성년·노년으로 변이하여 같지 않다는 것, 넷째는 전체적 자아가 3세 중에서 현재세에 존재한다고 집착하는 것, 다섯째 전체적 자아가 현재세에 반드시 소멸하여 없음으로 돌아갈 것이라고 집착하는 것이다. 미래의 전체적 자아에 집착하는 것에도 역시 다섯 가지 차이가 있는 것은 현재에 준해서 해석해야 할 것이다. 미래의 개별적 자아에 집착하는 것에는 네 가지 차이가 있다. 첫째 개별적 자아가 3세 중 미래세에 개별적으로 존재할 것이라고 집착하는 것, 둘째 개별적 자아가 미래에 결정코 개별적으로 자성으로서 존재할 것이라고 집착하는 것, 셋째 개별적 자아가 미래에 마치 바라문 등처럼 이와 같이 개별적으로 존재할 것이라고 집착하는 것, 넷째 개별적 자아가 미래에 마치 어린아이 등처럼 변이하면서 존재할 것이라고 집착하는 것이다. 미래의 전체적 자아 다섯 가지 중 단지 장차 없어질 것이라고 하는 것만 제외되고, 나머지 네 가지는 앞과 같지만, 오직 그 넷째 것만 돌려서 지금의 첫째로 함으로써 순서가 같지 않다. 개별적 집착은 견고하기 때문에 없어질 것이라고 말하지 않지만, 전체적 집착은 조금 넓어서 없어질 것이라고 헤아리는 것도 인정하는 것이다. 단지 미래의 개별적 자아에 대한 집착에 네 가지 차이가 있을 뿐만 아니라, 상속하여 태어나는 자아 등에 집착하는 것에도 역시 네 가지 차이가 있다. '등'이란 업을 짓는 자아에 집착하는 것을 같이 취한 것인데, 이 네 가지에 대한 해석은 앞에 준한다고 알아야 할 것이다.

니, 오직 열반만이 있어 가장 적정寂靜한 것이다"라고 설한 것과 같으며, 더이상 위가 없기 때문[更無上故]에 묘이고, 퇴전하지 않기 때문[不退轉故]에 리이다.

마치 바른 길과 같기 때문[如正道故]에 도이고, 여실하게 굴리기 때문[如實轉故]에 여이며, 결정코 능히 나아가기 때문[定能趣故]에 행이니, 예컨대 "이 도로는 청정에 이를 수 있지만, 나머지 소견[見]으로는 필시 청정에 이를 리가 없다"라고 설한 것과 같으며, 영원히 존재에서 떠나기 때문[永離有故]에 출이다.98

    (라) 제4해

또 상견常見·낙견樂見·아소견我所見·아견我見을 대치하기 위해 비상·고·공·비아의 행상을 닦는다. 무인견無因見·일인견一因見·변인견變因見·지선인견知先因見을 대치하기 위해 인·집·생·연의 행상을 닦는다. 해탈은 없는 것이라는 소견을 대치하기 위해 멸의 행상을 닦고, 해탈은 괴로움이라는 소견을 대치하기 위해 정의 행상을 닦으며, 정려 및 등지等至의 즐거움은 오묘한 것이라는 소견을 대치하기 위해 묘의 행상을 닦고, 해탈은 자주 퇴타하고 영원한 것이 아니라는 소견을 대치하기 위해 리의 행상을 닦는다. 도가 없다는 소견, 삿된 도의 소견, 다른 도라는 소견, 물러나는 도라는 소견을 대치하기 위해 도·여·행·출의 행상을 닦는다.99

....

98 생사에서 유전하는 법이 끊어졌기 때문에 멸이고, 이 열반에 이르러 온갖 괴로움이 종식되었기 때문에 정이니, 마치 계경에서, "필추여! 모든 유루법은 모두가 다 괴로움이니, 오직 열반만이 가장 적정한 것이라고 알아야 한다"라고 설한 것과 같으며, 열반은 가장 뛰어나서 더 이상 위인 것이 없기 때문에 묘이고, 한 번 증득하면 영원히 증득해서 퇴전하지 않기 때문에 리이다. 마치 세간의 바른 길과 같기 때문에 도이고, 여실하게 진리의 이치를 굴리는 것이기 때문에 여이며, 결정코 능히 열반으로 취향하는 것이기 때문에 행이니, 마치 계경에서, "이 무루도로는 청정한 열반에 이를 수 있지만, 나머지 외도의 소견으로는 필시 청정에 이를 수 있는 이치가 없다"라고 설한 것과 같고, 영원히 세 가지 존재에서 떠나기 때문에 출이다.
99 이는 곧 네 번째 해석이다. 상견을 대치하기 위해 비상의 행상을 닦고, 낙견을 대치하기 위해 고의 행상을 닦으며, 아소견을 대치하기 위해 공의 행상을 닦고, 아견을 대치하기 위해 비아의 행상을 닦는다.
    외도의 무인견을 대치하기 위해 인의 행상을 닦고, 범왕·자재천 등의 일인견을 대치하기 위해 집의 행상을 닦으니, 많은 법이 쌓여 모인 것이 원인이 되어 결과를 낳는다는 것이다. 수론數論의 상주하는 것(=프라크르티=소위 자성)의 전변이 원인이라는 등의 소견(=본문의 '변이견變因見')을 대치하기 위해 생의 행상을 닦으니, 그 종지에서는 체는 상주하지만, 전후 전변하여 능히 여러 법을 낳는 것이, 마치 금이 전변하여 반지·팔찌 등이 되는 것과 같다고 한다. 앎이 선행하는 것이 능히 낳는 원인이라는 소견(=본문의 지선인견知先因見)을 대치하기 위해 연의 행상을 닦으니, 연을 만나면 곧 일어나거늘, 어찌 앎이 선행함을 필요로 하겠는가? 앎의 선행이 원인이라고 말한 것은, 예컨대 자재천이 장차 경계를 변현하려고 할 때에는 먼저 의욕을 일으켜 그 경계를 아는 것과 같다. 의욕을 일으켜 알고 나서 그런 뒤에 비로소 변현하니, 대자재천은 앎을 선행시키기 때문에 '앎이 선행하는 것이 원인'이라고 이름한 것이다. 혹은 수론의 자성을, '앎이 선행하는 것이 원인'이라고 이름한 것이니, (자성이) 경계를 변현하고자 할 때에는 반드시 자아(=신아)가 먼저 생각하여 경계를 알고자 하는 욕지欲知를 일으킨 뒤라야 비로소 능히 경계를 변현하기 때문에 '앎이 선행하는 것이 원인'이라고 이름한 것이다.

해탈은 없는 것이라는 소견을 대치하기 위해 멸의 행상을 닦으니, 말하자면 외도들은 큰 사견을 일으켜 해탈이 없다고 부정하므로, 그것을 대치하기 위해 멸의 행상을 닦는 것이다. 멸을 반연함에 의해 멸이 있다는 것을 분명히 알 수 있다. 해탈은 괴로움이라는 소견을 대치하기 위해 정의 행상을 닦으니, 말하자면 외도들은, '내가 세간을 보건대 한 눈[一眼]이 없는 자도 오히려 괴로움이라고 여길 것인데, 하물며 다시 모든 근이 모두 소멸한 열반이 괴롭지 않겠는가?'라는 이런 집착을 하므로, 이런 소견을 대치하기 위해 정의 행상을 닦는다. 열반 중에는 괴로움이 모두 고요한 것이다. 외도들의 4정려 및 4무색등지의 즐거움은 오묘한 것이라는 소견을 대치하기 위해 묘의 행상을 닦으니, 이런 유루의 선정은 진정한 묘법이 아니고, 오직 열반만이 진정한 묘법으로 있는 것이다. 해탈은 자주 퇴타하므로 영원한 것이 아니라는 소견을 대치하기 위해 리의 행상을 닦으니, 말하자면 외도들은 무상천 등이 진정한 해탈이라고 집착했다가 뒤에 자주 퇴타하는 것을 관찰해 보고는 곧 '해탈과 열반은 자주 퇴타하는 것이므로 영원한 출리가 아니다'라는 이런 집착을 하므로, 그런 소견을 대치하기 위해 리의 행상을 닦는 것이다. 열반을 증득하면 반드시 물러나지 않기 때문이다.

성도가 없다고 부정하는 소견을 대치하기 위해 도의 행상을 닦으니, 도의 행상은 진실한 도를 반연하기 때문이다. 외도의 고행 등을 집착하는 삿된 도의 소견을 대치하기 위해 여의 행상을 닦으니, 바른 이치와 계합하기 때문에 이것을 여라고 이름한 것이다. 다른 법을 계탁하여 도라고 하고 진정한 것이라고 하는 소견을 대치하기 위해 행의 행상을 닦는다. 그래서 『순정리론』(=제74권. 대29-741상)에서 말하였다. "(생사는 저절로 청정해진다고 하고 아울러) 세간의 염오에서 떠나는 것이 진정한 도라고 하는 것을 대치하기 위해 행의 행상을 닦는 것이다." 도에서 물러남이 잦다는 소견을 대치하기 위해 출의 행상을 닦는다. 그래서 『순정리론』(=상동)에서 말하였다. "일찍이 염오에

2. 행상의 체와 능행·소행

이와 같은 행상은 혜慧를 체로 한다.100 만약 그렇다면 혜는 행상을 갖는 것이 아니어야 할 것이니, 혜와 혜는 상응하지 않기 때문이다.101 이 때문에 모든 심·심소가 경계를 취할 때의 유형의 차별[類別]을 모두 행상이라고 이름한다고 말해야 할 것이다.102

혜 및 나머지 모든 심·심소법은 소연을 갖기 때문에 모두가 능행能行이며, 존재하는 일체 법은 모두가 소행所行이다.103 이 때문에 3문門의 체에는 넓고 좁음이 있으니, 혜는 행상·능행·소행에 통하지만, 나머지 심·심소법은 오직 능행·소행일 뿐이며, 그 나머지 존재하는 모든 법은 오직 소행일 뿐이다.104

....
서 영원히 떠나지 못하는 도를 만나서 홀리고 미혹되어 진정한 성도에 대해서도 역시 공경하지 않는 것을 대치하기 위해 출의 행상을 닦는다."
100 제2구를 해석하는 것인데, 이는 곧 종지를 표방하는 것이다.
101 논주의 힐난이다. 만약 이런 행상이 오직 혜만을 체로 하고, 나머지 심·심소에는 통하지 않는다고 한다면, 이런 즉 혜는 행상을 갖는 것이 아니어야 할 것이다. 만약 양쪽 혜가 함께 일어난다면, 피차에 행상이 있다고 말할 수 있겠지만, 혜와 혜는 상응하지 않기 때문에 혜에 행상이 있다고는 말할 수 없을 것이다.
102 논주가 힐난하여 논파하고 스스로 한 가지 해석을 하는 것이다. 이 때문에 모든 심·심소가 경계를 취할 때 영상의 모습[影像相]을 갖는 유형이 각각 차별되기 때문에 모두 행상이라고 이름한다고 말해야 할 것이다. 혹은 경계 중에 실제로 유형이 차별되어, 푸른 것은 노란 것이 아닌 등 경계를 취하는 유형의 차별을 모두 행상이라고 이름한다면, 갖는다고 말할 수 있을 것이다.
103 뒤의 2구를 해석하는 것이다. 심·심소법은 소연을 갖기 때문에 모두가 경계에 대한 능행(=능히 작용하는 것)이고, 존재하는 일체 법은 모두가 소행의 경계이다.
104 상대하여 차별을 분별하는 것이다. 이 때문에 행상·능행·소행은 체에 넓고 좁음이 있다. 혜가 간택하는 것을 행상이라고 이름하며, 능히 경계를 취하기 때문에 능행이라고 이름하며, 다른 것의 연이 되기 때문에 소행이다. 나머지 심·심소는 능히 경계를 취하기 때문에 능행이며, 다른 것의 연이 되기 때문에 소행이지만, 간택하는 것이 아니기 때문에 행상이라고 이름하지 않는다. 그 나머지 존재하는 모든 법은 다른 것이 연이 되기 때문에 소행이라고 이름하지만, 능히 경계를 취하지 않기 때문에 능행이 아니며, 능히 간택하는 것이 아니기 때문에 행상이 아니다. 만약 공통으로 행상이라고 이름하는 것에 의거한다면 모든 심·심소는 모두 행상이라고 이름하지만, 여기에서는 간택하는 것에 의거하므로 오직 지혜만이고, 나머지는 아니다. 또 해석하자면 논주는 앞에서

제4장 지혜의 여러 문 분별

제1절 성품·지·몸 분별

10지의 행상의 차별에 대해 분별했으니, 성품의 포함, 의지하는 지, 의지하는 몸에 대해 분별하겠다. 게송으로 말하겠다.

⑭ 성품은, 세속지는 3성이고, 9지는 선이며[性俗三九善]
　　의지하는 지는, 세속지는 일체이고[依地俗一切]
　　타심지는 오직 4지이며[他心智唯四]
　　법지는 6지, 나머지 7지는 9지이다[法六餘七九]

⑮ 현행해 일어날 때 의지하는 몸은[現起所依身]
　　타심지는 욕계·색계에 의지하고[他心依欲色]
　　법지는 욕계에만 의지하며[法智但依欲]
　　나머지 8지는 3계에 통한다[餘八通三界]105

논하여 말하겠다. 이와 같은 10지가 3성에 포함됨은, 말하자면 세속지는 3성에 통하고, 나머지 9지는 오직 선이다.106

의지하는 지의 차별은, 말하자면 세속지는 욕계 내지 유정지에 의지함에 통하고, 타심지는 오직 4근본정려지에만 의지하며, 법지는 이 4근본정려

는 비록 힐난하여 논파했지만, 지금은 다시 (설일체유부의) 종지에 의거해 뜻을 밝힌 것이다.

105 이하는 넷째 여러 문으로 지를 분별하는 것인데, 그 안에 나아가면 첫째 성품, 지, 의지하는 몸을 밝히고, 둘째 염주에 포함되는 지를 밝히며, 셋째 10지의 서로 반연함을 밝히고, 넷째 10지가 반연하는 경계를 밝히며, 다섯째 사람이 성취하는 지를 밝히고, 여섯째 단계의 의거해 닦는 지를 분별한다. 이하에서는 곧 첫째 성품, 지, 의지하는 몸을 밝히는데, 앞을 맺으면서 글을 일으켰고, (게송 중) 첫 구는 성품을 밝히는 것, 다음 3구는 의지하는 지를 밝히는 것, 뒤의 1게송은 의지하는 몸을 밝히는 것이다.

106 첫 구를 해석하는 것인데, 알 수 있을 것이다.

및 미지정·중간정의 지에 의지하고, 그 나머지는 이 6지 및 아래 3무색지에 의지한다.107

의지하는 몸의 차별은, 말하자면 타심지는 욕계·색계의 몸에 의지해 모두 현전할 수 있지만, 법지는 다만 욕계의 몸에만 의지해 현기現起하며, 그 나머지 8지의 현기는 3계의 몸에 의지함에 통한다.108

·············

107 다음 3구를 해석하는 것이다. 세속지는 통틀어 일체 지에 의지한다. 타심지는 오직 4근본정려에 의지할 뿐, 다른 지에는 의지하지 않는다. 그래서 『순정리론』 제74권(=대29-741하)에서 말하였다. "타심지는 오직 4근본정려에 의지할 뿐, 근분정려와 정려중간에는 의지하지 않으니, 이 지의 소연은 지극히 미세하기 때문이다. 말하자면 그런 지에 의지한 도의 힘은 미약해서 다른 상속 중의 현재의 미세한 심·심소법을 요달할 수 없는 것이다. 또한 무색지에도 의지하지 않으니, 이 타심지의 가행이 없기 때문이며, 신통의 성품이기 때문에 다른 지는 의지처가 아니다. 5신통(=6신통 중 누진통을 제외한 것)이 의지하는 것은 지·관의 균등이기 때문(=무색정은 지증관감止增觀減)이다." 법지는 이 4정려 및 미지정·중간정의 6지에 의지한다. 그래서 『순정리론』(=상동)에서 말하였다. "법지는 통틀어 6지를 의지처로 하니, 말하자면 미지정·중간정과 4근본정려이다. 나머지 근본정에는 의지하지 않으니, 그것은 오직 유루이기 때문이며, 또한 무색지에도 의지하지 않으니, 이는 욕계를 반연하기 때문이다." 나머지 7지智는 이 6지地 및 아래 3무색지에 의지한다. 그래서 『순정리론』(=상동)에서 말하였다. "그 나머지 7지는 9지를 의지처로 한다. 말하자면 아래 3무색지 및 앞에서 말한 6지이다. 전체적으로 말한다면 이와 같지만, 차별이 있다. 말하자면 여기에서 말한 7지 중 유지는 결정코 9지에 의지해 일어나지만, 고·집·멸·도지와 진·무생지는 만약 법지에 포함되는 것이라면 6지를 의지처로 하고, 유지에 포함되는 것이라면 통틀어 9지에 의지한다."

108 뒤의 1게송을 해석하는 것이다. 『순정리론』(=제74권. 대29-741하)에서 말하였다. "말하자면 타심지는 욕계·색계에 의지해 모두 현전할 수 있다. 무색계에 의지하지 않는 것은, 거기에는 몸이 없기 때문이다. 하지의 타심지를 일으키지 않는 것은, 이 타심지는 색에 따라 일어나는 것이어서 거기에서는 일어날 수 없기 때문이다. 법지는 단지 욕계의 몸에만 의지해 일어나고, 상계의 몸에는 의지하지 않으니, 욕계의 4제의 경계를 반연하는 것이기 때문이다. 위의 2계에 태어나면 법지를 일으키려고 욕계의 4제를 반연하지는 않는다." 또 『대비바사론』 제28권(=대27-145상)에서도 말하였다. "말하자면 위의 2계에 태어나면 반드시 법지를 일으키지 않으니, 그 하계의 고·집제를 싫어하기 때문에 거듭 관찰하려고 하지 않으며, 이미 하계의 고·집제를 관찰하지 않으므로 하계의 멸·도제도 역시 관찰하지 않는 것이다. 멸·도지는 고·집지를 써서 우두머리[上首]로 하기 때문이다." 앞의 타심지 및 법지를 제외한 나머지 8지의 현기는 통틀어 3계의 몸에 의지한다.

제2절 염주와 10지의 포함관계

성품, 지, 몸에 대해 분별했으니, 염주와의 포함관계에 대해 분별하겠다. 게송으로 말하겠다.

⑯ 모든 지와 염주의 포함관계라면[諸智念住攝]
　멸지는 오직 최후 염주이고[滅智唯最後]
　타심지는 뒤의 3념주이며[他心智後三]
　나머지 8지는 4념주에 통한다[餘八智通四]

논하여 말하겠다. 멸지는 법념주 중에 포함되어 있다. 타심지는 뒤의 3념주에 포함되며, 그 나머지 8지는 모두 4념주에 통한다.109

제3절 10지의 상호 반연

이와 같은 10지는 번갈아 서로 바라볼 때 그 하나하나가 몇 가지 지智를 경계로 한다고 말해야 하는가? 게송으로 말하겠다.

⑰ 모든 지가 상호 서로 반연함이라면[諸智互相緣]
　법지·유지·도지는 각각 9지이고[法類道各九]
　고지·집지는 각각 2지이며[苦集智各二]
　4지는 모두 10지이지만, 멸지는 아니다[四皆十滅非]

논하여 말하겠다. 법지는 유지를 제외한 9지를 경계로 해서 능히 반연하고, 유지는 법지를 제외한 9지를 경계로 해서 능히 반연하며, 도지는 세속

---

109 이는 곧 둘째 염주와 10지의 포함관계를 밝히는 것인데, 생각하면 알 수 있을 것이다. # 멸지는 무위의 택멸을 반연하는 것이므로 몸·느낌·마음의 세 가지 경계가 없으며, 타심지는 몸을 가행의 문으로 삼기는 하지만, 그 지혜는 몸을 반연하지 않기 때문이다.

지를 제외한 9지를 경계로 해서 능히 반연하니, 도에 포함되는 것이 아니기 때문이다.

고지·집지의 2지는 각각 2지를 경계로 해서 능히 반연하니, 세속지와 타심지를 말한다.

세속지·타심지·진지·무생지는 모두 10지를 경계로 해서 반연하지만, 멸지는 모든 지를 경계로 해서 반연하지 않으니, 오직 택멸만을 소연으로 하기 때문이다.110

제4절 10지의 소연의 경계

1. 소연의 경계 총설

10지의 소연에는 모두 몇 가지 법이 있으며, 어떤 지智는 몇 가지 법을 소연의 경계로 하는가? 게송으로 말하겠다.

⑱ 소연에는 모두 열 가지가 있으니[所緣總有十]
　　말하자면 3계계와 무루와[謂三界無漏]
　　무위에 각각 두 가지가 있는데[無爲各有二]
　　세속지는 10법을, 법지는 5법을 반연한다[俗緣十法五]

⑲ 유지는 7법을, 고지·집지는 6법을[類七苦集六]
　　멸지는 1법을, 도지는 2법을 반연하고[滅緣一道二]
　　타심지는 3법을 반연하며[他心智緣三]
　　진지·무생지는 각각 9법을 반연한다[盡無生各九]

논하여 말하겠다. 10지의 소연에는 모두 10법이 있다. 말하자면 유위법

....
110 이는 곧 셋째 10지가 서로 반연하는 것을 밝히는 것이다. 『대비바사론』 제107권(=대27-554하)에서 말하였다. "법지는 하계를 반연하고, 유지는 상계를 반연하기 때문에 서로 반연하지 않는다." 나머지 글은 알 수 있을 것이다.

은 여덟 가지로 나누어지니, 3계에 매인 법과 무루의 유위에 각각 상응법과 불상응법이 있기 때문이며, 무위는 두 가지로 나누어지니, 선과 무기로 차별되기 때문이다.

세속지는 모두 10법을 경계로 해서 반연한다. 법지는 5법을 반연하니, 말하자면 욕계의 두 가지, 무루도의 두 가지 및 선의 무위이다. 유지는 7법을 반연하니, 말하자면 색계·무색계와 무루도의 여섯 가지 및 선의 무위이다. 고지·집지는 각각 3계에 매인 6법을 반연한다. 멸지는 1법을 반연하니, 말하자면 선의 무위이다. 도지는 2법을 반연하니, 말하자면 무루도(의 두 가지)이다. 타심지는 욕계·색계와 무루의 세 가지 상응법을 반연한다. 진지·무생지는 유위 8법 및 선의 무위를 반연한다.111

2. 세속지의 소연의 경계 별설

1찰나의 지智로서 일체법을 반연하는 것이 혹시 있는가?112 그렇지 않다.113 비아非我를 관찰하는 지는 어찌 일체법을 모두 비아로 알지 않겠는가?114 이것도 역시 일체법을 반연할 수는 없다.115 어떤 법을 반연하지 않으며, 이것의 체는 무엇인가?116 게송으로 말하겠다.

⏸20 세속지는 자신의 품류를 제외한[俗智除自品]

....

111 이하는 넷째 10지가 반연하는 경계를 밝히는 것이다. 그 안에 나아가면 첫째 10지가 반연하는 경계를 바로 밝히고, 둘째 세속지가 전체적으로 반연하는 것에 대해 따로 밝히니, 이는 곧 첫째 10지가 반연하는 경계를 바로 밝히는 것이다. 처음 3구는 앞의 물음에 대한 답이고, 뒤의 5구는 뒤의 물음에 대한 답이다. 심·심소법을 상응법이라고 이름하고, 색법과 불상응행법을 불상응행법이라고 이름한다. 나머지 글은 알 수 있을 것이다. # '3계에 매인 법'은 3계의 고제·집제 각각에 포함되는 법을 말하고, '무루의 유위'는 도제에 포함되는 법을 말하며, '선의 무위'는 택멸을 말하고, '무기의 무위'는 비택멸과 허공을 말한다.
112 이하에서 둘째 세속지가 전체적으로 반연하는 것에 대해 밝히는데, 이는 곧 물음이다.
113 답이다.
114 힐난이다.
115 회통하는 것이다.
116 따지는 것이다.

일체법을 전체적으로 반연하여[總緣一切法]

비아의 행상을 행하는데[爲非我行相]

오직 문·사소성일 뿐이다[唯聞思所成]117

　논하여 말하겠다. 세속지가 일체법을 비아라고 관찰할 때에도 오히려 자신의 품류[自品]를 제외한다. '자신의 품류'는 말하자면 자체와 상응하는 법과 구유하는 법이니, 경계[境]와 경계를 갖는 것[有境]은 다르기 때문이며, 소연을 같이 하나로 하기 때문이며, 서로 인근鄰近하기 때문에 이 지智의 소연이 아니다.

　이 지는 오직 욕계·색계에만 포함되는 것으로서, 문·사소성일 뿐, 수소성이 아니니, 수소성혜는 지地를 개별적으로 반연하기 때문이다. 만약 이와 다르다면 응당 단박에 염오를 떠나야 할 것이다.118

....

117 위의 3구는 첫 물음에 대한 답이고, 제4구는 둘째 물음에 대한 답이다.

118 세속지가 일체법을 비아라고 관찰할 때에도 오히려 자신의 품류를 제외한다. 자신의 품류는 말하자면 자체 등의 법이니, 자체는 세속지 자체를 말하고, 상응하는 법은 세속지와 상응하는 심·심소법을 말하며, 구유하는 법은 세속지와 시간을 같이 하는 것이니, 4상을 말하는 것이다. 혹은 이 논서에서 말한 함께 있는 법은 득도 역시 포함하는 것이니, 득도 역시 지극히 서로 인근한 것이기 때문이다. '경계'는 소연인 경계를 말하고, '경계를 갖는 것'은 능연인 지智를 말하는 것이니, 경계와 경계를 갖는 것은 다르기 때문에 자체를 반연하지 않는 것이다. 만약 자체를 반연한다면 응당 차별이 없어야 할 것이다. 소연을 같이 하나로 하기 때문에 상응하는 법을 반연하지 않으니, 비유하자면 여러 사람이 같이 초승달을 관찰한다면, 서로의 얼굴을 쳐다보지 않는 것과 같다. 지극히 서로 인근하기 때문에 함께 있는 법을 반연하지 않으니, 마치 눈이 인근한 안근의 색법을 보지 못하는 것과 같다. 그래서 찰나의 세 가지 법은 이 지智의 소연이 아니다.

　이 세속지는 오직 욕계·색계에만 포함되는 것으로서, 문·사소성일 뿐, 수소성이 아니니, 수소성혜는 지地를 개별적으로 반연하기 때문에 전체적으로 반연할 수 없다. 만약 이와 다르다고 한다면 닦음이 능히 단박에 반연하므로 응당 단박에 염오를 떠나야 할 것이다.『순정리론』제74권(＝대29-742하)에서 논파해 말하였다. "이는 이치에 맞지 않다. 수소성혜는 지를 개별적으로 반연할 뿐이라고 말한 것은, 공히 인정하는 것이 아니기 때문이다. 말하자면 우리 부파에서는 정려지靜慮地에 포함되는 수소성혜는 능히 전체적으로 반연하는 것이 있다고 인정하니, 의지하는 몸 자신의 위의 경계를 따르기 때문이다. 하지를 싫어하고 상지를 좋아해야 비로소 염오를 떠날 수 있는 것인데, 이는 이

제5절 10지를 성취하는 수행자

소연에 대해 분별했으니, 다시 누가 몇 가지 지智를 성취하는지 생각해서 가려야 할 것이다. 게송으로 말하겠다.

21 이생과, 성자의 견도의[異生聖見道]
　　첫 찰나에는 결정코 1지를 성취하고[初念定成一]
　　제2찰나에는 결정코 3지를 성취하며[二定成三智]
　　뒤에 4지가 하나하나씩 증가한다[後四一一增]

22 수도에서는 결정코 7지를 성취하지만[修道定成七]
　　이욕자라면 타심지를 더하며[離欲增他心]
　　무학의 둔근과 이근은[無學鈍利根]
　　결정코 9지를 성취하고, 10지를 성취한다[定成九成十]119

논하여 말하겠다. 모든 이생의 단계 및 성자의 견도의 제1찰나에는 결정코 1지를 성취하니, 세속지를 말한다. 제2찰나에는 결정코 3지를 성취하니, 법지·고지를 더한 것을 말한다. 제4·제6·제10·제14찰나에는 순서대로 후후에 유지·집지·멸지·도지를 더하니, 아직 더해지지 않은 모든 단계에 성

미 전체적으로 반연하는 것이지만, 오직 기뻐하는 행상뿐이기 때문에 염오를 떠나는 것에 공능이 없는 것이다. 따라서 그 말은 모두 이치가 아닌 것이다."
만약 구사론사가 변론하여, 「수소성혜에 능히 전체적으로 반연하는 것이 있다는 것도 역시 공히 인정하는 것이 아니니, 우리 부파에서는 수소성이 전체적으로 반연하는 것을 인정하지 않기 때문이다」라고 말한다면, 이는 부파가 달라서이니, 애써 회통해 해석할 것이 없다. 만약 설일체유부종에 의한다면, 비아의 관찰은 역시 수소성에도 통한다고 한다. 그래서 『순정리론』 제74권(＝상동)에서 말하였다. "이 지는 오직 욕계·색계에만 포함되는 것일 뿐이니, 무색계 중에는 비록 이런 부류가 있더라도 반연하는 법이 적으므로 여기에서 밝히는 것이 아니다. 이는 문·사·수소성혜에 통하니, 모두 자품을 제외한 일체법을 능히 반연하기 때문이다."

119 이하는 곧 다섯째 사람에 의거해 성취하는 지혜(를 밝히는 것)인데, 모두 네 단계에 의거해 분별한다.

취되는 지혜의 수는 그 앞 찰나와 같기 때문이다.120

　수도 단계에서도 역시 결정코 7지를 성취한다. 이와 같은 모든 단계에서, 만약 이미 욕망을 떠난 수행자라면 각각 1지를 더하니, 타심지를 말하는 것이지만, 이생으로서 무색계에 태어난 자만은 제외한다.121

　시해탈은 결정코 9지를 성취하니, 진지를 더한 것을 말하며, 불시해탈은 결정코 10지를 성취하니, 무생지를 더한 것을 말한다.122

제6절 단계에 의거해 닦는 지智

1. 견도에 의거한 분별

　어떤 단계 중에서 몇 가지 지智를 단박에 닦는가?123 우선 견도의 15심

---

120 모든 이생의 단계 및 성자의 견도의 제1찰나에는 결정코 세속지를 성취하고, 제2찰나에는 결정코 3지를 성취하니, 법지 및 고지를 더한 것이다. 겹처서 알기 때문이다. 제4찰나에는 또 유지를 더하고, 제6찰나에는 또 집지를 더하며, 제10찰나에는 또 멸지를 더하고, 제14찰나에는 또 도지를 더한다. 견도 중 아직 더해지지 않는 모든 단계에 성취하는 지혜의 수의 다소는 그 앞의 단계에서 말한 것과 같기 때문이다.

121 수도 단계에 이르더라도 아직 더해지지 않기 때문에 역시 결정코 7지를 성취한다. 이와 같은 이생 및 16심의 단계에서, 만약 이미 욕망을 떠난 자라면 각각 타심지를 더한다. 욕망을 떠난 단계에서도 이생으로서 무색계에 태어난 자만을 제외한다. (무색계에서는) 타심지를 성취하지 않기 때문인데, 나머지는 모두 성취한다. 그래서 『순정리론』(=제74권. 대29-743상)에서 말하였다. "그런데 이생의 단계 및 견도 중(=제15심까지)에서는 (이미 욕망을 떠났더라도) 오직 세속의 타심지만을 성취할 수 있고, 도류지의 시기(=제16심)에는 두 가지(=유루·무루의 타심지)를 모두 성취할 수 있으니, 그 때 처음 불환과를 얻기 때문에 무루(의 타심지)도 아울러 얻어서 과체果體를 성취하는 것이다. 나머지 수도위 중에서는 두 가지를 성취한다. 무색계에 태어나면 곧 세속의 타심지를 버린다." # 이상은 욕계의 수혹을 끊으면 타심지가 획득된다는 것을 전제한 설명인데, 뒤의 게송 25·26, 28c, 30bcd 등에 관한 논설과 이에 대한 『기』의 설명에 의하면, 이생이나 유학의 성자가 욕계의 염오를 떠날 때 타심지의 미래수(=법전득)가 인정된다.

122 시해탈자는 결정코 9지를 성취하니, 또 진지를 더하며, 불시해탈자는 결정코 10지를 성취하니, 또 무생지를 더한다.

123 이하는 여섯째 단계에 의거해 닦는 지를 분별하는 것이다. 그 안에 나아가면 첫째 견도에 의거해 닦음을 분별하고, 둘째 수도에 의거해 닦음을 분별하며,

중에 대해 게송으로 말하겠다.

23 견도의 인·지가 일어날 때에는[見道忍智起]
　곧 그것을 미래에 닦으며[卽彼未來修]
　3유지에서는 겸하여[三類智兼修]
　현관변의 세속지도 닦는다[現觀邊俗智]

24 불생법이고, 자지와 하지이며[不生自下地]
　고지·집지는 4념주이고, 멸지는 뒤의 염주이며[苦集四滅後]
　자제의 행상과 경계인데[自諦行相境]
　오직 가행에 의해 획득되는 것일 뿐이다[唯加行所得]124

....

셋째 무학에 의거해 닦음을 분별하고, 넷째 나머지 단계에 의거해 닦음을 분별하며, 다섯째 의지하는 지에 의거해 닦음을 분별하고, 여섯째 통틀어 네 가지 닦음의 뜻을 밝힌다. 이는 곧 전체적으로 묻는 것이다. 닦음에는 모두 네 가지가 있으니, 득수, 습수, 대치수[治修], 제거수[遣修]인데, 이하에서는 우선 득수·습수의 2수에 의거해 분별한다. 또 『순정리론』(＝제74권. 대29－743상)에서 말하였다. "우선 무엇을 닦음이라고 말하는지 생각해 가려야 할 것이다. 말하자면 선의 유위를 닦아서 원만하며 자재하게 하는 것이다. 염오와 무기가 아닌 것은 뛰어나게 사랑스러운 결과가 없기 때문이고, 선의 무위가 아닌 것은 상속에 있지 않기 때문[不在相續故]이며, 또 무위는 결과가 없기 때문이다."
124 답 중에 나아가면 이하는 곧 첫째 견도에 의거해 닦음을 분별하는 것이다. 장차 모든 닦음을 분별하려면 간략히 가행·무간·해탈·승진의 4도에 의해 그 10지의 득수·습수를 밝혀야 한다. 고지·집지·멸지·도지·법지·유지·세속지는 모두 4도에 의한 득수·습수(＝뒤의 게송 33a에 관한 『기』의 설명에 의하면, 현재든 미래든 처음 그 법을 얻는 것을 득수라고 이름하고, 단지 현재에 이르러 체가 현전하는 것만을 습수習修＝행수라고 이름한다)가 인정되니, 널리 도에 통하기 때문이다. 만약 타심지라면 가행도 중에서는 장애를 끊는 것이 아니기 때문에 득수는 인정되지만, 참여를 용납하는 도[용예도容預道](＝참여 또는 유예가 인정되는 도. 도의 성격상 다른 법이 끼어들 여지가 있는 도라는 뜻)가 아니기 때문에 습수는 없으며, 무간도 중에서는 장애를 끊기 때문에 득수는 아니고 습수이며, 해탈·승진도는 장애를 끊는 것이 아니기 때문에 득수가 인정되고, 참여를 용납하는 도이기 때문에 습수가 인정된다. 만약 진지라면 4도 중에 서로 매여 속하기 때문에[相繫屬故] 모두 득수가 인정되고, 가행·무간도는 견의 성품이기 때문에 습수가 아니며, 해탈·승진도는 추구의 종식이 인정되기 때문에 습수가 인정된다. 만약 무생지라면 진지에 대해 말한 것

논하여 말하겠다. 견도 단계 중 인忍·지智 중의 어느 하나를 일으킬 때에는 모두 즉 그 부류를 미래에 닦는다. 그런데 자제自諦의 모든 행상과 염주를 갖추어 닦는 것이다.[125]

어째서 견도에서는 오직 동류만을 닦는가?[126] 이전에 아직 일찍이 이 종성을 획득하지 못했기 때문이며, 대치와 소연이 모두 결정적이기 때문이다.[127]

【현관변의 세속지】 오직 고·집·멸의 3유지의 시기에는 능히 미래의 현관변現觀邊의 세속지도 겸하여 닦는다. 하나하나의 제諦를 현관하는 후변後邊에서 비로소 겸하여 닦을 수 있기 때문에 이런 호칭을 세운 것이다. 이에 의해 나머지 단계에서는 아직 겸하여 닦을 수 없다.[128]

....

과 같되, 차별되는 것은 해탈도 중에 습수가 없다는 것이니, 일어남이 인정될 수 없기 때문이다. 간략히 일체를 4도에 의한다면 그 상응하는 바에 따라 각각 2수가 있으므로 이렇게 가려 해석한 것이라고 알아야 할 것이니, 그 중의 차별은 아래 논서의 글과 같다.

125 처음 2구를 해석하는 것이다. 견도 단계 중 8인과 7지 중의 어느 하나를 일으킬 때에는 모두 곧 그 부류를 미래에 닦으니, 인은 스스로 인을 닦고, 지는 스스로 지를 닦는다. 그렇지만 자제自諦 하의 4행상과 4념주를 능히 갖추어 닦는 것이다. 인을 얻을 때에는 아직 지는 얻지 못하고, 지를 얻을 때에는 인은 이미 얻었으니, 상호간에 서로를 닦지는 않는다. 닦은 인과 지는 4행상 및 4념주에 통하기 때문에 각각 네 가지를 갖추어 닦는 것이다.

126 물음이다.

127 답이다. 이전에 아직 일찍이 이 종성(=성자의 종성)을 획득하지 못했기 때문이니, 지금 시기에 처음 얻어 그 세력이 아직 넓지 못하기 때문에 동류를 닦고(=소위 동류수同類修), 방수傍修할 수 없는 것이다. 또 모든 인과 지는 대치가 결정적이고, 소연이 모두 결정적이므로, 오직 동류만을 닦고 방수할 수 없다. 예컨대 고인·고지는 결정코 고제 하의 번뇌를 대치하고, 결정코 고제를 소연의 경계로 하는 것처럼, 이와 같이 나아가 도인·도지에 이르기까지도 역시 그러하다. 그래서 『대비바사론』 제107권(=대27-552중)에서 말하였다. "견도는 소연이 결정적이고 대치가 결정적이기 때문에 오직 동분만을 닦지만, 수도는 소연이 결정적이지 않고 대치가 결정적이지 않기 때문에 동분과 부동분을 닦을 수 있다."

128 제3·제4구를 해석하는 것이다. 오직 고·집·멸의 세 가지 유지의 시기에는 능히 미래의 현관변現觀邊의 세속지도 겸하여 닦는다. 하나하나의 제諦를 현관하는 후변後邊(=뒤의 끝)에서 비로소 이 세속지를 겸하여 닦을 수 있기 때문에 현관변의 세속지라는 호칭을 세운 것이다. 이 명칭에 의하기 때문에 견도의 나머지 단계에서는 겸하여 닦을 수 없다. 세속지로는 비롯함이 없는 때로부터 자주 일찍이 고를 알았고, 집을 끊었으며, 멸을 증득했으므로, 3현관변

도류지의 시기에는 어째서 이것을 닦지 않는가?129 세속지는 일찍이 도제에 대해서는 사현관事現觀함이 없었기 때문이며, 또 반드시 도제에 대해서는 두루 사현관함이 없을 것이기 때문이다. 말하자면 고·집·멸제에 대해서는 두루 알고 끊고 증득할 수 있지만, 반드시 도제에 대해서는 두루 닦을 수 없으며, 비록 집·멸제의 후변에서는 아직 두루 끊고 증득하지 않았더라도 미래의 단계에는 끊고 증득한 뒤 두루할 것이지만, 도제의 경우에는 곧 그렇지 않으니, 종성이 많기 때문이다.130 어떤 분은 말하였다. "이것은 견도의 권속인데, 그것은 수도에 포함되기 때문에 닦을 수 없다."131 그러나 이치가 공히 인정하는 것이 아니므로 증거로 해서는 안 될 것이다.132

이 세속지는 불생법이니, 일체 시기에 일어남이 인정될 수 없기 때문이

....

에서도 또한 다시 고를 알고, 집을 끊으며, 멸을 증득하는 것이니, 같이 하나의 일[一事]을 하는 것이다. 또 이 세속지는 비롯함이 없는 때로부터 비상非想(=유정지의 번뇌)를 끊지 못하다가 이제 비상을 끊었으므로 세속지가 기뻐하면서 득을 일으키고 따라 기뻐하는 것이다.

129 물음이다. 도류지의 시기에는 현관변에서 어째서 이 세속지를 역시 닦지 않는가?

130 답이다. 세속지는 자주 일찍이 3제에 대해 알고 끊고 증득했기 때문에 현관변에서 세속지를 닦지만, 일찍이 도제에 대해서는 사현관(=앞의 제23권 중 게송 ⊠cd와 그 논설 참조)함이 없었기 때문에 닦는다고 이름하지 못하며, 도는 하나의 일을 같이 하는 것이 아니기 때문에 도류지는 세속지를 닦지 못한다. 또 반드시 도제에 대해서는 두루 사현관함이 없을 것이기 때문이니, 말하자면 고·집·멸 3제에 대해서는 두루 고를 알 수 있고 두루 집을 끊을 수 있고 두루 멸을 증득할 수 있기 때문에 현관변에서 세속지를 닦을 수 있지만, 반드시 도제에 대해서는 두루 닦을 수 없기 때문에 현관변에서 세속지를 닦지 못한다. 비록 집제변에서는 아직 일체 집을 두루 다 끊지 않았더라도 미래의 집제의 단계에서 집을 끊은 뒤 두루할 것이며, 비록 멸제변에서는 아직 일체 멸을 능히 다 증득하지 못했더라도 미래의 멸제의 단계에서 멸을 증득한 뒤 두루할 것이지만, 도제의 경우에는 곧 그렇지 않으니, 종성이 많기 때문이다. 상이한 종성의 도는 닦을 수 없기 때문이니, 자신의 근기와 종성에 대해서는 비록 득수가 인정된다고 해도, 백천 분 중의 하나조차 일으키지 못하기 때문이다. 고제의 현관변에서는 고를 반드시 두루 알기 때문에 따로 해석하지 않았다.

131 어떤 분은, 이 세속지는 견도의 권속인데, 그 도류지는 수도에 포함되는 것이기 때문에 닦을 수 없다고 말하였다.

132 논주의 힐난이다. 여러 부파에서 대부분 제16심(=도류지)도 역시 견도에 포함된다고 말하고 있으니, 견도가 아니라고 말하는 이치는 공히 인정하는 것이 아니므로 증거로 해서는 안 될 것이다.

다.133 만약 그렇다면 무엇 때문에 닦는다고 이름한 것인가?134 이전에 아직 일찍이 얻지 못한 것을 지금 비로소 얻기 때문이다.135 이미 일어날 수 없는데, 얻는다는 뜻은 무엇에 의한 것인가?136 다만 득得에 의한 때문에 얻는다고 이름한 것이다.137 득에 의한 때문에 얻는다는 것은 일찍이 들은 적이 없는 말이다. 따라서 분별한 바 닦는다는 이치는 성립되지 않는다.138 옛 논사처럼 말한다면 닦는다는 뜻이 이루어질 수 있다.139 그는 어떻게 말했는가?140 성도의 힘에 의해 세속지를 닦으면 출관 후 진리를 반연하는 뛰어난 세속지가 현전할 수 있는데, 이것이 일어나는 의지처를 얻었기 때문에 이것을 얻는다고 이름한 것이니, 마치 금광을 얻은 것을 금을 얻었다고 이름하는 것과 같다. 비바사 논사들은 이런 뜻을 좋아하지 않는다.141

....

133 제5구 중 '불생법[不生]'을 해석하는 것이다. 그래서 『순정리론』(=제74권. 대29-743중)에서 말하였다. "이 세속지는 의지하는 몸에서 결정코 생기지 않기 때문이다. 말하자면 수신행·수법행의 몸이라면 의지처가 되어 이 지를 견인해 일으키는 일이 있을 수 있지만, 견도 단계에 있다면 이는 생길 수 없기 때문(=세속지는 유루, 견도는 무루로서 신속하게 일어나기 때문에 현행할 여지가 없음)에 이 의지하는 몸에서는 불생법에 머무는 것이다. 의지처에서 생기지 않기 때문에 이는 반드시 불생이다."(문) 어느 시기에 비택멸을 얻는가? (해) 3현관변에서 비택멸을 얻는다. 그래서 『순정리론』(=상동)에서 말하였다. "말하자면 그 때 (이 세속지의) 득을 일으킴에 자재하다고 해도, 다른 연이 장애하기 때문에 체가 현전하지 않는 것이다."
134 경량부의 물음이다. 일으킬 때 자재하다면 닦는다고 이름할 수 있겠지만, 이것은 이미 생기지 않을 것인데, 무엇을 닦는다고 이름한 것인가?
135 설일체유부의 답이다. 지금 비로소 얻기 때문에 닦는다고 이름한 것이다.
136 경량부의 힐난이다. 그 세속지는 이미 일어날 수 없는 것인데, 얻는다는 뜻은 무엇에 의한 것인가? 경량부의 종지로는 득은 가법이기 때문이다.
137 설일체유부의 답이다. 다만 현재 세속지의 득을 일으켰기 때문에 얻는다고 이름한 것일 뿐, 반드시 현행해 일어난다는 것은 아니다.
138 경량부에서 다시 따지는 것이다. 일어나지 않는데, 얻는다는 뜻은 무엇에 의한 것인지 내가 물었으니, 다른 뜻으로써 해석해야 할 것인데, 다른 뜻으로 해석하지 않고, 지금 마침내 득에 의한 때문에 얻는다고 이름했다고 하였다. 이는 득으로써 득을 해석한 것이니, 이렇게 해석하는 것은 일찍이 들은 적이 없는 것이다. 따라서 분별한 바 닦는다는 이치는 성립되지 않는다.
139 힐난을 마치고 경량부의 뜻을 서술하는 것이다.
140 설일체유부의 물음이다.
141 경량부의 답이다. 이 관찰 안에서 성도의 힘에 의해 세속지의 종자를 훈습해 닦아서 증승하면 출관 후 진리를 반연하는 뛰어난 세속지가 현전하는데, 지나

어떤 지地에 의지해 견도가 현전하는가에 따라 능히 미래의 자지와 하지의 것을 닦는다. 말하자면 미지정에 의지해 견도가 현전할 경우 능히 미래의 1지의 견도와 2지의 세속지를 닦고, 나아가 제4정려에 의지해 견도가 현전할 경우 능히 미래의 6지의 견도와 7지의 세속지를 닦는다.142

고지·집지의 후변에 닦는 것은 4념주에 포함되고, 멸지의 후변에 닦는 것은 오직 법념주일 뿐이다.143

어떤 제諦의 현관변에서 닦는가에 따라 즉 이의 행상으로써 이 제를 경계로 해서 반연한다.144

....

간 날보다 뛰어남이 있다. 바로 관찰 안에 있던 것이고, 성도의 힘에 의한 것인데, 이 출관 후의 세속지가 일어나는 의지처—의지처는 곧 종자이다—를 얻었기 때문에 이 출관 후의 세속지를 얻는다고 이름한 것이니, 이는 곧 원인을 얻는 것을 말하여 결과를 얻는다고 이름한 것이니, 마치 금광이라는 원인을 얻은 것을 금이라는 결과를 얻었다고 이름하는 것과 같다. 비바사 논사들은 이런 뜻을 좋아하지 않는다. 혹은 이런 세속지의 일어남이 의지하는 몸을 얻기 때문에 이 세속이라는 결과를 얻는다고 이름한 것이다. 응당 '종자'라고 말해야 하지만, 비바사 논사들은 종자를 믿지 않기 때문에 '의지하는 몸'이라고 말한 것이니, 그 종자는 몸을 떠나지 않기 때문이다. 혹은 이 세속지를 일으킴이 의지하는 성도라는 원인을 얻었기 때문에 이 후의 세속지의 결과를 얻는다고 이름한 것이다. 비록 이런 설명을 하지만, 비바사 논사들은 이런 뜻을 좋아하지 않는다.

142 (제5구 중) '자지와 하지'를 해석하는 것이다. 세속지는 따로 반연하므로, 비록 유루이지만, 자지와 하지의 것을 닦을 수 있다. 나머지 유루법은 따로 반연함이 없기 때문에 대부분 자지의 것을 닦는다. 또 『대비바사론』 제4권(=대27-18하)에서 말하였다. "(문) 어째서 6지에서 일으키는 견도의 경우 상지에서는 하지를 닦을 수 있는데, 하지에서는 상지를 닦지 못하는가? (답) 상지의 법은 뛰어나므로 현전할 때 곧 하지의 것을 닦을 수 있지만, 하지의 법은 열등하므로 현전할 때에도 상지를 닦을 수 없다. 마치 열등한 자가 뛰어난 분을 알현하지, 뛰어난 분은 열등한 자를 알현하는 것이 아닌 것처럼, 이것도 또한 그러하다." # 따라서 본문 중 '1지의 견도와 2지의 세속'은 미지지의 견도와 미지지·욕계의 세속지를 가리키고, '6지의 견도와 7지의 세속지'는 미지지·중간정려지·4정려지의 견도와 미지지·중간정려지·4정려지·욕계의 세속지를 가리킨다.

143 제6구를 해석하는 것인데, 알 수 있을 것이다. # 멸지는 나머지 3념주의 법을 반연하지 않는다.

144 제7구를 해석하는 것이다. 또 『순정리론』(=제74권. 대29-743하)에서 말하였다. "어떤 제의 현관변에서 닦는가에 따라 곧 이의 행상으로써 이 제를 경계로 해서 반연한다. 말하자면 만약 고제의 현관변에서 닦는 것이라면, 곧

견도의 힘에 의해 얻는 것이기 때문에 오직 가행으로 얻는 것일 뿐이다.145 지智가 증승하기 때문에 지라는 명칭을 세운 것인데, 만약 권속을 아우른다면 욕계의 4온과 색계의 5온을 그 자성으로 한다.146

2. 수도에 의거한 분별

다음 수도의 이염 단계[離染位] 중에서 닦는 지에 대해 게송으로 말하겠다.

㉕ 수도의 첫 찰나에는[修道初刹那]

6지 혹은 7지를 닦고[修六或七智]

8지를 끊는 무간도[斷八地無間]

및 욕망 있는 나머지 도와[及有欲餘道]

㉖ 유정지를 끊는 8해탈도에서는[有頂八解脫]

각각 7지를 닦으며[各修於七智]

위의 무간도와 나머지 도에서는[上無間餘道]

순서대로 6지와 8지를 닦는다[如次修六八]147

....

고제를 반연하는 4행상으로써, 욕계에 매인 것이라면 욕계의 고제를 반연하고, 색계에 매인 것이라면 상계의 고제를 반연하며, 만약 집제의 현관변에서 닦는 것이라면, 곧 집제를 반연하는 4행상으로써, 욕계에 매인 것이라면 욕계의 집제를 반연하고, 색계에 매인 것이라면 상계의 집제를 반연하며, 만약 멸제의 현관변에서 닦는 것이라면, 곧 멸제를 반연하는 4행상으로써, 욕계에 매인 것이라면 욕계의 멸제를 반연하고, 색계에 매인 것이라면 상계의 멸제를 반연한다."

145 제8구를 해석하는 것이다. 견도의 힘으로 얻는 것이기 때문에 오직 가행으로 얻는 것일 뿐, 생득·이염득이 아니다.

146 (현관변의 세속지의) 체를 나타내는 것이다. 견도 중 지가 증승하기 때문에 지라는 명칭을 세운 것인데, 만약 권속을 아우른다면 욕계의 4온과 색계의 5온을 그 자성으로 한다. 또 『순정리론』(=제74권. 대29-743하)에서 말하였다. "욕계에 포함되는 것은 사소성이고, 색계에 포함되는 것은 수소성이다. 문소성은 아니니, 그것은 미약하기 때문이다." # 색온은, 욕계의 경우 세속지의 권속이 아니지만, 색계의 경우 도공계·정공계의 수전색을 동반하기 때문에 세속지의 권속이라는 취지.

147 이하는 곧 둘째 수도에 의거해 닦음을 분별하는 것이다.

논하여 말하겠다. 수도의 첫 찰나는 말하자면 제16 도류지의 시기이니, 2지를 현재 닦는다. 아직 욕망을 떠나지 못한 자라면 미래에 6지를 닦으니, 법지 및 유지와 고·집·멸·도지를 말하며, 욕망을 떠난 자라면 7지를 닦으니, 타심지를 더한 것을 말한다. 세속지를 닦지 않는 것은 유정지를 대치하는 것이기 때문이다.148

욕계의 수소단을 끊는 9무간도와 8해탈도에서는 세속지, 4제의 지, 법지를 상응함에 따라 현재 닦으며, 위의 7지地를 끊는 모든 무간도에서는 4제의 지, 유지, 세속지, 멸·도법지를 상응함에 따라 현재 닦는다. 욕계를 끊는 가행도와 욕망 있는[有欲] 승진도에서는 세속지, 4제의 지, 법지, 유지를 상응함에 따라 현재 닦는다. 이상의 경우 미래에 모두 7지를 닦으니, 말하자면 세속지, 법지, 유지, 고·집·멸·도지이다.149

....

148 수도의 첫 찰나인 도류지의 시기에는 2지를 현재 닦으니, 말하자면 도지 및 유지이다. 아직 욕망을 떠나지 못한 자라면 미래에 6지를 닦으니, 말하자면 법지 및 유지와 고·집·멸·도지이며, 욕망을 떠난 자라면 7지를 닦으니, 말하자면 타심지를 더한 것이다. 『순정리론』(=제74권. 대29-744상)에서 말하였다. "먼저 이욕하고 성도에 든 경우 어째서 견도 중에서는 타심지를 닦지 못하는가? 타심지는 관찰에서 노니는 단계[遊觀位]에 포함되므로, 참여를 용납하는 도[容預道]에 의해야 비로소 닦는 뜻이 있는 것인데, 견도 단계 중에는 진리의 이치를 관찰하기 위해 가행이 지극히 빠르기 때문에 닦을 수 없으며, 무간도 중에서의 뜻도 이와 같다. 지금 제16 도류지의 시기는 참여를 용납하는 도에 포함되기 때문에 이 지를 닦는 것이다." 세속지를 닦지 않으니, 도류지는 유정지를 대치하는 것이기 때문(=앞의 게송 ㉓cd에 관한 논설 참조)이다. 비록 3제의 후변은 유정지를 대치하는 것인데도 세속지를 닦는 것은 따로 반연했기 때문에 닦지만, 이것은 따로 반연함이 없었기 때문에 닦지 않는 것이다.

149 제3·제4구(및 이와 연결되는 제6구)를 해석하는 것이다. 욕계의 수소단을 끊는 9무간도와 8해탈도(=욕계의 번뇌를 끊는 도 중 모든 가행도, 앞의 8승진도, 제9의 해탈도·승진도를 제외한 것)에서는 세속지, 4제의 지, 법지를 상응함에 따라 현재 닦으며, 위의 7지(=4정려지와 3무색지)를 끊는 모든 무간도에서는 4제의 지, 유지, 세속지, 멸·도법지를 상응함에 따라 현재 닦는다. 욕계를 끊는 가행도와 욕망 있는 승진도―'욕망 있는'은 번뇌 끊는 것이 아직 다하지 못했음을 나타내니, 곧 앞의 8승진도이다(=이로써 욕계의 번뇌를 끊는 도 중에서는 제9의 해탈도·승진도만 제외되었는데, 이들은 뒤의 제7구 중 '나머지 도'에 포함된다. 이상 열거된 것들이 제3·제4구의 '8지를 끊는 무간도 및 욕망 있는 나머지 도'이다)―에서는 세속지, 4제의 지, 법지, 유지를 상응함에 따라 현재 닦는다. 해탈·가행·승진도가 무간도의 '나머지 도'(=제4구 중

유정지를 끊는 앞의 8해탈도에서는 4제의 지, 유지, 2법지를 상응함에 따라 현재 닦고, 여기에서는 미래에도 역시 오직 7지만을 닦지만, 세속지를 제외하고, 타심지를 더한다.150

유정지를 끊는 9무간도에서는 4제의 지, 유지, 2법지를 상응함에 따라 현재 닦고, 미래에는 법지, 유지, 고·집·멸·도지의 6지를 닦는다. 욕계의 수소단을 끊는 제9해탈도에서는 세속지, 4제의 지, 법지를 상응함에 따라 현재 닦고, 위의 7지를 끊는 모든 해탈도에서는 4제의 지, 유지, 세속지, 멸·도법지를 상응함에 따라 현재 닦으며, 욕계의 수소단을 끊는 제9승진도와 위의 8지를 끊는 모든 가행도에서는 세속지, 4제의 지, 법지, 유지를 상응함에 따라 현재 닦고, 위의 7지와 유정지의 8품을 끊는 모든 승진도에서는 세속지, 4제의 지, 법지, 유지 및 타심지를 상응함에 따라 현재 닦는다. 이상에서는 미래에 모두 8지를 닦으니, 말하자면 세속지, 법지, 유지, 4제의 지, 타심지이다.151

3. 무학에 의거한 분별

다음 이염득離染得의 무학 단계 중에서 닦는 지智에 대해 분별하는 것을 게송으로 말하겠다.

....

의)이다. 이상의 경우 미래에 모두 7지를 닦으니, 말하자면 세속지, 법지, 유지, 고·집·멸·도지이다. 현재 닦는 것은 같지 않기 때문에 앞에서 개별적으로 열거하고, 미래에 닦는 것은 같은 까닭에 합쳐서 말한 것이다.

150 제5·제6구를 해석하는 것이다. 현재 닦는 것은 알 수 있을 것(='2법지'는 멸·도의 법지)이다. 앞의 미래수 중 세속지를 제외하는 것은 유정지를 대치하는 것이기 때문이고, 타심지를 더하는 것은 참여를 용납하는 도이기 때문이다.

151 제7·제8구를 해석하는 것이다. 욕계의 수소단을 끊는 제9승진도에서 타심지를 현재 닦지 않는 까닭은, 최초로 욕계의 염오를 떠난 것이어서 여전히 아직 참여를 용납하지 않기 때문에 현재 닦는 것이 아니다. 상지의 승진도는 참여를 용납하는 것이기 때문에 그래서 현재 닦으며, 모든 가행도는 참여를 용납하는 것이 아니기 때문에 역시 현재 닦는 것이 아니지만, 장애를 끊는 것이 아니기 때문에 타심지를 득수한다. 나머지 글은 알 수 있을 것이다. # 본문의 논설에 의하면 위 게송 23·26에서 닦는다고 한 지혜는 모두 미래수를 가리킨 것이고, 현재 닦는 지혜의 수는 생략되었다. 이하의 게송에서도 역시 그러하다. 그래서 뒤의 게송 30에 관한 논설의 해석 말미의 『기』에서, 「게송의 글은 좁기 때문에 단지 미래에 닦는 것만을 말했지만, 장항의 글은 넓어서 현재 닦는 것도 아울러 말한 것」이라고 설명하고 있다.

27 무학의 첫 찰나에서는[無學初刹那]

 9지를 닦거나 10지를 닦으니[修九或修十]

 둔근과 이근의 차별 때문인데[鈍利根別故]

 승진도에서도 역시 그러하다[勝進道亦然]152

 논하여 말하겠다. 무학의 첫 찰나는 말하자면 유정지를 끊는 제9해탈도인데, 고지, 집지, 유지, 진지를 상응함에 따라 현재 닦으니, 유정지를 반연하기 때문이다.153

 승진도에서는 9지나 10지를 상응함에 따라 현재 닦고,154 미래에도 상응함에 따라 9지를 닦거나 10지를 닦으니, 말하자면 둔근자는 무생지만을 제외하고, 이근자는 무생지도 역시 닦기 때문이다.155

4. 나머지 단계에 의거한 분별

 다음 나머지 단계에서 닦는 지智의 다소에 대해 분별하는 것을 게송으로 말하겠다.

28 연근의 무간도에서[練根無間道]

 유학은 6지, 무학은 7지를 닦고[學六無學七]

 나머지 도에서 유학은 6·7·8지[餘學六七八]

 무학은 8·9·일체 지를 닦는다[應八九一切]

29 잡수와 신통의 무간도에서[雜修通無間]

....

152 이하는 곧 셋째 무학에 의거해 닦음을 분별하는 것이다.

153 첫 구를 해석하는 것이다. '무학의 첫 찰나'는 말하자면 유정지를 끊는 제9해탈도이니, 고지·유지·진지나 혹은 집지·유지·진지를 상응함에 따라 현재 닦으니, 유정지(=유루)를 반연하기 때문이다. # 제2구는 무학의 첫 찰나에 현재 닦는 것을 말한 것이 아니고, 미래에 닦는 것을 말한 것이다.

154 제4구를 해석하는 것이다. 제2찰나 후의 모든 승진도에서는 9지나 10지를 상응함에 따라 현재 닦는다. 현재 닦는 것은 앞의 해탈도의 득수와 그 수가 같기 때문에 '역시 그러하다'라고 말한 것이다.

155 제2·제3구를 해석하는 것이다. 해탈도와 승진도에서는 미래에도 상응함에 따라 9지를 닦거나 10지를 닦는다.

유학은 7지, 무학은 8·9지를 닦고[學七應八九]

나머지 도에서 유학은 8지를 닦으며[餘道學修八]

무학은 9지 혹은 일체 지를 닦는다[應九或一切]

30 성자가 나머지 공덕을 일으킬 때[聖起餘功德]

및 이생의 모든 단계에서[及異生諸位]

닦는 지의 많고 적음에 대해서는[所修智多少]

모두 이치대로 생각해야 한다[皆如理應思]156

(1) 연근에 의거한 분별

㈎ 유학위의 연근

논하여 말하겠다. 유학위의 연근의 모든 무간도에서는 4법지와 4유지를
상응함에 따라 현재 닦고, 미래에 6지를 닦으니, 4제의 지, 법지, 유지이다.
견도와 유사하기 때문에 세속지를 닦지 않고, 능히 장애를 끊는 것이기 때
문에 타심지를 닦지 않는다.157

모든 해탈도에서도 4법지와 4유지를 상응함에 따라 현재 닦으며, 아직
욕망을 떠나지 않은 자라면 미래에 6지를 닦으니, 4제의 지, 법지, 유지이
며, 이미 욕망을 떠난 자라면 미래에 7지를 닦으니, 말하자면 타심지를 더

------

156 이하는 곧 넷째 나머지 단계에 의거해 닦음을 분별하는 것이다. 첫 게송은
연근에 의거해 닦음을 분별하는 것, 둘째 게송은 잡수와 신통에 의거해 닦음
을 밝히는 것, 뒤의 게송은 성·범에 의거해 닦음을 밝히는 것이다.

157 첫 구 및 제2구 중 '유학은 6지를'을 해석하는 것이다. 유학위의 연근 전의
5종성(=6종성 중 부동법을 제외한 것)의 모든 무간도에서는 4법지와 4유지
를 상응함에 따라 현재 닦으니, 유학의 연근으로 장애를 끊는, 근기에 대한
무지는 바로 견혹에 의해 인발된 것이기 때문에 견혹을 끊는 것처럼 4법지와
4유지를 상응함에 따라 현재 닦는 것이다. 따라서 유학의 연근은 마치 그 현
행해 일어나는 것과 같이 미래에 6지를 닦으니, 4제의 지, 법지, 유지이다. 견
도 중의 8인忍의 무간도와 유사하거나, 혹은 견도에서 비상지非想地를 끊는 4
무간도와 유사하거나, 혹은 견도에서 비상지를 끊는 도제 소단의 1무간도와
유사하니, 비록 세 가지 해석이 다르기는 해도, 모두 세속지를 닦지는 않는다.
무간도는 능히 장애를 끊는 것이기 때문에 타심지를 닦지 않으니, 타심지는
신통인데, 그것은 바로 장애를 끊는 것이기 때문에 닦을 수 없는 것이다.

한 것이다.158 어떤 다른 논사는, 해탈도의 단계에서는 세속지도 역시 닦는다고 말하였다.159

모든 가행도에서는 세속지와 4법지·4유지를 상응함에 따라 현재 닦고, 아직 욕망을 떠나지 않은 자라면 미래에 7지를 닦지만, 이미 욕망을 떠난 자라면 8지를 닦으니, 타심지를 더한 것을 말한다.160 모든 승진도에서는 아직 욕망을 떠나지 않은 자라면 세속지와 4법지·4유지를 상응함에 따라 현재 닦고, 미래에는 역시 7지를 닦지만, 이미 욕망을 떠난 자라면 세속지와 4법지·4유지 및 타심지를 상응함에 따라 현재 닦으며, 미래에도 역시 8지를 닦는다.161

(나) 무학위의 연근

무학위의 연근의 모든 무간도에서는 4제의 지, 유지, 2법지를 상응함에 따라 현재 닦고, 미래에 7지를 닦으니, 4제의 지, 법지, 유지, 진지이다. 세속지를 닦지 않으니, 유정지를 대치하는 것과 같기 때문이다.162

....

158 이하는 제3구를 해석하는 것이다. 유학위의 연근 전의 다섯 가지 종성의 모든 해탈도에서도 4법지와 4유지를 상응함에 따라 현재 닦으니, 그 까닭의 해석은 앞서 해석한 것과 같다. 아직 욕망을 떠나지 않은 자라면 미래에 6지를 닦으니, 말하자면 4제의 지, 법지, 유지이며, 이미 욕망을 떠난 자라면 미래에 7지를 닦으니, 말하자면 타심지를 더한 것이다. 장애를 끊는 것이 아니기 때문(=욕망 떠난 자의 해탈도의 경우)에 미래의 타심지를 닦지만, 장애 끊는 해탈도는 참여를 용납하는 것이 아니기 때문에 타심지는 현재 닦는 것이 아니다.

159 이 논사의 뜻이 말하는 것은, 견도 중의 3현관변의 해탈도에서 세속지를 닦기 때문에 연근의 해탈도에서도 역시 세속지를 닦는다는 것이지만, 이것은 바른 뜻이 아니니, 세속지는 유정지의 견혹을 끊을 수 없기 때문이다.

160 유학위의 연근하는 앞의 5종성의 모든 가행도에서는 세속지와 4법지·4유지를 상응함에 따라 현재 닦으니, 세속지도 역시 가행도에 의해 용납되기 때문에 그래서 현재 닦음을 얻는 것이다. 아직 욕망을 떠나지 않은 자라면 미래에 7지를 닦지만, 이미 욕망을 떠난 자라면 8지를 닦으니, 타심지를 더한 것을 말한다. 장애를 끊는 것이 아니기 때문에 타심지를 득수하는 것이다.

161 유학위의 연근하는 앞의 5종성의 모든 승진도의 경우 글대로 알 수 있을 것이다. 참여를 용납하는 도이기 때문이며, 장애를 끊는 것이 아니기 때문에 타심지를 행수(=습수)·득수할 수 있는 것이다.

162 제1구 및 제2구 중 '무학은 7지를 닦고'를 거듭 해석하는 것이다. 무학위에서 연근하는 앞의 5종성의 9무간도에서는 4제의 지, 유지, 멸·도의 2법지를 상응함에 따라 현재 닦는다. 그 무학의 연근으로 끊는, 근기를 장애하는 무지

5종성의 앞의 8해탈도에서는 4제의 지, 유지, 2법지를 상응함에 따라 현재 닦고, 미래에 8지를 닦으니, 4제의 지, 법지, 유지, 타심지 및 진지이다. 4종성의 제9해탈도에서는 고지, 집지, 유지, 진지를 상응함에 따라 현재 닦고, 미래에 9지를 닦는다. 최후 종성의 최후 해탈도에서는 고지, 집지, 유지, 진지를 상응함에 따라 현재 닦고, 미래에 10지를 닦는다.163

모든 가행도에서 현재 닦는 것은 유학과 같으며, 미래에 9지를 닦는다.164 모든 승진도에서, 둔근자라면 9지를 상응함에 따라 현재 닦고, 미래

....

는 바로 유정지의 수혹에 의해 인발된 것이기 때문에 마치 유정지의 수혹을 끊을 때 4제의 지, 유지, 2법지를 상응함에 따라 현재 닦는 것과 같으니, 그래서 지금 연근의 경우에도 그와 같이 현행해 일으키는 것이다. 미래에 7지를 닦으니, 4제의 지, 법지, 유지, 진지이다. 무간도는 추구를 종식시킨 것이 아니기 때문에 진지를 현재 닦는 것이 아니며, 종류가 서로 속하는 것이기 때문에 미래에 진지를 닦는다. 세속지를 닦지 않으니, 마치 유정지의 수혹를 대치하는 것과 같기 때문에 세속지를 닦지 않는 것이다. 능히 장애를 끊는 것이기 때문에 타심지를 닦지 않는다.

163 이하는 제4구를 해석하는 것이다. 무학위의 연근하는 앞의 5종성 중 앞의 8해탈도에서는 4제의 지, 유지, 2법지를 상응함에 따라 현재 닦고, 미래에 8지를 닦으니, 4제의 지, 법지, 유지, 타심지 및 진지이다. 신통의 해탈[通解脫]이 아니기 때문에 타심지를 현재 닦는 것은 없으며, 장애를 끊는 것이 아니기 때문에 타심지의 득수(=미래수)가 있다. 앞의 8해탈도는 아직 추구를 종식시킨 것이 아니며, 여전히 견見이기 때문에 진지는 현재 닦는 것이 아니며, 종류가 서로 속하는 것이기 때문에 진지를 득수한다. 이는 (게송 중) '무학은 8지[應八]'를 해석한 것이다.(=한역문 중 '응應'은 응과=무학의 뜻) 앞의 5종성 중에 나아가면 앞의 4종성의 각각 제9해탈도에서는 고지, 집지, 유지, 진지를 상응함에 따라 현재 닦으니, 마치 유정지를 끊는 제9해탈도에서 응과를 얻을 때 최초로 진지를 일으키는 것과 같고, 미래에 무생지를 제외(=앞의 4종성은 제9해탈도에서 아직 부동법을 얻지 못하기 때문)한 9지를 닦는다. 이는 (게송 중) '무학은 9지'를 해석한 것이다. 앞의 5종성 중 제5종성의 제9 최후의 해탈도에서는 고지, 집지, 유지, 진지를 상응함에 따라 현재 닦고, 미래에 10지를 닦으니, 무생지를 더한 것이다. 이는 '무학은 일체 지를 닦는다'를 해석한 것이다.

164 '무학은 9지'를 거듭 해석하는 것이다. 무학위에서 연근하는 앞의 5종성의 모든 가행도에서 현재 닦는 것은 유학과 같으니, 세속지, 4제의 지, 법지, 유지를 상응함에 따라 현재 닦는다. 가행도는 참여를 용납하는 도가 아니기 때문에 타심지는 현재 닦는 것이 아니고, 아직 추구를 종식시키지 못했기 때문에 진지도 현재 닦는 것이 아니다. 미래에 9지를 닦으니, 무생지를 제외한 것을 말한다.

에도 역시 9지를 닦지만, 이근자라면 10지를 상응함에 따라 현재 닦고, 미래에도 역시 10지를 닦는다.165

(2) 잡수와 신통에 의거한 분별

(가) 잡수에 의거한 분별

유학위의 잡수雜修의 모든 무간도에서는 4제의 지, 법지, 유지, 세속지를 상응함에 따라 현재 닦고, 미래에는 7지를 닦는다.166 모든 해탈도에서는 오직 4제의 지와 법지·유지만을, 가행도에서는 세속지를 더한 것을, 모든 승진도에서는 또 타심지를 더한 것을 상응함에 따라 현재 닦으며, 미래에는 모두 8지를 닦는다.167

무학위의 잡수의 모든 무간도에서 현재 닦는 것은 유학과 같고, 미래에 닦는 것은 둔근이라면 8지, 이근이라면 9지이다.168 모든 해탈도에서는 오

....

165 '무학은 일체 지를 닦는다'를 거듭 해석하는 것이다. 무학위의 연근하는 모든 승진도에서는−무학위에서 제2찰나 이후는 모두 승진도이다− 그 상응하는 바에 따라 진지·무생지를 현재 닦을 수 있으며, 참여를 용납하는 도이기 때문에 타심지도 역시 현재 닦을 수 있다.

166 이하에서 둘째 게송의 잡수(=잡수정려) 및 신통에 대해 해석하는데, 이는 (제1~2구 중) '잡수의 무간도에서 유학은 7지를 닦고'를 해석하는 것이다. 유학위의 잡수의 모든 무간도는 유루와 무루에 통하는데, 두 가지 무간도 중 첫 무간도(=무루)에서는 4제의 지, 법지, 유지를 상응함에 따라 현재 닦고, 두 번째 무간도(=유루)에서는 세속지를 상응함에 따라 현재 닦는다. 미래에는 7지(=4제의 지, 법지, 유지, 세속지)를 닦으니, 능히 장애를 끊는 것이기 때문에 타심지를 닦지 않는다.

167 제3구를 해석하는 것이다. 유학위의 잡수의 모든 해탈도는 오직 무루이기 때문에 오직 4제의 지와 법지·유지만 상응함에 따라 현재 닦는다. 무루이기 때문에 세속지는 현재 닦는 것이 아니며, 타심지도 아니니, 해탈도이기 때문에 타심지도 현재 닦는 것이 아니다. 만약 가행도라면 앞의 6지에 세속지를 더한 것을 상응함에 따라 현재 닦으니, 세속지는 능히 가행이 되기 때문이다. 가행도는 참여를 용납하는 것이 아니기 때문에 타심지는 현재 닦는 것이 아니다. 모든 승진도에서는 앞의 7지에 또 타심지를 더한 것을 상응함에 따라 현재 닦으니, 승진도는 참여를 용납하므로 타심지를 현재 닦는다. 이상 3도의 미래에는 모두 8지를 닦으니, 모두 장애를 끊는 것이 아니므로 타심지를 득수한다.

168 (제1~2구 중) '잡수의 무간도에서 무학은 8·9지를 닦고'를 해석하는 것이다. 무학위의 잡수의 모든 무간도에서 현재 닦는 것은 유학처럼 4제의 지, 법지, 유지, 세속지이니, 무간도는 견의 성품으로서 추구를 종식시킨 것이 아니

직 4제의 지, 법지, 유지만을, 가행도에서는 세속지를 더한 것을 상응함에
따라 현재 닦고, 미래에 닦는 것은 둔근이라면 9지, 이근이라면 10지이다.
모든 승진도에서는 연근의 경우와 같다.[169]

   (나) 신통에 의거한 분별

   유학위에서 신통을 닦을 때 5신통의 무간도에서 현재 닦는 것은 세속지
이고, 미래에는 7지를 닦는다.[170] 숙주宿住·신경神境 2신통의 해탈도와 5신
통의 가행도에서 현재 닦는 것은 세속지이며, 타심통의 해탈도에서는 법지,
유지, 도지, 세속지 및 타심지를, 일체 신통의 승진도에서는 아울러 고지,
집지, 멸지를 상응함에 따라 현재 닦으며, 이상의 도에서 미래에는 모두 8
지를 닦는다.[171]

....

   기 때문에 진지·무생지는 현재 닦는 것이 아니다. 미래에 닦는 것은 둔근자라
   면 8지, 이근자라면 9지이니, 각각 타심지를 제외하는 것은 장애를 끊는 것이
   기 때문이다.
169 (제3~4구 중) '나머지 도에서 무학은 9지, 혹은 일체 지를 닦는다'를 해석하
   는 것이다. 무학위의 잡수의 모든 해탈도에서는 오직 4제의 지, 법지, 유지만
   을 상응함에 따라 현재 닦으니, 무루이기 때문에 현재 세속지를 닦지 않고,
   타심통의 해탈도가 아니기 때문에 현재 타심지를 닦는 것이 아니다. 이 해탈
   도는 견으로서 추구를 종식시킨 것이 아니기 때문에 진지·무생지는 현재 닦
   는 것이 아니다. 만약 가행도라면 앞의 6지에 또 세속지를 더한 것을 상응함
   에 따라 현재 닦으니, 세속지는 가행이 되기 때문에 현재 닦을 수 있다. 참여
   를 용납하는 것이 아니기 때문에 타심지는 현재 닦는 것이 아니며, 가행은 견
   으로서 추구를 종식시킨 것이 아니기 때문에 진지·무생지는 현재 닦는 것이
   아니다. 이상 2도에서 미래에 닦는 것은 둔근자라면 9지, 이근자라면 10지이
   다. 모든 승진도에서는 연근의 경우와 같으니, 둔근자라면 9지를 상응함에 따
   라 현재 닦고, 미래에도 역시 9지를 닦지만, 이근자라면 10지를 상응함에 따
   라 현재 닦고, 미래에도 역시 10지를 닦는다.
170 이하에서 신통을 닦을 때에 대해 밝히는데, 이는 (게송 1~2구 중) '신통의
   무간도에서 유학은 7지를 닦는다'를 해석하는 것이다. 유학위에서 신통을 닦
   을 때 5신통(=6신통 중 누진통을 제외한 것)의 무간도는 사관事觀이기 때문
   에 현재 닦는 것은 세속지이다. 타심통의 해탈도는 비록 무루 및 3념주(=수·
   심·법념주)에 통하지만, 무간도는 사관으로서 오직 유루이며, 오직 심념주이
   다. 미래에는 7지(=4제의 지, 법지, 유지, 세속지)를 닦으니, 능히 장애를 끊
   는 것이기 때문에 타심지를 닦지 않는다.
171 제3구(='나머지 도에서 유학은 8지를 닦는다')를 해석하는 것이다. 숙주·신
   경의 2신통의 해탈도는 사관이기 때문에 현재 닦는 것은 세속지이며, 5신통
   의 가행도도 모두 사관이므로 현재 닦는 것은 세속지이다. 5신통의 무간도는

무학위에서 신통을 닦을 때 5신통의 무간도에서 현재 닦는 것은 유학과 같고, 미래에 닦는 것은 둔근이라면 8지, 이근이라면 9지이다.172 해탈도와 가행도에서 현재 닦는 것은 유학과 같고, 미래에 닦는 것은 둔근이라면 9지, 이근이라면 10지이다. 모든 승진도에서는 연근의 경우와 같다.173

천안·천이의 2신통의 해탈도는 무기의 성품이기 때문에 닦는다고 이름하지 않는다.174

(3) 성·범에 의거한 분별

㈎ 성자가 나머지 공덕을 일으킬 경우

성자가 그 나머지 4무량無量 등 수소성에 포함되는 유루의 공덕을 일으킬 때에는 현재 모두 세속지 한 가지를 닦는다. 유학이 미래에 닦는 것은, 아직 욕망을 떠나지 않았다면 7지, 이미 욕망을 떠났다면 8지이며, 무학이 미래에 닦는 것은 둔근이라면 9지, 이근이라면 10지이다. 미미심微微心은

모두 세속지이므로 그 가행에 뛰어난 무루가 있을 수 없고, 열등한 것이 가행이 되기 때문에 가행도에서는 오직 세속지만 현재 닦는 것이다. 타심통의 해탈도는 유루와 무루에 통하니, 만약 무루라면 법지, 유지, 도지, 타심지를 상응함에 따라 현재 닦고, 만약 유루라면 세속지와 타심지를 상응함에 따라 현재 닦는다. 일체 5신통의 승진도에서는 곧 앞의 법지, 유지, 도지, 세속지, 타심지와 아울러 고지, 집지, 멸지를 상응함에 따라 현재 닦는다. 5신통의 승진도에서 이미 타심지를 일으킬 수 있으니, 이에 준해서 5신통의 승진도에서는 나머지 4신통도 일으킬 수 있다는 것을 알 수 있을 것이다. 이상의 도에서 미래에는 모두 8지를 닦으니, 진지와 무생지를 제외한다. 아직 얻지 못했기 때문이다.

172 (게송 제1~2구 중) '신통의 무간도에서 무학은 8·9지를 닦는다'를 해석하는 것이다. 무학위에서 신통을 닦을 때 5신통의 무간도에서 현재 닦는 것은 유학처럼 오직 세속지이고, 미래에 닦는 것은 둔근자라면 8지, 이근자라면 9지이니, 능히 장애를 끊는 것이기 때문에 타심지를 닦지 않는다.

173 (게송 제3~4구 중) '나머지 도에서 무학은 9지 혹은 일체 지를 닦는다'를 해석하는 것이다. 해탈도와 가행도에서 현재 닦는 것이 유학과 같은 것은 앞에 준해서 알 수 있을 것이다. 미래에 닦는 것은 둔근자라면 9지, 이근자라면 10지이다. 모든 승진도에서 연근의 경우와 같은 것도 앞에 준해서 알 수 있을 것이다.

174 두 가지 신통에서 닦지 않는 것(='무기'는 소위 통과무기)을 가려내는 것이다. 6신통 중 누진통을 말하지 않은 것은, 앞에서 번뇌 끊는 것이 다한 것[斷惑盡](=진지)을 말했기 때문이다.

제외하니, 이것은 미래에도 세속지만을 닦기 때문이다.175

만약 그 나머지 무루의 공덕으로서 정려에 포함되는 것을 일으킬 때에는 4제의 지, 법지, 유지를 상응함에 따라 현재 닦고, 무색정에 포함되는 것을 일으킬 때에는 오직 4제의 지와 유지만을 상응함에 따라 현재 닦는다. 미래에 닦는 것은 앞의 유루의 경우와 같다.176

(나) 이생에 의거한 분별

이생이 염오를 떠날 때 현재 닦는 것은 세속지이고, 욕계와 3정려지를 끊는 제9해탈도 및 근본4정려의 선정에 의지해 승진도와 이염의 가행도를 일으킬 때에는 미래에 2지를 닦으니, 타심지를 더한 것을 말한다. 그 나머지 도에서는 미래에 오직 세속지만을 닦는다.177

5신통을 닦을 때의 모든 가행도와 2신통의 해탈도에서 현재 닦는 것은 세속지이고, 1신통의 해탈도에서 현재 닦는 것은 세속지와 타심지이며, 모든 승진도에서는 2지를 상응함에 따라 현재 닦고, 미래에는 모든 도에서 모두 2지를 닦는다. 5신통의 무간도에서는 현재와 미래에 세속지만을 닦는다.178

....

175 이하에서 셋째 게송을 해석하는데, 이하는 곧 제1구 및 뒤의 2구를 해석하는 것이니, 이는 성자가 나머지 유루의 공덕을 일으킬 때에 대해 밝히는 것이다. 따로 장애를 제거하지 않는 까닭에 4도에 의거하지 않고 밝혔다. 멸진정에 들기에 임한 마음을 미미심이라고 이름하니, 이 마음은 미약해서 현재와 미래에 세속지만 닦고, 무루는 닦지 않는다. 나머지 글은 알 수 있을 것이다.
176 나머지 무루의 공덕을 일으킬 때에 대해 밝히는 것인데, 이것도 역시 따로 장애를 제거하는 것이 없는 까닭에 4도에 의거하지 않고 밝힌 것이다.
177 이하는 제2구 및 뒤의 2구를 해석하는 것이니, 이 뒤의 2구는 두 곳(=성자와 이생)에 통하는 것이다. 이생이 염오를 떠날 때 현재 닦는 것은 세속지이다. 만약 욕계를 끊는 제9해탈도 및 색계의 아래 3정려지를 끊는 제9해탈도에서라면 위의 근본정려의 타심지(=욕계를 끊는 제9해탈도의 경우 초정려의 타심지, 아래 3정려지를 끊는 해탈도의 경우 각 그 상지의 타심지)를 얻지만, 앞의 8해탈도에서는 아직 얻지 못했고, 또 하지의 것을 닦지 않기 때문에 따로 표방하지 않았다. 그리고 근본4정려의 선정에 의지해 이염의 승진도와 이염의 가행도를 일으키는 이런 등의 미래에는 모두 2지를 닦으니, 앞의 세속지에 또 타심지를 더한 것을 말한다. 앞에서 말한 경우를 제외한 그 나머지 일체 가행·무간·해탈·승진도에서는 미래에 모두 오직 세속지만을 닦는다.
178 이생이 5신통을 닦을 때에 대해 밝히는 것이다. 5신통을 닦을 때 5신통의 가행도와 숙주·신경의 2신통의 해탈도에서 현재 닦는 것은 세속지이고, 타심지의 1신통의 해탈도에서 현재 닦는 것은 세속지와 타심지이며, 5신통의 승

근본정려에 의지해 나머지 공덕을 닦을 때에는 모두 현재 세속지를 닦고, 미래에는 2지를 닦는다. 오직 순결택분에서만은 반드시 타심지를 닦지 않으니, 견도에 가까운 권속이기 때문이다. 나머지 지地의 선정에 의지해 나머지 공덕을 닦을 때에는 모두 세속지만을 현재와 미래에 닦는다.179

5. 의지하는 지地에 의거한 분별

미래에 닦는 모든 것은 몇 가지 지地를 닦는 것이 되며, 일어나 얻어지는 모든 것[諸所起得]은 모두 닦는 것[修]인가? 게송으로 말하겠다.

③1 모든 도가 이 지에 의지하거나 이 지를 얻는다면[諸道依得此]
　이 지의 유루를 닦고[修此地有漏]
　이 지를 떠나려고 하거나 얻거나 이 지에서 일어난다면[爲離得起此]
　이 지와 하지의 무루를 닦는다[修此下無漏]

③2 오직 최초의 진지만은 두루[唯初盡遍修]
　9지의 유루의 공덕을 닦지만[九地有漏德]
　상지에 태어나면 하지를 닦지 않으며[生上不修下]
　일찍이 획득된 것은 닦는 것이 아니다[曾所得非修]180

....

진도에서는 세속·타심의 2지를 상응함에 따라 현재 닦고, 이상의 도의 미래에는 모든 도에서 모두 세속·타심의 2지를 닦는다. 5신통의 무간도에서는 현재와 미래에 세속지만을 닦는다. 천안·천이의 2신통의 해탈도는 무기의 성품이기 때문에 닦는다고 이름하지 않는다.

179 이생이 나머지 공덕을 닦을 때에 대해 밝히는 것이다. 만약 근본4정려에 의지해 나머지 공덕인 4무량 등을 닦을 때라며 모두 현재 세속지를 닦고, 미래에는 2지를 닦으니, 타심지를 더한 것을 말한다. 오직 순결택분에서만은 반드시 타심지를 닦지 않으니, 견도에 가까운 권속이기 때문이다. 근본정려에 의지하는 경우를 제외하고, 만약 나머지 지地의 선정에 의지해 나머지 공덕인 부정관 등을 닦을 때에는 모두 세속지만을 현재와 미래에 닦는다. (이상 게송과 장항의 글에서) 게송의 글은 좁기 때문에 단지 미래에 닦는 것만을 말했지만, 장항의 글은 넓어서 현재 닦는 것도 아울러 말한 것이다.

180 이하는 곧 다섯째 지地에 의해 닦는 것을 분별하는 것이다. 첫째 미래에 닦는 모든 것은 몇 가지 지地를 닦는 것이 되는지를 묻고, 둘째 일어나 얻어지는 모든 것은 모두 닦는 것인지를 물었는데, 앞의 7구는 처음 물음에 대한 답이

논하여 말하겠다. 모든 도가 이 지地에 의지할 때 및 이 지를 얻을 때에는 능히 미래의 이 지의 유루를 닦는다.181 성자가 이 지를 떠나려고 할 때 및 이 지를 얻을 때와 아울러 이 지 중의 모든 도가 현기할 때에는 모두 능히 이 지 및 하지의 무루를 닦는다. '이 지를 떠나려고 할 때'라는 말은 두 가지 4도에 통한다.182

....

고, 뒤의 1구는 둘째 물음에 대한 답이다.

181 처음 2구를 해석하는 것인데, 이는 유루를 닦는 것을 밝히는 것이다. 모든 유루도 및 무루도가 유루법을 닦는 것에는 모두 2부류가 있다. 첫째 이 지에 의지해서 현기할 때에는 능히 미래의 이 지의 유루를 닦으며, 둘째 이 지를 얻을 때에는 능히 미래의 이 지의 유루를 닦는 것이다. 그래서 『현종론』 제36권(=대29-954중)에서 말하였다. "모든 도가 이 지에 의지할 때 및 이 지를 얻을 때에는 능히 미래의 이 지의 유루를 닦는다. 말하자면 이 지에 의지해 세속도나 성도가 현전할 때에는 미래에 오직 이 지의 유루를 닦으니, 유루법이 지地에 매인 것은 견고해서 다른 것을 닦기 어렵기 때문이다. 그 어떤 지에 의지해 하지의 염오를 떠나는 제9해탈도가 현전할 때에는 역시 미래에 획득되는 상지의 근본·근분정의 유루의 공덕을 닦으니, 하지의 계박을 떠나서 반드시 그 상지를 얻기 때문이다." 『순정리론』(=제74권. 대29-745상)의 글도 『현종론』과 같다.

182 제3·제4구를 해석하는 것인데, 이는 무루를 닦는 것을 밝히는 것이다. 무루를 닦는 것에는 모두 3부류가 있다. 첫째 이 지를 떠나려고 할 때 능히 이 지 및 하지의 무루를 닦으니, 이염하는 지에서 바라보고 이 지를 닦는다고 말한 것이지, 의지하는 지에서 바라보지 않았다. 만약 의지하는 지에서 바라본다면 역시 상지도 닦는다고 이름할 것이다. 둘째 이 지를 얻을 때 능히 이 지 및 하지의 무루를 닦는다. 셋째 이 지에 의지하는 중에 모든 도가 현전할 때 능히 이 지 및 하지의 무루를 닦는다. 그래서 『현종론』 제36권(=대29-954중)에서 말하였다. "성자가 이 지를 떠나려고 할 때 및 이 지를 얻을 때와 아울러 이 지 중의 모든 도가 현기할 때에는 모두 능히 이 지 및 하지의 무루를 닦는다. 말하자면 어떤 지의 유루를 떠나든 무루의 가행도 등의 도가 바로 현전하여 이 지의 번뇌를 끊어 제거하려고 할 때에는 미래의 이 지 및 하지의 무루를 닦는다. 하지의 무루는 상지의 염오도 같이 능히 대치하기 때문에 비록 하지의 성도라고 해도 번뇌를 끊을 때에는 모든 상지쪽도 능히 같이 대치함이 있는 것이다. 그렇지만 유루는 지를 계박하는 것이 견고해서, 아직 하지를 떠나지 못했을 때에는 아직 그것을 닦을 수 없다. 그 어떤 지에 의지하든 하지의 염오를 떠나는 제9해탈도가 현전할 때에는 역시 미래에 획득되는 상지 및 모든 하지의 무루의 공덕을 닦는다. 어떤 지이든 이 지의 세속도나 성도를 일으켜서 현전할 때에는 미래에 모두 이 지 및 하지의 무루의 공덕을 닦는다." # 본문 말미의 '두 가지 4도'는 유루·무루의 4도(=가행·무간·해탈·승진도)를 가리킨다.

오직 최초로 진지가 현전할 때만은 힘이 9지地의 유루의 부정관 등 한량 없는 공덕을 능히 두루 닦는다. 능히 계박하는 온갖 번뇌가 남음 없이 끊어 지기 때문이니, 마치 능히 속박하던 것이 끊어지면 속박된 기氣가 통하는 것 과 같다. 또 그의 자기 마음이 지금 왕위에 오르면 일체 선법이 득을 일으키 고 와서 조공하니, 비유하자면 대왕이 천자의 자리에 올라 관정하면 모든 나라에서 모두 와서 조공하는 것과 같다. 그렇지만 이것도 상지에 태어나면 반드시 하지를 닦지 않는다. '최초의 진지'라는 말은 유정지를 떠나는 제9해 탈도 및 5종성이 연근하는 단계의 제9해탈도를 나타내는 것이다.[183]

'닦는다'고 말한 모든 것은, 오직 이전에 아직 얻지 못했던 것[先未得]을 지금 일으키는 것[今起]과 지금 얻는 것[今得]만이 능히 닦는 것[能修]과 닦 이는 것[所修]이다. 말하자면 만약 이전에 아직 얻지 못했던 것을 지금 얻는 것이 공력을 써서 얻는 것이라면 비로소 닦이는 것이지만, 만약 법이 이전 에 일찍이 얻었다가 버린 것이라면, 지금 비록 다시 얻는다고 해도 닦이는 것이 아니니, 애써 노력하여 증득하는 것이 아니기 때문이다. 만약 이전에 아직 얻지 못했던 것을 공력을 써서 현전시켰다면 미래를 능히 닦는 것[能

---

183 제5~7구를 해석하는 것인데, 이는 따로 반연하여 모든 유루를 닦는 것을 나타내는 것이다. 오직 최초의 진지만은 어떤 지에 의지하든 현전할 때에는 힘이 9지地의 유루의 의지意地에 포함되는 문·사·수소성의 부정관 등 한량없 는 공덕을 능히 두루 닦는다. 왜냐하면 3계 9지의, 능히 계박하는 온갖 번뇌가 남음 없이 끊어지기 때문에 계박된 선법이 시원하게 통하기 때문이니, 마치 능히 속박하던 밧줄이 끊어지면 속박된 사람의 기가 통하는 것과 같다. 또 그 의 자기 마음이 번뇌의 원수를 죽인 뒤 지금 왕위에 오르면 일체 선법이 득을 일으키고 와서 조공하니, 비유하자면 대왕이 천자의 자리에 오르는 날 서쪽 나라의 풍속에 따라 물로써 관정하면─이 때문에 경에서 '관정한 대왕'이라고 말하였다─ 모든 나라에서 모두 와서 그 곳에서 숭상하는 갖가지 진귀한 것에 따라 조공하는 것과 같다. 그렇지만 이것도 상지에 태어나면 반드시 하지를 닦지 않으니, 예컨대 초정려지에 태어나서 아라한과를 얻으면 욕계의 모든 유 루의 선을 닦지 않으며, 나아가 유정지에 태어나 아라한과를 얻으면 아래 8지 의 모든 유루의 선을 닦지 않는 것과 같다. 몸이 위의 정려지에 태어나면 하지 의 유루의 선을 성취하지 않기 때문에 그래서 상지에 태어나면 하지를 닦을 수 없는 것이다. '최초의 진지'라는 말은 유정지를 떠나는 제9해탈도 및 앞의 5종성이 연근하는 단계의 제9해탈도를 나타내는 것이니, 모두 앞의 도를 버 리고 처음 과보를 얻기 때문에 모두 능히 통틀어 9지의 유루를 닦는 것이다.

修未來]이니, 세력이 뛰어나기 때문이지만, 일찍이 얻었던 것을 일으켰다면 미래를 닦지 않으니, 많은 공력으로 일으킨 것이 아니어서 세력이 열등하기 때문이다.184

6. 4수修의 뜻

오직 획득[得]에 의거해서만 닦는다고 이름하는가?185 그렇지 않다.186 어떠한가?187 닦음[修]에는 네 가지가 있으니, 첫째 득수得修, 둘째 습수習修, 셋째 대치수對治修, 넷째 제거수[除遣修]이다.188 이와 같은 네 가지 닦음[四修]은 어떤 법에 의해 건립하는가?189 게송으로 말하겠다.

33 득수와 습수의 건립은[立得修習修]
선의 유위법에 의하고[依善有爲法]
모든 유루법에 의해[依諸有漏法]
대치수와 제거수를 건립하였다[立治修遣修]190

논하여 말하겠다. 득수·습수의 2수는 유위의 선법에 의한 것인데, 미래에는 오직 득수만이며, 현재에는 2수를 갖춘다.191 대치수·제거수의 2수는

....

184 제8구를 해석하는 것이다. 닦는다고 말한 모든 것은, 오직 이전에 아직 얻지 못했던 것만을 현재 지금 일으키는 것, 이것이 능히 닦는 것이고, 미래의 것을 지금 얻는 것, 이것이 닦이는 것이다. '말하자면' 이하는 따로 해석하는 것이니, 첫째 닦이는 것[所修]과 닦이는 것 아닌 것[非所修]을 밝히고, 둘째 능히 닦는 것[能修]과 능히 닦는 것 아닌 것[非能修]을 밝히는 것이다. 나머지 글은 알수 있을 것이다.
185 이하에서 여섯째 통틀어 4수의 뜻을 밝히는데, 이는 곧 묻는 것이다.
186 답이다.
187 따지는 것이다.
188 해석하는 것이다.
189 물음이다.
190 게송에 의한 답 중에 나아가면, 위의 2구는 득·습의 2수에 대해 밝히는 것이고, 아래 2구는 대치·제거의 2수에 대해 밝히는 것이다.
191 위의 2구를 해석하는 것이다. 현재든 미래든 처음 그 법을 얻는 것[若現若未創得彼法]을 득수라고 이름한다. 이는 오직 첫찰나만이고, 후찰나에는 통하지 않는다. 단지 현재에 이르러 체가 현전하는 것만[但至現在體現在前]을 습수라고 이름한다. 혹은 행수行修라고도 이름하는데, 이는 첫찰나와 후찰나에 통한다.

유루법에 의한 것이다.192 따라서 유루의 선법은 4수를 모두 갖추고, 무루

그래서 『순정리론』(=제74권. 대29-745중)에서 말하였다. "아직 일찍이 얻지 못했던 모든 공덕이 현전하는 것 및 미래의 그 나머지(=현전한 것의 '나머지'라는 취지) 공덕을 얻는 것은, 새로이 닦음을 얻는 것이기 때문에 모두 득수라고 이름한다. 일찍이 얻은 것이든 아직 일찍이 얻지 못한 것이든 공덕이 현기할 때에는 현재 닦고 익히기 때문에 모두 습수라고 이름한다." 『잡아비담심론』의 택품擇品(=제10권. 대28-954상)에서, "습수란 말하자면 일찍이 얻었던 선법이 상속하여 생기는 것이다"라고 말했지만, 그 설은 그렇지 않다. 어찌 아직 일찍이 얻지 못했던 법의 체가 처음 현전할 때 습수라고 이름하지 못할 수 있겠는가? 번역한 분의 착오일 뿐이다. 이 두 가지는 모두 유위의 선에 의해 건립된 것이다. '유위'는 무위와 다르다고 구별하는 것이고, '선'이라는 말은 염오와 무기를 가려내는 것이다. 그래서 『대비바사론』제106권(=대27-551중)에서 말하였다. "마치 계경에서 설한 것과 같다. 선의 유위법은 응당 닦아야 하지만, 나머지는 아니다. 까닭이 무엇이겠는가? 만약 지혜로운 모든 분들이라면 사랑스러운 과보를 위한 때문에 정성으로 힘써 닦고 익혀서 점점 증장하게 하는 것을 말하여 닦는다고 이름한다. 선의 유위법은 능히 사랑스러운 과보를 얻으니, 말하자면 세간의 사랑할 만한 이숙과와 증상과를 얻기 때문이며, 또한 출세간의 이계과를 얻기 때문에 지혜 있는 모든 분들은 정성으로 힘써 닦고 익혀서 하품으로부터 중품에 이르게 하고, 중품으로부터 상품에 이르게 함으로써 속히 구하는 바 사랑스러운 과보를 획득할 수 있게 한다. 염오·무기의 법 및 선의 무위법에는 이와 같은 작용이 없기 때문에 닦는다고 이름하지 않는다." (문) 색과 불상응행법도 역시 닦는다고 이름하는가? (해) 모두 닦는다고 이름한다. 만약 생득선과 등기하는 것이라면 생득선에 포함되며, 만약 가행선과 등기하는 것이라면 가행선에 포함되니, 모든 논서에서 이미 모든 유위의 선은 모두 닦는다고 이름한다고 말하였다.

세에 의거해 분별하자면, 미래에는 득수뿐이니, 득(=법전득)을 일으켜 획득하기 때문에 득수가 있지만, 체는 아직 현전하지 않으므로 습수는 없다. 현재에는 2수를 갖추니, 법구득이 있기 때문에 득수가 있고, 체가 현전하기 때문에 습수가 있다.

192 아래 2구를 해석하면서 대치수·제거수에 대해 밝히는 것이다. 이 2수는 유루법에 의해 건립된 것이다. 이 유루법의 대치도를 낳는 쪽에서 바라보면 능히 대치함[能治]이 있기 때문에 대치수라고 이름하니, 대치는 곧 네 가지 대치이다. 만약 계박을 떠난다는 뜻 쪽에서 바라본다면 번뇌의 계박을 제거하므로 제거수라고 이름한다. 그래서 『순정리론』제74권(=대29-745하)에서 말하였다. "몸[身] 등의 법에 대해 대치수단[能治]을 얻기 때문에 대치대상[所治]인 몸 등을 대치수라고 이름하니, 그래서 몸 등에 대해 대치를 얻을 때 곧 그것을 말하여 몸 등을 닦는다고 이름하는 것이다. 나머지 유루법의 부류도 역시 그러해야 한다. 몸 등의 경계를 반연하는 번뇌가 끊어지기 때문에 몸 등의 법을 제거수라고 이름하니, 그래서 몸 등을 반연하는 번뇌가 끊어질 때 역시 그것을 말하여 몸 등을 닦는다고 이름하는 것이다. 나머지 유루법도 비례해서 역

의 유위법과 나머지 유루법은 순서대로 전후의 2수를 갖춘다.193

그런데 외국의 논사들은 닦음에 여섯 가지가 있다고 말했으니, 앞의 네 가지에 방수防修와 관수觀修를 더한 것이다. 모든 근根을 방호하고, 몸을 관찰하기 때문이다. 예컨대 계경에서, "어떤 것이 근을 닦는 것[修根]인가? 말하자면 6근을 능히 잘 막고 잘 지켜서 ⋯⋯"라고 설한 것과 같고, 또 계경에서, "어떤 것이 몸을 닦는 것[修身]인가? 말하자면 자신의 몸에서 머리카락·털·손톱을 관찰해서 ⋯⋯"라고 설한 것과 같다.194 가습미라국의 논사들은, 방수·관수의 2수는 곧 대치수·제거수에 포함되는 것이라고 말하였다.195

⋯⋯⋯⋯⋯⋯⋯

시 그러해야 한다. 이 2수는 단지 유루법에 의해 건립된 것일 뿐이다.

193 상대하여 넓고 좁음을 분별하는 것이다. 따라서 유루의 선법은 4수를 모두 갖춘다. 만약 선의 뜻 쪽에서 바라본다면 득·습의 2수가 있고, 만약 유루의 뜻 쪽에서 바라본다면 대치·제거의 2수가 있기 때문에 네 가지를 갖추는 것이다. 무루의 유위법은 앞의 득수·습수를 갖추고, 나머지 유루인 염오 및 무기의 법은 뒤의 대치수·제거수를 갖추는 것이다. 그래서 『대비바사론』제105권(=대27-545상)에서 말하였다. "그런데 네 가지 수를 거치는 법[四種修歷法]을 분별한다면 4구를 만들어야 한다. 어떤 법은 앞의 2수이고 뒤의 2수가 아니니, 무루의 유위법을 말한다. 어떤 법은 뒤의 2수이고 앞의 2수가 아니니, 염오 및 무부무기의 유위법을 말한다. 어떤 법은 앞의 2수이면서 또한 뒤의 2수이니, 선의 유루법을 말한다. 어떤 법은 앞의 2수도 아니고 또한 뒤의 2수도 아니니, 무위법을 말한다."

194 다른 학설을 서술하는 것이다. 이 논서에서 '외국의 논사들'이라고 말한 것을 『대비바사론』에서는 '서방의 논사들'이라고 말하였다. 가습미라국의 밖에 있기 때문에 외국이라고 이름하고, 가습미라국의 서쪽에 있기 때문에 서방이라고 이름한 것인데, 닦음에 여섯 가지가 있다고 말했으니, 앞의 4수에 방수·관수의 2수를 더한 것이다. 모든 근을 방호하기 때문에 방호수防護修라고 이름하고, 몸을 관찰하기 때문에 관찰수觀察修라고 이름한 것이다. 『대비바사론』(=제105권. 대27-545상)에서는 분별수分別修라고 이름했는데, 명칭은 달라도 뜻은 같다. 앞의 경(=잡 [11]11:279 조복경調伏經 등)은 방호수에 대한 증거이고, 뒤의 경(=중 20:81 염신경念身經 등)은 관찰수에 대한 증거이다.

195 바른 뜻으로 경에 대해 회통하는 것이다. 가습미라국의 논사들은, 그들이 말한 바 방호·관찰의 2수는 곧 앞의 4수 중 대치·제거의 2수에 포함되는 것이라고 알아야 한다고 말하였다. 근 및 몸을, 만약 능히 막고 능히 지키고 능히 관찰하는 뜻 쪽에서 바라본다면 대치수라고 이름하고, 만약 방호되고 관찰되어 제거되는 번뇌의 뜻 쪽에서 바라본다면 제거수라고 이름한다.

제7 분별지품分別智品(의 2)

제5장 붓다의 18불공법

제1절 18불공법 총설

이와 같이 모든 지혜[智]의 차별에 대해 분별했으니, 지혜가 이루는 공덕을 이제 드러내어 보이겠다.[1]

그 중 먼저 붓다의 불공不共의 공덕을 분별할 것이다. 우선 최초로 붓다를 이룬 진지의 단계에서 닦는 불공의 불법[不共佛法]에는 열여덟 가지가 있는데,[2] 무엇을 열여덟 가지라고 말하는가?[3] 게송으로 말하겠다.

34a 18불공법은[十八不共法]

붓다의 십력 등을 말한다[謂佛十力等]

논하여 말하겠다. 붓다의 십력, 4무외無畏, 3념주念住 및 대비大悲, 이와 같은 것을 합쳐서 18불공법이라고 이름한다. 오직 모든 붓다들께서만 진지의 시기에 닦는 것이니, 다른 성자에게는 없는 것이기 때문에 불공不共이라

---

1 이하는 당품의 큰 글의 둘째 지혜가 이루는 공덕을 밝히는 것이다. 그 안에 나아가면 첫째 앞을 맺으면서 일으키고, 둘째 개별적으로 밝히는데, 이는 곧 앞을 맺으면서 일으키는 것이다.

2 이하는 둘째 개별적으로 밝히는 것인데, 그 안에 나아가면 첫째 불공법을 밝히고, 둘째 공통의 공덕을 밝힌다. 불공법을 밝히는 가운데 나아가면 첫째 수를 들고 명칭을 표방하며, 둘째 명칭에 의해 개별적으로 해석한다. 이하는 첫째 수를 들고 명칭을 표방하는 것인데, 그 안에 나아가면 첫째 일으키고, 둘째 묻고, 셋째 해석한다. 이는 곧 일으키는 것이다.

3 이는 곧 묻는 것이다.

고 이름한 것이다.4

　제2절 십력

　　제1항 붓다의 마음의 힘

　우선 붓다의 십력의 모습의 차별은 어떠한가?5 게송으로 말하겠다.

③④c 십력 중 처비처지력은 10지이고[力處非處十]
　　　업이숙지력은 멸지·도지를 제외한 8지이다[業八除滅道]

③⑤ 정려·근·승해·계에 대한 지력은 9지이고[定根解界九]
　　변취행지력은 9지 혹은 10지이며[遍趣九或十]
　　숙주·사생지력은 세속지이고[宿住死生俗]
　　누진지력은 6지 혹은 10지이다[盡六或十智]

③⑥ 숙주·사생지력은[宿住死生智]
　　정려지에 의지하고, 나머지는 통틀어 의지하되[依靜慮餘通]
　　섬부주 남자 붓다의 몸에 의지하는데[贍部男佛身]
　　경계에 걸림이 없기 때문이다[於境無礙故]6

....
4 이는 곧 해석하는 것이다.
5 이하는 둘째 명칭에 의해 개별적으로 해석하는 것인데, 그 가운데 나아가면 첫
　째 붓다의 십력을 밝히고, 둘째 4무외를 밝히며, 셋째 3념주를 밝히고, 넷째 붓
　다의 대비를 밝히며, 다섯째 붓다의 같고 다름을 밝힌다. 붓다의 십력을 밝히는
　가운데 나아가면 첫째 붓다의 마음의 힘을 밝히고, 둘째 붓다의 몸의 힘을 밝
　히니, 이하는 첫째 붓다의 마음의 힘을 밝히는 것인데, 이는 곧 묻는 것이다.
6 게송에 의한 답 중에 나아가면 처음 6구는 체를 나타내는 것이고, 다음 2구는
　의지하는 지이며, 다음 1구는 의지하는 처소와 의지하는 몸이고, 뒤의 1구는
　힘의 뜻을 해석하는 것이다.

1. 십력의 체

논하여 말하겠다. 붓다의 10력이란, 첫째는 처비처지력處非處智力이니, 여래의 10지智를 갖춘 것을 성품으로 한다.[7] 둘째는 업이숙지력業異熟智力이니, 말하자면 멸지·도지를 제외한 8지를 성품으로 한다.[8] 셋째는 정려·해탈·등지·등지지력靜慮解脫等持等至智力이고,[9] 넷째는 근상하지력根上下智力이며,[10] 다섯째는 종종승해지력種種勝解智力이고,[11] 여섯째는 종종계지력種種

7 첫 구를 해석하는 것이다. '처'는 말하자면 옳은 도리[是處]이다. 도리에 부합해서 서로 받아들이는 뜻을 옳은 도리라고 이름하니, 예컨대 선한 원인이 사랑스러운 결과를 감득한다고 말하는 등과 같은 것에는 결정코 옳은 도리가 있다는 것이다. 도리에 부합하는 것이 아니어서 서로 받아들이지 못하는 뜻을 그른 도리[非處]라고 이름하니, 예컨대 선한 원인이 사랑스럽지 못한 결과를 감득한다고 말하는 등과 같은 것에는 반드시 옳은 도리가 없다는 것이다. 이 처·비처는 일체법에 통하니, 일체법에는 모두 옳은 도리와 그른 도리의 뜻이 있기 때문이다. 지혜로써 능히 이 처·비처를 알기 때문에 처비처지력이라고 이름하니, 여래의 10지를 갖춘 것을 성품으로 한다. 붓다의 10지는 상응함에 따라 모두 처·비처를 알기 때문이다.

8 제2구를 해석하는 것이다. 이런 부류의 업은 이런 이숙을 감득함을 아는 것을 업이숙지력이라고 이름한다. 게송에서 '업'이라고만 말한 것은, 이숙도 비추어서 나타낸 것이다. 이 업과 이숙을 만약 멀리서 서로 바라본다면 업은 원인이고 이숙은 결과라고 말하겠지만, 만약 미세하게 분별한다면 찰나의 전후에서 자기 부류를 서로 바라볼 때 모두 원인과 결과가 있으므로 모두 고·집에 통한다. 따라서 10지 중 8지를 성품으로 하는 것이다. 멸·도지를 제외하는 것은 고·집제인 업과 이숙을 반연하지 않기 때문이다. 그래서 『현종론』(=제36권. 대29-955중)에서 말하였다. "말하자면 이와 같은 부류의 업은 이와 같은 부류의 여러 이숙과를 감득한다고 잘 분별하는, 걸림 없는 지혜를 업이숙지력이라고 이름한다. 혹은 자업지력自業智力이라고 이름하기도 하는데, 말하자면 이와 같은 부류의 과보는 스스로 지은 업의 힘에 의해 초래된 것으로서, 처자 등이라고 해도 주거나 빼앗을 수 있는 것이 아니며, 이와 같은 부류의 업은 반드시 자신의 과보를 초래하고, 팔거나 살 수 없다는 것을 잘 분별하는, 걸림 없는 지혜를 자업지력이라고 이름한다."

9 이하는 제3구를 해석하는 것이다. '정려'는 4정려를 말하고, '해탈'은 8해탈을 말하며, '등지等持'는 3삼마지(=유심유사·무심유사·무심무사의 3삼매, 또는 공·무상·무원의 3삼매)를 말하고, '등지等至'는 8등지를 말하니, 이들은 모두 선정의 다른 명칭이다. 지혜가 능히 정려 등을 여실하게 알므로 정려 등의 지력이라고 이름한 것이다.

10 신근信根 등의 상하의 차별을 아는 것을 근상하지력이라고 이름한다. 여기에서 근이란 명칭은 어떤 법을 가리키는 것인가? 말하자면 믿음 등(=5력근)을 가리키는 것이니, 선근을 끊은 자도 전체적인 상속 중에는 과거·미래의 믿음

界智力이니,12 이와 같은 4력은 모두가, 말하자면 멸지를 제외한 9지를 성품으로 한다.13 일곱째는 변취행지력遍趣行智力이니, (게송 중) '혹은'이라는 말은 이것의 뜻에 두 길이 있음을 나타낸다. 만약 단지 능취能趣만을 경계로 해서 반연한다고 말한다면 멸지를 제외한 9지를 성품으로 하고, 만약 소취所趣도 역시 경계로 해서 반연한다고 말한다면 10지를 성품으로 한다는 것이다.14 여덟째는 숙주수념지력宿住隨念智力이며, 아홉째는 사생지력死生智力이니, 이와 같은 두 가지 힘은 모두 세속지를 성품으로 한다.15 열째는

....

등의 선법이 역시 있는 것이다. 혹은 의근 등을 가리키는 것이기도 하다.

11 유정들의 부류의 갖가지 승해와 의요意樂의 차별을 아는 것을 종종승해지력이라고 이름한다. 승해는 곧 심소법이다. 그래서 『현종론』(=제36권. 대29-955하)에서 말하였다. "만약 모든 유정들의 부류의 의요(=대정신수대장경본 『현종론』에는 '희락喜樂'으로 되어 있다)의 차별을 여실하게 아는, 걸림 없는 지혜라면 종종승해지력이라고 이름한다. 의요와 승해는 명칭의 차별 때문이다."

12 유정들의 부류의 갖가지 계의 성품을 아는 것을 종종계지력이라고 이름한다. 그래서 『현종론』(=제36권. 대29-955하)에서 말하였다. "만약 모든 유정들의 부류가 과거 시작 없는 때로부터 자주 익혀서 이룬 뜻의 성품[志性], 수면隨眠 및 모든 법성法姓의 갖가지 차별을 여실하게 아는, 걸림 없는 지혜라면 종종계지력이라고 이름한다." 여기에서 '계'와 '뜻의 성품', '수면', '법성'은 명칭의 차별이라고 알아야 할 것이다.

13 이상에서 밝힌 네 가지 힘의 소연인 선정, 근, 승해, 계는 모두 통틀어 고·집·도제에 포함되는 것이기 때문에 이 4력은 모두 9지의 성품이다. 무위를 반연하지 않기 때문에 멸지를 제외한 것이다.

14 제4구를 해석하는 것이다. 일체 모든 행은 그 상응하는 바에 따라 모두 능히 과보로 취향함[趣果]을 변취행이라고 이름하니, 붓다께서 일체 변취행에 대해 모두 여실하게 아시는 것을 변취행지력이라고 이름한다. 앞의 해석(=게송 제4구 중 능취能趣에 의거한 '9지'라는 해석)은 멸지를 제외한 9지이니, 이에 준하면 소취所趣의 결과는 오직 멸제만이다. 뒤의 해석은 10지이니, 인과(=능취와 소취)를 통틀어 아는 것이다. 그래서 『현종론』(=제36권. 대29-955하)에서 말하였다. "말하자면 여실하게 생사의 인과를 알고, 아울러 다함[盡]과 도를 아는, 걸림 없는 지혜를 변취행지력이라고 이름한다."

15 제5구를 해석하는 것이다. 과거의 숙주에 겪었던 일을 알기 때문에 숙주수념지력이라고 이름한다. 알아차림이 강하기 때문에 여기에서 별도로 표방한 것이니, 겪은 일에 따라 알아차리기 때문에 '수념'이라고 이름한 것이다. 미래세에 여기에서 죽어 저기에 태어나는 것은 '사생'이라고 이름하는데, 지혜가 여실하게 알므로 사생지라고 이름한 것이다. 이와 같은 두 가지 힘은 모두 사관事觀으로서 모두 세속지의 성품이다. 그 사생에 대한 지혜가 만약 근본정려에 의한 것이라면 천안통으로서 오직 현재만 반연한다. 미래를 반연한다고 말한

누진지력漏盡智力이니, '혹은'이라는 말은 역시 그 뜻에 두 길이 있음을 나타낸다. 만약 단지 누진만을 경계로 해서 반연한다고 말한다면 도지·고지·집지·타심지를 제외한 6지이고, 만약 누진한 몸 중에 획득된 것을 경계로 해서 반연한다고 말한다면 10지를 성품으로 한다는 것이다.16

2. 십력이 의지하는 지와 몸

자성을 분별했는데, 의지하는 지의 차별이라면, 여덟째와 아홉째의 힘은 4정려에 의지하고, 나머지 여덟 가지는 통틀어 11지地에 의지해 일어나니, 욕계, 4정려, 미지정, 중간정과 아울러 4무색정을 11지라고 이름한다.

의지하는 지를 분별했는데, 의지하는 몸의 차별이라면, 모두 섬부주의 남자인 붓다의 몸에 의지한다.17

3. 힘의 뜻

의지하는 몸에 대해 분별했는데, 무엇 때문에 힘이라고 이름한 것인가?18 일체 알아야 할 대상[所知境]에 대해 지혜가 걸림 없이 일어나기 때문에 힘이라고 이름한 것이다. 이 때문에 십력은 오직 붓다의 몸에만 의지하니, 붓다께서만 모든 번뇌와 습기習氣를 이미 제거하셔서 일체 대상을 바람[欲]에 따라 능히 아시지만, 다른 성자는 이와는 상위하기 때문에 힘이라고 이름하지 않는다. 예컨대 사리자가 제도를 구하는 사람을 저버렸으며, 매에게 쫓기던 비둘기의 전후 2제際의 생의 다소에 대해 능히 관찰해 알지 못한 등과 같다.19

....

것은 신통에 견인된 권속에 의거해 말한 것이니, 아래의 6신통 중(=뒤의 게송 50a에 관한 논설)에서 다시 따로 해석하는 것과 같다.

16 제6구를 해석하는 것이다. '누진'은 소멸인데, 나머지 글은 알 수 있을 것이다. 또 『현종론』(=제36권. 대29-955하)에서 말하였다. "이 뒤의 3력은 곧 3신통이다. 6신통 중 이 3신통이 수승하니, 무학위에 있으면 3명으로 건립하고, 여래의 몸에 있으면 또한 힘이라고 이름한다. 신경통과 천이통은 설령 붓다의 몸에 있더라도 역시 큰 작용이 없기 때문에 힘이라고 이름하지 않는다. 그리고 남의 마음을 아는 힘을 따로 말하지 않은 것은, 그 뜻이 이미 근 등에 대한 힘 중에 포함되어 있으니, 남의 근 등 중에는 심·심소도 있기 때문이다."

17 제7~9구를 해석하는 것이다. 제8 숙주수념지력과 제9 사생지력은 5신통의 성품이기 때문에 4근본정에 의지하고, 나머지 여덟 가지 힘은 통틀어 11지에 의지하니, 세속지는 넓기 때문이다. 의지하는 몸은 알 수 있을 것이다.

18 뒤의 1구를 해석하는데, 이는 곧 물음이다.

19 일체 알아야 할 대상에 대해 지혜가 걸림 없이 일어나기 때문에 힘이라고 이름한 것이다. 이 때문에 십력은 오직 붓다의 몸에만 의지한다. 왜냐하면 붓다께서만 모든 번뇌와 습기를 이미 제거하셔서 일체 대상을 바람에 따라 능히 아시지만, 나머지 2승 등은 이와는 상위하니, 비록 지혜가 있더라도 대상에 대해 걸림이 있기 때문에 힘이라고 이름하지 않는다. 예컨대 사리자가 득도하기를 구하는 사람을 저버린 것과 같다. 과거 붓다 재세시에 어떤 한 사람이 서다림의 문 앞에서 제도 출가를 구했는데, 사리자 등이 이 사람을 관찰해 보니, 8만 겁 이래로 아직 해탈분의 선을 심지 않아 출가할 인연이 없었기 때문에 저버리고 제도하지 않았다. 그 사람은 한탄하면서 저버리지 말고 제도해 주기를 구했는데, 뒤에 붓다께서 와서 보시고 제도해 출가하게 하고 설법하셨더니, 과보를 얻었다. 사리자 등이 괴이하게 여기고 청문하자, 붓다께서 그에게 말씀하셨다. "내가 과거에 나가라갈국에서 이 나라 사람들과 함께 거리를 청소하고 여러 공양구를 장엄하여 정광定光여래를 청해 공양하려고 할 때 제도 구하는 사람도 성에 들어와 땔나무를 팔았는데, 이 일을 안 기회에 곧 '나도 다시 땔나무를 가져와서 돈을 얻어 공양하리라'고 발원하고 그 산 속에 들어갔다가 이윽고 벌레에 먹혀 목숨이 끝나려고 할 때에 임해 그 붓다의 명호를 칭하려고 했지만, 잊고 기억하지 못해서 '성 안에서 영접되려고 하는 분께 귀의한다'라고 말했으니, 곧 순해탈분의 선을 심은 것이라고 이름한다." 과거에 선을 일으켰는데도 세월이 멀었기 때문에 사리자 등은 알 수 없었던 것이다.(=『현우경賢愚經』 제4권 제22 출가공덕시리필제품出家功德尸利苾提品. 대 4-376중) 또 예컨대 사리자가 매에게 쫓기던 비둘기의 전후 2제의 생의 다소 등에 대해 관찰해 알지 못한 것은, 『대지도론』(=제11권. 대25-138하)에서 말한 것과 같다. "붓다께서 기원祇洹에 머물고 계실 때 해질 무렵 경행하셨는데, 이 때 매에게 쫓기던 어떤 비둘기가 날아와서 붓다 주변에 머무니, 붓다께서 경행하시면서 지나간 그림자가 비둘기 위를 덮자, 비둘기의 몸이 안온하여 두려움이 곧 제거되어 다시 소리를 내지 않았는데, 뒤에 사라자의 그림자가 이르자, 비둘기가 다시 소리를 내며 전율하고 두려워하는 것이 처음과 같았다. 사리자가 붓다께 여쭈었다. '붓다 및 저의 몸에는 모두 3독이 없는데, 무슨 인연으로 붓다의 그림자가 비둘기를 덮으니, 비둘기가 곧 소리를 내지 않고 다시 두려워하지 않으며, 저의 그림자가 위를 덮으니, 비둘기가 곧 소리를 내고 전율하며 두려워하는 것이 처음과 같습니까?' 붓다께서 말씀하셨다. '그대는 3독의 습기가 아직 다하지 못했으니, 이 때문에 그대 그림자가 덮어도 두려움이 없어지지 않는 것이다. 그대가 비둘기의 숙세의 인연을 관찰해 보라. 몇 세 동안 비둘기가 되었는가?' 사리불이 즉시 숙명지삼매에 들어 이 비둘기가 비둘기로서 살아 온 것을 관찰해 보았더니, 이와 같이 1·2·3세 내지 8만 대겁 동안 항상 비둘기의 몸이 되었는데, 이를 지난 과거는 다시 볼 수 없었다. (=이하 미래세에 대한 같은 내용 등이 이어지고 있는데, 중간은 생략하였다) 이 때 사리불이 붓다를 향해 참회하고 말씀드렸다. '저는 한 비둘기에 대해서조차 오히려 그 본말을 능히 알지 못하거늘, 어찌 하물며 모든 법이겠습니까?'"

제2항 붓다의 몸의 힘

이와 같이 모든 붓다들의, 두루 알아야 할 것에 대한 마음의 힘[心力]은 끝이 없는데, 몸의 힘[身力]은 어떠한가? 게송으로 말하겠다.

37 몸은 나라연의 힘이니[身那羅延力]
　혹은 마디마디가 모두 그러한데[或節節皆然]
　코끼리 등의 일곱이 열 배씩 증가한 힘으로서[象等七十增]
　이는 촉처를 성품으로 한다[此觸處爲性]20

논하여 말하겠다. 붓다의 생신生身의 힘은 나라연那羅延과 같다.21 어떤 다른 논사는, "붓다 몸의 사지 마디 하나하나가 모두 나라연의 힘을 갖추었다"라고 말하였고, 대덕 법구法救는, "모든 여래의 몸의 힘은 끝이 없는 것이, 마치 마음의 힘과 같다. 만약 이와 다르다면 곧 모든 붓다들의 몸은 끝없는 마음의 힘을 지닐 수 없을 것이다"라고 말하였다.22

대각大覺과 독각 및 전륜왕의 사지 마디가 서로 이어진 것은, 그 순서대로 용의 반결蟠結, 이어진 사슬[連鎖], 갈고리[相鉤]와 흡사하기 때문에 셋을 서로 바라보면 그 힘에 뛰어남과 열등함이 있다.23

나라연의 힘은 그 분량이 어떠한가? 열 배씩 증가하는 코끼리 등 일곱의 힘이다. 말하자면 일반 코끼리[凡象], 향상香象, 마하낙건나摩訶諾健那, 발라색건제鉢羅塞建提, 벌랑가伐浪伽, 차노라遮怒羅, 나라연이니, 뒤의 것일수록

----

20 이하는 곧 둘째 붓다 몸의 힘에 대해 밝히는 것이다.
21 이는 첫 구를 해석하는 것이다. '나라연Nārāyaṇa'(=비슈뉴신의 화현이라고 하는, 큰 힘을 가진 신을 가리키는 말)은 신의 이름인데, 여기 말로는 인종人種이다.
22 제2구를 해석하는 것인데, 다른 학설을 서술하는 것이다.
23 다시 세 사람의 사지 마디가 서로 연결된 것을 상대시켜 그 차별을 상대적으로 드러내는 것이다. 대각의 사지 마디가 서로 연결된 것은 용의 반결(=뒤얽혀 연결된 것)과 흡사하고, 독각의 사지 마디가 서로 연결된 것은 연결된 쇠사슬과 흡사하며, 윤왕의 사지 마디가 서로 연결된 것은 갈고리와 흡사하기 때문에 셋을 서로 바라보면 그 힘에 뛰어남과 열등함이 있다.

그 힘이 앞의 것의 열 배씩 증가한다. 어떤 분은, "앞의 여섯이 열 배씩 증가한 것은 나라연의 절반의 몸의 힘에 필적하니, 이 힘의 1배가 나라연의 힘을 이룬다"라고 말하였다.[24] 그런 설 중 오직 많다는 것만이 이치에 맞다.[25]

이와 같은 몸의 힘은 촉처를 성품으로 하니, 말하자면 만들어진 촉처[所觸] 중의 대종의 차별이다. 어떤 분은, "이는 만들어진 촉처인데, 일곱 가지를 떠난 밖에 별도로 있는 것이다"라고 말하였다.[26]

제3절 4무외無畏

붓다의 4무외無畏의 모습의 차별은 어떠한가? 게송으로 말하겠다.

38a 4무외는 순서대로[四無畏如次]
    제1·제10·제2·제7의 힘이다[初十二七力][27]

....

24 제3구를 해석하는 것이다. 일반 코끼리 등에 비해 열 배씩 증가하기 때문에 '뒤의 것일수록 그 힘이 앞의 것의 열 배씩 증가한다'고 말하였다. 첫째는 일반 코끼리이니, 서쪽 나라에서 일반적으로 수용하는 코끼리를 말한다. 둘째는 향상이니, 서쪽 나라에 향상이라고 이름하는 한 부류의 좋은 코끼리가 별도로 있는데, 전투하려고 할 때 쓰는 것이다. 셋째는 마하낙건나Mahānagna(이는 신神의 이름인데, 여기 말로는 대노형大露形이다), 넷째는 발라색건제Praskandin (역시 신의 이름인데, '발라'는 여기 말로 승勝이고, '색건제'는 여기 말론 온蘊이다), 다섯째는 벌랑가Varaṅga(역시 신의 이름인데, 여기 말로는 묘지妙支이다), 여섯째는 차노라Cāṇūra(역시 신의 이름인데, 여기 말로는 집지執持이다), 일곱째는 나라연이다. '어떤 분'의 말은 알 수 있을 것이다.
25 이상 여래의 힘에 대해 모두 3설이 있는데, 논주가 법구法救의 설을 평가해 취하는 것이다. 『순정리론』(=제75권. 대29-748중)과 『현종론』(=제36권. 대29-965중)도 역시 이 설과 같다.
26 제4구를 해석하는 것이다. 여기에 양 설이 있는데, 1설은, 힘은 만들어진 촉처 [所觸](=앞의 제1권의 게송 10d에 관한 논설에서, 감촉에는 능조能造의 촉경인 4대종과 소조所造의 촉경인 매끄러운 성품, 껄끄러운 성품, 무거운 성품, 가벼운 성품 및 차가움, 배고픔, 목마름의 일곱 가지가 있다고 설명하였다) 중의 대종의 차별이라고 말한다. 만약 대종이 뛰어나면 곧 힘이라고 이름하니, 나머지 대종과는 다르기 때문에 차별이라고 이름한 것이다. 어떤 설은, 힘은 만들어진 촉처인데, 일곱 가지를 떠난 밖에 별도로 힘이라는 촉처가 있다고 말한다. 이는 바른 뜻이 아니다.

논하여 말하겠다. 붓다의 4무외는 경에서 널리 설한 것과 같다. 첫째는 정등각무외正等覺無畏이다. 10지智를 성품으로 하니, 마치 첫째 힘과 같다. 둘째는 누영진무외漏永盡無畏이다. 6지나 10지를 성품으로 하니, 열째 힘과 같다. 셋째는 설장법무외說障法無畏이다. 8지를 성품으로 하니, 둘째 힘과 같다. 넷째는 설출도무외說出道無畏이다. 9지나 10지를 성품으로 하니, 일곱째 힘과 같다.[28]

어째서 지혜[智]에 대해 무외라는 명칭을 세웠는가?[29] 이 무외라는 명칭은 두려워함이 없는 것을 가리키는 것이니, 지혜를 가졌기 때문에 남을 두려워하지 않는 것이다. 따라서 무외라는 명칭은 여러 가지 지혜 자체를 가리키는 것이다.[30] 이치상 실제로 무외는 지혜에 의해 이루어진 것[智所成]이니, 자체가 곧 지혜라고 말해서는 안 될 것이다.[31]

....

27 이하는 곧 둘째 4무외에 대해 밝히는 것이다.
28 붓다의 4무외는 경(=증일 19:27:6경 등)에서 널리 설한 것과 같다. 첫째는 나는 모든 법을 모두 정등각했다고 하셨을 때, 만약 외도가 정등각한 것이 아니라고 힐난해 말하더라도 이치대로 그를 위해 해석하는 것에 두려움이 없기 때문이니, 10지를 성품으로 하는 것이 앞의 첫째 처비처지력과 같다. 둘째는 나는 모든 번뇌에 대해 모두 영원히 다함을 얻었다고 하셨을 때, 만약 외도가 번뇌를 영원히 다한 것이 아니라고 힐난해 말하더라도 이치대로 그를 위해 해석하는 것에 두려움이 없기 때문이니, 혹은 6지를 성품으로 하고, 혹은 10지를 성품으로 하는 것이 앞의 열째 누진지력에서 말한 것과 같다. 셋째는 나는 제자들을 위해 능히 장애하는 법을 설하고 염오는 반드시 장애가 된다고 하셨을 때, 만약 외도가 염오는 능히 장애하는 것이 아니라고 힐난해 말하더라도 이치대로 그를 위해 해석하는 것에 두려움이 없기 때문이니, 8지를 성품으로 하는 것이 앞의 둘째 업이숙지력과 같다. 넷째는 나는 제자들을 위해 벗어날 수 있는 도를 설하고 닦으면 반드시 괴로움에서 벗어난다고 하셨을 때, 만약 외도가 도는 괴로움에서 벗어나게 하는 것이 아니라고 힐난해 말하더라도 이치대로 그를 위해 해석하는 것에 두려움이 없기 때문이니, 혹은 9지를 성품으로 하고, 혹은 10지를 성품으로 하는 것이 앞의 일곱째 변취행지력과 같다.
29 물음이다.
30 답인데, 글은 알 수 있을 것이다.
31 논주의 해석이다. 이치상 실제로 무외는 지혜에 의해 이루어진 것이니, 지혜는 곧 원인이고, 무외는 결과이다. 자체가 곧 지혜라고 말해서는 안 된다. 그래서 『순정리론』 제75권(=대29-748하)에서 말하였다. "어떻게 무외가 곧 지혜라고 말할 수 있겠는가? 무외는 지혜로 이루어진 것이라고 말해야 할 것이다. 이치상 실제로는 그러해야 하겠지만, 단지 무외는 지혜를 가까운 원인

제4절 3념주念住

붓다의 3념주念住의 모습의 차별은 어떠한가? 게송으로 말하겠다.

㘞c 3념주는 알아차림과 지혜인데[三念住念慧]
　순·역·양자의 경계를 반연한다[緣順違俱境][32]

　　논하여 말하겠다. 붓다의 3념주는 경에서 널리 설한 것과 같다. 모든 제자들이 한결같이 공경하고 능히 바르게 수지해 행하더라도, 여래는 이를 반연하여 환희를 낳지 않고, 버려둔 채 바른 알아차림과 바른 앎[正念正知]에 안주하니, 이를 여래의 첫째 염주라고 말한다. 모든 제자들이 오직 공경하지 않고 바르게 수지해 행하지 않을 뿐이더라도, 여래는 이를 반연하여 근심 걱정을 낳지 않고, 버려둔 채 바른 알아차림과 바른 앎에 안주하니, 이를 여래의 둘째 염주라고 말한다. 모든 제자들 중 한 부류는 공경하고 능히 바르게 수지해 행하며, 한 부류는 공경하지 않고 바르게 수지해 행하지 않더라도, 여래는 이를 반연하여 환희와 걱정을 낳지 않고, 버려둔 채 바른 알아차림과 바른 앎에 안주하니, 이를 여래의 셋째 염주라고 말한다.[33]

....

　　으로 한다는 것을 나타내어 보이기 위한 것일 뿐이니, 이 때문에 지혜에 나아가 무외의 체를 나타낸 것이다. 대저 무외란 두려워하지 않는 것을 말함인데, 지혜를 가졌기에 남을 두려워하지 않는 것이기 때문에 지혜는 무외의 원인의 성품이 될 수 있는 것이다." 또 해석하자면 논주가 경량부의 해석을 서술한 것이니, 지혜를 떠나서 별도로 무외의 체성이 있다는 것이다.

32 이하는 곧 셋째 3념주에 대해 밝히는 것인데, 물음 및 게송에 의한 답이다.
33 윗 구의 '3념주는' 및 아래 1구를 해석하는 것인데, 처음은 경(=중 42:163 분별육처경分別六處經)의 설을 가리키는 것이고, 둘째는 3념주를 개별적으로 가리키는 것이다. 첫째는 수순하는 경계를 반연하더라도 환희를 낳지 않고 바른 알아차림과 앎에 머무시는 것, 둘째는 거스르는 경계를 반연하더라도 근심 걱정을 낳지 않고 바른 알아차림과 앎에 머무시는 것, 셋째는 수순하고 거스르는 경계를 반연하더라도 환희와 걱정을 낳지 않고 바른 알아차림과 앎에 머무시는 것이다. 『대비바사론』 제30권(=대27-160중)에서 말하였다. "이와 같은 세 가지 불공의 염주는 역시 처비처지력에 포함되어 있는 것이라고 알아야 할 것이다."

이 3념주는 모두 알아차림과 지혜를 써서 그 체로 한다.34

위대한 성문들도 역시 제자들의 순·역·양자의 경계에 대해서 환희·걱정·양자를 떠났는데, 이를 어떻게 불공불법이라고 이름하겠는가?35 오직 붓다께서만 이에 대해 아울러 습기까지 끊으셨기 때문이다. 혹은 모든 제자들은 여래에 따라 소속되므로[隨屬如來] 순·역·양자가 있을 때 매우 기뻐하고 걱정해야 할 것임에도, 붓다께서는 능히 일으키지 않으시니, 희유하며 기특하다고 말할 만하지만, (위대한) 성문들에게 소속된 것이 아니므로 일으키지 않는다고 해도 기특한 것이 아니다. 그래서 붓다께 있는 것만 불공이라는 명칭을 얻은 것이다.36

제5절 대비大悲

모든 붓다들의 대비는 어떻게 모습이 차별되는가? 게송으로 말하겠다.

㊴ 대비는 오직 세속지로서[大悲唯俗智]
   자량과 행상과 경계와[資量行相境]
   평등과 상품이기 때문인데[平等上品故]

....
34 위의 제1구 중 '알아차림과 지혜인데'를 해석하는 것이니, 이는 곧 체를 나타내는 것이다.
35 물음이다. 이런 3념주는 성문들도 역시 능히 갖추는데, 어째서 붓다의 것만 불공법이라고 이름하겠는가?
36 답이다. 오직 붓다께서만 이런 제자들에 대해 환희·걱정하는 것에 대해, 단지 번뇌를 제거했을 뿐만 아니라, 아울러 습기까지 끊으셨기 때문에 불공이라고 이름하니, 성문들에게는 여전히 환희·걱정의 습기가 있기 때문이다. 혹은 일체 모든 출가 제자들은 모두 붓다에 따라 소속되므로, 순경계가 있거나 역경계가 있거나 또 순·역의 경계가 있을 때 매우 기뻐하고 걱정해야 할 것인데, 붓다께서는 능히 일으키지 않으시니, 희유하며 기특하다고 말할 만하지만, (제자들이) 성문들에게 소속된 것은 아니므로 환희·걱정을 일으키지 않는다고 해도 기특한 것이 아니기 때문이다. 여러 성문들에는 비록 제자가 있더라도 단지 서로 의지해 머무는 것일 뿐, 진실로 따라 소속된 곳[眞隨屬]이 아니며, 만약 진실로 따라 소속된 곳라면 오직 큰 스승인 붓다뿐이기 때문에 붓다께 있는 것만 불공이라는 명칭을 얻은 것이다.

여덟 가지 이유에 의해 비와는 다르다[異悲由八因]37

논하여 말하겠다. 여래의 대비大悲는 세속지를 성품으로 한다. 만약 이와 다르다면 공통으로 갖는 비[共有悲]처럼 곧 일체 유정을 반연할 수 없을 것이고, 또한 세 가지 괴로움의 행상도 지을 수 없을 것이다.38

이 대비라는 명칭은 어떤 뜻에 의해 건립된 것인가?39 다섯 가지 뜻에 의한 때문에 이것에 '대大'라는 명칭을 건립하였다. 첫째 자량資糧에 의한 때문에 대이니, 말하자면 큰 복덕과 지혜의 자량에 의해 성취된 것이기 때문이다. 둘째 행상行相에 의한 때문에 대이니, 말하자면 이것의 힘은 능히 세 가지 괴로움의 경계에 대해 행상을 짓기 때문이다. 셋째 소연에 의한 때문에 대이니, 말하자면 이것은 3계의 유정을 모두 소연으로 하기 때문이다. 넷째 평등에 의한 때문에 대이니, 말하자면 이것은 일체 유정에 대해 동등하게 이익과 안락을 짓기 때문이다. 다섯째 상품上品에 의한 때문에 대이니, 말하자면 최상품이어서, 이것과 같을 수 있는 다른 비悲는 더 이상 없기 때문이다.40

【대비와 비의 차이】 이것이 비悲와 다른 것은 여덟 가지 이유 때문이다. 첫째는 자성 때문이니, 무치無癡와 무진無瞋으로서 자성이 다르기 때문이다. 둘째는 행상 때문이니, 세 가지 괴로움과 한 가지 괴로움으로서 행상이 다르기 때문이다. 셋째는 소연 때문이니, 3계와 1계로서 소연이 다르기 때문이다. 넷째는 의지하는 지[依地] 때문이니, 제4정려와 나머지 정려에 통하는 것으로서 다르기 때문이다. 다섯째는 의지하는 몸[依身] 때문이니, 오로지 붓다와 나머지에 통하는 것으로서 몸에 차이가 있기 때문이다. 여섯째

....
37 이하는 곧 넷째 붓다의 대비에 대해 밝히는 것이다.
38 첫 구를 해석하는 것이다. 여래의 대비는 세속지를 성품으로 한다. 만약 이 세속지와 다르다면 곧 일체 유정을 반연할 수 없을 것이고, 또한 세 가지 괴로움(=고고·괴고·행고)의 행상을 지을 수도 없을 것이니, 마치 공통으로 갖는 비悲처럼 무진無瞋을 성품으로 할 것이므로 오직 욕계의 유정만을 반연해서 고고苦苦의 행상만을 지을 것이다.
39 제2·제3구를 해석하는 것인데, 이는 곧 묻는 것이다.
40 답인데, 글은 알 수 있을 것이다.

는 증득 때문이니, 유정지를 떠나 증득하는 것과 욕계를 떠나 증득하는 것으로서 다르기 때문이다. 일곱째는 구제救濟 때문이니, 일의 성취와 일의 희망으로서 구제하는 것이 다르기 때문이다. 여덟째는 연민[哀愍] 때문이니, 평등한 것과 평등하지 못한 것으로서 연민함이 다르기 때문이다.41

제6절 제불의 같고 다름과 붓다의 3덕

1. 제불의 같고 다름

붓다의 공덕이 나머지 유정과는 다르다는 것을 분별했는데, 모든 붓다들을 서로 바라보면 법이 모두 같은가? 게송으로 말하겠다.

40 자량·법신과[由資量法身]
　　이타에 의하면 붓다들은 서로 유사하지만[利他佛相似]
　　수명·종성·족성·크기 등에서는[壽種性量等]
　　모든 붓다들께 차별이 있다[諸佛有差別]42

논하여 말하겠다. 세 가지 점에 의해서 모든 붓다들은 모두 같다. 첫째 자량이 같이 원만하기 때문이고, 둘째 법신이 같이 성취되었기 때문이며, 셋째 이타가 같이 궁극이기 때문이다.43

....

41 제4구를 해석하면서 대비가 비와 다른 것을 밝히는 것이다. 대비는 무치를 성품으로 하고, 비는 무진을 성품으로 한다. 대비는 3고의 행상이고, 비는 고고의 행상이다. 대비는 3계의 유정을 반연하고, 비는 욕계의 유정을 반연한다. 대비는 제4정려에 의지하고, 비는 나머지 정려에 의지함에 통한다. 대비는 오직 붓다의 몸에만 의지하고, 비는 나머지 몸에 의지함에 통한다. 대비는 유정지를 떠날 때 증득하는 것이고, 비는 욕계를 떠날 때 증득하는 것이다. 대비는 일이 이루어지는 것이고, 비는 단지 희망하는 것일 뿐이다. 대비는 일체 유정을 평등하게 괴로움에서 건져주려는 것이고, 비는 평등하지 않아서 욕계의 유정을 괴로움에서 건져주려는 것이기 때문이다. (문) 이 대비는 어떤 힘에 포함되는 것인가? (답) 처비처지력에 포함된다. 붓다 세존의 불공의 공덕은 대부분 처비처지력 중에 포함되어 있는 것이기 때문이다.
42 이하는 곧 다섯째 붓다의 같고 다름에 대해 밝히는 것인데, 맺으면서 묻고 게송으로 답한 것이다.

수명·종성·족성과 신체의 크기 등이 다르므로 모든 붓다들은 서로 바라볼 때 차별이 있다고 인정된다. 수명의 차이는 붓다의 수명에 길고 짧음이 있는 것을 말하고, 종성의 차이는 붓다께서 끄샤뜨리야 종성이나 바라문 종성에서 태어나신 것을 말하며, 족성의 차이는 붓다의 족성이 교답마喬答摩나 가섭파迦葉波 등인 것을 말하고, 신체의 크기의 차이는 붓다의 몸에 크고 작음이 있는 것을 말한다. '등'이라는 말은 모든 붓다들의 법이 머문 것이 오래거나 가까운 등을 나타낸다. 이와 같이 차이가 있는 것은, 세상에 출현하실 때 교화될 유정들의 근기가 다르기 때문이다.44

2. 붓다의 3원덕圓德

지혜 있는 모든 이들이라면 여래의 세 가지 원만한 공덕[원덕圓德]을 사유하여 깊이 사랑하고 공경하는데, 그 세 가지는 무엇인가? 첫째는 인원덕因圓德, 둘째는 과원덕果圓德, 셋째는 은원덕恩圓德이다.45

【인원덕】처음 인원덕에는 다시 네 가지가 있다. 첫째는 무여수無餘修이니, 복덕과 지혜의 두 가지 자량을 남김없이 닦았기 때문이다. 둘째는 장시

....

43 위의 2구를 해석하는 것이다. 세 가지가 같기 때문이니, 첫째 3무수겁 동안의 복덕과 지혜의 두 가지 자량이 같이 원만하기 때문이고, 둘째 5분법신이 같이 성취되었기 때문이며, 셋째 교화될 유정들에 대한 이타가 같이 궁극이기 때문이다.

44 아래 2구를 해석하면서 붓다의 차별을 나타내는 것이다. 혹은 수명이 1백 년인 붓다들도 계셨고, 혹은 수명이 2만 년인 붓다들도 계셨다. '종種'은 종성의 종류를 말하니, 이는 전체적인 것에 의거해 말하는 것이고, '성姓'은 곧 종성 중의 차별되는 족성을 말하는 것이니, 종성 중에 각각 여러 족성이 있다고 알아야 한다. '교답마Gautama'는 끄샤뜨리야 중의 한 족성이니, '교go' 중의 소생(=여기에서 '교go'는 소[牛]라는 뜻으로서, 본생담 중의 하나에 나오는 내용이다)이므로 교답마라고 이름한 것인데, 예전에 구담이라고 말한 것은 잘못이다. '가섭파Kaśyapa'는 여기 말로 음광飮光이니, 곧 바라문 종성 중의 한 족성이다. 혹은 신장이 장육丈六(='장'은 1자의 10배, 즉 3m 가량이라고 함)인 붓다들도 계셨고, 혹은 다시 이를 초과하는 붓다들도 계셨다. 혹은 반열반 후 법이 1천 년 머문 붓다들도 계셨고, 혹은 반열반 후 법이 7일간 머문 붓다들도 계셨다. 나머지 글은 알 수 있을 것이다.

45 이하는 앞의 뜻의 편의상 붓다의 공덕(='원덕圓德'은 원만한 공덕이라는 뜻)을 밝혀서 사람들에게 닦고 배우기를 권하는 것인데, 명칭을 표방하고 수를 열거하였다.

수長時修이니, 3무수 대겁을 거치면서 게으름 없이 닦았기 때문이다. 셋째는 무간수無間修이니, 정성으로 힘써 용맹하게 찰나찰나 폐함 없이 닦았기 때문이다. 넷째는 존중수尊重修이니, 배워야 할 법을 공경하여, 돌아보거나 아끼는 것 없이 닦으면서 거만이 없었기 때문이다.46

【과원덕】 다음 과원덕에도 역시 네 가지가 있으니, 첫째 지원덕智圓德, 둘째 단원덕斷圓德, 셋째 위세원덕威勢圓德, 넷째 색신원덕色身圓德이다.47

지원덕에도 네 가지가 있으니, 첫째 무사지無師智, 둘째 일체지一切智, 셋째 일체종지一切種智, 넷째 무공용지無功用智이다.48

단원덕에도 네 가지가 있으니, 첫째 일체 번뇌가 끊어진 것[一切煩惱斷], 둘째 일체 선정의 장애가 끊어진 것[一切定障斷], 셋째 필경 끊어진 것[畢竟斷], 넷째 아울러 습기까지 끊어진 것[并習斷]이다.49

위세원덕에도 네 가지가 있으니, 첫째는 외적 경계를 화현하고 변화시켜서 머물도록 유지하는 것에 자재한 위세, 둘째는 수명의 양을 줄이거나 늘이는 것에 자재한 위세, 셋째는 허공이나 장애되거나 지극히 먼 곳에 신속히 가며, 작은 것과 큰 것이 서로 들어가게 하는 것에 자재한 위세, 넷째는 세간의 갖가지 본성으로 하여금 자연히 뛰어나게 바뀌게 하는 희유하고 기

....

46 이하에서 개별적으로 해석하는데, 이는 인원덕에 다시 네 가지가 있음을 해석하는 것이다. 글대로 알 수 있을 것이다.
47 둘째 과원덕에도 역시 네 가지가 있음을 해석하는 것이니, 첫째 지, 둘째 단, 셋째 위세, 넷째 색신이다.
48 지원덕에 나아가면 역시 네 가지가 있다. 첫째 무사지는 (스승 없이) 스스로 깨달으셨기 때문이다. 둘째 일체지는 모든 법의 체를 아시는 것이고, 셋째 일체종지는 모든 법의 작용의 차별을 아시는 것이다. 혹은 일체지는 모든 법의 자상을 아시는 것이고, 일체종지는 모든 법의 공상을 아시는 것이다. 혹은 일체지는 진실한 이치를 증득하신 것이고, 일체종지는 세속의 일을 통달하신 것이다. 넷째 무공용지는 가행을 짓지 않으셔도 저절로 일어나기 때문이다.
49 둘째 단원덕에도 다시 네 가지가 있다. 첫째는 일체 번뇌장을 끊고 택멸을 얻으신 것이고, 둘째는 일체 선정의 장애인 불염오무지를 끊고 비택멸을 얻으신 것이며, 셋째는 곧 앞의 두 가지 장애를 끊으신 뒤 물러나시지 않는 것을 필경 끊어진 것[畢竟斷]이라고 이름한 것이니, 둔근과는 다르다고 구별한 것이고, 넷째는 단지 번뇌만을 끊은 것이 아니라 아울러 습기까지 역시 끊으신 것이니, 2승과는 다르다고 구별한 것이다.

특한 위세이다.

위세원덕에는 다시 네 가지가 있으니, 첫째는 교화하기 어려운 자를 반드시 교화하실 수 있는 것, 둘째는 어려운 것에 답하여 반드시 의심을 결단하시는 것, 셋째는 교법을 세워 반드시 출리하게 하시는 것, 넷째는 악한 무리들을 반드시 항복시키실 수 있는 것이다.[50]

색신원덕에도 네 가지가 있으니, 첫째는 온갖 상相을 갖추신 것, 둘째는 수호隨好를 갖추신 것, 셋째는 큰 힘[大力]을 갖추신 것, 넷째는 안으로는 신체 골격의 견고함이 금강을 초월하며, 밖으로는 백천의 태양을 뛰어넘는 신비한 광명을 일으키시는 것이다.[51]

【은원덕】 뒤의 은원덕에도 역시 네 가지가 있으니, 말하자면 3악취와 생사에서 영원히 해탈하게 하시는 것, 혹은 능히 선취와 3승에 안치安置하시는 것이다.[52]

여래의 원덕을 전체적으로 말하면 이와 같지만, 만약 개별적으로 분석한다면 곧 끝없는 원덕이 있으니, 오직 붓다 세존께서만이 아실 수 있고 설하

....

50 셋째 위세원덕에도 네 가지가 있다. 첫째는 외적 경계가 혹은 먼저 없었을 때 지금 홀연 화현하여 있게 하고, 혹은 먼저 있었을 때 전변시켜서 근본과 다르게 하며, 화현하고 변화된 것이 머물도록 유지하는 것에 자재한 위세이다. 둘째는 수명의 양을 혹은 줄여서 80에 이르게 하고, 혹은 겁보다 3개월을 늘이는 것에 자재한 위세이다. 셋째는 허공이나 장애되는 곳이나 지극히 먼 곳에 모두 능히 신속히 가니, 혹은 공중에 드러누워서, 혹은 지극히 장애되는 곳을 능히 건너며, 혹은 지극히 먼 곳에 속히 가며, 혹은 작은 겨자씨와 큰 묘고산이 서로서로 들어가게 하는 것에 자재한 위세이다. 넷째는 붓다께서 이르신 경지로서, 능히 세간의 꽃·열매 등의 물건의 갖가지 본성으로 하여금 자연히 [法爾] 전변하여 이전보다 수승하게 하는 희유하고 기특한 위세이다. 또 위세원덕에는 다시 네 가지가 있는 것은 글대로 알 수 있을 것이다.
51 넷째 색신원덕에도 역시 네 가지가 있다. 첫째는 서른두 가지 온갖 상을 갖추신 것, 둘째는 80수호를 갖추신 것, 셋째는 큰 힘을 갖추신 것인데, 힘은 앞에서 말한 것과 같다. 넷째는 알 수 있을 것이다.
52 앞의 3원덕 중 뒤의 은원덕에도 역시 네 가지가 있다. 말하자면 3악취에서 영원히 해탈하게 하시는 것이 세 가지가 되고, 선취의 생사에서 영원히 해탈하게 하시는 것이 한 가지가 되기 때문에 네 가지라고 표현한 것이다. 혹은 능히 선취에 안치하시는 것이 한 가지가 되고, 다시 3승에 능히 안치하시는 것이 세 가지가 되기 때문에 네 가지라고 표현한 것이다.

실 수 있되, 반드시 수명의 형성을 남겨서 많은 무수대겁을 거쳐야 마침내 다 설하실 수 있다. 이와 같은 것은 곧 붓다 세존의 몸이 끝없는 수승하고 기특한 인원덕·과원덕·은원덕을 갖추고 있는 것이 마치 큰 보배산과 같음을 나타낸다.53

어리석은 범부들은 자신에게 온갖 공덕이 결핍되어, 비록 이와 같은 붓다의 공덕의 산 및 설하신 법을 들어도 능히 믿고 존중하지 못하지만,54 지혜 있는 모든 이들은 이와 같이 설명을 들으면 믿고 존중하는 마음을 낳아 골수에 사무치니, 그들은 한 순간의 지극히 믿고 존중하는 마음으로 말미암아 끝없는 부정不定의 악업을 바꾸어 소멸시키고, 수승한 인人·천天과 열반을 섭수한다. 그래서 "여래께서 세간에 출현하심은 모든 지자智者들의 위없는 복전福田이 된다"라고 설했으니, 그에 의지하면 헛되지 않고, 사랑할 만하며, 수승하고, 신속하며, 궁극적인 과보를 견인해 낳기 때문이다. 마치 박가범께서 스스로 게송을 설하여 말씀하신 것과 같다. "만약 붓다의 복전에[若於佛福田] 조금의 선이라도 심을 수 있다면[能殖少分善] 처음에는 뛰어난 선취를 얻고[初獲勝善趣] 뒤에는 반드시 열반을 얻는다[後必得涅槃]"55

제6장 공통의 공덕

제1절 총설

여래의 불공不共의 공덕에 대해 논설했으니, 공통의 공덕에 대해 이제 분별하겠다.56 게송으로 말하겠다.

....
53 전체적으로 말하자면 위와 같지만, 개별적으로 말하자면 다하기 어렵다. 이는 곧 붓다의 3덕이 보배산과 같음을 나타내는 것이다.
54 어리석어서 믿지 못하는 것을 가슴아파하는 것이다.
55 지혜 있으면 복을 얻는다고 칭찬하는 것이다. 붓다에 의지하면 다섯 가지 과보를 견인해 낳기 때문이다. 첫째 헛되지 않은 과보를 얻는 것이니, 붓다를 뵐 때 반드시 과보를 얻기 때문이다. 둘째 사랑할 만한 과보를 얻고, 셋째 수승한 과보를 얻으며, 넷째 신속한 과보를 얻고, 다섯째는 궁극의 열반이라는 과보를 얻기 때문이다. 인용한 게송(=증일 24:32:6경)은 알 수 있을 것이다.

41 다시 다른 불법이 있어[復有餘佛法]

　　다른 성자나 이생과 공통되니[共餘聖異生]

　　말하자면 무쟁과 원지와[謂無諍願智]

　　무애해 등의 공덕이다[無礙解等德]

　　논하여 말하겠다. 세존에게는 다시 다른 성자 및 이생과 공통되는 한량 없는 공덕이 있으니, 말하자면 무쟁無諍, 원지願智, 무애해無礙解, 신통[通], 정려, 무색정, 등지等至, 등지等持, 무량無量, 해탈, 승처勝處, 변처遍處 등이다. 그 상응하는 바에 따르니, 말하자면 앞의 3문은 오직 다른 성자와만 공통되는 것이고, 신통·정려 등은 이생과도 공통되는 것이다.57

　　제2절 성자와 공통되는 공덕

　　　제1항 무쟁無諍

　　앞의 3문 중 우선 무쟁無諍에 대해 분별하겠다. 게송으로 말하겠다.

42 무쟁은 세속지인데[無諍世俗智]

　　뒤의 정려이고, 부동의 아라한이며[後靜慮不動]

　　3주이고, 아직 생기지 않은[三洲緣未生]

　　욕계의 유사혹을 반연한다[欲界有事惑]58

----

56 이하는 큰 글의 둘째 공통의 공덕[共功德]에 대해 밝히는 것이다. 그 안에 나아 가면 첫째 전체적으로 명칭을 표방하고, 둘째 개별적으로 해석하니, 이는 곧 전체적으로 표방하는 것인데, 앞을 맺고 일으키는 것이다.

57 붓다의 공통의 공덕을 밝히는 것이니, 말하자면 무쟁, 원지, 4무애해, 6신통, 4정려, 4무색정, 8등지等至, 3삼마지三摩地-여기 말로 등지等至이다-, 4무량, 8해탈, 8승처, 10변처 등이다. 그 상응하는 바에 따르니, 말하자면 앞의 3문은 오직 다른 성자와만 공통되는 것이고, 신통·정려 등은 이생과도 공통되는 것 이다. 『순정리론』(=제75권. 대29-750중)에서 말하였다. "붓다의 몸 중의 일 체 공덕은 행상이 청정하고 수승하며 자재해서, 성문 등의 공덕과는 차이가 있지만, 부류가 같음에 의해서 공통된다고 이름한 것이다."

논하여 말하겠다. 무쟁이라고 말한 것은, 말하자면 아라한은 유정의 괴로움이 번뇌로 말미암아 생기는 것을 관찰하고, 자기 몸이 복전 중 뛰어나다는 것을 스스로 알지만, 남의 번뇌가 다시 자기를 반연하여 생길 것을 두려워하기 때문에 의도적으로 이와 같은 모습의 지혜를 견인해 일으킨다. '이 방편에 의해 다른 유정들로 하여금 자기 몸을 반연하여 탐욕·성냄 등을 낳지 않게 하리라.' 이런 행行은 모든 유정들의 번뇌의 다툼[煩惱諍]을 능히 종식시키기 때문에 무쟁이라는 명칭을 얻는다. 이런 행은 다만 세속지를 성품으로 할 뿐이다.59

제4정려를 그 의지처로 하니, 낙통행樂通行 중 가장 뛰어난 것이기 때문이다. 부동不動의 아라한[應果]이 일으킬 수 있고, 나머지는 아니니, 나머지는 오히려 스스로 일어나는 번뇌도 막을 수 없거늘, 하물며 남의 몸의 번뇌를 멈출 수 있겠는가?60

이것은 오직 3주洲 사람의 몸에만 의지하고, 욕계의 미래의 유사혹[有事煩惱]를 반연하니, 남의 번뇌가 자기를 반연하여 생기지 못하게 해야 하기 때문이다. 모든 무사혹無事惑은 막을 수 없으니, 안에서 일어나며 상응함에 따라 전체적으로 경계를 반연하는 것이기 때문이다.61

....

58 이하는 둘째 개별적으로 해석하는 것이다. 그 가운데 나아가면 첫째 성자와 공통되는 공덕을 밝히고, 둘째 범부와 공통되는 공덕을 밝힌다. 성자와 공통되는 공덕 중에 나아가면 첫째 무쟁행에 대해 밝히고, 둘째 원지를 닦는 것을 밝히며, 셋째 무애해에 대해 밝히고, 넷째 변제정에 의해 얻는다는 것이다. 이하는 곧 첫째 무쟁행에 대해 밝히는 것이다.
59 제1구를 해석하면서 명칭을 해석하고 체를 나타내는 것이다. 그래서 『순정리론』(=제75권. 대29-750중)에서 말하였다. "그런데 일체 다툼[諍]에는 모두 세 가지가 있다. 온蘊·언言·번뇌는 차별되기 때문이다. 온쟁은 죽는 것을 말하고, 언쟁은 다투는 것을 말하며, 번뇌쟁은 108번뇌를 말하는 것이다. 이는 세속지의 힘에 의해 능히 번뇌쟁을 종식시키기 때문에 무쟁이라는 명칭을 얻은 것이다.
60 제2구를 해석하는 것이다. 제4정려를 그 의지처로 하니, 4정려의 낙통행 중 가장 뛰어난 것이기 때문이다. '부동'은 앞의 5종성을 가려내는 것이고, '아라한'은 유학을 가려내는 것이니, 제6종성인 부동의 아라한이 일으킬 수 있지, 나머지 5종성 및 유학의 사람은 일으킬 수 없다. 나머지는 오히려 스스로 일어나는 번뇌도 막을 수 없거늘, 하물며 남의 몸의 번뇌를 멈출 수 있겠는가?
61 아래 2구를 해석하는 것이다. 이것은 3주洲의 사람의 몸에만 의지하니, 성품

제2항 원지願智

무쟁에 대해 분별했으니, 다음에는 원지願智에 대해 분별하겠다. 게송으로 말하겠다.

43a 원지는 능히 두루 반연하는 것인데[願智能遍緣]
　　나머지는 무쟁에서 설한 것과 같다[餘如無諍說]

　　논하여 말하겠다. 원願이 선행해서 묘지妙智를 견인해 일으키니, 원대로 알기 때문[如願而了故]에 원지라고 이름한다. 이 지혜의 자성, 의지하는 지, 종성, 몸은 무쟁과 같다. 소연만이 다를 뿐이니, 일체법을 소연으로 하기 때문이다.62 비바사 논사들은 이렇게 말하였다. "원지는 무색계를 증지證知할 수 없다. 그 인행因行 및 그 등류의 차별을 관찰했기 때문에 아는 것이니, 마치 농부의 부류와 같다."63

....

　　이 맹리하기 때문에 나머지 처소에는 의지하는 것이 아니다. 말하자면 욕계의 미래의 유사有事의 수소단의 번뇌(=사혹)을 반연하니, 남의 번뇌가 자기를 반연하여 생기지 못하게 해야 하기 때문이다. 모든 견소단의 무사無事의 번뇌(=이혹)는 막을 수 없으니, 진리의 이치에 미혹해 생기는 것으로서 안에서 일어나고, 상응함에 따라 전체적으로 경계를 반연하는 것이기 때문이다.
62 이하에서는 곧 둘째 원지에 대해 밝히는데, 명칭을 해석하는 것은 알 수 있을 것이다. 이 원지의 자성은 세속지이고, 의지하는 지는 제4정려이며, 종성은 부동이고, 몸은 3주의 사람의 몸인 점은 무쟁과 같다. 단지 소연만 다를 뿐이니, 능히 3계와 3세의 일체법을 두루 반연하는 것이기 때문이다.
63 비바사 논사들은 이렇게 말하였다. "원지는 무색계를 증지證知할 수 없다. 그가 장차 무색계에 들려고 할 때의 인행의 적정한 모습[寂靜相]의 차별을 관찰하여 곧 무색계의 결과를 능히 비지比知하고, 그가 처음으로 무색계의 마음에서 나오는 등류과─그 무색계에서의 마음과 서로 비슷한 것을 등류라고 이름한 것이다─의 차별을 관찰한 즉 여전히 적정하기 때문에 곧 앞의 무색계에서의 원인을 능히 비지하는 것이니, 마치 농부의 부류가 싹을 보면 종자를 알고, 종자를 보면 싹을 아는 것과 같다." 이는 바른 뜻이 아니니, 무색계도 증지한다고 말해야 할 것이다. 그래서 『대비바사론』 제179권(=대27-897중)에서 말하였다. "(문) 어떻게 원지는 무색계를 아는가? 어떤 분은, '등류 및 행의 차별을 관찰함에 의해서이니, 마치 길 가는 사람을 보고 어디에서 와서 어디로 가는지를 아는 것과 같다'라고 말하였다. 어떤 분은, '만약 그렇다면 원지

모든 분이 이 원지를 일으키려고 할 때에는 먼저 그 경계를 알기를 구하는 진실한 원을 일으키고, 곧 변제邊際의 제4정려에 들어 가행를 행하면, 이로부터 무간에 선정에 들 때의 세력의 승열勝劣에 따라 선행한 원의 힘[願力]대로 바른 지혜를 견인해 일으켜서 구했던 경계를 모두 여실하게 안다.64

제3항 무애해無礙解

원지에 대해 분별했으니, 무애해無礙解에 대해 게송으로 말하겠다.

43c 무애해에는 네 가지가 있으니[無礙解有四]
　　법·의·사·변무애해를 말한다[謂法義詞辯]

44 명칭, 뜻, 언설, 도에 대한[名義言說道]
　　물러남 없는 지혜를 성품으로 하는데[無退智爲性]
　　법과 사는 오직 세속지로서[法詞唯俗智]
　　5지와 2지를 의지처로 한다[五二地爲依]

45 의는 10지 혹은 6지, 변은 9지로서[義十六辯九]
　　모두 일체 지에 의지하는데[皆依一切地]
　　얻기만 하면 반드시 넷을 갖추며[但得必具四]
　　나머지는 무쟁에 대해 설한 것과 같다[餘如無諍說]65

는 응당 비량지이지, 현량지가 아닐 것이다. 응당 이 원지는 원인을 관찰하지 않고 결과를 알며, 결과를 관찰하지 않고 원인을 안다고 말해야 할 것이다'라고 말하였다. 따라서 이 원지는 현량지이지, 비량지가 아니다."

64 이는 가행에 대해 밝히는 것이다. 장차 원지를 일으키려고 할 때에는 먼저 그 경계를 알기를 구하는 진실한 원을 일으키고, 순역으로 8유심정(=4정려와 4무색정)에 드나들다가 나아가 뒤에 이르러 곧 변제邊際(=최상품을 가리키는 것임은 뒤의 게송 46에 관한 논설 참조)의 제4정려에 들어 가행를 행하면, 이 선정으로부터 무간에, 앞에서 변제정려에 들 때의 세력의 승열勝劣에 따라 선행한 원의 힘대로 바른 지혜를 견인해 일으키니, 이를 원지라고 이름하는데, 구했던 경계를 모두 여실하게 안다.

논하여 말하겠다. 모든 무애해를 모두 말한다면 네 가지가 있으니, 첫째 법法무애해, 둘째 의義무애해, 셋째 사詞무애해, 넷째 변辯무애해이다. 이 네 가지를 전체적으로 말하면, 그 순서대로 명칭[名], 뜻[義], 언言 및 설說, 도道를 반연하는데, 퇴전할 수 없는 지혜[不可退轉智]를 자성으로 한다. 말하자면 물러남 없는 지혜[無退智]가 능전能詮의 법인 명·구·문신을 반연하는 것을 첫째로서 세우고, 소전所詮의 뜻을 반연하는 것을 둘째로서 세우며, 사방의 언사[方言詞]를 반연하는 것을 셋째로서 세우고, 바른 이치와 상응하는 것에 막힘·걸림 없는 설[應正理無滯礙說]을 반연하고, 아울러 자재한 선정·지혜의 두 가지 도를 반연하는 것을 넷째로서 세운 것이다. 이는 곧 무애해의 체를 전체적으로 설하면서 아울러 소연을 나타낸 것이다.66

【포함되는 지혜와 의지하는 지】 그 중 법무애해와 사무애해는 오직 세속지에만 포함되니, 명신名身 등 및 세간의 언사라는 현상적 경계[事境界]를 반연하기 때문이다. 법무애해는 5지地에 의지함에 통하니, 욕계와 4정려를 말하는 것이다. 그 위의 지에는 명칭 등이 없기 때문이다. 사무애해는 오직 2지에만 의지하니, 욕계와 초정려를 말하는 것이다. 그 위의 지에는 심구·사찰이 없기 때문이다.67

....

65 이하는 곧 셋째 4무애해를 밝히는 것이다.
66 이는 곧 첫 게송(=㊸c~㊹b)을 해석하는 것이다. 경계를 받아들여 깨닫고 결단하는 것에 걸림 없는 것[於境領悟決斷無礙]을 무애해라고 이름하는데, 이근이기 때문에 물러남 없는 지혜라고 이름한다. 말하자면 물러남 없는 지혜가 능전能詮의 법인 명·구·문신을 반연하는 것을 첫째로서 세웠다. 명·구·문을 제외하고, 소전所詮의 뜻을 반연하는 것을 둘째 의무애해로서 세우고, 모든 방역方域의 갖가지 언사를 반연하는 것을 셋째 사무애해로서 세우며, 바른 이치와 상응하는 것에 막힘·걸림 없는 설說을 반연하고-이 걸림 없는 설을 변辯이라고 이름한다-, 아울러 자재하게 저절로 현행하는 선정·지혜의 2도를 반연하는 것-도가 있기 때문에 중생의 근기에 잘 응하여 능히 걸림 없이 설하니, 도는 변의 원인이므로 역시 변이라고 이름한다-을 넷째 변무애해로서 세운 것이다. 이상은 곧 무애해의 체를 전체적으로 설하면서 아울러 소연을 나타낸 것이다.
67 제5·제6구를 해석하는 것이다. 4무애해 중 법무애해와 사무애해는 오직 세속지에만 포함되니, 무루지는 명신 등 및 세간의 언사라는 현상적 경계를 반연하는 것이 아니기 때문이다. 이는 곧 체를 나타낸 것이다. 의지하는 지를 말한다면 법무애해는 5지에 의지함에 통한다. 말하자면 욕계와 4근본정려에 의지

의무애해는 10지나 6지에 포함된다. 말하자면 만약 모든 법을 모두 뜻이라고 이름한다면 의무애해는 곧 10지에 포함되지만, 만약 오직 열반만을 뜻이라고 이름한다면 의무애해는 곧 6지에 포함되니, 세속지·법지·유지·멸지·진지·무생지를 말하는 것이다. 변무애해는 9지에 포함되는 것이니, 멸지만을 제외한 것을 말한다. 언설과 도를 반연하기 때문이다. 이 2무애해는 통틀어 일체 지에 의지해 일어난다. 말하자면 욕계 내지 유정지에 의지하니, 변무애해는 언설과 도 중의 어느 하나를 반연해서도 모두 일어날 수 있다고 인정되기 때문이다.68

【4무애해의 순서】『시설족론』에서 이 4무애해를 해석해 말하였다. "명·구·문, 이에 의해 표현되는 뜻, 즉 이 하나·둘·여럿이나 남·녀 등의 언사의 차별, 이것에 막힘 없는 설 및 그 의지처인 도를 반연하는, 퇴전함 없는 지혜에 대해, 순서대로 법·의·사·변의 무애해라는 명칭을 건립한 것이다." 이에 의해 네 가지의 순서를 이루었음을 나타낸 것이다.69 어떤 다른 논사가

하니, 그 위의 지에는 명칭 등이 없기 때문이며, 거기에서는 하계의 명칭 등을 따로 반연하지 않기 때문이다. 사무애해는 오직 2지에만 의지하니, 욕계와 초정려를 말하는 것이다. 그 위의 지에는 심구·사찰이 없기 때문에 결정코 언사가 없는데, 언사를 반연하는 것은 어려우므로 오직 자지自地만이기 때문이다.

68 제7·제8구를 해석하는 것이다. 의무애해는 혹은 10지에 포함되며, 혹은 6지에 포함된다. 말하자면 만약 모든 법을 모두 뜻이라고 이름한다면 의무애해는 곧 10지에 포함된다. 만약 오직 열반만을 뜻이라고 이름한다면 의무애해는 곧 6지에 포함되니, 세속지·법지·유지·멸지·진지·무생지를 말하는 것이다. 변무애해는 9지에 포함되는 것이니, 말하자면 멸지만을 제외한다. 언설과 선정·지혜의 도를 반연하기 때문이다. 이는 곧 체를 나타낸 것이다. 의지하는 지를 말한다면 이 2무애해는 통틀어 일체 지에 의지해 일어난다. 언설은 오직 욕계와 초정려 중에만 있는데, 변무애해가 어떻게 9지에 통하는가? 말하자면 욕계 내지 유정지에 의지하니, 변무애해는 언설과 도 중의 어느 하나를 반연해서도 모두 일어날 수 있다고 인정되기 때문에 9지에 통하는 것이다.

69 『시설족론』에서 이 4무애해를 해석해 말한 것을 서술하는 것이다. 명·구·문을 반연하는 퇴전함 없는 지혜를 법무애해로 세우고, 이 명칭 등에 의해 표현되는 모든 뜻을 반연하는 퇴전함 없는 지혜를 의무애해로 세우며, 즉 이런 뜻의 하나라는 말, 둘이라는 말, 여럿이라는 말, 남자라는 말, 여자라는 말, 남자도 아니고 여자도 아니라는 말 등의 차별을 반연하는 퇴전함 없는 지혜를 사무애해로 세우고, 이런 언사에 막힘과 걸림 없는 설을 반연하며, 아울러 그 의지처인 선정·지혜의 2도를 반연하는 퇴전함 없는 지혜를 변무애해로 세운

말하였다. "사詞는 말하자면 언사에 대한 일체 훈석訓釋이니, 예컨대 누군가가 변애變礙가 있기 때문에 색이라고 이름한다고 말하는 등과 같다. 변辯은 말하자면 전전하여 말하는 것[展轉言]에 막힘·걸림이 없는 것이다."70

【4무애해의 가행】 전하는 학설로는, 이 4무애해가 생기는 것은 순서대로 산계算計, 붓다의 말씀[佛語], 성명聲明, 인명因明을 계속 익힌 것이 앞의 가행이 된 것이니, 만약 그 네 가지 대상에 대해 아직 선교善巧함을 얻지 못했다면 반드시 무애해를 낳을 수 없기 때문이라고 하였다.71 이치의 실제로 모든 무애해가 생기는 것은, 오직 붓다의 말씀을 배우는 것만이 가행이 될 수 있다.72

【4무애해의 획득】 이와 같은 네 가지 무애해 중의 어느 한 가지를 얻을 때에는 반드시 네 가지를 모두 얻으니, 네 가지를 갖추지 않고서는 얻었다고 이름할 수 있는 것이 아니다.73

....

것이다. 먼저 능전을 일으켜야 다음에 비로소 (소전의) 뜻을 취하며, 이미 뜻을 취했다면 비로소 언설에 막힘과 걸림 없음이 있는 것이니, 이 선후에 의해 네 가지의 순서를 나타내었다는 것이다.

70 다른 학설을 서술하는 것이다. 사무애해와 변무애해는 같이 말하는 것이기 때문에 상대하여 밝혔지만, 법무애해와 의무애해는 차별되기 때문에 상대하여 드러내지 않은 것이다.

71 이는 가행에 대해 밝히는 것이다. 비바사 논사들에게 전해진 학설이 있다. 이 4무애해가 생기는 것은 순서대로 계산[算計]과 명·구·문신을 계속 익힌 것이 법무애해의 가행이 되고, 붓다의 말씀을 계속 익혀 모든 법의 뜻을 이해한 것이 의무애해의 가행이 되며, 성명론의 언사를 계속 익힌 것이 사무애해의 가행이 되고, 인명론의 주장·이유·실례 등의 논파 건립의 도리를 계속 익힌 것이 변무애해의 가행이 된 것이니, 만약 그 네 가지 대상에 대해 아직 선교함을 얻지 못했다면 반드시 무애해를 낳을 수 없기 때문이라고 했는데, 이는 바른 뜻이 아니다.

72 논주가 바른 뜻을 서술하는 것이다. 이치의 실제로 모든 무애해가 생기는 것은, 오직 붓다의 말씀을 배우는 것만이 가행이 될 수 있으니, 붓다의 말씀 중에 법·의·사·변의 네 가지를 갖추고 있기 때문이다.

73 제9구를 해석하는 것이다. 얻으면 반드시 갖춘다는 것을 나타내는 것이다. 제4변제정(=순역으로 8유심정을 수순한 후에 들어간 제4정려의 최상품을 가리키는 것임은 뒤의 게송 囮에 관한 논설 참조)을 얻을 때에는 4무애해를 일으킴에 자재하기 때문에 네 가지를 모두 얻는다고 이름한 것이다. 그래서 아래의 글에서도, "사詞무애해는 비록 그것(=제4변제정)에 의지해 획득되지만, 체는 그 정려에 포함되는 것이 아니다"라고 말한 것이다.

이 4무애해의 소연, 자성, 의지하는 지가 앞의 무쟁과 차별되는 것은 이
와 같지만, 종성과 의지하는 몸은 무쟁에서 설한 것과 같다.74

제4항 변제정邊際定에 의해 얻음

이와 같이 설한 무쟁행 등에 대해 게송으로 말하겠다.

㊻ 여섯 가지는 변제정에 의해 획득되는데[六依邊際得]
　　변제정은 여섯 가지로서, 후의 정려이고[邊際六後定]
　　두루 수순하여 궁극에 이른 것이니[遍順至究竟]
　　붓다의 나머지는 가행으로 얻는다[佛餘加行得]75

논하여 말하겠다. 무쟁, 원지, 4무애해의 여섯 가지는 모두 변제정邊際定
에 의해 획득된다.76

변제정려의 체에는 여섯 가지가 있으니, 앞의 여섯에서 사詞무애해를 제
외하고, 다른 변제邊際를 더한 것이다. 사무애해는 비록 그것에 의해 획득
되지만, 체는 그 정려에 포함되는 것이 아니니,77 변제라는 명칭은 다만 제

....
74 제10구를 해석하는 것인데, 이는 같고 다름을 나타내는 것이다. 이 4무애해의
　　소연, 자성, 의지하는 지의 세 가지가 앞의 무쟁과 차별되는 것은 이와 같지
　　만, 종성과 의지하는 몸은 무쟁에서 설한 것과 같다. 말하자면 부동의 종성이
　　고, 3주의 사람의 몸에 의지한다.
75 이하는 곧 넷째 변제정에 의해 획득되는 것임을 밝히는 것이다.
76 첫 구를 해석하는 것인데, 이는 여섯 가지가 변제정에 의해 획득되는 것임을
　　밝히는 것이니, 변제정의 힘으로 견인되어 일으켜진 것이기 때문이다.
77 제2구 중 '변제정은 여섯 가지로서'를 해석하는 것이다. 전체적으로 말한다면
　　변제정려의 체에는 여섯 가지가 있으니, 앞의 여섯 가지 중 사무애해를 제외
　　하니, 욕계 및 초정려에 있는 것이기 때문이고, 다섯 가지의 일부를 취하니,
　　다섯 가지에는 변제정 아닌 것에 통하는 것이 있기 때문에 그래서 일부를 취
　　한 것이며, 다른 변제邊際{=이를 『대비바사론』 제180권(=대27-906중)에서
　　는 변제지邊際智라고 표현하고 있다}, 즉 늘리거나 줄이는 등(=유다수·사다
　　수 수행을 가리킴은 앞의 제3권 중 게송 ⑩a에 관한 논설 참조)을 더한 것이다.
　　사무애해는 비록 제4변제정려에 의해 획득되기는 하지만-일으키는 것에 자

4정려에만 의하기 때문이다.78 이것은 일체 지에 두루 수순한 것[一切地遍所隨順]이기 때문이며, 증성하여 궁극에 이른 것[增至究竟]이기 때문에 변제라는 명칭을 얻은 것이다.79

어째서 이것을 두루 수순한 것이라고 이름했는가? 말하자면 이 정려를 바르게 닦고 배울 때에는 욕계의 마음으로부터 초정려에 들고, 순차 순입順入하여 나아가 유정지에 이르며, 다시 유정지로부터 무소유처에 들고, 순차 역입逆入하여 나아가 욕계에 이르며, 다시 욕계로부터 순차 순입하여 계속 나아가 제4정려에 이른 것이므로 '일체 지에 두루 수순한 것'이라고 이름한 것이다.80 어째서 이것을 증성하여 궁극에 이른 것이라고 이름했는가? 말하자면 오로지 제4정려를 닦고 익혀서 하품으로부터 중품에 이르고, 중품으로부터 상품에 이르는데, 이와 같은 3품을 다시 각각 3품으로 나누어 상상품이 생긴 것이므로 '궁극에 이른 것'이라고 이름한 것이다.81

이와 같은 정려이므로 변제邊際라는 명칭을 얻은 것이다. 여기에서 '변邊'이라는 명칭은 능가하는 것이 없다[無越]는 뜻을 나타내니, 뛰어남에서 이를 능가하는 것이 없기 때문에 '변'이라고 이름하였고, '제際'라는 말은 종류[類]라는 뜻이나 궁극[極]이라는 뜻을 나타내기 위한 것이니, 예컨대 4제四際 및 실제實際라는 말을 하는 것과 같다.82

....

재하기 때문에 그것을 말하여 획득된다고 이름한 것이니, 마치 붓다의 진지의 시기를 말하여 멸진정을 얻는다고 이름하는 것과 같다-, 일으키는 것에 자재함에 의거했기 때문에 앞의 글에서 4무애해는 일시에 획득된다고 말한 것이다. 그렇지만 사무애해는 욕계와 초정려에 매인 것이니, 변제정을 얻을 때에도 그 체가 그 변제정려에 포함되는 것은 아니다.

78 (제2구 중) '후의 정려이고'를 해석하는 것이다.

79 제3구를 해석하는 것인데, 모두 3장章을 연 것이니, 첫째 이는 일체 지에 두루 수순한 것이기 때문이며, 둘째 증성하여 구경에 이른 것이기 때문에, 셋째 변제라는 명칭을 얻었다는 것이다.

80 이는 제1장을 해석하는 것이다. 물음과 답이니, 알 수 있을 것이다.

81 제2장을 해석하는 것이다. 물음과 답이니, 역시 알 수 있을 것이다.

82 제3장을 해석하는 것이다. 여기에서 '변'이라는 명칭은 능가하는 것이 없다는 뜻을 나타내니, 뛰어남에서 이 정려를 능가하는 것이 없기 때문에 이 정려를 '변'이라고 이름하였고, '제'라는 말은 부류의 뜻을 나타내기 위한 것이니, 말하자면 이 정려 중에 여러 종류가 있고 서로 비슷하다는 뜻이기 때문이다. 예

붓다를 제외한 나머지 일체 성자들은 이상 설한 여섯 가지를 오직 가행으로만 얻지, 이염시에 얻는 것이 아니니, 모두가 얻는 것은 아니기 때문이다. 오직 붓다께서만 이를 이염시에도 역시 얻으시니, 모든 붓다들의 공덕은 최초의 진지의 시기에 이염에 의해서 일체를 단박에 얻으신다. 그 후에는 바람에 따라 능히 견인해 현전시키시고, 가행에 의하시지 않으니, 붓다 세존께서는 모든 법을 자재하게 굴리시기 때문이다.83

제3절 범부와도 공통되는 공덕

제1항 6신통

다른 성자들과만 공통되는 앞의 세 가지 공덕에 대해 분별했으니, 범부들과도 공통되는 공덕 중 우선 신통[通]에 대해 분별해야 할 것이다.84 게송으로 말하겠다.

47 신통은 여섯이니, 신경통[通六謂神境]
   천안통·천이통·타심통[天眼耳他心]

....

컨대 4제라고 말한다면, 1게송 중의 4구의 한계나 1세계의 4해의 경계를 말하는 것과 같으니, 모두 종류가 서로 비슷하다는 뜻이다. 혹은 궁극이라는 뜻을 나타내는 것이니, 예컨대 금강의 실제라고 말하거나 혹은 예컨대 모든 법의 실제라고 말하는 것은 이른바 열반을 말하는 것과 같다. 모두 궁극이라는 뜻이다.

83 제4구를 해석하는 것이다. 붓다를 제외한 나머지 일체 성자들은 이상에서 설한 여섯 가지를 오직 가행으로만 얻지, 이염시에 얻는 것이 아니니, 모두가 얻는 것은 아니기 때문이다. 만약 별도로 변제정을 닦는다면 얻지만, 만약 닦지 않는다면 얻지 못한다. 오직 붓다께서만은 이 여섯 가지 공덕을 이염시에도 얻으시고, 후에는 가행에 의하시지 않고, (바람에) 따라 현전한다.

84 이하는 둘째 범부와 공통되는 공덕에 대해 밝히는 것이니, 곧 6신통이다. 그 안에 나아가면 첫째 바로 6신통에 대해 밝히고, 둘째 세 가지 명明에 대해 밝히며, 셋째 3시도三示導를 밝히고, 넷째 신경통에 대해 따로 밝히며, 다섯째 천안·천이통에 대해 따로 해석하고, 여섯째 신통의 종류에 대해 밝히니, 이는 곧 첫째 바로 6신통에 대해 밝히는 것 중 앞을 맺으면서 뒤를 일으키는 것이다.

숙주통·누진통을 말하는 것인데[宿住漏盡通]
해탈도와 지혜에 포함된다[解脫道慧攝]

48 4신통은 세속지, 타심통은 5지이고[四俗他心五]
누진통은 십력에서와 같은데[漏盡通如力]
5신통은 4정려에 의지하며[五依四靜慮]
자지와 하지를 경계로 한다[自下地爲境]

49 성문, 인각유, 붓다는[聲聞麟喩佛]
2천, 3천, 무수 세계이고[二三千無數]
일찍이 얻지 못했다면 가행에 의해[未曾由加行]
일찍이 닦았다면 이염에 의해 얻는다[曾修離染得]

50 염주는, 처음 3신통은 신념주[念住初三身]
타심통은 3념주, 나머지는 4념주이며[他心三餘四]
천안통·천이통은 무기이고[天眼耳無記]
나머지 4신통은 오직 선이다[餘四通唯善]85

1. 명칭과 체

논하여 말하겠다. 신통에는 여섯 가지가 있으니, 첫째 신경神境지증통智證通, 둘째 천안天眼지증통, 셋째 천이天耳지증통, 넷째 타심他心지증통, 다섯째 숙주수념宿住隨念지증통, 여섯째 누진漏盡지증통이다. 비록 6신통 중 제6신통은 오직 성자만이지만, 그 앞의 5신통은 이생도 역시 얻는 것이기 때문에 전체적 모습에 의해서 이생과도 공통되는 것이라고 말한 것이다.86

....
85 게송 중에 나아가면 첫째 명칭의 열거, 둘째 체를 나타냄, 셋째 지혜[智], 넷째 의지하는 지, 다섯째 신통의 경계, 여섯째 두 가지 득, 일곱째 염주, 여덟째 3성이다.
86 처음 3구를 해석하면서 신통의 명칭을 열거하는 것이다. '신神'은 등지等持를 말하고, '경境'은 만들어진 것[所作]을 말하며, 지혜[智]가 경계를 증득[證境]할

이와 같은 6신통은 해탈도에 포함되고, 지혜[慧]를 자성으로 하는 것이 사문과와 같다. '해탈도'라는 말은 장애에서 벗어났다[出障]는 뜻을 나타내는 것이다.[87]

2. 6신통과 10지

신경통 등의 4신통은 오직 세속지에만 포함되고, 타심통은 5지에 포함되니, 법지·유지·도지·세속지·타심지를 말하며, 누진통은 십력에서 설한 것과 같으니, 말하자면 6지, 혹은 10지이다. 이에 의해 누진지증통은 일체 지地에 의지하고, 일체 경계를 반영한다는 점이 이미 드러났다.[88]

3. 의지하는 지

....

때 가림이 없는 것[無擁]을 '통通'이라고 이름하니, 선정 및 경계와 증득주체[能證]에 따라 명칭을 만든 것이다. 그래서 신경지증통이라고 이름한 것이다. 나머지 신통도 역시 선정에 의지하지만, 이 신통의 모습이 드러나므로 이것만 '신'이라는 명칭을 표방하였다. '천안'과 '천이'는 의지하는 근이고, '지智'는 2식과 상응하는 지혜[慧]이며, 지혜가 2경을 반영할 때 가림이 없는 것을 '통'이라고 이름하니, 근 및 증득주체에 따라 명칭을 만들어 천안지증통과 천이지증통이라고 이름하였다. 가행 및 증득주체인 지혜에 따라 명칭을 만들어서 타심지증통이라고 이름했으며, 경계 및 상응법(='넘')과 아울러 증득주체인 지혜에 따라 명칭을 만들어서 숙주수념지증통이라고 이름하였다. 만약 열반을 누진이라고 이름한다면, 증득대상 및 증득주체인 지혜에 따라 명칭을 만들어서 누진지증통이라고 이름한 것이고, 만약 누진한 몸을 누진이라고 이름한다면 의지처 및 증득주체인 지혜에 따라 명칭을 만들어서 누진지증통이라고 이름한 것이다. 그 6신통 중 여섯째는 오직 성자만이고, 앞의 5신통은 범부에도 통하니, 많은 것에 따르되, 전체에 의거해서 이생과 공통되는 것이라고 말한 것이다.

87 제4구를 해석하는 것이다. 우선 해탈도라고 말한 것은 장애(=신통을 장애하는 불염오무지)에서 벗어난 최초임을 나타낸 것이다. 이치상 실제로는 승진도에서 일어나는 것도 인정된다. 그래서 『순정리론』 제76권(=대29−752하)에서 말하였다. "해탈도라는 말은 장애에서 벗어났다는 뜻을 나타낸 것이니, 승진도 중에서도 역시 일어날 수 있기 때문이다."

88 제5·제6구를 해석하는 것이다. 신경·천안·천이·숙주의 4신통은 현상적 경계[事境]를 반영하는 것이기 때문에 오직 세속지에만 포함된다. 타심통은 5지에 포함되는데, 그 명칭은 본문과 같다. 누진통의 경우는 앞이 누진지력에서 말한 것과 같다. 만약 누진을 경계로 해서 반영한다면 6지(=세속지·법지·유지·멸지·진지·무생지)에 포함되고, 만약 누진한 몸에서 일어남에 의한다면 10지에 포함된다. 10지에 포함되기 때문에 이에 의해 누진지통은 일체 지에 의지하고, 일체 경계를 반영한다는 점이 이미 드러났다. 지혜에 포함되는 것을 밝힌 것으로 인해 곧 누진지통이 의지하는 지와 소연이 밝혀진 것이다.

앞의 5신통은 4정려에 의지한다.89

어째서 이 5신통은 무색정에 의지하지 않는가?90 앞의 3신통은 개별적으로 색을 경계로 해서 반연하기 때문이고, 타심통을 닦는 것은 색을 문門으로 하기 때문이며, 숙주통을 닦는 것은 점차 분위의 차별을 기억해 생각함으로써 비로소 성취할 수 있기 때문이니, 성취할 때 능히 처소와 종성 등을 반연하기 때문이다. 무색지에 의지한다면 이런 능력이 없을 것이다.91

【타심통의 가행】 타심통을 닦고자 하는 모든 자는 먼저 자기의 몸과 마음의 두 가지 모습이 전후로 변하여 달라지고 전전하여 서로 따르는 것을 자세히 관찰하고, 그 후 다시 남의 몸과 마음의 모습을 자세히 관찰하면, 이에 의해 가행이 점차로 성취될 수 있고, 성취하고 나면 자신의 마음과 모든 색을 관찰하지 않더라도 남의 마음 등을 여실하게 알 수 있다.92

【숙주통의 가행】 숙주통을 닦고자 하는 모든 자는 먼저 스스로 바로 전에 소멸한 마음을 자세히 관찰하고, 점점 다시 역으로 이 생의 분위의 전전의 차별을 관찰하여 결생結生하는 마음에 이르며, 나아가 중유 전의 1찰나를 능히 기억해 알기에 이르면, 자신의 숙주통의 가행이 성취되었다고 이름한다. 남을 억념하기 위한 가행도 역시 그러하다.

....

89 제7구를 해석하는 것이니, 이는 의지하는 지를 밝히는 것이다. 6신통 중 앞의 5신통은 4정려에 의지하고, 무색정·근분정·중간정에는 의지하지 않는다. 누진통이 의지하는 지와 소연의 경계는 앞에서 이미 곧 밝혀졌기 때문에 거듭 분별하지 않았다.
90 물음이다.
91 전체적인 답이다. 처음 세 가지 신경·천안·천이통은 각각 개별적으로 색을 경계로 해서 반연하기 때문에, 타심통을 닦는 것은 반드시 먼저 색의 관찰을 문으로 해서 들어가기 때문에, 숙주통을 닦는 것은 점차 전전의 색의 모습인, 출태 후의 5위와 태내 5위 및 중유위의 11분위가 차별되어 같지 않음을 기억해 생각함으로써 비로소 성취할 수 있기 때문이니, 성취할 때 과거에 모처 및 종성 등에 있었던 것을 능히 반연하는 것이다. 단지 분위에 의거해서 점차 기억할 뿐, 찰나에 의거하지 않는다고 알아야 할 것이다. 만약 찰나에 의거해 앞을 향해 점차 기억한다면, 반 생의 일만 기억해도 곧 목숨이 끝날 것이니, 어찌 가행이 만족될 때까지 닦을 수 있겠는가? 무색지에 의지한다면 이런 능력이 없을 것이다.
92 이하는 5신통의 가행을 개별적으로 밝히는 것이다. 이는 곧 타심통을 닦는 가행을 밝히는 것인데, 글대로 알 수 있을 것이다.

이 신통이 처음 일어날 때에는 오직 순차로만 알지만, 계속 익혀서 성취되었을 때에는 건너뛰어서도 기억할 수 있다. 기억되는 모든 일은 반드시 일찍이 받아들였던 것이니, 정거천을 기억하는 것은 과거에 일찍이 들었기 때문이다. 무색계에서 죽어서 여기로 와서 태어난 자는 남의 상속에 의지해 처음 이 신통을 일으키고, 그 나머지는 자신의 상속에 의지해서도 역시 일으킨다.93

....

93 숙주통을 닦는 가행을 개별적으로 밝히는 것이다. 숙주통을 닦고자 하는 모든 자는 먼저 스스로 바로 전에 소멸한 마음을 자세히 관찰하고, 점점 다시 역으로 이 생에서의 10시時 분위(=태외 5위와 태내 5위)의 전전前前의 차별을 관찰하여 결생하는 마음에 이르며, 나아가 중유 전 1찰나의, 전생의 목숨이 끝날 때의 마음을 점점 기억해 알 수 있기에 이르면, 자신의 숙주통의 가행이 성취되었다고 이름한다. 『대비바사론』제100권(=대27-518하)에서 말하였다. "점점 자세히 억념해서 이 중유 전 1찰나의 마음에 이르면 가행이 성취되었다고 이름한다고 말해야 할 것이니, 그것이 전생의 목숨이 끝날 때의 마음이기 때문에 능히 따라서 생각해 안다면 잘 성취되었다고 이름하는 것이다." 『대비바사론』의 설(=제100권. 대27-518중)처럼 숙주통의 무간도는 법념주인데, 중유와 생유의 두 가지 온은 하나의 업으로 감득되는 것이기 때문에 그래서 나아가 중유위의 첫 찰나의 마음 이후는 여전히 이 번 생에 포함되므로 아직 숙주의 일을 알았다고 이름할 수 없고, 나아가 그 앞의 몸의 목숨이 끝날 때의 마음을 알기에 이르러야 비로소 무간도라고 이름하고, 제2찰나를 해탈도라고 이름하며, 숙주통이 성취되었다고 이름하는 것이다. 이와 같이 자신의 숙주를 닦는 가행이 이미 그러하니, 남의 숙주를 억념하기 위한 가행도 역시 그러하다. 2승과 이생에게 이 신통이 처음 일어날 때에는 오직 순차로만 과거의 모든 생을 알지만, 계속 익혀서 성취되었을 때에는 건너뛰어서도 과거의 모든 생을 기억할 수 있다. 기억되는 모든 일은 반드시 일찍이 받아들였던 것이라야 비로소 능히 억념하니, 숙주통으로 정거천을 기억하는 것은 비록 거기에 태어나지 않았어도 과거에 들었던 것을 지금 기억할 수 있는 것이다. 그래서 『대비바사론』제100권(=대27-519중)에서 말하였다. "(문) 만약 그렇다면 이 지혜는 5정거천에서의 일을 기억해 알지 못해야 할 것이니, 시작 없는 때로부터 아직 거기에 태어나지 않았기 때문이다. (답) 일찍이 겪은 일에는 대략 두 가지가 있으니, 첫째는 일찍이 본 것이고, 둘째는 일찍이 들은 것이다. 비록 아직 일찍이 5정거천의 일을 본 적은 없다고 해도, 일찍이 들었기 때문에 역시 기억해 알 수 있다. 나머지 욕계·색계의 지극히 멀거나 지극히 수승한, 알기 어려운 일들도 이에 준한다고 알아야 할 것이다." 만약 그 자신이 무색계에서 죽어서 욕·색계로 와서 태어난 자라면 자신의 상속에 의해 가행을 닦아 만족케 해서, 남의 상속에 의지해 처음 이 신통을 일으키고(=무색계 유정의 몸과 마음을 관찰해서 익숙해진 뒤 자신의 무색계에서의 일을 기억해 안다는 취지), 만약 그 나머지 욕·색계에서 죽어 다시 욕·색계로 와서 태

【앞의 3신통의 가행】 신경통 등 앞의 3신통을 닦을 때에는 가벼움[輕]·빛[光]·소리[聲]를 생각하는 것[思]을 가행으로 하는데, 성취되고 나면 자재하게 상응하는 바에 따라 행한다.[94]

그래서 이 5신통은 무색정에 의지하지 않는 것이다. 또 모든 무색정은 관觀이 감소하고 지止가 증가하는데, 5신통은 반드시 지와 관이 균등한 지에 의지한다. 미지정 등의 지地도 이 때문에 이미 부정되었다.[95]

4. 신통의 경계

이와 같은 5신통의 경계는 오직 자지와 하지만이다. 우선 예컨대 신경통은 어떤 지에 의지한 것이든 자지와 하지에서는 행화行化에 자재하지만, 상지에서는 그렇지 않으니, 세력이 열등하기 때문이다. 나머지 4신통도 그 상응하는 바에 따라 역시 그러하니, 그러므로 무색계의 타심과 숙주를 취하여 2신통의 경계로 삼을 수 없는 것이다.

즉 이 5신통이 세계의 경계에서 작용함의 넓고 좁음은 모든 성자가 같지 않다. 말하자면 큰 성문, 인각유, 대각大覺이 지극하지 않게 작의한다면 순서대로 능히 1천, 2천, 3천의 여러 세계의 경계에서 행화 등의 자재한 작용을 일으키지만, 만약 지극하게 작의한다면 순서대로 능히 2천, 3천, 무수한 세계의 경계에서 일으킬 수 있다.[96]

....

어난 자라면 자신의 상속에 의지해서도 역시 처음 이 신통을 일으킨다. 만약 하지에 의지해 숙주통을 일으키더라도 상지에서 죽어서 하지로 와서 태어난 자라면, 이에 유추해서 알아야 할 것이다.

94 다음 나머지 3신통을 닦는 가행에 대해 밝히는 것이다. 신경통 등 앞의 3신통을 닦을 때에는, 신경통은 가벼움을 생각하는 것을 가행으로 하고, 천안통은 빛을 생각하는 것을 가행으로 하며, 천이통은 소리를 생각하는 것을 가행으로 하는데, 성취되고 나면 자재하게 상응하는 바에 따라 행한다.

95 무색계 중에는 이런 색이 없기 때문에 이 5신통은 무색정에 의지하지 않는다. '또 모든' 이하는 두 번째 해석이다. 모든 무색정은 관觀이 감소하고 지止가 증가하는데, 5신통은 반드시 지와 관이 균등한 지에 의지한다. 미지정과 중간정도 이 때문에 이미 부정되었으니, 관이 증가하고 지가 감소하기 때문이다.

96 제8~10구를 해석하는 것인데, 첫째는 종적인 것에 의거해 넓고 좁음을 밝힌 것이니, 경계는 오직 자지와 하지만이고, 상지에는 통하지 않으니, 세력이 열등하기 때문이며, 둘째는 횡적인 것에 의거해 작용의 넓고 좁음을 나타낸 것이니, 글대로 알 수 있을 것이다. # 본문 중 '행화'는 뒤의 게송 53과 그 논설

5. 신통의 획득

이와 같은 5신통은, 만약 수승한 세력의 작용과 맹리함을 가졌더라도 시작 없는 때로부터 일찍이 아직 얻은 적이 없었던 자라면 가행에 의해 얻는다. 만약 일찍이 계속 익혔더라도 수승한 세력의 작용이 없는 자 및 그런 종류라면 이염에 의해 얻는다. 만약 일어나 현전했다면 모두 가행에 의한 것이지만, 붓다께서는 일체를 모두 이염에 의해 얻으시니, 바람[欲]에 따라 현전하므로 가행에 의하시지 않는다.[97]

6. 신통과 염주

6신통 중 앞의 3신통은 오직 신념주이니, 단지 색법만을 반연하기 때문이다. 말하자면 신경통은 색·향·미·촉의 4외처를 반연하고, 천안통은 색처를 반연하며, 천이통은 성처를 반연한다.[98]

만약 그렇다면 어째서 사생지死生智에 대해 유정의 부류가 현재의 몸 중에 신身·어語·의意의 여러 악행 등을 성취한 것에 의해 아는 것이라고 설했겠는가?[99] 천안통이 이 일을 알 수 있는 것이 아니라, 성자의 몸에 의지해

....

에서 설명되는 것처럼, 신경통의 작용을 가는 것[行]과 변화시키는 것[化]으로 나타낸 것이다.

97 제11·제12구를 해석하면서 두 가지 득을 밝히는 것이다. 이와 같은 5신통은, 만약 수승한 세력의 작용과 맹리함을 가졌더라도 아직 일찍이 얻은 적이 없었던 자라면 가행에 의해 얻는다. 만약 과거세에 이미 일찍이 계속 익혔더라도 수승한 세력의 작용이 없는 자 및 미래세의 그런 수승함이 없는 종류라면 이염에 의해 얻는다. 2승과 이생은 그 상응하는 바에 따라 혹은 가행에 의해 얻고, 혹은 이염에 의해 얻지만, 만약 일어나 현전했다면 모두 가행에 의한 것(=이염에 의해 얻은 경우에도 현전하는 것은 다시 가행에 의한다는 취지)이다. 붓다께서는 일체를 모두 이염에 의해 얻으시니, 바람에 따라 현전하므로 가행에 의하시지 않는다.

98 이하는 제13·제14구를 해석하면서 염주를 분별하는 것이다. 그 6신통 중 앞의 3신통은 오직 신념주이니, 단지 색법만을 반연하기 때문이다.

99 물음이다. 만약 천안통이 단지 색만을 반연하는 것이라면 어째서 계경(=잡[26]26:684 십력경 등)에서, 사생지死生智는 유정의 부류가 현재의 몸 중에 신·어·의의 여러 악행 등을 성취한 것에 의해 장차 악취에 태어나는 것을 안다고 설했겠는가? 여기에서 힐난하는 뜻이 말하는 것은, 「사생지는 천안통인데, 이미 천안통이라면 단지 색신만을 알 수 있겠거늘, 어째서 말과 마음도 안다고 했겠는가?」라는 것이다.

일어나는, 신통의 권속인 별도의 수승한 지혜가 있어 이와 같이 알 수 있는 것인데, 이는 천안통의 힘에 견인된 것이기 때문에 신통과 합쳐서 사생지라는 명칭을 세운 것이다.100

타심지통은 말하자면 느낌·마음·법의 3념주에 포함되니, 마음 등을 반연하기 때문이다. 숙주지통과 누진지통은 4념주에 포함되니, 5온과 일체 경계를 통틀어 반연하기 때문이다.101

7. 신통의 3성 분별

이 6신통 중 천안통과 천이통은 무기의 성품에 포함되니, 이 2신통의 체는 안식·이식과 상응하는 지혜라고 인정되기 때문이다.102

....

100 답이다. 천안통이 능히 말과 마음을 아는 것이 아니다. 천안통은 단지 색처만을 알지만, 성자의 몸에 의지해 일어나는, 신통의 권속인 별도의 수승한 지혜가 있어 능히 이와 같이 아는 것인데, 이 권속인 지혜는 천안통의 힘에 견인된 것이기 때문에 그래서 신통과 합쳐서 사생지라는 명칭을 세운 것이다. (문) 어째서 사생지가 천안통에 의해 견인된 권속인가? (해) 말하자면 천안통은 현재세에서 유정의 부류가 여기에서 죽어 저기에 태어나는 것을 보는데, 그 사생지는 다시 유정이 여기에서 죽어 저기에 태어나는 것을 아는 것이니, 부류가 서로 비슷하기 때문에 그것에 의해 견인된 그것의 권속도 천안통이라고 이름한 것이다. 만약 천안통을 말하여 사생지라고 이름한다면 결과에 따라 이름을 지은 것이고, 만약 사생지를 말하여 천안통이라고 이름한다면 원인에 나아가 이름을 지은 것이다.
101 타심지통은 3념주에 포함되고, 숙주통은 4념주에 포함되니, 통틀어 5온을 반연하기 때문이며, 누진통은 4념주에 포함되니, 통틀어 일체 경계를 반연하기 때문이다. 『순정리론』(=제76권. 대29-753하)에서 논파해 말하였다. "숙주·누진통에 대해 경주는 하나하나가 모두 4념주에 포함되게 하려고 했으니, 통틀어 5온과 일체 경계를 반연한다고 했기 때문이다. 그렇지만 실제로 숙주통은 법념주에 포함되니, 비록 계경에서 일찍이 받아들였던 고·락 등의 일을 억념한다고 설했어도, 이는 고·락 등의 느낌으로 받아들였던 온갖 도구[衆具]들을 기억하는 것이므로 곧 잡연雜緣의 법념주에 포함되는 것이다. 누진통은 누진지력처럼 혹은 법념주, 혹은 4념주(=누진만을 반연할 경우 법념주, 누진한 몸에 획득된 경계를 반연할 경우 4념주)이므로, 결정코 4념주에 포함된다고 말하지 않아야 할 것이다." 구사론사는 변론해 말할 것이다. 「우리는 숙주통에 개별적으로 반연하는 것도 역시 있다고 인정하기 때문에 4념주에 통한다. 누진통이 4념주라고 말한 것은 10지에 의거해 말한 것이니, 6지라면 오직 법념주인 것은 유추하면 드러나 알 수 있기 때문에 따로 말하지 않은 것이다.」
102 이하는 뒤의 2구를 해석하면서, 3성으로 분별하는 것이다. 천안·천이의 2신통은 무기의 성품이니, 이것은 2식(=안식·이식)과 상응하는 지혜라고 인정

만약 그렇다면 어찌 4정려에 의지한다고 말하겠는가?103 근根에 따라 말한 것이기 때문에 역시 허물이 없다. 말하자면 의지처인 눈·귀의 2근이 4정려의 힘에 의해 인기된 것으로서 곧 그 지地에 포함되기 때문에 4정려지에 의지하는 것이니, 신통이 근에 의지하기 때문에 4정려에 의지한다는 말을 한 것이다. 혹은 이는 신통의 무간도에 의해 말한 것이니, 신통의 무간도가 4정려지에 의지하기 때문이다.104

나머지 4신통의 성품은 모두 선이다.105 만약 그렇다면 어째서 『품류족론』에서, "신통은 어떤 것인가? 말하자면 선의 지혜[善慧]이다"라고 말했겠는가?106 그것은 많은 부분에 의거한 것이거나, 뛰어난 것에 따라 말한 것이다.107

제2항 삼명三明

예컨대 계경에서 무학의 3명을 설했는데, 그것은 6신통 중 무엇을 성품

....
되기 때문이다. 선이 아니라고 말하는 것은, 5식이 생득선일 경우 다른 지에 일어날 수 없기 때문이다. 혹은 색계의 생득선은 선정의 마음[定心]을 낳을 수 없지만, 그 2신통은 선정의 모습으로만 생기는 것이다. (문) 이미 무기라면 4무기 중 어느 무기인가? (해) 통과무기이다. (문) 이미 천안·천이와 상응하는 지혜를 신통이라고 이름한다고 했는데, 어떻게 통과(=신통의 결과)라고 이름하겠는가? (해) 곧 통을 과라고 이름하기 때문에 통과라고 이름한 것이니, 가림이 없기 때문에 통이라고 이름하고, 선정에서 생겼기 때문에 과라고 이름한 것이다.

103 물음이다. 만약 그렇다면 어찌 4정려에 의지한다고 말하겠는가? 2식은 단지 초정려와 산심일 뿐, 정려에 의지하지 않기 때문이다.

104 답이다. 신통이 의지하는 근이 4정려에 포함되니, 근에 따라 말했기 때문에 4정려에 의지한다는 말을 한 것이다. 혹은 이는 신통의 무간도에 의해 말한 것이니, 신통의 무간도가 4정려지에 의지하기 때문에 무간도에 따라서 4정려에 의지한다는 말을 한 것이다.

105 천안·천이통을 제외한 나머지 4신통은 모두 선이다.

106 물음이다. 만약 천안·천이통이 무기의 성품이라면 어째서 『품류족론』(=제6권. 대26-713하)에서 신통은 선이라고 말했겠는가?

107 답이다. 6신통 중 넷은 선이고, 둘은 무기이니, 그것은 많은 부분에 의거해 '신통은 선'이라고 말한 것이다. 혹은 신통에는 두 가지가 있으니, 첫째는 선, 둘째는 무기인데, 그것은 뛰어난 것에 따라 '신통은 선'이라고 말한 것이다.

으로 한 것인가? 게송으로 말하겠다.

51 제5·제2·제6의 신통이 명이니[第五二六明]
　3제에 대한 어리석음을 대치하기 때문인데[治三際愚故]
　후자는 진실이고, 둘은 가설이며[後眞二假說]
　유학은 어둠이 있으므로 명이 아니다[學有闇非明]108

　논하여 말하겠다. 3명이라고 말한 것은, 첫째 숙주지증명宿住智證明, 둘째
사생지증명死生智證明, 셋째 누진지증명漏盡智證明이니, 그 순서대로 무학위
에 포함되는 제5, 제2, 제6의 신통을 그 자성으로 한다.109

　6신통 중 세 가지를 유독 명이라고 이름한 것은, 순서대로 3제際에 대한
어리석음을 대치하기 때문이다. 말하자면 숙주지통은 전제前際에 대한 어리
석음을 대치하고, 사생지통은 후제後際에 대한 어리석음을 대치하며, 누진
지통은 중제中際에 대한 어리석음을 대치하는 것이다.110

　이 세 가지를 모두 무학의 명이라고 이름한 것은, 다 같이 무학의 몸 중
에 일어나 있는 것이기 때문이다. 그 중 최후의 명은 진실[眞]이 있는 것이
라고 인정되니, 무루에 통하기 때문이다. 나머지 두 가지는 임시로 말한 것
[假說]이니, 그 체가 유학도 아니고 무학도 아닌 것일 뿐이기 때문이다.111

....
108 이하는 곧 둘째 삼명에 대해 분별하는 것인데, 경(=잡 [23]31:884 무학삼
　　명경 등)에 의해 물음을 일으키고 게송으로 간략히 답한 것이다.
109 제1구를 해석하는 것이다. '삼명'이라고 말한 것 중 첫째 숙주지증명은 제5
　　의 신통(=숙주수념지증통)을 성품으로 하고, 둘째 사생지증명은 제2의 신통
　　(=천안지증통)을 성품으로 하는 것이니, 원인에 따라 체를 나타낸 것으로서,
　　근본에 의거해 말한 것이며, 셋째 누진지증명은 제6의 신통(=누진지증통)을
　　성품으로 하는 것이다.
110 제2구를 해석하는 것이다. 6신통 중 유독 세 가지만 명이라고 이름한 것은,
　　숙주지통은 전제에 대한 어리석음을 대치하고, 사생지통은 후제에 대한 어리
　　석음을 대치하며, 누진지통은 중제에 대한 어리석음을 대치하는 것이어서다.
　　지혜가 현전함에 의해서 그 현재의 번뇌로 하여금 일어나지 않게 하기 때문에
　　중제(='3제'의 오기로 보인다)에 대해 대치한다고 이름한 것인데, 나머지 3
　　신통은 그렇지 않기 때문에 세우지 않은 것이다.
111 제3구를 해석하는 것이다. 이 세 가지를 모두 무학의 명이라고 이름한 것은,

유학의 몸 중에는 어리석음의 어둠이 있기 때문에 비록 앞의 두 가지가 있더라도 명이라고 세우지 않는다. 비록 잠시 어리석음의 어둠에 대한 조복·소멸이 있었더라도 뒤에 다시 그 가림[蔽]을 받기 때문에 명이라고 이름하지 않는 것이다.112

제3항 3시도示導

계경에서 세 가지 시도示導가 있다고 설했는데, 그것은 6신통 중 무엇을 체로 한 것인가? 게송으로 말하겠다.

52 제1·제4·제6 신통이 시도인데[第一四六導]
　　교계의 시도가 존귀하니[敎誡導爲尊]
　　결정코 신통에 의해 이루어지는 것으로서[定由通所成]
　　이익·안락의 결과를 인기하기 때문이다[引利樂果故]113

논하여 말하겠다. 세 가지 시도란 첫째 신변神變의 시도示導, 둘째 기심記

....
같이 무학의 몸 중에 일어나 있는 것이기 때문이다. 그 중 최후의 누진지명은 혹은 6지를 성품으로 하거나 혹은 10지를 성품으로 하는 것이어서 진실한 무학[眞無學]이라고 할 수 있으니, 무루에 통하기 때문이다. 나머지 두 가지는 임시로 말하여 무학이라고 이름한 것이니, 그 체가 유학도 아니며 무학도 아닌 것일 뿐이기 때문이다. 그래서 『순정리론』(=제76권. 대29-754중)에서 말하였다. "이 때문에 가장 뒤의 것이 무학이라는 이름을 얻은 것은 자성과 상속이 모두 무학이기 때문이지만, 앞의 두 가지가 무학이라는 이름을 얻은 것은 단지 상속에 의한 것일 뿐, 자성에 의하지 않았다."
112 제4구를 해석하는 것이다. 유학의 몸 중에는 어리석음의 어둠이 있기 때문에 번뇌가 아직 모두 제거되지 않았으니, 비록 앞의 두 가지가 있더라도 뒤의 것(=누진지명)이 없기 때문에 명이라고 세우지 않는다. 비록 잠시 어리석음의 어둠을 조복·소멸시킴이 있었더라도 후에 다시 그 가림을 받기 때문에 명이라고 이름하지 않으니, 어리석음의 어둠이 영원히 없어져야 비로소 명이라고 이름하기 때문이다.
113 이하는 곧 셋째 3시도에 대해 밝히는 것인데, 경(=잡 [8]8:197 시현경示現經 등. 경에서는 대체로 '시현'이라고 표현하고 있다)에 의해 물음을 일으키고, 아울러 게송에 의해 간략히 답한 것이다.

心의 시도, 셋째 교계敎誡의 시도이니, 그 순서대로 6신통 중 제1, 제4, 제6 신통을 그 자성으로 한다. 오직 이 세 가지 신통만이 교화될 중생을 인도하여 처음 발심하게 하는 것에 가장 뛰어나기 때문에, 혹은 이것들은 정법을 싫어해 등지는 자 및 중간에 처한 자들을 능히 인도하여 발심하게 하기 때문이니, 능히 보여서 능히 인도하므로[能示能導] 시도示導라는 명칭을 얻은 것이다. 또 이 세 가지만이 불법佛法으로 순서대로, 돌아와 승복하게 하고 [歸伏] 믿어 받아들이게 하며[信受] 닦고 행하게 하므로[修行] 시도라는 명칭을 얻었지만, 나머지 3신통은 그렇지 않다.114

　그 세 가지 시도 중 교계의 시도가 가장 존귀하니, 오직 이것만이 결정코 신통에 의해 이루어지는 것이기 때문이며, 결정코 능히 남의 이익·안락의 결과를 인기하기 때문이다. 말하자면 앞의 두 가지 시도는 주술로도 역시 가능해서, 신통에만 의하지 않기 때문에 결정적인 것이 아니니, 예컨대 건타리健馱梨라고 이름하는 주술이 있어 이것을 지니면 곧 능히 허공으로 오르는 것에 자재하며, 다시 이찰니伊刹尼라고 이름하는 주술이 있어 이것을 지니면 곧 남의 마음과 생각을 알 수 있지만, 교계의 시도는 누진통을 제외

．．．．．．．．．．．．．．．．．．．．．．
114 위의 1구를 해석하는 것이다. 세 가지 시도란 그 순서대로, 첫째 신변의 시도는 6신통 중 제1 신경통을 성품으로 하고, 둘째 기심의 시도는 제4 타심통을 성품으로 하며, 셋째 교계의 시도는 제6 누진통을 성품으로 한다. 6신통 중 세 가지만 시도이고, 세 가지는 시도가 아닌 것은, 오직 이 세 가지만이 교화될 중생을 인도하여 처음 발심하게 하는 것에 가장 뛰어나기 때문에 시도라는 명칭을 얻은 것이다. 혹은 이것들은 외도의, 정법을 싫어해 등지는 자들 및 내외의, 중간에 처한 자(=싫어하지도 좋아하지도 않는 자)들을 능히 인도하여 발심하게 하기 때문이다. 능히 희유한 일들을 보여 나타내기 때문이며, 능히 정법으로 들어오도록 인도하기 때문에 시도라는 명칭을 얻은 것이다. 또 이 세 가지만이 모든 유정들로 하여금 불법 안으로 그 순서대로, 신변은 능히 돌아와 승복하게 하고, 기심은 능히 믿어 받아들이게 하며, 교계는 능히 닦고 행하게 하기 때문에 세 가지만이 시도라는 명칭을 얻었지만, 나머지 세 가지는 그렇지 않기 때문에 시도가 아니다. 그래서 『대비바사론』 제103권(=대 27-531중)에서 말하였다. "말하자면 만약 스스로, 나는 먼 것도 들을 수 있다(=천이통)라거나, 나는 먼 것도 볼 수 있다(=천안통)라거나, 나는 모든 과거생의 일을 멀리 기억할 수 있다(=숙주통)고 말한다면, 남들이 모두 허위일까 진실일까 의심이 생겨서 곧 믿고 받아들이지 않기 때문에 보여서 인도하는 것[示導]이 아니다."

한 나머지로는 행할 수 없기 때문에 결정적인 것이다. 또 앞의 두 가지 시도는 단지 남으로 하여금 잠시 마음을 돌리게 할 수 있을 뿐, 뛰어난 결과를 인기하게 하는 것이 아니지만, 교계의 시도는 결정코 남으로 하여금 장래의 이익 및 안락의 결과도 역시 인기하게 하는 것이니, 여실한 방편으로써 설할 수 있기 때문이다. 이 때문에 교계의 시도가 가장 뛰어나고, 나머지는 아니다.115

제4항 신경통 별설

1. 신경神境의 뜻

신神과 경境이라는 두 가지 말은 어떤 뜻을 가리키는가? 게송으로 말하겠다.

....

115 아래 3구를 해석하면서 뛰어남과 열등함을 교량하는 것이다. 그 세 가지 시도 중 교계의 시도가 가장 존귀하니, 오직 이것만이 결정코 신통에 의해 이루어지는 것이기 때문이며, 결정코 능히 남의 인·천의 이익의 결과 및 열반의 안락을 취하는 결과를 인기하기 때문인데, 결정적이기 때문에 그래서 가장 존귀한 것이라고 이름하였다. 말하자면 앞의 신변·기심의 2시도는 주술로도 역시 가능해서, 신통에만 의하지 않기 때문에 결정적인 것이 아니다. 예컨대 건타리gāndhārī라고 이름하는 주술이 있어 이것을 지니면 곧 능히 허공으로 오르는 것에 자재한 것이 신경통과 같다. '건타'는 나라 이름인데, 이 나라에서 나온 것이므로 건타리라고 이름하였다. 또 진제眞諦는 말하였다. "건타리라는 이름의 천녀가 있는데─번역하자면 지지持地이다─, 이 주술은 건타리가 말한 것이어서 말한 주체인 천녀에 따라 건타리라고 칭하였다." 다시 이찰니Īkṣaṇikā라고 이름하는 주술이 있어 이것을 지니면 곧 남의 마음과 생각을 알 수 있는 것이 타심통과 같다. '이찰니'는 여기 말로 관찰이다. 또 진제는 말하였다. "이찰니는 이론의 명칭인데, 노형외도의 논사가 지은 것으로서, 번역하면 관찰이다. 이 주술은 그가 지은 논서에 따라 이름했기 때문에 이찰니라고 칭한 것이다." 교계의 시도는 누진통을 제외한 다른 주술 등으로는 행할 수 없기 때문에 결정적인 것이다. 또 앞의 신변·기심의 2시도는 단지 남으로 하여금 잠시 마음을 돌리게 할 수 있을 뿐, 뛰어난 결과를 인기하게 하는 것은 아니지만, 교계의 시도는 단지 남의 마음을 돌려 바른 것으로 나아가게만 하지 않고, 결정코 남의 장래세의 인·천의 이익의 결과 및 열반이라는 안락의 결과도 역시 인기하게 하는 것이니, 여실한 방편으로써 설할 수 있기 때문이다. 이 때문에 교계의 시도가 3시도 중 가장 존귀하며 가장 뛰어나고, 나머지 신변·기심의 2시도는 아니다. '교계教誡'라는 말에서 '교'는 가르쳐주는 것[敎授]을 말하고, '계'는 경계시켜 힘쓰게 하는 것[誡勗]을 말한다.

53 신의 체는 말하자면 등지이고[神體謂等持]

경은 말하자면 행·화의 둘인데[境二謂行化]

행은 셋으로서, 의세는 붓다이며[行三意勢佛]

운신과 승해는 공통된다[運身勝解通]

54 화는 둘로서, 말하자면 욕계·색계인데[化二謂欲色]

4외처와 2외처의 성품이며[四二外處性]

이들에는 각각 두 가지가 있으니[此各有二種]

자·타의 몸의 변화를 말한다[謂似自他身]116

논하여 말하겠다. 비바사에서 말한 이치에 의하면, 신神이라는 명칭이 가리키는 것은 오직 뛰어난 등지等持이니, 이에 의해 능히 신변神變의 일을 행하기 때문이고, 모든 신변의 일을 말하여 경境이라고 이름한 것인데, 이것에는 두 가지가 있으니, 말하자면 행行 및 화化이다.117

행行은 다시 세 가지이다. 첫째는 운신運身이니, 마치 나는 새처럼 허공을 타고 다니는 것을 말한다.118 둘째는 승해勝解이니, 지극히 먼 곳이라도 가깝다는 사유를 하면 곧 속히 이를 수 있는 것을 말한다.119 셋째는 의세意勢

....

116 이하는 넷째 신경통에 대해 따로 밝히는 것이다. 그 안에 나아가면 첫째 바로 '신경'에 대해 밝히고, 둘째 능·소의 변화에 대해 밝힌다. 이는 곧 바로 신경에 대해 밝히는 것인데, 물음 및 게송에 의한 답이다.

117 처음 2구를 해석하는 것이다. 비바사에서 말한 이치에 의하면, '신'이라는 명칭이 가리키는 것은 오직 뛰어난 등지等持이다. 신비한 작용이 있기 때문에 작용에 따라 이름한 것이니, 선정에 의해 능히 신변의 일을 행하기 때문이다. 모든 신변의 일을 말하여 '경'이라고 이름한 것인데, 이 '경'에는 두 가지가 있으니, 말하자면 행行 및 화化이다.

118 이하에서 제3·제4구를 해석하는데, 이는 운신의 해석이니, 이해할 수 있을 것이다.

119 승해의 힘에 의해서 지극히 먼 곳도 속히 이른다. 또 『순정리론』(=제76권. 대29-754하)에서 말하였다. "이는 실제로도 가는 것이니, 단지 가깝다는 이해[近解]만에 의해서 가는 것이 지극히 신속하기 때문에 승해라는 명칭을 얻은 것이다. 혹은 세존께서 정려의 경계는 불가사의하다고 말씀하셨기 때문에 붓다께서만 능히 아신다."

이니, 지극히 먼 곳이라도 마음을 들어 반연하면 그 때 몸이 곧 이를 수 있는 것을 말한다. 이 세력[勢]은 마음[意]과 같기 때문에 의세라는 명칭을 얻은 것이다.120

이 세 가지 중 의세는 오직 붓다뿐이고, 운신과 승해는 다른 승乘에도 역시 통한다. 말하자면 우리 세존께서는 신통이 신속하므로 장소가 멀든 가깝든 마음만 들면 곧 이르시니, 이 때문에 세존께서, "모든 붓다들의 경계는 불가사의하다"라는 이런 말씀을 하셨다. 그래서 의세의 행은 세존께만 있지만, 승해는 다른 성자들과도 겸하며, 운신은 이생도 아우른다.121

화化도 역시 두 가지이니, 욕계·색계를 말하는 것이다. 만약 욕계의 변화[欲界化]라면 성처聲處를 제외한 외적 4처이며, 만약 색계의 변화[色界化]라면 말하자면 오직 색·촉의 2처이니, 색계 중에는 향·미처가 없기 때문이다.122 이 2계의 변화에는 각각 두 가지가 있으니, 말하자면 자기 몸에 속한 것과 남의 몸에 속한 것은 다르기 때문이다. 몸이 욕계에 있을 때의 변화에는 네 가지가 있고, 색계에 있을 때에도 역시 그러하기 때문에 모두 여덟 가지가 된다.123

....

120 의세는 지극히 먼 곳이라도 마음을 들면 곧 이르니, 제불의 경계는 불가사의하다. 또 『순정리론』(=제76권. 대29-754하)에서 의세를 해석하면서 말하였다. "마치 태양이 빛을 펴는 것처럼 온의 흐름도 역시 그래서 능히 단박에 먼 곳에 이르기 때문에 '간다[行]'고 말하였다. 만약 그렇지 않다고 말한다면, 여기에서 사라져 저기에 나타나는 중간이 이미 끊어졌을 것이니, 간다는 뜻이 없어야 할 것이다. 혹은 붓다의 위신은 불가사의하기 때문에 마음을 들면 곧 이르는 것이 헤아릴 수 없으니, 따라서 의세로 가는 것은 오직 세존께만 있는 것이다."
121 이 세 가지 중 따라서 의세의 행은 오직 세존께만 있고, 승해는 다른 성자들과도 겸하며, 운신은 이생도 아우른다.
122 제5·제6구를 해석하는 것인데, 글대로 알 수 있을 것이다.
123 뒤의 2구를 해석하는 것이다. 이 2계에서의 변화에는 각각 두 가지가 있다. 말하자면 욕계의 변화는 자기 몸과 남의 몸에 속한 것은 다르기 때문이고, 말하자면 색계의 변화도 자기 몸과 남의 몸에 속한 것은 다르기 때문이다. 몸이 욕계에 있을 때의 변화에는 네 가지가 있으니, 욕계에서의 자신의 몸과 남의 몸의 변화, 색계에서의 자신의 몸과 남의 몸의 변화이며, 색계에 있을 때의 변화에도 역시 네 가지가 있으니, 색계에서의 자신의 몸과 남의 몸의 변화, 욕계에서의 자신의 몸과 남의 몸의 변화이다. 따라서 모두 여덟 가지가 되는

만약 색계에 태어나 있으면서 욕계에서의 변화를 만든다면 어떻게 향처·미처를 성취하는 허물이 있지 않겠는가?124 예컨대 옷과 장엄구를 만들더라도 성취하지 않는 것과 같다. 어떤 분은, "색계에 있을 때에는 오직 2처만 변화시킬 뿐이다"라고 말하였다.125

2. 신통의 결과인 능·소의 변화

변화의 일을 변화로 만드는 것[化作化事]이 곧 신통인가?126 그렇지 않다.127 어떠한가?128 이것은 신통의 결과[通之果]이다.129 이것에는 몇 가지가 있으며, 차별은 어떠한가?130 게송으로 말하겠다.

55 능화의 마음은 열넷이니[能化心十四]
선정의 결과인 둘 내지 다섯으로서[定果二至五]
의지처인 선정처럼 획득되는데[如所依定得]
청정선정과 자류로부터 생기고, 두 가지를 낳는다[從淨自生二]

....

것이다. # 이 설명에 의하면 게송 제8구의 '위사자타신謂似自他身'은 '위화자타신謂化自他身'의 오기로 보여, 고쳐서 번역하였다.

124 물음이다. 욕계의 8미微(=능조의 4대종과 4소조색)의 체는 서로 여의지 않는데, 상계에 태어나서 하계의 몸을 변화시킨다면 어떻게 향·미처 두 가지를 성취하는 허물이 있지 않겠는가?

125 답이다. 몸이 색계에 태어나서 욕계의 향·미처를 변화시키더라도 성취하지 않는다. 상계에 태어나면 하계의 향·미처를 성취함이 없는 것은, 예컨대 의복 및 장엄구를 비록 몸에서 떠나지 않게 만들었다고 해도 성취하지 않는 것과 같다. 어떤 분은, "색계에 있으면서 욕계의 변화를 만들 때에는 오직 색·촉 2처만 변화시킬 뿐, 향·미처는 변화시키지 않는다"라고 말하였다. 욕계의 8미가 서로 여의지 않는다는 것은 변화가 아닌 것에 의거해 말한 것이다. (문) 2설 중 무엇이 바른 것인가? (해) 앞의 설이 바른 것이다.

126 이하에서 둘째 능·소의 변화에 대해 밝히려고 묻는 것이다. 변화의 일을 변화로 만드는 것은, 곧 신경통이 변화의 일을 능히 일으키는 것인가[爲卽是神境通 能起化事]?

127 답이다.

128 따지는 것이다.

129 답이다. 이것은 신경통의 결과이니, 능히 변화시키는 모든 마음[諸能化心]이 변화의 일을 능히 일으키는 것이다.

130 물음이다. 이 결과인 변화시키는 마음에는 모두 몇 가지가 있으며, 이 결과인 변화시키는 마음의 차별은 어떠한가?

56 변화된 일은 자지의 마음에 의하되[化事由自地]
　말은 자지·하지에 의함에 통하며[語通由自下]
　변화된 몸과 변화의 주인의[化身與化主]
　말은 반드시 함께 하지만, 붓다는 아니다[語必俱非佛]

57 먼저 원을 세워서 몸을 남기고[先立願留身]
　후에 다른 마음을 일으켜 말하며[後起餘心語]
　죽어서도 견고한 몸을 남김이 있지만[有死留堅體]
　다른 분은 남기는 뜻이 없다고 말하였다[餘說無留義]

58 처음에는 여러 마음으로 하나를 변화시키지만[初多心一化]
　원만을 이루면 이와 상반되며[成滿此相違]
　닦아서 얻은 것은 무기에 포함되나[修得無記攝]
　달리 얻은 것은 3성에 통한다[餘得通三性]131

(1) 능화심能化心

　논하여 말하겠다. 신경통의 결과인 능히 변화시키는 마음[능변화심能變化心]의 힘이 능히 일체 변화의 일을 변화로 낳는다.132 이것에는 열네 가지가

....
131 게송에 의한 답 안에 나아가면 처음 2구는 첫 물음에 대한 답이고, 아래 14구는 둘째 물음에 대한 답이다.
132 첫 구 중 '능화의 마음[能化心]'에 대해 해석하는 것이다. 신경통의 후기後起의 결과인 변화심[化心](=변화시키는 마음)의 힘이 능히 일체 변화의 일을 변화로 낳는다. 이는 동시에 변화의 일을 능히 일으키는 것에 의거했기 때문에 변화심이라고 말하고, 신통의 변화라고 말하지 않았지만, 만약 전후에 의거한다면 신통도 역시 변화시킨다고 이름할 것이다. 그래서 『대비바사론』 제122권(=대27-640상)에서 말하였다. "1설은 모든 변화된 일은 신경통의 도에 의해 변화로 만들어진다고 말했고, 1설은 모든 변화된 일은 변화심에 의해 변화로 만들어진다고 말했는데, 제3의 논평하는 분이 말하였다. '여시설자는 모든 변화된 일은 도에 의해 변화로 만들어지며, 또한 변화심에 의하기도 한 것이라고 말하였다. 말하자면 신경통의 도가 무간에 소멸하면서 변화심과 변화된 일이 동시에 일어나는데, 비록 동시에 일어나기는 하지만, 능히 변화시키는 마음은 오직 도의 결과일 뿐이고, 모든 변화된 일은 앞의 도의 결과 및 변

있으니, 말하자면 근본4정려에 의지해 생기는 것에 차별이 있기 때문이다. 초정려에 의해 두 가지 변화심이 있으니, 첫째 욕계에 포함되는 것, 둘째 초정려에 포함되는 것이다. 제2정려에 의해 세 가지 변화심이 있으니, 두 가지는 앞과 같고, 제2정려에 포함되는 것을 더한 것이다. 제3정려에 의해 네 가지가 있고, 제4정려에 의해 다섯 가지가 있다. 말하자면 각각 자지와 하지에 포함되는 것이니, 이치대로 생각해야 할 것이다. 결과로서의 모든 변화심은 자지와 상지에 의지하고, 하지에 의지하는 것은 반드시 없으니, 하지의 선정의 마음은 세력이 열등하여 상지의 결과를 낳지 않기 때문이다. 제2정려 등의 결과로서의 하지의 변화심은 초정려 등의 결과로서의 상지의 변화심을 대할 때 의지처 및 작용에 의해서 역시 수승하다고 이름할 수 있다.133

정려를 얻는 것처럼 변화심도 역시 그러하니, 결과와 의지처는 동시에 획득되기 때문이다.134

【능화심과 출관】 정려로부터 결과인 변화심을 일으킨 모든 경우, 이 마음으로 반드시 곧장 출관出觀하는 뜻은 없다. 말하자면 청정선정[淨定]으로부

....
화심의 결과이다.'"
133 (제1구 중) '열넷' 및 제2구를 해석하는 것이다. 변화심에는 열넷이 있다. 초정려에 둘이 있고, 제2정려에 셋이 있으며, 제3정려에 넷이 있고, 제4정려에 다섯이 있으니, 말하자면 각각 자지와 하지인 것은 이치대로 생각해야 할 것이다. 결과로서의 모든 변화심은 혹은 자지에 의지하니, 예컨대 초정려 등의 결과로서의 변화심이 초정려 등에 의지하는 것과 같으며, 혹은 상지에 의지하니, 예컨대 욕계 등의 결과로서의 변화심이 초정려 등에 의지하는 것과 같다. 하지에 의지하여 상지의 결과로서의 변화심을 일으키는 일은 반드시 없다. 하지의 선정의 마음은 상지의 결과를 낳지 않으니, 세력이 열등하기 때문이다. 제2정려 등의 결과로서의 하지의 욕계 등의 변화심은―말하자면 제2정려 등이 욕계 등의 변화를 변화로 만들었을 경우 초정려 등에서 바라보면 하지라고 이름한다―, 초정려 등의 결과로서의 상지의 초정려 등의 변화심을 대할 때―말하자면 초정려 등이 초정려 등의 변화를 만들었을 경우 욕계 등에서 바라보면 상지라고 이름한다― 그 제2정려 등에 의한 욕계 등의 변화심은 의지처에 의해서―제2정려 등이 수승하기 때문이다― 및 작용에 의해서―제2정려지에 이르는 것 등이 수승하기 때문[至第二定等勝故]이다― 역시 수승하다고 이름할 수 있다.
134 제3구를 해석하는 것이니, 선정 및 결과가 동시에 획득된다는 것을 밝히기 때문이다.

터 최초의 변화심을 일으켰다면 이 후후찰나의 마음은 자류[自類]의 마음으로부터 일어나고, 이 전전찰나의 마음은 자류의 마음을 낳으며, 최후의 변화심은 다시 청정선정을 낳는다. 따라서 이 변화심은 두 가지 마음에 따르고, 능히 두 가지 마음을 낳는데, 무기의 성품에 포함되는 선정의 결과인 마음이 다시 선정에 들지 않고 곧장 출관하는 뜻이 있는 것은 아니니, 마치 문으로 들어갔다면 다시 문으로 나오는 것과 같다.135

(2) 능화·소화의 관계

모든 변화된 일[諸所化事]은 자지의 변화심에 의하니, 다른 지의 변화심이 나머지 지의 변화를 일으키는 일은 없기 때문이다.136

변화로 일으켜진 말은 자지와 하지에 의함에 통한다. 말하자면 욕계나 초정려에서의, 변화로 일으켜진 말이라면, 이 말은 반드시 자지의 마음에 의해 일어난 것이지만, 상지에서의, 변화로 일으켜진 말이라면, 초정려의 마음에 의한 것이니, 상지에는 스스로 표업을 일으키는 마음이 없기 때문이다.137

만약 한 변화의 주인[化主]이 여러 변화된 몸을 일으켰다면, 반드시 변화의 주인이 말할 때라야 모든 변화된 몸도 비로소 말하며, 말소리로 표현하

....
135 제4구를 해석하는 것이다. 변화심은 두 가지 마음으로부터 생기니, 말하자면 청정선정[淨定](=뒤의 제28권 중 게송 ⑥b 및 ⑭b와 그 각 논설에서 말하는 세간적 유루선의 소위 '청정등지[淨等至]') 및 변화심으로부터 생기고, 능히 두 가지 마음을 낳으니, 말하자면 변화심 및 청정선정의 마음을 능히 낳는다. 나머지 글은 알 수 있을 것이다.
136 제5구를 해석하는 것이다. 일 및 마음은 반드시 같은 지에서 변화시킨다는 것을 나타내는 것이다.
137 제6구를 해석하는 것이다. 만약 변화인[化人](=변화된 사람)에 의해 일으켜진 말이라면 자지와 하지에 의함에 통한다. 말하자면 몸이 욕계나 초정려에 태어난 자이든 몸이 제2정려 이상에 태어난 자이든, 단지 욕계나 초정려의 변화를 일으켜서 일으켜진 말일 뿐이라면, 이 말은 반드시 자지 중의 통과심에 의해 일어나니, 심구·사찰이 있기 때문이다. 제2정려 이상에 태어난 자이든 욕계나 초정려에 태어난 자이든, 단지 제2정려 이상의 변화인을 만들어서 일으킨 말만은 초정려 중의 통과심에 의해 일으켜진다. 상지에는 스스로 표업을 일으키는 마음이 없으니, 심구·사찰이 없기 때문이다. 통과심은 넓고 변화심은 좁아서, 변화심을 떠난 밖에 별도로 한 부류의 통과심이 있어서 능히 표업을 일으키지만, 변화심은 단지 여러 일을 변화시킬 수 있을 뿐, 능히 표업을 일으키는 것은 아니라고 알아야 할 것이다.

는 것도 일체가 모두 같다. 그래서 어떤 게송에서 이런 말을 하였다. "한 변화의 주인이 말할 때[一化主語時] 변화된 모든 것들도 모두 말하며[諸所化皆語] 한 변화의 주인이 침묵하면[一化主若黙] 변화된 모든 것들도 역시 그러하다[諸所化亦然]" 그런데 이는 단지 다른 자들에 대한 말일 뿐, 붓다께서는 곧 그렇지 않다. 붓다의 모든 선정의 힘은 가장 자재하기 때문에 변화된 자의 말과 때를 같이 하지 않을 수 있으며, 말소리로 표현되는 것도 역시 다름이 있을 수 있다.138

(3) 발어심發語心·변화심과 원력願力

말을 일으키는 마음[발어심發語心]이 일어날 때에는 변화심은 이미 없을 것이며, 변화된 몸도 응당 없을 것인데, 변화로 어떻게 말하겠는가?139 이전의 원의 힘[先願力]에 의해 변화된 몸을 남기고, 후에 다른 마음을 일으켜 어표업을 일으키기 때문에 비록 변화심과 발어심이 함께 하지 않더라도 변화된 몸에 의해 역시 말을 일으킬 수 있다.140

오직 변화의 주인의 목숨이 현재 있을 때 변화된 몸을 남겨서 오랜 시간 머물게 할 수 있을 뿐만 아니라, 목숨이 끝난 뒤에 이르기까지도 역시 머물게 할 수 있다. 즉 예컨대 존자 대가섭파大迦葉波가 골쇄骨瑣의 몸을 남겨서

....

138 제7·제8구를 해석하는 것이다. 나머지 2승과 이생은 결정코 자재한 것이 아니므로, 하나가 말하면서 하나가 침묵하게 할 수는 없으니, 반드시 말하는 것이 모두 같지만(=본문 중의 게송은 장 4:5 사니사경闍尼沙經에 나오는 내용인데, 현존본에는 게송이 아니라 장항으로 서술되어 있다), 붓다의 선정은 자재하므로, 혹 때로는 모두 같지만, 혹은 다시 하나는 말하면서 하나는 침묵하게 할 수 있다.

139 제9제·10구를 해석하려고 묻는 것이다. 말을 일으키는 통과심이 일어나면 변화시키는 통과심은 이미 없어졌을 것이고, 변화된 몸도 응당 없을 것인데, 변화로 어떻게 말을 일으키겠는가?

140 답이다. 이전의 원의 힘에 의해 변화된 몸을 남기고, 후에 다른 통과심을 일으켜 어표업을 일으키기 때문에 비록 변화의 통과심과 발어發語의 통과심이라는 두 가지 마음이 함께 하지 않더라도 변화된 몸에 의해 역시 말을 일으킬 수 있다. 통과심은 넓어서 변화심과 발어심은 모두 통과심이라고 이름한다고 알아야 할 것이다. 이 때문에 발어심은 변화심이 아니고, 별도로 한 부류의 통과심이 있어서 능히 어업을 일으킨다고 알아야 할 것이니, 변화심은 성처를 변화시킬 수 없기 때문이다.

미륵세존[慈尊]의 세상에 이르게 한 것처럼, 오직 견실한 몸만이 오래 머물 수 있으니, 그래서 가섭파는 살[肉] 등을 남기지 않았다. 그런데 어떤 다른 논사는 말하였다. "원력으로 몸을 남길 때에는 반드시 사후에까지 이르게 할 수는 없다. 음광飮光 존자가 골쇄의 몸을 남긴 것은 천신들이 지켜서 오래 머물게 한 때문이다."141

⑷ 단계에 의한 차별과 득·성품 분별

처음 업을 익힌 자는 다수의 변화심에 의해야 비로소 하나의 변화된 일을 변화로 낳을 수 있지만, 익힘이 원만을 이룬 자는 하나의 변화심에 의해 바람에 따라 많거나 적은 변화의 일을 변화로 낳는다.142

이와 같은 열네 가지 능변화심能變化心은 모두 닦아서 얻은 것[修得]으로서, 무기의 성품에 포함되는 것이니, 즉 통과무기에 포함된다는 뜻이다. 나머지 생득生得 등의 능변화심은 선·불선·무기의 성품에 포함됨에 통하니, 예컨대 천신·용 등의 능변화심과 같다. 그것들도 역시 자·타의 몸의 변화를 행할 수 있는데, 10색처 중 성처를 제외한 9처를 변화시킨다. 이치의 실제로는 변화로 근根을 만들 수는 없지만, 그러나 변화된 경계는 근을 떠나지 않기 때문에 9색처를 변화시킨다고 말하더라도 역시 허물은 없다.143

141 제11·제12구를 해석하는 것이다. 처음 해석은 골쇄(=뼈의 사슬)의 몸을 변화시켜 오랜 시간 머물게 한다고 하는데(=증일 44:48;3경), 이미 변화된 몸을 남긴다고 말했으니, 본래 몸의 뼈가 아님을 알 수 있다. 두 번째 해석은 알 수 있을 것이다. 가섭파Kāśyspa는 여기 말로 음광이다. 앞의 해석이 바른 것이라고 하겠다. 그래서 『대비바사론』 제135권(=대27-698중)에서 말했는데, 어떤 분은 변화된 일을 남길 수 있다고 말했고, 어떤 분은 변화된 일을 남길 수 없다고 말했으며, 여시설자는, '변화된 일을 남길 수 있다. 그러므로 대가섭파는 이미 열반에 든 것이다'라고 말하였다.
142 제13·제14구를 해석하는 것인데, 알 수 있을 것이다.
143 제15·제16구를 해석하는 것이다. 열네 가지는 닦아서 얻은 것이니, 무기의 성품에 포함된다. 나머지 생득生得 등의 능변화심은 통틀어 3성에 포함된다. 예컨대 천신·용 등의 능변화심이니, 그것들도 역시 자·타의 몸의 변화를 행할 수 있는데, 10색처 중 성처를 제외한 9처를 변화시킨다. 이치의 실제로는 변화로 근根을 만들 수는 없지만, 그러나 변화된 경계는 본래 형체를 고쳐서 바꾼 것이어서 근을 떠나지 않기 때문에 9색처를 변화시킨다고 말하더라도 역시 허물은 없다. 만약 닦아서 얻은 변화라면 본래 형체를 바꾸지 않으므로 단지 4처만을 변화시킨다. 근을 떠난 것이기 때문에 근을 변화시킨다고는 말하

제5항 천안·천이통 별설

천안·천이라는 말은 어떤 뜻을 가리키는가? 게송으로 말하겠다.

59 천안·천이는 말하자면 근이니[天眼耳謂根]
　즉 정지의 청정한 색으로서[卽定地淨色]
　항상 동분이고, 결함이 없어[恒同分無缺]
　장애되거나 미세하거나 먼 것 등을 취한다[取障細遠等]144

　논하여 말하겠다. 이 말은 오직 천신의 안근·이근[天眼耳根]을 가리키는 것이니, 즉 4정려에 의해 생긴 청정한 물질[淨色]이다. 말하자면 빛[光]과 소리[聲]를 반연하여 가행을 닦았기 때문에 4정려에 의해 안근·이근의 변제[眼耳邊]에서 그 지의 미묘한 대종 소조의 청정한 물질인 안근·이근을 인기하여 색을 보고 소리를 들으므로 천안·천이라고 이름한 것이다.145
　이와 같은 안근·이근을 어째서 '천'이라고 이름했는가?146 체가 즉 천天이니, 선정의 지[定地]에 포함되기 때문이다. 그런데 천안·천이의 종류에는 세 가지가 있으니, 첫째는 닦아서 얻는 천[修得天]이니, 곧 앞에서 말한 것과 같다. 둘째는 태어나면서 얻은 것[生得]이니, 말하자면 하늘 중에 태어난 자의 것이다. 셋째는 천과 유사한 것[似天]이니, 말하자면 다른 취趣에 태어난 자가 뛰어난 업 등에 의해 견인해 낳은 것으로 능히 먼 것을 보고 듣는 것이 천안·천이와 유사한 것이다. 예컨대 장신보藏臣寶, 보살, 전륜왕, 여러

지 않는다. 그래서 『대비바사론』 제135권(＝대27-699중)에서 말하였다. "닦아서 얻은 변화일 경우, 만약 욕계에 매인 것이면 4처에 포함되고, 만약 색계에 매인 것이면 2처에 포함되지만, 생득의 변화일 경우 만약 욕계에 매인 것이면 9처에 포함되고, 만약 색계에 매인 것이면 7처에 포함된다. 이와 같은 법에 의해서 변화된 몸을 이루기 때문이다."
144 이하는 곧 다섯째 천안·천이에 대해 따로 밝히는 것인데, 이는 물음 및 게송에 의한 답이다.
145 위의 2구를 해석하는 것이다.
146 물음이다.

용, 귀신 및 중유 등의 그것과 같다.147

닦아서 얻은 천안·천이는 과거·현재·미래의 생에서 항상 동분이니, 현재에 이르러 반드시 식識과 함께 해서 능히 보고 듣기 때문이다.148 처소는 반드시 갖추어지며, 가림 없고 결함 없으니[無翳無缺], 마치 색계에 태어난 일체 유정들과 같다.149 상응하는 바에 따라 가로막히거나 지극히 미세하거나 먼 곳 등 모든 방위의 형색과 소리를 취할 수 있다. 그래서 이에 대해 이런 게송이 있다. "육안에는 모든 방위의[肉眼於諸方] 가로막히거나 미세하거나 먼 형색을[被障細遠色] 볼 수 있는 공용이 없지만[無能見功用] 천안으로는 남김없이 본다네[天眼見無遺]"150

제6항 5신통의 종류

앞에서 변화심은 닦아서 얻는 것과 달리 얻는 것이 다르다고 설했는데, 신경통 등 다섯 가지에도 각각 차이가 있는가?151 역시 있다.152 어떠한가?153 게송으로 말하겠다.

60 신경통은 다섯이니, 닦아서, 태어나면서[神境五修生]
　　주술로, 약물로, 업으로 성취되기 때문이며[呪藥業成故]

....
147 답이다. 태어나면서 얻은 것은 욕계·색계의 하늘 중에 태어나는 자의 그것을 말하는 것이다. 나머지 글은 알 수 있을 것이다.
148 (제3구 중) '항상 동분이고'를 해석하는 것이다. 천안·천이는 식과 반드시 함께 하기 때문에 항상 동분이라고 이름한 것이다.
149 '결함이 없어'를 해석하는 것이다. 좌·우 2안의 처소는 반드시 갖추어지며, 가림 없고 결함 없으니, 마치 색계에 태어난 일체 유정들과 같다.
150 아래 1구를 해석하는 것이다. 천안·천이는 4정려에 의지해 능히 상응하는 바에 따라 자지·하지의 가로막힌 등 모든 곳의 형색과 소리를 취한다. 증거를 인용한 것은 알 수 있을 것이다.
151 이하는 여섯째 5신통의 종류에 대해 밝히는 것인데, 이는 곧 묻는 것이다. 앞에서 변화심은 닦아서 얻는 것과 달리 태어나면서 얻는 것 등이 다르다고 설했는데, 신경통 등 다섯 가지에도 각각 차이가 있는가?
152 답이다.
153 따지는 것이다.

타심통은 닦아서, 태어나면서, 주술로 성취되고[他心修生呪]
또 점상에 의한 성취를 더한다[又加占相成]

61 3신통은 닦아서, 태어나면서, 업으로 성취되는데[三修生業成]
닦은 것을 제외하면 모두 3성이고[除修皆三性]
인취에는 생득만이 없으며[人唯無生得]
지옥은 처음에는 능히 안다[地獄初能知]154

　　논하여 말하겠다. 신경지神境智의 종류에는 모두 다섯 가지가 있다. 첫째
는 닦아서 얻은 것[修得], 둘째는 태어나면서 얻은 것[生得], 셋째는 주술로
성취된 것[呪成], 넷째는 약물로 성취된 것[藥成], 다섯째는 업으로 성취된
것[業成]이니, 만타다왕曼馱多王 및 중유 등의 모든 신경지는 업으로 성취된
것에 포함된다.155
　　타심지의 종류에는 모두 네 가지가 있다. 앞의 세 가지는 위와 같고, 점상
占相으로 성취된 것을 더한 것이다.156 나머지 세 가지는 각각 세 가지이니,
말하자면 닦아서 얻은 것, 태어나면서 얻은 것, 업으로 성취된 것이다.157

....
154 게송에 의한 답 중에 나아가면 처음 5구는 5신통의 종류에 대해 밝히는 것
　　이고, 다음 1구는 3성으로 분별한 것이며, 뒤의 2구는 취에 의거한 통·국이다.
155 처음 2구를 해석하는 것이다. 모두 여섯 가지 뜻(=신경지의 다섯 가지와 타
　　심를 얻는, 점상에 의한 성취 한 가지를 더한 것)으로써 5신통의 차이를 밝힌
　　다면, 신경지의 종류에는 모두 다섯 가지가 있다. 첫째 닦아서 얻은 것은, 선
　　정을 닦아서 얻기 때문이고, 둘째 태어나면서 얻은 것은, 그 처소에 태어나면
　　서 얻기 때문이며, 셋째 주술로 성취된 것은, 주술의 힘에 의해 성취되기 때문
　　이고, 넷째 약물로 성취된 것은 약물의 힘에 의해 성취되기 때문이며, 다섯째
　　업으로 성취된 것은 업의 힘에 의해 성취되기 때문이다. 만타다왕 및 중유 등
　　의 모든 신경지는 업으로 성취된 것에 포함된다. 어려운 점에 따라 따로 해석
　　하자면, 점상에 의해서는 날아가는 등을 얻지 못하기 때문에 점상에 의한 것
　　은 없다. 만타다는 여기 말로 아양我養이니, 앞(=제8권 중 게송 9a에 관한
　　논설)에서 갖추어 설한 것과 같다.
156 제3·제4구를 해석하는 것이다. '점'은 점치는 것[占卜]을 말하고, '상'은 모습
　　을 보고 남의 마음을 능히 아는 것이다. 대저 타심지는 남의 마음 위의 한 가
　　지 개별적 양상의 작용을 아는 것인데, 행상이 미세해서 알기 어렵기 때문에
　　약물이나 업으로는 성취되는 것이 아니다.

닦아서 얻은 것을 제외하면 모두 선 등에 통하지만, 선정의 과보가 아니기 때문에 신통이라는 명칭을 얻지 못한다.158

인취 중에는 태어나면서 얻는 것이 전혀 없지만, 나머지는 모두 그 상응하는 바에 따라 있을 수 있다. 본성으로 생을 기억하는 것[本性生念]은 업으로 성취된 것에 포함된다.159 지옥취에서는 처음 생을 받을 때 오직 생득의 타심지와 숙주지로써 남의 마음 등 및 과거의 생을 알 뿐, 고수로 핍박받고 나면 더 이상 아는 뜻이 없다.160 만약 나머지 취에 태어난 경우라면 상응

....

157 제5구를 해석하는 것이다. 말하자면 천안·천이·숙주 3종류는 각각 세 가지이니, 닦아서, 태어나면서, 업으로 얻은 것을 말한다. 성취하기 어렵기 때문에 주술·약물·점상으로는 아니다. 말하자면 안·이는 둔중하기 때문에 주술이나 약물로는 성취되는 것이 아니고, 점상은 오직 마음[意]만이므로 역시 안·이는 아니다. 몸은 비록 색이기는 해도 모습이 드러나기 때문에 신비한 주술이나 바르는 약물로 날아갈 수 있지만, 안·이와는 같지 않다. 과거를 아는 것은 어려운 까닭에 숙주는 주술·약물·점상으로는 아니다.

158 제6구를 해석하면서 3성을 분별하는 것이다. 여섯 종류 중 닦아서 얻은 것을 제외한 나머지 생득 등은 모두 선 등의 3성에 통한다. 선정의 과보가 아니기 때문에 비록 종류는 서로 비슷하다고 해도 신통이라는 이름을 얻지 못한다. 만약 닦아서 얻은 것에 의거한다면 세 가지는 선이고, 두 가지(=천안·천이)는 무기이다.

159 제7구를 해석하면서 취에 의거한 통·국을 밝히는 것이다. 앞의 여섯 종류 중 인취에는 태어나면서 얻는 것이 전혀 없다. 나머지 다섯 종류는 그 상응하는 바에 따라 모두 있을 수 있다. 본성으로 생을 기억하는 것은 업으로 성취된 것에 포함된다. 그래서 『순정리론』(=제76권. 대29-756상)에서, "인간은 이전의 업에 의해 과거를 기억할 수 있다"라고 말했는데, 이 글은 응당 본성생념지本性生念智라고 말해야 할 것이다. 그래서 『대비바사론』 제101권(=대27-552하)에서 명칭을 해석하면서 말하였다. "(문) 무엇 때문에 본성념생지本性念生智라고 이름했으며, 본성념생지는 무슨 뜻인가? (답) '생'은 전생의 모든 유루법을 말하고, '지'는 이것이 생기면 능히 그것을 아는 지혜를 말하며, '념'은 이 지혜와 함께 생기는 뛰어난 알아차림을 말하며, '본성'이라고 말한 것은 닦아서 얻는 것[修得]과 구별하는 것이다. 즉 본성의 지혜가 뛰어난 알아차림의 힘에 의해 과거생의 모든 유루법을 알기 때문에 본성념생지라고 이름한 것이다. 또한 다음 본성에 머무는 마음이 뛰어난 알아차림의 힘에 의해 이 지혜를 일으켜서 과거생의 모든 유루법을 알기 때문에 본성념생지라고 이름한 것이다."

160 제8구를 해석하는 것이다. 지옥취에서는 처음 생을 받을 때 오직 생득의 타심지로써 남의 마음 등을 알며, 오직 생득의 숙주지로써 과거의 생을 알 뿐, 고수로 핍박받고 나면 더 이상 아는 뜻이 없다.

함에 따라 알아야 할 것이다.161

....
161 전체적으로 다른 취를 가리키는 것이다. 만약 천신·아귀·방생취 중에 태어
    난 경우 그 통·국을 분별한다면 상응하는대로 알아야 할 것이다. (문) 여섯
    종류의 5취에 상대한 통·국은 어떠한가? (해) 수득修得은 오직 인·천이니, 선
    정에 들 수 있기 때문이다. 생득은 인취를 제외하고, 나머지 4취에 통한다. 주
    술·약물·점상 세 종류는 오직 인취만이니, 생득이 없기 때문에 세 종류는 오
    직 인취만이다. 혹은 주술과 약물은 인·천·아귀·방생취에 통하고, 업으로 성
    취된 것은 5취에 통한다고 할 수 있으니, 중유는 업으로 성취된 것으로서 5취
    에 통하기 때문이다.

阿毘達磨俱舍論
아비달마구사론

第八 分別定品
제8 분별정품

尊者世親 造
존자세친 조

三藏法師玄奘 奉詔譯
삼장법사현장 봉조역

아비달마구사론
제28권

제8 분별정품分別定品1 (의 1)

제1장 모든 선정

제1절 4정려

모든 지혜[智]에 의해 이루어지는 공덕에 대해 논설했으니, 다른 성품의 공덕에 대해 이제 다음으로 분별하겠다.2 그 중 먼저 의지대상인 선정[所依止定]에 대해 분별할 것인데,3 우선 모든 선정 중 정려靜慮는 무엇을 말하는 것인가?4 게송으로 말하겠다.

① 정려 네 가지는 각각 둘인데[靜慮四各二]

....

1 '분별정품'이란 오로지 하나의 연에 집중하는 것[專注一緣]을 '정'이라고 이름하는데, 이 품에서 널리 밝히기 때문에 '분별'이라고 이름한 것이다. 다음에 정품을 밝히는 까닭은 현성품에서 과보를 밝혔고, 지품에서 원인을 밝혔으며, 정품에서 연을 밝히는데, 연은 과보에서 바라보면 소원하기 때문에 다음에 정품을 밝히는 것이다. 또 해석하자면 정에 의지해 지를 일으키기 때문에 다음에 정을 밝히는 것이다.

2 이 품 안에 나아가면 첫째 모든 선정의 공덕을 밝히고, 둘째 정법이 세상에 머무는 것을 밝히며, 셋째 논을 짓는 종지를 밝힌다. 첫째 모든 선정의 공덕을 밝히는 가운데 나아가면, 첫째 소의所依인 모든 선정에 대해 밝히고, 둘째 능의能依인 공덕을 밝힌다. 첫째 소의인 모든 선정에 대해 밝히는 가운데 나아가면 첫째 4정려를 밝히고, 둘째 4무색정을 밝히며, 셋째 8등지等至를 밝히고, 넷째 모든 등지等持를 밝히니, 이하는 첫째 4정려를 밝히는 것이다. 장차 밝히려고 일으키는데, 일으키는 것에 나아가면 첫째 전체적으로 맺으면서 일으키고, 둘째 개별적으로 선정을 일으키며, 셋째 물어서 게송의 글을 일으키니, 이는 곧 첫째 전체적으로 맺으면서 일으키는 것이다. 이전에 분별한 공통되는 공덕 중 모든 지혜에 의해 이루어지는 무쟁 등의 공덕에 대해 논설했으니, 나머지 정려 등의 공덕에 대해 이제 다음으로 분별하겠다는 것이다. # 이상 설명된 이 품의 구조를 이 책의 편성과 대비해 보이면 아래 도표와 같다.

그 중 생정려는 이미 설했으며[於中生已說]

정정려는 말하자면 선의 심일경성인데[定謂善一境]

조반을 아우르면 5온의 성품이다[幷伴五蘊性]

②a 초정려는 사찰·기쁨·즐거움을 갖추며[初具伺喜樂]

뒤의 정려는 점점 앞의 지분을 떠난다[後漸離前支]5

논하여 말하겠다. 일체 공덕은 대부분 정려에 의한 것이기 때문에 먼저 정려의 차별에 대해 분별해야 할 것이다.6 이것에는 모두 네 가지가 있으니, 초·제2·제3·제4정려를 말한다. 4정려에는 각각 두 가지가 있으니, 정定정려 및 생生정려를 말한다. 생정려의 체에 대해서는 세간품에서 이미 설했으니, 말하자면 제4정려는 여덟 가지이고, 앞의 3정려는 각각 세 가지이다. 정정려의 체는, 전체적으로 말한다면 선의 성품에 포함되는 심일경성心一境性이니, 선의 등지等持를 자성으로 하기 때문이다. 만약 조반助伴의 법까지 아우른다면 5온을 성품으로 한다.7

모든 선정의 공덕	소의인 모든 선정	4정려	제1장 제1절	제28권
		4무색정	제2절	
		8등지等至	제3절	
		모든 등지等持	제4절	
	능의인 공덕		제2장	
정법의 머묾			제3장 제1절	제29권
논을 짓는 종지			제2절	

3 이는 곧 둘째 개별적으로 선정을 일으키는 것이다.
4 이는 곧 셋째 물어서 게송의 글을 일으키는 것이다.
5 게송에 의한 답 중에 나아가면 첫 게송은 체를 나타내는 것이고, 뒤의 반 게송은 차별을 나타내는 것이다. 여기(=②a)에서 즐거움[樂]을 말했는데, 즐거움에는 두 가지가 있다. 만약 초정려와 제2정려의 즐거움이라면 경안을 즐거움이라고 이름하고, 만약 제3정려의 즐거움이라면 낙수를 즐거움이라고 이름한다. 즐거움이라는 명칭이 같으므로 게송에서는 모두 즐거움이라고 이름한 것이다. 만약 그렇지 않다면 어찌 앞의 3정려에 통할 수 있겠는가? 나머지는 장항에서 해석하는 것과 같다.
6 먼저 설하는 뜻을 밝히는 것이다.
7 첫 게송을 해석하는 것이다. 이 4정려에는 각각 두 가지가 있으니, 정정려 및

【일경성一境性은 무엇인가】무엇을 일경성一境性이라고 이름하는가?8 하나의 소연에 전념하는 것[專一所緣]을 말한다.9

만약 그렇다면, 즉 마음이 하나의 경계에 전념하는 단계에서 그것에 의해 삼마지三摩地라는 명칭을 건립한다면, 별도로 다른 심소법이 있어서는 안 될 것이다.10 별도의 법[別法]이 마음으로 하여금 하나의 경계에서 구르게 하는 것을 삼마지라고 이름하니, 체가 곧 마음인 것은 아니다.11 모든 마음은 찰나멸하기 때문에 어찌 모두 하나의 경계에서 구르지 않겠으며, 어째서 등지를 쓰겠는가? 만약 마음으로 하여금 제2찰나에 산란하지 않게 하기 때문에 등지等持 있는 것이 필요하다고 말한다면, 곧 그 상응하는 마음에게 등지는 작용이 없을 것이다. 또 이것에 의한 때문에 삼마지가 성립한다면, 어찌 곧 이것에 의해서는 마음이 하나의 경계에서 구르지 않는가? 또 삼마지는 대지법大地法이므로, 일체 마음은 모두 하나의 경계에서 굴러야 할 것이다.12 그렇지 않다. 다른 품류의 등지는 열등하기 때문이다.13

....

생生정려를 말한다. '생生정려'(=선정의 과보로서 기세계 중 색계에 태어나는 것)는 즉 앞의 세간품에서 설한 것과 같다. 정定정려(=생정려의 원인인 선정)의 체는 전체적으로 말한다면 선의 성품에 포함되는, 능히 심왕으로 하여금 하나의 경계에 머물게 하는 성품이다. 엄격한 성품으로 체를 나타낸 것이니, 선의 등지를 자성으로 하기 때문이다. 만약 조반인 상응법과 구유법까지 아우른다면 5온을 성품으로 한다.

8 물음이다.

9 답이다. 하나의 소연에 전념하는 것을 선정[定]이라고 이름한다.

10 경량부의 힐난이다. 만약 하나의 소연에 전념하는 것, 즉 이 심왕이 하나의 경계에 전념하는 단계에서 그것에 의해 삼마지라는 명칭을 건립한다면, 별도로 다른 심소법이 있어서 이것을 말하여 등지라고 이름했다고 해서는 안 될 것이다. 경량부에서는 마음에 의해 선정을 가립假立하기 때문이다.

11 설일체유부의 해석이다. 별도로 심소가 있어 그 심왕으로 하여금 하나의 경계에서 구르게 하는 것을 삼마지라고 이름하니, 체가 곧 마음인 것은 아니다.

12 경량부에서 다시 힐난하는 것이다. 모든 마음은 찰나찰나 앞뒤로 소멸하기 때문에 어찌 모두 하나의 경계에서 구르지 않겠는가? 심왕 외에 어째서 등지를 쓰는가? 그대들이 만약, 등지가 그 심왕으로 하여금 제2찰나에 산란하지 않게 하기 때문에 등지 있는 것이 필요하다고 말한다면, 곧 그 찰나에 상응하는 심왕에게 등지는 작용이 없을 것이다. 경량부에서 다시 힐난한다. 그대들이 나머지 심·심소는 삼마지에 의한 때문에 하나의 경계에서 구른다고 세운다면, 이 삼마지는 다시 무엇에 의해서 하나의 경계에서 구르는가? 그대들이 곧 해석해

어떤 다른 논사가 말하였다. "즉 마음이 하나의 경계에서 상속하여 구를 때 삼마지라고 이름하니, 계경에서 이것을 설하여 증상심학增上心學이라고 했기 때문이며, 마음 청정[心淸淨]이 가장 뛰어난 것은 곧 4정려라고 하였기 때문이다."14

【정려靜慮의 뜻】어떤 뜻에 의해서 정려라는 명칭을 세웠는가?15 이것의 적정寂靜에 의해 능히 심려審慮하기 때문이다. 심려는 곧 여실하게 요지한다[實了知]는 뜻이니, 예컨대 마음이 선정에 있으면 능히 여실하게 요지한다고 설한 것과 같다. 심려의 뜻 중에 지dhī라는 자계[界]를 두었기 때문이다. 이 부파에서는 심려는 지혜[慧]를 체로 하는 것이라고 한다.16

....

말하기를, 다시 곧 이 나머지 심·심소에 의해서 삼마지로 하여금 하나의 경계에서 구르게 하기 때문이라고 한다면, 옮겨와서 논파해 말할 것이다. 또 이 나머지 심·심소에 의한 때문에 삼마지가 성립한다면, 어찌 곧 이 나머지 심·심소법에 의해서는 마음이 하나의 경계에서 구르지 않는가? 어째서 등지를 써서 심일경이게 하는가? 이 글은 조금 은밀하니, 잘 생각해야 할 것이다. 또 삼마지는 대지법이어서 일체 세 가지 성품과 두루 상응하니, 일체 마음은 모두 하나의 경계에서 굴러야 할 것이고, 모두 선정이라고 이름해야 할 것이다.
13 설일체유부의 변론이다. 나머지 산품散品의 마음의 성품은, 비록 등지가 있더라도 체성이 열등하기 때문에 선정이라고 이름하지 않는다.
14 어떤 경량부 논사의 설이다. 즉 마음이 하나의 경계에서 전후 상속하여 구를 때 삼마지라고 이름하니, 마음을 떠난 밖에 별도로 체가 있는 것이 아니다. 계경에서 이 선정을 설하여 증상심학이라고 하였기 때문이니(=잡 [29]29: 817 학경學經 등), 선정이 곧 마음임을 나타낸 것이다. 마음 청정이 가장 뛰어난 것은 곧 4정려라고 하였기 때문이니(=증일 23:31:1경), 마음이 곧 선정임을 나타낸 것이다. 따라서 마음을 떠나서는 별도로 선정의 체가 없다는 것을 알 수 있다.
15 명칭에 대해 묻는 것이다.
16 설일체유부의 답이다. 선정의 적정에 의해 지혜가 능히 심려하니, 심려는 곧 여실하게 요지한다는 뜻이다. 작용 및 결과에 따라 이름을 지었기 때문에 정려라고 이름한 것이다. 예컨대 계경(=잡 [8]8:207 삼마제경三摩提經 등)에서, 마음이 만약 선정에 있으면 능히 여실하게 요지한다고 설한 것과 같다. 인도에서 글자를 만드는 성명론聲明論 중에 자계字界와 자연字緣이 있다. 심려를 범어로 진다振多cinta라고 하는 것은 자연인데, '진다'의 뜻 중에 지dhī라는 자계를 두었기 때문이다. '지'는 범어의 음인데, 다시 다른 성명의 법칙으로 이 진다를 도움으로써 지라는 자계가 변하여 타남dhyāna이 되었으니, 타남이 여기 말로 정려이다. 예전에 '선'이라고 말하거나 '선나'라고 말하거나 '지아나'라고 말한 것은 모두 잘못이다. 어떤 다른 부파에서는 심려는 생각[思]이라고 계탁

만약 그렇다면 모든 등지等持는 모두 정려라고 이름해야 할 것이다.17 그렇지 않다. 오직 뛰어난 것에 대해서만 비로소 이 명칭을 세우니, 마치 세간에서 빛을 일으키는 것[發光]을 해[日]라고 이름하지만, 반딧불·촛불 등도 역시 해라는 명칭을 얻는 것은 아닌 것과 같다.18

정려만 어째서 유독 뛰어난 것이라고 이름하는가?19 모든 등지 중 오직 이것만이 지분[支]을 섭수하고, 지·관이 균등하게 작용하여 가장 심려에 능하며, 현법락주 및 낙통행이라는 명칭을 얻기 때문에 이 등지만을 유독 정려라고 이름한 것이다.20

만약 그렇다면 염오인 것이 어찌 이 명칭을 얻겠는가?21 그것도 역시 능히 삿되게 심려하기 때문이다.22 이런 즉 응당 크게 지나친 허물이 있을 것이다.23 크게 지나친 허물은 없다. 반드시 서로 유사한 것이라야 비로소 명칭을 세우기 때문이니, 마치 부패한 종자 등과 같다. 세존께서도 역시 나쁜 정려가 있다고 설하셨다.24

....

하므로, 그 설과 구별하기 위해서 "이 부파에서는 심려는 지혜를 체로 하는 것"이라고 말한 것이다.

17 힐난이다. 만약 적정에 의한 심려를 정려라고 이름한 것이라면 모든 8지의 등지는 모두 정려라고 이름해야 할 것이다.

18 답이다. 그렇지 않다. 오직 뛰어난 것에 대해서만 비로소 이 명칭을 세우니, 마치 세간에서 빛을 일으키는 것을 말하여 해[日]라고 이름하지만, 반딧불·촛불 등 열등한 빛을 일으키는 것도 역시 해라는 이름을 얻는 것은 아닌 것과 같다.

19 물음이다.

20 답이다. 8등지 중 오직 이 네 가지만이 첫째 정려의 지분[靜慮支]을 섭수하고, 둘째 지·관이 균등하게 작용하여 가장 심려에 능하며, 셋째 현법락주를 얻고, 넷째 낙통행이라는 명칭을 얻기 때문에 4등지만을 유독 정려라고 이름한 것이다. 나머지 선정은 그렇지 않다.

21 물음이다.

22 답이다. 그런 염오의 선정도 삿된 지혜를 일으켜 얻어서 능히 삿되게 심려하므로 역시 정려라고 이름한다.

23 힐난이다. 만약 능히 지혜로 하여금 삿되게 심려하게 하기 때문에 정려라고 이름하는 것이라면, 이런 즉 응당 크게 지나친 허물이 있을 것이니, 일체 3계의 모든 번뇌와 상응하는 지혜는 모두 능히 삿되게 심려하므로, 그것과 상응하는 집중[定]도 역시 정려라고 이름해야 할 것이다.

24 답이다. 크게 지나친 허물은 없다. 반드시 선의 정려와 서로 유사한 뜻에 대해

【4정려의 차별】 만약 일경성이 정려의 체라면 어떤 모습에 의해 초·제2·제3·제4정려를 세운 것인가?25 사찰[伺]·기쁨[喜]·즐거움[樂]을 갖춘 것을 초정려로 건립한 것이니, 이에 의해 심구[尋]도 역시 갖추었다는 뜻을 이미 밝힌 것이다. 마치 연기와 불처럼 반드시 함께 작용하기 때문이니, 사찰에 기쁨·즐거움이 있으면서 심구와 함께 하지 않는 것은 아니다. 점점 앞의 지분을 떠나면 제2·제3·제4정려로 세우니, 사찰을 떠나서 2지분이 있는 것, 2지분을 떠나서 즐거움이 있는 것, 세 가지를 모두 떠난 것이 그 순서와 같다. 그래서 일경성을 네 가지로 나눈 것이다.26

제2절 4무색정

정려에 대해 분별했는데, 무색정은 무엇을 말하는 것인가?27 게송으로 말하겠다.

....
서만 비로소 염오의 정려라고 이름하지, 나머지 서로 비슷한 것 아닌 것은 정려라고 이름하지 않는다. 싹을 낳는 것을 종자라고 이름하는데, 부패한 종자를 종자라고 이름한 것은 산 종자[生種]와 비슷하기 때문에 종자라는 명칭을 세운 것이다. '등'은 마른 못이나 죽은 사람 등을 같이 취한 것이니, 이는 곧 사례를 인용한 것이다. 세존께서도 역시 나쁜 정려가 있다고 설하셨으니, 곧 미정려味靜慮이다. 이는 곧 증거를 인용한 것이다.
25 제5·제6구를 해석하려고 묻는 것이다.
26 답이다. 사찰·기쁨·즐거움을 갖춘 것을 초정려로 건립한 것이니, 이에 의해 심구도 역시 갖추었다는 뜻을 이미 밝힌 것이다. 이 3법이 반드시 심구와 함께 하는 것은, 마치 연기와 불은 반드시 결정코 함께 작용하는 것과 같다. 사찰에 기쁨·즐거움이 있으면서 심구와 함께 하지 않는 것은 아니니, 비추어서 나타내었음을 알 수 있으므로, 게송에서 따로 말하지 않은 것이다. 선정은 4선정에 통하므로 그것(=선정)에 의거해서 밝히지는 않았다. 점점 앞의 지분을 떠나면 제2·제3·제4정려로 세우니, 사찰을 떠나서 다만 기쁨·즐거움의 2지분만 있다면 제2정려로 세우고, 사찰·기쁨의 2지분을 떠나서 다만 즐거움이라는 1지분만 있다면 제3정려로 세우며, 사찰·기쁨·즐거움의 세 가지를 모두 떠나면 제4정려로 세운다. 순서대로 나누어 해석했는데, 다만 사찰을 떠난다면 심구도 역시 결정코 떠나므로 따로 말하지 않은 것이다. 그래서 일경성을 네 가지로 나눈 것이다.
27 이하는 둘째 4무색정을 밝히는 것인데, 앞을 맺으면서 물음을 일으켰다.

②c 무색정도 역시 이와 같은데[無色亦如是]
　　4온으로, 하지를 떠난 것이다[四蘊離下地]

③ 위의 3근분정과 아울러[幷上三近分]
　　전체적으로 물질의 지각을 제거한 것이라고 이름하니[總名除色想]
　　무색은 말하자면 물질 없는 것인데[無色謂無色]
　　후의 물질은 마음으로부터 일어난다[後色起從心]

④ 공무변처 등 세 가지의[空無邊等三]
　　명칭은 가행에 따라 건립된 것이고[名從加行立]
　　비상비비상처는 지각이[非想非非想]
　　어둡고 열등하기 때문에 명칭으로 세운 것이다[昧劣故立名]28

1. 무색정의 체상과 차별

　논하여 말하겠다. 이것은 정려와 수數·자성이 같으니, 말하자면 네 가지
인데, 각각 두 가지이다. 생生무색정은 앞에서 설한 것과 같으니, 즉 세간품
에서 태어남에 의해 네 가지가 있다고 설하였다. 정定무색정의 체는 전체적
으로 말한다면 역시 선의 성품에 포함되는 심일경성이다. 이에 의한 때문
에 '역시 이와 같다'라는 말을 한 것이다. 그렇지만 이것은 조반의 법 중 색
온을 제외하니, 무색정에는 수전색隨轉色이 없기 때문이다.29

....
28 게송에 의한 답 안에 나아가면 첫 구 및 (제2구 중) '4온'은 체성을 밝히는
　　것이고, '하지를 떠난 것'은 생에 의거해 네 가지로 나눈 것이며, 다음 2구는
　　물질에 대한 지각을 제거한 것임을 나타낸 것이고, 다음 1구는 전체적인 명칭
　　을 해석한 것이며, 다음 1구는 방해되는 것을 풀이한 것이며, 뒤의 4구는 개별
　　적 명칭을 해석한 것이다.
29 첫 구 및 (제2구 중) '4온'을 해석하는 것이다. 이 4무색정은 4정려와, 수가
　　같고, 자성이 같다. 말하자면 수에 넷이 있고, 자성이 각각 두 가지이다. 생生
　　무색정은 앞에서 설한 것과 같으니, 즉 세간품에서 태어남에 의해 네 가지가
　　있다고 설하였다. 정定무색정의 체는 전체적으로 말한다면 역시 선의 성품에
　　포함되는 심일경성이다. 이에 의해 수와 자성이 같기 때문에 게송 중에서 '역
　　시 이와 같다'라는 말을 한 것이다. 그렇지만 이것은 조반의 법 중 색온을 제

비록 일경성의 체상에는 차이가 없지만, 하지를 떠날 때 낳기 때문에 네 가지로 나눈 것이다. 말하자면 만약 이미 제4정려를 떠났을 때 낳은 것이라면 공무변처로 세우고, 나아가 이미 무소유처를 떠났을 때 낳은 것이라면 비상비비상처로 세운다.30 '떠난다'는 것은 어떤 뜻을 이름한 것인가?31 말하자면 이 도에 의해 하지의 번뇌에서 해탈하는 것이니, 하지의 염오에서 떠난다는 뜻이다.32

즉 이 4근본정과 아울러 위의 3근분정을 전체적으로 말하여 물질의 지각을 제거한 것[除去色想]이라고 이름한다. 공무변처의 근분정은 아직 이 명칭을 얻지 못하니, 하지의 물질을 반연하여 물질의 지각을 일으키기 때문이다.33

2. 명칭의 해석과 무색계 유색론 비판

모두 물질이 없기 때문에 무색이라는 명칭을 세운 것이다.34

이 이유는 성립될 수 없으니, 물질이 있다고 인정되기 때문이다.35 만약 그렇다면 무엇 때문에 무색이라는 명칭을 세운 것인가?36 그곳의 물질은 미미하기 때문에 무색이라고 이름한 것이니, 예컨대 노란색이 미미한 물건

....

외한 나머지 4온만 있으니, 무색정에는 (마음에) 따라 일어나는 색[隨轉色]이 없기 때문이다.
30 (제2구 중) '하지를 떠난 것'을 해석하는 것이다. 낳음의 같지 않음에 의거해 넷으로 나누었다. 비록 일경성인 4무색정의 체상에는 차별이 없지만, 하지의 염오를 떠날 때 그 상지를 낳으니, 낳음의 같지 않음에 의거하기 때문에 네 가지로 나눈 것이다. 말하자면 만약 이미 제4정려의 염오를 떠나서 상지를 낳았을 때라면 공무변처로 세우고, 나아가 이미 무소유처의 염오를 떠나서 상지를 낳았을 때라면 그 때 비상비비상처로 세운다.
31 물음이다.
32 답이다. 말하자면 그 중의 어떤 도에 의하든 하지의 번뇌에서 해탈하는 것이니, 하지의 염오에서 떠난다는 뜻이다.
33 제3·제4구를 해석하는 것인데, 무색을 해석하는 기회에 물질의 지각을 제거한 것임을 밝힌다. '하지의 물질을 반연한다'는 것은 제4정려의 색을 반연함을 말한다. 나머지 글은 알 수 있을 것이다.
34 제5구를 해석하는 것이다. 공무변처 등의 4처에는 모두 색이 없기 때문에 무색이라는 명칭을 세운 것이다.
35 대중부·화지부 등에서 허물을 나타내는 것이다. 모두 물질이 없기 때문에 무색이라는 명칭을 세운 것이라고 한다면, 이 이유는 성립되지 않으니, 우리는 그 계에도 역시 물질이 있다고 인정하기 때문이다.
36 물음이다.

도 노란색이 없다고 이름하는 것과 같다.37

그 무색계에 물질이 있다고 인정한다면, 어떤 모습인가? 만약 거기에는 신身·어語의 율의만이 있다고 한다면, 신·어가 이미 없는데, 율의가 어찌 있겠는가? 또 대종이 없는데, 어떻게 소조색이 있겠는가? 만약 마치 무루율의가 있는 것과 같다고 말한다면, 그렇지 않으니, 무루율의는 유루의 대종에 의한 것이기 때문이며, 또 그 선정 중에는 있음이 역시 부정되기 때문이다.38

만약 거기에 색근의 몸[色根身]이 있다고 인정한다면, 어떻게 그 색이 미미하며 적다고 말할 수 있겠는가? 만약 거기에는 몸의 크기가 작기 때문이라고 말한다면, 물의 미세한 벌레도 지극히 미미하므로 역시 무색이라고 이름해야 할 것이니, 역시 몸의 크기가 작아서 볼 수 없기 때문이다. 만약 그곳의 몸은 지극히 맑고 미묘하기 때문이라고 말한다면, 중유와 색계도 무색이라고 이름해야 할 것이다. 만약 그곳의 몸은 맑고 미묘함 중의 극한이라고 말한다면, 오직 유정처만 무색이라는 명칭을 얻어야 할 것이니, 마치 선정처럼 태어나는 몸[生身]에도 승勝·열劣이 있을 것이기 때문이다. 또

---

37 대중부 등의 답이다.
38 설일체유부에서 대중부 등을 책망하며 논파하는 것이다. 그 계에 물질이 있다고 인정한다면, 어떤 모습인가? 이는 곧 전체적으로 책망하는 것이고, 이하에서는 계탁을 옮겨서 논파한다. 만약 그 계에 비록 다른 색은 없더라도 신·어의 율의만은 있다고 말한다면, 논파해 말하겠다. 신·어가 이미 없는데, 율의가 어찌 있겠는가? 또 대종이 없는데, 어떻게 소조색이 있겠는가? 대저 소조색은 대종에 의해 만들어지는 것인데, 그 무색계에는 이미 대종이 없거늘, 어떻게 소조색인 신·어의 율의가 있겠는가? 만약 "마치 무루율의가 있는 것과 같으니, 비록 무루의 신·어의 대종은 없더라도 몸에 따른 대종이 만드는, 무루율의가 있으므로, 그 계에 비록 신·어의 대종이 없다고 해도, 몸에 따른 대종이 만드는 신·어의 율의가 있을 수 있음을 어찌 방해하겠는가?"라고 말한다면, 논파해 말하겠다. 그렇지 않다. 무루율의는 불계不繫이기 때문에 비록 무루의 신·어의 대종이 없더라도 의지처인 몸에 따른 유루의 대종이 만드는 무루율의가 있지만, 무색의 율의의 체는 유루로서, 계에 매인 것[界繫]이기 때문에 '그 계에 비록 신·어의 대종이 없다고 해도 몸에 따른 대종이 만드는 율의가 있다'라고 말할 수 없다. 또 그 선정(=무색정) 중에는 단지 그 무루율의가 있는 것만 부정되지 않고, 그 유루율의가 있는 것도 부정된다. 또 해석하자면 말하자면 그 선정 중에는 단지 그 신·어의 대종만 부정되지 않고, 그 신·어의 율의가 있는 것도 역시 부정되니, 무색이라고 말했기 때문이다. 율의가 어찌 있겠는가?

생정려生靜慮에 있는 색신은 하지의 근이 취할 수 있는 것이 아닌데, 따라서 그것과는 어떻게 다르기에 무색이라고 이름하지 않는 것인가? 만약 욕계·색계는 뜻에 따라 명칭을 세웠지만, 무색계는 그렇지 않다고 말한다면, 여기에 어떤 이치가 있겠는가?39

만약 경에서 "수명[壽]과 체온[煖]은 화합한다"라고 설했기 때문에, 또 "명색과 식이 서로 의지하는 것은. 마치 두 단의 갈대다발이 서로 의지해 머무는 것과 같다"라고 설했기 때문에, 또 "명색은 식을 연으로 한다"라고 설했기 때문에, 또 색色을 떠나고 내지 행行을 떠나서 식識에 옴이 있으며 감이 있는 것을 부정했기 때문에, 이에 의해 무색계에 물질이 있다는 이치가 성립된다고 말한다면,40 이 증명은 성립될 수 없으니, 살피고 생각해야

....

39 또 가정적으로 인정하면서 옮겨와서 논파하는 것이다. 만약 그 무색계 중에 색근의 몸이 있다고 인정한다면, 논파해 말하겠다. 어떻게 그 색이 미미하며 적다고 말할 수 있겠는가? 만약 "거기에는 몸의 크기가 작기 때문에 무색이라고 이름한 것이다"라고 말한다면, 논파해 말하겠다. 물의 미세한 벌레도 지극히 미미하므로 역시 무색이라고 이름해야 할 것이니, 작아서 볼 수 없기 때문이다. 만약 "몸이 지극히 맑고 미묘하기 때문에 무색이라고 이름한 것이다"라고 말한다면, 논파해 말하겠다. 중유와 색계도 무색이라고 이름해야 할 것이니, 역시 맑고 미묘하기 때문이다. 만약 "그곳의 몸은 맑고 미묘함 중의 극한이기 때문에 무색이라고 이름하지만, 중유와 색계는 극한이 아니므로 무색이라고 이름하지 않는다"라고 말한다면 논파해 말하겠다. 오직 유정처만 무색이라는 명칭을 얻어야 할 것이니, 맑고 미묘함 중의 극한일 것이기 때문이다. 마치 선정에 뛰어남과 열등함, 위와 아래의 같지 않음이 있는 것처럼, 태어나는 몸에도 뛰어남과 열등함, 위와 아래의 같지 않음이 있을 것이기 때문에 유정처가 가장 뛰어난 것이다. 만약 "그곳의 색은 하지의 안근으로 보는 것이 아니기 때문에 무색이라고 이름한 것이다"라고 말한다면, 논파해 말하겠다. 또 4생정려에 있는 색신은 하지의 안근이 취할 수 있는 것이 아닌데, 따라서 그 무색과는 어떻게 다르기에 무색이라고 이름하지 않는 것인가? 이 점(=취할 수 없다는 점)에서는 즉 아래(=색계)도 위(=무색계)와 같다. 만약 "욕계·색계는 뜻에 따라 명칭을 세웠으니, 실제로 욕망[欲]·물질[色]이 있어서 욕계·색계라고 이름했지만, 무색계는 그렇지 않아서 뜻에 따라 세운 것이 아니니, 실제로는 물질이 있지만, 무색이라고 이름했다"라고 말한다면, 여기에 어떤 이치가 있겠는가?

40 대중부 등에서 무색계에도 물질이 있다는 증거로 인용하는 4경을 옮겨온 것이다. 첫째 경(=잡 [21]21:568 가마경伽摩經 등)에서 수명과 체온은 화합한다고 설한 것을 말한다. 거기에 이미 수명이 있으니, 체온이 있다는 것을 분명히 알 수 있는데, 체온은 곧 물질이기 때문이다. 둘째 또 경(=잡 [13]12:288

하기 때문이다. 말하자면 인용된 가르침에 대해 함께 살피고 생각해야 할 것이다. 우선 계경에서 "수명과 체온은 화합한다"라고 말씀하신 것은, 일체 계에 의거해 설한 것인가, 욕계에 의거해 설한 것인가? "명색과 식이 서로 의지해 머문다"는 것은, 일체 계에 의거해 설한 것인가, 욕계·색계에 의거해 설한 것인가? "명색은 식을 연으로 한다"라고 설하신 것은, 일체 식이 모두 명색의 연이 된다고 말씀하신 것인가, 명색이 생길 때 식을 반연하지 않는 것은 없다고 말씀하신 것인가? 색 내지 행을 떠나서 식에 오고 감이 있는 것을 부정한 것은, 그 중의 어느 1온을 떠나는 것도 부정한 것인가, 일체 온을 떠나는 것을 부정한 것인가?[41]

....

노경(蘆經)에서 명색과 식은 마치 두 단의 갈대다발이 서로 의지해 머물듯이 서로 의지한다고 설하였다. 이미 그 무색계에 식의 체가 없는 것이 아님을 인정했으니, 이런 즉 명색도 있다는 것을 인정해야 할 것이다. 셋째 또 경(=잡 [13]12:287 성읍경城邑經 등)에서 명색은 식을 연으로 한다고 설했기 때문이다. 그 무색계에 이미 식이 있으니, 명색도 있다는 것을 분명히 알 수 있다. 넷째 또 경(=잡 [4]2:39 종자경種子經)에서 색·수·상·행을 떠나서 식에 오고 감이 있는 것을 부정했기 때문이다. 그 무색계에 이미 식이 있으니, 색·수·상·행도 모두 있다는 것을 분명히 알 수 있다. 그래서 전체적으로 맺어 말하였다. "이에 의해 무색계에도 물질이 있다는 이치가 성립된다."

41 설일체유부에서 전체적으로 비판하면서 생각하기를 권하고, 앞에서 인용한 가르침에 대해 회통하는 것이다. 우선 첫 경에서 수명과 체온이 화합한다고 말씀하신 것은, 그대들이 달리 집착하는 것처럼 3계에 의거해 설한 것인가, 우리가 종지로 하는 것처럼 욕계에 의거해 설한 것인가? 이치상 응당 욕계에 의거해 설한 것이니, 만약 위의 2계에도 통한다면 체온을 말하지 않았을 것이다. 체온의 드러난 모습에 의거해서 우선 욕계에 의거해 말한 것이지, 색계를 말하지 않았다. 만약 은밀한 것과 드러난 것을 합쳐서 논한다면, 체온은 색계에도 역시 통한다. 두 번째 경에 대해 회통해 말하자면, 명색과 식이 서로 의지해 머문다는 것은, 그대들이 달리 집착하는 것처럼 3계에 의거해 설한 것인가, 우리가 종지로 하는 것처럼 욕계·색계에 의거해 설한 것인가? 이치상 응당 단지 욕계·색계에 의거해 설한 것이니, 만약 무색계에도 통한다면 색을 말하지 않았을 것이다. 세 번째 경에 대해 회통해 말하자면, 명색이 식을 연으로 한다고 말씀하신 것은, 그대들이 달리 집착하는 것처럼 일체 식이 모두 명색의 연이 된다고 말씀하신 것인가, 우리가 종지로 하는 것처럼 명색이 생길 때 식을 반연하지 않는 것은 없다고 말씀하신 것인가? 이치의 실제로는 오직 '명'만을 낳고 '색'을 낳을 수 없는 식도 역시 있다. 네 번째 경에 대해 회통해 말하자면, 색 내지 행을 떠나서 식에 오고 감이 있는 것을 부정한 것은, 그대들이 달리 집착하는 것처럼 4온 중의 어느 1온을 떠나서도 식에 오고 감이 있는

만약 계경의 말씀에서 가려낸 것[簡別]이 없기 때문에 이에 대해 더 이상 살피고 생각해서는 안 된다고 말한다면, 이 말은 그렇지 않으니, 크게 지나치는 허물 때문이다. 말하자면 외적인 따뜻함[外煖]도 역시 수명과 화합해야 할 것이며, 또 외부의 명색도 식에 의지해야 하고, 식을 연으로 해야 할 것이며, 또 마치 4식주처럼 4식食을 설했으니, 색계·무색계에도 단식段食이 있어야 할 것이다.[42]

만약 경에서, "단식을 초월한 한 부류의 천신이 있다"라고 설했기 때문에, 또 "그 천신은 기쁨[喜]을 먹이[食]로 한다"라고 설했기 때문에 이런 허물이 없다고 말한다면, 곧 무색계에는 물질이 있지 않아야 할 것이다. 계경에서, "그들은 물질에서 출리하였다"라고 설했기 때문이며, 또 계경에서, "무색의 해탈은 가장 적정한 것이니, 모든 물질을 초월하였다"라고 설했기 때문이다. 또 계경에서, "무색계의 유정은 일체 물질의 지각을 모두 초월하였다"

....

것을 부정한 것인가, 우리가 종지로 하는 것처럼 4온 중 일체 온을 떠나서 식에 오고 감이 있는 것을 부정한 것인가? 이치의 실제로는 무색계에는 색은 떠남이 있어도 나머지 3온이 있으면 식에 오고 감이 역시 있으니, 가고 옴이 없다고 말한 것은 일체 온을 떠나(서 가고 옴이 있)는 것을 부정한 것이다.
42 설일체유부에서 변론을 옮겨와서 논파하는 것이다. 만약 계경의 말씀에서 가려낸 것이 없으니, 이에 대해 더 이상 살피고 생각해서는 안 된다고 말한다면, 이런 말은 그렇지 않으니, 크게 지나치는 허물 때문이다. 첫째 경에 대해 논파해 말하자면, 만약 경에서 가려낸 것이 없었으니, 무색계에도 수명이 있으므로 체온[煖]도 역시 있다고 한다면, 경에서 가려낸 것이 없었으니, 외적인 따뜻함[外煖]도 역시 수명과 화합한다고 말해야 할 것이다. 둘째 경에 대해 논파해 말하자면, 만약 경에서 가려낸 것이 없었으니, 무색계에도 식이 있으므로 명색도 역시 있어서 서로 의지해 머문다고 한다면, 경에서 가려낸 것이 없었으니, 또 외부의 명색도 식과 서로 의지해야 할 것이다. 셋째 경에 대해 논파해 말하자면, 만약 경에서 가려낸 것이 없었으니, 무색계에도 식이 있으므로 명색에게 연이 되는 것이라고 한다면, 경에서 가려낸 것이 없었으니, 또 외부의 명색도 식을 연으로 해야 할 것이다. 이 글은 둘째·셋째 경에 대해 쌍으로 논파하는 것이다. 넷째 경에 대해 논파해 말하자면, 만약 경에서 가려낸 것 없이 4식주가 능히 식을 유지한다고 설했으니, 무색계에도 식이 있으므로 색식주色識住(＝색이라는 의식의 주처)도 역시 있다고 한다면, 경에서 가려낸 것 없이 4식이 능히 유정을 유지한다고 설했으니, 색계·무색계에도 이미 유정이 있으므로 단식도 있어야 할 것이다. 그래서 '마치 4식주처럼 4식'이라고 말한 것이니, '4식주'라고 말한 것은 곧 그 넷째 경문을 인용한 것으로서, 색 내지 행을 떠난 식을 부정한 것은 4식주경四識住經이다.

라고 설했기 때문이니, 만약 무색계에 실제로 물질이 있다면, 결정코 응당 그들은 물질의 자상을 알 수 있을 것인데, 어떻게 물질의 지각을 초월하였다는 등으로 설할 수 있겠는가?[43]

　만약 하계의 거친 물질을 관찰했기 때문에 설한 것이라고 말한다면, 곧 단식에 대해서도 역시 그러하다고 인정해야 할 것이다. 또 모든 정려도 하계의 거친 물질을 초월한 것이므로 역시 물질에서 출리했다는 말을 할 수 있어야 할 것이며, 이런 즉 역시 무색계라고 이름해야 할 것이다. 또 느낌 등에서도 역시 출리했다고 설해야 할 것이니, 거기에서는 하지의 거친 느낌 등도 역시 초월했기 때문이다. 경에서 이미 그렇게 설하지 않았으니, 무색계 중에서는 물질의 부류를 두루 초월했지만, 느낌 등을 초월한 것은 아님을 알 수 있다. 이에 의해 결정코 그 무색계에는 물질이 없다고 알아야 할 것이다.[44]

....

43 변론을 옮겨와서 따지며 논파하는 것이다. 그대들이 만약 경(=중 5:22 성취계경)에서, "단식을 초월한 한 부류의 천신이 있다"라고 설했기 때문에, 또 "그 천신은 기쁨을 음식으로 한다"(=장 20:30 세기경의 제8 도리천품 중 졸역 8.11)라고 설했기 때문에, 단식은 상계에 있는 것이 아니라고 설한 것이므로 이런 허물이 없다고 말한다면, 곧 무색계에는 물질이 있지 않아야 할 것이다. 그대들이 2경을 인용하여 위의 2계에는 단식이 없다는 것을 증명했으니, 우리는 3경을 인용하여 무색계에는 물질이 없다는 것을 증명하겠다. 계경에서, "그 무색계 중에서는 물질에서 출리하였다"라고 설했기 때문이니, 만약 그 계 중에 여전히 물질이 있다면 어떻게 출리하였다고 이름했겠는가? 또 계경에서, "4무색의 해탈은 가장 적정한 것이니, 모든 물질을 초월하였다"라고 설했기 때문이니, 이미 모든 물질을 초월하였다고 말했으므로 거기에는 물질이 없다는 것을 분명히 알 수 있다. 또 계경(=중 24:97 대인경大因經)에서, "무색계의 유정은 일체 물질의 지각을 모두 초월하였다"라고 설했기 때문이다. 물질을 반연하는 탐욕을 끊은 것을 물질의 지각을 초월하였다고 이름한 것이거나, 혹은 4근본정 및 위의 3근분정에 의거해 이미 물질의 지각을 초월하였다고 한 것이니, 물질이 있는 것 아님이 분명하다. 만약 무색계에, 그대들이 집착하는 것처럼 실제로 물질이 있다면, 결정코 응당 그들은 물질의 자상을 알 수 있을 것인데, 어떻게 물질의 지각을 초월했다는 등으로 설할 수 있겠는가? '등'은 앞의 2경을 같이 취한 것이다.

44 또 변론을 옮겨와서 논파하는 것이다. 만약 무색계에서 아래 욕계·색계의 거친 물질을 관찰했기 때문에 물질의 지각을 초월했다는 등으로 설한 것이라고 말한다면, 곧 단식에 대해서도 역시 그러하다고 인정해야 할 것이니, 하계의 거친 단식을 초월한 미세한 단식이 있어야 할 것이(지만 미세한 단식이란 없)

그런데 계경 중에서, "존재는 존재에서 벗어나지 못한다[有不出有]"라고 설한 것은, 자지自地의 존재에서 벗어날 수 없기 때문이며, 두루 벗어난 것이 아니기 때문이며, 영원히 벗어난 것이 아니기 때문이다.[45] 또 박가범께서 정려 중에는 색色의 부류 내지 식識의 부류가 있다고 설하시면서, 무색계 중에는 수受의 부류 내지 식의 부류가 있다고 설하시고, 색이 있다고는 설하시지 않았는데, 만약 무색계 중에 실제로 물질이 있다면, 어째서 정려처럼 색의 부류가 있다는 말씀을 하시지 않았겠는가? 따라서 건립한 이유에는 성립시키지 못하는 허물이 없다.[46]

3. 후의 물질이 생기는 근거

거기에 있는 많은 겁 동안 물질의 상속이 끊어졌는데, 그 후 죽어서 하계

....

다. 또 4정려도 하지의 거친 물질을 초월한 것이므로 역시 물질에서 출리했다는 말을 할 수 있어야 할 것이며, 이런 즉 4정려도 역시 무색계라고 이름해야 할 것이다. 또 무색계 중에서는 느낌 등에서도 역시 출리했다고 설해야 할 것이니, 거기에서는 하지의 거친 느낌 등도 역시 초월했기 때문이다. 경에서 이미 무색계 중에서 느낌 등을 초월했다는 말을 하지 않았으니, 무색계 중에서는 물질의 부류를 두루 초월했지만, 느낌 등을 초월한 것은 아님을 알 수 있다. 이에 의해 결정코 그 계에는 물질이 없다고 알아야 한다.

45 설일체유부에서 대중부 등의 숨은 힐난에 대해 회통하는 것이다. 숨은 힐난의 뜻이 말하는 것은, 「경(=잡 [17]17:462 삼계경 등)에서 이미 "존재는 존재를 벗어나지 못한다"라고 말했으니, 무색유는 색유를 벗어날 수 없다는 것을 분명히 알 수 있다. 만약 벗어날 수 있다면, 존재는 존재에서 벗어난다고 말했어야 할 것이다」라는 것이다. 이 숨은 힐난에 대해 회통하기 위해 이 경에 대해 해석하는 것이다. 그런데 계경 중에서, "세 가지 존재는 세 가지 존재에서 벗어날 수 없다"라고 설한 것은, 자지自地의 번뇌에 의해 계박된 것이기 때문에 그래서 '자지의 존재에서 벗어날 수 없다'라고 말한 것이기 때문이며, 단지 8지(=욕계+4정려지+하3무색지)에서 떠났을 뿐, 유정지에서 떠난 것이 아니기 때문에 그래서 '두루 벗어난 것이 아니다'라고 말한 것이기 때문이며, 범부는 번뇌를 끊더라도 뒤에 다시 물러나기 때문에 그래서 '영원히 벗어난 것이 아니다'라고 말한 것이기 때문이다. 이 때문에 경에서 "존재는 존재에서 벗어나지 못한다"라고 말하고, "무색유는 색유를 벗어날 수 없다"라고 말하지 않은 것이다.

46 다시 경(=『본사경本事經』제6권. 대17-689하)을 인용해 무색계에는 물질이 없음을 증명하는 것인데, 글대로 알 수 있을 것이다. 논파를 마치고 맺어 말하였다. 따라서 '모두 물질이 없기 때문에 무색이라는 명칭을 세운 것이다'라고 건립한 이유에, 성립시키지 못하는 허물은 없다.

에 태어날 때 물질은 무엇으로부터 생기는가?47 이것은 마음으로부터 생기는 것이지, 물질로부터 일어나는 것이 아니다. 말하자면 과거에 일으켰던, 색의 이숙인으로 훈습된 것이 마음에 있다가 공능이 이제 성숙한 것이니, 그러므로 지금의 색은 그 마음으로부터 생긴 것이다.48

거기에 색신이 없다면 마음은 무엇에 의지하여 일어나는가?49 몸을 떠나서 어찌 일어나지 못하겠는가?50 하계에서는 일찍이 보지 못했기 때문이다.51 색계에는 단식이 없는데, 몸은 다시 무엇에 의지해 일어나는가? 하계에서는 색신이 단식을 떠나서 일어나는 것을 역시 보지 못했기 때문이다. 또 그 마음이 일어나는 의지처에 대해서는 먼저 설하였다.52

4. 개별적 명칭의 해석

전체적 명칭에 대해서는 이미 해석했는데, 공무변처 등은 허공 등을 반연함에 따라 개별적 명칭을 얻은 것인가?53 그렇지 않다.54 어떠한가?55 아래 3무색정은 그 순서대로 가행을 닦을 때 무변의 허공 및 무변의 의식과

---

47 제6구를 해석하려고 묻는 것이다. 그 무색계에 있으면 많은 겁을 거치는 동안 물질의 상속이 끊겨졌는데, 그 후 죽어서 아래 욕계·색계에 태어날 때 물질은 무엇으로부터 생기는가?

48 논주가 경량부의 뜻으로 답하면서, 게송의 '후의 물질은 마음으로부터 일어난다'는 글을 바로 해석하는 것이다. 이 물질은 마음으로부터 생기는 것이지, 물질로부터 생기는 것이 아니다. 말하자면 과거에 일으켰던, 색의 과보를 감득할 원인으로 훈습된 것이 마음에 있다가 그 공능이 지금 성숙한 것이니, 그러므로 지금 시기의 욕계·색계의 색은 그 무색계 마음 중의 색의 종자로부터 생긴 것이다.

49 대중부 등의 물음이다.

50 설일체유부에서 도리어 책망하는 것이다.

51 대중부 등의 답이다. 아래의 욕계·색계에서는 색신을 떠나서 마음이 일어남을 얻는 것을 일찍이 보지 못했기 때문이다.

52 설일체유부에서 도리어 책망하는 것이다. 색계에는 단식이 없는데, 몸은 다시 무엇에 의지해 일어나는가? 아래의 욕계에서도 색신이 단식을 떠나서 일어나는 것을 역시 보지 못했기 때문이다. 또 먼저 세간품(＝앞의 제8권 중 게송 ③cd와 그 논설)에서 그 무색계의 마음이 일어나는 의지처에 대해서 설하였다. 말하자면 명근과 중동분에 의지해 일어난다고.

53 뒤의 4구를 해석하려고 앞을 맺으면서 물음을 일으킨 것이다.

54 답이다.

55 따지는 것이다.

무소유를 생각하기 때문에 세 가지 명칭으로 건립했지만,56 제4무색정의 명칭의 건립은 지각의 어둡고 열등함[想昧劣]에 의한 것이다. 말하자면 밝고 뛰어난 지각[明勝想]은 없으므로 비상非想이라는 명칭을 얻고, 어둡고 열등한 지각은 있기 때문에 비비상非非想이라고 이름한 것이다. 비록 가행할 때 역시 '모든 지각은 병과 같고, 화살과 같으며, 종기와 같지만, 만약 지각이 전혀 없다면 곧 어리석음의 어둠과 같으니, 오직 비상비비상 중에만 위의 것들과 상반되는 적정寂靜·미묘美妙가 있다'라는 이런 생각을 하지만, 이런 가행에 나아가 명칭을 세우지 않았다. 만약 '어째서 가행할 때 이런 생각을 하는가?'라고 힐난한다면, 그 처處에서는 지각이 어둡고 열등하기 때문이라고 반드시 대답해야 할 것이니, 이것의 어둡고 열등함에 의한 때문이라고 함이 명칭을 세운 바른 이유이다.57

....

56 앞의 3무색정은 가행에 따라 명칭을 세웠음을 해석하는 것이다. 그래서 『순정리론』 제77권(=대29-758상)에서 말하였다. "만약 승해에 의해 무변한 허공을 사유한다면 그 가행으로 이룬 것을 공무변처라고 이름한다. 말하자면 만약 법이 비록 물질과 함께 하더라도 그 자체는 물질에 의지하거나 속하지 않은 것이 있으니, 물질에서 출리를 구하는 모든 자는 반드시 최초에 그런 법을 사유해야 한다. 말하자면 허공 자체는 비록 물질과 함께 하지만, 물질이 없는 것을 기다려야 비로소 환히 드러날 수 있고, 밖의 법에 섭수된 그 모습은 무변하니, 그것을 사유할 때 쉽게 물질을 떠날 수 있기 때문에 가행 단계에서 허공을 사유하는데, 성취되었을 때에는 상응함에 따라 다른 법도 반연하지만, 단지 가행에 따라 이 명칭을 건립한 것이다. 만약 승해에 의해 무변한 의식을 사유한다면 그 가행으로 이룬 것을 식무변처라고 이름한다. 말하자면 순수 청정한 여섯 가지 의식의 무리가 능히 요별하는 것에 대해 모습을 잘 취한 뒤 승해에 안주해서 가정적 지각의 힘[假想力]에 의해 무변한 의식의 모습을 사유 관찰하는 것이다. 이런 가행이 선행함에 의해 이룬 것은 그 상응하는 바에 따라 다른 법도 반연하지만, 단지 가행에 따라 이 명칭을 건립한 것이다. 만약 승해에 의해 일체 있는 바를 버린다면 그 가행이 이룬 것은 무소유처라고 이름한다. 말하자면 무변한 행상이 거칠게 움직이는 것을 보고 싫어해 버리려고 해서 이런 가행을 일으키니, 이 때문에 이 처를 가장 뛰어난 버림[最勝捨]이라고 이름한다. 여기에서는 다시 무변한 행상을 짓는 것을 좋아하지 않고, 마음이 모든 있는 것을 버리고 소연에 고요히 머물기 때문이다."

57 최후의 무색에 대해 네 번째 명칭을 세운 것은 지각이 어둡고 열등함에 의한 것임을 해석하는 것이다. 말하자면 아래 7지에서의 밝고 뛰어난 지각이 없기 때문에 '비상'이라는 명칭을 얻고, 어둡고 열등한 지각은 있기 때문에 2무심정과는 같지 않으므로 '비비상'이라고 이름한 것이다. 비록 가행할 때 역시 '앞의

제1항 8등지 총설

무색정에 대해 분별했는데, 어떤 것이 등지等至인가? 게송으로 말하겠다.

5 이 근본등지는 여덟인데[此本等至八]
　앞의 일곱에는 각각 세 가지가 있으니[前七各有三]
　말하자면 미·정·무루이며[謂味淨無漏]
　뒤의 것에는 미·정의 두 가지가 있다[後味淨二種]

6 미는 애착과 상응하는 것을 말하고[味謂愛相應]
　정은 세간의 선인 것을 말하니[淨謂世間善]
　이는 즉 미착의 대상이며[此卽所味著]
　무루는 출세간의 것을 말한다[無漏謂出世]58

7선정에서의 모든 지각은 병과 같고, 화살과 같으며, 종기와 같지만, 혹은 초·
제2정려의 기쁨의 지각은 병과 같고, 제3정려의 즐거움의 지각은 화살과 같
으며, 제4·5·6·7지의 평정의 지각은 종기와 같지만, 만약 지각이 전혀 없어
마치 2무심정과 같다면 곧 어리석음과 같아서 캄캄한 어둠과 서로 비슷하게
깨달아 아는 것이 없을 것이니, 오직 비상비비상 중에만 위의 것들과 상반되
는 적정·미묘가 있다'라는 이런 생각을 하므로, 가행 중에서도 지각을 싫어하
고 지각 없는 것도 싫어하므로 비상비비상이라고 이름해야 하겠지만, 이런 가
행에 나아가 명칭을 세우지 않았다. 만약 '어째서 가행할 때 이런 생각을 하는
가?'라고 힐난한다면, 그 유정의 근본처에서는 지각이 어둡고 열등하기 때문
이라고 반드시 대답해야 할 것이니, 가행에서 그 근본에 따라 이런 생각을 하
는 까닭은 이 근본처의 지각이 어둡고 열등하기 때문이다. 이것이 비상비비상
이라는 명칭을 세운 바른 이유이니, 따라서 근본에 따라 명칭을 세운 것이지,
가행에 따라 명칭을 세우지 않았다. 또 『순정리론』(=제77권. 대29-758하)
에서 말하였다. "이 4무색정을 모두 '처'라고 말한 것은, 이것은 모든 존재가
생장하는 곳[諸有生長處]이기 때문이다."
58 이하는 셋째 8등지에 대해 밝히는 것이다. 그 안에 나아가면 첫째 8등지를
전체적으로 밝히고, 둘째 8등지에 대해 개별적으로 밝히니, 이하는 곧 8등지
를 전체적으로 밝히는 것이다. 이는 맺으면서 묻고 게송으로 답한 것인데, 알

논하여 말하겠다. 이상에서 분별한 정려·무색의 근본등지根本等至에는 모두 여덟 가지가 있는데, 그 중 앞의 7등지는 각각 세 가지를 갖추고 있지만, 유정有頂의 등지에는 두 가지만 있으니, 이 지는 어둡고 열등해서 무루가 없기 때문이다.59

처음의 미등지味等至는 애착과 상응하는 것[愛相應]을 말한다. 애착은 능히 맛들여 집착하기[味著] 때문에 미味라고 이름한 것이니, 그것과 상응하기 때문에 이것이 미라는 명칭을 얻은 것이다.60

청정등지[정등지淨等至]라는 명칭은 세간의 선인 선정[世善定]을 가리키는 것이니, 무탐 등의 모든 희고 청정한 법[白淨法]과 상응하여 일어나기 때문에 이것이 정淨이라는 명칭을 얻은 것이다. 즉 미와 상응하는 것이 맛들여 집착하는 경계로서, 이것이 무간에 소멸할 때 그런 미등지가 생기는 것이다. 과거의 정등지를 반연하여 깊이 미착味著을 낳으니, 그 때 비록 미착 대상인 선정[所味定]에서는 나왔다[出]고 이름하지만, 능히 미착하는 선정[能味定]에는 들어갔다[入]는 이름을 얻는다.61

무루등지[무루정無漏定]란 출세간의 선정을 말하는 것이니, 애착이 반연하지 않기 때문에 미착대상이 아니다.62

....
수 있을 것이다.

59 첫 게송을 해석하는 것인데, 알 수 있을 것이다.
60 제5구를 해석하는 것이다. 처음의 미등지(=뒤의 게송 14d에서 말하는 소위 '염오등지[染等至]')는 애착과 상응하는 것을 말한다. 애착은 청정한 선정에 능히 맛들여 집착하기 때문에 미등지라고 이름한 것이니, 그것과 상응하기 때문에 이 등지는 '미'라는 명칭을 얻은 것이다.
61 제6·제7구를 해석하는 것이다. 청정등지라는 명칭은 모든 세간의 유루의 선의 선정을 가리키는 것이니, 무탐 등 자성이 선인 모든 희고 청정한 법과 상응하여 일어나기 때문에 이 등지는 '청정[淨]'이라는 명칭을 얻은 것이다. 즉 첫째의 미와 상응하는 것의, 미착대상인 경계로서, 이 청정한 선정이 무간에 소멸할 때 그런 미착하는 선정이 생기는 것이다. 과거의 청정한 선정을 반연하여 깊이 미착味著을 낳는 것이지, 현재를 반연하지 않으니, 반드시 자성 등을 관찰하지 않기 때문이며, 미래를 반연하지 않으니, 아직 일찍이 받아들인 일이 없기 때문이다. 과거의 것은 일찍이 받아들였기 때문에 과거만을 말한 것이다. 그 때에는 비록 미착대상인 선정에서는 나왔다고 이름하지만, 능히 미착하는 선정에는 들어갔다[入]는 이름을 얻는다.
62 뒤의 1구를 해석하는 것인데, 글대로 알 수 있을 것이다.

제2항 정려 별설

1. 정려의 지분

이와 같이 설한 8등지 중 정려는 지분[支]을 섭수하지만, 모든 무색정은
아니다.63 4정려에는 각각 몇 가지 지분이 있는가?64 게송으로 말하겠다.

⑦ 초정려에는 5지분이 있으니[靜慮初五支]
　심구·사찰·기쁨·즐거움·선정이며[尋伺喜樂定]
　제2정려에는 4지분이 있으니[第二有四支]
　내등정·기쁨·즐거움·선정이다[內淨喜樂定]

⑧ 제3정려는 5지분을 갖추니[第三具五支]
　행사·알아차림·지혜·즐거움·선정이며[捨念慧樂定]
　제4정려에는 4지분이 있으니[第四有四支]
　행사·알아차림·평정·선정이다[捨念中受定]65

....

63 이하에서 둘째 8등지에 대해 개별적으로 밝히는데, 그 안에 나아가면 첫째
　정려에 대해 개별적으로 밝히고, 둘째 3등지에 대해 개별적으로 밝힌다. 첫째
　정려에 대해 개별적으로 밝히는 가운데 나아가면 첫째 정려의 지분[정려지靜
　慮支]을 밝히고, 둘째 정려지분의 체성을 밝히며, 셋째 염오에는 없는 지분을
　밝히고, 넷째 부동이라고 이름하는 것에 대해 밝히며, 다섯째 생정려의 느낌
　은 다르다는 것을 밝히고, 여섯째 하지의 마음을 일으키는 것에 대해 밝힌다.
　이는 곧 첫째 정려의 지분을 밝히는 것이니, 그래서 먼저 종지를 표방하였다.
　이와 같이 설한 8등지 중 정려는 지분을 섭수하니, 지·관이 균등하기 때문이
　지만, 모든 무색정은 아니니, 지가 증가하고 관이 감소하는 것이다. 이에 의해
　미지정 및 중간정도 역시 지분을 세우지 않으니, 관이 증가하고 지가 감소하
　는 것이다.
64 물음이다.
65 게송에 의한 답이다. 이 게송 중에 나아가 간략히 2문을 만들어 분별하겠다.
　첫째는 모든 지의 공통[通]·국한[局]에 대해 밝히는 것이고, 둘째는 지분의 수
　가 같지 않음을 밝히는 것이다.
　　모든 지의 공통·국한이라고 말한 것은, 4정려의 지분은 모두 열여덟이 있는
　데, 큰 종류에 세 가지가 있다. 첫째는 의지처인 선정[所依定]인데, 이것에는
　네 가지가 있다. 곧 4선정의 체이니, 이것은 모든 지분에 대해 의지처가 되기

때문이다. 따라서 모든 지에 공통되는 것이므로 애써 문답할 것이 없다. 둘째는 지에 응당 있어야 할 법[地應有法]인데, 이것에는 여섯 가지가 있다. 말하자면 초정려의 심구·사찰·기쁨, 제2정려의 기쁨, 제3정려의 즐거움, 제4정려의 평정[中受]인데, 이 여섯 가지는 지에 응당 있어야 할 법이기 때문에 여러 지에 있기도 하고 없기도 하니, 애써 문답할 것이 없다. 셋째는 별도의 조건으로 건립된 것[別緣建立]인데, 이것에는 여덟 가지가 있다. 말하자면 초정려의 즐거움, 제2정려의 내등정과 즐거움, 제3정려의 행사·알아차림·지혜, 제4정려의 행사와 알아차림이니, 간략히 이 셋째에 의해 문답 분별하는데, 『대비바사론』 제80권(=대27-413상)의 뜻을 해석해 말하겠다. (문) 경안과 행사行捨(=행온의 평정)는 모든 지에 있는데, 어째서 초·제2정려에는 경안(=초·제2정려의 '즐거움'은 경안임은 뒤의 게송 ⓙb)을 세우면서 행사는 아니며, 제3·제4정려에는 행사를 세우면서 경안은 아닌가? (해) 초·제2정려에서는 경안의 작용이 뛰어나니, 능히 가볍게 들어서[輕擧] 혼침을 대치하고, 제3·제4정려에서는 행사의 작용이 뛰어나니, 고요히 가라앉혀서 도거를 대치한다. 다시 다음으로 (욕계의) 5식 및 그것에 견인되는 몸의 추중麤重을 대치하는 것이 되기 때문에 초정려에서 경안을 세우며, 초정려의 3식 및 그것에 견인되는 몸의 추중을 대치하는 것이 되기 때문에 제2정려에서 경안을 세우지만, 제2·제3정려 중에는 대치할 만한 거친 식의 무리 및 그것에 견인되는 몸의 추중이 없기 때문에 제3·제4정려에서는 경안을 지분으로 세우지 않고, 이미 경안이 없기 때문에 행사를 세운다. 다시 다음으로 제3정려에서는 지극한 기쁨을 버리고, 제4정려에서는 지극한 즐거움을 버리기 때문에 행사를 세우지만, 초·제2정려에서는 행사를 세우지 않기 때문에 경안을 세운다. (문) 믿음(='내등정'의 체)은 모든 지에 공통되는데, 어째서 제2정려에서만 지분으로 세우는가? (해) 『대비바사론』(=제80권. 대27-413중)에서 뜻으로 말하였다. 다시 다음으로 초정려에서는 심구·사찰이 마치 불과 같고, 신식身識이 마치 진흙과 같아서 마음의 상속으로 하여금 열뇌·탁란하게 하므로 믿음이 밝고 깨끗하지 못한 것이 마치 뜨거움·진흙 속에서 얼굴 모습이 나타나지 못하는 것과 같지만, 제2정려에서는 이와 같은 일이 없어서 믿음의 모습이 밝고 깨끗한 것이 마치 맑고 차가운 물에 얼굴 모습이 나타날 수 있는 것과 같다. 제3정려에는 지극한 희열의 느낌이 있으며, 제4정려에는 뛰어난 평정의 느낌이 있어서 마음의 상속을 덮어서 믿음의 모습이 나타나지 못한다. 다시 다음으로 유가사들이 제2정려를 얻으면 처음으로 뛰어난 믿음—이미 계와 지를 함께 부분적으로 (=욕계와 초정려지) 떠날 수 있었으니, 나아가 유정지까지 후에 반드시 떠날 것이라는 믿음—을 낳는다. 초정려에서는 아직 결정적 믿음을 낳지 못했으며, 뒤의 2정려에서는 처음 일으키는 것이 아니다. 다시 다음으로 증상한 믿음을 일으키는 것은 반드시 큰 기쁨에 의하니, 기쁨으로 인해 믿는다면 믿음이 반드시 견고한데, 제2정려에는 지극히 뛰어난 기쁨이 있기 때문에 여기에만 내등정의 지분을 세운 것이다. (문) 지혜는 모든 지에 통하는데, 어째서 제3정려에만 세웠는가? (해) 『대비바사론』(=제80권. 대27-413중)에서 뜻으로 말하였다. 제3정려에 수순하기 때문이다. 다시 다음으로 제3정려에는 지극히 논하여 말하겠다. 오직 청정[淨]·무루無漏의 4정려 중에서만, 초정려는 5지분을 갖추니, 첫째 심구[尋], 둘째 사찰[伺], 셋째 기쁨[喜], 넷째 즐거움[樂], 다섯째 등지等持이다. 여기에서 '등지'는 게송에서 '정定'이라고 말한 것이니, '등지'와 '정'은 명칭은 달라도 체는 같다. 그래서 계경에서, "심정心

쾌적한 희열의 느낌이 있는데, 이런 즐거움을 누리기 위해 상지의 뛰어난 법을 좋아하지 않고 능히 자지에 어려움을 남기게 하니, 이것을 대치하려고 바른 지혜의 지분을 세운 것이다. 그래서 세존께서 바른 지혜로써 이런 즐거움을 분명히 깨달아야 한다고 말씀하셨다. 위와 아래의 지 중에는 자지의 지극한 즐거움이 어려움을 남기는 것으로서 이 지와 같은 것이 없다. 다시 다음으로 초정려에는 거친 심구·사찰이 있고, 제2정려에는 뛰어오를듯한 지극한 기쁨이 있으며, 제4정려에는 뛰어난 사수가 있는데, 뛰어난 사수는 무명이고, 바른 지혜는 명이니, 명과 무명의 지분은 상호 서로 어기고 해치며, 심구·사찰 등은 바른 지혜를 덮어 가리므로, 그것들에서는 세우지 않지만, 제3정려에는 그와 같이 바른 지혜를 덮는 법이 없다. (문) 알아차림은 모든 지에 공통되는데, 어째서 제3·제4정려에서만 지분으로 세우는가? (해)『대비바사론』(=제80권. 대27-413하)에서 뜻으로 말하였다. 알아차림은 뒤의 2정려에 수순한다. 다시 다음으로 제3정려는 제2정려의 뛰어난 기쁨이 표류시켜 빠지게 하는 것이 되며, 제4정려는 제3정려의 뛰어난 즐거움이 장애를 남기니, 하지의 남긴 어려움 때문에 자지의 염오에서 능히 출리하지 못한다. 이 때문에 세존께서 바른 알아차림에 머물도록 권고하셨다. 다시 다음으로 초정려에는 거친 심구·사찰 있는 것이 마치 폭풍과 같으며, 제2정려에는 뛰어오를듯한 지극한 기쁨 있는 것이 마치 물의 파도와 같아서, 바른 알아차림을 덮어 가리지만, 뒤의 2정려에는 곧 이런 허물이 없다.

둘째 지분의 수가 같지 않음을 밝히는 것이다. (문) 어째서 초·제3정려는 같이 5지분인데, 제2·제4정려는 같이 4지분인가?『대비바사론』(=제80권. 대27-414하)에서 해석해 말하였다. 다시 다음으로 욕계의 모든 악은 끊기 어렵고 깨뜨리기 어려우며 초월하기 어렵기 때문에 초정려에는 5지분을 건립하니, 견고하게 대치하기 위해서이며, 제2정려의 경우 지의 지극한 기쁨은 무거워서 끊기 어렵고 깨뜨리기 어려우며 초월하기 어렵기 때문에 제3정려에는 5지분을 건립하니, 견고하게 대치하기 위해서이지만, 초정려 및 제3정려에는 모두 이런 일이 없기 때문에 제2·제4정려는 4지분뿐이다. 다시 다음으로 욕계의 증상한 5욕의 경계에 대한 탐욕을 대치하기 위한 때문에 초정려에는 5지분을 세워서 대치하게 하며, 제2정려의 5부(=4견도소단+수도소단)의 지의 희수가 무겁기 때문에 제3정려도 5지분이지만, 초정려 및 제3정려에는 모두 이런 일이 없기 때문에 제2·제4정려는 각각 4지분이다. 다시 다음으로 선정을 뛰어넘는 법에 수순하게 하기 위한 때문이니, 말하자면 5지분의 정려로부터 5지분의 정려로 뛰어넘어 들어가며, 다시 4지분의 정려로부터 4지분의 정려로 뛰어넘어 들어갈 때, 지분이 같으면 쉽게 뛰어넘을 수 있기 때문이다.

定과 등정等定은 정등지正等持라고 이름한다"라고 설한 것이다. 이것은 또한 심일경성心一境性이라고도 이름하니, 그 뜻은 앞에서 해석한 것과 같다.66 전하는 학설에, "오직 정定만이 정려이면서 또한 정려의 지분이고, 나머지 4지분은 정려의 지분이지, 정려가 아니다"라고 했는데, 여실한 뜻이라면 마치 사지군四支軍과 같은 것이다. 나머지 정려의 지분도 역시 그러하다고 알아야 할 것이다.67

제2정려에는 4지분만 있으니, 첫째 내등정內等淨, 둘째 기쁨, 셋째 즐거움, 넷째 등지이다. 제3정려는 5지분을 갖추고 있으니, 첫째 행사行捨, 둘째 바른 알아차림[正念], 셋째 바른 지혜[正慧], 넷째 즐거움의 향수[受樂], 다섯째 등지이다. 제4정려에는 4지분만 있으니, 첫째 행사의 청정[行捨淸淨], 둘째 알아차림의 청정[念淸淨], 셋째 평정[非苦樂受], 넷째 등지이다.68

2. 정려 지분의 체성

....

66 처음 2구를 해석하는 것이다. 여기에서 등지等持는 게송에서 정定이라고 말한 것이니, 등지와 정은 명칭은 달라도 체는 같다. 그래서 계경(=출전 미상)에서, "심정心定 및 평등정平等定은 정등지正等持라고 이름한다"라고 설한 것이다. 경에서 이미 정을 정등지라고 해석했으니, 등지와 정은 명칭은 달라도 체는 같다는 것을 분명히 알 수 있다. 이 등지는 또한 심일경성이라고도 이름하니, 그 뜻은 앞(=게송 ①c에 관한 논설)에서 해석한 것과 같다.

67 비바사 논사들이 전하는 학설에, "오직 정定만이 정려이면서 또한 정려의 지분이고, 나머지 4지분은 정려의 지분이지, 정려가 아니다"라고 했는데, 여실한 뜻이라면 마치 사지군四支軍과 같다는 것은 논주가 경량부의 뜻을 서술한 것이다. 여실한 뜻이라면 상병·마병·거병·보병을 4지군(=4지의 군대)이라고 이름하니, 개별[別]은 곧 지분이고, 전체[總]는 곧 군대이다. 개별을 붙잡아 전체를 이루니, 군대는 즉 가법이다. 정려의 5지분도 역시 그래서 개별은 곧 지분이고, 정려는 전체라고 알아야 할 것이니, 개별이 전체를 이루므로 정려는 가법이다. '나머지 정려의 지분도 역시 그러하다'는 것은, 나머지 3정려에 대해 각각 두 가지 해석을 하는 것도 역시 그러하다고 알아야 한다는 것이다.

68 뒤의 6구를 해석하는 것인데, 알 수 있을 것이다. 또『대비바사론』제81권(=대27-417중)에서 말하였다. "(문) 하지에도 역시 무루의 행사와 알아차림이 있는데, 어째서 제4정려에서만 행사와 알아차림의 청정을 말하는가? (답) 제4정려에서의 행사와 알아차림은 다 같이 여덟 가지 요란하는 일[8요란사八擾亂事]을 떠났기 때문에 청정하다고 이름한다. 괴로움·즐거움, 근심·기쁨, 들숨·날숨, 심구·사찰을 여덟 가지 요란하는 일이라고 이름하는데, 이것에는 모두 없으므로 유독 청정이라고 이름한 것이다." 자세한 것은 거기에서 말한 것과 같다.

정려 지분의 명칭에 이미 열여덟 가지가 있었는데, 그 중에 실제의 체[實事]는 모두 몇 가지가 있는가?69 게송으로 말하겠다.

⑨ 이것의 실제의 체는 열하나이니[此實事十一]
　　초·제2정려의 즐거움은 경안이고[初二樂輕安]
　　내등정은 곧 믿음의 근이며[內淨卽信根]
　　기쁨은 곧 희수이다[喜卽是喜受]70

논하여 말하겠다. 이 지분의 실제의 체에는 열한 가지가 있을 뿐이다. 말하자면 초정려의 5지분은 즉 다섯 가지 실제의 체이고, 제2정려의 경우, 앞과 같은 3지분에 내등정의 지분을 더한 것이므로, 앞에 보태면 여섯 가지가 된다. 제3정려의 경우, 앞과 같은 등지에 나머지 4지분을 더한 것이므로, 앞에 보태면 열 가지가 된다. 제4정려의 경우, 앞과 같은 3지분에 평정의 지분을 더한 것이므로, 앞에 보태면 열한 가지가 되는 것이다.71

이 때문에 초정려의 지분이면서 제2정려의 지분이 아닌 것이 있다고 말하니, 4구로 분별해야 할 것이다. 제1구는 말하자면 심구와 사찰이고, 제2구는 말하자면 내등정이며, 제3구는 말하자면 기쁨·즐거움·등지이고, 제4

....
69 이하는 곧 둘째 지분의 체성을 밝히는 것이다. 이는 앞을 옮겨와서 물음을 일으킨 것이다.
70 게송에 의한 답 안에 나아가면 첫 구는 전체적으로 체의 수를 나타낸 것이고, 아래 3구는 외인의 종지와 다른 점을 나타낸 것이다.
71 첫 구를 해석하는 것이다. 이 지분의 실제의 체에는 열한 가지가 있을 뿐이다. 말하자면 초정려의 심구·사찰·기쁨·즐거움·등지의 5지분은 즉 다섯 가지 실제의 체이고, 제2정려의 경우, 앞과 같은 기쁨·즐거움·등지의 3지분에 내등정의 지분을 더한 것이므로, 앞에 보태면 여섯 가지가 된다. 제3정려의 경우, 앞과 같은 등지에 나머지 행사·알아차림·지혜·즐거움의 4지분을 더한 것이므로, 앞에 보태면 열 가지가 된다. 제4정려의 경우, 앞과 같은 행사·알아차림·등지의 3지분에 평정의 지분을 더한 것이므로, 앞에 보태면 열한 가지가 되는 것이다. 이 중에서는 기쁨·즐거움·평정을 따로 말하기 때문에 열한 가지라고 말했지만, 만약 종류에 의거한다면 아홉 가지가 있을 뿐이니, 기쁨·즐거움·평정 세 가지는 같이 느낌이기 때문이다. 말한 바 아홉 가지는 말하자면 알아차림, 등지, 지혜, 느낌, 믿음, 경안, 행사, 심구, 사찰이다.

구는 말하자면 앞의 것들을 제외한 나머지 법이다. 나머지 지분을 상대해서도 이치대로 생각해야 할 것이다.72

【초·제2정려의 즐거움】 어째서 제3정려에서 낙수를 더한다고 말하는가?73 초·제2정려의 즐거움은 경안輕安에 포함되는 것이기 때문이다.74

어떤 이치를 증거로 해서 이것이 경안이라고 아는가?75 초·제2정려 중에는 낙근이 없기 때문이다. 초·제2정려에는 신수身受의 즐거움이 있는 것이 아니니, 바로 선정 중에 있을 때에는 5식이 없기 때문이며, 심수心受의 즐거움도 역시 없으니, 기쁨이 있다고 말하기 때문이다. 기쁨은 곧 희수인데, 하나의 마음 중에 두 가지 느낌이 함께 작용하는 일은 없기 때문에 낙수는 없다. 기쁨과 즐거움이 다시 번갈아 현전할 수도 없으니, 5지분 및 4지분을 갖추었다고 말하기 때문이다.76

어떤 분은 말하였다. "심수의 낙근은 없다. 3정려 중에서 말한 즐거움의 지분은 모두 신수에 포함되는 낙근이다."77 만약 그렇다면 어째서, "어떤 것이 낙근인가? 말하자면 즐거움에 수순하는 접촉[順樂觸]의 힘이 견인해

....

72 초정려를 제2정려에 상대시키는 4구는 알 수 있을 것이다. 초정려를 제3·제4 정려에 상대시키는 것, 제2정려를 제3·제4정려에 상대시키는 것, 제3정려를 제4정려에 상대시키는 것도 생각하면 알 수 있을 것이다.
73 제2구를 해석하는 것인데, 이는 곧 물음이다.
74 설일체유부의 답이다. 초·제2정려의 즐거움은 경안에 포함되는 것이기 때문이니, 그래서 제3정려에서는 낙수를 더한다고 말한 것이다.
75 물음이다.
76 설일체유부의 답이다. 비록 초정려에 3식(=안·이·신식)의 즐거움이 있다고 해도 바로 선정 중에 있을 때에는 낙근이 없기 때문이며, 초·제2정려에 신수의 즐거움이 있는 것이 아니니, 바로 선정 중에 있을 때에는 5식이 없기 때문이며, 심수의 즐거움도 역시 없으니, 기쁨이 있다고 말하기 때문이다. 기쁨은 곧 희수인데, 하나의 마음 중에 기쁨과 즐거움이라는 두 가지 느낌이 함께 작용하는 일은 없기 때문에 낙수는 없다. 기쁨과 즐거움은 다시 번갈아[互] 현전할 수도 없으니, 초정려는 (기쁨과 즐거움을 포함한) 5지분을 갖추었고, 제2정려는 (기쁨과 즐거움을 포함한) 4지분을 갖추었다고 말하기 때문(=번갈아 현전한다면 각각 4지분·3지분을 갖추었다고 해야 할 것이기 때문)이다.
77 경량부의 해석을 서술하는 것이다. 어떤 분은 말하였다. "심수의 낙근은 없다. 3정려 중에서 말한 즐거움의 지분은 모두 신수에 포함되는 낙근이다." 이는 종지를 표방한 것이다.

낳는 몸과 마음의 낙수이다"라고 설한 계경이 있겠는가?78 어떤 다른 분이 여기에 '마음[心]'이라는 말을 더한 것이니, 여러 부파의 경에서 '몸[身]'만을 설했기 때문이다. 또 제3정려에 세운 즐거움의 지분에 대해 계경에서 스스로, '몸으로 받아들이는 즐거움[身所受樂]'이라고 설했기 때문이다. 만약 여기에서는 마음을 몸이라고 설한 것이라고 말한다면, 여기에서 몸이라는 명칭을 말하는 것에 무슨 유리함이 있다고 하겠는가?79

또 제4정려에서는 경안이 배倍로 증가할 것인데도 거기에 즐거움의 지분이 있다고 설하지 않기 때문이다. 만약 경안은 반드시 낙수에 수순해야 비로소 즐거움이라고 이름한다고 말한다면, 제3정려의 경안은 낙수에 수순하므로 즐거움의 지분이어야 할 것이다. 만약 거기에서의 경안은 행사行捨에 의해 손상된다고 말한다면, 그렇지 않으니, 행사는 경안을 증대시키기 때문이며, 또 거기에서의 경안은 앞의 2정려보다 뛰어나기 때문이다.80 또 계경

....

78 설일체유부의 힐난이다. 경(＝중 58:210 법락비구니경 중 졸역 22.)에서 이미 '마음'을 말했으니, 심수의 낙근도 역시 있다는 것을 분명히 알 수 있다.

79 경량부 논사의 회통이다. 어떤 다른 설일체유부의 논사가 이 경 안에 '심心'이라는 말을 더한 것이니, 여러 부파의 경에서 '신身'만을 설하기 때문이다. 또 제3정려에 세운 즐거움의 지분에 대해 계경(＝잡 [23]31:869 제3선경 등)에서 스스로, '몸으로 받아들이는 즐거움'이라고 설했기 때문이다. 그대들 설일체유부의 논사가, 만약 이 경 중에서는 마음을 몸이라고 설한 것이라고 말한다면, 마음을 몸이라는 명칭으로 말하는 것에 무슨 유리함[德]이 있다고 하겠는가?

80 경량부에서 다시 힐난하는 것이다. 또 제4정려에서는 경안이 초·제2정려보다 배로 증가할 것인데도 거기에 즐거움의 지분이 있다고 설하지 않기 때문이다. 그대들이 만약 "초·제2정려 중의 경안은 반드시 낙수(＝3수 중의 낙수)에 수순하므로 비로소 즐거움이라고 이름한 것이니, 세 가지 느낌에 의거해 말하므로 초·제2정려의 기쁨을 말하여 낙수라고 이름한 것이다"라고 말한다면, 논파해 말하겠다. 제3정려의 경안은 이미 낙수에 수순하므로 즐거움의 지분이어야 할 것(＝제3정려의 '즐거움'도 경안이어야 할 것이라는 취지)이다. 그대들이 만약 "그 제3·제4정려에서의 경안이나 그 제3정려에서의 경안은 행사行捨에 의해 손상되기 때문에 행사를 세우고, 경안을 세우지 않은 것이다"라고 말한다면, 논파해 말하겠다. 그렇지 않으니, 행사는 같은 선법으로서 경안을 증대시키기 때문에 경안을 손상시키는 것이 아니다. 또 그 제3·제4정려에서의 경안이나 그 제3정려에서의 경안은 앞의 초·제2정려의 경안보다 뛰어나기 때문이다. 어째서 지분으로 세우지 않는가?

에서 이렇게 설하였다. "만약 그 때 성스러운 제자들이 떠남에서 생긴 기쁨을 몸으로 작증하여 구족해 머문다면, 그들은 그 때 5법을 이미 끊고 5법을 수습하여 모두 원만함을 얻을 것이다. ···· 어떤 것을 수습하는 5법이라고 이름하는가? 첫째 기뻐함[歡], 둘째 기쁨[喜], 셋째 경안輕安, 넷째 즐거움[樂], 다섯째 삼마지이다." 이 경에서 경안과 즐거움을 따로 설하셨기 때문에 초·제2정려의 즐거움은 곧 경안이 아닌 것이다.[81]

만약 "선정 중에 어찌 신식身識이 있겠는가?"라고 말한다면, 있다고 해도 허물이 없으니, 선정 중에 있을 때 뛰어난 선정이 일으키는 가볍고 안락한 바람[輕安風]이 있어 그에 따라 생기는 낙수가 두루 몸에 닿는다고 인정하기 때문이다. 만약 "외적 산란[外散] 때문에 응당 선정을 허물어 잃게 할 것이다"라고 말한다면, 이와 같은 허물은 없으니, 뛰어난 선정에서 생긴 이 가볍고 안락한 바람은 내적인 몸의 즐거움을 견인하여 도리어 능히 삼매를 수순해 일으키기 때문이다. 만약 "신식을 일으켰다면 선정에서 나왔다고 이름해야 할 것이다"라고 말한다면, 이 힐난도 그렇지 않으니, 앞의 이유 때문이다. 만약 "욕계의 신근에 의지해서는 색계의 접촉과 식을 낳을 수 없어야 할 것이다"라고 말한다면, 경안을 반연하는 식은 생긴다고 인정되므로 허물이 없다.[82]

....

81 경량부에서 또 경(=잡 [17]17:482 희락경喜樂經)을 인용해 초·제2정려의 즐거움은 경안이 아님을 증명하는 것이다. 또 계경에서, "만약 그 때 성스러운 제자들이 욕계의 염오를 떠남에서 생긴 기쁨에서, 몸 안에 이 선정을 증득하여 구족하게 성취하고 그 선정에 안주한다면, 그들은 그 때 5순하분결의 법을 이미 끊고, 혹은 5개의 법을 이미 끊고, 5법을 수습하여 모두 원만한 궁극을 얻을 것이다"라고 설하셨는데, 자세히 설하시고 나아가 문답하신 것은 알 수 있을 것이다. 이 경에서 경안과 즐거움을 따로 설하셨기 때문에 초·제2정려의 즐거움은 곧 경안이 아닌 것이다.

82 경량부에서 또 설일체유부의 힐난을 옮겨와서 논파하는 것이다. 그대들이 만약 "선정 중에 어찌 신식身識이 있어 신수身受인 즐거움을 일으키겠는가?"라고 말한다면, 논파해 말한다. 있다고 해도 역시 허물이 없으니, 우리 경량부의 종지에서는 선정 중에 있을 때 뛰어난 선정이 일으키는 가볍고 안락한 바람의 접촉[輕安風觸]이 있어 그에 따라 생기는 신식 상응의 낙수가 두루 신근에 닿는다고 인정하기 때문이다. 그대들이 만약 "신식을 일으킨다면 이는 외적으로 산란한 것이기 때문에 응당 선정을 허물어 잃게 할 것이다"라고 말한다면, 논파해 말한다. 이와 같은 허물은 없으니, 뛰어난 선정에서 생긴 이 가볍고 안락

만약 그렇다면 바로 무루정 중에 있을 때에는 접촉 및 신식도 무루를 이루어야 할 것이다. 건립된 지분이 일부는 유루이고 일부는 무루여서는 안 될 것이니, 이치에 어긋나는 허물을 이룰 것이다.[83] 이치에 어긋나는 허물은 없다. 왜냐하면 몸의 경안은 각지覺支에 포함되는 것이라는 설을 인정했기 때문이다. 만약 "그것에 수순하는 것이기 때문에 각지라고 설했다"라고 말한다면, 무루에 대해서도 역시 이렇게 설하는 것을 인정해야 할 것이다. 만약 "설하는 것을 인정한다면 곧 계경에 어긋날 것이니, 예컨대 계경에서 '존재하는 모든 눈 ····'이라고 말한 것처럼, 이 경 중에서 15계 전부가 모두 유루라고 설했기 때문이다"라고 말한다면, 경에 어긋나는 허물은 없으니, 이 경은 다른 접촉 및 다른 신식에 의거해 밀의로써 설한 것이기 때문이다.[84]

....

한 바람의 접촉은 내적인 신식과 상응하는 낙수를 견인하여 도리어 능히 의식과 상응하는 삼매를 수순해 일으키기 때문에 선정을 허물어 잃게 하지 않는다. 그대들이 만약 "신식을 일으켰다면 선정에서 나왔다고 이름해야 할 것이다"라고 말한다면, 논파해 말한다. 이 힐난도 그렇지 않으니, 앞의 이유 때문이다. '앞의 이유'는 곧 뛰어난 선정에서 생긴 이 가볍고 안락한 바람이 내적인 몸의 즐거움을 견인하여 도리어 능히 삼매를 수순해 일으키기 때문에 선정에서 나왔다고 이름하지 않는다는 것이다. 그대들이 만약 "욕계의 신근에 의지해서는 색계의 접촉과 색계의 식을 낳을 수 없어야 할 것이니, 그 몸과의 접촉은 곧 자지自地이기 때문이다"라고 말한다면, 논파해 말한다. 만약 산심에 따른다면 욕계의 신근에 의지해서 색계의 접촉을 반연하는 신식을 일으키지 못하겠지만, 만약 선정 안에 있어서 경안을 수순해 일으키는 것이라면 욕계의 몸에 의지해서 그 선정 안에서 경안을 반연하는 신식을 낳는다고 인정되기 때문에 허물이 없다.

83 설일체유부의 힐난이다. 만약 그렇다면 바로 무루정 중에 있을 때에는 가볍고 안락한 바람의 접촉 및 신식도 무루를 이루어야 할 것이다. 건립된 경안의 지분 중, 일부 가볍고 안락한 바람의 접촉(=몸의 경안)은 유루이고, 일부 의식과 상응하는 경안의 심소는 무루여서는 안 될 것이니, 이치에 어긋나는 허물을 이룰 것이다. 혹은 건립된 지분 중, 가볍고 안락한 바람의 접촉이라는 일부는 유루이고, 의식과 상응하는 일부는 무루여서는 안 될 것이니, 이치에 어긋나는 허물을 이룰 것이다. 혹은 건립된 지분 중, 가볍고 안락한 바람의 접촉 및 신식의 즐거움이라는 일부는 유루이고, 의식과 상응하는 일부(=기쁨)는 무루여서는 안 될 것이니, 이치에 어긋나는 허물을 이룰 것이다.

84 경량부의 답이다. 그대들 설일체유부에서도 역시 같이, 경에서 "몸의 경안은 각지覺支에 포함되는 것이다"라고 설한 것을 인정했기 때문(=앞의 제4권의

어떻게 무루정려가 현전하는데, 일부 지분은 유루이고 일부 지분은 무루이겠는가?[85] 일어남이 시간을 같이 하지 않는데, 여기에 무슨 허물이 있겠는가? 만약 "기쁨과 즐거움은 함께 일어나지 않기 때문에 5지분 및 4지분의 이치가 없어야 할 것이다"라고 말한다면, 여기에도 역시 허물이 없다. 있을 수 있음[容有]에 의거해 기쁨·즐거움의 지분이 있다고 설한 것이니, 마치 심구·사찰이 있는 것과 같다. 만약 "심구·사찰은 함께 일어나는 것도 인정하기 때문에, 함께 일어나지 않는 것에 대해 비유로 되는 것이 성립될 수 없다"라고 말한다면, 이것도 성립될 수 없는 것이 아니다. 마음의 거침과 미세함은 상호 서로 거스르기 때문에 함께 일어나서는 안 되며, 또 함께 일어나지 않는 것에 대해 허물을 말할 수도 없기 때문이다.[86]

....

게송 囧b에 관한 논설)이다. 어찌 우리를 힐난해야 하겠는가? 비록 다시 뜻은 신식을 말한 것이었다고 해도 그와 상응하는 경안은 심소로서, 몸의 경안이라는 명칭은 경經과 같기 때문이다. 그대들이 만약 "몸의 경안은 실제로 각지가 아니지만, 그 각지에 따르는 것이기 때문에 각지라고 이름한 것이다"라고 말한다면, 무루에 대해서도 역시 "접촉 및 신식은 무루에 수순하기 때문에 무루라고 이름한 것이다"라고 이렇게 설하는 것을 인정해야 할 것이므로, 일부는 유루이고 일부는 무루인 허물은 없다. 또 해석하자면 경량부 논사가 말한다. "우리의 종지에서는 몸의 가볍고 안락함과의 접촉은 각지에 포함되는 것이라고 인정하기 때문이다. 그대들이 만약 몸의 경안은 각지가 아니지만, 그 각지에 수순하는 것이기 때문에 각지라고 설했다고 말한다면, 무루에 대해서도 역시 '실제로는 무루가 아니지만, 무루에 수순하는 것이기 때문에 무루라고 이름한다'라고 이렇게 말하는 것을 인정해야 할 것이다. 어찌 이치에 어긋나는 허물이 있겠는가?"

그대들이 만약 "접촉 및 신식이 무루라고 설하는 것을 인정한다면 곧 계경(=잡 [8]8:229 유루무루경)에 어긋날 것이다. 이 경에서 뜻으로 15계 전부가 모두 유루라고 설했기 때문이다"라고 말한다면, 회통해 말한다. 경에 어긋나는 허물은 없다. 이 경의 뜻은 다른 산심 단계의 접촉 및 다른 산심 단계의 신식에 의거해 밀의로써 그 15계 전부가 모두 유루라고 설한 것이지, 선정의 단계에 의거하지 않았다. 이치를 다한 설이 아니기 때문에 '밀의'라고 말한 것이다.

85 설일체유부의 힐난이다. 어떻게 무루정려가 현전하는데, 접촉 및 신식의 즐거움이라는 일부 지분은 유루(=무루에 수순하기 때문이라면 그 체는 유루라는 취지)이고, 의식과 상응하는 일부 지분은 무루이겠는가? 이는 체에 의거해 힐난하는 것이다.

86 경량부의 답이다. 전후의 단계에서 일어나고 시간을 같이 하지 않는다면, 혹은 유루라고 말하고, 혹은 무루라고 말한다고 해서, 여기에 무슨 허물이 있겠

이에 의해 이렇게 말할 수 있다. "초정려의 5지분에 의해 둘·셋·넷의 지분을 감소시켜 제2정려 등을 건립하였다. 즉 이런 이치에 의해 초정려에 5지분을 설한 것이니, 앞 정려의 지분을 점점 떠나는 것에 의해 뒤의 정려를 건립하려고 했기 때문이다. 점점 감소함이 없기 때문에 지각[想] 등을 설하지 않은 것이다."[87] 혹은 무엇 때문에 초정려에 5지분만 세웠는지 설명해야 할 것이다. 만약 "이 5지분은 초정려를 돕는 것이 뛰어나기 때문에 지분으로 세운 것이다"라고 말한다면, 이는 이치에 맞지 않으니, 알아차림·지혜는 능히 돕는 것이 심구·사찰보다 뛰어나기 때문이다.[88] 비록 이와 같이 설한 한 부류가 있지만, 옛날의 모든 궤범사들이 함께 시설한 것이 아니기 때문에 자세히 생각해서 가려야 할 것이다.[89]

....

는가? 그대들이 만약 "의식의 기쁨 및 신식의 즐거움은 함께 일어나지 않기 때문에 초정려에는 5지분의 이치가 없어야 할 것이며, 제2정려에는 4지분의 이치가 없어야 할 것이다"라고 말한다면, 이것에도 역시 허물이 없다. 하나의 지地에서 전후에 있을 수 있음에 의거해서 기쁨·즐거움의 지분이 있다고 설한 것이니, 마치 심구·사찰이 있는 것도 비록 하나의 지에 있더라도 둘이 함께 일어나지 않는 것과 같다. 그대들이 만약 "심구·사찰은 함께 일어나는 것도 인정하기 때문에, 그 기쁨·즐거움이라는 함께 일어나지 않는 법에 대해 비유로 되는 것이 성립될 수 없다"라고 말한다면, 경량부에서 변론해 말한다. 이것도 성립될 수 없는 것이 아니다. 마음의 거침과 미세함은 상호 서로 거스르기 때문에 함께 일어나서는 안 되며, 또 심구·사찰이라는 함께 일어나지 않는 법에 대해 그대들 설일체유부는 허물을 말할 수도 없기 때문(=앞의 제4권 중 게송 84a에 관한 논설 참조)이다.

87 경량부에서 종지에 의해서 스스로 해석하는 것이다. 이에 의해 이렇게 말할 수 있다. "초정려의 5지분에 의해서 심구·사찰 2지분을 감소시켜 제2정려를 건립하고, 심구·사찰·기쁨의 3지분을 감소시켜 제3정려를 건립하며, 심구·사찰·기쁨·즐거움의 4지분을 감소시켜 제4정려를 건립하였다. 즉 이런 도리에 의해 초정려에 5지분을 설한 것이니, 앞 정려의 지분을 점점 떠나는 것에 의해 뒤의 정려를 건립하려고 했기 때문이다. 점점 감소함이 없기 때문에 그래서 지각 등은 지분으로 설하지 않았다."

88 경량부에서 또 힐난하는 것이다. 혹은 무엇 때문에 초정려에 5지분만 세웠는지 설명해야 할 것이다. 그대들이 만약 "이 5지분은 초정려를 돕는 것이 뛰어나므로 지분으로 세운 것이다"라고 말한다면, 이는 이치에 맞지 않으니, 알아차림·지혜는 초정려를 능히 돕는 것이 심구·사찰보다 뛰어나기 때문에 알아차림·지혜를 지분으로 세웠어야 할 것이다.

89 경량부 논사의 말이다. 비록 이와 같이 초정려 등의 지분을 설한 한 부류의 비바사 논사들이 있지만, 옛날의 경량부의 모든 궤범사들이 함께 시설한 것이

【제2정려의 내등정】 어떤 법을 내등정內等淨이라고 이름한 것인지 설해야 할 것이다.90 이 선정에서는 심구·사찰의 고동鼓動을 멀리 떠나서 상속이 청정하게 일어나므로 내등정이라고 이름한 것이다. 만약 심구·사찰의 고동이 있다면 상속이 청정하지 못하게 일어나는 것이, 마치 강에 파랑이 있는 것과 같을 것이다.91

　만약 그렇다면 이것은 별도의 체가 없는 것이어야 할 것인데, 어떻게 열한 가지 실제의 체가 있다고 인정하겠는가? 그러므로 이것은 곧 신근信根이라고 말해야 할 것이다. 말하자면 만약 제2정려를 증득한다면 곧 선정의 지[定地]도 역시 떠날 수 있다는 점에 대해 깊은 믿음의 생기가 있으므로 내등정이라고 이름한 것이다. 믿음이 청정한 모습[淨相]이기 때문에 정淨이라는 명칭을 세우고, 외적인 것을 떠나 균등하게 흐르기[離外均流] 때문에 내등內等이라고 이름한 것이니, 청정하면서 내적으로 균등하기[淨而內等] 때문에 내등정이라는 명칭을 세운 것이다.92

....

　아니기 때문(에 자세히 생각해서 가려야 할 것)이다. 또 해석하자면 설일체유부 논사의 말이다. 비록 이와 같이 초정려 등의 지분을 설한 한 부류의 경량부 논사들이 있지만, 옛날의 설일체유부의 모든 궤범사들이 함께 시설한 것이 아니기 때문(에 자세히 생각해서 가려야 할 것)이다.

90 이하 제3구를 해석하는데, 이는 곧 물음이다.

91 경량부의 답이다. 이 제2정려에서는 그 심구·사찰의 고동鼓動(=두드려 움직임)을 능히 멀리 떠나서 선정의 체의 상속이 청정하고 고요하게 일어나므로, 내등정이라고 이름한 것이다. 만약 심구·사찰의 고동이 있다면 이 선정의 상속이 청정하지 못하며 고요하지 못하게 일어나는 것이, 마치 강에 파랑이 있는 것과 같아서 내등정이라고 이름하지 못할 것이다.

92 설일체유부에서 자기 종지로써 힐난하는 것이다. 만약 이 선정의 체가 심구·사찰을 멀리 떠난 것을 내등정이라고 이름한 것이라면, 이 내등정은 별도의 체가 없는 것이어야 할 것인데, 어떻게 열한 가지 실제의 체가 있다고 인정하겠는가? 힐난을 마치자 종지를 서술한다. 그러므로 이 내등정은 곧 신근信根이라고 말해야 할 것이다. 말하자면 만약 제2정려를 증득한다면 곧 선정의 지의 염오도 역시 떠날 수 있다는 점에 대해 깊은 믿음의 생기가 있으므로 내등정이라고 이름한 것이다. 초정려를 얻었을 때에는 산지散地의 염오를 떠난 것이므로 또한 비록 믿음이 생겼다고 해도, 정지定地의 염오를 떠나는 것에 대해서는 여전히 아직 믿음이 생기지 못했기 때문에 초정려에서는 믿음의 지분을 세우지 않고, 뒤에 초정려의 염오를 떠나면 다시 정지에 대해서도 믿기 때문에 제2정려에서 믿음의 지분을 세운 것이다. 믿음이 청정한 모습이기 때문에

어떤 다른 논사는 말하였다. "이 내등정과 등지·심구·사찰은 모두 별도의 체가 없는 것이다."93 만약 별도의 체가 없다면 심소로서 성립되지 않아야 할 것이다.94 마음의 분위가 특수한 것[心分位殊]도 역시 심소라고 이름할 수 있다.95 비록 이런 이치가 있다고 해도 우리가 종지로 하는 것이 아니다.96

【기쁨의 지분】 위에서 말한 것과 같은 기쁨이 곧 희수라는 것은 무엇을 증거로 해서 결정적으로 그런지 아는가?97 그대들은 어찌 기쁨은 희수가 아니라고 말하는가?98 다른 부파에서 인정하는 것처럼, 우리도 역시 그러하다고 인정한다.99 다른 부파에서는 어째서 희수가 아니라고 인정하는가?100 말하자면 심소법인 기쁨[喜]이 별도로 있는데, 3정려 중의 즐거움은 모두 희수이기 때문에 기쁨과 희수는 그 체가 각각 다르다.101

3정려의 즐거움은 희수라고 이름할 수 있는 것이 아니니, 두 가지 아급마 阿笈摩가 분명하게 증명하기 때문이다. 예컨대 변전도顚倒계경 중에서, "점점 남김없이 우근 등의 5근을 소멸시키니, 제3정려 중에서 희근을 남김없이 소멸시키고, 제4정려에서 낙근을 남김없이 소멸시킨다"라고 설했으며, 또 다른 경에서도 제4정려에 대해, "즐거움을 끊고 괴로움을 끊었으며,

....

정淨이라는 명칭을 세우고, 외적인 고동을 떠나 선정이 내적으로 균등하게 흐르기 때문에 내등內等이라고 이름한 것이니, 청정하면서 내적으로 균등하기 때문에 내등정이라는 명칭을 세운 것이다.

93 어떤 다른 경량부 논사의 말이다.
94 설일체유부의 힐난이다.
95 경량부의 답이다. 마음의 분위가 특수한 것에 대해서도 임시로 건립하기 때문에 역시 심소라고 이름할 수 있다.
96 설일체유부의 말이다.
97 이하 제4구를 해석하는데, 이는 외인이 따져 묻는 것이다. 위의 게송에서 말한 것과 같은 기쁨이 곧 희수라는 것은 무엇을 증거로 해서 결정적으로 그런지 아는가?
98 설일체유부에서 도리어 책망하는 것이다.
99 외인의 답이다.
100 설일체유부에서 따지는 것이다.
101 외인이 다른 부파를 인용하여 답하는 것이다. 혹은 다른 부파라는 말은 상좌부를 나타내는 것이다. 말하자면 심소법으로서 희수가 아닌 기쁨이 별도로 있는데, 앞의 세 가지 선정의 즐거움은 모두 희수이기 때문에 기쁨과 희수는 그 체가 각각 다르다.

먼저 기쁨과 근심은 가라앉았다"라고 설한 것과 같다. 따라서 제3정려에는 반드시 희근이 없으니, 이에 의해 희수는 기쁨이지, 즐거움이 아니다.102

....

102 설일체유부의 논파이다. 앞의 세 가지 선정 중의 즐거움은 희수라고 이름할 수 있는 것이 아니니, 두 가지 아급마가 분명하게 증명하기 때문이다. '아급마' 는 여기 말로 전傳이니, 말하자면 3세의 제불께서 전하여 설한 것이기 때문이 다. 예전에 아함이라고 말한 것은 잘못이다. 첫째 경(=한역경의 출전은 미상 이지만, SN 48:40 이례적 순서경[Uppaṭipāṭika-sutta]에 유사한 내용의 경문이 있는데, 소멸하는 근의 설명이 다르다)에서는, "점점 남김없이 우근 등의 5근 을 소멸시키니, 초정려 중에서 우근을 남김없이 소멸시키고, 제2정려 중에서 고근을 남김없이 소멸시키며, 제3정려 중에서 희근을 남김없이 소멸시키고, 제4정려에서 낙근을 남김없이 소멸시킨다"라고 설했는데, 이미 희근과 낙근 을 따로 소멸시킨다고 했으니, 제3정려의 즐거움은 희수가 아님을 분명히 알 수 있다. 『대비바사론』 제81권(=대27-418하)에서 해석해 말하였다. "예컨 대 계경에서, 초정려에서 우근이 소멸하고, 제2정려에서 고근이 소멸한다고 설한 것과 같다. (문) 욕계의 염오를 떠날 때 우근 및 고근을 끊었을 것인데, 계경에서는 어째서 이렇게 설했는가? (답) 대치를 넘어서는 것[過對治]에 의 해서 이렇게 설한 것이다. 말하자면 욕계의 염오를 떠나는 단계에서 비록 고 근을 끊더라도, 아직 고근의 대치를 넘어섰다고는 이름하지 못하지만, 초정려 에서 이염을 얻었을 때 고근의 대치를 넘어서기 때문에 고근이 소멸한다고 말 한 것이니, 고근의 대치란 초정려를 말하는 것이다. 다시 다음으로 족성族姓 및 괴로움의 의지처를 넘어서는 것에 의해 이렇게 설한 것이다. 말하자면 욕 계의 염오를 떠나는 단계에서 비록 고근을 끊더라도, 아직 괴로움의 의지처 및 족성을 넘어서지 못했지만, 초정려에서 이염을 얻었을 때 괴로움의 의지처 및 괴로움의 족성을 넘어서기 때문에 고근이 소멸한다고 말한 것이다. 의지처 와 족성은 모든 의식의 무리[諸識身]를 말하는 것이다. (문) 욕계의 염오를 떠 나는 단계에서 비록 우근을 끊더라도 아직 그 대치·의지처 및 그 족성을 넘어 서지 못했으니, 우근이 초정려에서 소멸한다고 설해서는 안 될 것이다. (답) 우근의 대치·의지처·족성은 모두 의식意識에 있는 것이니, 이미 우근과 더불 어 같이 의식에 있기 때문에 바로 끊을 때 곧 그것이 소멸한다고 말하지만, 고근의 의지처 및 고근의 족성은 대치와 더불어 같이 하나의 식[一識]에 있지 않기 때문에 대치·의지처·족성을 넘어서야 비로소 고근이 소멸한다고 말한 다. 어떤 분은 이렇게 말하였다. '제2정려에서 고근이 소멸한다는 것은 심구· 사찰의 소멸을 말하는 것이니, 모든 현성들이 심구·사찰에 대해 괴롭다는 생 각을 일으키는 것은, 모든 이생들이 지옥의 괴로움에 대해 능히 괴롭다는 생 각 낳는 것을 초과하기 때문에 고근이라고 이름한 것이다.'" 두 번째 경(=중 1:3 성유경城喩經 등)에서 제4정려에 대해, "즐거움을 끊고 괴로움을 끊었으 며, 이전에 제2정려의 염오를 떠날 때 기쁨이 가라앉았고, 이전에 욕계의 염 오를 떠날 때 근심이 가라앉았다"라고 설했는데, 이 경에서 이미, 즐거움은 뒤 (=제4정려)에 끊고 기쁨은 먼저 가라앉았다고 설했기 때문에 제3정려에는

3. 염오정려의 지분

이와 같이 설한 여러 정려의 지분은 염오정려[染靜慮] 중에도 모두 있는가?103 그렇지 않다.104 어떠한가?105 게송으로 말하겠다.

⑩ 염오정려에는 초정려로부터 순서대로[染如次從初]
  기쁨·즐거움, 내등정[無喜樂內淨]
  바른 알아차림·지혜, 평정·알아차림이 없는데[正念慧捨念]
  다른 분은 경안과 행사가 없다고 말하였다[餘說無安捨]106

논하여 말하겠다. 앞에서 논설한 것과 같은 정려의 지분들은 염오정려 중에는 모두 갖추어져 있는 것은 아니다.107

우선 어떤 한 부류에서는 모습[相]에 따라 말하였다. "처음 염오정려 중에

  반드시 희근이 없고, 단지 그 즐거움뿐인 것을 알 수 있다. 이 2경에 의해 희수는 기쁨이지, 즐거움이 아니라는 것을 증지할 수 있다. 『대비바사론』 제81권(=대27-417상)에서 두 번째 경에 대해 해석해 말하였다. "괴로움을 끊는 것에 대해, (문) 욕계의 염오를 떠날 때 관행을 닦는 자는 이미 고근을 끊었는데, 어째서 지금 제3정려의 염오를 떠날 때 괴로움을 끊었다고 설했는가? (답) 이는 이미 끊은 것을 말하여 끊었다고 이름한 것이니, 말하자면 먼 일에 대해 가까운 말을 한 것이다. 예컨대 이미 온 자에 대해 또한 '지금 왔다'고 말하는 것과 같고, 예컨대 '대왕께서는 어디에서 오십니까?'라고 말하는 것과 같다. 다시 다음으로 한 쌍의 법이 다한 것에 의해 같이 끊었다는 말을 한 것이니, 한 쌍의 법이라고 말한 것은 괴로움과 즐거움을 말하는 것이다. 욕계의 염오를 떠날 때 비록 괴로움은 이미 다했어도 즐거움은 아직 다하지 않았다가 지금 제3정려의 염오를 떠날 때 이미 괴로움과 즐거움이 같이 다했으므로 함께 끊었다는 말을 한 것이다. 다시 다음으로 (이하 생략) 먼저 기쁨과 근심이 가라앉았다는 것은, 욕계의 염오를 떠날 때 우근은 이미 가라앉았고, 제2정려의 염오를 떠날 때 희근이 이미 가라앉았으니, 이 때문에 지금 '먼저 기쁨과 근심은 가라앉았다'라고 말한 것이다.
103 이하는 셋째 염오정려에 없는 지분을 밝히는 것이다. 이는 앞을 옮겨와서 물음을 일으킨 것이다. 이와 같이 설한 여러 청정·무루정려의 18지분은 염오정려 중에도 모두 있는가?
104 답이다.
105 따지는 것이다.
106 게송에 의한 답이다.
107 이는 곧 전체적으로 표방하는 것이다.

는 떠남에서 생긴 기쁨과 즐거움이 없으니, 번뇌를 떠나서 생김을 얻은 것
이 아니기 때문이다.108 제2염오정려 중에는 내등정이 없으니, 그것은 번뇌
에 의해 흔들려 흐려진 것[所擾濁]이기 때문이다.109 제3염오정려 중에는 바
른 알아차림과 지혜가 없으니, 그것은 염오의 즐거움에 의해 미혹되어 어지
러워진 것[所迷亂]이기 때문이다.110 제4염오정려 중에는 행사와 알아차림

....

108 두 논사의 해석이 있는데, 이하는 첫 논사의 해석이다. 이 분은 처음 염오정
려에는 기쁨·즐거움의 지분은 없고, 심구·사찰·등지의 지분은 있다고 밝힌다.
그래서『순정리론』제78권(＝대29-762중)에서 말하였다. "우선 어떤 한 부
류에서는 모습[相]에 따라 말하였다. 처음 염오정려 중에는 떠남에서 생긴 기
쁨과 즐거움이 없으니, 번뇌를 떠나서 생김을 얻은 것이 아니기 때문이다. 비
록 염오정려도 기쁨과 상응하기는 하지만, 떠남에서 생김으로 인한 것이 아니
기 때문에 지분에 포함되는 것이 아니다. 이는 욕계를 떠남에서 생긴 기쁨만
을 말하지 않고, 또한 자지의 염오를 떠남으로 인해 생긴 것도 말하는 것이다.
계경에서 먼저 '모든 욕계의 악하고 불선한 법을 떠나서[離諸欲惡不善法]'라는
이런 말을 한 뒤 다시 '떠남에서 생긴 기쁨과 즐거움[離生喜樂]'이라는 이런 말
을 했는데, 여기에서 '떠남에서 생긴'이라는 말을 거듭 한 것은, 자지의 번뇌
를 떠남에서 생긴 기쁨도 역시 있다는 것을 나타내기 위한 때문이며, 기쁨의
지분이 오직 선의 성품이라는 것을 나타내기 위한 때문에 박가범께서 즐거움
과 더불어 합쳐서 설하신 것이다. 경안과 상응하는 것은 반드시 선의 성품이
기 때문이니, 이에 의해 염오의 정려에는 반드시 기쁨의 지분이 없다. 따라서
처음 염오정려의 지분은 오직 세 가지가 있을 뿐이다."
109 이는 두 번째 염오정려에는 내등정이 없음을 밝히는 것이다. 즐거움은 초정
려와 같기 때문에 따로 가려내지 않았으니, 기쁨과 등지의 2지분이 있다. 그
래서『순정리론』(＝상동)에서 말하였다. "제2염오정려 중에는 내등정이 없으
니, 그것은 번뇌에 의해 흔들려 흐려진 것이기 때문이다. 비록 세간에서 염오
의 믿음이 있다고 말하지만, 믿음에 포함되지 않기 때문에 지분으로 세우지
않는다. 즐거움은 경안이어서 오직 선의 성품에만 포함되니, 초정려에 비례해
같기 때문에 거듭 부정하지 않았다. 따라서 이 염오정려의 지분에는 두 가지
만 있다." 제2염오정려에 기쁨이 있다고 인정하면서 초정려의 염오 중에 없다
는 것은 무엇을 증거로 한 것인가? 초정려의 기쁨은 '떠남에서 생김'에 따라
말했지만, 제2정려 중에는 '떠남에서 생긴'이라는 말이 없기 때문이다.
110 이는 제3염오정려에는 알아차림·지혜의 2지분이 없다는 것을 밝히는 것이
다. 행사가 이치상 없는 것은, 제4정려에서 가려내는 것과 같기 때문에 따로
말하지 않은 것이니, 즐거움·등지만 있을 뿐이다. 그래서『순정리론』(＝상동)
에서 말하였다. "제3염오정려 중에는 바른 알아차림과 지혜가 없으니, 그것은
염오의 즐거움에 의해 미혹되어 어지러워진 것이기 때문이다. 염오정려 중에
는 비록 알아차림·지혜가 있다고 해도 실념·부정혜라는 명칭을 얻기 때문에
이 2지분은 염오정려 중에는 있는 것이 아니다. 행사는 대선지법에만 포함되

의 청정이 없으니, 그것은 번뇌에 의해 오염된 것[所染汚]이기 때문이다."111

어떤 다른 논사는 말하였다. "처음 두 가지 염오정려 중에는 단지 경안이 없을 뿐이며, 뒤의 두 가지 염오정려 중에는 단지 행사가 없을 뿐이니, 대선지법에 포함되기 때문이다."112

4. 부동정不動定에 대해

계경 중에서 3정려는 동요 있는 것[有動]이고, 제4정려는 동요하지 않는 것[不動]이라고 설한 것은 어떤 뜻에 의해 설한 것인가? 게송으로 말하겠다.

① 제4정려를 부동이라고 이름한 것은[第四名不動]

8재난을 떠났기 때문이니[離八災患故]

여덟 가지란 말하자면 심구·사찰[八者謂尋伺]

네 가지 느낌과 들숨·날숨이다[四受入出息]113

....

는 것이어서 제4정려에 비례하여 같기 때문에 여기에서 부정하지 않았다. 따라서 이 염오정려의 지분은 두 가지만 있다."

111 이는 제4염오정려에 행사·알아차림이 없고, 평정(=사수)·삼매가 있음을 밝히는 것이다. 그래서 『순정리론』(=제78권. 대29-762하)에서 말하였다. "제4염오정려 중에는 행사·알아차림의 청정이 없으니, 그것은 번뇌에 의해 오염된 것이기 때문이다. 이 때문에 제4염오정려에는 2지분만 있다."

112 이는 둘째 논사의 해석이다. 어떤 다른 논사는 말하였다. "처음 두 가지 염오정려 중에는 단지 경안만 없을 뿐이니, 처음 염오정려에는 4지분이 있고, 제2염오정려에는 3지분이 있다. 뒤의 두 가지 염오정려 중에는 단지 행사만 없을 뿐이니, 제3염오정려에는 4지분이 있고, 제4염오정려에는 3지분이 있다. 경안·행사는 대선지법에 포함되기 때문이다. 내등정은 믿음인데, 믿음은 염오와 불염오에 통하기 때문에 제2염오정려에는 3지분이 있다고 말한 것이다." 『순정리론』(=제78권. 대29-762하)에서 말하였다. "그는 염오정려 중의 기쁨·믿음·알아차림·지혜도 모두 지분에 포함되는 것이라고 말하는 것이니, 모두 염오에도 통하기 때문이다." (문) 무엇 때문에 '떠남에서 생긴 기쁨과 즐거움' 등이라고 이름했는가? (해) 욕계의 악하고 불선한 법에서 떠나면 기쁨과 즐거움이 생기기 때문에 떠남에서 생긴 기쁨과 즐거움이라고 이름했고, 심구·사찰을 떠났기 때문에 믿음을 청정[淨]이라고 이름했으며, 기쁨을 떠났기 때문에 알아차림과 지혜를 바르다[正]고 이름했고, 8재난[八災](=앞에서 말한 '8요란사八擾亂事')에서 떠났기 때문에 행사와 알아차림을 청정하다고 이름한 것이다. 따라서 4지地에 따라 모습이 드러난 것을 개별적으로 표방한 것이다.

113 이하는 곧 경(=중 50:192 가루오다이경加樓鳥陀夷經)의 부동정에 대해 해석하는 것인데, 이는 경에 의해 묻고 답한 것이다.

논하여 말하겠다. 아래 3정려를 동요 있는 것[有動]이라고 이름한 것은 재난[災患]이 있기 때문이고, 제4정려를 동요하지 않는 것[不動]이라고 이름한 것은 재난이 없기 때문인데, 재난에는 여덟 가지가 있다.114 그 여덟 가지란 무엇인가?115 심구·사찰, 네 가지 느낌과 들숨·날숨이니, 이 여덟 가지 재난이 제4정려에는 전혀 없기 때문에 붓다 세존께서 동요하지 않는 것[不動]이라고 말씀하신 것이다.116 그런데 계경에서는, 제4정려는 심구·사찰·기쁨·즐거움에 의해서 동요되지 않는다고 설하였다.117

어떤 다른 논사는, 제4정려는 마치 밀실의 등불처럼 비추면서도 흔들림이 없다[如密室燈 照而無動]고 설명하였다.118

5. 생生정려의 느낌

정定정려에 있는 모든 느낌처럼 생生정려의 느낌도 역시 그러한가?119 그렇지 않다.120 어떠한가?121 게송으로 말하겠다.

⑫ 생정려에는 초정려로부터[生靜慮從初]
　　순서대로 희수·낙수·사수[有喜樂捨受]
　　및 희수·사수, 낙수·사수와[及喜捨樂捨]
　　오직 사수만 있다[唯捨受如次]

....
114 위의 2구를 해석하는 것이다.
115 이하 아래 2구를 해석하는 것인데, 이는 곧 물음이다.
116 답인데, 알 수 있을 것이다.
117 이는 경에 의해 해석하는 것이다. 그런데 계경에서는 밀의로써 제4정려는 심구·사찰·기쁨·즐거움에 의해 동요되지 않는다고 이렇게 설했으니, 단지 지분에 의거해서만 설하고, 지분이 아닌 것은 말하지 않은 것이다. 또 해석하자면 경은 이치를 다한 것이 아니지만, 논서는 이치를 다해서 설한 것이다.
118 어떤 다른 논사는, 제4정려는 마치 밀실의 등불처럼 비추면서도 흔들림이 없기 때문에 부동이라고 이름한 것이라고 설명했으니, 경에서의 설명을 비유했기 때문이다.
119 이는 곧 다섯째 생정려의 느낌은 다르다는 것을 밝히려고 묻는 것이다. 정정려에 있는 느낌은, 초정려·제2정려에는 희수가 있고, 제3정려에는 낙수가 있으며, 제4정려에는 사수가 있는 것처럼, 생정려도 역시 그러한가?
120 답이다.
121 따지는 것이다.

논하여 말하겠다. 생生정려 중 초정려에는 세 가지 느낌이 있으니, 첫째 의식과 상응하는 희수, 둘째 3식과 상응하는 낙수, 셋째 4식과 상응하는 사수이다. 제2정려에는 두 가지 느낌이 있으니, 의식과 상응하는 희수·사수를 말한다. 낙수는 없으니, 나머지 식이 없기 때문이며, 마음의 기쁨[心悅]은 거칠기 때문이다. 제3정려에는 두 가지 느낌이 있으니, 의식과 상응하는 낙수·사수를 말한다. 제4정려에는 한 가지 느낌이 있으니, 말하자면 의식과 상응하는 사수뿐이다. 이것이 말하자면 정정려와 생정려의 느낌에 있는 차별이다.122

6. 하지의 식·표업을 일으키는 마음

위의 3정려에는 3식의 무리 및 심구·사찰이 없는데, 거기에 태어나면 어떻게 능히 보고, 듣고, 감촉하며, 아울러 표업을 일으키는가?123 그런 지에 태어나면 안식 등이 없는 것이 아니라, 단지 거기에 매인 것이 아닐 뿐이다.124 까닭이 무엇인가?125 게송으로 말하겠다.

⒀ 위의 3정려에 태어난 자가[生上三靜慮]

　일으키는 3식과 표업 일으키는 마음은[起三識表心]

　모두 초정려에 포함되는 것으로서[皆初靜慮攝]

　오직 무부무기이다[唯無覆無記]

논하여 말하겠다. 위의 3정려지에 태어난 자가 일으키는 3식의 무리 및 표업을 일으키는 마음은 모두 초정려에 매인 것이니, 상지에 태어나면 마

....
122 제2정려에는 낙수가 없는 것을 해석하는 것이니, 나머지 3식(=5식 중 초정려에 없는 비식·설식 외의 나머지 안식·이식·신식)도 없기 때문이다. 마음의 기쁨은 거칠기 때문에 희수라고 이름할 뿐, 낙수라고 이름하지 않는다. 나머지 글은 알 수 있을 것이다.
123 이하는 곧 여섯째 하지의 마음을 일으키는 것에 대해 밝히는 것인데, 물음이다. 위의 3정려에 태어나면 3식의 무리가 없고 또 심구·사찰이 없는데, 어떻게 거기에 태어나 능히 보고, 듣고, 감촉하며, 아울러 표업을 일으키는가?
124 답이다. 그런 지에 태어나면 3식 및 심구·사찰이 없는 것이 아니라, 단지 거기에 매인 것이 아닐 뿐이다.
125 따지는 것이다.

치 변화심을 일으키는 것처럼 하지의 마음을 일으키기 때문에 보고, 듣고, 감촉할 수 있으며, 아울러 표업을 일으킬 수 있다.

이 네 가지는 오직 무부무기여서, 하지의 염오를 일으키지 않으니, 이미 염오에서 떠났기 때문이며, 하지의 선을 일으키지 않으니, 하지는 열등하기 때문이다.126

제3항 3등지等至 별설

1. 등지의 최초 획득

이와 같이 정려의 일[事]에 대해 개별적으로 해석했는데, 청정[淨] 등의 등지等至가 처음 획득되는 것은 어떠한가?127 게송으로 말하겠다.

⑭ 전부 성취하지 않은 것의 획득은[全不成而得]
청정등지는 이염·수생에 의하고[淨由離染生]
무루등지는 이염에 의하며[無漏由離染]
염오등지는 수생 및 물러남에 의한다[染由生及退]128

....

126 해석하는 것이다. 위의 3정려지에 태어난 자가 일으키는 하지의 3식 및 표업 일으키는 마음은 모두 초정려에 매인 것(=소위 차기식借起識)이니, 상지에 태어나면 마치 변화심을 일으키는 것처럼 하지의 마음을 일으키기 때문에 보고, 듣고, 감촉할 수 있으며, 아울러 표업을 일으킬 수 있다. 이 네 가지는 오직 무부무기여서, 하지의 염오를 일으키지 않으니, 이미 염오에서 떠났기 때문이며, 하지의 선을 일으키지 않으니, 하지는 열등하기 때문이다. 무기는 비록 열등한 것이기는 하지만, 바로 싫어하는 것이 아니라 중용中庸이기 때문에 일으키는 것이다.
127 이하는 둘째 3등지(=청정·염오·무루의 3등지)에 대해 밝히는 것이다. 그 안에 나아가면 첫째 처음 등지를 얻는 것에 대해 밝히고, 둘째 등지가 서로 낳는 것[相生]에 대해 밝히며, 셋째 순4분정順四分定에 대해 밝히고, 넷째 초월등지[超等至]를 닦는 것에 대해 밝히며, 다섯째 등지가 의지하는 몸을 밝히고, 여섯째 등지가 반연하는 경계를 밝히며, 일곱째 번뇌를 끊는 등지를 밝히고, 여덟째 근분정의 차별에 대해 밝히며, 아홉째 중간정의 같지 않음에 대해 밝히니, 이는 곧 첫째 처음 등지를 얻는 것에 대해 밝히는 것인데, 앞을 맺으면서 물음을 일으킨 것이다.
128 게송에 의한 답이다.

논하여 말하겠다. 8근본등지는 그 상응하는 바에 따라, 만약 전부 성취하지 않은 것의 획득이라면, 청정등지는 이염離染에 의하고, 아울러 수생受生에 의한다. 말하자면 하지에 있으면서 하지의 염오에서 떠날 때 및 상지로부터 자지에 태어날 때이다. 아래 7등지는 모두 그러하지만, 유정지는 그렇지 않아서 오직 이염에만 의하니, 수생에 의함이 없기 때문이다.129

무엇을 막으려고 '전부 성취하지 않은 것[全不成]'이라는 말을 한 것인가?130 이미 성취한 자가 다시 일부를 얻는 경우를 막기 위해서이다. 예컨대 가행에 의해 순결택분順決擇分 등의 선정을 얻을 때 및 물러남에 의해 순퇴분順退分의 선정을 얻을 때와 같은 경우, 즉 이 뜻에 의해 이렇게 물을 수 있다. "청정등지를 이염에 의해 얻고, 이염에 의해 버리는 경우가 혹시 있는가? 물러남에 의한 경우와 태어남에 의한 경우에 대해서 묻는 것도 역시 그러하다." 있다고 말하니, 순퇴분을 말한다. 우선 초정려로서 순퇴분에 포함되는 것은, 욕계의 염오에서 떠날 때 얻고, 자지의 염오에서 떠날 때 버리며, 자지의 염오 떠남에서 물러날 때 얻고, 욕계의 염오 떠남에서 물러날 때 버리며, 상지로부터 자지에 태어날 때 얻고, 자지로부터 하지에 태어날 때 버린다. 나머지 지에 포함되는 것에 대해서도 이치대로 생각해야 할 것이다.131

....

129 위의 2구를 해석하는 것이다. 8근본등지는 그 상응하는 바에 따라, 만약 전부 성취하지 않은 것의 획득[全不成而獲得](=전부 성취하지 않은 상태에서의 획득이라는 뜻)이라면, 모든 청정등지는 두 가지 인연에 의하니, 첫째 이염에 의하고, 둘째 수생에 의한다. 이염이라고 말한 것은, 하지에 있으면서 하지의 염오에서 떠나 상지의 청정을 얻는 것을 말하고, 수생이라고 말한 것은, 상지로부터 자지에 태어나 자지의 청정을 얻는 것을 말한다. 8등지 중 아래 7등지는 모두 그러하지만, 유정지는 그렇지 않다. 오직 이염에 의한, 이염득만 있으니, 상지로부터 하지에 태어나는 경우가 없기 때문에 수생득은 없다.

130 물음이다.

131 답이다. 이미 성취한 자가 다시 일부를 얻는 경우를 막기 위해서이다. '예컨대 가행에 의해 순결택분 등을 얻을 때와 같은 경우'(=뒤의 게송 17과 그 논설에서 보는 것처럼 청정등지에는 번뇌에 수순하는 순퇴분정順退分定, 자지에 수순하는 순주분정順住分定, 상지에 수순하는 순승진분정順勝進分定, 무루에 수순하는 순결택분정順決擇分定의 4분四分의 선정이 있다)인데, '등'은 말하자면 순승진분을 같이 취한 것이다. 순주분·순퇴분을 같이 취하지 않은 까닭은 먼

무루등지는 단지 이염에 의해서만 획득되니, 말하자면 성자가 하지의 염오에서 떠나면 상지의 무루등지를 획득한다. 이것도 역시 전부 성취하지 않은 것에만 의거한 것이다. 만약 먼저 이미 성취했다면, 다른 때에도 역시 얻으니, 진지盡智의 단계에서 무학도를 얻거나 근을 연마할 때 유학·무학도를 얻는 경우를 말하는 것이다. 나머지 가행 및 물러남에 의한 것도 모두 이치대로 생각해야 할 것이다.132

어찌 정성이생正性離生에 들어감에 의한 것도 처음 무루등지를 획득하는 것이라고 역시 이름하지 않겠는가?133 이것은 결정적인 것이 아니니, 차제

....

저 얻었기 때문이다. 말하자면 먼저 순퇴분·순주분을 얻었다면 뒤에 가행에 의해 순승진분을 얻거나 순결택분을 얻더라도 이는 획득이라고 이름하지 않으니, 이 4분은 같이 청정등지이기 때문이다. '및 자지의 염오 떠남에서 물러날 때 순퇴분을 얻는 것과 같은 경우'이니, 먼저 순주분·순승진분 혹은 순결택분을 얻었다면 지금 다시 순퇴분을 얻는다고 해도 획득이라고 이름하지 않으니, 이 4분은 같이 청정등지이기 때문이다. 즉 이 뜻에 의해 『대비바사론』 제163권(=대27-823하)에서 이렇게 물었다. "청정등지를 이염에 의해 얻고, 이염에 의해 버리는 경우가 혹시 있는가?" 물러남에 의해 얻고 물러남에 의해 버리는 경우, 태어남에 의해 얻고 태어남에 의해 버리는 경우에 대해서 묻는 것도 역시 그러하다. 있다고 말하니, 순퇴분을 말한다. 우선 초정려로서 순퇴분에 포함되는 것은, 욕계의 염오에서 떠날 때 얻고, 자지의 염오에서 떠날 때 버리며, 자지의 염오 떠남에서 물러날 때 얻고, 욕계의 염오 떠남에서 물러날 때 버리며, 상지로부터 자지인 초정려지에 태어날 때 얻고, 자지로부터 하지인 욕계에 태어날 때 버린다. 나머지 지에 포함되는 것에 대해서도 이치대로 생각해야 할 것이다.
132 제3구를 해석하는 것이다. 무루등지는 염오 떠남에 의해서만 획득되니, 말하자면 성자가 하지의 염오에서 떠나면 상지의 무루등지를 획득한다. 이것도 역시 단지 근본정려를, 전부 성취하지 않는 자가 지금 처음 획득하는 경우에만 의거한 것이다. 만약 먼저 이미 성취했다면, 다른 때에도 역시 얻으니, 진지盡智의 단계에서 다시 무학도를 얻거나, 근을 연마할 때 유학·무학도를 얻는 경우를 말한다. 혹은 가행에 의해 당지當地의 뛰어난 무루법을 닦아서 얻는 것(=예컨대 먼저 무루의 제4정려를 성취한 자가 뒤에 가행을 일으켜 제4정려의 무루의 잡수정려를 얻는 경우)이나 혹은 물러남이 있음에 의해 당지의 무루법을 얻는 것(=예컨대 사법思法종성이 물러나 퇴법退法의 무루도를 얻는 경우)은 모두 이치대로 생각해야 할 것이다. 이런 등의 법은 모두 다 먼저 성취하지 않았던 것을 지금 처음 얻는 것이 아니니, 이 때문에 말하지 않는다. 여기에서는 근본지에 의거해 먼저 전부 성취하지 않았던 것을 지금 처음 성취하는 것이라야 비로소 획득했다고 이름하므로, 먼저 일부를 성취했던 것이라면 지금 다시 얻는다고 해도 모두 획득했다고 이름하지 않는다.

증자는 그 때 아직 근본정을 획득하지 못하기 때문이다. 여기에서는 단지 결정적으로 획득하는 경우만 논한 것이다.134

염오등지는 수생 및 물러남에 의해 획득되니, 말하자면 상지에서 죽어서 하지에 태어날 때 하지의 염오등지를 획득하며, 아울러 이 지의 이염에서 물러날 때 이 지의 염오등지를 획득한다.135

2. 등지의 서로 낳음[相生]

어떤 등지는 뒤에 몇 가지 등지를 낳는가? 게송으로 말하겠다.

⒂ 무루등지는 다음에 선의 등지를 낳는데[無漏次生善]
   상·하로는 셋째까지만 이르고[上下至第三]
   청정등지가 다음에 낳는 것도 그러하며[淨次生亦然]
   아울러 자지의 염오등지도 낳는다[兼生自地染]

⒃ 염오등지는 자지의 청정·염오등지를 낳고[染生自淨染]
   아울러 아래 1지의 청정등지를 낳지만[幷下一地淨]
   죽을 때의 청정등지는 일체 염오등지를 낳고[死淨生一切]

....

133 물음이다. 어찌 정성이생에 들어감에 의한 것도 처음 무루등지를 획득하는 것이라고 역시 이름하지 않겠는가? 무엇 때문에 단지 이염득에 의한 무루만을 말하고, 정성이생에 들어갈 때 얻는 것은 말하지 않는가?

134 답이다. 견도에 들 때 얻는 이것은 결정적인 것이 아니다. 비록 초월증의 사람이 근본지에 의지해 견도에 든다면 근본무루등지도 역시 획득하지만, 차제증자는 견도에 들 때 그 때에는 아직 근본정을 얻지 못했기 때문에 곧 결정적인 것이 아니다. 여기에서는 단지 결정적으로 획득하는 경우만 논한 것이니, 그래서 『순정리론』(=제78권. 대29-763하)에서 말하였다. "성자가 하지의 염오에서 떠날 때에는 결정코 상지의 근본무루등지를 획득하기 때문이다."

135 제4구를 해석하는 것이다. 염오등지는 생을 받음 및 물러남에 의해 획득된다. 말하자면 상지에서 죽어서 하지에 태어날 때 하지의 염오등지를 획득하며(=상지로부터 자지에 태어날 때에는 자지의 청정등지를 획득한다), 아울러 이 지의 이염에서 물러날 때 이 지의 염오등지를 획득한다. 반드시 이염 및 가행으로 얻는 것이 아니다. 그래서 『순정리론』(=상동)에서 말하였다. "이염 및 가행에 의해 얻는 경우는 없으니, 이 두 가지 시기에는 능히 염오를 버리기 때문이다."

염오등지는 자지·하지의 염오등지를 낳는다[染生自下染]136

논하여 말하겠다. 무루등지는 다음에 자지·상지·하지의 선善의 등지를 낳는다. '선'이라는 말은 청정 및 무루를 모두 포함한다. 그렇지만 상·하로는 각각 셋째까지만 이르니, 멀기 때문에 건너뛰어 넷째를 낳을 수는 없다. 따라서 무루의 7등지 중 초정려로부터는 무간에 6등지를 낳으니, 말하자면 자지와 제2·제3정려 각각의 청정·무루등지이고, 무소유처로부터는 무간에 7등지를 낳으니, 말하자면 자지·하지의 6등지에, 상지는 청정등지뿐이며, 제2정려로부터는 무간에 8등지를 낳으니, 말하자면 자지·상지의 6등지와 아울러 하지의 2등지이고, 식무변처로부터는 무간에 9등지를 낳으니, 말하자면 자지·하지의 6등지와 아울러 상지의 3등지이며, 제3·제4정려와 공무변처로부터는 무간에 10등지를 낳으니, 말하자면 상지·하지의 8등지와 아울러 자지의 2등지이다.137 유지類智의 무간에는 무색등지를 낳을 수 있지만, 법지의 경우는 그렇지 않으니, 의지처와 소연이 하계이기 때문이다.138

....

136 이하에서 곧 둘째 등지가 서로 낳는 것에 대해 밝히는데, 물음 및 게송에 의한 답이다.
137 위의 2구를 해석하는 것이다. 무루등지는 차례로 자지·상지·하지의 선의 등지를 낳는다. '선의 등지'라는 말은 청정등지 및 무루등지를 모두 포함(=청정 등지는 유루선, 무루등지는 무루선)한다. 지극히 상반되기 때문에 반드시 염오등지를 낳지는 않는다. 그런데 상·하로는 각각 셋째까지만 이르니, 멀기 때문에 뛰어넘어 넷째를 낳을 수는 없다. 따라서 무루의 4정려·3무색의 7등지 중 초정려로부터는 무간에 6등지를 낳으니, 말하자면 자지와 제2정려지·제3정려지 각각의 청정·무루등지이고, 무소유처로부터는 무간에 7등지를 낳으니, 말하자면 자지의 2등지와 하지의 4등지를 합한 6등지가 있는데, 상지는 청정등지뿐이어서 모두 일곱 가지가 있으며, 제2정려로부터는 무간에 8등지를 낳으니, 말하자면 자지의 2등지와 상지의 4등지를 합한 6등지가 있고, 하지의 2등지를 아우르면 모두 8등지가 있으며, 식무변처로부터는 무간에 9등지를 낳으니, 말하자면 자지의 2등지와 하지의 4등지를 합한 6등지가 있고, 상지의 3등지―무소유처의 2등지와 비상비비상처의 1등지를 말한다―를 아우르면 모두 9등지가 있으며, 제3정려·제4정려·공무변처로부터는 각각 무간에 10등지를 낳으니, 말하자면 상지의 4등지와 하지의 4등지를 합한 8등지가 있고, 자지의 2등지를 아우르면 모두 10등지가 있는 것이다.
138 차별되는 것을 구별하는 것이다. 정려 중에서 유지類智의 무간에는 무색등지를 낳을 수 있지만, 법지의 경우는 그렇지 않으니, 아래 욕계의 몸에 의지하기

청정등지로부터 낳는 것도 역시 그러하지만, 각각 아울러 자지의 염오등지도 낳는다. 따라서 유정지의 청정등지는 무간에 6등지를 낳으니, 말하자면 자지의 청정·염오등지와 하지의 청정·무루등지이며, 초정려로부터는 무간에 7등지를 낳고, 무소유처로부터는 8등지를, 제2정려로부터는 9등지를, 식무변처로부터는 10등지를 낳으며, 나머지로부터는 11등지를 낳는다.139

염오등지로부터는 자지의 청정·염오등지를 낳고, 아울러 바로 아래 1지地의 청정등지를 낳으니, 말하자면 자지의 번뇌에 핍박되어 하지의 청정등지에 대해서도 역시 존중을 낳기 때문에 염오등지로부터 바로 아래 지의 청정등지를 낳음이 있는 것이다.140

만약 염오·청정의 등지에 대해 바르게 요지할 수 있다면 염오등지로부터 바꾸어 하지의 청정등지를 낳을 수 있겠지만, 모든 염오는 바르게 요지할 수 있는 것이 아닌데, 어떻게 그렇게 염오등지로부터 청정등지를 낳을 수 있는가?141 이전의 서원의 힘[先願力] 때문이니, 말하자면 이전에 서원해

때문이며, 아래 욕계의 경계를 반연하기 때문이다. 뛰어넘는 것[超]에는 두 가지가 있으니, 첫째는 선정을 뛰어넘는 것[超定], 둘째는 소연을 뛰어넘는 것[超緣]이다. 이 두 가지 뛰어넘는 것은 모두 셋째까지만 이르고, 넷째에는 이르지 못한다. 법지는 욕계의 경계를 반연하는데, 무색등지는 무색의 경계를 반연하므로, 색계의 4지를 단박에 뛰어넘을 수 없기 때문에 법지는 무간에 무색등지를 낳지 못하는 것이다.

139 제3·제4구를 해석하는 것이다. 청정등지로부터 낳는 것도 역시 그러하지만, 각각 아울러 자지의 염오등지도 낳는다. 청정등지는 위는 무루를 바라보고, 아래는 염오와 접하기 때문이다. 유정지의 청정등지는 무간에 6등지를 낳으니, 말하자면 자지의 청정·염오의 2등지와 아래 무소유처·식무변처의 청정·무루의 4등지이며, 초정려로부터는 무간에 7등지를 낳으니, 말하자면 자지의 3등지와 상지의 4등지이고, 무소유처로부터는 8등지를 낳으니, 말하자면 자지의 3등지, 상지의 1등지, 하지의 4등지이며, 제2정려로부터는 9등지를 낳으니, 말하자면 자지의 3등지, 상지의 4등지, 하지의 2등지이고, 식무변처로부터는 10등지를 낳으니, 말하자면 자지의 3등지, 상지의 3등지, 하지의 4등지이고, 나머지 제3정려·제4정려·공무변처로부터는 모두 11등지를 낳으니, 말하자면 자지의 3등지와 상지·하지에 각각 4등지가 있다.

140 제5·제6구를 해석하는 것인데, 글대로 알 수 있을 것이다. 『순정리론』(=제78권. 대29-764상)에서 말하였다. "지극히 상반되기 때문에 무루를 낳지는 못한다."

141 물음인데, 뜻을 알 수 있을 것이다.

말하기를, "차라리 하지의 청정등지를 얻을지언정, 상지의 염오등지를 구하지는 않으리라"라고 했으므로, 이전의 서원의 세력이 상속함에 따라 일어나기 때문에 후에 염오등지로부터 하지의 청정등지를 낳는 것이다. 마치 먼저 원을 세우고 막 잠으로 나아갔다면 기약된 때에 이르러 곧 깰 수 있는 것과 같다.142

무루등지와 염오등지는 반드시 서로 낳지 못하지만, 청정등지와 양자는 서로 낳기 때문에 세 가지에 차별이 있는 것이다.143 이렇게 설한 청정·염오등지가 염오등지를 낳는 것은 단지 선정에 있을 때의 청정 및 염오에 의거해 설한 것일 뿐이다. 만약 태어날 때의 청정·염오등지가 염오등지를 낳는 것이라면 그렇지 않다. 말하자면 목숨이 끝날 때 생득生得의 청정등지로부터는 하나하나의 무간에 일체 염오등지를 낳지만, 만약 생득의 염오등지로부터라면 하나하나의 무간에 자지와 일체 하지의 염오등지를 낳을 수 있다. 상지(의 염오등지)를 낳지 않는 것은 아직 하지를 떠나지 못했기 때문이다.144

3. 순4분정順四分定

청정등지로부터 무루등지를 낳는다고 말한 것은 일체 종류가 모두 낳을 수 있는가?145 그렇지 않다.146 어떠한가?147 게송으로 말하겠다.

....

142 답인데, 역시 알 수 있을 것이다.
143 차별되는 점을 구별하는 것이다. 무루와 염오는 반드시 서로 낳지 못하니, 지극히 상반되기 때문이다. 청정등지와 양자는 서로 낳으니, 중간에 있기 때문이다. 그래서 세 가지 차별이 있는 것이다.
144 뒤의 2구를 해석하는 것이다. 이와 같이 설한 청정등지와 염오등지가 염오등지를 낳는 것은 단지 선정에 있을 때의 청정 및 염오에 의거해 설한 것이다. 그 지에 태어날 때 얻는 것을 생정生淨·생염生染이라고 이름하는데, 생정은 말하자면 생득선이고, 생염은 말하자면 그 지의 산심의 번뇌[散惑]이다. 만약 생정과 생염이 염오등지를 낳는 것이라면 그 이치가 그렇지 않다. 말하자면 목숨이 끝날 때, 생득선의 청정등지로부터는 하나하나의 무간에 자지·상지·하지의 일체 지의 염오등지를 낳지만, 만약 생득의 염오등지로부터라면 하나하나의 무간에 자지와 일체 하지의 염오등지를 낳을 수 있다. 상지(의 염오등지)를 낳지 않는 것은 아직 하지를 떠나지 못했기 때문이다.
145 이하는 곧 셋째 순4분정에 대해 밝히는 것이다. 이는 앞을 옮겨와서 물음을 일으킨 것이다.

⑰ 청정등지에는 네 가지가 있으니[淨定有四種]
　　말하자면 즉 순퇴분과[謂卽順退分]
　　순주분과 순승진분과[順住順勝進]
　　순결택분에 포함되는 것이다[順決擇分攝]

⑱ 순서대로 번뇌와[如次順煩惱]
　　자지·상지·무루에 수순하는 것이니[自上地無漏]
　　상호 서로 바라보면 순서대로[互相望如次]
　　둘·셋·셋·하나를 낳는다[生二三三一]148

　논하여 말하겠다. 모든 청정등지에는 모두 네 가지가 있으니, 첫째 순퇴
분順退分에 포함되는 것, 둘째 순주분順住分에 포함되는 것, 셋째 순승진분順
勝進分에 포함되는 것, 넷째 순결택분順決擇分에 포함되는 것이다. 지地마다
각각 넷이 있지만, 유정지에는 셋뿐이니, 거기에는 더 이상 나아갈 수 있는
상지가 없기 때문에 그 지에는 순승진분에 포함되는 것이 없다.149
　이 네 가지 중 오직 제4분만이 무루등지를 낳을 수 있다. 왜냐하면 이 네
가지에는 이와 같은 모습이 있기 때문이다. 순퇴분은 능히 번뇌에 수순하
고, 순주분은 능히 자지에 수순하며, 순승진분은 능히 상지에 수순하고, 순
결택분은 능히 무루에 수순한다. 그래서 모든 무루등지는 이것으로부터만
생기는 것이다.150
　이 4분은 서로 바라볼 때 상호 서로 낳는 것은, 초분은 능히 두 가지를
낳으니, 순퇴분과 순주분을 말하고, 제2분은 순결택분을 제외한 세 가지를
낳으며, 제3분은 순퇴분을 제외한 세 가지를 낳고, 제4분은 한 가지를 낳으

----
146 답이다.
147 따지는 것이다.
148 게송에 의한 답이다.
149 첫 게송을 해석하면서 수를 들고 명칭을 열거하는 것이다. 앞의 7지에는 각
　　각 4분이 있지만, 유정지에는 3분뿐이니, 상지가 없기 때문에 승진분을 제외
　　한 것이다.
150 제5·제6구를 해석하는 것인데, 글대로 알 수 있을 것이다.

니, 나머지가 아닌 자분을 말한다.151

4. 초월등지[超等至]

위에서 말한 것처럼 청정등지 및 무루등지는 모두 위와 아래로 셋째까지 뛰어넘어 이를 수 있다면, 수행자는 어떻게 초월등지를 닦는가? 게송으로 말하겠다.

⑲ 두 부류 등지의 순, 역[二類定順逆]
  균, 간, 차 및 초를 닦아서[均間次及超]
  간·초에 이르면 성취하게 되는데[至間超爲成]
  3주의 이근의 무학이다[三洲利無學]152

논하여 말하겠다. 근본인 선의 등지를 나누면 두 부류가 되니, 첫째는 유루이고, 둘째는 무루인데, 위로 가는 것을 순順이라고 이름하고, 아래로 되돌아가는 것을 역逆이라고 이름하며, 같은 부류를 균均이라고 이름하고, 다른 부류를 간間이라고 이름하며, 서로 인접한 것[相鄰]을 차次라고 이름하고, 하나를 뛰어넘는 것[越一]을 초超라고 이름한다.153

----

151 뒤의 2구를 해석하는 것이다. 이 4분은 서로 바라볼 때 상호 서로 낳는 것은, 초분은 능히 두 가지를 낳으니, 순퇴분 및 순주분을 말한다. 뒤의 2분을 낳지 않는 것은 떨어진 것이 멀기 때문인데, 여러 논서가 모두 같다. 제2분은 세 가지를 낳는다. 순결택분을 제외하는 것은 역시 떨어진 것이 멀기 때문인데, 여러 논서가 모두 같다. 제3분은 세 가지를 낳는다. 순퇴분을 제외하는 것은 떨어진 것이 멀기 때문인데, 『대비바사론』제11권(=대27-53하)·『순정리론』(=제78권. 대29-764하)·『현종론』(=제39. 대29-969중)은 모두 이 논서와 같지만, 만약『대비바사론』제165권(=대27-833하)에 의한다면 곧 다른 설이 있다. 그래서 그 논서에서 말하였다. "순승진분은 순퇴분에 대해, 어떤 분은 '단지 소연과 증상연이 될 뿐이니, 순승진분의 무간에 순퇴분은 현전하지 않기 때문이다'라고 말하고, 여시설자는 '역시 현전하니, 그러므로 순퇴분에 대해 3연(=소연·증상연·등무간연)이 된다. 인연을 제외하는 것은 그것은 열등하기 때문이니, 순주분에 대해서도 역시 그러하다'라고 하였다." 제4분은 말하자면 자분 한 가지를 낳으니, 나머지가 아닌 것은 무루를 기뻐하므로 나머지를 낳지 않기 때문이다.
152 이하는 곧 넷째 초월등지를 닦는 것에 대해 밝히는데, 옮겨와서 묻고 게송으로 답한 것이다.

말하자면 관행자가 초월등지[超定]를 닦을 때에는 먼저 유루 8지의 등지를 순·역·균·차로 현전시켜서 자주 익히고, 다음에는 무루 7지의 등지를 순·역·균·차로 현전시켜서 자주 익히며, 다음에는 유루와 무루의 등지를 순·역·간·차로 현전시켜서 자주 익히고, 다음에는 유루의 등지를 순·역·균·초로 현전시켜서 자주 익히며, 다음에는 무루의 등지를 순·역·균·초로 현전시켜서 자주 익힌다. 이것을 초월등지를 닦고 익히는 가행의 원만[修習超加行滿]이라고 이름한다. 그 후 유루와 무루의 등지를 순·역·간·초한다면 초월등지의 성취라고 이름한다. 여기에서 '초超'란 오직 1지만을 뛰어넘을 수 있고, 멀기 때문에 넷째로 뛰어넘어 들어갈 수는 없다.154

초월등지를 닦는 것은 오직 인취 3주의 불시해탈의 모든 아라한들이니, 선정에 자재하기 때문이며, 번뇌가 없기 때문이다. 시해탈자는 비록 번뇌는 없지만, 선정에 자재하지 못하기 때문에, 또한 모든 견지見至의 성자는 비록 선정에 자재하더라도 남은 번뇌가 있기 때문에 모두 초월등지를 닦을 수 없다.155

....

153 처음 2구를 해석하는 것인데, 알 수 있을 것이다.
154 제3구를 해석하는 것이다. 모두 여섯 가지가 있는데, 앞의 다섯은 가행이고, 뒤의 하나가 초월등지의 성취이니, 글대로 알 수 있을 것이다. #『대비바사론』제165권(=대27-835중 이하)의 글과 대조하면, (1) 유루 8지의 등지의 순·역·균·차와 (2) 무루 7지의 순·역·균·차는 각각 순차 같은 부류를 닦는 순·균·차와 역순으로 같은 부류를 닦는 역·균·차의 둘로 나누어지고, (3) 다음 유루와 무루의 등지를 순·역·간·차로 닦는 것은 유루의 초정려, 무루의 제2정려, 유루의 제3정려, 무루의 제4정려, 유루의 공무변처, 무루의 식무변처, 유루의 무소유처의 순서로 닦는 순·간·차와 그 역순인 역·간·차로 나누어지며, (4) 다음 유루 등지의 순·역·균·초와 (5) 무루 등지의 순·역·균·초는 각각 순차 같은 부류를 1지씩 뛰어넘는 순·균·초(=예컨대 유루의 초정려, 제3정려, 공무변처, 무소유처의 순서)와 역순으로 같은 부류를 1지씩 뛰어넘는 역·균·초의 둘로 나누어지고, (6) 최후에 유루와 무루의 등지를 순·역·간·초하는 것은 유루의 초정려, 무루의 제3정려, 유루의 공무변처, 무루의 무소유처의 순서로 닦는 순·간·초와 그 역순인 역·간·초로 나누어진다
155 제4구를 해석하는 것이다. 『순정리론』(=제78권. 대29-764하)에서 말하였다. "초월등지를 닦는 것은 북구로주를 제외한 욕계의 3주뿐이지만, 남·녀에 통하며, 불시해탈의 모든 아라한들이다. 반드시 무쟁과 묘한 원지 등의 변제정을 획득한 자라야 뛰어넘을 수 있지, 나머지는 아니니, 선정에 자재하기 때문이며, 번뇌가 없기 때문이다."

5. 등지가 의지하는 몸

이 모든 등지는 어떤 몸에 의지해 일어나는가? 게송으로 말하겠다.

⑳ 모든 등지는 자지·하지의 몸에 의지하고[諸定依自下]

상지의 몸은 아니니, 쓸모 없기 때문인데[非上無用故]

유정지에 태어난 성자만은[唯生有頂聖]

하지의 등지를 일으켜 남은 번뇌를 멸진한다[起下盡餘惑]¹⁵⁶

논하여 말하겠다. 모든 등지는 자지와 하지의 몸에 의지해 일으키고, 상지의 몸에 의지해 하지의 등지를 일으킴은 인정될 수 없으니, 상지의 몸으로 하지의 등지를 일으키는 것은 쓸모[所用]가 없기 때문이며, 자체에 뛰어난 선정이 있기 때문이며, 하지의 세력은 열등하기 때문이며, 이미 버린 것이기 때문이며, 싫어해 헐뜯을 만한 것이기 때문이다.¹⁵⁷

전체적인 모습은 그러하지만, 만약 자세하게 말한다면, 성자가 유정지에 태어나면 자지의 나머지 번뇌를 다하기 위해 반드시 무루의 무소유처를 일으키니, 자지에는 좋아해 일으킬 성도가 없기 때문이다. 오직 무소유처만인 것은 가장 가깝게 인접한 것이기 때문이니, 그것을 일으켜 현전시켜서 나머지 번뇌를 멸진하는 것이다.¹⁵⁸

....

156 이하는 곧 다섯째 등지가 의지하는 몸을 밝히는 것인데, 옮겨와서 묻고 게송으로 답한 것이다.

157 위의 2구를 해석하는 것이다. 모든 등지는 자지와 하지의 몸에 의지해 일으키고, 상지의 몸에 의지해 하지의 등지를 일으킴은 인정될 수 없다. 첫째 상지의 몸으로 하지의 등지를 일으키는 것은 쓸모가 없기 때문이며, 둘째 상지 자체에 뛰어난 선정이 있기 때문이며, 셋째 하지의 세력은 열등하기 때문이다. 이상 세 가지는 청정·무루등지에 통하는 것이다. 넷째 이미 버린 것이기 때문이며, 다섯째 싫어해 헐뜯을 만한 것이기 때문이다. 뒤의 두 가지는 오직 청정등지만이니, 무루등지는 버린 것이나 싫어해 헐뜯을 만한 것이 아니기 때문이다.

158 아래 2구를 해석하는 것인데, 이는 차별되는 것을 구별하는 것이다. 전체적인 모습은 그러하지만, 만약 자세하게 말한다면, 성자가 유정지에 태어나면 자지의 나머지 번뇌를 다하기 위해 자지의 청정등지로부터 반드시 무루의 무소유처를 일으키니, 자지에는 성도가 없으므로 하지를 좋아해 일으키기 때문이다. 하지를 일으키는 것에 나아가 오직 무소유처만인 것은, 가장 가깝게 인

6. 등지가 반연하는 경계

이 모든 등지는 어떤 경계를 반연하여 생기는가? 게송으로 말하겠다.

21 염오등지는 자지에 매인 법을 반연하고[味定緣自繫]
 청정·무루등지는 두루 반연하지만[淨無漏遍緣]
 근본지의 선의 무색등지는[根本善無色]
 하지의 유루를 반연하지 않는다[不緣下有漏]159

논하여 말하겠다. 미味등지는 단지 자지의 유루법을 반연할 뿐이다. 반드시 하지의 법을 반연함은 없으니, 이미 (하지의) 염오를 떠났기 때문이며, 상지의 법도 역시 반연하지 않으니, 애착하는 지地가 다르기 때문이며, 무루법을 반연하지도 않으니, 선善의 등지가 되어야 할 것이기 때문이다.160

청정등지 및 무루등지는 모두 자지·상지·하지의 유위·무위법을 두루 반연할 수 있으니, 모두 경계가 되기 때문이다. 차별이 있는 것은, 무기의 무위는 무루등지의 경계가 아니라는 점이다.161

근본지에 포함되는 선의 무색등지는 하지의 모든 유루법을 반연하지 않지만, 자지·상지의 법은 능히 반연하지 않는 것이 없다. 비록 하지의 무루법도 역시 반연할 수 있지만, 유지품類智品의 도를 반연하지, 법지품法智品

접한 것이기 때문이니, 그것을 일으켜 현전시켜서 나머지 번뇌를 멸진하는 것이다. 그래서 『순정리론』(=제78권. 대29-765상)에서 말하였다. "무루도를 떠나서는 반드시 그 나머지 번뇌를 끊고 아라한을 성취할 수 없다. 그러므로 유정처와 무루의 무소유처는 9지의 몸에 의지하고, 유루의 무소유처는 8지의 몸에 의지하며, 유루·무루의 식무변처는 7지의 몸에 의지하고, 공무변처는 6지의 몸에 의지하며, 나아가 초정려는 2지의 몸에 의지하니, 자지 및 욕계를 말하는 것이다."
159 이하는 곧 여섯째 등지가 반연하는 경계를 밝히는 것인데, 옮겨와서 묻고 게송으로 답한 것이다.
160 첫 구를 해석하는 것이다. 미등지는 자지의 법(=청정등지)을 반연하고, 하지·상지의 법 및 무루법을 반연하지 않는다.
161 제2구를 해석하는 것이다. 무기의 무위(=허공과 비택멸)는 무루등지의 경계가 아니니, 제諦에 포함되는 것이 아니기 때문이다. 나머지 글은 알 수 있을 것이다.

을 반연하지는 않으며, 하지법의 소멸[滅]도 역시 반연할 수 없다. 무색의 근분정은 하지의 법도 역시 반연하니, 그것의 무간도는 반드시 하지를 반연하기 때문이다.162

7. 번뇌를 끊는 등지

염오·청정·무루의 3등지 중 어떤 것의 힘이 능히 여러 번뇌를 끊는가?163 게송으로 말하겠다.

22a 무루등지는 능히 번뇌를 끊고[無漏能斷惑]
그리고 모든 청정등지의 근분정도 끊는다[及諸淨近分]

논하여 말하겠다. 모든 무루등지는 모두 능히 번뇌를 끊는다. 근본정의 청정등지조차 오히려 끊을 수 없는데, 하물며 모든 염오등지가 능히 끊겠는가? 하지의 번뇌를 끊을 수 없으니, 이미 그 염오를 떠났기 때문이며, 자지의 번뇌를 끊을 수 없으니, 자지의 번뇌에 의해 계박되기 때문이며, 상지의 번뇌를 끊을 수 없으니, 자기보다 뛰어나기 때문이다.

만약 청정등지의 근본정이라면 역시 번뇌를 끊을 수 있으니, 모두 바로 아래 지의 번뇌를 끊을 수 있기 때문이다. 중간정에 포함되는 청정등지도

....
162 아래 2구를 해석하는 것이다. 근본지에 포함되는 선의 무색등지는 하지의 모든 유루법을 반연하지 않으니, 이미 싫어해 떠났기 때문이며, 선정이 좁고 열등하기 때문이다. 그 뜻에 준해서 그 상응하는 바에 따라 하지의 무루법과 자지 및 상지의 유루·무루의 일체 모든 법은 능히 반연하지 않는 것이 없다고 알아야 한다. 비록 하지의 무루법도 역시 반연할 수 있지만, 유지품의 도를 반연하지, 법지품을 반연하지는 않는다. 그래서 『순정리론』(=제78권. 대29-765상)에서 말하였다. "(근본지에 포함되는 선의 무색정은) 단지 능히 자지를 반연하여 전부 대치하는 것이기 때문이니, 법지품이 (상계에 대해) 전부 대치가 아닌 것은 먼저 이미 설한 것(=앞의 제26권 중 게송 6a에 관한 논설 참조)과 같다. 또 법지품의 도는 무색계에 대해 비록 대치할 수 있는 것이라고 해도, 이는 객이지, 주가 아닌데, 이미 하지의 유루법을 능히 반연하지 않으므로 하지의 유루법 위의 택멸·비택멸도 역시 반연할 수 없는 것이다." 무색의 근본정은 하지의 법도 역시 반연하니, 그것의 무간도는 반드시 하지를 반연하기 때문이다.
163 이하는 곧 일곱째 번뇌를 끊는 등지를 밝히는 것인데, 이는 곧 묻는 것이다.

역시 번뇌를 끊을 수 없다.164

8. 근분정近分定의 차별

근분정에는 몇 가지가 있고, 어떤 느낌과 상응하며, 미味등지 등의 3등지를 모두 갖추는가? 게송으로 말하겠다.

22c 근분정은 여덟 가지인데, 사수이고, 청정등지이지만[近分八捨淨]
　　처음은 또한 무루이며, 혹은 세 가지이다[初亦聖或三]165

논하여 말하겠다. 모든 근분정近分定은 역시 여덟 가지가 있으니, 8근본 정에 대해 들어가는 문[入門]이 되기 때문이다.166

일체 근분정은 사수 한 가지와만 상응하니, 공용을 지어서 일어나는 것 이기 때문이며, 아직 하지의 두려움을 떠나지 못했기 때문이다.167

....

164 모든 무루정은 모두 능히 번뇌를 끊는다. 근본정의 청정등지조차 오히려 끊을 수 없는데, 하물며 모든 염오등지가 능히 끊겠는가? 뛰어난 것으로 열등한 것에 견준 것이다. 말하자면 근본정의 청정등지는 하지의 번뇌를 끊을 수 없으니, 이미 그 염오를 떠났기 때문이며, 자지의 번뇌를 끊을 수 없으니, 자지의 번뇌에 의해 계박되기 때문이며, 상지의 번뇌를 끊을 수 없으니, 자기보다 뛰어나기 때문이다. 만약 청정등지의 근분정이라면 역시 번뇌를 끊을 수 있으니, 모두 바로 아래 지의 번뇌를 끊을 수 있기 때문이다. 그래서 『대비바사론』 제162권(＝대27-819하)에서 말하였다. "(문) 어째서 유루도는 자지 및 상지의 번뇌를 끊을 수 없는데, 무루도는 곧 끊을 수 있는가? (답) 무루도는 불계 법不繫法이므로 유루법보다 뛰어난 것 아닌 것이 없으니, 이 때문에 끊을 수 있다. 또 유루도는 6행상을 지어서 하지를 싫어하고 자지를 좋아하기 때문에 하지만을 끊지만, 무루도는 16행상을 지어서 일체 지를 싫어해 등지기 때문에 두루 끊을 수 있는 것이다. (문) 유루도도 역시 16행상을 짓는데, 무엇 때문에 두루 끊을 수 없는가? (답) 그것은 비록 성도의 행상을 짓는 것을 배웠다고 해도 명료하지 못하기 때문에 번뇌를 끊을 수 없으니, 마치 사자 새끼는 아직 짐승을 해칠 수 없는 것과 같다." 만약 중간정에 포함되는 청정등지라면 역시 끊을 수 없으니, 근본정에 대해 말한 것과 같다.
165 이하는 곧 여덟째 근분정의 차별에 대해 밝히는 것인데, 첫째 근분정에는 몇 가지가 있는지 묻고, 둘째 어떤 느낌과 상응하는지 물으며, 셋째 미등지 등의 세 가지를 모두 갖추는지 묻고, 게송에 의해 답한 것인데, 알 수 있을 것이다.
166 (제1구 중) '근분정은 여덟'을 해석하는 것인데, 알 수 있을 것이다.
167 (제1구 중) '사수'를 해석하는 것이다. 일체 근분정은 사수 한 가지와만 상응

이 8근분정은 모두 청정등지에 포함되지만, 첫 근분정만은 또한 무루등지에도 통한다. 모두 미착[味]이 없는 것이니, 이염離染의 도이기 때문이다. 비록 근분정의 마음에 결생結生의 염오는 있지만, 선정의 염오[定染]를 부정하기 때문에 이런 말을 한 것이다.168 어떤 분은 말하였다. "미지정未至定에도 미착과 상응하는 것이 있으니, 아직 근본정을 일으키지 못해서 이것도 역시 탐내기 때문이다. 이 때문에 미지정은 세 가지를 갖추고 있다."169

9. 중간정의 같지 않음

중간정려中間靜慮는 모든 근분정과 차별되는 뜻이 없는가, 역시 차이가 있는가?170 그 뜻에 역시 차이가 있다. 말하자면 모든 근분정은 하지의 염오를 떠나기 위한 것이므로 들어가는 최초의 원인[入初因]이지만, 중간정려

....

하니, 이 근분정이 일어날 때에는 매우 어렵게 공용을 지어서 일어나기 때문이며, 아직 하지의 염오를 떠나지 못해서 생각으로 두려움을 품기 때문에 기쁨·즐거움과 상응하는 것이 아니다.

168 (제1구 중) '청정등지' 및 제2구를 해석하는 것이다. 이 8근분정은 모두 청정등지[淨定]에 포함되지만, 첫 근분정만은 또한 무루등지에도 통하니, 아직 욕망을 떠나지 못한 자는 근분정에 의지해 성도를 일으키기 때문이다. 그래서 『순정리론』(=제78권. 대29-765중)에서 말하였다. "위의 7근분정에 무루가 없는 것은, 자지의 법을 싫어해 등지지 않기 때문이다. 첫 근분정만이 무루에도 통하는 것은 자지의 법을 능히 싫어해 등지기 때문이니, 이 지(=미지지未至地)는 재난이 많은 계(=욕계)와 지극히 가까이 인접하기 때문이다." (근분정은) 모두 미착[味]이 없는 것이니, 이염離染의 도이기 때문이며, 일으키는 것이 매우 어렵기 때문에 탐애를 낳지 않는다. 그 미등지[味定]는 이염의 도에서는 생기는 것이 아니기 때문이며, 참여를 용납하는 도[容預道]에서 생기는 것이기 때문이다. 근분지 중에는 비록 바로 이염하는 것이 아닌 도도 역시 있다고 해도, 이염을 돕기 때문이며, 이염의 부류이기 때문이며, 참여를 용납하는 것이 아니기 때문에 탐애를 낳지 않는다. 비록 근분정의 마음에도 결생結生의 염오는 있으니, 수생·명종할 때의 사수와 상응하기 때문에 필시 근분정도 일으키지만, (여기에서는 생의 염오[生染]가 아니라) 선정의 염오[定染]를 부정하기 때문에, 근분정에는 미착이 없고, 근본정에만 있다는 이런 말을 한 것이다.

169 어떤 분이 말하였다. "미지정에도 미착과 상응하는 것이 있으니, 아직 근본정을 일으키지 못해서 이 선정도 역시 탐내기 때문이다. 이 때문에 미지정은 세 가지를 갖추고 있다." 위의 7근분정은 일찍이 하지의 근본정을 이미 증득했기 때문에 그 근분정에서는 탐애를 낳지 않기 때문에 있다고 말하지 않는다. 이는 곧 다른 학설을 서술한 것이다.

170 이하는 아홉째 중간정의 같지 않음을 밝히는 것인데, 이는 곧 묻는 것이다.

는 그렇지 않으며, 다시 차별되는 뜻이 있으니, 게송으로 말하겠다.

23a 중간정려는 심구가 없고[中靜慮無尋]
　　3등지를 갖추며, 오직 사수이다[具三唯捨受]171

　논하여 말하겠다. 첫 근본정과 첫 근분정은 심구·사찰과 상응하고, 위의 7선정 중에는 모두 심구·사찰이 없는데, 중간정려에만은 사찰이 있고, 심구가 없다. 따라서 그것은 초정려보다 뛰어나지만, 제2정려에는 아직 미치지 못하니, 이 뜻에 의해서 중간이라는 명칭을 세운 것이다. 이 때문에 상지에는 중간정려가 없으니, 하나의 지에서 오르내리는[一地升降] 이와 같은 것이 없기 때문이다.172

　이 선정은 미味등지 등의 세 가지를 갖추고 있으니, 사랑하고 맛들일 만한 뛰어난 공덕이 있기 때문이다.173 모든 근분정과 같이 사수와만 상응한다. 희수와 상응하는 것이 아닌 것은 공용으로 일어나기 때문이다. 이 때문에 이것을 고통행苦通行에 포함되는 것이라고 말한다.174

....

171 답이다. 말하자면 모든 근분정은 하지의 염오를 떠나기 위한 것이므로 (근본정에) 들어가는 최초의 원인이지만, 중간정려는 그렇지 않다. 하지의 염오를 떠나는 것이 아니며, 들어가는 최초의 원인도 아니니, 이는 초과初果이기 때문이다. 다시 차별되는 뜻이 있다.
172 첫 구를 해석하는 것이다. 초정려의 근본정 및 초정려의 근분정은 심구·사찰과 상응하고, 위의 7선정 중에는 근본정·근분정 모두에 심구·사찰이 없는데, 중간정려에만은 사찰이 있고 심구가 없다. 따라서 근분정과 차별되고 같지 않으니, 심구가 없기 때문에 초정려보다 뛰어나지만, 사찰이 있기 때문에 제2정려에는 아직 미치지 못한다. 이 뜻에 의해서 중간이라는 명칭을 세운 것이다. 이 때문에 상지에는 중간정려가 없으니, 하나의 지에서 오르내리는 이와 같은 것이 없기 때문이다.
173 (제2구 중) '3등지를 갖추며'를 해석하는 것이다. 이 중간정은 미등지 등의 세 가지와 상응함을 갖추고 있다. 대범의 수승한 공덕이 있어 사랑하고 맛들일 만하기 때문에 미등지와 상응함이 있다.
174 (제2구 중) '사수이다'를 해석하는 것이다. 이 중간정은 모든 근분정과 같이 사수와만 상응한다. 희수와 상응하는 것이 아닌 것은 스스로 애써 노력하는 공용에 의해 일어나는 것이기 때문이다. 이 때문에 이것을 고통행苦通行에 포함되는 것이라고 말한 것이다. 또한 낙수도 없으니, 3식이 없기 때문이다. 그

이 선정은 능히 대범처大梵處의 과보를 초래하니, 많이 닦고 익힌 자는 대범왕[大梵]이 되기 때문이다.175

제4절 모든 등지等持

1. 유심유사有尋有伺 등의 3등지等持

등지等至에 대해 논설했는데, 등지等持는 어떤 것인가?176 경에서 등지는 모두 세 가지가 있다고 설했으니, 첫째 유심유사有尋有伺, 둘째 무심유사無尋唯伺, 셋째 무심무사無尋無伺인데, 그 모습은 어떠한가?177 게송으로 말하겠다.

23c 초정려와 하지에는 심구·사찰이 있고[初下有尋伺]
　　중간정려에는 사찰뿐이며, 상지에는 없다[中唯伺上無]

논하여 말하겠다. 유심유사삼마지三摩地란 심구·사찰과 상응하는 등지等持를 말하는 것인데, 이는 초정려 및 미지정에 포함된다. 무심유사삼마지란 오직 사찰과만 상응하는 등지를 말하는 것인데, 이는 즉 정려중간지에 포

....

래서 『순정리론』(=제78권. 대29-765하)에서 말하였다. "3식(=안·이·신식)의 무리가 없기 때문에 낙수는 없다." 『순정리론』의 글에 준하면 중간정에는 3식이 없다. (문) 어째서 없는가? (해) 5식은 결정코 심구·사찰과 상응하는데, 거기에는 심구가 없기 때문이다.

175 중간정은 능히 뛰어난 과보를 초래한다는 것을 따로 나타낸 것이다. 만약 많이 닦고 익힌다면 대범왕이 되고, 많이 닦고 익히지 않는다면 곧 범보천이 되니, 동일한 처소이기 때문이다.

176 이하는 넷째 모든 등지等持를 밝히는 것인데, 그 안에 나아가면 첫째 심구·사찰 등에 관한 3등지를 밝히고, 둘째 단공單空 등의 3등지를 밝히며, 셋째 중공重空 등의 3등지를 밝히고, 넷째 4등지를 닦는 것에 대해 밝힌다. 이는 첫째 심구·사찰 등에 관한 3등지를 밝히는 것인데, 게송 앞의 글에 나아가면 첫째는 전체적인 것, 둘째는 개별적인 것이니, 이는 곧 전체적으로 앞을 맺으면서 물음을 일으킨 것이다.

177 이는 곧 개별적으로 경(=중 17:72 장수왕본기경長壽王本起經 등)에 의해 물음을 일으킨 것이다.

함된다. 무심무사삼마지란 심구·사찰과 상응하는 것 아닌 등지를 말하는 것인데, 이는 제2정려의 근분정으로부터 나아가 비상비비상지에 이르기까지에 포함된다.178

2. 공·무원·무상의 3등지等持

계경에서 다시 세 가지 등지를 설했으니, 첫째 공空삼마지, 둘째 무원無願삼마지, 셋째 무상無相삼마지인데, 그 모습은 어떠한가? 게송으로 말하겠다.

24 공은 말하자면 공·비아의 행상과[空謂空非我]
　　무상은 말하자면 멸제의 4행상과[無相謂滅四]
　　무원은 말하자면 나머지 열 가지[無願謂餘十]
　　진리의 행상과 상응하는 것이다[諦行相相應]

25a 이들은 청정·무루등지에 통하는데[此通淨無漏]
　　무루등지가 3해탈문이다[無漏三脫門]179

논하여 말하겠다. 공空삼마지란 말하자면 공·비아의 두 가지 행상과 상응하는 등지이다.180

무상無相삼마지란 말하자면 멸제를 반연하는 네 가지 행상과 상응하는 등지이다. 열반은 열 가지 모습[十相]을 떠났기 때문에 무상無相이라고 이름하는데, 그것을 반연하는 삼마지이므로 무상이라는 명칭을 얻은 것이다. 열

....

178 답인데, 글은 알 수 있을 것이다. 평등하게 마음을 지녀서 경계에 이르기 때문[平等持心至境故]에 등지等持라고 이름하였다.

179 이하는 곧 단공單空(=다음에 설명하는 '공공空空'을 중공重空이라고 표현함에 상대되는 표현) 등의 3등지에 대해 밝히는 것인데, 경(=증일 16:24:10경 등)에 의해 물음을 일으키고 게송에 의해 답한 것이다.

180 첫 구를 해석하는 것이다. 이 공삼마지는 유신견을 대치하기 때문이다. 그래서 『대비바사론』 제104권(=대27−538중)에서 말하였다. "대치하기 때문'이란 말하자면 공삼마지는 유신견의 가까운 대치[近對治]이기 때문이다. (문) 공삼마지에는 공·비아의 2행상이 있고, 유신견에는 아·아소의 2행상이 있는데, 이들 중 어떤 행상으로써 어떤 행상을 대치하는가? (답) 비아의 행상으로 아의 행상을 대치하고, 공의 행상으로 아소의 행상을 대치한다."

가지 모습이란 무엇인가 하면, 색 등의 다섯 가지, 남·여 두 가지와 세 가지 유위상을 말한다.181

무원無願삼마지란 말하자면 진리[諦]를 반연하는 나머지 열 가지 행상과 상응하는 등지이다. 비상非常·고苦와 원인[因]은 싫어하고 근심할 만한 것이기 때문이며, 도道는 마치 뗏목처럼 반드시 버려야 할 것이기 때문이다. 능히 그것을 반연하는 선정이므로 무원이라는 명칭을 얻은 것이니, 모두 현재 대하는 것을 뛰어넘게 하기 위한 때문[爲超過現所對故]이다. 공·비아의 행상은 싫어하고 버릴 것[所厭捨]이 아니니, 열반과 모습이 서로 유사하기 때문이다.182

이 세 가지에는 각각 말하자면 청정[淨] 및 무루의 두 가지가 있으니, 세간·출세간의 등지는 차별되기 때문이다. 세간에 포함되는 것은 11지地에 통하고, 출세간에 포함되는 것은 9지에만 통한다. 그 중 무루인 것을 3해탈문解脫門이라고 이름하니, 능히 열반에 대해 들어가는 문[入門]이 되기 때문이다.183

....

181 제2구를 해석하는 것이다. 주상은 무위와 혼동되기 때문에 ('세 가지 유위상'만을 말하고) 주상은 말하지 않은 것이다. 나머지 글은 알 수 있을 것이다.
182 제3·제4구를 해석하는 것이다. 무원삼마지는 나머지 고·집·도제의 열 가지 행상과 상응하는 등지를 말한다. 열 가지 행상은 곧 비상 및 고, 인·집·생·연, 도·여·행·출이다. '비상 및 고'는 고제이니, 고제의 4행상 중 둘이 이것이고, 둘은 아니므로 이 때문에 따로 표방한 것이다. '원인'은 집제를 나타내니, 곧 인·집·생·연이다, 혹은 처음 것(='인'='원인')을 들어 뒤까지 나타낸 것이다. 고·집 2제는 모두 유루로서 싫어하고 근심할 만한 것이기 때문이며, 도제는 비록 무루이지만, 가행단계에서 모두 '도는 마치 뗏목처럼 반드시 버려야 할 것이다'라는 이런 생각을 하기 때문이다. 능히 그것을 반연하는 선정이므로 무원이라는 명칭을 얻은 것이니, 모두 현전에 대하는 것을 뛰어넘게 하기 위해서이다. 고·집·도제의 경계는 싫어하고 버릴 만한 것이기 때문이지만, 공·비아의 행상은 싫어할 것도 아니며 버릴 것도 아니니, 열반과 모습이 서로 유사하기 때문이다. 그래서 이 2행상은 무원이라는 명칭을 얻지 않는다. 앞에서 기약하는 마음이 이것을 원치 않기 때문에 무원이라는 명칭을 세운 것이다.
183 뒤의 2구를 해석하는 것이다. 『순정리론』(=제79권. 대29-766중)에서 말하였다. "세간에 포함되는 것은 11지(=욕계, 미지지, 초정려지, 중간정려지, 제2~4정려지, 4무색지)에 통하고, 출세간에 포함되는 것은 9지(=11지 중 욕계와 유정지를 제외한 것)에만 통한다. 위의 7선정의 변제[邊](=제2~4정려의 근분정과 4무색의 근분정)는 뛰어난 공덕이 없기 때문(에 3등지에 포함되

3. 세 가지 중등지重等持

계경에서 다시 세 가지 중重등지를 설했으니, 첫째 공공空空등지, 둘째 무원무원無願無願등지, 셋째 무상무상無相無相등지인데, 그 모습은 어떠한가? 게송으로 말하겠다.

25c 중등지 둘은 무학의 것을 반연해[重二緣無學]
　　공의 행상과 비상의 행상을 취하고[取空非常相]

26 뒤의 중등지는 무상등지의[後緣無相定]
　　비택멸을 반연해 정이라고 하는데[非擇滅爲靜]
　　유루이며, 인취의 불시해탈이[有漏人不時]
　　위의 7근분정을 떠나 일으키는 것이다[離上七近分]184

논하여 말하겠다. 이 세 가지 등지는 앞의 공삼마지 등을 반연하여 공 등의 행상을 취하기 때문에 공공 등의 명칭을 세운 것이다.185

공공空空등지는 앞의 무학의 공삼마지를 반연하여 그 공의 행상을 취하는 것이니, 공의 행상은 싫어함에 수순하는 것[順厭]이 비아非我보다 뛰어나기 때문이다.186 무원무원無願無願등지는 앞의 무학의 무원삼마지를 반연하

....

　　지 않는다고 말하는 것)이다. 그 중 무루인 것을 3해탈문이라고 이름하니, 능히 열반으로 들어가는 문이 되기 때문이다. 모든 유루법은 진실한 해탈문이 아니니, 성품상 세간에 머무는 것이어서 해탈과 어긋나기 때문이다."

184 이하는 곧 셋째 중공重空 등의 3등지에 대해 밝히는 것인데, 이는 경(=초기 경전에서 중등지를 설한 곳은 찾을 수 없다)에 의해 물음을 일으키고, 게송으로 답한 것이다. '중重'은 둘을 말하는 것이다.

185 명칭을 해석하는 것이다.

186 공공등지를 밝히는 것이다. 또 『현종론』 제39권(=대29-971중)에서 말하였다. "공공등지는 앞의 무학의 공삼마지를 반연하여 그 공의 행상을 취하는 것이니, 공의 행상은 싫어함에 수순하는 것이 비아보다 뛰어나기 때문이다. 말하자면 그는 먼저 무학의 등지를 일으켜 5취온에 대해 공의 모습을 사유하고, 이로부터 뒤에 수승한 선근과 상응하는 등지를 일으켜서 앞의 무학의 공삼마지를 반연하여 공의 모습을 사유하니, 공에서 공을 취하기 때문에 공공이라고 이름한 것이다. 마치 시체를 태울 때 막대기로 돌리다가 시체가 이미 다

여 비상非常의 행상을 취하는 것이니, 고苦와 인因 등의 행상을 취하지 않는
것은 무루의 행상이 아니기 때문이며, 도道 등의 행상을 취하지 않는 것은
싫어하여 버리게 하기 위한 때문이다.[187] 무상무상無相無相등지는 곧 무학
의 무상삼마지의 비택멸을 경계로 해서 반연하는 것이니, 무루의 법에는
택멸이 없기 때문이다. 단지 정靜의 행상을 취할 뿐, 멸滅·묘妙·리離는 아니
니, 비상非常의 멸滅과 혼동되기 때문이며, 무기의 성품이기 때문이며, 이계
과가 아니기 때문이다.[188]

....

탔다면 막대기도 역시 태워야 하는 것처럼, 이와 같이 공에 의해 번뇌를 태우
고 나서 다시 공공을 일으켜서 앞의 공을 싫어해 버리는 것이니, 중공등지는
공의 행상 후에 일으키는 것[空行相後起]으로서 곧 다시 공의 행상과 상응하는
것이다. 이것만이 싫어해 버리는 것에 가장 잘 수순할 수 있기 때문이니, 비아
의 행상은 곧 이와 같지 않다. 비아를 보는 자는 모든 유위법에 대해 싫어해
등지려는 마음을 일으키는 것이 공을 보는 것과 같지 못하기 때문이다. 모든
법의 비아를 이미 본 모든 자는 모든 존재[有]에 대해 여전히 좋아해 집착함을
낳으니, 형성된 모든 것에 대해 자세히 공을 보지 않았기 때문이다. 이 공삼마
지는 비록 2행상과 함께 하지만, 단지 공만을 말하고, 비아를 말하지 않는 것
은, 공은 싫어해 버리는 것에 지극히 수순하기 때문이다."
187 무원무원등지에 대해 밝히는 것이다. 무원무원등지는 앞의 무학의 무원삼마
지를 반연하여 비상非常의 행상을 취하는 것이다. 고苦와 인·집·생·연의 행상
을 취하지 않는 것은 무루의 행상이 아니기 때문이니, 성도는 고가 아니므로
고의 행상을 취하지 않고, 성도는 세 가지 존재를 능히 초래하지 않기 때문에
인·집·생·연의 4행상을 취하지 않는다. 도·여·행·출의 행상을 취하지 않는
것은 싫어하여 버리게 하기 위한 때문이다. 그 도 등의 행상은 기뻐하며 관찰
하는 것이기 때문에 만약 도 등의 행상을 반연한다면 응당 성도를 기뻐할 것
이므로 응당 싫어해 버리지 못할 것이니, 그래서 10행상 중 단지 비상의 행상
만을 취하는 것이다. 또 『현종론』 제39권(=대29-971하)에서 말하였다. "무
원무원등지는 앞의 무학의 무원삼마지를 반연하여 비상의 행상을 취하는 것
이다. 말하자면 그는 먼저 무학의 등지를 일으켜 5취온에 대해 비상의 모습을
사유하고, 이로부터 뒤에 수승한 선근과 상응하는 등지를 일으켜서 앞의 무학
의 무원삼마지를 반연하여 비상의 모습을 사유하니, 무원을 원하지 않으므로
무원무원이라고 이름한 것이다. 비유를 들어서 나타내 보인다면 앞과 같다고
알아야 할 것이다."
188 무상무상등지에 대해 밝히는 것이다. 무상무상등지는 곧 무학의 무상삼마지
의 비택멸을 경계로 해서 반연하는 것이다. 곧 앞의 무학의 무상삼마지를 반
연하지 않는 까닭은, 무상이라고 말한 것은 열 가지 모습이 없는 것인데, 그
삼마지(=무상삼마지)에는 색 등의 5상 및 남녀의 2상은 비록 없지만, 이것
(=무상무상삼마지)은 유위이기 때문에 3유위상은 있으니, 이 때문에 반연하

이 세 가지 등지는 오직 유루이니, 성도를 싫어하기 때문이다. 무루는 그렇지 않다.189 오직 3주洲의 사람으로서 불시해탈不時解脫만이 이와 같은 중등지를 일으킬 수 있다.190 7근분정을 제외한 11지에 의지하니, 욕계, 미지지, 8근본지, 중간정려지를 말하는 것이다.191

....

지 않는 것이다. 무루의 법(=무상삼마지)에는 택멸이 없기 때문에 오직 비택멸(=무상삼마지의 연결불생)만을 관찰할 뿐, 택멸을 반연하지 않는다. 비택멸에서 단지 정靜의 행상을 취할 뿐, 멸滅·묘妙·리離는 아니다. 비상非常의 멸滅과 혼동될 것을 염려하기 때문에 멸의 행상을 짓지 않으며, 이것은 무기의 성품이기 때문에 묘妙의 행상을 짓지 않으며, 이계과가 아니기 때문에 리離의 행상을 짓지 않는 것이다. 또 『현종론』(=제39권. 대29-971하)에서 말하였다. "무상무상등지는 곧 무학의 무상삼마지의 비택멸을 경계로 해서 반연하는 것이다. 무루법에는 택멸이 없기 때문에 단지 정의 행상을 취할 뿐, 멸·묘·리의 행상은 아니다. 말하자면 그는 먼저 무학의 등지를 일으켜서 그 비택멸에 대해 정의 행상을 사유하고, 이로부터 뒤에 수승한 선근과 상응하는 등지를 일으키는 것이니, 곧 무학의 무상삼마지의 비택멸을 반연하여 경계로 삼아서 정의 행상을 사유하는 것이다. 무상無相의 멸(=비택멸)에서 다시 무상無相이라고 관찰하는 것이므로 무상무상이라고 이름한 것이니, 비유를 든다면 역시 앞과 같다고 알아야 할 것이다."

189 (제5구 중) '유루이며'를 해석하는 것이다. 이 삼마지는 오직 유루이니, 성도를 싫어하기 때문이다. 무루는 그렇지 않으니, 성도를 반연하는 것이라면 기뻐할 것이지, 싫어할 것이 아니다. 또 『현종론』(=제39권. 대29-972상)에서 말하였다. "중등지는 오직 유루이니, 성도(=무루)에서는 싫어해 버리려는 마음을 낳지 않기 때문이다. 무루등지에서는 성도를 싫어해 버리려고 하는 것이 아니다. 역시 성도를 반연하더라도 (중공등지와 중무원등지의 경우는) 공과 비상을 취하므로 이치상 성도를 싫어해 버리려는 것이라고 이름할 수 있겠지만, 무상무상등지는 단지 무위을 반연해 정의 행상을 짓는 것인데, 어떻게 도를 싫어하는 것이라고 이름하는가 하면, 말하자면 그 등지가 일어날 때에는 '무상등지가 생기지 않는 것이 선이다'라는 이런 말을 하니, 이는 이미 성도가 생기지 않는 것(=연결불생의 비택멸)을 기뻐하고 칭찬하는 것인데, 어떻게 성도를 싫어해 버리려는 것이라고 이름하지 않겠는가?"

190 (제5구 중) '인취의 불시해탈'을 해석하는 것이다. 『현종론』(=제39권. 대29-972상)에서 말하였다. "오직 3주의 사람만이 이 선정을 일으킬 수 있다.(=북구로주에는 성도가 없기 때문) 오직 무학위만이니, 유학의 성자는 성도를 기뻐할 뿐, 아직 싫어할 수 없기 때문이다. 이것도 역시 모두는 아니고 오직 불시해탈만이니, 시해탈은 성도에 애착하기 때문이다."

191 뒷 구를 해석하는 것이다. 『현종론』(=상동)에서 말하였다. "위의 7변제(=7근분정)를 제외한 11지에 의지하니, 위의 7변제에는 뛰어난 공덕이 없기 때문이다. 만약 욕계에 있다면 미지정에 포함되는 성도의 뒤에 일으키고, 만약

4. 네 가지 수등지修等持

계경에서 다시 네 가지 등지 닦음[수등지修等持]을 설했으니, 첫째 현법락現法樂에 머물기 위해 닦는 등지, 둘째 뛰어난 지견[勝知見]을 얻기 위해 닦는 등지, 셋째 분별하는 지혜[分別慧]를 얻기 위해 닦는 등지, 넷째 모든 번뇌를 영원히 다하기 위해 닦는 등지인데, 그 모습은 어떠한가? 게송으로 말하겠다.

27 현세의 즐거움을 얻기 위해[爲得現法樂]
　　모든 선의 정려를 닦고[修諸善靜慮]
　　뛰어난 지견을 얻기 위해[爲得勝知見]
　　청정한 천안통을 닦으며[修淨天眼通]

28 분별하는 지혜를 얻기 위해[爲得分別慧]
　　모든 가행선을 닦고[修諸加行善]
　　모든 번뇌의 멸진을 얻기 위해[爲得諸漏盡]
　　금강유정을 닦는다[修金剛喩定]192

논하여 말하겠다. 예컨대 계경에서, "등지 닦음[修等持]이 있으니, 익혔거나 닦았거나 지은 바가 많다면 현세의 즐거움에 머묾[現樂住]을 얻을 것이다. …"라고 설한 것과 같다.193 '선善'이라는 말은 청정 및 무루를 통틀어

유정지에 있다면 무소유처에 포함되는 성도의 뒤에 낳으며, 나머지는 모두 자지의 성도 후에 일으킨다."

192 이하는 곧 넷째 네 가지 등지 닦음[修四等持]에 밝히는 것인데, 경(=『대집법문경大集法門經』 상권. 대1-229중)에 의해 물음을 일으키고, 아울러 게송에 의해 답한 것이다. # '수등지修等持'라고 표현하지만, 그 뜻은 등지를 닦는 목적, 또는 등지를 닦은 결과를 네 가지로 나눈 것이니, 그래서 『대집법문경』에서도 이것들은 네 가지 '삼매에 대한 생각[三摩地想]'이라고 표현하였다.

193 이는 곧 경을 인용하는 것인데, 『현종론』(=제39권. 대29-972하)에서 해석해 말하였다. "이 경에서 말한 바, '익혔거나 닦았거나 지은 바가 많다'는 뜻이 차별되는 것은, 습수習修, 득수得修, 대치대상이 더욱 멀어진 것[所治更遠]을 그 순서대로 나타내어 보이고자 한 것이다."

포함하니, 모든 선의 정려를 닦으면 현세의 즐거움에 머묾을 얻는데도, 경에서 초정려만을 설한 것은, 처음을 들어서 뒤를 나타내는 것으로서, 이치의 실제로는 나머지에도 통한다. 미래[後法]의 즐거움에 머묾을 말하지 않은 것은, 미래의 즐거움은 결정적으로 머물 것이 아니기 때문이니, 말하자면 혹은 퇴타하거나 혹은 상계에서 생을 받거나 혹은 반열반한다면 곧 머물지 않기 때문이다.194

만약 모든 선정에 의지해 천안통을 닦는다면 곧 능히 수승한 지견을 얻는다.195 만약 3계의 모든 가행선 및 무루선을 닦는다면 분별하는 지혜를 얻는다.196 만약 금강유정을 닦는다면 곧 모든 번뇌의 영원한 멸진을 얻는다. 이치의 실제로 이것을 닦는 것은 공통으로 모든 지에 의지하는 것인데도, 계경에서 제4정려만을 설한 것은, 전하는 학설로는 세존께서 자신에 의하여 설하셨기 때문이라고 하였다.197

....

194 처음 2구를 해석하는 것이다. 현전의 법락에 머무는 것[住現前法樂]을 현세의 즐거움에 머묾[住現法樂]이라고 이름한 것이다. 경에서 초정려만을 설한 것은 처음을 들어서 뒤를 나타낸 것이니, 이치의 실제로는 나머지 위의 3정려에도 통하는 것이다. 나머지 글은 알 수 있을 것이다.

195 제3·제4구를 해석하는 것이다. 만약 모든 선정에 의지해 천안통을 닦는다면 곧 능히 수승한 지견을 획득한다. '지견'은 곧 청정한 안식과 상응하는 뛰어난 지혜이다. 그래서 『법온족론』 제8권(=대26-490하)에서 4수등지를 해석하면서 말하였다. "청정한 안식과 상응하는 뛰어난 지혜를 말하여 '지'라고 이름하고, 또한 '견'이라고 이름한다. 말하자면 하늘의 안식과 상응하는 뛰어난 지혜가 그러저러한 모든 형색을 받아들여 관찰하니, 이를 여기에서 수승한 지견이라고 이름한 것이다."

196 제5·제6구를 해석하는 것인데, 이것도 역시 알 수 있을 것이다. # 이 부분에 대해 『현종론』(=제39권. 대29-972하)에서 해석해 말하였다. "만약 3계의 모든 가행선 및 무루선을 닦는다면 분별하는 지혜[分別慧]를 얻는다. 말하자면 욕계로부터 나아가 유정지에 이르기까지 모든 문·사·수로 이루는 선법 및 나머지 일체 무루의 유위법을 전체적으로 말하여 가행의 선법이라고 이름하는데, 이런 선법을 닦으면 능히 지혜를 견인해 낳아서 모든 경계 중에서 차별되게 일어나기 때문에 이를 닦으면 분별하는 지혜를 얻는다고 말한 것이다. '가행'이라는 말을 한 것은 생득과 구별하기 위한 것이니, 태어나면서 얻은 것을 닦고 익혀서는 일찍이 얻은 적 없던 것을 얻는 것이 아니기 때문이다."

197 뒤의 2구를 해석하는 것이다. 만약 금강유정을 닦는다면 곧 모든 번뇌의 영원한 멸진을 얻는다. 이치의 실제로 이 금강유정을 닦는 것은 공통으로 모든 지에 의지하는 것인데도, 경에서 제4정려로 번뇌의 멸진 얻는 것만을 설한 것

은, 비바사 논사들이 전하는 학설로는, "세존께서 자신에 의하여 설하셨기 때문이다. 붓다 세존께서는 단지 제4정려에 의지해 번뇌의 멸진을 얻으셨기 때문이다"라고 하였다. 6신통 중 두 가지만을 말한 것은, 천안통으로 능히 생사를 관찰하고, 누진통으로 능히 열반을 증득하므로, 경에서 이것들만 설한 것이다.

제8 분별정품分別定品(의 2)

제2장 선정의 공덕

제1절 4무량無量

이와 같이 의지대상인 선정에 대해 논설했으니, 선정에 의지해 일어나는 공덕에 대해 분별할 것인데,1 모든 공덕 중 먼저 무량無量에 대해 분별하겠다.2 게송으로 말하겠다.

29 무량에는 네 가지가 있으니[無量有四種]
　　성냄 등을 대치하기 때문인데[對治瞋等故]
　　자애·연민은 무진의 성품이고[慈悲無瞋性]
　　기뻐함은 기쁨, 평정은 무탐이다[喜喜捨無貪]

30 이것의 행상은 순서대로[此行相如次]
　　즐거움을 주는 것 및 괴로움을 뽑아주는 것[與樂及拔苦]
　　기뻐하며 위로하는 것과 유정에 대한 평등인데[欣慰有情等]
　　욕계의 유정을 반연한다[緣欲界有情]

....

1 이하는 큰 글의 둘째 능의의 공덕을 밝히는 것이다. 그 안에 나아가면 첫째 4무량에 대해 밝히고, 둘째 8해탈에 대해 밝히며, 셋째 8승처勝處에 대해 밝히고, 넷째 10변처遍處에 대해 밝히며, 다섯째 획득과 의지하는 몸에 대해 밝히고, 여섯째 선정을 일으키는 인연에 대해 밝힌다. 이하는 곧 첫째 4무량에 대해 밝히는 것인데, 게송 앞의 글에 나아가면 첫째 전체적으로 맺으면서 아래를 낳고, 둘째 개별적으로 게송의 글을 일으키니, 이는 곧 전체적으로 맺으면서 아래를 낳는 것이다.
2 이는 곧 개별적으로 게송의 글을 일으키는 것이다.

③1 기뻐함은 초·제2정려지[喜初二靜慮]

　　나머지는 6지, 혹은 5지와 10지이며[餘六或五十]

　　번뇌들을 끊을 수는 없고[不能斷諸惑]

　　인취가 일으키며, 결정코 세 가지를 성취한다[人起定成三]3

1. 명칭과 수

　논하여 말하겠다. 무량無量에는 네 가지가 있으니, 첫째 자애[자慈], 둘째 연민[비悲], 셋째 기뻐함[희喜], 넷째 평정[사捨]이다. '무량'이라고 말한 것은 한량없는 유정을 소연으로 하기 때문이며, 한량없는 복을 견인하기 때문이며, 한량없는 과보를 감득하기 때문이다.4

2. 넷만인 이유

　이것은 어떤 이유 때문에 오직 네 가지만 있는가?5 많이 작용하는 네 가지 장애[四種多行障]를 대치하기 때문이다.6 무엇을 네 가지 장애라고 말하는가?7 말하자면 모든 성냄[瞋], 해침[害], 기뻐하며 위로하지 않음[不欣慰], 욕계의 탐욕·성냄[欲貪瞋]이니, 이것들을 대치하려고 순서대로 자애 등을 건립한 것이다.8

　부정관과 평정은 같이 욕계의 탐욕을 대치하는데, 여기에는 어떤 차별이 있는가?9 비바사毘婆沙에서는, "욕탐欲貪에는 두 가지가 있으니, 첫째 색탐

----

3 이 게송 가운데 나아가면 첫 구는 명칭을 표방하고 수를 열거하는 것이며, 다음 1구는 오직 넷만 있는 것을 나타내는 것이며, 다음 2구는 체를 나타내는 것이고, 다음 3구는 행상을 밝히는 것이며, 다음 1구는 소연을 밝히는 것이고, 다음 2구는 의지하는 지를 밝히는 것이며, 다음 1구는 번뇌를 끊지 못한다는 것을 밝히는 것이고, 뒤의 1구는 처소 및 성취를 밝히는 것이다.

4 첫 구를 해석하는 것이다. 명칭을 표방하고 수를 들면서, 아울러 명칭을 열거하고 명칭을 해석하였다. '무량'이라고 말한 것은 한량없는 유정을 소연으로 하기 때문—경계에 따라 이름한 것이다—이며, 한량없는 복을 견인하기 때문—등류과에 따라 이름한 것이다—이며, 한량없는 과보를 감득하기 때문—이숙과에 따라 이름한 것이다—이다.

5 제2구를 해석하는 것인데, 이는 곧 묻는 것이다.

6 답이다. 네 가지 장애를 대치하기 때문에 오직 네 가지만이다.

7 물음이다.

8 답이다. 기뻐하며 위로하지 않는 것은 시기[嫉]를 체로 하는 것이다.

[色], 둘째 음탐[婬]인데, 부정관과 평정이 순서대로 능히 대치한다"라고 말하지만, 이치상 실제로는 부정관이 능히 음탐을 대치하고, 나머지 친한 벗에 대한 탐욕은 평정이 능히 대치한다.10

3. 4무량의 체

4무량 중 처음 둘의 체는 무진無瞋이다. 그렇지만 이치상 실제로는 연민은 불해不害라고 말해야 할 것이다.11 기뻐함은 곧 희수이다.12 평정은 즉

....

9 물음이다.

10 답이다. 설일체유부에서 말하였다. "욕탐에는 두 가지가 있으니, 첫째 색탐－색은 현색과 형상을 말한다－, 둘째 음탐－음은 음욕을 말한다－이다. 만약 부정관이라면 능히 색탐을 대치하니, 부정을 관찰함에 의해 색탐이 일어나지 않는 것이다. 만약 평정의 무량이라면 능히 음탐을 대치하니, 평등을 관찰함에 의해 음탐이 일어나지 않는 것이다." 논주가 해석해 말한다. "이치상 실제로는 부정관이 능히 음탐을 대치하니, 부정을 관찰함에 의해 음탐이 일어나지 않고, 나머지 친한 벗에 대한 탐욕은 평정이 능히 대치하니, 원怨·친親에 대한 평등을 관찰함에 의해 탐욕이 일어나지 않는다."

11 제3구를 해석하는 것이다. 4무량 중 자애와 연민의 체는 무진無瞋이다. 『순정리론』(＝제79권. 대29-769상)에서 말하였다. "성품에는 비록 차별이 없지만, 자애는 유정을 죽이려는 성냄을 능히 대치해서 기뻐하는 행상[歡行相]으로서 일어나고, 연민은 유정을 괴롭히려는 성냄을 능히 대치해서 근심하는 행상[慼行相]으로서 일어나니, 이를 차별이라고 말한다." (문) 만약 연민이 무진을 체로 하는 것으로서 성냄을 능히 대치한다면, 무엇 때문에 앞에서 연민은 해침을 능히 대치한다고 말했는가? (해) 실제로 말한다면 연민은 바로 성냄을 제거하는 것이지만, 해침은 성냄 가문의 등류과이기 때문에 연민은 해침도 역시 대치한다. 혹은 연민이 해침을 대치한다는 것은 논주의 뜻을 서술한 것이다. (그래서) 논주가 해석해 말하였다. "이치상 실제로는 연민(의 체성)은 불해不害라고 말해야 할 것이다.

12 제4구 중 '기뻐함은 기쁨'을 해석하는 것이다. 이 논서는 희무량喜無量은 희수를 체로 한다는 것이다. 또 『대비바사론』제141권(＝대27-726하)에서 말하였다. "기뻐함은 말하자면 축하하며 위로하는 작의[慶慰作意]와 상응하는 희근을 성품으로 한다. 어떤 분은 선의 심소중 기뻐함[欣]을 자성으로 한다고 말하였다." 만약『순정리론』제79권(＝대29-769상)에 의해 기뻐함의 체성을 나타낸다면 3설이 같지 않다. 첫째는 희수를 체로 한다는 설, 둘째 기뻐함[欣]을 체로 한다는 설, 셋째 무탐을 체로 한다는 설이다. 그래서 그 논서에서 말하였다. "옛날의 논사들은 기뻐함은 곧 희수라고 말하였다. 무슨 이유에서 관행자에게 그 때 희수가 생기는가? 만약 즐거움을 주는 것을 반연한다면 자애와 차이가 없고, 만약 괴로움을 뽑아주는 것을 반연한다면 연민과 같아야 할 것이다. 또 계경에서 기뻐하기 때문[欣故]에 기뻐함이 생긴다고 말했으니, 기뻐함은 곧 희수이다. 앞에서 말한 것처럼 이 기뻐함의 행상은 그 기뻐함[欣]과 같

무탐인데, 만약 권속까지 아우른다면 5온을 체로 하는 것이다.13

만약 평정이 무탐의 성품이라면 어떻게 성냄을 대치할 수 있는가?14 이 것의 대치대상인 성냄은 탐욕에 의해 견인되는 것이기 때문이다.15 이치의 실제로는 2법을 써서 체로 한다고 해야 할 것이다.16

4. 4무량의 행상

이 4무량의 행상이 차별되는 것은, '어떻게 해야 모든 유정들로 하여금 이와 같은 즐거움을 얻게 할까?'라고 이렇게 사유해서 자애등지[慈等至]에 들어가고, '어떻게 해야 모든 유정들로 하여금 이와 같은 괴로움에서 떠나게 할까?'라고 이렇게 사유해서 연민등지[悲等至]에 들어가며, '모든 유정들이 즐거움을 얻고 괴로움을 떠난다면 어찌 기쁘지 않겠는가?'라고 이렇게 사유해서 기뻐함등지[喜等至]에 들어가고, '모든 유정들은 평등하고 평등하여 친구와 원수가 없다'라고 이렇게 사유해서 평정등지[捨等至]에 들어가는 것이다.17

....

다. 기뻐하기 때문[喜故]에 희수가 생기는데, 뜻에 무슨 차이가 있겠는가?" (문) 여러 논서가 같지 않다면 무엇이 바른 것인가? (해) 『순정리론』에서 이미 세우고 논파한 것이 있으니, 곧 그것이 바른 것이다. 또 해석하자면 『구사론』이 바른 것이니, 다른 설이 없기 때문이다.

13 (제4구 중) '평정은 무탐'을 해석하는 것이다. 위는 엄격한 성품으로 체를 나타낸 것인데, 만약 권속(=상응법과 구유법)까지 아우른다면 5온을 체로 하는 것이다.

14 물음이다. 만약 사무량捨無量이 무탐을 성품으로 하는 것이라면, 탐욕만을 대치해야 할 것인데, 어째서 앞에서는 성냄도 역시 능히 대치한다고 말했는가?

15 답이다. 이 사무량捨無量에 의해 대치되는 성냄은 탐욕에 의해 견인되는 것이기 때문이다. 탐욕이 그 근본이고, 성냄은 그 지말이므로, 만약 탐욕이 일어나지 않는다면 성냄도 역시 생기지 않기 때문에 평정의 무탐의 성품은 성냄도 역시 아울러 능히 대치한다. 말하자면 친한 벗에 대해 3품(=상·중·하품)의 탐욕을 일으키면, 다음에 그 원수를 반연하여 친한 벗을 해칠 것을 두려워해서 3품의 성냄을 일으키니, 이 성냄은 탐욕에 의해 견인되어 일어난 것이다.

16 논주가 뜻으로 해석하는 것이다. 이 평정의 한량없음은 능히 탐욕·성냄을 대치하므로, 이치의 실제로는 무탐·무진의 2법을 써서 체로 한다고 해야 할 것이다.

17 제5~7구를 해석하면서 4무량의 행상을 밝히는 것이다. 자애는 말하자면 즐거움을 주는 것[여락與樂]이고, 연민은 말하자면 괴로움을 뽑아주는 것[발고拔苦]이며, 기뻐함은 말하자면 기뻐하며 위로하는 것[희위喜慰]이고, 평정은

이 4무량은 남으로 하여금 실제로는 즐거움 등을 얻게 할 수는 없으니, 어찌 전도가 아니겠는가?[18] 그들로 하여금 즐거움 등을 얻게 하기를 원하고 바라기 때문이며, 혹은 의요[阿世耶]에 전도가 없기 때문이며, 승해의 지각[勝解想]과 상응하여 일어나기 때문이다. 설령 전도라고 한들 다시 무슨 허물이 있겠는가? 만약 선이 아니어야 할 것이라고 한다면, 이치상 곧 그렇지 않으니, 이것은 선근과 상응하여 일어나는 것이기 때문이다. 만약 악을 견인해야 할 것이라고 한다면, 이치상 역시 그렇지 않으니, 이것의 힘은 능히 성냄 등을 대치하기 때문이다.[19]

5. 4무량의 소연

이는 욕계의 일체 유정을 반연하니, 그들을 반연하는 성냄 등의 장애를 능히 대치하기 때문이다. 그런데 계경에서, 자애 등을 닦고 익힐 때에는 한 방위와 일체 세계를 사유한다고 설했는데, 이 경에서 기세간을 든 것은 기세간 안을 나타낸 것이다.[20]

....

말하자면 평등平等이다.

18 물음이다.

19 답이다. 비록 실제로는 아직 얻지 못하지만, 그들로 하여금 즐거움 등을 얻게 하기를 원하고 바라기 때문에 전도가 아니다. '아세야阿世耶'는 여기 말로 의요意樂이다. 비록 실제로는 아직 얻지 못하지만, 선한 의요에 의한 것이므로 전도가 없기 때문이다. 비록 실제로는 아직 얻지 못하지만, (가상假想인) 승해의 지각[勝解想]과 상응하여 일어나기 때문이니, 진실이라고 집착하는 것이 아니기 때문에 전도가 아니다. '설령 전도라고 한들 다시 무슨 허물이 있겠는가?' 는 외도들이 허물을 나타내는 것을 억제하는 것이다. 만약 전도된 것은 선이 아니어야 할 것이라고 말한다면, 이치상 곧 그렇지 않으니, 이것은 선근과 상응하여 일어나는 것이기 때문이다. 만약 전도된 것은 응당 악을 견인할 것이라고 말한다면, 이치상 역시 그렇지 않으니, 이것의 힘은 능히 성냄 등을 대치하기 때문이다.

20 제8구를 해석하는 것이다. 이는 욕계의 일체 유정을 반연하고, 상계를 반연하지 않는다. 그들을 반연하는 성냄 등의 장애를 능히 대치하기 때문이다. 그래서 『순정리론』(=제79권. 대29-770상)에서 말하였다. "모두 욕계의 유정을 경계로 해서 반연하니, 그들을 반연하는 성냄 등의 장애를 능히 대치하기 때문이다. 말하자면 욕계에 원수·친구·중립적인 세 무리의 유정이 있어 능히 성냄 등을 낳으니, 그들에 대해 원수·친구 등의 모습을 버리면 곧 성냄 등의 번뇌를 조복·제거함이 있는 것이다. 그러므로 이것의 경계는 오직 욕계의 유정일 뿐, 반드시 색·무색계를 반연할 수는 없다. (다만) 대비는 그 체가 무치의

6. 4무량이 의지하는 지

세 번째 무량은 초정려·제2정려에만 의지하니, 희수에 포함되기 때문이다. 나머지 정지定地에는 없다. 그 나머지 세 가지 무량은 6지에 의지함에 통하니, 말하자면 4정려와 미지정·중간정의 지이다.21

혹 어떤 분은 말하자면 미지정을 제외한 5지에만 의지하게 하려고 했으니, 이것이 참여를 용납하는 공덕[容豫德]이라면 이미 욕망을 떠난 자라야 비로소 일으킬 수 있기 때문이다. 혹 어떤 분은 이 4무량을 그 상응하는 바에 따라 공통으로 10지에 의지하게 하려고 하였으니, 말하자면 욕계, 네 가지 근본정·근분정과 중간정이다. 그 뜻은 정지定地·부정지不定地의 근본과 가행을 모두 무량(이 의지하는 지)에 포함되게 하려고 한 것이다.22

7. 4무량의 작용

앞에서 비록 이것이 네 가지 장애를 능히 대치한다고 말했지만, 모든 번뇌의 득을 끊어지게 할 수는 없으니, 유루의 근본정려에 포함되기 때문이며, 승해작의와 상응하여 일어나기 때문이며, 일체 유정의 경계를 두루 반

....

선근이므로, 이것의 힘에 의해 통틀어 3계를 반연할 수 있다." 또 경(=잡 [21]21:제567 나가달다경那伽達多經 등)에 대해 회통해 말한다. 그런데 계경에서, 자애 등을 닦고 익힐 때에는 한 방위와 일체 세계를 사유한다고 설했는데, 이 경에서 기세간을 든 것은 기세간 안의 일체 유정을 나타낸 것이기 때문에 허물이 없다.

21 제9·제10구를 해석하면서 의지하는 지를 분별하는 것이다. 세 번째 희무량은 단지 초정려·제2정려에만 의지하니, 희수에 포함되기 때문이다. 나머지 정지에는 이 희수가 없기 때문이다. 그 나머지 자애·연민·평정의 3무량은 6지(=4정려. 미지정, 중간정)에 공통으로 의지한다. 이 논사는 오직 정지에 의거해서만 말한 것이다.

22 혹 어떤 분은 말하자면 미지정을 제외한 5지에만 의지하게 하려고 했으니, 이것이 참여를 용납하는 공덕이라면 이미 욕망을 떠난 자라야 비로소 일으킬 수 있기 때문이다. 미지정은 아직 욕망을 떠나지 못한 도이므로, 설령 이미 욕망을 떠났다고 해도 역시 일으킬 수 없다. 이 논사는 단지 참여를 용납하는 단계[容豫位]에 의거해서만 밝힌 것이다. 혹 어떤 분은 이 4무량을 그 상응하는 바에 따라, 희무량은 말하자면 욕계·초·제2정려의 3지에 있게 하며, 3무량은 말하자면 욕계, 네 가지 근본정·근분정과 중간정의 10지에 통하게 하려고 했으니, 전체적으로 말한다면 공통으로 10지에 의지하게 하려고 하였다. 이의 뜻은 정지·부정지의 근본과 가행(=근분정)을 모두 무량(이 의지하는 지)에 포함되게 하고자 한 것이다.

연하기 때문이다.23 그렇지만 이것의 가행단계에서 성냄 등을 제복制伏하며, 혹은 이것이 이미 끊어진 번뇌를 능히 더욱 멀어지게 하기 때문에 앞에서 이것이 네 가지 장애를 능히 대치한다고 말한 것이다.24 말하자면 욕계와 미지정에서도 수소성의 근본 무량과 유사한 자애 등이 역시 있어서, 이것에 의해 성냄 등의 장애를 제복하고 나면 번뇌 끊는 도[斷道]를 견인해 낳아서 능히 모든 번뇌를 끊는데,25 모든 번뇌가 끊어지고 나면 이염단계 중에서 비로소 근본 네 가지 무량을 얻으니, 이후의 단계에서는 비록 강한 인연을 만나더라도 성냄 등에 의해 가려지거나 굴복되는 것이 아니다.26

....

23 제11구를 해석하면서 (4무량으로) 번뇌를 끊는 것이 아님을 밝히는 것이다. 앞에서 비록 이것이 네 가지 장애를 능히 대치한다고 말했지만, 모든 번뇌의 득을 끊어지게 할 수는 없다. 유루의 근본정려에 포함되기 때문이다. 비록 다시 근본정에 포함되는 것도 역시 있다고 해도, 우선 근본정에 대해 구별한 것은, 근본정을 얻었다면 하지의 번뇌는 반드시 끊어졌기 때문이다. 유루의 근본정도 오히려 번뇌를 끊지 못하는데(=앞의 제28권 중 게송 22ab와 그 논설 참조), 중간정이 끊지 못하는 것은 이치상 말이 끊어진 곳에 있기 때문에 따로 구별하지 않은 것이다. 혹은 그 중간정이 끊지 못하는 것을 비추어서 나타낸 것이다. 승해작의와 상응(=가상관假想觀)하여 일어나기 때문이니, 진실한 작의라야 비로소 번뇌를 끊을 수 있는 것이다. 일체 유정의 경계를 두루 반연하기 때문이니, 법을 반연하는 작의라야 비로소 번뇌를 끊을 수 있는 것이다.
24 앞의 글과 모아서 해석하는데, 2장의 문을 연 것이다. 첫째 이것의 가행단계에서 성냄 등을 제복制伏(=제압 조복함)하며, 둘째 혹은 이것이 이미 끊어진 번뇌를 능히 더욱 멀어지게 하니, 이런 두 가지 뜻 때문에 앞에서 이것이 네 가지 장애를 능히 대치한다고 말한 것이다. 혹은 숨은 힐난에 대해 회통하는 것이니, 숨은 힐난의 뜻이 말하는 것은, 「만약 번뇌를 끊는 것이 아니라면 어째서 앞에서 네 가지 장애를 능히 대치한다고 말했는가?」라는 것이다.
25 제1장을 해석하는 것이다. 말하자면 욕계와 미지정의 가행단계 중에도 수소성의 근본정려인 네 가지 무량과 유사한 자애 등이 역시 있어서, 이것에 의해 가행단계 중에서 성냄 등의 장애를 제복하고 나면, 능히 미지정의 번뇌 끊는 대치도[斷治道]를 견인해 낳아서 능히 모든 번뇌를 끊는다고, 제복 및 견인에 의거해 능히 장애를 대치한다고 말한 것이다.
26 제2장을 해석하는 것이다. 미지정에 의해 9무간도로 모든 번뇌가 끊어지고 나면 이염단계 중에서 비로소 근본 네 가지 무량을 얻으니, 이 이염 후의 단계에서는 비록 번뇌를 일으킬 강한 인연을 만나더라도 성냄 등에 의해 가려지거나 굴복되는 것이 아니다. 이것이 이미 끊어진 것을 능히 더욱 멀어지게 하는 것이므로 능히 장애를 대치한다고 말한 것이다. 무량은 만약 가행에서 유사한 것을 닦음에 의거한다면 욕계와 미지정에도 있으며, 만약 근본을 닦아 성취한 것에 의거한다면 4근본정에 있는 것이라고 알아야 할 것이다.

【4무량의 가행과 성취】 처음 업을 닦는 단계에서 어떻게 자애무량을 닦는가?27 말하자면 먼저 자신이 향수하는 즐거움을 사유하거나, 혹은 붓다·보살·성문 및 독각 등이 향수하는 쾌락에 대해 설하는 것을 듣고는 곧 모든 유정 일체가 이와 같은 쾌락을 같이 향수하기를 원하는 이런 생각을 하는 것이다. 만약 그가 본래 번뇌가 증성하여 이와 같이 평등하게 마음을 움직일 수 없다면, 유정을 이른바 친구[親友]·중간[處中]·원수怨讎의 3품으로 나누고, 친구를 다시 말하자면 상·중·하의 3품으로 나누며, 중간의 품류는 오직 한 가지로만 하고, 원수도 말하자면 하·중·상의 3품으로 역시 나누어 모두 7품으로 만들어야 한다. 품류를 다르게 나누고 나면 먼저 상품의 친구에 대해 진실로 즐거움을 주려는 승해를 일으키고, 이런 원願이 성취되고 나면 그 중품·하품의 친구에 대해서도 역시 이와 같은 승해를 점차 닦으며, 그 친구 3품에 대해 평등을 얻고 나면, 다음에는 그 중간 품류와 하·중·상품의 원수에 대해서도 역시 이와 같은 승해를 점차 닦는다. 자주 닦은 힘으로 말미암아 상품의 원수에 대해서도 즐거움을 주려는 원을 일으킬 수 있어서 상품의 친구에 대한 것과 평등할 것인데, 이런 승해를 닦아서 이미 물러남이 없게 되면, 다음에는 소연을 점차 넓게 해서 닦는다. 말하자면 생각[想]을 점점 하나의 읍, 하나의 나라, 하나의 방위, 일체 세계로 움직여 즐거움을 주려는 행상을 사유해서 두루 가득하지 않음이 없다면, 이를 자애무량을 닦고 익혀서 성취하였다고 한다.

만약 유정에 대해 공덕 구하기를 즐기는 자라면 자애등지를 닦아 속히 성취하게 할 수 있겠지만, 유정에 대해 허물 구하기를 즐기는 자라면 아니다. 선근을 끊은 자에게도 취할 만한 공덕이 있으며, 인각유 독각에게도 취할 만한 허물이 있으니, 전생의 복과 죄의 과보를 현세에서 볼 수 있기 때문이다.28

....
27 장애의 대치를 밝히는 기회에 곧 처음 닦는 것에 대해 물은 것이다.
28 답이다. 만약 번뇌가 증성한 것이 아니라면 단지 즐거움을 주려는 마음을 일으킬 뿐이지만, 만약 번뇌가 증성하다면 7품(=친구3품+중간1품+원수3품)의 닦음을 지어서 나아가 자애무량을 닦고 익혀 성취에 이르게 한다. 만약 유정에 대해 공덕 구하기를 즐기는 자라면 자애등지를 닦아 속히 성취하게 할

연민·기뻐함의 무량을 닦는 법도 이에 준해서 알아야 할 것이다. 말하자면 유정이 온갖 괴로움의 바다에 빠진 것을 관찰하고는 곧 그들로 하여금 모두 벗어남을 얻게 하기를 원하고, 그리고 유정이 즐거움을 얻고 괴로움에서 떠난 것을 생각하고는 곧 깊이 기뻐하며 위로하고 '참으로 즐겁구나'라고 하는 것이다.29 평정무량을 닦는 것은 최초에는 중간[處中]으로부터 일으켜서 점차 나아가 상품의 친구에 이르기까지 능히 평등한 마음을 일으켜서 중간과 같게 할 것이다.30

8. 4무량의 처소와 성취

이 4무량은 사람이 일으키지, 나머지는 아니다. 그 중의 한 가지를 얻을

수 있을 것이다. 선근을 끊은 자에게도 취할 만한 공덕이 있으니, 전생의 복업의 과보로 용모가 단정한 등을 현세에서 볼 수 있기 때문이다. 유정에 대해 허물 구하기를 즐기는 자라면 아니다. 인각아 독각에게도 취할 만한 허물이 있으니, 전생의 죄업의 과보로 용모가 검고 피로한 등을 현세에서 볼 수 있기 때문이다. 만약『순정리론』(=제79권. 대29-770하)에 의한다면, 4무량을 닦을 때 각각 9품으로 나누니, 중간도 다시 3품으로 나눈다. 그래서 그 논서에서 말하였다. "처음 4무량을 인기할 때에는 먼저 유정을 3품으로 나누니, 소위 친구·중간·원수이며, 3품을 각각 3품으로 나누니, 말하자면 상·중·하이다. 상품의 친구란 말하자면 법신을 낳는 것은 그의 무거운 은혜에 의지하므로 평정에 곧 머물기 어려운 분이다. 중품의 친구란 말하자면 재물과 법으로 교유하면서 지극히 서로 친애하는 자이며, 하품의 친구란 말하자면 재물로만 교유하지만, 역시 서로 친애하는 자이다. 상품의 중간인 자란 말하자면 과거로부터 일찍이 보거나 들은 적이 없는 자이고, 중품의 중간인 자란 말하자면 보거나 듣기는 했어도 사귀고 왕래하지 않았던 자이며, 하품의 중간인 자란 말하자면 사귀고 왕래했어도 은혜·원한을 떠난 자이다. 상품의 원수란 말하자면 명예·목숨 및 친구를 빼앗은 자이고, 중품의 원수란 말하자면 자신의 생계에 쓰이는 살림살이를 빼앗은 자이며, 하품의 원수란 친구의 생계에 쓰이는 살림살이를 빼앗은 자이다." 혹은『구사론』도 '중간'에 역시 3품이 있는 것일 수 있지만, 중간이기 때문에 1품으로 합친 것이다.

29 연민·기뻐함도 모두 앞의 자애에 준한다고 유추해석하고, 다시 연민과 기뻐함에 대해 간략히 해석한 것이다.

30 이는 평정에 대해 따로 해석하는 것이다. 평정무량을 닦는 것은 최초에는 중간으로부터 일으킬 것이니, 중간은 원수·친구가 아니어서 성냄·탐욕을 일으키지 않으므로 버리기 쉬워 최초에 일으키고, 다음에 하·중·상품의 원수를 버리며, 다음에 하·중·상품의 친구를 버리고, 평등한 마음을 일으켜서 중간과 같게 할 것이다. 원수에 대한 성냄은 버리기 쉽기 때문에 먼저 원수를 버리고, 친애함은 없애기 어렵기 때문에 뒤에 친애를 버리는 것이다.

때 반드시 세 가지를 성취하니, 제3정려 등을 낳으면 오직 기쁨만은 성취하지 않기 때문이다.31

제2절 8해탈

무량에 대해 분별했으니, 다음에는 해탈解脫에 대해 분별하겠다. 게송으로 말하겠다.

32 해탈에는 여덟 가지가 있는데[解脫有八種]
　앞의 셋은 무탐의 성품으로서[前三無貪性]
　둘은 2선정이고, 하나는 1선정이며[二一一定]
　넷은 무색정의 선이다[四無色定善]

33 멸수상해탈은[滅受想解脫]
　미미한 마음의 무간에 생기는데[微微無間生]
　자지의 청정등지의 마음[由自地淨心]
　및 하지의 무루심에 의해 나온다[及下無漏出]

34 셋의 경계는 욕계의 볼 수 있는 것이고[三境欲可見]
　넷의 경계는 유지품의 도와[四境類品道]
　자지·상지의 고·집·멸과[自上苦集滅]
　비택멸·허공이다[非擇滅虛空]32

....

31 제12구를 해석하는 것이다. 이 4무량은 사람 중에서 현행시켜 일으키고, 다른 곳에서는 아니다. 이는 곧 현행시켜 일으키는 것을 분별한 것이다. 그 중의 한 가지를 얻을 때 반드시 자애·연민 및 평정의 세 가지를 성취하니, 제3정려 등을 낳으면 오직 기쁨만은 성취하지 않기 때문이다. 이는 곧 성취를 분별한 것이다.
32 이하는 곧 둘째 8해탈을 밝히는 것인데, 앞을 맺으면서 일으키고 게송으로 해석한 것이다. 그 안에 나아가면 첫 구는 전체적으로 표방하는 것이고, 다음 2구는 앞의 3해탈을 개별적으로 밝히는 것이며, 제4구는 다음 4해탈을 따로

1. 명칭의 뜻

논하여 말하겠다. 해탈에는 여덟 가지가 있다. 첫째 안에 색에 대한 생각이 있어 외부의 색을 관찰하는 해탈[內有色想觀外色解脫], 둘째 안에 색에 대한 생각이 없으면서 외부의 색을 관찰하는 해탈[內無色想觀外色解脫], 셋째 청정한 해탈을 몸으로 작증하고 구족해 머무는 것[淨解脫身作證具足住]이고, 4무색정이 다음 네 가지 해탈이 되며, 멸수상정滅受想定이 여덟째 해탈이 된다.[33]

2. 체와 의지하는 지

(1) 앞의 3해탈

8해탈 중 앞의 세 가지는 무탐을 성품으로 하니, 탐욕을 가까이에서 대치하기 때문이다. 그런데 계경 중에서 상관想觀이라고 설한 것은 '상관'이 증가하기 때문이다. 세 가지 중 처음 두 가지는 청정하지 못한 모습에서 일어나니, 푸른 어혈 등의 여러 행상을 짓기 때문이고, 셋째 해탈은 청정한 모

....

밝히는 것이고, 둘째 게송은 제8해탈을 개별적으로 밝히는 것이며, 뒤의 1게송은 소연을 전체적으로 밝히는 것이다.

33 첫 구를 해석하는 것이다. 첫째는 안의 색신에서 색을 생각하는 탐욕[色想貪]이 있어, 생각하는 탐욕을 제거하기 위해 외부의 청정하지 못한 푸른 어혈 등의 색을 관찰해서 바야흐로 안의 몸에 대해 탐욕이 일어나지 않게 한 것을 첫 해탈이라고 이름한다. 둘째는 안의 색신에서 색을 생각하는 탐욕이 없어 비록 이미 탐욕을 제거했더라도, 견고하게 하기 위한 때문에 외부의 청정하지 못한 푸른 어혈 등의 색을 관찰해서 탐욕이 일어나지 않게 한 것을 제2해탈이라고 이름한다. 셋째는 청정한 색을 관찰해서 탐욕이 일어나지 않게 한 것을 제3해탈이라고 이름하니, 관찰이 더욱 뛰어난 것을 나타낸다. 이 청정한 해탈을 그 관행자가 몸 안에 증득한 것을 '몸으로 작증하였다'고 이름하고, 완전히 갖추어 원만하게 이 선정에 머물게 된 것을 '구족해 머문다'고 이름한 것이다. 공무변처 등의 4무색정은 각각 능히 하지의 탐욕에서 해탈한 것이기 때문에 다음 네 가지 해탈로 한 것이다. 멸수상정은 느낌 등을 버리고 등진 것[棄背]이므로 여덟째 해탈이라고 이름하였다. 그래서 『대비바사론』 제84권(＝대27-434하)에서 말하였다. "버리고 등졌다는 뜻이 해탈의 뜻이다. (문) 만약 버리고 등졌기 때문에 해탈이라고 이름한 것이라면, 어떤 해탈이 어떤 마음을 버리고 등진 것인가? (답) 초·제2해탈은 색에 대한 탐심[色貪心]을 버리고 등진 것이고, 제3해탈은 부정관의 마음[不淨觀心]을 버리고 등진 것이며, 4무색처해탈은 각자 바로 아래 지의 마음[次下地心]을 버리고 등진 것이고, 상수멸해탈은 일체 유소연의 마음[有所緣心]을 버리고 등진 것이다."

습에서 일어나니, 청정한 빛의 선명한 행상을 지어서 일어나기 때문이다. 세 가지 해탈은, 조반의 법을 아우른다면 모두 5온의 성품이다.34

　처음 두 가지 해탈은 각각 공통으로 초·제2정려에 의지하니, 능히 욕계와 초정려 중의 현색탐顯色貪을 대치하기 때문이다. 셋째 해탈은 뒤의 정려에 의지하니, 여덟 가지 재난[八災患]을 떠나서 마음이 맑고 깨끗하기 때문이다. 나머지 지에도 서로 유사한 해탈이 역시 있는데도, 건립하지 않는 것은 증상한 것이 아니기 때문이다.35

....

34 제2구를 해석하는 것이다. 8해탈 중 앞의 세 가지 해탈은 무탐을 성품으로 하니, 탐욕을 가까이에서 대치하기 때문이다. 그런데 계경(=출전 미상) 중에서 '상관想觀'이라고 설한 것은, 탐욕의 무리[貪聚]에 대해 생각이 증가한 것을 상想이라고 말하고, 무탐의 무리[無貪聚]에 대해 관찰이 증가한 것을 관觀이라고 말하기 때문에 '상관'이라고 설한 것이다. 세 가지 중 처음 두 가지는 청정하지 못한 모습에서 일어나니, 푸른 어혈 등의 여러 행상을 짓기 때문이고, 셋째 해탈은 청정한 모습에서 일어나니, 청정한 빛의 선명한 행상을 지어서 일어나기 때문이다. 같이 탐욕을 대치하기 때문에 무탐을 체로 하는 것이다. 만약 조반助伴까지 아우른다면 모두 5온의 성품이다.

35 제3구를 해석하는 것이다. 처음 두 가지 해탈은 각각 공통으로 초·제2정려에 의지하는데, 초·제2정려는 근분정과 중간정도 역시 포함하니, 능히 욕계의 안식에 의해 견인되는 현색탐을 대치하기 때문이며, 능히 초정려의 안식에 의해 견인되는 현색탐을 대치하기 때문이다. 그래서 처음 두 가지 해탈은 단지 초·제2정려에만 의지한다. 이는 '둘은 2선정이고'를 해석한 것이다. 셋째 해탈은 오직 청정한 색을 관찰해서 탐욕이 일어나지 않게 하는 것인데, 이것은 지극히 어려워서 반드시 뛰어난 선정에 의지해야 비로소 성취할 수 있기 때문에 제4정려에 의지하니, 제4정려는 여덟 가지 재난(=앞의 제28권 중 게송 ⑪b와 그 논설 참조)을 떠나서 마음이 맑고 깨끗하기 때문이다. 이는 '하나는 1선정이며'를 해석한 것이다. 나머지 제3·제4정려 및 욕계의 지에도 처음 두 가지와 서로 유사한 해탈이 역시 있으며, 나머지 초·제2·제3정려 및 욕계의 지에도 셋째 해탈과 서로 유사한 해탈이 역시 있는데도, 건립하지 않는 것은 증상한 것이 아니기 때문이다. 그래서 『순정리론』(=제80권. 대29-771중)에서 말하였다. "처음 두 가지 해탈은 각각 공통으로 초·제2정려에 의지하니, 욕계와 초정려 중의 현색탐을 능히 대치하기 때문이다. 초·제2정려는 근분정과 중간정도 통틀어 포함하니, 5지(=초·제2정려·미지정·중간정·제2정려근분정)에서 모두 처음 두 가지를 모두 일으킬 수 있기 때문이다. 욕계 및 초정려에는 현색탐이 있으니, 안식의 무리에 의해 인기되는 것이다. 그래서 그것으로부터 해탈하기 위해 초·제2정려 중에 처음 두 가지 부정해탈不淨解脫을 건립한 것이다. 제2·제3정려 중에는 안식이 없기 때문에 인기되는 현색을 반연하는 탐욕도 역시 없으니, 다시 제3·제4정려 중에는 부정해탈도 없는 것이다. 처음

(2) 4무색해탈

다음 네 가지 해탈은 그 순서대로 4무색정의 선을 성품으로 한다. 무기와 염오는 아니니, 해탈한 것이 아니기 때문이며, 산심의 선[散善]도 역시 아니니, 성품이 미약 열등하기 때문이다. 그 산심의 선이란 예컨대 목숨이 끝나는 마음과 같은 것인데, 어떤 분은 다른 때에도 역시 산심의 선이 있다고 말하였다.36

근분정의 해탈도 역시 해탈이라는 명칭을 얻는다. 무간도는 그렇지 않다. 하지를 반연하기 때문이니, 그것은 반드시 하지를 등져야 비로소 해탈이라고 이름하기 때문이다. 그런데도 다른 곳에서 대부분 그 근본지만을 해탈이라고 이름한 것은, 근분정 중에서는 전부가 아니기 때문이다.37

(3) 제8해탈

여덟 번째 해탈은 즉 멸진정인데, 그 자성 등은 먼저 이미 논설한 것과

....

두 가지 해탈과 서로 유사한 선근이 비록 욕계 중에도 역시 있을 수 있지만, 욕계의 탐욕에 의해 침범되어 뒤섞인 것이기 때문에 두 가지 해탈의 명칭을 건립하지 않으며, 제3·제4정려 중에도 역시 있을 수 있지만, 대치대상과의 거리가 멀어서 세력이 미약하며, 또 청정에 의한 조복을 좋아하는 것(=제4정려)이기 때문에 그 명칭을 얻지 못한다. 셋째 해탈은 뒤의 정려에 의지하니, 8재난을 떠나서 마음이 맑고 깨끗하기 때문이다. 제4정려와 아울러 그 근분정에 대해 뒤의 정려라는 명칭을 세운 것이다. 서로 유사한 선근이 하지에도 역시 있지만, 증상한 것이 아니기 때문에 해탈이라고 이름하지 않는다. 욕계는 욕계의 탐욕에 의해 침범되어 뒤섞인 것이기 때문이며, 초·제2정려 중에서는 청정으로 조복하지 못하기 때문이며, 제3정 중에서는 즐거움에 의해 미혹되기 때문이며, 또 모두 8재난에 의해 요란擾亂된 것이기 때문이다."

36 제4구를 해석하는 것이다. 다음 네 가지 해탈은 그 순서대로 4무색정의 선을 성품으로 한다. 무기와 염오는 아니니, 해탈한 것이 아니기 때문이며, 산심의 선[散善]도 역시 아니니, 성품이 미약 열등하기 때문이다. 그 무색계에 있는 산심의 선이란 예컨대 목숨이 끝나는 마음과 같은 것인데, 어떤 분은 단지 목숨이 끝날 때에만 선이 있지 않고, 다른 때에도 역시 생득의 산심의 선이 있으며, 단지 문聞·사思(에 의한 선)만 없다고 말하였다.

37 무색의 근분정의 모든 해탈도도 역시 해탈이라는 명칭을 얻는다. 무간도는 그렇지 않다. 하지를 반연하기 때문이니, 그것은 반드시 하지를 등져야 비로소 해탈이라고 이름하기 때문이다. 그런데도 다른 곳에서 대부분 그 근본지만을 말하여 해탈이라고 이름한 것은, 근본정 중에서는 전부가 해탈인 것이 아니기 때문(=무간도는 해탈이 아니라는 취지)에 그래서 단지 근본지만을 말한 것이다.

같다. 느낌·지각을 싫어해 등지고 이것을 일으키기 때문에, 혹은 유소연有
所緣의 법을 모두 싫어해 등진 것이기 때문에 이 멸진정이 해탈이라는 명칭
을 얻은 것이다. 어떤 분은, 이것은 선정의 장애[定障]에서 해탈한 것이기
때문이라고 말하였다.38

　미미한 마음[미미심微微心] 뒤에 이 선정이 현전한다. 앞에서 지각하는
마음[想心]을 상대하여 이미 '미세微細'하다고 이름했는데, 이것은 더욱 미
세하기 때문에 '미미'하다고 말했으니, 이와 같은 마음 다음에 멸진정에 들
어간다. 멸진정으로부터 나올 때에는 혹은 유정지의 청정등지의 마음[淨定
心]을 일으키기도 하고, 혹은 곧 무소유처의 무루의 마음을 능히 일으키기
도 하니, 이와 같이 들어가는 마음은 오직 유루이지만, 공통으로 유루·무루
의 마음을 좇아 나온다.39

3. 소연 등

　8해탈 중 앞의 세 가지는 오직 욕계의 색처色處를 경계로 하는데, 차별이
있으니, 두 가지의 경계는 미워할 만한 것[可憎]이고, 한 가지의 경계는 사
랑할 만한 것[可愛]이다. 다음 네 가지 해탈은 각각 자지·상지의 고·집·멸
제 및 일체 지의 유지품의 도, 그 비택멸 및 허공을 소연의 경계로 한다.40

....

38　둘째 게송을 해석하는 것이다. 제8해탈은 곧 멸진정이다. 그 자성 등은 앞의
　　근품의 불상응행 중에서 이미 갖추어 설한 것과 같다. 따라서 느낌·지각을 싫
　　어해 등지고 이것을 일으키기 때문에 이 멸진정이 해탈이라는 명칭을 얻은 것
　　이다. 혹은 소연을 갖는[有所緣] 심·심소를 모두 싫어해 등진 것이기 때문에
　　이 멸진정이 해탈이라는 명칭을 얻은 것이다. 어떤 분은, 이 멸진정은 불염오
　　무지인 선정의 장애에서 해탈한 것이기 때문에 해탈이라고 이름한 것이라고
　　말하였다.
39　멸진정 앞에는 세 가지 마음이 있으니, 첫째 지각하는 마음[想心], 둘째 미세
　　한 마음[微細心], 셋째 미미한 마음[微微心]인데, 이 셋째의 미미한 마음의 뒤에
　　비로소 현전한다. 둘째 마음을 앞의 첫째 지각하는 마음에 상대시켜 이미 미
　　세하다고 이름했는데, 이 셋째 마음은 더욱 다시 미세하기 때문에 '미미'하다
　　고 이름했다. 이와 같은 미미한 마음 다음의 뒤에 멸진정에 들어간다. 들어가
　　는 마음은 그 멸진정의 적정을 반연해야 비로소 들어갈 수 있기 때문에 그래
　　서 오직 유루이지만, 나오는 마음은 반드시 멸진정을 뒤집어 반연하지 않기
　　때문에 두 가지에 통한다.
40　셋째 게송을 해석하면서 해탈이 반연하는 경계를 밝히는 것이다. 8해탈 중
　　앞의 세 가지는 오직 욕계의 색처를 경계로 하는데, 차별이 있다. 두 가지의

제3정려에는 어찌 해탈이 없는가?[41] 제2정려 중에는 색탐이 없기 때문이며, 자지의 오묘한 즐거움에 의해 동란動亂되기 때문이다.[42]

【해탈을 닦는 뜻】 수행자는 어떤 이유에서 청정한 해탈[淨解脫]을 닦는가?[43] 마음을 잠시 기뻐하게[欣悅] 하고자 하기 때문이다. 앞의 부정관이 마음을 가라앉혀 근심하게 했으니, 이제 청정관[淨觀]을 닦는다면 책발策發하여 기뻐하게 할 것이다. 혹은 스스로 감당할 수 있었는지[自堪能] 살펴 알기 위한 때문이다. 말하자면 앞서 닦은 부정관의 해탈이 성취되었는지, 성취되지 못했는지. 만약 청정한 모습을 관찰하더라도 번뇌가 일어나지 않는다면 그것이 바야흐로 성취되었기 때문이다.[44]

두 가지 인연에 의해 유가사들이 해탈 등을 닦는다. 첫째는 이미 끊어진 모든 번뇌를 더욱 멀어지게 하기 위해서이고, 둘째는 선정에 대해 뛰어난 자재를 얻기 위해서이다. 그 때문에 무쟁 등의 공덕 및 성스러운 신통을 인기할 수 있고, 이에 의해 곧 여러 현상들을 전변시킬 수 있으며, 유다수·사다수 등의 갖가지 작용을 일으킬 수 있는 것이다.[45]

【신작증身作證의 의미】 무엇 때문에 경에서 제3·제8해탈에서는 '몸으로 작증한다[身作證]'라고 설하면서 나머지 6해탈에서는 아닌가?[46] 8해탈 중 이

....

경계는 미워할 만한 것이니, 부정한 것을 반연하기 때문이고, 한 가지의 경계는 사랑할 만한 것이니, 청정한 색을 반연하기 때문이다. (문) 색계의 색은 청정한데, 욕계의 부정을 관찰함으로써 어떻게 색계의 색에 대한 탐욕에서 떠날 수 있는가? (해) 이것은 바로 능히 끊는 것이 아니니, 잠시 멀리 떠나게 하는 것이기 때문이다. 다음 네 가지 무색해탈은 각각 자지·상지의 고·집·멸제 및 일체 지의 유지품의 도, 그 자지·상지의 고·집의 비택멸 및 그 일체 유지품의 도의 비택멸 및 허공을 소연의 경계로 한다.

41 제3정려에 해탈이 없는 까닭을 밝히는데, 이는 곧 묻는 것이다.
42 답이다. 제2정려 중(=본문의 '제3정려 중'은 오기로 보여 고쳐서 번역하였다)에는 안식에 의해 견인되는 현색탐이 없기 때문에 그래서 제3정려에서 해탈을 세우지 않는다. 또 자지(=제3정려지)의 오묘한 즐거움에 의해 동요되어 어지럽혀지기[所動亂] 때문이다.
43 청정한 해탈을 닦는 것을 밝히는 것인데, 이는 곧 물음이다.
44 답이다. 첫째 마음을 책려하여 기뻐하게 하기 위해서이며, 둘째 원만하게 성취되었는지 살펴 알기 위해서이다.
45 이는 닦는 뜻을 밝히는 것이다. '등'은 승처·변처를 같이 취한 것이다. 나머지 글은 알 수 있을 것이다.

두 가지가 뛰어나기 때문이며, 2계界 중 각각 변제[邊]에 있기 때문이다.47

제3절 8승처勝處

해탈에 대해 분별했으니, 다음에는 승처勝處에 대해 분별하겠다. 게송으로 말하겠다.

③ 승처에는 여덟 가지가 있는데[勝處有八種]
　둘은 제1해탈과 같으며[二如初解脫]
　다음 둘은 제2해탈과 같고[次二如第二]
　뒤의 넷은 제3해탈과 같다[後四如第三]48

논하여 말하겠다. 승처勝處에는 여덟 가지가 있다. 첫째 안에 색에 대한 생각이 있어 외부의 색이 적은 것을 관찰하는 것, 둘째 안에 색에 대한 생각이 있어 외부의 색이 많은 것을 관찰하는 것, 셋째 안에 색에 대한 생각이 없으면서 외부의 색이 적은 것을 관찰하는 것, 넷째 안에 색에 대한 생각이 없으면서 외부의 색이 많은 것을 관찰하는 것과, 안에 색에 대한 생각이 없으면서 외부의 청·황·적·백을 관찰하는 것이 네 가지가 되니, 앞에 보태면 여덟 가지가 된다.49 8승처 중 처음 둘은 제1해탈과 같고, 다음 둘은

----

46 방해되는 것을 들어 따로 묻는 것이다. # '경'은 중 24:97 대인경大因經 등이다.
47 답이다. 첫째 뛰어나기 때문이고, 둘째 변제(＝색계의 끝과 무색계의 끝)에 있기 때문에 그것들만 '몸으로 작증한다'고 이름한 것이다.
48 이하는 곧 셋째 8승처에 대해 밝히는 것인데, 첫 구는 명칭을 표방하고 수를 든 것이며, 아래 3구는 해탈과 같다는 것을 가리키는 것이다.
49 첫 구를 해석하는 것이다. 승처에는 여덟 가지가 있다. 첫째 안의 색신에서 색을 생각하는 탐욕이 있어 그것을 대치 제거하기 위해 외부의 적은 색을 관찰하여 무른 어혈 등(의 행상)을 짓는 것, 둘째 안의 색신에서 색을 생각하는 탐욕이 있어 그것을 대치 제거하기 위해 외부의 많은 색을 관찰하여 푸른 어혈 등(의 행상)을 짓는 것, 셋째 안의 색신에서 색을 생각하는 탐욕이 없으면서 단지 견고하게 하기 위해 외부의 적은 색을 관찰하여 푸른 어혈 등(의 행상)을 지어 탐욕이 일어나지 않게 한 것, 넷째 안의 색신에서 색을 생각하는 탐욕이 없으면서 단지 견고하게 하기 위해 외부의 많은 색을 관찰하여 푸른

제2해탈과 같으며, 뒤의 넷은 제3해탈과 같다.50

만약 그렇다면 8승처는 세 가지 해탈과 무엇이 다른가?51 앞의 해탈을 닦는 것은 버리고 등질 수 있을 뿐이지만, 뒤의 승처를 닦는 것은 소연을 제압할 수 있으니, 즐기는 바에 따라 관찰하더라도 번뇌가 끝내 일어나지 않는다.52

제4절 10변처遍處

승처에 대해 분별했으니, 다음에는 변처遍處에 대해 분별하겠다. 게송으로 말하겠다.

36 변처에는 열 가지가 있는데[遍處有十種]
　　여덟은 청정한 해탈과 같고[八如淨解脫]
　　뒤의 둘은 청정한 무색으로서[後二淨無色]
　　자지의 4온을 반연한다[緣自地四蘊]53

....
어혈 등(의 행상)을 지어 탐욕이 일어나지 않게 한 것과, 또 안의 몸에서 색을 생각하는 탐욕이 없으면서 단지 마음을 책려하기 위해, 혹은 번뇌를 시험하기 위해 외부의 청·황·적·백의 네 가지 색을 관찰하여 탐욕이 일어나지 않게 한 것, 이 네 가지를 앞에 보태면 여덟 가지가 된다.
50 아래 3구를 해석하는 것이다. 8승처 중 처음 두 가지 승처의 자성, (의지하는) 지 등은 제1해탈과 같으니, 이것은 제1해탈의 과보이기 때문이다. 다음 두 가지 승처의 자성, 지 등은 제2해탈과 같으니, 이것은 제2해탈의 과보이기 때문이며, 뒤의 네 가지 승처의 자성, 지 등은 제3해탈과 같으니, 이것은 제3해탈의 과보이기 때문이다.
51 물음이다.
52 답이다. 앞의 해탈을 닦는 것은 버리고 등져서 그 탐욕이 일어나지 못하게 할 수 있을 뿐, 경계를 제압할 수 없지만, 뒤의 승처를 닦으면 소연을 제압할 수 있으니, 즐기는 바에 따라 관찰하더라도 번뇌가 끝내 일어나지 않는다. 능히 경계를 제복制伏하므로 마음이 경계의 처소보다 뛰어나기 때문[勝境處故]에 승처勝處라고 이름한 것이다. 혹은 번뇌보다 뛰어나기 때문에 승처라고 이름한 것이다. 혹은 이 선근을 곧 처라고 이름한 것이니, 처가 이길 수 있기 때문[處能勝故]에 승처라는 명칭을 세운 것이다. 이 8승처를 여러 문으로 분별하는 것의 자세한 것은 『대비바사론』 제85권(=대27-438하)에서 해석한 것과 같다.

논하여 말하겠다. 변처遍處에는 열 가지가 있다. 말하자면 지地·수水·화火·풍風, 청靑·황黃·적赤·백白과 아울러 공空·식識의 두 가지가 끝없는 처소에 널리 두루한 것[周遍]을 관찰하는 것이니, 일체 처소에 간극間隙 없이 널리 두루한 것을 관찰하기 때문에 변처遍處라고 이름한 것이다.54

10변처 중 앞의 여덟 가지는 청정한 해탈[淨解脫]과 같다. 말하자면 8변처의 자성은 모두 무탐이고, 조반의 법까지 아우른다면 5온을 성품으로 하며, 제4정려에 의지하고, 욕계의 볼 수 있는 색처를 반연한다.55 어떤 다른 논사는, "오직 풍風의 변처만은 접촉대상[所觸] 중의 풍계風界를 반연한다"라고 말하였다.56

뒤의 두 가지 변처는 순서대로 공空·식識의 두 가지 청정한 무색을 그 자성으로 하며, 각각 자지의 4온을 경계로 해서 반연한다.57

이들 중 관행觀行을 닦는 자는 모든 해탈로부터 모든 승처에 들어가고,

....

53 이하는 곧 넷째 10변처에 대해 밝히는 것인데, 이는 앞을 맺으면서 일으키고, 게송에 의해 답한 것이다.
54 이는 첫 구를 해석하는 것인데, 글대로 알 수 있을 것이다.
55 제2구를 해석하는 것이다. 실제로는 색처를 반연하지만, 가정적으로 땅 등을 생각하는 것[假想地等]이다. 그래서 『순정리론』(=제80권. 대29-774중)에서 말하였다. "어떻게 지地 등을 역시 색처라고 이름하겠는가? 지와 지계 등은 차별이 있기 때문(=땅[地] 등은 색·향·미·촉과 지·수·화·풍의 8사구생의 색법이라는 취지)이다. 현색과 형상을 땅[地] 등이라고 이름하는 것은 앞(=제1권 중 게송 13과 그 논설)에서 이미 설한 것과 같다. 그래서 지 등의 변처라고 말하고, 지계 등이라고 말하지 않았다. 따라서 앞의 8변처는 단지 색처만을 반연하는 것이다. 바람과 풍계는 이미 차별이 없는데, 어떻게 역시 색처를 반연한다고 말할 수 있겠는가? 이 힐난도 이치가 아니니, 모든 세간에서도 역시 검은 바람, 회오리 바람 등을 말하기 때문이다. 이 때문에 앞의 8변처가 색처를 반연한다는 이치는 성립된다."
56 다른 학설을 서술하는 것이다. 오직 풍의 변처만은 접촉대상 중의 실제의 풍계를 경계로 해서 반연하니, 풍은 곧 풍계이고, 나머지 7변처는 앞과 같다고 하였다.
57 아래 2구를 해석하는 것이다. 뒤의 두 가지 변처는 순서대로 공空·식識의 두 가지 청정한 무색을 그 자성으로 한다. 앞의 8변처는 바로 탐욕을 대치하는 것이기 때문에 그 자성은 무탐을 체로 하지만, 뒤의 2변처는 단지 허공과 의식을 관찰하는 것일 뿐이기 때문에 무색을 그 자성으로 한다. 각각 자지의 4온을 경계로 해서 반연하니, 가상으로 사유해서 무변한 허공이라는 이해를 짓고, 무변한 의식이라는 이해를 짓는 것이다.

모든 승처로부터 모든 변처로 들어가는 것이라고 알아야 할 것이니, 뒤의 것일수록 일어나는 것이 앞의 것보다 뛰어나기 때문이다.58

제5절 해탈·승처·변처의 획득과 의지하는 몸

이 8해탈 등 3문*의 공덕은 무엇에 의해 획득되며, 어떤 몸에 의지해 일어나는가? 게송으로 말하겠다.

③⑦ 멸진정은 앞서 분별한 것과 같고[滅定如先辯]
　　나머지는 모두 두 가지 득에 통하며[餘皆通二得]
　　무색은 3계의 몸에 의지하고[無色依三界]
　　나머지는 인취에서만 일으킨다[餘唯人趣起]59

논하여 말하겠다. 제8해탈은 먼저 이미 분별한 것과 같으니, 곧 이것은 앞의 멸진정이기 때문이다. 나머지 해탈 등은 공통으로 두 가지에 의해 획

---

58 상대시켜 차별을 구별하는 것이다. 앞의 것이 뒤의 것을 견인하기 때문에 뒤의 것이 앞의 것보다 뛰어나다. 그래서 『대비바사론』 제85권(=대27-440중)에서 말하였다. "이들 중 해탈은 오직 소연에 대해 전체적으로 청정한 모습을 취할 뿐, 아직 청·황·적·백을 분별할 수 없으며, 뒤의 4승처는 비록 청·황·적·백을 분별할 수는 있지만, 아직 무변하다는 행상을 지을 수 없으며, 앞의 4변처는 청·황·적·백을 분별할 뿐만 아니라, 무변하다는 행상도 지을 수 있다. 말하자면 푸른 등의 하나하나가 무변한 것을 관찰하며, 뒤에 다시 푸른 등은 무엇을 의지처로 하는가를 사유해서 대종에 의지한다는 것을 알기 때문에 다음에 땅 등의 하나하나가 무변한 것을 관찰하며, 다시 이렇게 지각되는[所覺] 색은 무엇에 의해 광대한가를 사유해서 허공에 의한다는 것을 알기 때문에 다음에 공무변처를 일으키고, 다시 이렇게 능히 지각하는 것[能覺]은 무엇을 의지처로 해서 일어나는가를 사유해서 광대한 의식에 의지한다는 것을 알기 때문에 다음에는 다시 식무변처를 일으킨다. 이렇게 의지하는 의식은 별도의 의지처가 없기 때문에 더 이상 위의 것을 변처로 세우지 않는다." 이 10변처를 여러 문으로 분별함의 자세한 것은 『대비바사론』 제85권(=상동)에서 해석한 것과 같다.
59 이하는 곧 다섯째 획득과 의지하는 몸을 밝히는 것인데, 위의 2구는 첫 물음에 대한 답이고, 아래 2구는 뒷 물음에 대한 답이다.

득된다. 말하자면 이염 및 가행에 의해 획득되니, 일찍이 익혔던 자와 아직 익히지 못한 자가 있기 때문이다.[60]

네 가지 무색의 해탈과 두 가지 무색의 변처는 각각 공통으로 3계의 몸에 의지해 일으키지만, 나머지는 인취에서만 일으키니, 가르침의 힘에 의하기 때문이다. 이생 및 성자가 모두 현기現起할 수 있다.[61]

제6절 선정을 일으키는 인연

색·무색계에 태어나 있는 모든 자가 정려와 무색정을 일으키는 것은 어떤 다른 인연에 의하는가? 게송으로 말하겠다.

38 2계에서는 원인과 업에 의해[二界由因業]
　무색정을 일으킬 수 있고[能起無色定]
　색계에서 정려를 일으키는 것은[色界起靜慮]
　자연적인 힘에도 또한 의한다[亦由法爾力][62]

논하여 말하겠다. 위의 2계에 태어나면 모두 세 가지 인연에 의해 능히

....

60 처음 2구를 해석하는 것이다. 제8해탈은 먼저 근품(=제5권 중 게송 44 · 45 와 그 논설)에서 이미 분별한 것과 같으니, 곧 이것은 앞의 멸진정이기 때문이다. 붓다께서는 오직 이염득이지만, 나머지는 모두 가행득이고, 오직 욕·색 2계의 몸에 의지해 일어나며, 성자만이 일으킨다. 나머지 7해탈·8승처·10변처는 공통으로 두 가지에 의해 획득된다. 만약 일찍이 익혔던 자라면 이염에 의해 획득하지만, 아직 익히지 못한 자라면 가행에 의해 획득한다.
61 아래 2구를 해석하는 것이다. 네 가지 무색의 해탈과 두 가지 무색의 변처는 가르침의 힘에 의하는 것이 아니므로 각각 공통으로 3계의 몸에 의지해 일으키지만, 나머지 앞의 3해탈 및 8승처 및 앞의 8변처는 인취의 3주에서만 일으킬 수 있으니, 가르침의 힘에 의하기 때문에 다른 곳에는 통하지 않는다. 이 7해탈·8승처·10변처는 이생 및 성자가 모두 현기할 수 있다. 멸진정은 앞에서 가리켰기 때문에 따로 말하지 않았다.
62 이하는 곧 여섯째 선정을 일으키는 인연을 밝히는 것이다. 위의 2계에 태어난 자가 위의 두 가지 선정을 일으키는 것이 이미 가르침에 의하지 않는다면 어떤 인연에 의한 것인지 묻고, 게송으로 답한 것은 알 수 있을 것이다.

나아가 색계·무색계의 선정을 견인해 낳는다. 첫째는 원인의 힘[因力]에 의해서이다. 말하자면 이전 시기에 가까이에서 아울러 자주 닦았던 것이 일으키는 원인이 되기 때문이다. 둘째는 업의 힘[業力]에 의해서이다. 말하자면 이전에 일찍이 상지에 태어남을 감득할 순후수업順後受業 등을 지었다면, 그 업의 이숙을 장차 일으켜 현전시킬 세력이 능히 나아가 그 선정을 일으키게 하니, 만약 아직 하지의 번뇌를 떠나지 않았다면 반드시 결정코 상지에 태어날 수 없기 때문이다. 셋째는 자연적인 힘[法爾力]이다. 말하자면 기세계가 장차 무너지려고 할 때에는 하지의 유정은 자연히 능히 상지의 정려를 일으키니, 이 단계에 있는 선법이 자연적인 힘에 의해 모두 증성해지기 때문이다.63

위의 2계 중에 태어나 있는 모든 자가 무색정을 일으키는 것은 원인과 업의 힘에 의하고, 자연적인 힘에 의해서는 아니니, 무운천無雲天 등은 3재三災에 의해 무너지지 않기 때문이다.64 색계에 태어나 있는 자가 정려를 일으킬 때에는 위의 두 가지 인연 및 자연적인 힘에 의한다.65

만약 욕계에 태어나서 상지의 선정을 일으킬 때에는 각각 가르침의 힘에 의한 것을 더한다고 알아야 할 것이다.66

....

63 이는 곧 전체적으로 해석하는 것이다. 위의 2계에 태어나면 모두 세 가지 인연에 의해 2계의 선정을 일으킨다. 첫째는 원인의 힘에 의해서이다. 말하자면 이전 시기에 어느 계에 있었든 전생 가까이에서 일으켰으며, 그리고 자주 닦고 익혔다면 지금 현기하는 것의 동류인이 되기 때문이다. 둘째는 업의 힘에 의해서이다. 말하자면 먼저 일찍이 상지에 태어남을 감득할 순후수업을 지었다면 업과를 장차 현전시킬 세력이 선정을 일으키게 하니, 반드시 하지를 떠나야 비로소 상지에 태어나기 때문이다. 셋째는 자연적인 힘[法爾力]이다. 세계가 장차 무너지려고 하면 자연히 능히 상지의 선정을 얻기 때문이다.
64 위의 2계에 태어나면 원인과 업의 힘에 의해 무색정을 일으키지, 자연적인 힘에 의해서는 아니라는 것을 개별적으로 밝히는 것이니, 재앙이 무너뜨리지 못하는 것이기 때문이다.
65 색계에 태어나면 모두 세 가지 인연에 의해 색계의 선정을 일으킨다는 것을 개별적으로 밝히는 것이다.
66 뜻의 편의상 만약 욕계에 태어나면 단지 위의 세 가지 인연에만 의하지 않고, 각각 가르침에 의한 것을 더한다고 알아야 한다. 『순정리론』(=제80권. 대29-775상)에서 말하였다. "가르침에 의한다고 한 것은 인취의 3주를 말하는 것이다. 천신도 역시 가르침을 듣지만, 미미하기 때문에 말하지 않은 것이다."

제3장 8품의 총결

제1절 정법의 머묾

　이상 갖가지 법문法門에 대해 분별한 것은 모두 세존의 정법正法을 널리 지니게 하기 위한 것인데, 무엇을 정법이라고 말하며, 장차 얼마 동안 머무는가?67 게송으로 말하겠다.

③⑨ 붓다의 정법에는 둘이 있으니[佛正法有二]
　　말하자면 교와 증을 체로 하는 것인데[謂教證為體]
　　수지하고 설하고 행하는 자가 있다면[有持說行者]
　　이것은 곧 세간에 머문다[此便住世間]68

　논하여 말하겠다. 세존의 정법의 체는 두 가지가 있다. 첫째는 교법[教], 둘째는 증법[證]이니, 교법은 계경·조복調伏·대법對法을 말하며, 증법은 3승의 보리분법을 말하는 것이다.69

··········

67 이하는 당품의 큰 글의 둘째 정법이 세간에 머무는 시간을 밝히는 것인데, 앞에서 논설한 뜻을 표방하면서 두 가지를 물었다. 만약 서분·정종분·유통분의 구분을 앞의 한 가지 해석(=‘제2해’)에 의한다면, 여기서부터 파집아품의 끝까지가 한 부의 큰 글의 셋째로서 유통분이라고 이름할 것이다. 또 앞의 한 가지 해석(=‘제3해’)에 의한다면 여기서부터 분별정품의 끝까지가 앞의 8품에 대한 큰 글의 셋째로서 유통분이라고 이름할 것이다. # 이 책은 ‘제1해’에 의거해 파집아품의 끝의 마지막 게송 3수를 유통분으로 하였다.
68 위의 2구는 첫 물음에 대한 답이고, 아래 2구는 뒷 물음에 대한 답이다.
69 위의 2구를 해석하는 것이다. 세존의 정법의 체는 두 가지가 있으니, 첫째는 교법教法, 둘째는 증법證法이다. 교법이란 말하자면 3장三藏의 법이다. 첫째 소달람장素呾纜藏은 여기 말로 계경이고, 둘째 비나야장毘奈耶藏은 여기 말로 조복이니, 신·어의 율의가 수행자를 조복한다. 교가 조복을 표현하므로 표현대상에 따라 이름지은 것이다. 셋째 아비달마장은 여기 말로 대법인데, 자세한 것은 앞에서 해석한 것과 같다. 증법이란 말하자면 성문·독각·여래 3승의 보리분법이다. # 요컨대 증법은 내적으로 증득하는 깨달음을 가리키고, 교법은 그것을 설명하는 언교의 가르침을 가리킨다.

능히 수지하는 자 및 바르게 설하는 자가 있다면 붓다의 바른 교법은 곧 세간에 머물며, 능히 가르침에 의지해 바르게 수행하는 자가 있다면 붓다의 바른 증법은 곧 세간에 머문다. 따라서 세 사람이 세간에 머무는 시간의 분량에 따라 정법도 그 만큼의 시간 동안 머문다고 알아야 할 것인데, 성스러운 가르침에서는 전체적으로 1천 년[千載] 동안만 머문다고 말하였다.70 어떤 분은, 증법은 1천 년 동안만 머물지만, 교법이 머무는 시간은 다시 이를 초과한다고 해석하였다.71

제2절 논을 짓는 종지

이 논은 아비달마에 의지하며 아비달마를 포함하는데, 어떤 이치에 의해 대법을 해석했는가?72 게송으로 말하겠다.

40 가습미라에서 논의한 이치로 이루었으니[迦濕彌羅議理成]
　　나는 대부분 그에 의해 대법을 해석했는데[我多依彼釋對法]
　　조금이라도 덜어 헤아린 것 있다면 나의 허물이나[少有貶量爲我失]

....

70 아래 2구를 해석하는 것이다. 능히 수지하는 자가 있다는 것은 말하자면 능히 3장의 교법을 암송해 지니는 것이니, 곧 가르침을 암송하는 자이다. 이는 '수지하는 자가 있다면'을 해석한 것이다. '및 바르게 설하는 자'는 말하자면 능히 3장의 교법을 바르게 설하는 것이니, 곧 설법사이다. 이는 '설하는 자가 있다면'을 해석한 것이다. 이 두 사람에 의해 붓다의 바른 교법은 곧 세간에 머문다. 능히 가르침에 의지해 3승의 보리분법을 바르게 수행하는 자가 있다면 붓다의 바른 증법은 곧 세간에 머문다. 따라서 세 사람이 세간에 머무는 시간의 분량에 따라 정법도 그 만큼의 시간 동안 머문다고 알아야 할 것인데, 성스러운 가르침에서는 전체적으로 1천 년 동안만 머문다고 말하였다.
71 다른 학설을 서술하는 것이다. 어떤 분은, 증법은 1천 년 동안만 머무니, 1천 년을 지나고 나면 성법에 들어갈 수 없지만, 교법이 머무는 시간은 다시 이를 초과하니, 1천 년 이후에는 성법을 얻을 수는 없지만, 수지하고 그리고 설법하는 자는 있다고 해석하였다.
72 이하는 곧 셋째 논을 짓는 종지를 밝히는 것인데, 앞을 옮겨와서 물음을 일으켰다. 앞의 계품 중에서 이 장론은 아비달마에 의지하고 아비달마를 포함한다고 설했는데, 논주가 논을 지은 것은 여러 부파 중 어떤 이치에 의해 대법을 해석한 것인가?

법의 바른 이치의 판별은 모니께 있는 것이다[判法正理在牟尼]73

논하여 말하겠다. 가습미라국의 비바사 논사들이 논의한 아비달마는 이치가 잘 성립된 것이므로, 나는 대부분 그것에 의해 대법의 종지를 해석했는데, 조금이라고 덜어 헤아린 것이 있다면 나의 허물이라고 할 것이지만, 법의 바른 이치의 판별은 오직 세존 및 여래의 위대한 성제자들만이 할 수 있는 일이다.74

1 큰 스승의 세간의 눈은 오래 전에 감겼고[大師世眼久已閉]
　　증득을 감당하신 분들도 대부분 흩어져 사라지셨으니[堪爲證者多散滅]75
　　진실한 이치 보지 못해 법도 없는 사람들이[不見眞理無制人]
　　비루한 심구 사유에 의해 성스러운 가르침 어지럽히네[由鄙尋思亂聖敎]76

....
73 처음 2구는 바로 답한 것이고, 뒤의 2구는 겸양한 것이다.
74 장항에 나아가면 첫째 게송의 근본을 바르게 해석하고, 둘째 슬퍼하고 탄식하면서 배우기를 권하니, 이는 곧 게송의 근본을 바르게 해석하는 것이다.(=이에 의하면 뒤의 3수의 게송으로 번역한 것은 게송이 아니라 장항이지만, 7자씩 3수의 게송처럼 한역되어 있어 게송인듯이 번역하였다. 범본에서도 이는 600수의 기본 게송에 포함된 것이 아닌 것으로 보인다) 가습미라국의 5백 분의 위대한 아라들인 비바사 논사들이 서로 함께 논의한 아비달마는 이치가 잘 성립된 것이므로, 나는 대부분 그것에 의해 대법의 종지를 해석했는데, 그 중 때로는 경량부의 뜻의 종지로도 하였다. 조금이라고 덜어 헤아린 것이 있다면 나의 허물이라고 할 것이니, 그러므로 역시 아직 감히 곧 지남指南이라고 하지 못하지만, 법의 바른 이치의 판별은 오직 세존 및 여래의 위대한 성제자인 사리자 등만이 할 수 있는 일이다.
75 이하는 둘째 슬퍼하고 탄식하면서 배우기를 권하는 것인데, 그 안에 나아가면 첫째 사람들에 대해 슬퍼하며 탄식하고, 둘째 법을 배우기를 권한다. 첫째 바로 사람들에 대해 슬퍼하고 탄식하는 것에 나아가면 첫째 바로 사람들에 대해 슬퍼하며 탄식하고, 둘째 거듭 해석해서 슬퍼하며 탄식하는데, 바로 사람들에 대해 슬퍼하며 탄식하는 것이 나아가면 첫째 공덕 있는 분에 대해 슬퍼하며 탄식하고, 둘째 허물 일으키는 것을 슬퍼하며 탄식하니, 이는 곧 첫째 공덕 있는 분에 대해 슬퍼하고 탄식하는 것이다. 첫 구는 여래에 대해 슬퍼하며 탄식하는 것이고, 아랫 구는 제자들에 대해 슬퍼하며 탄식하는 것이다. 3계의 큰 스승께서는 세간의 안목이 되는데, 적멸에 드신 지 많은 세월인 것을 '오래 전에 감겼다'고 이름했고, 여러 성제자들인 사리자 등은 붓다의 정법의 증득을 감당하신 분인데, 역시 열반에 드셔서 대부분 흩어져 사라지셨다.

2 스스로 깨달으신 분은 이미 뛰어난 적정으로 돌아가셨고[自覺已歸勝寂靜]

그 가르침을 지닌 분들도 대부분 따라 입멸하셔서[持彼敎者多隨滅]77

세간에 의지할 분 없어 온갖 공덕 잃으니[世無依怙喪衆德]

갈고리의 제약 없어 번뇌가 마음 따라 일어나네[無鉤制惑隨意轉]78

3 이미 여래의 정법의 수명이[旣知如來正法壽]

점차 쇠망해 목구멍에 이른 것과 같음을 알았으니[漸次淪亡如至喉]

이렇게 모든 번뇌의 힘이 증성할 때일수록[是諸煩惱力增時]

----

76 이는 곧 둘째 허물 일으키는 것을 슬퍼하며 탄식하는 것이다. 범부들은 어리석고 지혜의 눈이 없어 네 가지 진실한 진리의 이치를 볼 수 없으므로 번뇌를 일으키고 생각에 맡겨서 법으로 스스로 제약함이 없는 것을 법도 없는 사람[無制人]이라고 이름했으니, 비루하고 나쁜 심구·사유를 일으킴에 의해 다른 길로 제멋대로 헤아림으로써 성스러운 가르침을 미혹시키고 어지럽힌다.

77 이하는 둘째 거듭 해석해서 슬퍼하고 탄식하는 것인데, 그 안에 나아가면 첫째 공덕 있는 분을 거듭 해석하고, 둘째 허물 일으키는 것을 거듭 해석하니, 이는 곧 첫째 공덕 있는 분을 거듭 해석하는 것이다. 스승 없이 스스로 깨달으신 것을 '스스로 깨달으신 분'이라고 이름한 것이니, 2승과 다르다고 구별한 것이다. 이런 깨달음을 가지신 분을 '큰 스승'이라고 이름해 불렀는데, 지금 '가장 뛰어난 적정인 상락常樂의 열반으로 이미 돌아가셨다'는 것은 앞의 '세간의 눈은 오래 전에 감겼다'는 것을 해석한 것이다. 위대한 성문들인 사리자 등이 대부분 따라 입멸하셨다는 것은 앞의 '증득을 감당하신 분들도 대부분 흩어져 사라지셨다'는 것을 해석한 것이다.

78 이는 곧 둘째 허물 일으키는 것을 거듭 해석하는 것이다. 세간의 유정들은 여래 및 제자들의 온갖 공덕을 상실했기 때문에 귀의할 곳이 없고 의지할 곳이 없으며, 그래서 진실한 이치를 보지 못하는 자들을 '법도 없는 사람들'이라고 이름했으니, 이는 곧 앞의 '진실한 이치 보지 못해 법도 없는 사람들'을 해석한 것이다. 정법이라는 갈고리가 모든 번뇌라는 코끼리를 제약함이 없어서 마음 따라 집착을 일으키니, 이는 비루한 심구·사유로 성스러운 가르침을 어지럽히는 것을 해석한 것이다. 또 해석하자면 '세간에 의지할 분 없어 온갖 공덕을 잃은 것'은 앞의 공덕 있는 분에 대해 슬퍼하고 탄식한 2구를 쌍으로 맺으면서 해석한 것이니, 붓다 및 제자들이 입멸하셨기 때문에 온갖 공덕을 잃어 일체 세간에 의지할 분 없고 믿을 분 없다고 이름했으며, '갈고리의 제약 없어 번뇌가 마음 따라 일어난다'는 것은 앞의 허물을 일으키는 것을 슬퍼하고 탄식하는 2구를 해석한 것이니, 갈고리가 번뇌를 제약함이 없는 것은 '진실한 이치 보지 못해 법도 없는 사람들'을 해석한 것이고, 마음 따라 일어나는 것은 '비루한 심구·사유가 성스러운 가르침 어지럽히는 것'을 해석한 것이다. 뒤의 해석이 나은 듯하다.

해탈 구함에 방일치 말아야 하리라[應求解脫勿放逸]79

79 이는 곧 둘째 법을 배우기를 권하는 것이다. 여래의 정법의 수명이 점차 쇠망
해, 마치 사람이 죽으려고 할 때 숨이 목구멍에 이르면 곧 단멸하는 것과 같음
을 이미 알았으니, 이럴 때에는 모든 번뇌의 세력이 증성하므로 속히 해탈 열
반을 기뻐하며 구하고, 방일하여 모든 번뇌를 일으키지 말아야 한다.

阿毘達磨俱舍論
아비달마구사론

第九 破執我品
제9 파집아품

尊者世親 造
존자세친 조

三藏法師玄奘 奉詔譯
삼장법사현장 봉조역

제9 파집아품破執我品80(의 1)

제1장 파집아破執我 총설

이를 건너서 다른 가르침에 의지한들 어찌 해탈이 없겠는가?81 이치상 반드시 있을 수 없다.82 까닭이 무엇인가?83 허망한 자아에 대한 집착에 의해 미혹되어 어지럽혀지기 때문이니, 말하자면 이 법 밖에서 집착된 모든 자아는 곧 온蘊의 상속에 임시로 건립된 것이 아니라, 진실로 온을 떠난 자아[이온아離蘊我]가 있다고 집착하는 것이기 때문이다. 자아에 집착하는 힘에 의해 모든 번뇌가 생겨서 세 가지 존재에서 윤회하며 벗어날 수 없는 것이다.84

....

80 '파집아품'이란 자아의 체는 실제로 없는데도 멋대로 집착하는 모든 자들을 이 품에서 널리 부수므로 '파집아'라고 한 것이다. 다음에 파아품을 밝히는 까닭은 이 논서 한 부[一部]가 붓다의 계경의 3법인 중 제법무아를 해석하는데, 앞의 8품이 '제법'이라는 현상[諸法事]을 밝히고, 뒤의 1품이 '무아'의 이치[無我理]를 밝히니, 현상은 두드러지므로 먼저 분별하고, 이치는 미세하므로 뒤에 밝히는 것이다. 혹은 현상은 의지대상[所依]이니, 이 때문에 앞에서 설명하고, 이치는 능히 의지주체[能依]이기 때문에 뒤에 밝히는 것이다.
81 이 품 안에 나아가면 큰 글이 둘 있으니, 첫째는 달리 집착하는 것을 널리 논 파하는 것, 둘째는 배우기를 권하고 유통하는 것이다. 널리 논파하는 것 안에 나아가면 첫째 전체적으로 논파하고, 둘째 개별적으로 논파한다. 이하 첫째 전체적으로 논파하는 것 중에서는 첫째 묻고, 둘째 답하며, 셋째 따지고, 넷째 해석하며, 다섯째 따지고, 여섯째 논파하니, 이는 곧 묻는 것이다. '이 불법을 건너서 다른 법에 의지한들 어찌 해탈이 없겠는가?'라고 물은 것은, 「무엇 때문에 앞에서 해탈을 구해야 한다고 말했는가?」라는 것이니, 이는 곧 앞에 편 승해서 물음을 일으킨 것이다. 앞의 한 가지 해석(='제3해')에 의해 3분으로 나누어 해석할 경우, 파아품 중에 나아가면 이 처음 2문구를 서분이라고 이름 할 것이다.
82 이는 곧 답하는 것이다. 이치로써 미루어 찾아보면 반드시 결정고 있을 수 없 다. 파아품 중에서 건립하고 있는 논파는 논주가 대부분 경량부의 종지를 서 술하는 것이다. 만약 앞의 한 가지 해석(='제3해')에 의해 파아품 중에 나아 간다면 이하를 정종분이라고 이름할 것이다.
83 이는 곧 따지는 것이다.
84 이는 곧 해석하는 것이다. 허망한 자아에 대한 집착에 의해 미혹되어 어지럽 혀지기 때문이다. 말하자면 이 불법 외에, 승론의 논사 등이 집착하는 자아는

무엇을 증거로 해서 모든 자아라는 명칭이 온의 상속을 칭하는 것일 뿐, 별도로 자아 자체[我體]를 가리키는 것이 아님을 아는가?[85] 그들이 헤아리는 바 온을 떠난 자아에 대해서는 진실한 현량現量·비량比量이 없기 때문이다. 말하자면 만약 자아 자체가, 마치 다른 있는 법처럼, 별도로 실물實物이 있다면, 장애하는 조건이 없을 경우 마치 6경이나 의근처럼 현량으로 인식되거나 마치 5색근처럼 비량으로 인식되어야 할 것이다. 5색근이 비량으로 인식된다고 말한 것은, 마치 세간에서 현견되듯이, 비록 온갖 조건이 있더라도 개별적 조건[別緣]이 결여되면 결과가 곧 있는 것이 아니지만, 결여되지 않으면 곧 있어서, 마치 종자가 싹을 낳는 것처럼 이와 같이 역시 보인다는 것이다. 비록 현재 경계·작의 등의 조건이 있더라도, 모든 맹盲·농聾인 사람과 맹·농이지 않은 사람 등에게 인식이 일어나지 않는 것과 일어나는 것은, 개별적 조건이 결여되었는가, 결여되지 않았는가에 있는 것임을 결정코 알 수 있으니, 여기에서 개별적 조건이란 곧 안근 등의 근이다. 이와 같은 것을 이름하여 색근의 비량이라고 한다. 온을 떠난 자아에 대해서는 2량이 전혀 없으니, 이에 의해 진실한 자아 자체는 없다는 것을 증지할 수 있다.[86]

....

곧 5온이 상속하는 법 위에 임시로 건립해서 자아라고 하는 것이 아니라, 진실로 온을 떠난 자아[離蘊我]가 별도로 있다고 집착하는 것이기 때문이다. 이렇게 멋대로 자아를 헤아려 집착하는 세력이 근본이 되기 때문에 모든 번뇌가 생기고, 번뇌가 생김에 의해 이숙과를 감득해서 세 가지 존재 중에서 윤회하며 쉬지 않기 때문에 밖의 법에 의해서는 해탈할 수 없다.

85 이는 곧 따지는 것이다. 무엇을 증거로 해서 그 모든 자아라는 능전能詮의 명칭이 오직 5온의 상속을 이름한 것일 뿐, 온을 떠난 밖의 자아 자체[我體]를 별도로 가리키는 것이 아님을 아는가?

86 이는 곧 논파하는 것이다. 그 외도들이 헤아리는 바 온을 떠난 모든 자아에 대해서는 진실한 현량·비량이 없기 때문이다. 3량 중 성언량을 잡아서 증거로 하지 않는 까닭은, 내·외의 2도는 각각 자기 스승이 말씀하신 것을 성스러운 가르침이라고 말하므로, 성스러운 가르침을 증거로 하더라도 서로 받아들이지 않을 것이니, 그래서 3량 중 현량·비량에 의거해서만 논파하는 것이다. 말하자면 만약 자아 자체가, 마치 체가 있는 다른 법처럼, 5온을 떠난 밖에 별도로 실물이 있다면, 장애하는 인연이 없을 경우 12처 중 마치 6경이나 의근처럼 현량으로 인식되어야 할 것이다. 말하자면 형색 등의 5경은 안식 등의 5식이 현량으로 증득하고, 법경 중 모든 심·심소법 및 의처는 타심지에 의해 현

제2장 독자부의 비즉비리온非卽非離蘊의 자아 논파

제1절 종지의 서술과 이치에 의한 논파

1. 종지의 서술과 가·실에 의거한 논파

그런데 독자부犢子部에서는, 보특가라補特伽羅가 있는데, 그 체는 온과 동일하지도 않고 다르지도 않다[與蘊不一不異]고 주장한다.[87]

량으로 증득된다. (혹은) 말하자면 만약 자아 자체가, 마치 체가 있는 다른 법처럼, 5온을 떠난 밖에 별도로 실물이 있다면, 장애하는 인연이 없을 경우 마치 5색근처럼 비량으로 인식되어야 할 것이다. 5색근이 비량으로 인식된다고 말한 것은, 마치 세간에서 현견되듯이, 비록 물·흙·사람의 공이라는 온갖 조건이 있더라도 종자라는 개별적 조건이 결여되면 싹이라는 결과가 곧 있는 것이 아니지만, 종자라는 개별적 조건이 결여되지 않으면 싹이라는 결과가 곧 있으니, 마치 종자가 싹을 낳는 것을, 싹을 봄으로써 종자가 있었음을 비지比知(=비량으로 아는 것)하는 것과 같다. 이것은 외적인 비유를 든 것이지만, 이와 같이 역시 보인다는 것이다. 비록 현재 형색 등의 경계와 작의 등의 조건이 있더라도-'등'은 밝음·허공을 같이 취한 것이니, 만약 안식이라면 형색·작의·밝음·허공의 네 가지 조건에 의하고, 만약 이식이라면 소리·작의·허공의 세 가지 조건에 의하며, 만약 비식·설식·신식이라면 작의 및 향·미·촉의 두 가지 조건에 의한다-, 모든 맹·농인 사람 등에게는 인식이 일어나지 않으니, 안근 등의 개별적 조건이 결여되었기 때문이며, 맹·농이지 않은 사람 등에게는 인식이 일어나니, 안근 등의 개별적 조건이 있기 때문이다. 개별적 조건에 결여가 있을 때에는 인식이 일어날 수 없고, 결여되지 않았을 때에는 인식이 곧 일어날 수 있다는 것을 결정코 알 수 있으니, 여기에서 개별적 조건이란 곧 안근 등의 근이다. 작의 등은 공통의 조건이고, 안근 등은 개별적 조건이며, 5식은 결과이다. 능히 인식을 일으키는 것에 의해 근이 있다는 것을 비지比知하니, 이와 같은 것을 이름하여 색근의 비량이라고 한다. 온을 떠난 자아에 대해서는 2량이 전혀 없으니, 6경과 의근처럼 현량으로 인식되는 것이 아니기 때문이며, 안근 등의 5근처럼 비량으로 인식되는 것이 아니기 때문이다. 이에 의해 진실한 자아 자체는 없다는 것을 증지할 수 있다. 이는 현량·비량에 의거해 모든 자아를 전체적으로 논파한 것이다. 글 중에서 이미 개별적으로 표방하지 않았으니, 전체적으로 논파한 것임을 분명히 알 수 있다.

87 이하는 둘째 개별적으로 논파하는 것이다. 개별적 논파 중에 나아가면 첫째 독자부를 논파하고, 둘째 수론의 논사를 논파하며, 셋째 승론의 논사를 논파하니, 이하는 첫째 독자부를 논파하는 것이다. 그 안에 나아가면 첫째 종지를 서술하고, 둘째 바로 논파하며, 셋째 힐난에 대해 회통하니, 이는 곧 첫째 종지의 서술이다. 독자부라고 말한 것은 18부파 중 1부파의 명칭이다. 붓다 재

이것은 생각해 가려야 할 것이니, 실유인가, 가유인가?[88] 실유·가유의 모습의 차별은 어떠한가?[89] 마치 형색·소리 등처럼 별도로 체가 있는 사물[別有事物]은 실유의 모습이고, 마치 우유·낙락 등처럼 단지 쌓여 모여 있을 뿐[但有聚集]인 것은 가유의 모습이다.[90]

실유로 인정하거나 가유로 인정한다면 각각 어떤 허물이 있는가?[91] 체가

....

세시 독자외도가 있어 실제의 자아가 있다고 계탁했는데, 계탁하는 것이 외도와 같기 때문에 명칭으로 표방한 것이다. 여래의 제자라면 자아에 집착하지 않아야 할 것인데, 멋대로 자아에 집착하기 때문에 먼저 논파하는 것이다. 독자부에서는 보특가라pudgala가 있다고 주장하는데, 여기 말로는 삭취취數取趣이다. 자아의 다른 명칭이니, 자주 5취를 취한다[數取五趣]는 뜻이다. 그 체가 실제로 있는데, 그 오온과 동일하지도 않고 다르지도 않다고 하면서, 그들이 계탁하는 자아의 체는 단멸하는 것도 아니고 항상한 것도 아니라고 한다. 만약 온과 동일하다면 온이 소멸할 때 자아도 소멸할 것이므로, 자아는 같이 단멸해야 할 것이니, 동일하다고 말할 수 없고, 만약 온과 다르다면 온이 소멸하더라도 자아는 소멸하지 않을 것이므로 자아는 항상한 것이어야 할 것이니, 다르다고 말할 수 없는 것이다.

88 이하는 둘째 바로 논파하는 것인데, 그 가운데 나아가면 첫째 이치로써 논파하고, 둘째 가르침으로써 논파한다. 이치로써 논파하는 가운데 나아가면 첫째 가·실에 의거해 논파하고, 둘째 '의하여[依]'에 의거해 따져서 논파하며, 셋째 5법장에 의거해 논파하고, 넷째 의탁대상[所託]에 의거해 논파하며, 다섯째 인식대상[所識]에 의거해 논파하니, 이하는 첫째 가·실에 의거해 논파하는 것이다. 그대들이 집착하는 자아는 실유인지, 가유인지, 이것은 생각해서 가려야 한다고 논주가 생각하기를 권하는 것이다. # 이상 설명된 글의 구성에 의해 이 품의 구성을 도표로써 나타내 보이면 다음과 같다.

널리 논파함	전체적 논파				제1장
	개별 논파	독자부 논파	종지의 서술		제2장 제1절
			바로 논파함	이치에 의한 논파	
				가르침에 의한 논파	제2절
			힐난에 대한 회통		제3절
		수론 논파			제3장
		승론 논파			제4장
배우기를 권하며 유통함					[유통분]

89 독자부의 물음이다. 실유와 가유의 모습이 다른 것은 어떠하기에 우리에게 생각해서 가리기를 권하는가?

90 논주의 답이다. 형색·소리 등과 같은 것이 실유의 모습이고, 우유·낙 등과 같은 것이 가유의 모습이니, 많은 법으로 이룬 것이기 때문이다.

91 독자부에서 또 물었다.

만약 실제라면 온과는 달라야 할 것이니, 마치 서로 다른 온처럼 별도의 성품이 있을 것이기 때문이다. 또 실제의 체가 있다면 반드시 원인이 있어야 할 것이다. 혹은 무위여야 할 것이니, 곧 외도의 소견과 같을 것이다. 또 작용이 없어야 할 것이니, 실유라는 주장은 부질없을 것이다. 체가 만약 가유라고 한다면 곧 우리의 설과 같다.[92]

2. '의하여[依]'에 의거한 논파

우리가 건립한 보특가라는 그대가 따지는 바 실유·가유와 같은 것이 아니다. 단지 내부의 현재세에 포함되는 유집수有執受의 여러 온에 의하여[依] 보특가라를 건립할 수 있다는 것일 뿐이다.[93]

이와 같이 잘못된 말[謬言]은 그 뜻이 아직 드러나지 않아 나는 잘 알지 못하겠다. 어떤 것을 '의하여[依]'라고 이름한 것인가? 만약 여러 온을 취하는 것[攬]이 이 '의하여'의 뜻이라면, 이미 여러 온을 취해서 보특가라를 이

....
92 논주가 허물을 나타내는 것이다. 자아의 체가 만약 실제라면 논파해 말하겠다. 그대들이 주장하는 자아는 온과는 달라야 할 것이니, 마치 색온이 수온과는 다른 것처럼 별도의 성품이 있을 것이기 때문이다. 만약 온과는 다르다면 곧 자아는 온과 다르지 않다는 그대들의 종지에 위배될 것이다. 또 집착하는 자아는 반드시 원인이 있어야 할 것이니, 마치 형색 등처럼 실제의 체가 있기 때문이다. 만약 원인으로부터 생긴다면 곧 무상한 것일 것인데, 그렇지만 그들은 자아가 무상한 것이 아니라고 계탁한다. 만약 무상한 것이라면 곧 3세에 포함될 것인데, 그들의 종지에서는 자아는 반드시 3세의 법장에 포함되는 것이 아니라고 설한다. 만약 원인으로부터 생기지 않는다고 말한다면, 그대들이 집착하는 자아는 무위여야 할 것이니, 마치 허공처럼 원인으로부터 생기는 것이 아니기 때문이다. 만약 무위라면 곧 외도의 소견과 같을 것이다. 또 5법장 중 자아는 무위가 아니라고 하는 자기 종지에 위배될 것이니, 다시 자아의 체는 항상한 것이 아니라고 말하기 때문이다. 또 만약 무위라면 작용이 없어야 할 것이다. 이미 작용이 없으니, 그대들이 실유라고 주장하는 것으로 필경 무엇을 하겠는가? 만약 자아의 체가 만약 가유라고 한다면, 곧 우리의 설과 같다. 그대들의 본래 종지에 위배될 것이다.
93 이하는 둘째 '의하여'에 의거해 따져서 논파하는 것인데, 먼저 독자부의 종지를 서술하는 것이다. 「우리가 건립한 보특가라는 그대가 따지는 바 실유·가유와 같은 것이 아니다. 다만 내부—외부의 산 등을 가려내는 것이다—의 현재—과거·미래를 가려내는 것이다—의 유집수—내부 몸 중의 청정치 못한 등의 물건이 무집수인 것을 가려내는 것이다—의 이런 여러 온에 의하여[依] 보특가라를 건립할 수 있다는 것일 뿐이다.」

루니, 곧 보특가라는 가유가 되어야 할 것이다. 마치 우유·낙 등이 형색 등을 취하여 이루어진 것과 같다. 만약 여러 온을 원인으로 하는 것[因]이 이 '의하여'의 뜻이라면, 이미 여러 온을 원인으로 해서 보특가라를 세운 것이니, 곧 보특가라도 역시 이것과 같다는 허물이 있을 것이다.[94]

그와 같이 건립되지 않았다.[95] 어떻게 건립된 것인가?[96] 이는 마치 세간에서 섶에 의하여 불을 세우는 것[依薪立火]과 같다.[97] 어떻게 불을 세우는 것이 섶에 의한다고 말할 수 있는가?[98] 말하자면 섶을 떠나서는 불이 있다고 세울 수 있는 것이 아니지만, 섶과 불은 다른 것도 아니고 동일한 것도 아니다. 만약 불이 섶과 다르다면 섶은 뜨겁지 않아야 할 것이고, 만약 불이 섶과 동일하다면 태워지는 것[所燒]이 곧 능히 태우는 것[能燒]일 것이다. 이와 같이 온을 떠나서는 보특가라를 세우지 못하는데, 그렇지만 보특가라는 온과 다른 것도 아니고 동일한 것도 아니다. 만약 온과 다른 것이라면 체가 항상한 것이어야 할 것이며, 만약 온과 동일한 것이라면 체가 단멸을 이루어야 할 것이다.[99]

....
94 논주가 바로 논파하는 것이다. 이와 같이 잘못된 말은 그 뜻이 아직 드러나지 않아 나는 잘 알지 못하겠다. 어떤 것을 '의하여[依]'라고 이름한 것인가? 만약 여러 온을 취하는 것[攬]이 자아가 '의하는' 뜻이라고 한다면, 이미 여러 온을 취해서 보특가라를 이루니, 곧 보특가라는 가유가 되어야 할 것이다. 마치 우유·낙 등이 형색 등을 취하여 체를 이루므로 가유인 것과 같기 때문이다. 만약 여러 온을 취하지 않고, 단지 여러 온을 원인으로 하는 것[因]이 이 자아가 '의하는' 뜻이라고 말한다면, 이미 여러 온을 원인으로 해서 보특가라를 세운 것이다. 온은 원인으로부터 생기고, 자아도 다시 온을 원인으로 해서 있는 것이니, 곧 보특가라도 역시 여러 온과 같이 원인으로부터 생기는 것일 것이다. 만약 자아가 원인에서 생긴다면 이 자아는 허물을 이룰 것이니, 그대들이 주장하는 자아는 원인에서 생기는 것이 아니라고 하기 때문이다. 또 해석하자면 여러 온이 쌓여 모인 것을 원인으로 보특가라를 세운다면 곧 보특가라도 역시 여러 온처럼 체가 가유일 것이다. 경량부의 가문에서는 온은 가유라고 인정하기 때문이다. 만약 자아가 가유라면 이 자아는 허물을 이룰 것이니, 그대들이 주장하는 자아는 체가 실유이기 때문이다.
95 독자부의 말이다.
96 논주가 따지는 것이다.
97 독자부의 답이다.
98 논주가 다시 묻는 것이다.
99 독자부의 답이다. 말하자면 섶을 떠나서는 불이 있다고 세울 수 있는 것이 아

그대들은 지금 여기에서 우선, 무엇을 불이라고 하고, 무엇을 섶이라고 하는지 결정해 말함으로써 나로 하여금 불은 섶에 의한다는 뜻을 요지하게 해야 할 것이다.100 말해야 할 것이 무엇이겠는가? 만약 말하라고 한다면, 태워지는 것[所燒]이 섶이고, 능히 태우는 것[能燒]이 불이라고 말해야 할 것이다.101

여기에서 다시 말해야 할 것이다. 무엇이 태워지는 것이며, 무엇이 능히 태우는 것이기에 섶이라고 이름하며, 불이라고 이름하는가?102 우선 세간에서는 공히, 왕성하게 타지 않던 태워질 물질[所然之物]을 태워지는 섶이라고 이름하고, 광명을 갖고 지극히 뜨겁고 왕성하게 타면서 능히 태우는 물질[能然之物]을 능히 태우는 불이라고 이름한다는 것을 안다. 이것은 그 물질의 상속을 능히 태워서 그것으로 하여금 후후가 전전과 달라지게 하기 때문이다. 이것과 그것은 비록 다 같이 8사事를 체로 하지만, 섶을 조건으로 하기 때문에 불이 비로소 생길 수 있으니, 마치 우유[乳]나 술[酒]을 조건으로 하여 낙酪이나 초醋가 생기는 것과 같다. 그래서 섶에 의하여 불이 있다고 세간에서 공히 말하는 것이다.103

························

니지만, 섶과 불은 다른 것도 아니고 동일한 것도 아니다. 스스로 힐난을 설정해 말한다. 만약 불이 섶과 다르다면 섶은 뜨겁지 않아야 할 것인데, 이미 섶에 뜨거움이 있으니, 다르다고 말할 수 없다. 만약 불이 섶과 동일하다면 태워지는 것[所燒]이 곧 능히 태우는 것[能燒]일 것인데, 이미 주체와 대상이 다르니, 동일하다고 말할 수 없다. 법을 들어서 비유와 같게 해서 말한다. 이와 같이 온을 떠나서는 보특가라를 세우지 못하지만, 보특가라는 온과 다른 것도 아니고 동일한 것도 아니다. 만약 온과 다른 것이라면 체가 항상한 것이어야 할 것이니, 다르다고 말할 수 없으며, 만약 온과 동일한 것이라면 체가 단멸을 이루어야 할 것이니, 동일하다고 말할 수 없다. 그래서 그들은 자아는 단멸하는 것도 아니며 항상한 것도 아니라고 계탁한다.
100 논주가 다시 따지는 것이다.
101 독자부의 답이다.
102 논주가 다시 묻는 것이다. 이것도 다시 설명해야 할 것이니, 무엇이 태워지는 것이기에 섶이라고 이름하며, 무엇이 능히 태우는 것이기에 불이라고 이름하는가?
103 독자부의 답이다. 우선 세간에서는 공히, 왕성하게 타지 않던 태워질 물질을 태워지는 섶이라고 이름하고, 광명을 갖고 지극히 뜨겁고 왕성하게 타는 것을 능히 태우는 불이라고 이름한다는 것을 안다. 이것은 그 물질의 상속을 능히

만약 그런 이치에 의한다면 불은 곧 섶과 다를 것이니, 뒤의 불과 앞의 섶은 시간을 각각 달리하기 때문이다. 만약 그대들이 헤아리는 보특가라가, 마치 불이 섶에 의지하듯이 여러 온에 의지한 것이라면, 곧 결정코 온을 조건으로 하여 생긴 것이므로, 체가 여러 온과는 다르며, 무상한 성품을 이룬다고 말해야 할 것이다.104 만약 곧 왕성하게 타는 나무 등의 따뜻한 감촉[煖觸]을 불이라고 이름하고, 나머지 7사事를 섶이라고 이름한다면, 이는 곧 불과 섶은 동시에 일어나지만 다른 체를 이루어야 할 것이니, 체상에 차이가 있기 때문이다.105

'의한다[依]'는 뜻도 설명해야 할 것이다. 이들이 이미 함께 생긴 것이라면, 어떻게 섶에 의하여 불을 세운다고 말할 수 있겠는가? 말하자면 이 불은 섶을 써서 원인으로 하는 것이 아니니, 각각 자신의 원인으로부터 동시에 생기기 때문이다. 또한 이 불이라는 명칭은 섶을 원인으로 하여 건립된 것도 아니니, 불이라는 명칭의 건립은 따뜻한 감촉을 원인으로 한 것이기 때문이다.106 만약 설한 바 '불은 섶에 의한다'는 말이 구생俱生, 혹은 의지

....

태워서 그것으로 하여금 후후의 형색을 변화시켜 그 체가 전전과 미세하게 달라지게 하기 때문이다. 이 불과 그 섶은 비록 다 같이 4대와 색·향·미·촉의 8사事를 체로 하지만, 앞의 섶을 조건으로 하기 때문에 뒤의 불이 비로소 생길 수 있으니, 마치 앞의 우유를 조건으로 하여 뒤의 낙이 생기는 것과 같으며, 앞의 술을 조건으로 하여 뒤의 초가 생기는 것과 같다. 우유·술·낙·초는 다 같이 8사이지만, 우유·술을 조건으로 하여 낙·초가 생긴다. 이런 이치에 의하기 때문에 세간에서 공히 섶에 의하여 불이 있다고 말하는 것이다.

104 논주의 논파이다. 만약 그런 이치에 의한다면 불은 곧 섶과 다를 것이니, 뒤의 불과 앞의 섶은 시간을 각각 달리하기 때문이다. 또 그대들이 헤아리는 보특가라가, 마치 불이 섶에 의지하듯이 여러 온에 의지한 것이라면, 곧 결정코 온을 조건으로 하여 자아가 생긴 것이니, 체가 여러 온과는 다르며, 무상한 성품을 이룬다고 말해야 할 것인데, 어째서 자아는 온과 다른 것이 아니며, 무상한 것이 아니라고 그대들은 말하는가?

105 또 바꾸어 계탁하는 것을 옮겨와서 논파한다. 그대들이 만약 곧 왕성하게 타는 나무 등의 8사 중 따뜻한 감촉을 불이라고 이름하고, 나머지 7사를 섶이라고 이름한다고 말한다면, 논파해 말하겠다. 곧 이 불과 섶은 동시에 일어나지만, 다른 체를 이루어야 할 것이니, 체상에 차이가 있기 때문이다.

106 또 논파해 말한다. '의한다[依]'는 뜻도 설명해야 할 것이다. 이것들이 이미 함께 생긴 것이 마치 소의 두 개의 뿔과 같다면, 어떻게 섶에 의하여 불을 세운다고 말할 수 있겠는가? 말하자면 이 불은 섶을 써서 원인으로 하는 것이

依止의 뜻을 나타내기 위한 것이라고 말한다면, 이런 즉 보특가라는 온과 함께 생기거나 혹은 온에 의지한다는 것을 인정해야 할 것이니, 체가 온과는 다르다는 것을 이미 분명히 인정한 것이다. 이치상 만약 여러 온이 없다면 보특가라의 체도 역시 있는 것이 아니라는 것을 곧 인정해야 할 것이니, 마치 섶이 있는 것이 아니라면, 불의 체도 역시 없는 것과 같다. 그런데도 그렇다고 인정하지 않기 때문에 해석이 이치가 아닌 것이다.107

그런데 그들은 이에 대해 스스로 힐난을 시설해서, "만약 불이 섶과 다르다면 섶은 뜨겁지 않아야 할 것이다"라고 말하였다. 그들은 뜨거움 자체가 무엇을 말하는지 결정해 말해야 할 것이다. 만약 그들이 '뜨거움은 따뜻한 감촉을 말한다'라고 해석해 말한다면, 곧 섶은 뜨거워지는 것이 아닐 것이니, 체상이 다르기 때문이다. 만약 다시 '뜨거움은 따뜻함과 화합한 것을 말한다'라고 해석해 말한다면, 곧 체를 달리하는 것도 역시 뜨거움이라는 명칭을 얻어야 할 것이다. 실제로 불이라는 명칭은 따뜻한 감촉을 가리킬 뿐이므로, 따뜻함과 화합한 다른 것들도 모두 뜨거움이라는 명칭을 얻는다. 이런 즉 섶을 뜨거움이라고 이름하는 것도 분명히 인정하는 것이다. 비록 섶과 불이 다르다고 해도 허물은 성립되지 않는데, 어떻게 이에 대해 든 사실로써 힐난할 수 있겠는가?108

....

아니니, 왜냐하면 불과 섶은 각각 과거의 자신의 동류인으로부터 동시에 생기기 때문이다. 또한 이 불이라는 명칭은 섶을 원인으로 하여 건립된 것도 아니니, 불이라는 명칭의 건립은 그 섶에 의한 것이 아니라, 따뜻한 감촉을 원인으로 한 것이기 때문이다.

107 또 바꾸어 계탁하는 것을 옮겨와서 논파한다. 그대들이 만약 설한 바 불은 섶에 의한다는 말이 구생俱生, 혹은 의지依止의 뜻을 나타내기 위한 것이라고 말한다면, 논파해 말하겠다. 이런 즉 보특가라는 온과 함께 생기거나 혹은 온에 의지한다는 것을 인정해야 할 것이니, 체가 온과는 다르다는 것을 이미 분명히 인정한 것이다. 이는 곧 비유에 의거해 법을 힐난한 것이다. 또 이치상 만약 여러 온이 없다면 자아도 역시 있는 것이 아니라는 것을 곧 인정해야 할 것이니, 마치 섶이 있는 것이 아니라면 불의 체도 역시 없는 것과 같다. 그런데도 그렇다고 인정하지 않으니―그 부파에서는 온이 없다면 자아도 없다는 것을 인정하지 않는다―, 그래서 해석이 이치가 아닌 것이다.

108 그런데 그 독자부에서는 이것이 다르지 않다는 것에 대해 앞의 글 중에서 스스로 힐난을 시설해서, "만약 불이 섶과 다르다면 섶은 뜨겁지 않아야 할

만약 나무 등이 두루 왕성하게 탈 때를 말하여 섶이라고 이름하며 또한 불이라고도 이름한다고 말한다면, 이 때에도 곧 의한다는 뜻이 무엇을 말하는지 설명해야 할 것이다. 보특가라와 색 등의 온은 결정코 동일한 것이어야 할 것이니, 부정할 수 있는 이치가 없을 것이다.

그러므로 그들이 말한 바, 마치 섶에 의하여 불을 세우는 것처럼, 이와 같이 온에 의하여 보특가라를 세운다는 것은, 나아가거나 물러나 미루어 따져도 이치가 성립되지 않는다.109

3. 5법장설에 의거한 논파

또 그들이 만약 '보특가라는 온과 동일하거나 다르다고 모두 말할 수 없는 것'이라고 인정한다면, 곧 그들이 인정하는 3세와 무위 및 불가설不可說의 다섯 가지 알아야 할 것[爾焰]도 역시 말할 수 없어야 할 것이니, 보특가라를 다섯째 법장이라고도, 또 다섯째 법장이 아니라고도 말할 수 없기 때

....

것이다'라고 말함으로써 다르지 않다는 것을 분명히 알 수 있다고 하였다. 논주가 따져서 말한다. 그들은 뜨거움의 체는 무엇을 말하는지 결정해 말해야 할 것이다. 만약 그들이 '뜨거움은 따뜻한 감촉을 말하고, 나머지 7사는 섶이라고 이름한다'라고 해석해 말한다면, 논파해 말하겠다. 곧 섶은 뜨거워지는 것이 아닐 것이니, 체상이 다르기 때문이다. 어떻게 '섶은 뜨겁지 않아야 할 것이다'라는 힐난을 시설할 수 있겠는가? 만약 다시 '섶을 뜨거움이라고 이름하니, 따뜻함과 화합한 것이기 때문에 섶을 뜨거움이라고 이름한다'라고 해석해 말한다면, 논파해 말하겠다. 곧 따뜻함과 체를 달리하는 7사도 역시 뜨거움이라는 명칭을 얻어야 할 것이다. 실제의 도리로도 불이라는 명칭은 따뜻한 감촉을 가리킬 뿐이므로, 따뜻함과 화합한 나머지 7사도 모두 뜨거움이라는 명칭을 얻을 것이다. 이런 즉 7사의 섶도 역시 뜨거움이라고 이름하는 것도 분명히 인정하는 것이다. 비록 섶과 불이 다르다고 해도 허물은 성립되지 않는데, 어떻게 이에 대해 든 사실로써 힐난할 수 있겠는가? '만약 불이 섶과 다르다면 섶은 뜨겁지 않아야 할 것'이라고 했지만, 섶이 불과 다르다고 해도 섶은 역시 뜨거움이라고 이름한다.

109 또 그대들이 계탁을 바꾸어서, 만약 나무 등이 두루 왕성하게 탈 때를 말하여 섶이라고 이름하며 또한 불이라고도 이름한다고, 동일한 체라는 뜻으로 말한다면, 논파해 말하겠다. 이미 섶과 불이 동일하다면 이 때에도 곧 의한다는 뜻이 무엇을 말하는 것인지 설명해야 할 것이다. 자아와 색 등의 온은 결정코 동일한 것이어야 할 것이니, 부정할 수 있는 이치가 없을 것이다. (그런데도 어떻게 양자가 동일한 것도 아니라고 말하는가?) 그러므로 그들이 말한 바, 마치 섶에 의하여 불을 세우는 것처럼, 이와 같이 온에 의하여 보특가라를 세운다는 것은 나아가거나 물러나 미루어 따져도 이치가 성립되지 않는다.

문이다.110

4. 의탁대상[所託]에 의거한 논파

또 그 시설된 보특가라에 대해 다시 확실히 진술해야 할 것이니, 무엇에게 의탁된 것[爲何所託]인가? 만약 온에 의탁한 것이라고 말한다면 가유라는 뜻이 이미 성취되었으니, 시설된 보특가라는 보특가라에 의탁하지 않았기 때문이다. 만약 이의 시설은 보특가라에 의탁한 것이라고 말한다면, 어째서 위에서는 여러 온에 의하여 세운다고 말했는가? 이치상 곧 단지 보특가라에 의한다고만 말했어야 할 것이다. 이미 그렇다고 인정하지 않았기 때문에 오직 온에 의탁한 것일 뿐이리라.111

만약 "온이 있으면 이것을 곧 알 수 있기 때문에 우리가 위에서 이것을 '온에 의하여 세운다'라고 말한 것이다"라고 말한다면, 이런 즉 모든 형색은

....

110 이는 곧 셋째 5법장法藏에 의거해 논파하는 것이다. '이염爾焰jñeya'은 여기 말로 알아야 할 것[所知]이다. 그 독자부에서 세우는, 알아야 할 법장에는 모두 다섯 가지가 있으니, 말하자면 3세가 셋이 되고, 무위가 넷째이며, 불가설이 다섯째인데, 곧 보특가라는 불가설에 포함된다는 것이다. 그들의 종지에서 자아를 세우는데, 만약 생사 중에 있을 때에는 3세의 5온과 더불어 하나라거나 다르다고 결정해 말할 수 없고, 만약 생사를 버리고 무여열반에 들어간다면 또 무위와 더불어 하나라거나 다르다고 결정해 말할 수 없다고 하기 때문에 이 자아는 그 다섯째인 불가설 법장이 된다고 말한다. 그래서 옮겨와서 논파해 말하는 것이다. 또 그들이 만약 자아와 5온은 동일하다거나 다르다고 모두 말할 수 없는 것이라고 인정한다면, 곧 그들이 인정하는 다섯 가지 알아야 할 것도 역시 다섯 가지를 갖추고 있다고 말할 수 없어야 할 것이다. 자아는 앞의 4법장과 다른 것이라고 말할 수 없기 때문에 다섯째 법장이 된다고 말할 수 없고, 앞의 4법장과 동일한 것이라고 말할 수 없기 때문에 다섯째 법장이 아니라고도 말할 수 없다. 다섯째 법장이 아니라는 것은 곧 앞의 4법장이라는 것이다. 이미 다섯째라고도 다섯째가 아니라고도 모두 말할 수 없다면, 단지 앞의 4법장만을 건립하고, 따로 다섯째 법장을 세우지 않아야 할 것이다.

111 이는 곧 넷째 의탁대상[所託]에 의거해 논파하는 것이다. 또 시설된 자아에 대해 다시 확실히 진술해야 할 것이니, 무엇에게 의탁된 것인가? 그대들이 만약 온에 의탁한 것이라고 말한다면, 논파해 말하겠다. 가유라는 뜻이 이미 성취되었으니, 시설된 자아는 자아에 의탁하지 않기 때문이다. 그대들이 만약 이 자아는 자아에 의탁한 것이라고 말한다면, 논파해 말하겠다. 어째서 위에서는 여러 온에 의하여 세운다고 말했는가? 이치상 곧 단지 보특가라에 의한다고만 말했어야 할 것이다. 이미 그대들이 이미 자아는 자아에 의한다고 인정하지 않았기 때문에 오직 온에 의탁하는 것일 뿐이리라.

안근 등의 조건이 있어야 비로소 알 수 있기 때문에 '안근 등에 의한다'라고 말해야 할 것이다.112

5. 인식대상[所識]에 의한 논파

또 보특가라는 6식 중 어떤 식에 의해 인식되는 것인지 말해야 할 것이다.113 6식에 의해 인식되는 것이다.114 까닭이 무엇인가?115 만약 한 때 안식이 형색을 인식하면 이로 인해 보특가라가 있음을 아는데, 이를 말하여 안식으로 인식된 것[眼識所識]이라고 이름한다. 그렇지만 형색과 동일하거나 다른 것이라고 말할 수 없다. 나아가 한 때 의식이 법을 인식하면 이로 인해 보특가라가 있음을 아는데, 이를 말하여 의식으로 인식된 것이라고 이름한다. 그렇지만 법과 동일하거나 다른 것이라고 말할 수 없다.116

만약 그렇다면 계탁된 보특가라는 우유 등과 같이 임시로 시설된 것[假施設]일 뿐이어야 할 것이다. 말하자면 예컨대 안식이 여러 형색을 인식할 때 이로 인해 우유 등이 있음을 알 수 있다면, 곧 우유 등이 안식으로 인식되었다고 말하지만, 형색과 동일하거나 다르다고 말할 수 없으며, 나아가 신식이 여러 감촉을 인식할 때 이로 인해 우유 등이 있음을 알 수 있다면, 곧 우유 등이 신식으로 인식되었다고 말하지만, 감촉과 동일하거나 다르다고 말할 수 없으니, 우유 등은 4경을 이룬다고 해서도 안 되며, 혹은 4경으로

---

112 그대들이 만약 "온이 있으면 이 자아를 곧 알 수 있기 때문에 우리가 위에서 이것을 '온에 의하여 세운다'라고 말한 것이다"라고 말한다면, 논파해 말하겠다. 이런 즉 모든 색의 경계는 안근 등의 조건이 있어야 비로소 그런 색 등을 알 수 있기 때문에 '색 등은 안근 등에 의하여 세운다'라고 말해야 할 것이다. 그렇지만 다섯 가지 색의 경계는 비록 근에 의해 알기는 하지만, 근에 의한다고 말하지 않으니, 자아도 역시 그러해야 할 것이다. 비록 온에 의하여 안다고 해도 온에 의한다고 하지 않아야 할 것이다.
113 이하는 다섯째 인식대상[所識]에 의거해 논파하는 것인데, 이는 곧 물음이다.
114 독자부의 답이다.
115 논주가 따지는 것이다.
116 독자부의 답이다. 만약 한 때 안식이 형색을 인식하면 이로 인해 자아가 있다는 것을 알고, 이는 아무개[某甲]라고 말하는데, 이것을 말하여 안식으로 인식된 것이라고 이름한다. 그렇지만 (이 자아는) 형색과 동일하거나 다른 것이라고 말할 수 없다. 나아가 의식이 법을 아는 경우 등에 이르기까지 이에 준함은 알 수 있을 것이다.

이루어진 것이 아니라고 해서도 안 되는 것과 같을 것이다. 이로 말미암아 전체적으로 여러 온에 의하여 임시로 시설해서 보특가라가 있음을 이루어야 할 것이니, 마치 세간에서 전체적으로 형색 등에 의하여 우유 등을 시설한 것과 같다. 이것은 가유이지, 실유가 아니다.117

　또 그들이 말한 바, "만약 한 때 안식이 형색을 인식하면 이로 인해 보특가라가 있음을 안다"라는 이 말은 무슨 뜻인가? 모든 형색이 보특가라를 아는 원인이라는 말인가, 형색을 알 때 보특가라도 역시 알 수 있다는 말인가? 만약 "모든 형색은 이것을 아는 원인이지만, 이것은 형색과 다른 것이라고 말할 수 없다"라고 말한다면, 이런 즉 모든 형색은 눈 및 밝음·작의 등의 조건을, 아는 원인[了因]으로 하기 때문에 형색은 눈 등과 다른 것이라

....

117 논주가 비례시켜 논파하는 것이다. 만약 그렇다면 계탁된 자아는 우유 등과 같이 임시로 시설된 것일 뿐이어야 할 것이다. 말하자면 마치 안식이 여러 형색을 인식할 때 이로 인해 만약 우유 등이 있음을 알 수 있다면, 곧 우유 등이 안식으로 인식되었다고 말한다. 가유(=우유)가 실유의 형색을 떠나지 않았을 때 우유 등도 또한 인식되었다고 말하는 것이다. 그렇지만 우유 등은 형색과 동일하거나 다르다고 말할 수 없다. 나아가 신식이 여러 감촉을 인식할 때 이로 인해 만약 우유 등이 있음을 알 수 있다면, 곧 우유 등이 신식으로 인식되었다고 말하지만, 우유 등은 감촉과 동일하거나 다르다고 말할 수 없다. 우유 등이 만약 형색 등과 동일하다면 우유 등은 4경(=색·향·미·촉)을 이룬다고 해서는 안 되고, 우유 등이 만약 형색 등과 다르다면 우유 등은 4경으로 이루어진 것이 아니라고 해서는 안 된다. 따라서 우유 등은 그 형색 등과 결정코 동일하다고도 결정코 다르다고도 말할 수 없다고 말하는 것이다. 이 때문에 전체적으로 모든 온에 의하여 임시로 시설해서 보특가라가 있음을 이루어야 할 것이니, 마치 세간에서 전체적으로 형색 등에 의하여 우유 등을 시설한 것과 같다. 이것은 가유이지, 실유가 아닌 것이다.
　만약 『성실론』에 의한다면 모두 4가유[四假]가 있다. 첫째 상속의 가유[상속가相續假]이니, 예컨대 신·어업은 색·성으로 이루어지는데, 한 순간의 색·성은 신·어업을 이루지 못하고, 반드시 색·성이 상속해야 비로소 신·어업을 이루는 것과 같다. 둘째 서로 관대하는 가유[상대가相待假]이니, 예컨대 길고 짧은 등은 서로 관대하기 때문에 건립되는 것과 같다. 셋째는 연으로 이루어진 가유[연성가緣成假]이니, 예컨대 5온을 취해서 사람을 이루고, 4경을 취해서 우유를 이루는 등과 같다. 넷째는 원인에서 생기는 가유[인생가因生假]이니, 일체 유위법은 원인으로부터 생기는 것이므로 모두 자성이 없다.(=현존본에는 같은 취지의 글이 보이지 않는다) 지금 이 글 중에서는 연으로 이루어진 가유로 비례시킴으로써 연으로 이루어진 가유라고 논파한 것이다.

고 말할 수 없어야 할 것이다.118

　　만약 "형색을 알 때 이것도 역시 알 수 있다"라고 한다면, 형색을 능히 아는 것[色能了]이 곧 이것을 아는가, 이것에 대해 능히 아는 것이 별도로 있는가? 만약 형색을 능히 아는 것이 곧 이것을 능히 안다고 한다면, 곧 이것의 체가 즉 형색이거나, 혹은 오직 형색에서만 이것을 임시로 세웠다는 것을 인정해야 할 것이다. 혹은 '이와 같은 부류는 형색이고, 이와 같은 부류는 이것이다'라는 이와 같은 분별이 있지 않아야 할 것인데, 만약 이와 같은 두 가지 분별이 없다면, 어떻게 형색 있음과 보특가라 있음을 건립하겠는가? 있음의 성품[有性]은 반드시 분별에 의해 건립되기 때문이다.119 만약 이것에 대해 능히 아는 것이 별도로 있다고 한다면, 아는 시기가 다르기 때문에 이것은 형색과 달라야 할 것이니, 마치 노란색이 푸른색과 다른 것은 앞이 뒤와 달라서인 등과 같다. 나아가 법에 이르기까지 따지고 힐난하는 것도 역시 그럴 것이다.120

....

118 논주가 또 옮겨와서 따지고 논파하는 것이다. 또 그들이 말한 바, "만약 한 때 안식이 형색을 인식하면 이로 인해 보특가라가 있음을 안다"라는 이 말은 무슨 뜻인가?"라고 양쪽 문[兩關]을 결정하도록 따진다. 만약 "모든 형색은 이 자아를 아는 원인이지만, 이 자아는 형색과 다른 것이라고 말할 수 없다"라고 말한다면, 먼저 첫 문을 옮겨와서 논파해 말한다. 이는 곧 모든 형색은 눈 및 밝음·작의 등의 조건을, 아는 원인으로 하기 때문에 형색은 눈 등과 다른 것이라고 말할 수 없어야 할 것이다.

119 만약 형색을 알 때 이 자아도 역시 알 수 있다고 한다면, 뒷 문을 옮겨와서 또 양쪽 문을 만들고 결정하도록 따진다. 형색을 능히 아는 식(=안식)이 곧 이것을 아는 것인가, 이것을 능히 아는 식이 별도로 있는가? 만약 형색을 능히 아는 것이 곧 이 자아도 능히 안다고 한다면, 논파해 말하겠다. 곧 이 자아 자체가 곧 형색이라고 인정해야 할 것이니, 형색을 알 때 자아도 역시 알기 때문이다. 혹은 오직 형색에서만 이 자아를 임시로 세웠다는 것을 인정해야 할 것이니, 따로 알 수 있는 별도의 존재[別有]가 없기 때문이다. 혹은 '이와 같은 부류는 형색이고, 이와 같은 부류는 이 자아이다'라는 이와 같은 분별이 있지 않아야 할 것이니, 별도의 체가 없기 때문이다. 만약 이와 같은 형색·자아의 분별이 없다면 어떻게 형색 있음과 자아 있음을 건립할 수 있겠는가? 있음의 성품[有性]은 반드시 분별에 의해 건립되기 때문이다.

120 만약 이것에 대해 별도로 능히 아는 것이 있어 이 자아를 안다고 한다면, 논파해 말하겠다. 형색과 자아 두 가지를 아는 것이 이미 함께 생기지 않았으니, 아는 시기가 다르기 때문에 이 자아는 형색과 달라야 할 것이다. 마치 노

만약 그들이, "마치 이것과 형색은 동일한 것이라거나 다른 것이라고 결정해 말할 수 없는 것처럼, 두 가지 능히 아는 것도 서로 바라볼 때 역시 그러하다"라고 변론해 말한다면, 능히 아는 것[能了]은 유위에 포함되는 것이어서는 안 될 것인데, 만약 그렇다고 인정한다면 곧 자신의 종지를 허물 것이다.121

제2절 가르침에 의한 논파

1. 논주의 논파

【제1경증】 또 만약 실제로 보특가라가 있지만, 형색이라거나 형색이 아니라고 말할 수 없다면, 세존께서 무엇 때문에 "신체[色] 내지 의식[識]에는 모두 자아가 없다"라는 이런 말씀을 하셨겠는가?122

························

란색이 푸른색과 다른 것은, 별도로 능히 아는 것이 있고 체가 각각 같지 않아서 앞이 뒤와는 다른 것인 등처럼, 능히 아는 것이 또한 다르면 체도 역시 같지 않다. 형색에 대해 곧 그러했던 것처럼 나아가 법에 이르기까지 따지고 힐난하는 것도 역시 그럴 것이다.

121 또 변론을 옮겨와서 논파한다. 만약 그들이, "마치 이 자아와 형색은 동일한 것이라거나 다른 것이라고 결정해 말할 수 없는 것처럼, 두 가지 능히 아는 것도 서로 바라볼 때 역시 그러해서, 형색을 능히 아는 것과 자아를 능히 아는 것도 역시 동일한 것이라거나 다른 것이라고 결정해 말할 수 없으니, 알려지는 대상이 동일하다거나 다르다고 결정할 수 없으므로 능히 아는 것도 역시 동일한 것도 다른 것도 아닌데, 어찌 동일하다고 하거나 다르다고 하면서 책망해 말할 수 있는가?"라고 변론해 말한다면, 논주가 논파해 말한다. 자아와 형색은 동일한 것이라거나 다른 것이라고 결정해 말할 수 없으며, 이 자아는 곧 유위에 포함되는 것이 아니고 다섯째 불가설 법장에 포함되는 것처럼, 자아를 능히 아는 것과 형색을 능히 아는 것도 역시 동일한 것이라거나 다른 것이라고 말할 수 없다면, 능히 아는 것은 유위에 포함되어서는 안 되고 다섯째 불가설 법장에 포함되는 것이어야 할 것인데, 만약 그렇다고 인정한다면 곧 자신의 종지를 허물 것이니, 자신의 종지에서 능히 아는 것(=식)은 3세의 법장으로서 유위에 포함된다고 하기 때문이다.

122 이하는 바로 논파하는 것 중의 둘째 가르침으로써 독자부를 논파하는 것이다. 경(=잡 [3]3:64 우다나경優陀那經 등)에서 자아가 없다고 말씀하셨는데, 그대들은 자아가 있다고 말하니, 어찌 상위하지 않겠는가? 이는 첫 경을 인용하고 계탁을 옮겨와서 논파하는 것이다.

【제2경증】 또 그들은 이미, 보특가라는 안식으로 인식되는 것이라고 인정했는데, 이와 같은 안식은 형색·이것·양자 중 무엇을 반연하여 일어나는가? 만약 형색을 반연하여 일어난다면, 곧 안식이 능히 보특가라를 안다고 말하지 않아야 할 것이니, 이것은 마치 성처聲處 등처럼 안식이 반연한 것이 아니었기 때문이다. 말하자면 어떤 식이 이 경계를 반연하여 일어났다면, 즉 이 경계를 써서 소연연으로 하였다면, 보특가라는 안식이 반연한 것이 아닌데, 어떻게 안식의 소연이 되었다고 말할 수 있겠는가? 따라서 이것은 결정코 안식으로 안 것이 아니다. 만약 안식이 이것이나 양자를 반연하여 일어난다면 곧 경의 말씀에 위배될 것이니, 계경 중에서 "식이 일어나는 것은 두 가지 조건에 의한다"라고 결정적으로 판별했기 때문이다.123

【제3경증】 또 계경에서, "필추여, 눈이라는 인因과 형색이라는 연緣이 능히 안식을 낳는다고 알아야 하니, 존재하는 모든 안식은 눈과 형색을 조건으로 하기 때문이다"라고 설하셨다.124

【제4경증】 또 만약 그렇다면 보특가라는 무상한 것이어야 할 것이다. 계

---

123 논주가 또 둘째 경을 인용하고 계탁을 옮겨와서 따지고 논파하는 것이다. 또 이미, 자아는 안식으로 인식되는 것이라고 인정했는데, 이와 같은 안식은 형색의 경계, 이 자아, 형색·자아의 양자, 이 세 가지 중 무엇을 반연하여 일어나는가? 만약 형색을 반연하여 일어난다면, 곧 안식이 자아를 안다고 말하지 않아야 할 것이니, 이 자아는 마치 성처聲處 등처럼 안식이 반연한 것이 아니었기 때문이다. (논증식으로 말하자면) 「그대들이 집착하는 자아는 안식이 반연한 것이 아니다. 색처가 아니기 때문이다. 마치 성처 등처럼.」 말하자면 만약 변론하여, "어떤 한 부류의 식이 널리 이 푸른 색 등의 경계를 반연하여 일어났다, 즉 이 푸른 색 등의 경계를 써서 소연연으로 하였다"라고 말한다면, 논파해 말하겠다. 보특가라는 안식이 반연한 것이 아닌데, 어떻게 앞에서 자아가 안식의 소연이 되었다(='안식으로 인식되는 것[眼識所得]')고 말했는가? 이 때문에 (자아는) 결정코 안식으로 아는 것이 아니다. 만약 안식이 일어날 때 오직 이 자아만을 반연하거나, 형색과 자아의 양자를 반연한다고 한다면, 곧 "식은 두 가지 조건(=경境과 근根)에서 생긴다"라고 한 경(=잡 [8]8:214 이법경二法經 등)의 말씀에 위배될 것이다. 만약 자아만을 반연한다면 곧 형색이라는 조건이 결여되고, 만약 형색과 자아를 반연한다면 세 가지 조건에 의해야 할 것이니, 경에서는 오직 두 가지 조건에서 생긴다고 설했을 뿐이기 때문이다.
124 논주가 또 셋째 경(=잡 [9]9:238 인연경)을 인용해서, 식은 두 가지 조건에서 생기고, 자아에 의해 일어나는 것이 아님을 증명하는 것이다.

경의 말씀 때문이니, 계경에서, "인因이든 연緣이든 능히 식을 낳는 모든 것은 모두 무상한 성품이다"라고 설한 것을 말한다. 만약 그들이 마침내, "보특가라는 식의 소연이 아니다"라고 말한다면, 인식되는 것[所識]이 아니어야 할 것인데, 만약 인식되는 것이 아니라면 알려지는 것[所知]도 아니어야 할 것이다. 만약 알려지는 것이 아니라면 어떻게 있다고 세우겠는가? 만약 있다고 세우지 않는다면 곧 자신의 종지를 허물 것이다.125

【제5경증】 또 만약 6식으로 인식되는 것이라고 인정한다면, 안식으로 인식되기 때문에 마치 형색처럼, 소리 등과는 달라야 할 것이고, 이식으로 인식되기 때문에 마치 소리처럼, 형색 등과는 달라야 할 것이며, 나머지 식으로 인식되는 것일 경우 힐난하는 것도 이에 준할 것이다. 또 이것을 6식으로 인식되는 것이라고 세운다면, 곧 경설에 위배될 것이니, 예컨대 계경에서, "수행자[梵志]여, 이렇게 알아야 하오. 5근의 작용영역[行處]과 경계境界는 각각 달라서 각각 자신이 작용하는 영역 및 자신의 경계만을 수용할 뿐, 어떤 다른 근이 다른 근의 작용영역 및 다른 경계도 수용할 수 있는 것은 아니니, 5근은 안·이·비·설·신근을 말하는 것이오. 의근은 5근의 작용영역 및 그 경계도 아울러 수용하니, 그것들은 의근에도 의지하기 때문이오"라고 설한 것과 같다. 혹은 보특가라는 5근의 경계라고 주장하지 않아야 할 것이다. 이와 같다면 곧 5식으로 인식되는 것이 아닐 것이니, 종지에 위배되는 허물이 있을 것이다.126

....

125 논주가 또 넷째 경을 인용해 논파하는 것이다. 또 만약 이 자아가 안식이 반연하는 것으로서 능히 안식을 낳는 것이라고 한다면 자아는 무상한 것이어야 할 것이니, 경(=잡 [1]1:11 인연경)에서 능히 식을 낳는 인과 연은 모두 무상하다고 설했기 때문이다. 독자부에서 자아가 무상하다는 것을 인정하지 않고, 만약 변론을 바꾸어서 '자아는 식의 소연이 아니다'라고 한다면, 논파해 말하겠다. 인식되는 것이 아니어야 할 것인데, 만약 인식되는 것이 아니라면 알려지는 것도 아니어야 할 것이다. 만약 알려지는 것이 아니라면 어떻게 있다고 세우겠는가? 만약 자아가 있다고 세우지 않는다면 곧 자신의 종지를 허물 것이니, 자신의 종지에서는 자아를 다섯째 불가설 법장 중에 포함되는 것이라고 세운다.

126 논주가 또 다섯째 경을 인용해 논파하는 것인데, 장차 경에 위배됨을 드러내려고 먼저 주장을 세워서, 자아는 6경과 다르다고 말하였다. 또 만약 자아가 6식으로 인식되는 것이라고 인정한다면, 그대들이 주장하는 자아는 소리와

만약 그렇다면 의근의 경계도 역시 달라야 할 것이니, 육생유六生喩계경 중에서, "이와 같이 6근의 작용영역과 경계에는 각각 차별이 있어서, 각각 따로 자신이 작용하는 영역 및 자신의 경계를 즐겨 구한다"라고 설한 것과 같다.127 이 경에서는 안근 등의 6근을 말한 것이 아니다. 안근 등의 5근

달라야 할 것이니, 마치 형색처럼 안식으로 인식되기 때문이며, 그대들이 주장하는 자아는 형색 등과 달라야 할 것이니, 마치 소리처럼 이식으로 인식되기 때문이며, 나머지 식으로 인식되는 것일 경우 하나하나 비량으로 힐난하는 것도 이에 준할 것이다. 이상은 곧 힐난해서 자아로 하여금 6경과 다르게 하는 것이다. 어떻게 자아는 6경과 결정코 동일한 것도 아니며 다른 것도 아니라고 말하는가? 결정하기를 마치고 위배됨을 드러낸다. 또 이 자아를 6식으로 인식되는 것이라고 세운다면, 곧 경설에 위배될 것이니, 경(=중 58:211 대구치라경大拘締羅經)에서 수행자에게 말하였다. "5근의 작용영역은 각각 다르고 경계도 각각 달라서, 각각 자신이 작용하는 영역 및 자신의 경계만을 수용한다.―혹 앞은 처處에 의거해 밝힌 것이고, 뒤는 계界에 의거해 분별한 것이다― 어떤 다른 색근이 (그 색근과) 다른 근의 작용영역 및 다른 경계도 역시 수용할 수 있는 것은 아니다. 의근은 5근의 작용영역 및 그 경계도 아울러 수용하니, 그 5식은 역시 의근에도 의지하기 때문이다." 그래서 의근은 13계(=6식 +6경+의근)를 바로 수용할 수 있으니, 5근의 작용영역 및 그 경계도 아울러 수용할 수 있는 것이다. 또 해석하자면 그 의식은 의근에 의지하기 때문에 그래서 의근은 능의能依인 식과 같이 모든 법을 반연하므로, 바로 13계를 반연하니, 5근의 작용영역과 5근의 경계도 아울러 반연하는 것이다. 앞의 해석이 낫다. 그대들의 뜻은 하나의 자아를 6식이 같이 취한다는 것인데, 이러하다면 곧 5근도 역시 다른 근의 작용영역과 다른 근의 경계를 아울러 취할 수 있을 것이다. 이 경에서 다시 5근의 작용영역과 경계를 각각 다르다고 설했으니, 어찌 경에 위배되지 않겠는가? 혹은 자아는 5근의 경계라고 주장하지 않아야 할 것인데, 만약 5근의 경계가 아니라면, 이와 같아서는 곧 5식으로 인식되는 것이 아닐 것이고, 만약 5식으로 인식되는 것이 아니라고 한다면, 비록 경에 위배되지는 않겠지만, 또 종지에 위배되는 허물이 있을 것이다. 그대들의 종지에서는 자아는 5식으로 인식되는 것이라고 말하기 때문이다.

127 독자부의 힐난이다. 만약 5근은 개별적 경계를 인식하므로 자아 인식하는 것을 인정하지 못한다면, 제6 의근의 경계도 역시 달라야 할 것이니, 육생유六生喩계경(=잡 [10]43:1171 육종중생경六種衆生經) 중에서 설하였다. "이와 같이 6근의 작용영역과 경계에는 각각 차별이 있어서, 각각 따로 자신의 작용영역 및 자신의 경계를 즐겨 구한다." 여기에서의 뜻이 말하는 것은, 「육생유경에서 6근의 작용영역과 경계는 각각 다르다고 했어도, 이치상 실제로 의근은 5근의 작용영역 및 그 경계도 아울러 수용할 수 있는데, 앞의 경에서 5근의 작용영역과 경계가 각각 다르다고 한 것이, 어찌 다른 근이 자아라는 경계를 아울러 취할 수 있다는 것을 방해하겠는가? 경에서 5근이 각각 다른 경계를 취한다고 말한 것은, 아직 이치를 다하지 않은 말이다」라는 것이다. '육생유경'

및 그것에 의해 생긴 식에는 보는 것 등을 즐기는 세력이 없기 때문에, 단지 안근 등의 증상한 세력에 의해 인기된 의식을 말하여 안근 등의 근이라고 이름했을 뿐이다. 단독 작용하는 의근의 증상한 세력에 의해 인기된 의식은 안근 등의 5근이 작용하는 경계를 즐겨 구할 수 없다. 따라서 이 경의 뜻은 앞의 경과 어긋나는 허물이 없다.128

【제6경증】 또 세존께서 말씀하셨다. "필추들이여, 알아야 할지니, 내가 이제 그대들을 위해 일체 통달해야 할 법[所達法]과 알아야 할 법[所知法]의 문[門]을 완전히 갖추어 설하겠다. 그 체는 무엇이겠는가? 말하자면 모든 눈, 형색, 안식, 눈의 접촉, 눈의 접촉이 연이 되어 안에서 생긴 느낌인 즐거움

....

이라고 말한 것은, 그 경에서 밧줄로 새·뱀·돼지·악어·승냥이·원숭이를 묶어서 마음대로 가지 못하게 했을 때, 새가 하늘로 날아가려는 것은 안근이 멀리 보는 것을 비유하고, 뱀이 대부분 구멍에 머물려는 것은 이근이 깊은 구멍 안에 있는 것을 비유하며, 돼지가 더러운 똥과 같은 냄새나는 것을 수용하려는 것은 비근이 냄새를 붙잡는 것을 비유하고, 악어가 물 안을 좋아하는 것은 설근이 맛을 붙잡는 것을 비유하며, 승냥이가 산림의 움막에 머물기를 좋아하는 것은 신근이 감촉을 붙잡는 것을 비유하고, 원숭이의 성품이 조급하게 움직이고 멈추지 못하는 것은 의근이 여럿을 반연하여 사려하는 것을 비유하니, 여섯 가지 중생(='육생')이 그 6근을 비유하므로 육생유경이라고 이름한 것이다.
128 논주가 그들을 위해 육생유경에 대해 회통하는 것이다. 이 경에서는 안근 등의 6근을 말한 것이 아니고, 이 경의 뜻은 제6 의식을 말한 것이다. 왜냐하면 안근 등의 5근 및 그것에 의해 생긴 5식에는 보는 것 등을 즐기는 세력[勢力樂見等]이 없기 때문(=무분별이기 때문)이다. 경에서 '즐겨 구한다[樂求]'라고 말했기 때문에 그것(=5근)에 의거해 말하지 않았다는 것을 알 수 있다. 단지 안근 등의 증상한 세력에 의해 인기된 의식이 형색 등의 경계를 반연하는 것을 말한 것일 뿐이니, 원인에 따라 이름해서 안근 등의 근이라고 이름한 것이다. 단독 작용하는 의근의 증상한 세력에 의해 인기된 의식(=독두의식)은 13계를 반연한다고 하더라도, 역시 원인에 따라 이름해서 의근이라고 한 것이다. 따라서 이 육생유경의 뜻은 앞에서 설한 범지경(=제5경)과 어긋나는 허물이 없다. 앞의 범지경은 6근의 체에 의거해 설했기 때문에 안근 등 5근의 경계는 각각 다르다고 하고, 의근은, 만약 안근 등에 의해 인기된 것이라면 5근의 작용영역 및 그 경계도 역시 아울러 반연할 수 있다고 말한 것인데, 육생유경은 단지 6근의 증상한 세력에 의해 인기된 의식을 6근이라고 이름하고, 6근의 견인에 따라 각각 따로 경계를 반연하는 것에 의거해서, 그 의식을 근에 따라 여섯이라고 말한 것일 뿐이기 때문에, 6근을 '즐겨 구한다'라고 이름한 것이다. 앞뒤의 2경에서 밝히는 뜻이 각각 별개이기 때문에 이 뒤의 경에 앞의 경과 어긋나는 허물은 없다.

이나 괴로움이나 괴롭지도 않고 즐겁지도 않음과 ‥‥ 뜻의 접촉이 연이
되어 안에서 생긴 느낌인 즐거움이나 괴로움이나 괴롭지도 않고 즐겁지도
않음, 이것들을 일체 통달해야 할 법과 알아야 할 법이라고 이름한다.” 이
경문에 의해 일체 통달해야 할 법과 알아야 할 법은 오직 그런 것들만 있다
고 결판하신 것인데, 이 중에 보특가라는 없기 때문에 보특가라는 역시 인
식되는 것[所識]이 아니어야 할 것이니, 지혜[慧]와 인식[識]은 그 경계가
반드시 같기 때문이다.129

【제7경증】 안근이 보특가라를 본다고 말하는 모든 자들은, 안근이 이것의
있는 곳[此所有]을 본 것이라고 알아야 할 것인데, 자아 아닌 것[非我]을 보
고는 자아를 보았다고 여기기 때문에 그들은 곧 악견의 깊은 구덩이에 거
꾸로 떨어지는 것이다. 그래서 붓다께서 경 중에서 스스로 이 뜻을 결단하
셔서, 말하자면 오직 모든 온에서 보특가라를 말하는 것일 뿐이라고 하셨
으니, 예컨대 인人계경에서 이렇게 설하신 것과 같다. “눈 및 형색이 연이
되어 안식을 낳으니, 3자의 화합인 접촉과 함께 느낌·지각·생각을 일으킨
다. 그 중 뒤의 네 가지는 무색온이고, 처음의 눈 및 형색을 색온이라고 이
름하는데, 오직 이런 근거[量]에 의해서만 사람[人]이라고 이름한다. 즉 이
런 것들에 대해 뜻의 차별에 따라 임시로 명상名想을 세워서, 혹은 유정有
情, 불열不悅, 의생意生, 유동儒童, 양자養者, 명자命者, 생자生者, 보특가라補特
伽羅라고 말하고, 또한 스스로 ‘내가 눈으로 형색을 본다’라고 칭하여 말하
며, 또한 세속에 따라서, ‘이 존자[具壽]는 이와 같은 이름을 가졌고, 이와
같은 종족으로서, 이와 같은 족성의 부류[姓類]였는데, 이와 같이 마시고 먹
었으며, 이와 같이 즐거움을 받고 이와 같이 괴로움을 받으면서 이와 같은

---

129 논주가 또 여섯째 경(=잡 [8]8:222 지식경知識經)을 인용해 논파하는 것이
다. 통달하는 것[所達]은 무간도를 말하고, 아는 것[所知]은 해탈도를 말하는
것, 혹은 통달해야 할 것은 혜慧로 통달해야 할 것을 말하고, 알아야 할 것은
지智로 알아야 할 것을 말하니, 안眼·목目처럼 다른 명칭이다. 이 경에서 이미
통달해야 할 법과 알아야 할 법은 오직 그런 것만 있다고 말씀하셨기 때문에
자아의 체는 역시 인식되는 것이 아님을 알 수 있다. 통달하는 것과 아는 것은
지혜[慧]로서 식識이 아니지만, 지혜[慧]와 인식[識]의 경계는 반드시 같기 때
문에 자아는 인식되는 것이 아니다.

긴 수명으로 이와 같이 오래 머물다가 이와 같이 목숨이 끝났다'라고 말한다. 필추들이여, 이것은 오직 명상名想일 뿐이며, 이것은 오직 자칭自稱일 뿐으로, 단지 세속에 따라 임시로 시설된 존재[假施設有]일 뿐이라고 알아야 한다. 이와 같은 일체는 무상한 유위이니, 온갖 연[衆緣]에 따라 생긴 것으로서 생각에 의해 만들어진 것[由思所造]이다." 세존께서는 항상 요의경了義經에 의지하라고 가르치셨는데, 이 경은 요의이니, 달리 해석해서는 안 될 것이다.130

....

130 논주가 또 일곱째 경(＝잡 [12]13:306 인경人經)을 인용해 논파하는데, 먼저 허망한 계탁을 서술하고, 뒤에 경을 인용해 독자부에서 눈이 자아를 본다고 말하는 것을 비판하고 논파해 말한다. 안근은 존재하는 형색[所有色]{＝본문의 '이것(＝보특가라)의 있는 곳[此所有]'은 형색이라는 취지}을 본 것이라고 알아야 할 것인데, 자아 아닌 것을 보고는 망령되이 자아를 보았다고 여기기 때문에 그들은 곧 악견의 깊은 구덩이에 거꾸로 떨어지는 것이다. 그래서 붓다께서 경 중에서 스스로 이 뜻을 결단하셔서, 오직 온에서 임시로 자아를 말하는 것일 뿐이라고 이르셨으니, 예컨대 인경人經에서 설하신 것과 같다. "눈 및 형색이 연이 되어 안식을 낳으니, 3자의 화합인 접촉과 함께 느낌·지각·생각을 일으킨다. 그 중 뒤의 네 가지, 이른바 안식 및 느낌·지각·생각은 무색온이다. 접촉은 3자를 취해서 이룬 것으로서 별도의 체가 없기 때문에 그래서 따로 헤아리지 않았으니, 논주는 경량부의 뜻으로써 논파하는 것이다. 설일체유부종에서 접촉도 별도의 체가 있다고 하는 것과는 같지 않다. 처음의 눈 및 형색을 색온이라고 이름하는데, 오직 5온의 근거에 의해서만 임시로 말하여 사람이라고 이름한다. 계경에서는 즉 이런 임시의 명칭[假名]인 사람에 대해 뜻의 차별에 따라 임시로 명상名想(＝명칭과 생각 또는 지각)을 세워서, 혹은 유정이라고 말하니, 정식情識이 있기 때문이며, 혹은 불열不悅이라고 이름하니, 겁 초 시기의 사람들은 지미地味 등이 사라진 것을 보고 마음이 기뻐하지 않았기 때문에 이에 따라 이름한 것이며, 혹은 의생意生이라고 이름하니, 마음에 따라 생을 받기 때문이며, 혹은 유동儒童이라고 이름하니, 착한 동자이기 때문이며, 혹은 능히 기르는 자[能養者]라고 이름하고, 혹은 양육되는 자[所養者]라고 이름하며, 혹은 수명을 가진 자[有命者]라고 이름하며, 혹은 생자生者라고 이름하니, 태어난 것이라고 헤아리기 때문이며, 혹은 능히 낳는 자나 태어난 자라고 헤아리기 때문이며, 혹은 보특가라라고 이름하니, 말하자면 자주 여러 취를 취하기 때문이다. 또한 스스로 '내가 눈으로 형색을 본다'라고 칭하여 말하며, 또한 세속에 따라서, '이 존자[구수具壽]ㅡ말하자면 (지혜의) 수명을 구족했기 때문이다ㅡ는 이와 같은 천수天授 등의 이름을 가졌고, 이와 같은 바라문 등의 종족으로서, 이와 같은 가섭과 등의 족성의 부류였는데, …'라고 말한다." 세존께서는 항상 요의경了義經에 의지하라고 가르치셨는데, 이 경은 요의이니, 달리 해석해서는 안 된다.

【제8경증】 또 박가범께서 바라문에게, "일체 존재는 오직 12처뿐이라고 나는 말합니다"라고 말씀하셨다. 만약 삭취취數取趣가 이들 처에 포함되는 것이 아니라면 체가 없다는 이치가 성립될 것이고, 만약 이들 처에 포함되는 것이라면 곧 불가설이라고 말해서는 안 될 것이다.131

【제9경증】 그 부파에서 암송하는 계경에서도 역시, "존재하는 모든 눈과 존재하는 모든 형색 ···· 필추들이여, 이것들에 한하여 여래는 일체一切로 시설하고, 일체 자체를 가진 법[一切有自體法]으로 건립한다고 알아야 한다"라고 말씀하셨다. 이들 중에 보특가라가 없는데, 어떻게 이것이 실제의 체를 가진 것이라고 말할 수 있겠는가?132

【제10경증】 빈비사라頻毘娑羅계경에서도 역시, "우매하며 들음 없는 모든 이생들은 임시의 명칭을 따라 쫓으며[隨逐假名] 자아라고 헤아리지만, 이것에는 자아나 자아의 소유의 성품이 없고, 오직 일체 온갖 괴로운 법 자체의 미래·현재·과거의 생기가 있을 뿐입니다. ····"라고 말씀하셨다.133

【제11경증】 세라世羅라고 이름하는 아라한인 필추니가 있어 마왕을 위해 설하였다. "❶ 그대는 악견의 취향에 떨어져[汝墮惡見趣] 빈 행의 무리 중에서[於空行聚中] 망령되이 유정이 있다고 집착하지만[妄執有有情] 지자는 있지

---

131 논주가 또 여덟째 경(=잡 [12]13:319 일체경)을 인용해 논파하는 것이다. 또 박가범께서 바라문에게, "나는 일체 존재는 오직 12처뿐이라고 말합니다"라고 말씀하셔서, 법을 모두 다 포함한다고 하셨으니, 12처 외에 더 이상 있는 법은 없다. 만약 삭취취가 이들 처에 포함되는 것이 아니라면 체가 없다는 이치가 성립될 것이고, 만약 이들 처에 포함되는 것이라면 그대들은 곧 불가설이라는 제5의 법장이라고 말해서는 안 될 것이니, 12처는 설할 수 있는 것이기 때문이다.

132 논주가 또 아홉째 경(=앞의 잡 [12]13:319 일체경)을 인용하여 논파하는 것이다. 그 독자부에서 암송하는 계경에서도 역시, "존재하는 모든 눈과 존재하는 모든 형색 ···· 내지 존재하는 모든 뜻과 존재하는 모든 법 ···· 이것들에 한하여 여래는 일체一切로 시설하고, 일체 자체를 가진 법으로 건립한다"라고 말씀하셨다. 이들 중에 자아가 없는데, 어떻게 자아가 실제의 체를 가진 것이라고 말할 수 있겠는가?

133 논주가 또 열째 경(=중 11:62 빈비사라왕영불경迎佛經)을 인용하여 자아의 체가 없음을 증명하는 것인데, 글대로 알 수 있을 것이다. '빈비'는 여기 말로 원圓이고, '사라'는 여기 말로 정실貞實이다.

않음에 통달했다네[智者達非有] ❷ 마치 곧 여러 부품을 취하여[如卽攬衆分] 임시의 지각으로 수레라고 세우듯[假想立爲車] 세속에서 유정을 세운 것은[世俗立有情] 여러 온을 취한 것이라고 알아야 하오[應知攬諸蘊]"134

【제12경증】 세존께서 잡아급마雜阿笈摩 중에서 바라문 바타리婆柁梨를 위해 설하셨다. "❶ 바타리여, 잘 들으시오[婆柁梨諦聽] 모든 결박 풀 수 있는 법을[能解諸結法] 말하자면 마음에 의한 때문에 물들고[謂依心故染] 역시 마음에 의한 때문에 청정해진다오[亦依心故淨] ❷ 자아는 실제로 무아의 성품인데[我實無我性] 전도 때문에 있다고 집착하지만[顚倒故執有] 유정은 없으며 자아도 없고[無有情無我] 오직 원인 가진 법만이 있을 뿐이라오[唯有有因法] ❸ 말하자면 열두 가지 존재의 지분에[謂十二有支] 포함되는 온·처·계를[所攝蘊處界] 살펴서 이런 일체에[審思此一切] 보특가라는 없음을 생각해야 하오[無補特伽羅] ❹ 이미 안이 공임을 관찰하였고[旣觀內是空] 밖도 역시 그렇게 공임을 관찰했으니[觀外空亦爾] 공의 관찰을 닦을 수 있다면[能修空觀者] 역시 전혀 얻을 수 없을 것이오[亦都不可得]"135

【제13경증】 경에서 설하였다. "자아에 집착한다면 다섯 가지 허물이 있다. 말하자면 자아라는 소견[我見] 및 유정이라는 소견[有情見]을 일으키고, 악견의 취향[惡見趣]에 떨어지며, 외도들과 같게 되고, 길을 벗어나 가게 되니, 공

---

134 논주가 제11경(=잡 [45]45:1202 시라경尸羅經)의 아라한의 말씀을 인용해 자아가 없음을 증명하는 것인데, 글대로 알 수 있을 것이다. '세라世羅'는 여기 말로 소산小山이다.

135 논주가 제12경(=출전 미상)을 인용해 자아가 없음을 증명하는 것이다. '바타리Bādari'는 서방의 작은 대추[小棗]의 이름인데, 부모가 자식을 가엽게 여겨 이를 이름으로 표방한 것이다. 16구 중에 나아가면 처음 2구는 먼저 설하려고 하는 것을 잘 들으라는 것이고, 뒤의 14구는 바로 해석하는 것이다. 바로 해석하는 가운데 나아가면 앞의 2구는 글을 표방하는 것이고, 뒤의 12구는 개별적으로 해석하는 것이다. 개별적으로 해석하는 가운데 나아가면 앞의 2구는 마음에 의해 오염되는 것을 해석하는 것이고, 뒤의 10구는 마음에 의해 청정해지는 것을 해석하는 것이다. 뒤의 10구 가운데 나아가면 앞의 2구는 전체적으로 표방하는 것이고, 뒤의 8구는 개별적으로 해석하는 것이다. '결박'은 둘러진 결박[纏結]의 어려운 뜻을 말하는 것이며, 원인으로부터 생긴 법을 '원인 가진 법[有因法]'이라고 이름한 것이다. 나머지 글은 알 수 있을 것이다. 게송에서 '무아'라고 말했으니, 자아의 체가 없음이 분명하다는 것이다.

성空性 안으로 마음이 깨달아 들어가지 못하여 청정하게 믿을 수 없고 안주할 수 없어서 해탈을 얻지 못하며, 성법聖法이 그를 청정하게 할 수 없다."136

2. 경증에 대한 비판과 해석

이것들은 모두 근거가 아니다.137 까닭이 무엇인가?138 우리 부파에서 일찍이 암송치 않았던 것이기 때문이다.139

그대들의 종지에서 근거라고 인정하는 것은 부파의 것인가, 붓다의 말씀인가? 만약 부파의 것이 근거라면 붓다는 그대들의 스승이 아니며, 그대들은 석자釋子가 아닐 것이다. 만약 붓다의 말씀이라면, 이것들도 모두 붓다의 말씀인데, 어떻게 근거가 아니겠는가?140 그들이, "이런 설은 모두 진정한 붓다의 말씀이 아니다. 왜냐하면 우리 부파에서 암송하지 않는 것이기 때문이다"라고 말한다면,141 이는 지극히 이치가 아니다.142 이치 아닌 것이 무엇인가?143 이와 같은 경문은 모든 부파에서 모두 암송하는 것으로서,

....

136 논주가 제13경(=출전 미상)을 인용해 자아가 없음을 드러내는 것이다. 경에서 자아에 집착하면 다섯 가지 허물이 있다고 설하였다. 첫째는 말하자면 아견을 일으키고, 둘째 유정견을 일으키며, 셋째 악견의 취향에 떨어지고, 넷째 외도들과 같아지며, 다섯째 길을 벗어나 가게 된다. 공성 안으로 마음이 깨달아 들어가지 못하는 것은 아견 일으키는 것을 해석하는 것이고, 청정하게 믿을 수 없는 것은 유정견을 해석하는 것이며, 안주할 수 없는 것은 악견의 취향에 떨어지는 것을 해석하는 것이고, 해탈을 얻지 못하는 것은 외도들과 같아지는 것을 해석하는 것이며, 성법이 그를 청정하게 할 수 없는 것은 길을 벗어나 가게 되는 것을 해석하는 것이다. 또 해석하자면 다섯 가지 허물이라고 말한 것은, 첫째 아견 및 유정견을 일으켜 악견의 취향에 떨어지는 것, 둘째 자아를 집착하는 외도들과 같아지는 것, 셋째 바른 길을 벗어나 가게 되는 것, 넷째 공성 안으로 마음이 깨달아 들어가지 못하여 능히 삼보를 청정하게 믿지 못하고 능히 4성제에 안주하지 못하여 해탈의 열반을 얻지 못하는 것, 다섯째 성법이 자아에 집착하는 그의 몸 안을, 번뇌가 덮어 가리는 장애로 말미암아 청정하게 할 수 없는 것이다.

137 독자부의 비판이다.

138 논주가 따지는 것이다.

139 독자부의 답이다.

140 논주가 양쪽 문으로 따지고 나무라는 것이다.

141 독자부의 답이다.

142 논주가 비판하는 것이다.

143 독자부의 물음이다.

법의 성품 및 다른 계경에 어긋나지 않는데도, 감히 그에 대해 번번히 '우리가 암송하지 않는 것이기 때문에 진정한 붓다의 말씀이 아니다'라고 비방과 부정을 일으킨다면, 제멋대로 날뛰는 미치광이일 뿐이다. 따라서 지극히 이치가 아니다.144

또 그 부파에도 어찌 '일체법은 모두 자아가 아닌 성품[非我性]이다'라고 말하는 이런 경이 없겠는가? 만약 그들의 뜻이, '보특가라는 그 의지하는 법과 동일하지도 않고 다르지도 않기 때문에 일체법은 모두 자아가 아니라고 말하였다'라고 말한다면, 이미 그럴 경우 의식으로 인식되는 것이 아니어야 할 것이니, 두 가지 조건이 식을 낳는다고 경에서 결판했기 때문이다.145 또 그 나머지 경과는 어떻게 회통하여 해석하겠는가? 말하자면 계경에서는, "자아 아닌 것[非我]을 자아라고 헤아리는 이것에는 지각·마음·소견의 전도[想心見倒]가 갖추어져 있다"라고 설하였다.146 자아를 헤아림이 전도가 되는 것은 자아 아닌 것에 대해 말한 것이지, 자아에 대해 말하지 않았는데, 어찌 번거롭게 회통하여 해석하겠는가?147

자아 아닌 것이란 무엇인가?148 온·처·계를 말한다.149 곧 앞에서 '보특가라는 색온 등의 온과 동일하지도 않고 다르지도 않다'라고 설한 것에 위배될 것이다.150 또 다른 경에서도, "필추들이여, 일체 사문·바라문 등으로

....
144 논주의 답인데, 그 이치 아님을 나타내는 것이다.
145 논주가 다시 따지는 것이다. 또 그 부파에도 어찌 '일체법은 모두 자아가 아닌 성품[非我性]이다'라고 말하는 이런 경이 없겠는가? 만약 그 독자부의 뜻이, '이 자아는 그 의지하는 법과 동일하지도 않고 다르지도 않기 때문에 일체 의지하는 바 5온의 법은 모두 자아가 아니라고 말하였다'라고 말한다면, 논파해 말하겠다. 이미 그러하다면 의식으로 인식되는 것이 아니어야 할 것이니, 두 가지 조건이 식을 낳는다고 경에서 결판決判했기 때문이다. 만약 자아가 의식을 낳는다면 세 가지 조건에 따라 생겨야 할 것이다.
146 논주가 경(=앞의 제19권 중 게송 ⑨d의 논설에 대한 설명에 나온『대집법문경』권상. 대1-229하)을 들어 따지며 독자부를 책망하는 것이다.
147 독자부의 답이다. 자아를 헤아림이 전도가 되는 것은 자아 아닌 것에 대해 멋대로 자아라고 헤아리는 것을 말한 것이지, 자아에 대해 자아라고 헤아리는 것을 말하지 않았는데, 어찌 번거롭게 회통하여 해석하겠는가?
148 논주의 물음이다.
149 독자부의 답이다.

서 자아를 주장하고, 그와 같이 따라 관찰해 보는 모든 자들은 모두 오직 5취온에서 일으키는 것일 뿐이라고 알아야 한다"라고 설하셨으니, 따라서 자아에 의지해 아견我見을 일으키는 일은 없고, 단지 자아 아닌 법만을 망령되이 분별하여 자아라고 하는 것이다.151 또 다른 경에서도, "갖가지 숙주宿住를 이미 기억했거나 현재 기억하거나 장차 기억하는 모든 자는 모두 오직 5취온에서 일으키는 것일 뿐이다"라고도 말씀하셨다. 따라서 결정코 보특가라는 없다.152

제3절 힐난에 대한 회통

1. 삼세음소식경에 의한 힐난에 대한 회통

만약 그렇다면 어째서 이 경에서 다시, "나는 과거세에 이와 같은 신체 등을 가졌다"라고 말씀하셨겠는가?153 이 경은 전생의 하나의 상속[宿生一相續] 중에서 갖가지 일이 있었던 것을 능히 기억한다는 것을 나타내기 위한 것이다. 만약 실제로 보특가라가 있어서 과거 생에 능히 신체 등을 가졌다고 본다면, 어떻게 유신견을 일으킨 허물에 떨어지는 것이 아니겠는가? 혹은 비방하고 부정하여 이런 경은 없다고 말해야 할 것이다. 그러므로 이 경은 전체적인 가아[總假我]에 의해 신체 등을 가졌다고 말한 것이니, 마치

---

150 논주가 허물을 나타내는 것이다. 곧 앞에서 '자아는 색온 등의 온과 동일하지도 않고 다르지도 않다'라고 설한 것에 위배될 것이다. 만약 온·처·계의 체가 자아 아닌 것이라고 말한다면, 어째서 자아는 온과 다르지 않다고 말했는가?
151 논주가 또 허물을 나타내는 것이다. 경(=잡 [4]2:45 각경覺經)에서, 자아를 헤아리는 것은 취온에서 일으키는 것이라고 말씀하시고, 자아에서라고 말씀하시지 않았다. 따라서 자아에 의지해 아견을 일으키는 일은 없고, 단지 자아 아닌 법만을 망령되이 분별하여 자아라고 하는 것인데, 어찌 자아에 대해 말씀하시지 않았다고 말할 수 있겠는가?
152 논주가 또 허물을 나타내는 것이다. 경(=잡 [4]2:46 삼세음소식경三世陰所食經)에서, 오직 5취온에서 일으킬 뿐이라고 말씀하시고, 자아에서 일으킨다고 말씀하시지 않았으니, 따라서 결정코 자아는 없다.
153 이하는 큰 글의 셋째 힐난에 대한 회통이다. 독자부에서 힐난해 말한다. 만약 자아가 없다고 말한다면, 어째서 이 경에서 다시, "나는 과거세에 이와 같은 신체 등을 가졌다"라고 말씀하셨겠는가?

무더기[聚]와 같고, 마치 흐름[流]과 같다.154

만약 그렇다면 세존께서는 일체지一切智가 아니어야 할 것이다. 일체법을 알 수 있는 심·심소는 없으니, 순간순간 달라지고 생멸하기 때문이다. 만약 자아가 있음을 인정한다면 능히 두루 아신다고 할 수 있을 것이다.155 보특 가라는 곧 상주해야 할 것이니, 마음이 소멸할 때 이것은 소멸하지 않는다 고 인정하기 때문이다. 이와 같다면 곧 그대들이 인정하는 종지에 어긋날 것이다. 우리들은 붓다께서 일체를 단박에 두루 아실 수 있기 때문에 일체 지자一切智者라고 이름한다고 말하지 않고, 단지 상속에 감당 능력이 있음 에 의거한 것일 뿐이다. 말하자면 붓다라는 명호를 얻은 것은, 여러 온의 상속에 이와 같은 수승한 감당 능력을 성취하셔서, 막 작의하시면 그 때 알 고자 하는 경계에 대해 전도됨 없는 지혜가 일어나기 때문에 일체지라고 이름한 것이지, 한 순간에 단박 두루 아실 수 있다는 것이 아니다. 그래서 이에 대해 이와 같은 게송이 있다. "상속에 능력이 있기 때문에[由相續有能] 마치 불이 모든 것을 삼키듯[如火食一切] 이와 같이 일체를 아시는 것이지 [如是一切智] 단박에 두루 아시기 때문이 아니라오[由頓遍知]"156

---

154 논주가 힐난에 대해 회통하는 것이다. 이 경은 전생의 한 상속신 중 임시로 말하는 자아[假說我]에 갖가지 일이 있었음을 능히 기억하는 것을 나타내기 위 한 것이다. 만약 실제로 자아가 있어서 과거 생에 능히 신체 등을 가졌다고 본다면, 어떻게 유신견을 일으킨 허물에 떨어지는 것이 아니겠는가? 그렇지만 성자께서 과거를 아시는 것은 유신견이 아니라고, 이렇게 따지고 책망해야 할 것이다. 그대들은 혹은 비방하고 부정하여 이런 경은 없다고 말해야 할 것이다. 그러므로 이 경은 전체적 5온의 상속인 가아假我에 의해 신체 등을 가졌다고 말한 것이다. 마치 무더기처럼 연으로 이루어진 가유[緣成假]이며, 마치 흐름처 럼 상속의 가유[相續假]이니, 별도의 체가 없고 임시로 그 명칭을 세운 것이다.
155 독자부의 힐난이다. 만약 자아가 없다면 세존께서는 일체지一切智가 아니어 야 할 것이다. 일체법을 알 수 있는 심·심소가 없으며, 나아가 무아의 관찰로 도 자성·상응법·구유법을 역시 알지 못할 것이니, 찰나찰나 전후가 같지 않고 달라지며 생멸하기 때문이다. 만약 자아가 있음을 인정한다면 찰나에 소멸하 지 않으므로 많은 시간 동안 경과하는 것들도 멈추어서 능히 두루 아신다고 할 수 있을 것이다.
156 논주가 힐난에 대해 회통하는 것이다. 장차 그들의 힐난에 대해 회통하려고 먼저 논파해 말한다. 자아는 상주해야 할 것이니, 마음이 소멸할 때 자아는 소멸하지 않는다고 인정하기 때문이다. 자아가 만약 소멸하지 않는다면, 이와

상속에 의거해 일체법을 안다고 말하는 것이지, 자아가 두루 아는 것이 아니라는 것을 어떻게 알 수 있는가?[157] 붓다 세존께 3세가 있다고 설하셨기 때문이다.[158] 어떤 곳에서 설하셨는가?[159] 어떤 게송에서 읊은 것과 같다. "과거의 모든 붓다들께서도[若過去諸佛] 미래의 모든 붓다들께서도[若未來諸佛] 현재의 모든 붓다들께서도[若現在諸佛] 모두 중생의 근심을 소멸시키신다[皆滅衆生憂]" 그대들의 종지에서는 오직 온에만 3세가 있을 뿐, 삭취취는 아니라고 인정하기 때문에 결정코 그러해야 할 것이다.[160]

....

같다면 곧 그대들이 인정하는 바 '자아는 상주하는 것이 아니다'라는 종지에 어긋날 것이다. 다시 바로 회통해 말한다. 우리들은 붓다께서 일체를 한 찰나에 능히 단박에 두루 아시기 때문에 일체지자라고 이름한다고 말하지 않고, 단지 전후 상속하는 많은 시간에 감당 능력이 있음에 의거한 것일 뿐이다. 말하자면 붓다라는 명호를 얻은 것은, 여러 온의 상속에 이와 같은 수승한 감당 능력에 의한 일체지의 공덕을 성취하셔서, 막 작의하시면 그 때 알고자 하는 경계에 대해 전도됨 없는 지혜가 일어나므로 일체지라고 이름한 것이지, 한 순간에 단박에 두루 아실 수 있어서 일체지라고 이름한 것이 아니다. 그래서 그런 상속에 대해 이와 같은 게송이 있다. 전후의 상속에 능력 있음에 의거했기 때문이니, 마치 불이 점차 모든 물건을 태울 수 있는 것이지, 한 찰나가 아니듯이, 이와 같이 일체지도 상속하여 두루 아는 것이지, 찰나에 단박 두루 알기 때문이 아니라고. 만약 『이부종륜론』에 의한다면, 대중부 등에서는 일찰나의 마음과 상응하는 반야가 일체법을 안다고 한다.
157 독자부의 물음이다.
158 논주의 답이다. 붓다 세존께 3세가 있다고 설하셨기 때문에 상속에 의거해 일체법을 아신다고 설한 것이지, 자아가 두루 아는 것이 아님을 분명히 알 수 있다. 그들은, 세존도 자아를 체로 하므로 제5의 불가설법장에 포함되고, 3세의 법장(에 포함되는 것)이 아니라고 계탁하기 때문에 논주가 답한 것이다. 붓다 세존은 3세의 법장으로서 지혜의 상속에 의거해 일체를 두루 아시는 것이지, 자아가 두루 아는 것이 아니라고 말한 것이다.
159 독자부의 물음이다.
160 논주의 답이다. 경(=잡 [44]44:1188 존중경尊重經)에서 게송으로, 3세의 모든 붓다들께서 중생들의 근심을 소멸시키신다고 말씀하신 것과 같다. 따라서 상속에 의거해 붓다께서 두루 아신다고 이름한 것이다. 그대들의 종지에서는 오직 온에만 3세가 있다고 인정할 뿐, 삭취취는 아니라고 하니, 삭취취는 제5의 불가설법장에 포함된다고 하기 때문이다. 따라서 결정코 그러해야 할 것이다. 말하자면 결정코 3세의 법에 의거하고, 상속에 의거해 설한 것이 인정된다고 말해야 할 것이다. 3세의 모든 붓다들은 지혜의 상속에 의거해 일체를 두루 아시지만, 삭취취는 아니니, 만약 삭취취가 세존의 체로서 일체를 두루 아는 것이라면, 붓다께는 그 3세가 있다고 설하지 않았어야 할 것이다.

제9 파집아품(의 2)

2. 짐을 짊어진 자[能荷者]에 의한 힐난에 대한 회통

만약 5취온을 보특가라라고 이름한 것일 뿐이라면, 무엇 때문에 세존께서 이런 말씀을 하셨겠는가? "내가 이제 그대들을 위해 모든 무거운 짐[重擔], 무거운 짐을 취하고 버리는 것, 무거운 짐을 짊어진 자[荷重擔者]에 대해 설하겠다."1 어째서 이런 말씀을 붓다께서 하셔서는 안 되는가?2 무거운 짐[重擔]이 곧 능히 짊어지는 자[能荷]라고 이름해서는 안 될 것이다. 왜냐하면 일찍이 본 적이 없기 때문이다.3

불가설이라는 것도 역시 말하지 않아야 할 것이니, 왜냐하면 역시 아직 보지 못했기 때문이다. 또 무거운 짐을 취하는 것도 온에 포함되는 것이 아니어야 할 것이니, 무거운 짐이 스스로 취하는 것을 일찍이 본 적이 없기 때문이다.4 그렇지만 경에서는 갈애[愛]를 말하여 짐을 취하는 것[取擔者]이

---

1 독자부의 논사가 또 경(=잡 [3]3:73 중담경重擔經)을 인용해 힐난하는 것이다. 논주가 만약 5취온만을 임시로 자아라고 이름한 것일 뿐이라고 말한다면, 무엇 때문에 붓다께서, "내가 지금 그대들을 위해 모든 5취온이라는 무거운 짐, 뒤의 무거운 짐을 취하는 것과 앞의 무거운 짐을 버리는 것, 현재 무거운 짐을 짊어진 자에 대해 설하겠다"라고 말씀하셨겠는가? 만약 자아가 없다면 이 경 중에서 세존께서 무거운 짐을 짊어지는 등의 이와 같은 말씀을 하시지 않았어야 할 것이다.
2 논주가 도리어 따지는 것이다.
3 독자부의 답이다. 무거운 짐인 5취온 자체가 곧 능히 짊어지는 자라고 이름해서는 안 될 것이다. 왜냐하면 이 무거운 짐이 곧 능히 짊어지는 자라고 이름하는 것을 일찍이 본 적이 없기 때문이다. 따라서 자아가 있어서 능히 짊어진 자[能荷]라고 이름했음을 알 수 있으니, 온은 짊어질 대상[所荷]이다.
4 논주가 해석하는 것이다. 해석 가운데 나아가면 먼저 힐난하고, 뒤에 해석하는데, 이는 힐난해 말하는 것이다. 그대들의 종지에서 세우는 제5의 불가설법장이라는 것도 역시 말하지 않아야 할 것이니, 왜냐하면 역시 일찍이 본 적이 없기 때문이다. 또 힐난해 말하고 비례해서 해석하는데, 힐난해 말한다. 능히 무거운 짐을 취하는 것도 온에 포함되는 것이 아니어야 할 것이니, 무거운 짐이

라고 이름하였다. 이미 곧 온에 포함되는 것이니, 짊어지는 자도 역시 그러해야 할 것이다. 즉 여러 온에 삭취취를 세운 것이다. 그런데 이 보특가라가 불가설不可說의, 상주常住하는 실재[實有]라고 여길 것을 염려하셨기 때문에 이 경의 뒤에서 붓다께서 스스로, "단지 세속에 따라 이 존자는 이와 같은 이름을 가졌으며 ···· 라고 말했을 뿐이다"라고 해석해 말씀하셨으니, 위에서 인용한 인경人經에서의 문구과 같다. 이 보특가라는 말할 수 있는 것이며, 무상하고, 실재의 성품이 아님을 알게 하기 위해서였다. 즉 5취온이 스스로 서로 핍박하고 해치므로 무거운 짐이라는 명칭을 얻었고, 전전前前 찰나의 것이 후후後後의 것을 견인하기 때문에 짊어진 자라고 이름한 것이다. 따라서 실제로 보특가라가 있는 것은 아니다.5

3. 화생의 유정에 의한 힐난에 대한 회통

보특가라는 결정코 실재[實有]여야 할 것이니, 계경에서, 화생化生의 유정이 없다고 부정하는 모든 것은 사견邪見에 포함된다고 설했기 때문이다.6 누

....

스스로 취하는 것을 일찍이 본 적이 없기 때문이다. 여기에서 힐난하는 뜻은, 자아가 능히 짊어지는 자여서 곧 온에 포함되는 것이 아니라면, 취하는 것도 능히 취하는 자이니, 온에 포함되는 것이 아니어야 한다는 것이다.

5 비례해서 해석해 말한다. 그렇지만 경에서는 갈애[愛]라는 원인을 말하여 결과인 무거운 짐을 취하는 것[取擔者]이라고 이름하였다. 갈애가 능히 취하는 것[能取]인데, 이미 곧 온에 포함되는 것(=행온)이니, 능히 온을 짊어지는 자도 역시 온에 포함되어야 할 것이다. 즉 여러 온 위에 임시로 삭취취를 세운 것이다. 그런데 붓다께서 독자부가 경에 대해, 이 자아 자체는 불가설의, 상주하는 실재[實有]라고 여길 것을 염려하셨기 때문에 이 경의 뒤에서 붓다께서 스스로, "단지 세속에 따라 이 존자는 이와 같은 이름을 가졌으며 ···· 라고 말했을 뿐이다"라고 해석해 말씀하셨으니, 그 많은 명칭은 위에서 인용한 인경人經에서의 문구과 같다. 이 5온의 가아假我는 말할 수 있는 것이며, 무상하고, 실재의 성품이 아님을 알게 하기 위하신 것이었다. 즉 5취온이 스스로 서로 핍박하고 해치므로 무거운 짐이라는 명칭을 얻었고, 전전 찰나의 것이 후후의 것을 견인하기 때문에 그래서 짊어진 자라고 이름한 것이다. 이는 곧 앞의 원인이 능히 뒤의 결과를 짊어진다는 것이기 때문에 실제로 보특가라가 있는 것은 아니다.

6 독자부에서 또 경(=잡 [7]7:154 무과경無果經과 상응하는 SN 24:5 보시의 공덕 없음경[Natthidinna sutta] 등)을 인용해 힐난함으로써 자아가 실제로 있음을 나타내는 것이다. 자아는 결정코 실유이니, 경에서 화생의 유정이 없다고 부정하는 것은 사견邪見에 포함된다고 설했기 때문이다. '화생의 유정'은 곧 실제의 자아[實我]인데, 없다고 부정한다면 사견이라는 것이니, 실제의 자아가 있는 것

가 화생의 유정이 없다고 말했는가? 붓다께서 말씀하신 것처럼 나도 있다고 말하기 때문이다. 말하자면 온이 상속하여 능히 후세로 가는데, 태胎·난卵·습濕에 의하지 않는 것을 화생의 유정이라고 이름한다. 이를 부정하여 없다고 하기 때문에 사견에 포함되니, 화생의 여러 온은 이치상 실제로 있기 때문이다. 또 이 사견은 보특가라를 비방하는 것이라고 인정한다면, 그대들은 이것이 무엇에 의해 끊어지는 것인지 말해야 할 것이다. 견·수소단이라고 하는 것은 이치가 모두 그렇지 않으니, 보특가라는 4제에 포함되는 것이 아니기 때문이며, 사견은 수소단이 아니어야 하기 때문이다.7

4. 하나의 자아[我]에 의한 힐난에 대한 회통

만약 경에서, '어떤 한 보특가라가 세간에 태어나 있다면[有一補特伽羅 生在世間]'이라고 설했으니, 온 아닌 것이어야 할 것이라고 말한다면, 역시 이치에 맞지 않다. 이는 그 5온 전체[總]에 대해 임시로 하나라고 말한 것이기 때문이니, 마치 세간에서 한 알의 참깨[一麻], 한 알의 쌀[一米], 한 무더기[一聚], 한 마디 말[一言]이라고 말하는 것과 같다. 혹은 보특가라는 유위에 포함되는 것이라고 인정해야 할 것이니, 계경에서 세간에 태어난다고 설했기 때문이다.8

....

이 분명하다는 것이다.
7 논주가 힐난에 대해 회통하는 것이다. 누가 화생의 유정이 없다고 말했는가? 붓다께서 말씀하신 것처럼 화생의 중유는 나도 있다고 말하기 때문이다. 말하자면 온이 상속하여 능히 후세로 가는데, 태·난·습에 의하지 않는 것을 화생의 유정이라고 이름한다. 이런 중유를 부정하여 없다고 하기 때문에 사견에 포함되니, 화생의 5온은 이치상 실제로 있기 때문이다. 뜻의 편의상 다시 따진다. 또 이 사견은 보특가라를 비방하는 것이라고 인정한다면, 이것은 무엇에 의해 끊어지는 것인가? 견·수소단이라고 하는 것은 이치가 모두 그렇지 않으니, 그대들이 주장하는 실제의 자아는 4제에 포함되는 것이 아니기 때문에 견제소단이 아니며, 또 이 사견은 수소단이라고 말해서는 안 되기 때문이다.
8 논주가 또 계탁을 옮겨와서 논파하는 것이다. 만약 경(=증일 3:8:3경)에서, '어떤 한 보특가라가 세간에 태어나 있다면'이라고 설했으니, 온 아닌 것이어야 할 것이라고 말한다면, 논파해 말하겠다. 역시 이치에 맞지 않다. 경에서 '한 보특가라'라고 말한 이것은 그 전체 온[總蘊]에 대해 임시로 하나의 자아라고 말한 것이기 때문이니, 마치 세간에서 많은 극미를 말하여 한 알의 참깨, 한 알의 쌀이라고 이름하며, 많은 곡식·보리 등을 한 무더기라고 이름하며, 여러 찰나의 음성을 한 마디 말[言]이라고 이름하는 것과 같다. 혹은 그대들이 세우

여기에서 '태어난다[生]'고 말한 것은, '온이 새로이 일어나는 것[蘊新起]'과 같은 것이 아니다.9 어떤 뜻에 의해 '세간에 태어나 있다'고 설한 것인가?10 이것이 지금 시기에 다른 온을 취했다[取別蘊]는 뜻에 의한 것이다. 예컨대 세간에서 '능히 제사 모실 분[能祠者]'이 태어났다'라거나 '기론할 분[記論者]이 태어났다'라고 말하는 것과 같으니, 그 학문[明論]을 취했기 때문이다. 또 예컨대 세간에서 '어떤 필추가 태어났다'라거나 '어떤 외도가 태어났다'라고 말하는 것과 같으니, 그 의식儀式을 취했기 때문이다. 혹은 예컨대 세간에서 '어떤 늙은이가 태어났다'라거나 '어떤 병자가 태어났다'라고 말하는 것과 같으니, 다른 단계[別位]를 취했기 때문이다.11

붓다께서 이미 부정하셨기 때문에 그런 해명은 성립될 수 없다. 예컨대 승의공勝義空계경 중에서, "업도 있고 이숙도 있지만, 행위자[作者]는 얻을 수 없다. 말하자면 능히 이 온을 버리고 그리고 능히 다른 온을 상속하

....

는 자아는 유위에 포함되는 것이라고 인정해야 할 것이니, 계경에서 세간에 태어난다고 설했기 때문이다. 그런데도 (그대들의) 종지에서는 이것이 유위에 포함되는 것이라고 인정하지 않는다.

9 독자부의 해명이다.

10 논주가 따져 묻는 것이다.

11 독자부의 답이다. 자아가 태어났다고 말한 것은, 자아가 지금 시기에 앞의 다른 온을 버리고 뒤의 다른 온을 취했다는 뜻에 의한 것이지, 새로이 자아가 태어났다는 것이 아니다. 예컨대 세간에서 제사학을 익혀서 성취를 얻으면 '능히 제사 모실 분이 태어났다'라고 이름하며, 비가라vyākaraṇa론을 기론記論이라고 이름하니, 곧 성명론聲明論(=문법학)인데, 기론의 학문을 익혀서 성취를 얻으면 '기론할 분이 태어났다'라고 말하는 것과 같다. 이 두 가지는 그 학문[明論]을 취했기 때문에 태어났다고 이름한 것이다. 그들이 익히는 이론을 '명론明論'이라고 이름한다. 또 예컨대 세간에서 처음 출가할 때를 말하여 '필추가 태어났다'라고 이름하며, 처음 외도에 들어가는 것을 '외도가 태어났다'라고 말하는 것과 같다. 이 두 가지는 스스로의 위의威儀와 스스로의 법식法式을 취했기 때문에 태어났다고 이름한 것이다. 혹은 예컨대 세간에서 머리카락이 회어지고 얼굴이 주름지는 것을 말하여 '늙은이가 태어났다'라고 이름하며, 4대가 어기고 거스르는 것을 '병자가 태어났다'라고 이름하는 것과 같다. 이 두 가지는 다른 단계를 취했기 때문에 태어났다고 이름한 것이다. 위에서 태어났다고 말한 것은 별도로 법을 얻은 것에 의거한 것이지, 처음 태어났다는 것이 아니듯이, 자아가 태어났다는 것도 역시 그러해서 다른 온을 취했다는 것에 의거한 것이지, 자아가 새로이 태어났다는 것이 아니다.

것이니, 오직 법가法假만은 제외한다"라고 설하신 것과 같다. 따라서 붓다께서 이미 부정하셨다.12 파륵구나頗勒具那계경에서도 역시, "나는 능히 취하는 자[能取者]가 있다고 결코 말하지 않는다"라고 설하셨다. 따라서 능히 세간에서 여러 온을 취하거나 버리는 보특가라는 결정코 하나도 없다.13

또 그대들이 인용한 바 제사 모실 분 등의 태어남은 그 체가 무엇이기에 이것에 비유할 수 있는가? 만약 자아라고 주장한다면 그것은 공히 인정하지 않는 것이고, 만약 심·심소라면 그것은 찰나찰나 소멸하고 새로새로 생기기 때문에 취함과 버림이 성립되지 않으며, 만약 몸이라고 인정한다면 역시 마음 등과 같을 것이다.14 또 학문 등은 몸과 차이가 있는 것처럼, 온도 역시 보특가라와 달라야 할 것이다. 늙고 병든 두 가지 몸도 각각 전과는 다를 것이니, 수론數論의 전변轉變은 앞에서 이미 비판한 것과 같다. 따라서 그렇게 인용한 것을 비유로 삼는 것은 성립되지 않는다.15 또 온은 생

....

12 이하는 논주의 논파이다. 이는 곧 경을 인용해 논파하는 것이다. 경(=잡 [12]13:335 제일의공경)에서, "업도 있고 이숙도 있지만, 진실한 행위자[眞實 作者]는 얻을 수 없기 때문이니, 말하자면 능히 이 앞의 온을 버리고 그리고 능히 다른 뒤의 온을 상속하는 것이다. 오직 5온이 상속하는 법을 임시로 말하여 나라고 이름하는 것만은 제외한다"라고 설하신 것과 같기 때문에 붓다께서 이미 온 외의 실제의 자아를 부정하셨다. # '법가法假'는 5온이 상속하는 '법'에 대해 '임시로[假]' 말한 것이라는 뜻으로, 위 경에서는 '속수법俗數法'이라고 이름하였다.

13 논주가 또 경(=잡 [15]15:372 파구나경頗求那經)을 인용해 논파하는 것이다. 실제로 능히 취하는 자가 있다고 말하지 않는다고 설하셨기 때문에 능히 온을 취하거나 버리는 실제의 자아는 없다.

14 논주가 또 비유에 의거해 논파하는 것이다. 또 그대들이 인용한 바 제사 모실 분 등의 태어남은 그 체가 무엇이기에 자아에 비유할 수 있는가? 그대들이 만약 제사 모실 분이 자아라고 주장한다면, 비유가 공히 인정하지 않는 것이니, 나는 실제의 자아의 체가 있다고 인정하지 않기 때문이다. 만약 제사 모실 분이 심·심소라고 주장한다면, 그것은 찰나찰나 소멸하고 새로새로 생기기 때문에 취함과 버림이 성립되지 않을 것이다. 만약 제사 모실 분이 곧 색신이라고 인정한다면, 역시 마음 등처럼 그것은 순간순간 소멸하고 새로새로 생기기 때문에 취함과 버림이 성립되지 않을 것이다.

15 논주가 또 비유에 의거해 논파하는 것이다. 또 학문 등은 제사 모실 분 등의 몸과는 다른 것처럼, 온도 역시 자아와 달라야 할 것인데, 어떻게 다르지 않다(=보특가라는 온과 다른 것도 아니라는 종지)고 말하는가? 늙은 몸과 병든 몸은 각각 앞의 단계의 몸과는 다른 차이가 있으므로, 온과 보특가라도 역시

기지만, 삭취취는 아니라고 인정한다면, 곧 결정코 이것은 온과 다르면서 항상하다는 것을 인정하는 것이다. 또 이것은 오직 하나뿐이지만, 온의 체에는 다섯 가지가 있는데, 어찌 이것이 온과 차이 있는 것이라고 말하지 않겠는가?16

　대종에는 네 가지가 있고, 소조색은 오직 하나뿐인데, 어찌 소조색은 대종과 다르지 않다고 말하는가?17 이는 그 종지의 허물이다.18 무엇을 그 종지라고 말하는가?19 소조색은 곧 대종이라고 계탁하는 모든 이론이다. 만약 그들의 견해와 같다면 이렇게 응답해야 할 것이다. '마치 모든 소조색은 곧 4대종인 것처럼, 역시 곧 5온에 보특가라를 세운 것이라고 해야 할 것이다'라고.20

5. 기별하시지 않았다[不記]는 힐난에 대한 회통

　만약 보특가라가 곧 여러 온이라면 세존께서는 어째서 영혼이 곧 몸[命者卽身]이라고 기별[記]하시지 않았겠는가?21 묻는 자의 의요[阿世耶]를 관찰하셨기 때문이다. 묻는 자가, 내적으로 작용하는 한 사람[土夫]의 체가 실제

....

　달라야 할 것이다. 만약 젊은 몸과 양호한 몸이 바뀌어 (늙고 병든) 몸이 되었다고 한다면, 곧 수론의 전변이라는 뜻의 종지와 같을 것인데, 수론의 전변은 앞(=제11권 중 게송 48~51에 관한 논설)에서 이미 비판한 것과 같다. 따라서 그 인용한 바 제사 모실 분의 태어남 등을 비유로 삼는 것은 성립되지 않는다.
16 논주가 또 논파하는 것이다. 또 온은 새로 생기지만, 삭취취는 아니라고 인정한다면, 곧 결정코 자아는 온과 다르며, 또 항상하다는 것도 인정하는 것인데, 어떻게 그대들의 종지에서는 온과 다르지 않으며, 또 항상한 것이 아니라고 말하는가? 또 자아는 오직 하나뿐이지만, 온의 체에는 다섯 가지가 있는데, 어찌 자아는 온과 차이가 있는 것이라고 말하지 않겠는가?
17 독자부에서 반대로 나무라는 것이다. 논주가, 자아는 하나이고 온은 다섯이므로, 자아를 온과 다르게 해야 한다면, 대종에는 넷이 있고 소조색은 하나뿐인데, 어찌 소조색은 대종과 다르지 않다고 말하겠는가?
18 논주의 답이다. 이는 그 종지의 허물이므로, 나와 관계된 것이 아니다.
19 독자부의 새로운 물음이다.
20 논주의 답이다. 각천覺天 등의, 모든 소조색은 곧 대종이라고 계탁하는 여러 이론(=앞의 제2권 중 게송 34에 관한 논설 참조)인데, 만약 그들의 견해와 같다면 이렇게 응답해야 할 것이다. 「마치 모든 소조색은 곧 4대종인 것처럼, 역시 곧 5온에 보특가라를 세운 것이라고 해야 할 것인데, 어떻게 자아는 온에 즉하지 않은 것[不卽蘊](='곧 온이 아니다')이라고 말하는가?」라고.
21 독자부의 힐난이다.

이고 허망한 것이 아님을 이름하여 영혼이라고 한 것이라고 집착하면서, 이에 의해 붓다께 몸과 동일한 것인지 다른 것인지 물었던 것이다. 이것은 전혀 없는 것이기 때문에 동일하다거나 다르다는 것이 성립될 수 없는데, 어떻게 몸과 동일하거나 다르다고 기별하실 수 있겠는가? 마치 거북의 털은 딱딱한지 부드러운지 기별할 수 없는 것과 같다. 옛날의 논사들은 이 문제를 이미 풀었다. 과거에 이름을 용군龍軍이라고 부르는 대덕大德이 있었는데, 3명·6통에 8해탈을 갖춘 분이었다. 그 때 필린다畢鄰陀라는 한 왕이 있어 대덕의 처소로 와서 이렇게 말하였다. "내가 지금 온 뜻은 의심되는 것을 청문하고자 해서입니다. 그런데 사문들은 성품상 많은 말을 좋아하니, 존자께서 바로 대답해 주실 수 있다면 내가 묻기를 청합니다." 대덕이 청을 받아들이자 왕이 곧 물었다. "영혼과 몸은 동일한 것입니까, 다른 것입니까?" 대덕이 대답하였다. "이것은 기별하지 않아야 합니다." 왕이 말하였다. "어찌 먼저 약속하지 않았습니까? 지금 어째서 말을 달리하여 질문에 대답하시지 않습니까?" 대덕이 응답하였다. "내가 의심되는 것을 묻고자 합니다. 그런데 국왕들은 성품상 많은 말을 좋아하니, 왕께서 바로 대답해 주실 수 있다면 내가 물어보겠습니다." 왕이 곧 요청을 받아들이자 대덕이 물었다. "대왕 궁중의 암라수들에서 생긴 열매의 맛은 시다고 합니까, 달다고 합니까?" 왕이 말하였다. "궁중에 본래부터 이 나무가 없습니다." 대덕이 다시 책망하였다. "먼저 약속이 없었습니까? 지금 어째서 말을 달리하여 질문에 대답하시지 않습니까?" 왕이 말하였다. "궁 안에 이 나무가 이미 없는데, 어찌 열매의 맛이 달거나 시다고 대답할 수 있겠습니까?" 대덕이 가르쳐 말하였다. "영혼도 역시 없는데, 어떻게 몸과 동일하거나 다르다고 말할 수 있겠습니까?"22

....

22 논주의 답이다. 묻는 자의 의요를 관찰하셨기 때문이니, 묻는 자가, 하나의 내적 자아의 실제의 체를 영혼이라고 이름한 것이라고 집착하면서, 이에 의해 붓다께 몸과 동일한 것인지, 다른 것인지 물었던 것이다. 자아는 전혀 없는 것이기 때문에 동일하거나 다르다는 것이 성립될 수 없는데, 어떻게 몸과 동일하거나 다르다고 기별하실 수 있겠는가? 마치 거북의 털은 딱딱한지 부드러운지 기별할 수 없는 것과 같다. 거북의 털은 본래부터 없는데, 어찌 딱딱한지 부드러운지를 논하겠는가? 옛날의 논사들은 이 얽힌 매듭의 어려운 뜻을

붓다께서 어째서 영혼은 전혀 없다고 설하시지 않았는가?23 역시 묻는 자의 의요를 관찰하셨기 때문이다. 묻는 자가 혹은 여러 온의 상속을 영혼이라고 말하면서, 이에 의해 물음을 일으켰던 것이다. 세존께서 만약 영혼은 전혀 없다고 대답하신다면, 그가 사견邪見에 떨어질 것이기 때문에 붓다께서 설하시지 않은 것이니, 그는 아직 연기의 이치를 알 수 없었기 때문이다. 정법을 받아들일 그릇이 아니어서 그를 위해 가유假有라고 설하시지 않은 것이니, 이치상 반드시 그러해야 하는 것이다. 세존께서 설하셨기 때문이니, 예컨대 세존께서 아난다에게 말씀하신 것과 같다. "벌차筏蹉라는 성을 가진 어떤 출가외도가 내 처소에 와서, '자아는 세간에 있는 것입니까, 있는 것이 아닙니까?'라고 이렇게 물었지만, 나는 기별하지 않았다. 까닭이 무엇이겠는가? 만약 있다고 기별했다면 법의 진실한 이치에 어긋날 것이니, 일체 법에는 모두 자아가 없기 때문이다. 만약 없다고 기별했다면 그의 어리석음과 미혹을 늘렸을 것이니, 그는 곧 자아가 먼저는 있었지만, 이제는 없어질 것이라고 여겼을 것이다. 있다고 집착하는 어리석음에 비해 이런 어리석음이 더욱 심하니, 말하자면 자아가 있다고 집착하면 상주의 극단[常邊]에 떨어지지만, 자아가 없다고 집착한다면 곧 단멸의 극단[斷邊]에 떨어진다." 이 두 극단의 경중輕重은 경에서 자세히 설한 것과 같다.24

....

이미 풀었다. '과거에' 이하는 사건을 가리키는 것인데, 알 수 있을 것이다. '암라수'는 서방의 성 밖에 생장하고 있는 것으로서, 왕궁에 있는 것이 아니다. # 본문의 '용군'은 비구 이름 나가세나Nāgasena의 의역어인데, 그와 왕의 대담을 기록한 것이 『밀린다 왕의 물음[Milindapañha]』으로서, 그 한역본이 『나선那先비구경』이다.

23 독자부의 물음이다.
24 논주의 답이다. 역시 묻는 자의 의요를 관찰하셨기 때문이다. 묻는 자가 혹은 여러 온의 상속을 임시로 영혼이라고 말하면서, 이에 의해 물음을 일으켰던 것이다. 세존께서 만약 없다고 대답하신다면, 그가 사견에 떨어질 것이기 때문에 붓다께서 설하시지 않은 것이다. 어째서 그를 위해 임시로 영혼이라고 이름한다고 설하시지 않았는가 하면, 그는 연에 의해 일어나는 매우 깊은 모든 법의 이치를 아직 알 수 없었기 때문이다. 정법을 받아들일 수 있는 그릇이 아니었기 때문에 붓다께서 그를 위해 가유의 영혼을 설하시지 않은 것이니, 이치상 반드시 그러해야 하는 것이다. 세존께서 설하셨기 때문이다. '벌차Vatsa'는 여기 말로 독자犢子(=송아지)인데, 벌차 외도가 세존께, '자아는 세

이와 같은 뜻에 의해서 어떤 게송에서 말하였다. "❶ 소견에 의해 상처 받고[觀爲見所傷] 또 모든 선업 허무는 것을 관찰하셨기[及壞諸善業] 때문에 붓다께서는 정법 설하시기를[故佛說正法] 마치 암호랑이가 새끼를 입에 물 듯이 하신다[如牝虎銜子] ❷ 진실의 자아가 있다고 집착하면[執眞我爲有] 곧 소견의 어금니에 상처 받을 것이고[則爲見牙傷] 세속의 자아가 없다고 부정하면[撥俗我爲無] 곧 선업의 새끼를 허물 것이다[便壞善業子]"25

다시 게송을 읊어 말하겠다.

1 실제로 영혼은 없기 때문에[由實命者無]

....

간에 있는 것입니까, 있는 것이 아닙니까?'라고 청문했지만, 붓다께서 그를 위해 기별하시지 않았다.(=잡 [34]34:961 유아경有我經) 만약 있다고 기별했다면 법의 진실한 이치에 어긋날 것이고, 만약 없다고 기별했다면 그의 어리석음과 미혹을 늘렸을 것이니, 그는 곧 자아가 먼저는 있었는데, 이제는 끊어질 것이라고 여기고, 곧 단견을 일으켰을 것이다. 그 단견을, 있다고 집착하는 어리석음과 비교하면 이 어리석음이 더욱 심하니, 어리석음이 무겁기 때문이다. 말하자면 자아가 있다고 집착하면 상주의 극단에 떨어지지만, 자아가 없다고 집착한다면 곧 단멸의 극단에 떨어진다." 있다고 집착하는 허물은 가볍지만, 없다고 집착하는 허물이 무거운 것은 경에서 자세히 설한 것과 같다. 차라리 수미산과 같은 아견을 일으킬지언정, 겨자씨만큼의 단견을 일으키지 말라고 하셨다.(=『대승입능가경』 제4권. 대16-608하 및 『대보적경』 제112권. 대11-634상 등) 아견을 일으키면 능히 모든 선을 닦기 때문에 허물이 가볍지만, 단견을 일으키면 능히 온갖 악을 짓기 때문에 허물이 무거운 것이다. 그래서 붓다께서 그를 위해 자아가 없다고 설하시지 않은 것이다.

25 이와 같은 말할 수 없는 뜻에 의한, 경량부鳩摩邏多의 구마라다의 이런 게송의 말이 있다. 첫 게송은 전체적으로 말한 것이고, 뒤의 게송은 개별적으로 해석한 것이다. '소견에 의해 상처 받는 것을 관찰하셔서' 그를 위해 있다고 설하시지 않고, '또 모든 선업 허무는 것을 관찰하셔서' 그를 위해 없다고 설하시지 않았으니, '그래서 붓다께서는 정법 설하시기를' 급하지도 하고 느슨하지도 않게 하시는 것이, '마치 암호랑이가 새끼를 입에 무는 것과 서로 비슷하게' 완급에 적당함을 얻으니, 너무 급하면 곧 상처 입히고, 너무 느슨하면 곧 떨어뜨릴 것이다. 붓다께서 만약 자아가 있다고 설하셨다면 그는 진실의 자아가 있다고 집착해서 곧 소견에 의해 상처 받을 것이니, 소견은 날카로운 잇빨처럼 능히 사람을 상처 입히기 때문-이는 첫 구를 해석한 것이다-이며, 붓다께서 만약 자아가 없다고 설하셨다면 그는 세속의 자아가 없다고 부정해서 곧 업이라는 새끼를 허물 것이니, 선업은 마치 새끼와 같으므로 선업의 새끼라고 이름한 것-이는 제2구를 해석한 것이다-이다.

붓다께서 동일하다거나 다르다고 말씀하시지 않고[佛不言一異]

가아마저 없다고 부정할까 염려해[恐撥無假我]

전혀 없다고도 설하시지 않았다[亦不說都無]

2 말하자면 온이 상속하는 가운데[謂蘊相續中]

업과 과보를 가진 것이 영혼인데[有業果命者]

만약 영혼이 없다고 설하셨다면[若說無命者]

그는 이것마저 부정해 없다고 했으리라[彼撥此爲無]

3 여러 온 중에[不說諸蘊中]

가명의 영혼이 있다고 설하시지 않은 것은[有假名命者]

물음 일으킨 자에게[由觀發問者]

진실한 공을 이해할 능력 없음을 관찰하셨기 때문이다[無力解眞空]

4 이와 같이 벌차족 사람의[如是觀筏蹉]

의요의 차별을 관찰하셨기 때문에[意樂差別故]

그가 자아가 있는지 없는지 물었어도[彼問有無我]

붓다께서 있다거나 없다고 대답하시지 않은 것이다[佛不答有無]"26

....

26 이와 같은 이치에 의해서 이제 논주가 거듭 앞의 뜻을 포함한 게송을 읊어 말하였다. 4수의 게송에 나아가면, 처음 2구는 앞의 영혼과 몸이 동일하지도 않고 다르지도 않음을 노래한 것이고, 다음 6구는 앞의 '붓다께서 어째서 영혼은 전혀 없다고 설하시지 않았는가?'부터 '그가 사견에 떨어질 것이기 때문에 붓다께서 설하시지 않았다'까지를 노래한 것인데, 6구 중에 나아가면 앞의 2구는 전체적으로 노래한 것이고, 뒤의 4구는 개별적으로 해석한 것이다. 그 묻는 자가 가아마저 없다고 부정할 것을 염려해서 붓다께서 영혼이 전혀 없다고도 설하시지 않았다. 말하자면 모든 5온이 상속하는 도중에 업이 있고 과보가 있는 것을 임시로 영혼이라고 이름하는데, 붓다께서 만약 영혼이 없다고 설하셨다면, 그 물은 자가 임시의 영혼마저 부정하여 역시 없다고 할 것을 염려하셨기 때문에 전혀 없다고 설하시지 않았다. 셋째 게송은 앞의 '그는 아직 연기의 이치를 알 수 없었기 때문이다. 정법을 받아들일 그릇이 아니어서 그를 위해 가유라고 설하시지 않은 것'이라는 부분을 노래한 것이니, 세존께서 여러 온 중에 임시의 영혼이 있다고 설하시지 않은 것은, 물은 자에게 연기

어째서 세간의 항상함 등에 대해 기별하시지 않았는가?27 역시 묻는 자의 의요를 관찰하셨기 때문이다. 묻는 자가 만약 자아가 세간이라고 집착한다면, 자아의 체는 전혀 없기 때문에 네 가지 기별[四記]은 모두 이치가 아닐 것이다. 만약 생사하는 것을 모두 세간이라고 이름한다고 집착한다면, 붓다의 네 가지 기별은 역시 모두 이치가 아닐 것이다. 말하자면 만약 항상한 것이라면 열반을 얻을 수 없을 것이고, 만약 항상한 것이 아니라면 곧 저절로 단멸할 것이므로 공력功力에 의하지 않아도 모두 열반을 얻을 것이며, 만약 항상하기도 하면서 항상한 것 아니기도 하다고 말한다면 결정코 일부 유정은 열반을 얻을 수 없고, 일부 유정은 저절로 열반을 증득해야 할 것이며, 만약 항상한 것도 아니고 항상한 것 아닌 것도 아니라고 기별한다면 곧 열반을 얻는 것도 아니고 열반을 얻지 않는 것도 아니겠지만, 결정코 상반하는 것이어서 곧 희론戲論이 될 것이다. 그렇지만 성도聖道에 의해 반열반할 수 있기 때문에 네 가지 결정적 기별은 모두 이치에 맞지 않으니, 마치 이계자離繫子가 참새의 생사를 물었을 때 붓다께서 그의 마음을 아시고 결정적으로 기별하시지 않은 것과 같다.28

....

진공의 이치를 깨달아 이해할 수 있는 능력이 없음을 관찰하셨기 때문에 그래서 그를 위해 설하시지 않았다는 것이다. 넷째 게송은 앞의 벌차경에 대해 노래한 것이니, 붓다께서 벌차의 의요의 차별을 관찰하셨기 때문에 그가 세존께 자아가 있는지, 자아가 없는지 물었어도, 붓다께서 그에게 자아가 있는지, 자아가 없는지 대답하시지 않았다는 것이다.

27 독자부의 물음이다.

28 논주의 답이다. 역시 묻는 자의 의요를 관찰하셨기 때문이다. 묻는 자가 만약 자아가 세간이라고 집착해서 세존께 '세간은 항상한가, 무상한가, 항상하기도 하며 무상하기도 한가, 항상한 것도 아니고 무상한 것도 아닌가'라고 물었다면, 그 묻는 자가 실제의 자아가 세간이라고 한, 자아의 체는 전혀 없기 때문에 네 가지 대답이 모두 이치가 아니기 때문에 세존께서 대답하시지 않았다. 만약 다시 생사하는 5온을 말하여 모두 세간이라고 이름한다고 집착한다면, 붓다의 네 가지 기별의 답은 역시 모두 이치가 아니기 때문에 역시 대답하시지 않았다. 말하자면 만약 세간이 항상한 것이라면 곧 끊을 수 없으므로 열반을 얻을 수 없을 것이고, 만약 항상한 것이 아니라면 저절로 단멸할 것이므로 공력으로 힘써 노력하여 도를 닦음에 의하지 않아도 모두 열반을 얻을 것이다. 만약 항상하기도 하면서 항상한 것 아니기도 하다고 답한다면, 생사하는 중 결정코 일부 유정은 열반을 얻을 수 없고, 일부 유정은 저절로 열반을 증득

끝이 있는가[有邊] 등의 네 가지에 대해 역시 기별하시지 않은 것도 항상한가 등과 같아서 모두 허물이 있기 때문이다.29 이 네 가지의 뜻이 항상한가 등과 같다는 것을 어찌 아는가?30 온저가溫底迦라는 이름의 외도가 있어 먼저 '세간은 끝이 있는가' 등의 네 가지를 묻고, 다시 방편을 세워서 세존께, '모든 세간은 모두 성도聖道에 의해 출리出離를 얻을 수 있는가, 일부만인가'라고 고쳐서 묻자, 존자 아난이 곧 그에게 말하였다. "그대는 이 일을 이미 세존께 여쭈었는데, 이제 다시 어째서 명칭을 고쳐서 거듭 여쭈는가?" 따라서 뒤의 네 가지는 뜻이 앞과 같다는 것을 알 수 있다.31

다시 어떤 이유에서 세존께서, 여래는 사후死後에 있는가 등의 네 가지에

....

해야 할 것이다. 만약 항상한 것도 아니고 항상한 것 아닌 것도 아니라고 답한다면 이 세간도 역시 열반을 얻는 것도 아니고 열반을 얻지 않는 것도 아니어야 할 것이다. 또 해석하자면 항상한 것 아닌 것이 아니기 때문에 곧 열반을 얻는 것이 아니어야 할 것이고, 항상한 것이 아니기 때문에 곧 열반을 얻지 않는 것도 아니어야 할 것이다. 항상한 것 아님과 항상한 것 아닌 것도 아님은 결정코 상반하는 것이어서 곧 희론이 될 것이니, 어떻게 물음에 대한 답을 이루겠는가? 그렇지만 성도에 의해 반열반할 수 있기 때문에 네 가지 결정적 기별은 모두 이치에 맞지 않으니, 마치 외도인 이계자離繫子가 손으로 참새를 잡고 붓다께 생사를 물었을 때 붓다께서 그의 마음을 아시고 결정적으로 기별하시지 않은 것과 같다. 만약 죽을 것이라고 답한다면 그가 곧 놓아서 살려줄 것이고, 만약 살 것이라고 답한다면 그가 곧 죽여버릴 것이기 때문에 붓다께서 대답하시지 않으셨는데, 이것도 역시 그와 같다.

29 논주가 비례해서 해석하는 것이다.
30 독자부의 물음이다.
31 논주의 답이다. 온저가Uktika라는 이름의 외도가 있었으니, 여기 말로는 능설能說인데, 먼저 '세간은 끝이 있는가' 등의 네 가지를 물었으나, 세존께서 대답하시지 않자, 뒤에 방편을 세워서 세존께, '모든 세간이 항상한 등이라면, 모두 성도에 의해 출리를 얻을 수 있는가, 일부만 출리하고 일부는 출리하지 못하는가'라고 고쳐 묻자, 존자 아난이 붓다 곁에 있다가 곧 그에게 말하였다. "그대는 이 일을 이미 세존께, 세간은 끝이 있는가, 끝이 없는가 등의 네 가지로 여쭈었는데, 이제 다시 어떤 이유에서 끝과 끝 없음 등의 네 가지를 고쳐 항상함과 항상한 것 아님 등의 네 가지로 이름해서 거듭 여쭈는가?"(=잡[34]34:965 울저가경鬱低迦經) 끝이 있다는 것은 항상한 것 아닌 것이고, 끝이 없다는 것은 항상한 것이며, 끝이 있기도 하고 끝이 없기도 하다는 것은 항상하기도 하고 항상한 것 아니기도 한 것이고, 끝이 있는 것도 아니고 끝이 없는 것도 아니라는 것은 항상한 것도 아니고 항상한 것 아닌 것도 아닌 것이니, 따라서 뒤의 네 가지는 뜻이 앞과 같다는 것을 알 수 있다.

대해 기별하시지 않았는가?32 역시 묻는 자의 의요를 관찰하셨기 때문이니, 묻는 자가, 이미 해탈한 자아[已解脫我]를 여래라고 이름한다고 망령되이 헤아려서 물음을 일으켰기 때문이다.33

　이제 자아가 있다고 헤아리는 자에게 이렇게 힐난해 물어야 할 것이다. '붓다께서 현재 보특가라가 있다고 기별하셨다면서 여래의 사후에도 역시 있는지에 대해서는 어째서 기별하시지 않았는가?'34 그들은, 상주의 극단에 떨어지는 허물이 있을 것을 두려워하셨기 때문이라고 말하였다.35 만약 그렇다면 어째서 붓다께서 미륵[慈氏]에게, "그대는 내세에 장차 붓다가 될 것이다"라고 기별하셨으며, 또 제자가 몸이 무너지고 목숨이 끝났을 때 "아무개는 지금 모처에 태어났다"라고 기별하셨겠는가? 여기에 어찌 상주의 극단에 떨어지는 허물이 있는 것 아니겠는가? 만약 붓다께서 먼저는 보특가라를 보셨지만, 그가 열반한 뒤에는 곧 다시는 보시지 못해서 아시지 못했기 때문에 있다고 기별하시지 않은 것이라면, 곧 큰 스승께서 일체지를 갖추셨음을 부정하거나, 혹은 자아의 체가 전혀 없기 때문에 기별하시지 않았다고 인정해야 할 것이다. 만약 세존께서 보시고도 설하시지 않았다고 말한다면, 온을 떠난 자아[離蘊] 및 상주常住한다는 허물이 있을 것이다. 만약 보셨다고도 보신 것이 아니라고도 모두 말할 수 없다고 한다면, 곧 붓다께서 일체지인지, 일체지가 아닌지 말할 수 없는가 라고 따져 말해야 할 것이다.36

....
32 독자부의 물음이다.
33 논주의 답이다. 역시 묻는 자의 의요를 관찰하셨기 때문이니, 묻는 자가, 이미 해탈한 자아를 여래라고 이름한다고 망령되이 헤아려서 물음을 일으켰기 때문인데, 실제의 자아는 없기 때문에 붓다께서 대답하시지 않은 것이다.
34 논주가 도리어 힐난하는 것이다. 이제 독자부의 논사로서 자아가 있다고 헤아리는 자에게 힐난해 물어야 할 것이다. '붓다께서 현재 자아가 있다고 기별하셨다면서 여래의 사후에도 역시 자아가 있는지에 대해서는 어째서 기별하시지 않았는가?'
35 독자부의 답이다.
36 논주의 힐난이다. 만약 그렇다면 어째서 붓다께서 미륵보살에게 기별(=중 13:66 설본경說本經)하셨으며, 또 제자의 미래세의 일에 대해 기별(=잡[34]34:957 신명경身命經 등)하셨겠는가? 여기에 어찌 상주의 극단에 떨어지는 허물이 있는 것 아니겠는가? 또한 그대들이 만약 붓다께서 먼저는 자아를 보셨지만, 그가 반열반한 뒤에는 곧 다시는 자아를 보시지 못해서, 아시지 못

6. 악견처에 떨어진다는 힐난에 대한 회통

만약 "실제로 보특가라는 있으니, 계경에서 '진리이기 때문[諦故]이며 머물기 때문[住故]에 결정코 자아가 없다고 집착하는 자는 악견처惡見處에 떨어진다'고 말했기 때문이다"라고 말한다면, 이는 증거가 되지 못한다. 그 경에서 "결정코 자아가 있다고 집착하는 자는 악견처에 떨어진다"라고도 설했기 때문이다.37

아비달마의 논사들은, "자아가 있다거나 없다고 집착하는 것은 모두 변견邊見에 포함되니, 순서대로 상주·단멸의 극단에 떨어져 있기 때문이다"라고 말했는데, 그 논사들의 말이 깊이 이치에 맞다. 자아가 있다고 집착한다면 곧 상주의 극단에 떨어지고, 자아가 없다고 집착한다면 곧 단멸의 극단에 떨어진다고 앞의 벌차경筏蹉經에서 분명히 설하셨기 때문이다.38

....

했기 때문에 있다고 기별하시지 않은 것이라고 말한다면, 논파해 말하겠다. 곧 큰 스승께서 일체지를 갖추셨음을 부정하는 것이니, 해탈한 자아를 아실 수 없다고 하기 때문이다. 그대들은 혹은 자아의 체가 전혀 없기 때문에 기별하시지 않았다고 인정해야 할 것이다. 그대들이 만약 붓다께서 해탈한 자아를 보시고도 설하시지 않았다고 말한다면, 논파해 말하겠다. 곧 온을 떠난 자아[離蘊]라는 허물이 있을 것이니, 열반에 듦으로써 온이 소멸했는데도 자아는 소멸하지 않았다고 헤아리기 때문이다. 또 상주한다는 허물이 있을 것이다. 어찌 자아와 5온은 다르지도 않으며, 항상한 것도 아니라고 말할 수 있는가? 그대들이 만약 이미 해탈한 자아를 붓다께서 보셨다고도 보신 것이 아니라고도 모두 말할 수 없다고 말한다면, 논파해 말하겠다. 곧 붓다께서 일체지라고 말할 수 없는가, 붓다께서 일체지가 아니라고 말할 수 없는가 라고 따져 말해야 할 것[應徵言]이다. 혹은 붓다께서 자아를 보시지 못하기 때문에 일체지라고 말할 수 없는가, 붓다께서 자아를 보시기 때문에 일체지가 아니라고 말할 수 없는가 라고 따져 물어야 할 것[應徵言]이다.(＝한역문에는 '응점언應漸言'이라고 되어 있지만, 『기』에는 '응징언應徵言'이라고 되어 있어서, 전자가 오기로 보여 본문도 이에 따라 고쳐서 번역하였다)

37 논주가 또 계탁을 옮겨와서 증거로써 논파하는 것이다. 그대들이 만약, "자아는 있으니, 계경(＝출전 미상)에서 '진리로서 머물므로[審諦而住] 결정코 자아가 없다고 집착하는 자는 악견처(＝악견의 처소)에 떨어진다'라고 말했기 때문이다"라고 말한다면, 논파해 말하겠다. 이는 증거가 되지 못한다. 그 경에서 '결정코 자아가 있다고 집착하는 자는 악견처에 떨어진다'라고도 설했기 때문에 자아를 헤아리지 않아야 한다.

38 대법의 논사들은, 자아가 있다거나 없다고 집착하는 것은 모두 변견에 포함되니, 자아가 있다고 집착한다면 곧 상주의 극단에 떨어지고, 자아가 없다고 집

7. 유전의 주체[能流轉]에 의한 힐난에 대한 회통

만약 보특가라가 결정코 없다면 누가 생사에 유전한다고 말해야 하는가? 생사가 스스로 유전한다고 해서는 안 되기 때문이다. 그렇지만 박가범께서 계경 중에서, "모든 유정은 무명에 덮이고 탐애에 묶여서 생사로 치달아 흘러다닌다"라고 설하셨기 때문에 보특가라는 결정코 있어야 할 것이다.39

이것은 다시 어떻게 생사에서 유전하는가?40 앞의 온을 버리고 뒤의 온을 취하기 때문이다.41 이런 뜻의 종지는 앞에서 이미 따져서 버렸다. 마치 들판을 태우는 불이 비록 찰나에 소멸하더라도 상속에 의해서 흘러다님[流轉]이 있다고 말하듯이, 이와 같이 온의 무더기[蘊聚]를 임시로 유정이라고 말하는데, 갈애와 취착이 연이 되어 생사에 유전하는 것이다.42

8. 지금과 과거의 몸에 의한 힐난에 대한 회통

만약 오직 온이 있을 뿐이라면, 어째서 세존께서, "지금의 나는 과거에 묘안妙眼이라는 이름의, 세간 인도하는 스승[世導師]이었다"라는 이런 말씀을 하셨겠는가?43 이 말씀에서 무엇이 허물인가?44 온이 각각 다르기 때문

착한다면 곧 단멸의 극단에 떨어진다고 말했는데(=『대비바사론』제199권. 대27-994상 등), 논주가 이를 인정해 말한다. 그 논사들의 말이 깊이 이치에 맞다. 자아가 있다거나 없다고 집착하면 상주·단멸의 극단에 떨어진다고 앞의 벌차경에서 분명히 설하셨기 때문이다.

39 독자부의 힐난인데, 증거를 인용해 성립시키는 것이다. 만약 자아가 결정코 없다면 누가 생사에 유전한다고 말할 수 있겠는가? 스스로 유전한다고 해서는 안 되기 때문이다. 경(=잡 [13]12:294 우치힐혜경愚癡黠慧經)에서, "유정은 무명에 덮이고 탐애에 묶여서 생사로 치달아 흘러다닌다"라고 설하셨기 때문에 자아는 결정코 있다.

40 논주의 물음이다. 이 자아는 다시 어떻게 생사에서 유전하는가?

41 독자부의 답이다. 자아가 앞의 온을 버리고 능히 뒤의 온을 취하기 때문에 자아가 생사에서 유전한다고 말한다.

42 논주가 앞과 같다고 가리켜서 논파하고, 다시 바른 뜻을 서술하는 것이다. 마치 들판을 태우는 불이 비록 찰나에 소멸하더라도 전후 상속하고 끊어지지 않음에 의해, 유전하여 여기로부터 저기에 이름이 있다고 말하듯이, 이와 같이 온의 무더기 위에서 임시로 말하여 유정이라고 하는데, 갈애와 취착이 연이 되어 이숙과가 일어나고 상속하여 끊어지지 않는 것을 생사에서 유전한다고 이름한다.

43 독자부의 힐난이다. 만약 오직 온이 있을 뿐, 자아가 없다면, 어째서 붓다께서, "지금의 나는 과거에 세간 인도하는 스승이었다"라는 이런 말씀(=중 2:8

이다.45 만약 그렇다면 이것은 어떤 물건인가?46 말하자면 보특가라이다.47 과거의 나가 곧 지금의 나라면 체가 상주해야 할 것이다. 따라서 지금의 나는 과거에 스승이었다는 말을 한 것은, 과거와 지금이 동일한 상속임을 나타내는 것이니, 마치 이 불이 일찍이 그것을 태웠다고 말하는 것과 같다.48

만약 진실한 자아가 결정코 있다고 말한다면, 곧 오직 붓다께서만은 명료하게 관찰하실 수 있었어야 할 것이고, 관찰하신 뒤에는 견고한 자아에 대한 집착[我執]을 낳았어야 할 것이며, 이 자아에 대한 집착으로부터 자아의 소유에 대한 집착이 생겼어야 할 것이고, 이로부터 자아와 자아의 소유에 대한 애착을 낳았어야 할 것이다. 그래서 박가범께서 이런 말씀을 하셨다. "만약 자아가 있다고 집착한다면 곧 자아의 소유에 대해 집착할 것이고, 자아의 소유에 집착하기 때문에 모든 온 중에서 곧 다시 자아와 자아의 소유에 대한 애착을 일으켜 낳을 것이다." (이와 같이 붓다께서) 유신견과 자아에 대한 애착에 속박되었다고 한다면 곧 붓다를 비방하는 것이 되어 해탈로부터 멀 것이다.49

....

칠일경에는 이름이 선안善眼이라고 되어 있는데, 이와 상응하는 AN 7.2.2.2 일곱 태양 출현경[Sattasuriyuggamana sutta]에서의 '수넷따Sunetta'의 의역명이다)을 하셨겠는가? 이미 지금의 나는 과거에 스승이었다는 말씀을 하셨으니, 자아가 있다는 것을 분명히 알 수 있다.

44 논주가 도리어 책망하는 것이다.

45 독자부의 답이다. 지금의 온과 과거의 온은 전후여서 각각 다른데, 만약 자아가 없다면 어떻게 지금의 나가 과거에 세간 인도하는 스승이었다고 말할 수 있겠는가?

46 논주의 물음이다. 만약 그렇다면 지금의 나가 과거에 세간 인도하는 스승이었다는 이것은 어떤 물건[何物]인가?

47 독자부의 답이다.

48 논주의 힐난이다. 만약 과거의 자아가 곧 지금의 자아라면 체가 상주해야 할 것인데, 어째서 자아는 항상한 것이 아니라고 말했는가? 힐난을 마치고 경에 대해 회통한다. 따라서 지금의 나는 과거에 스승이었다는 말을 한 것은, 과거와 지금이 동일한 상속의 가유인 것[假者]을 나타내는 것이다. 마치 이 불이 일찍이 그것을 태웠다고 말한다면, 역시 과거의 불과 지금의 불이 동일한 상속의 불임을 나타내기 때문에 이 불이 일찍이 그것을 태웠다고 말하는 것과 같다.

49 논주가 또 계탁을 옮겨와서 논파하는 것인데, 계탁을 서술해서 바로 논파하고, 말씀을 인용하여 증거로 성립시킨다. 만약 이와 같다고 한다면, 곧 붓다를

만약 자아에 대해 자아에 대한 애착을 일으키시지 않았다고 말한다면, 이런 말은 의미가 없는 것이다.50 까닭이 무엇인가?51 자아가 아닌 것[非我]을 멋대로 자아라고 헤아린다면 자아에 대한 애착을 일으킬 수 있겠지만, 진실한 자아에 대해서는 아니라고 이와 같이 말하는 것은, 증거가 될 이치가 없는 것이다. 따라서 그들은 붓다의 진실한 성스러운 가르침에 대해 인연이 없어, 소견의 부스럼[見瘡皰]을 일으킨 것이다.52

9. 세 종류 계탁의 논파

이와 같이 한 부류는 불가설의 보특가라가 있다고 주장하고, 다시 어떤 한 부류는 일체법의 체를 모두 부정하여 모두 있는 것이 아니라고 하며, 외도들은 별도로 진실한 자아의 성품이 있다고 주장하는데, 이런 등의 일체 소견은 이치와 같지 않으니, 모두 해탈할 수 없는 허물을 면할 수 없다.53

10. 기억해 아는 것[憶知]에 의한 힐난에 대한 회통

만약 일체 부류의 자아의 체가 전혀 없다면, 찰나멸의 마음이 일찍이 받아들였던, 오래 전의 서로 비슷한 경계를 어떻게 기억해 알 수 있는가[能憶知]?54 이와 같이 기억해 아는 것은 상속 안의, 경계를 억념하는 지각 부류

비방하는 것이 되어 번뇌에 의해 계박되니, 해탈로부터 멀 것이다.

50 논주가 또 해명을 옮겨와서 논파하는 것이다. 그대들이 만약 자아에서 자아에 대한 애착을 일으키시지 않고, 단지 아견만을 일으키셨을 뿐, 애착에 의한 속박은 없었다고 말한다면, 논파해 말하겠다. 이런 말은 의미가 없는 것이다.

51 독자부에서 따지는 것이다.

52 논주의 답이다. 그대들이 만약 자아가 아닌 것을 멋대로 자아라고 헤아린다면 자아에 대한 애착을 일으킬 수 있겠지만, 진실한 자아에 대해서는 아니라고 계탁해 말한다면(=진실한 자아에 대해서는 진실이므로 애착을 일으키지 않을 수 있다고 말한다면), 논파해 말하겠다. 이와 같이 말하는 것은 (자아 있음에 대한) 증거가 될 이치가 없다. 따라서 그들은 붓다의 가르침에 대해 인연이 없어, 홀연 멋대로 소견의 부스럼을 일으킨 것이다.

53 논주가 독자부에 대한 논파를 맺고, 뜻의 편의상 다른 그른 것도 겸하여 나타내는 것이다. 이와 같이 한 부류인 독자부는 불가설의 보특가라가 있다고 주장하고, 다시 어떤 한 부류인 공견空見의 외도는 일체법의 체를 모두 부정하여 모두 있는 것이 아니라고 하며, 수론·승론 등의 외도들은 별도로 진실한 자아의 성품이 있다고 주장하는데, 이런 등의 일체 소견은 이치와 같지 않으니, 모두 해탈할 수 없다는 허물을 면할 수 없다.

54 독자부의 물음이다. 만약 일체 종류의 자아의 체가 전혀 없다면, 찰나멸의 마

의 마음의 차별[相續內念境 想類心差別]로부터 생긴다.55

　우선 처음의 억념憶念은 어떤 마음의 차별로부터 무간에 생기는가?56 그것을 반연하는 작의, 서로 유사해서 서로 속한다는 지각 등이 있으며, 의지처의 차별과 슬픔·근심으로 산란되는 등의 조건에 의해 공덕이 손괴되지 않은 마음의 차별로부터 일어난다. 비록 이와 같은 작의 등의 조건이 있더라도, 만약 그런 부류의 마음의 차별이라는 것이 없다면, 곧 이런 억념을 감당해 닦을 능력이 없을 것이고, 비록 그런 부류의 마음의 차별이라는 원인이 있더라도, 만약 이와 같은 조건이 없다면, 역시 닦을 수 있는 이치가 없을 것이니, 반드시 두 가지를 갖추어야 비로소 닦을 수 있다. 모든 억념

....

　　음이 일찍이 받아들였던, 그리고 먼[遠](=‘오래 전의’) 서로 비슷한 경계를 어떻게 능히 억념憶念(=기억하는 것)하고, 어떻게 능히 기지記知(=기억한 것을 재현해 아는 것)하는가? 과거의 경계가 지금의 것과 비슷한 것을 ‘서로 비슷한 경계’라고 이름하였다. # 이하 억지憶知, 즉 기억해 아는 것을 억념憶念과 기지記知의 둘로 구분하여 설명한다.

55 논주의 답이다. 이와 같은 억념과 이와 같은 기지는 자신의 상속 안의, 경계를 억념하는 지각이 있음에 따라 훈습해서 이룬 종자를 ‘경계를 억념하는 지각의 부류[念境想類]’라고 이름하고, 이 종자가 마음에 있어서 공능이 차별되는 것을 ‘마음의 차별’이라고 이름하는데, 후에 기억해 아는 것은, 이 경계를 억념하는 지각의 부류인 종자에 의한, 마음 안의 차별되는 공능으로부터 생기는 것이다. 경량부에서는 억념과 기지는 별도로 체가 있는 것이 없고, 따라서 지각의 종자[想種]로부터 생긴다고 한다. 또 해석하자면 이와 같이 기억해 아는 것은, 상속신 안의, 경계를 억념하는 부류의 종자[念境類種]와 경계를 지각하는 부류의 종자[想境類種]로부터이니, ‘경계’는 양쪽에 통한다. 이 글에서는 ‘억념하는 부류의 종자’만을 말해야 할 것인데도 ‘지각’까지 말한 것은, 지각이 강하므로 따로 표방한 것이고, ‘경계를 아는 부류’라고 말하지 않은 까닭은, 앎은 억념에 의해 견인되기 때문에 따로 말하지 않은 것이다. 그래서 아래 논서에서도, ‘이런 억념의 힘에 의해 후의 기지記知의 생기가 있는 것’이라고 말하였다. 또 해석하자면 억념은 ‘경계를 억념하는 부류[念境]’로부터 생기고, 기지는 ‘경계를 지각하는 부류[想類]’로부터 생긴다. 경량부에서는 아는 것은 별도의 체가 없다고 하기 때문에 이 억념과 지각의 종자가 마음 안을 훈습해서 차별되는 공능을 마음의 차별이라고 이름하는데, 현행의 억념 및 기지는 그 종자로부터 생긴다는 것이다.

56 독자부의 물음이다. 억념·기지 두 가지 중 우선 처음의 억념은 어떤 마음의 차별되는 종자에 따라 앞찰나에 무간에 소멸하고 뒷찰나에 무간에 생기는가? 경량부는 원인과 결과는 앞뒤로 시간이 다르다고 하기 때문에 앞찰나의 종자로부터 뒷찰나의 억념이 생긴다고 한다. 그래서 이렇게 물은 것이다.

이 생기는 것은 단지 이것들에 의할 뿐이니, 이것을 떠나서 공능이 있는 것은 볼 수 없기 때문이다.57

어떻게 다른 마음이 보았던 것을 후의 다른 마음이 기억할 수 있는가? 천수天授의 마음이 일찍이 보았던 경계를, 후의 사수祠授의 마음이 억념한다는 이치는 있을 것이 아니다.58 이 힐난은 이치가 아니니, 서로 속하지 않기 때문이다. 말하자면 그 두 가지 마음은 상호 서로 속하지 않으니, 동일

....

57 논주의 답이다. 처음의 억념이 생기는 것은, 첫째 조건[緣]에 의해 생기고, 둘째 원인[因]에 의해 생긴다. 첫째 조건에 의해 생긴다는 것은, 그 과거의 경계를 반연하는 작의의 힘이 있기 때문에 조건이 되어 억념을 낳는데, 과거의 경계와 (현재) 억념하는 경계가 동등한 것을 '서로 유사하다'고 이름하니, 그 서로 유사한 경계의 힘 때문에 조건이 되어 억념을 낳는다. 혹은 지금의 경계가 과거의 것과 서로 유사한 것을 보고 곧 과거의 경계를 반연하는 억념을 능히 인기하기 때문에 서로 유사하다고 말하는 것이다. 혹은 앞찰나와 뒷찰나가 유사하기 때문에 조건이 되어 인기하는 것이다. 억념이 서로 속한다고 말한 것은, 말하자면 자기 몸에 속한 작의 등의 조건이 남의 몸과는 다르다고 구별한 것, 혹은 원인과 결과가 서로에 속하는 것이 조건이 되어 억념을 일으킨다는 것이다. '지각 등'이라고 말한 것은, 애착 등을 같이 취한 것이다. 그것을 반연하는 작의 등의 조건의 힘이 있기 때문에 처음의 억념이 일어난다는 것이다. 둘째 원인에 의해 생긴다는 것은, 의지하는 몸이 차별되지 않으며(=다른 유정이 아니라는 것), 슬픔·근심으로 산란되는 등의 조건에 의해 공능이 손괴되지 않는 마음의 차별이라는 원인의 힘 때문에 처음의 억념이 일어난다는 것이다. 억념이 일어나는 것은, 비록 이와 같은 작의 등의 조건이 있더라도, 만약 그런 부류의 마음의 차별이라는 원인이 없다면, 곧 이런 억념을 감당해 닦을 능력이 없을 것이고, 비록 그런 부류의 마음의 차별이라는 원인이 있더라도, 만약 이와 같은 작의 등의 조건이 없다면, 역시 억념을 닦을 수 있는 이치가 없을 것이니, 반드시 원인과 조건이라는 두 가지 세력을 갖추어야 비로소 닦을 수 있다. 모든 억념이 생기는 것은 단지 이 원인·조건의 힘에 의해서 생길 뿐이니, 이 두 가지 원인·조건을 떠나서, 별도로 진실한 자아의 공능이 있어서 능히 억념하는 것은 볼 수 없기 때문이다.

58 독자부의 힐난이다. 만약 자아가 없다면, 어떻게 앞 시기의 다른 마음이 보았던 경계를, 뒷 시기의 다른 마음이 그 경계를 기억할 수 있는가? 천수天授의 마음이 일찍이 보았던 경계를, 후의 사수祠授의 마음이 억념한다는 이치는 있을 것이 아니다. '천수'는 범어로 제바달다Devadatta이다. 천처天處에 빌었음[乞]에 따라 하늘이 주었다[天授與]고 말한 것이니, 빈 곳[所乞處]에 따라 이름 지었기 때문에 천수라고 말한 것이다. '사수'는 범어로 연야달다Yajñadatta이다. 하늘에 제사지내는 사제에게 빌어서 자식을 얻었기 때문에 사수라고 말한 것이다.

한 상속에 인과의 성품으로 있는 것과는 같은 것이 아니기 때문이다. 나도 같이, 다른 마음이 본 경계를 다른 마음이 기억할 수 있다고 말하지 않지만, (이것은) 상속이 동일하기 때문이다. 그렇지만 과거에 그 경계를 반연했던 마음으로부터 지금의 능히 억념하는 의식이 인기된 것이니, 말하자면 앞에서 설한 것과 같은 상속 전변에 의한 차별의 힘 때문에 억념을 낳는 것인데, 무엇이 허물이겠는가? 이런 억념의 힘에 의해 후의 기억해 앎[기지記知]의 생기가 있는 것이다.[59]

11. 기억의 주체[能憶]에 의한 힐난에 대한 회통

자아 자체가 이미 없다면 누가 능히 기억하는가?[60] 능히 기억한다는 것[能憶]은 어떤 뜻인가?[61] 억념에 의해 능히 경계를 취하는 것이다.[62] 이 경계를 취하는 것이 어찌 억념과 다르겠는가?[63] 비록 억념과 다르지 않다고 해도, 단지 행위자[作者]에 의할 뿐이다.[64] 행위자는 곧 앞에서 말한 억념의 원인이니, 말하자면 그런 부류의 마음의 차별이다. 그럼에도 세간에서 제달라制怛羅가 능히 기억한다고 말한 이것은 온의 상속에 제달라라는 이름을

....

59 논주의 답이다. 이 힐난은 이치가 아니니, 서로 속하지 않기 때문이다. 말하자면 그 천수와 사수의 두 가지 마음은 전전하여 서로 바라볼 때 원인·결과의 성품이 없고, 상호 서로 속하지 않기 때문에 천수의 마음이 일찍이 보았던 경계를 뒤의 사수의 마음이 억념할 수 없지만, 이는 한 사람의 상속신 중에 원인·결과의 성품이 있어서 전후로 서로 속하기 때문에 앞의 마음이 일찍이 본것을 뒤의 마음이 기억할 수 있는 것과는 같은 것이 아니다. 나도 같이, 다른 마음이 본 경계를 다른 마음이 능히 기억한다고 말하지 않는다. 전후 상속이 동일한 부류이기 때문에 앞과 같은 부류의 마음이 능히 기억하는 것이다. 그렇지만 과거에 그 경계를 반연했던 마음이 종자를 훈습해 이루면, 이 종자로부터 지금의 능히 억념하는 의식이 인기되는 것이다. 말하자면 앞에서 설한것처럼, 첫째 상속, 둘째 전변, 셋째 차별의 힘 때문에 억념을 낳는 것인데, 무엇이 허물이겠는가? 이런 앞의 억념하는 종자의 힘에 의해 그 후의 알아차려 기억해 앎[念記憶知]의 생기가 있는 것이다.
60 독자부의 물음이다. 자아 자체가 이미 없다면 누가 능히 기억하는가?
61 논주의 반문이다.
62 독자부의 답이다.
63 논주가 또 책망하는 것이다.
64 독자부의 답이다. 그 경계를 취할 때 비록 억념과 다르지 않다고 해도 단지 자아에 의할 뿐이니, 행위자가 억념해야 비로소 경계를 취할 수 있을 것이다.

세운 것이다. 이전에 보았던 마음으로부터 후의 억념이 일어나니, 이와 같은 이치에 의해 그가 능히 기억한다고 말한 것이다.65

12. 억념의 소속에 의한 힐난에 대한 회통

자아 자체가 만약 없다면 이것은 누구의 억념인가?66 어떤 뜻에 의하여 소유격[第六聲]을 말한 것인가?67 이 소유격은 주인에 소속된다는 뜻[屬主義]에 의한 것이다.68 예컨대 어떤 사물[物]이 어떤 주인에 소속된다는 것인가?69 이것은 예컨대 소 등이 제달라에게 소속되는 것과 같다.70 그는 어찌하여 소의 주인이 되는가?71 말하자면 그러저러한 타는 일[所乘], 짜는 일[所搆], 사역하는 일[所役] 등에 대해 그가 자재를 얻었음에 의한 것이다.72

어떤 곳에 억념을 부리려고 방편에 힘써서 억념의 주인을 찾아 구하는가?73 억념할 경계에서 억념을 부리려는 것이다.74 억념을 부려서 무엇을

---

65 논주가 종지를 서술해서 회통하여 해석하는 것이다. 행위자는 곧 앞에서 말한 억념의 원인이지, 실제의 자아가 아니다. 말하자면 그 억념하는 부류의 마음의 차별되는 종자가 능히 후의 결과인 억념으로 하여금 경계를 취하게 하기 때문에 앞의 억념의 원인을 말하여 행위자라고 이름한 것이다. 그런데 세간에서 '제달라가 능히 기억한다'라고 말한 이 제달라는 실제의 자아가 아니라, 이 것은 온의 상속인 가아假我에 제달라는 이름을 세운 것이다. 이전에 보았던 마음이 훈습한 종자가 원인이 되어 후의 억념이라는 결과가 일어나니, 그 억념이라는 결과 위에 제달라는 이름을 세운 것이기 때문에 이와 같은 이치에 의해 그가 능히 기억한다고 말한 것이다. 제달라Caitra는 별의 이름인데, 정월에 출현한다. 정월은 이 별에 따라 이름 지은 것인데, 이 달에 태어났기 때문에 이 별로써 이름 지은 것이다. 만약 자아에 집착하는 자가 이 달에 태어났다면 곧 실제의 자아를 말하여 제달라고 이름할 것이기 때문에 지금 통틀어 해석한 것이다.
66 독자부의 물음이다. 만약 자아 자체가 있다면 억념은 자아에 속하므로 소유격이 성립될 수 있겠지만, 자아 자체가 만약 없다면 누구의 억념인가?
67 논주의 반문이다.
68 독자부의 답이다.
69 논주가 다시 따지는 것이다.
70 독자부의 답이다.
71 논주가 또 묻는 것이다.
72 독자부의 답이다. 말하자면 그러저러한 타는 일, 우유 짜는 일, 사역하는 일 등에 대해 그 제달라가 자재를 얻었음에 의해서 소의 주인이라고 이름한다.
73 논주가 다시 묻는 것이다. 어떤 곳에 억념을 부리려고 방편에 힘써서 억념의 주인인 자아를 찾아 구하는가?

할 것인가?75 억념을 일어나게 하는 것을 말한다.76 기이하도다, 이치 없는
말을 일으키는 것에 자재하구나. 어찌 이것이 생긴다고 해서 이것을 부리
겠는가? 또 자아가 억념을 어떻게 부리는가, 억념을 일어나게 하는가, 억념
을 작용하게 하는가?77 억념에는 작용이 없기 때문에 단지 억념을 일어나
게 할 뿐이어야 할 것이다.78

　곧 원인을 주인이라고 이름하고, 결과를 능히 소속되는 것이라고 이름한
것이니, 원인의 증상함에 의해 결과가 생길 수 있게 했기 때문에 원인을 주
인이라고 이름하고, 결과가 생길 때 이것은 원인의 소유이기 때문에 능히
소속되는 것이라고 이름했겠지만, 곧 억념을 낳는 원인이 억념의 주인이
되기에 충분한데, 어찌 수고롭게 자아를 세워서 억념의 주인으로 삼는가?
즉 형성된 것들의 무더기가 한 부류로 상속하는 것을, 세간에서 공히 제달
라와 소라고 시설하고, 제달라를 세워서 소의 주인이라고 이름하니, 이 소
의 상속이 다른 곳에 생길 때 변이하여 생기게 하는 원인이기 때문에 주인
이라고 이름한 것이다. 여기에 단일한 실제의 제달라는 없고, 또한 실제의
소도 없다. 단지 임시로 시설해서 소의 주인이라고 말한 것일 뿐으로서, 역
시 원인을 떠나지 않는다.79

....

74 독자부의 답이다.
75 논주가 다시 묻는 것이다.
76 독자부의 답이다.
77 논주가 또 따지며 책망하는 것이다. 기이하도다, 이치 없는 말을 일으키는 것
　　에 자재하구나. 어찌 이 자아가 생긴다고 해서 이 억념을 부리겠는가? 또 해
　　석하자면 어찌 이것에 의해 억념하겠는가? 다시 양쪽 문을 만들어 따져서 결
　　정하게 한다. 또 자아가 억념을 어떻게 부리는가? 억념을 일어나게 하는가,
　　억념을 작용하게 하는가?
78 독자부의 답이다.
79 논주가 바른 뜻을 보이는 것이다. 만약 억념을 일어나게 하는 것을 억념의 주
　　인이라고 이름한다면, 곧 억념의 원인을 주인이라고 이름한 것이니, 이는 그
　　소속대상[所屬]이고, 억념이라는 결과를 소속주체[能屬]라고 이름한 것이다.
　　억념의 원인의 증상한 힘에 의해 억념이라는 결과가 생길 수 있게 했기 때문
　　에 원인을 주인이라고 이름하고, 결과가 생길 때 이는 원인의 소유이기 때문
　　에 능히 소속되는 것이라고 이름했겠지만, 곧 억념을 낳는 원인이 억념의 주
　　인이 되기에 충분한데, 어찌 수고롭게 자아를 세워서 억념의 주인으로 삼는
　　가? 즉 형성된 것들인 5온의 무더기―이는 연으로 이루어진 가유(=소위 연성

13. 기억해 아는 것[記知]에 대한 비례 해석

억념이 이미 그러하니, 기억해 아는 것[기지記知]도 역시 그러하다. 억념과 기지를 분별한 것처럼, 누가 능히 아는지, 누구의 앎인지 등에 대해서도 역시 비례해서 해석해야 할 것이다. 우선 앎의 원인과 조건은 앞과 다르다. 말하자면 근根·경境 등이니, 상응하는대로 알아야 할 것이다.[80]

제3장 수론數論의 자아론 논파

1. 종지의 서술

어떤 분은 이렇게 말하였다. "결정코 자아는 있다. 현상적 작용[事用]은 반드시 행위자[事用者]에 의지하기 때문이다. 말하자면 모든 현상적 작용이 행위자에 의지하는 것은, 예컨대 천수가 가는 것[行]은 반드시 천수에 의지하는 것과 같다. 가는 것은 현상적 작용이고, 천수는 행위자[者]라고 이름한다. 이와 같이 식識 등의, 존재하는 현상적 작용은 반드시 의지처[所依]인

가연성가假)이다─가 전후 한 부류로 상속하는 것─이는 상속의 가유(=소위 상속가相續假)이다─을, 세간에서 공히 제달라와 소라고 시설하고, 제달라를 세워서 소의 주인이라고 이름한 것이다. 즉 이 소의 주인은 이 소의 상속이 여기에서 저기에 이르게 함으로써 다른 곳에 생길 때 변하여 달려져 생기게 하는 원인[變異生因]이기 때문에 주인이라고 이름한 것이다. 여기에 단일한 실제의 자아로서의, 제달라라는 소의 주인은 없고, 또한 실제의 자아인 소도 없다. 단지 임시로 시설해서 소의 주인이라고 말한 것일 뿐인데, 역시 원인을 떠나지 않는다. 소가 부려지는 대상인 것을 결과라고 이름하고, 소의 주인이 부리는 주체인 것을 원인이라고 이름하니, 앞의 억념의 주인이 억념의 원인을 떠나지 않는 것과 같다.

80 이는 곧 비례 해석하면서, 처음의 억념의 그 뜻이 이미 그러하다면 뒤의 기지記知를 해석하는 그 뜻도 역시 그러하다고 밝히는 것이다. 억념 및 기지를 분별한 것에 모두 준하니, 누가 능히 아는지, 누구의 앎인지 등도 역시 비례해서 해석해야 할 것이다. 거친 부류는 대체로 같지만, 차별이 없는 것은 아니다. 우선 앎의 원인과 조건은 앞(의 억념)과 다른데, 말하자면 6근과 6경 등이니(=억념의 경우 원인은 마음의 차별이고, 조건은 작의 등이다), 상응하는대로 알아야 할 것이다. 혹은 식의 종자를 원인이라고 이름하고, 근 등을 조건이라고 이름한다. 억념과 기지는 오직 의지意地에만 있을 뿐이기 때문에 식과는 다르다.

요별하는 등의 행위자에 의지한다."[81]

2. 논파

이제 그들을 힐난해야 할 것이다. 천수는 무엇을 말함인가? 만약 실제의 자아라면, 이는 먼저 논파한 것과 같고, 만약 가유의 사람[假士夫]이라면 체가 단일한 물건[一物]이 아닐 것이니, 형성된 것들의 상속에 임시로 이 이름을 세운 것이기 때문이다. 마치 천수가 능히 가는 것처럼, 식이 능히 요별한다는 것[識能了]도 역시 그러하다.[82]

3. 힐난에 대한 회통

(1) 사람이 가는 것[人能行]의 의미

어떤 이치에 의해 '천수가 능히 간다'라고 말하는가?[83] 말하자면 찰나에 생멸하는 형성된 것들의 다르지 않은 상속[諸行不異相續]에 천수라는 이름을 세운 것인데, 어리석은 범부는 그것에 대해 단일한 체[一體]라고 집착하고, 자상속自相續이 다른 곳에 생기는 원인이라고 해서, 다른 곳에 생기는 것을 '간다[行]'라고 이름하고, 그 원인을 곧 '가는 자[行者]'라고 이름한다. 이런

....

81 이하는 개별적 논파 안에 나아가 큰 글의 둘째 수론의 논사(=수론의 자아에 대해서는 앞의 제3권의 '제1장 제2절 1. 설일체유부의 종지' 중 '말하는 도구 등'에 대한 『기』의 설명 참조)를 논파하는 것이다. 그 안에 나아가면 첫째 종지를 서술하고, 둘째 바로 논파하며, 셋째 힐난에 대해 회통하니, 이는 곧 첫째 종지의 서술이다. 수론자들은 말한다. "결정코 자아는 있다. 현상적 작용은 반드시 행위자에 의지하기 때문이다. 말하자면 모든 현상적 작용이 행위자에 의지하는 것은, 예컨대 천수가 가는 현상적 작용은 반드시 천수의 자아에 의지하는 것과 같다. 가는 것은 현상적 작용이고, 천수의 자아는 행위자라고 이름한다. 이와 같이 식識 등의, 존재하는 바 요별하는 등의 현상적 작용은, 반드시 의지처인 진실한 자아 자체인 능히 요별하는 등의 행위자에 의지하는 것이다."
82 이는 곧 둘째 바로 논파하는 것이다. 논주가 논파하기를, 이제 그들을 힐난해야 한다고 말한다. 천수는 무엇을 말함인가? 만약 실제의 자아라면, 이는 먼저 논파한 것과 같고, 만약 가유의 사람이라면 5온 위에 세운 것이므로 체가 단일한 물건이 아닐 것이니, 형성된 것들의 상속에 임시로 이 천수라는 이름을 세운 것이기 때문이다. 마치 가유인 천수가 능히 간다고 말하는 것처럼 식이 능히 요별한다는 것도 역시 그러하다고 알아야 한다. 단지 가아에 대해 능히 요별하는 자[能了者]라는 명칭을 말한 것일 뿐, 별도의 실제의 자아가 아니다.
83 이하는 셋째 힐난에 대한 회통이다. 수론의 힐난이다. 만약 실제의 자아가 없다면, 어떤 이치에 의해 '천수가 능히 간다'라고 말하는가?

이치에 의해 '천수가 능히 간다'라고 말한 것이다. 마치 불꽃 및 소리가 다른 곳에 상속하면, 세간에서 이에 의해 불꽃·소리가 능히 간다고 말하는 것처럼, 이와 같이 천수의 몸이 능히 식識의 원인이 되기 때문에 세간에서 천수가 능히 안다고 역시 말하는 것이다. 그런데 모든 성자들도 세간의 언설의 이치에 따르기 위해 역시 이렇게 말하는 것이다.[84]

(2) 식이 능히 요별하는 것[識能了]의 의미

경에서, "모든 식은 능히 소연을 요별한다"라고 설했는데, 식은 소연에 대해 하는 일[所作]이 무엇인가?[85] 전혀 하는 일이 없다. 단지 경계와 유사하게 생길 뿐[但似境生]이니, 마치 결과가 원인에 따르는 것[果隨因]과 같다. 비록 하는 일은 없어도 원인과 유사하게 일어나는 것을 말하여 '원인에 따른다'라고 이름하는데, 이와 같이 식이 생길 때에도 비록 하는 일은 없어도 경계와 유사하기 때문에 그것을 말하여 '경계를 요별한다'라고 이름한 것이다.[86]

어떻게 경계와 유사한가?[87] 말하자면 그것의 모습을 띠는 것[帶彼相]이다. 이 때문에 모든 식은 비록 근根에도 역시 의탁해 생기지만, 근을 요별한

....

84 논주의 답이다. 말하자면 찰나에 생멸하는 형성된 것들—이는 연성가이다—의 다르지 않은 상속—이는 상속가이다—이라는 두 가지 가법 위에 천수라는 이름을 세운 것인데, 어리석은 범부는 그것에 대해 단일한 실제의 자아의 체라고 집착하여, 이 가아가 자상속의 몸이 다른 곳에 생기는 원인이라고 해서, 뒷찰나에 다른 곳에 생기는 것을 '간다'라고 이름하고, 앞찰나의 원인을 곧 '가는 자'라고 이름한다. 이런 이치에 의해 '천수가 능히 간다'라고 말한 것이다. 마치 등불을 들고 가거나 소리를 전해 사람을 불러, 여기로부터 저기에 이름으로써 다른 곳에 상속하면, 세간에서 이에 의해 등불·소리가 능히 간다고 말하는 것처럼, 이와 같이 천수의 앞찰나의 몸이 능히 그 뒷찰나의 식의 원인이 되기 때문에 세간에서 천수가 능히 안다고 역시 말한다. 그런데 모든 성자들도 세간의 언설의 이치에 따르기 위해 역시 '천수가 능히 안다'라고 이렇게 말하는 것이다.
85 수론의 물음이다.
86 논주의 답이다. 식은 소연에 대해 전혀 하는 일이 없다. 단지 경계와 유사하게 생기는 것을 능히 경계를 요별한다고 말한 것이다. 마치 보리라는 결과 등이 보리 등의 원인에 따르는 것과 같다. 비록 하는 일은 없어도 원인과 유사하게 일어나는 것을 말하여 '원인에 따른다'라고 이름하는데, 이와 같이 식이 생길 때에도 비록 하는 일은 없어도 경계와 유사하기 때문에 그것을 말하여 '경계를 요별한다'라고 이름하는 것이다.
87 수론의 물음이다.

다고 이름하지 않고, 단지 경계를 요별한다고 이름할 뿐이다. 혹은 식이 경계에서 상속하여 생길 때 앞의 식이 원인이 되어 뒤의 식을 견인해 일으키는 것을 '식이 능히 요별한다'라고 말한 것이라고 해도 역시 허물이 없으니, 세간에서는 원인을 행위자라고 말하기 때문이다. 예컨대 세간에서 종이나 북이 능히 울린다고 말하는 것처럼, 혹은 등불이 능히 간다고 하는 것처럼, 식이 능히 요별한다고 하는 것도 역시 그러하다.[88]

　어떤 이치에 의해 '등불이 능히 간다'라고 말하는가?[89] 불꽃의 상속에 대해 임시로 등불이라는 호칭을 세운 것이니, 등불이 다른 곳에 상속하여 생길 때 '등불이 능히 간다'라고 말하는 것이지, 별도의 가는 것[行者]은 없다. 이와 같이 마음의 상속에 임시로 식이라는 명칭을 세운 것이니, 다른 경계에서 생길 때를 말하여 '능히 요별한다'라고 이름한 것이다. 혹은 예컨대 색이 있다거나 색이 생겼다거나 색이 머문다고 하더라도, 여기에 별도의 있는 것, 낳는 것, 머무는 것[別有生住者]은 없는 것처럼, '식이 능히 요별한다'라고 말하는 이치도 역시 그러해야 할 것이다.[90]

<hr />

88 논주의 답이다. 말하자면 능연의 식 위에 그 소연인 경계의 행상을 띠는 것이다. 예컨대 푸른 색을 반연하는 능연의 식 위에 푸른 모습을 띤 것이 나타나는 것처럼, 식이 경계와 비슷한 것을 식이 능히 반연한다고 말한다. 마치 거울이 본질을 마주할 때 본질을 띤 영상이 생기면, 본질과 비슷한 것을 능히 비춘다고 이름하는 것과 같다. 이 때문에 모든 식은 비록 근(根)에도 역시 의탁해 생기지만, 식에는 근의 모습이 없어서 근과 유사하지 않기 때문에 근을 요별한다고 이름하지 않고, 단지 경계를 요별한다고 이름할 뿐이다. 혹은 식이 경계에서 상속하여 생길 때 앞의 식이 원인이 되어 뒤의 식을 견인해 일으키면 앞의 원인인 식을 말하여 '능히 요별한다'라고 이름한 것이라고 해도 역시 허물이 없으니, 세간에서는 원인을 행위자라고 말하기 때문이다. 예컨대 세간에서 종이나 북이 능히 울린다고 말할 때 능히 울림이라는 결과를 낳기 때문에 그 원인을 능히 울리는 것으로 세우는 것과 같다. 혹은 예컨대 등불이 능히 간다고 하지만, 별도로 능히 가는 것은 없는 것처럼, 식이 능히 요별한다고 하는 것도 역시 그러해서 별도로 능히 요별하는 것은 없다.

89 수론의 물음이다.

90 논주의 답이다. 불꽃의 상속에 대해 임시로 등불이라는 호칭을 세운 것이니, 등불이 여기로부터 저기에 이르러 다른 곳에 상속하여 생길 때 '등불이 능히 간다'라고 말하는 것이지, 별도의 가는 것[行者]은 없다. 이와 같이 마음의 상속 위에 임시로 식이라는 명칭을 세운 것이니, 푸르거나 노란 등의 다른 경계에서 생길 때를 말하여 '능히 요별한다'라고 이름한 것이다. 예컨대『성실론』

(3) 자아의 지속에 관한 이해

만약 뒤의 식이 생기는 것은 (앞의) 식으로부터이지, 자아로부터가 아니라면, 어째서 식으로부터인데, 항상 앞과 유사하지는 않으며, 또 싹·줄기·잎 등처럼 일정한 순서로 생기지 않는가?[91] 유위에는 모두 주이住異의 상이 있기 때문이니, 말하자면 모든 유위는 스스로의 성품상 자연히 미세하게 상속하면서 뒤는 반드시 앞과 달라진다. 만약 이와 다르다면 마음을 놓아 선정에 들었을 때, 신심身心의 상속이 서로 유사하게 생기면서 뒷찰나가 첫 찰나와 차별이 없다면 그 때문에 최후찰나에 저절로 선정으로부터 나와서는 안 될 것이다.[92]

모든 마음의 상속에도 역시 일정한 순서가 있으니, 만약 이런 마음의 다음에 저런 마음이 생겨야 한다면, 이런 마음 뒤에는 저런 마음이 반드시 생기기 때문이다. 또한 일부 행상이 동등한 마음이 있어야 비로소 서로 낳을 수 있으니, 종성種姓이 다르기 때문이다. 예컨대 여자의 마음의 무간에는 몸을 꾸미려거나 염오한 마음을 일으키며, 혹은 그 남편이나 그 자식에 대한 마음 등을 일으키고, 그 후 이런 여러 마음의 상속 전변에 의한 차별에 따라

....

(=제5권. 대32-280상)에서, "한 순간의 실제의 식이 능히 요별하는 것은 없다"라고 한 것과 같으니, 따라서 반드시 식이 상속하여 별도로 뒷찰나에 경계 위에 생길 때라야 상속가의 식[相續假識]이 능히 요별한다고 이름한다. 혹은 예컨대 색이 체가 있다거나 색이 생겨서 다음에 색이 머문다고 하더라도, 여기에 별도의 있는 것이나 머무는 것은 없는 것처럼, '식이 능히 요별한다'라고 말하는 이치도 역시 그러해야 하므로, 별도의 요별하는 것은 없다.

91 수론의 힐난이다. 여기에서 힐난하는 뜻은, 자아가 있기 때문에─자아는 자재한 것이라는 뜻이다─ 이 법은 앞에 생기고, 이 법은 뒤에 생기게 되기를 바라는 까닭에 뒤가 항상 (앞과) 서로 비슷하지는 않으며, 일정하게 순차적이지 않지만, 만약 뒤의 식이 생기는 것은 앞의 식으로부터 생기고, 자아로부터(=자아에 의해) 있게 되는 것이 아니라면, 대략 두 가지 힐난을 하겠다는 것이다. 첫째 어째서 뒤의 식은 항상 앞의 선·염오의 식 등과 유사하지는 않은가? 둘째 어째서 먼저 싹, 다음에 줄기, 다음에 잎 등이 순차 생기는 것처럼, 앞과 일정한 순서로 생기지 않는가?

92 논주의 답이다. '주이住異'라고 말한 것은, 말하자면 주住의 이異이니, 주住에 의거해 이異를 밝힌 것으로서 곧 이異의 다른 명칭이다. 유위의 법에는 모두 이異의 상이 있어서 뒤는 반드시 앞과는 달라지기 때문에 서로 비슷하지 않은 것이다. 만약 이와 다르다면 선정으로부터 나올 수 없어야 할 것이다.

다시 여자의 마음을 낳는 것과 같다. 이와 같이 여자의 마음은, 그 후에 일어날 꾸미려거나 염오한 마음 등에 대해서는 낳는 공능이 있지만, 이와 다른 것에는 공능이 없으니, 종성이 다르기 때문이다. 여자의 마음의 무간에는 여러 마음을 일으킬 수 있는데, 그렇지만 여러 마음 중 먼저 자주 일으켰던 것이나 명료하게 가까이서 일으켰던 것을 먼저 일으키고, 나머지는 아니니, 이와 같은 마음은 닦은 힘[修力]이 강하기 때문이다. 오직 장차 일으키려는 단계에서 몸이 외적 인연에 의해 차별되는 경우만은 제외한다.93

닦은 힘이 가장 강성한 모든 마음일 경우 어찌 항상 자신의 결과를 낳지는 않는가?94 이런 마음에도 주이의 상이 있기 때문이니, 이런 주이의 상은 별

....

93 또 모든 마음의 상속에도 역시 일정한 순서가 있으니, 만약 이런 마음의 다음 뒤에는 저런 마음이 생겨야 할 경우, 이런 마음 뒤에는 저런 마음이 반드시 생기는 것은 20심의 상생관계에서 설명한 것(=제7권 중 72·73에 관한 논설 중 4.항)과 같다. 또 모든 마음의 상속에는 또한 일부 행상이 동등한 것이 있어서 앞뒤가 서로 비슷해야 비로소 서로 낳을 수 있고, 다른 마음을 낳지는 않으니, (다른 마음은) 그 종성이 다르기 때문이다. 예컨대 여자의 마음의 무간에는 혹은 몸을 꾸미려는 마음을 일으키거나 혹은 염오한 마음을 일으키거나 혹은 그 남편에 대한 마음을 일으키거나 혹은 그 자식에 대한 마음 등을 일으키는데, 그 때 이런 여러 마음의 상속 전변에 의한 차별에 따라 종자를 훈습해 이루면, 후에 다시 여자의 마음을 낳는 것과 같다. 이와 같이 여자의 마음은 그 후에 일어날 꾸미려는 마음이나 염오한 마음 등에 대해서는 낳는 공능이 있지만, 이와 달리 나머지에 대해서는 낳는 공능이 없으니, 종성이 다르기 때문이다. 여자의 마음의 무간에는 여러 마음을 일으킬 수 있는데, 그렇지만 여러 마음 중 혹은 먼저 자주 일으켰던 것이나 혹은 명료하게 가까이서 일으켰던 것을 먼저 일으키고, 나머지는 아니다. 또 해석하자면 혹은 먼저 자주 일으켰던 것이나, 혹은 먼저 명료했던 것이나, 혹은 먼저 가까이서 일으켰던 것을 먼저 일으키고, 나머지는 아니다. 어떤 분은 해석하기를, 먼저 자주 일으켰던 것인데, 자주 일으켰던 것 중에 나아가면 명료했던 것을 일으키고, 명료했던 것 중에 나아가면 가까이서 일으켰던 것을 일으키니, 이런 뜻에 의하기 때문에 먼저 일으키고 나머지는 아니라고 하였다. 이와 같은 마음은 닦은 힘이 강하기 때문이다. 오직 장차 일으키려는 단계의 시기에 몸이 외적 인연에 의한 손괴를 입어 차별될 경우에만은 곧 일어날 수 없어서 제외한다. 또 해석하자면 오직 장차 일으키려는 단계에서 몸이 외적 인연의 선·악을 만나서 차별되는 경우만은 제외하니, 이런 뛰어난 인연을 만나면 일으키는 것이 곧 일정하지 않다.
94 수론의 힐난이다. 닦은 힘이 가장 강성한 것을 가진 모든 마음이라면, 어찌 항상 자신의 강한 결과를 낳지 않고, 열등한 것을 낳을 수도 있는가?

도로 닦은 결과가 상속하여 생기는 가운데서도 가장 수순하기 때문이다.95

모든 마음의 품류가 순차적으로 상생하는 인연의 일부만을 내가 간략히 말했는데, 자세하게 모두 요달하신 분으로는 오직 세존만 계실 뿐이니, 일체법에 대한 지혜가 자재하시기 때문이다. 이와 같은 뜻에 의해서 어떤 게송에서 말하였다. "한 마리 공작의 꼬리에 대한[於一孔雀輪] 일체 종류의 원인의 모습은[一切種因相] 나머지 지혜의 경계가 아니요[非餘智境界] 오직 일체지께서만 아실 뿐이다[唯一切智知]"

색이 차별되는 원인조차 오히려 알기 어렵거늘, 하물며 심·심소라는 모든 무색법의 인연이 차별되는 것을 쉽게 알 수 있겠는가?96

제4장 승론勝論의 자아론 논파

1. 종지의 서술

한 부류의 외도는 이와 같이 집착하였다. "모든 마음은 생길 때 모두 자아로부터 생긴다."97

....

95 논주의 답이다. 이런 마음에도 주의의 상이 있기 때문에 뒤는 점점 앞보다 열등하다. 이런 주의의 상은 상·중·하의 별도로 닦은 결과의 부류가 상속하여 생기는 가운데서도 가장 수순하기 때문에 그래서 항상 자신의 뛰어난 결과를 낳지는 않고, 열등한 결과를 낳는 것도 있다.

96 논주가 겸양하면서 세존을 추앙하는 것이다. 이와 같은 뜻에 의해서 경량부 중의 어떤 게송에서 말하였다. "한 마리 공작의 꼬리가 청·황·적·백색인 등에 대해 일체 종류의 원인의 모습의 있어서, 이러이러한 결과는 이러이러한 원인으로부터 생기는데, 이런 등의 모습을 아는 것은 나머지 지혜의 경계가 아니요, 오직 일체지께서만 아실 뿐이다" 쉬운 것을 들어 어려운 것에 견주었으니, 한 마리 공작의 꼬리의 색의 차별되는 원인조차 오히려 알기 어렵거늘, 하물며 심·심소라는 모든 무색법의 인연이 차별되는 것을 쉽게 알 수 있겠는가?

97 이하는 개별적 논파 중에 나아가 큰 글의 셋째 승론의 논사(=승론의 자아에 대해서는 앞의 제5권의 '제3항 동분 2. 가·실논쟁 (1) 경량부의 힐난' 중 '승론의 집착하는 바'에 대한 『기』의 설명 참조)를 논파하는 것이다. 그 안에 나아가면 첫째 종지를 서술하고, 둘째 바로 논파하며, 셋째 힐난에 대해 회통하니, 이는 곧 첫째 종지의 서술이다. 한 부류의 승론 외도가 있어 이와 같이 집착하였다. 모든 마음은 생길 때 모두 자아[我]로부터이니, 그 마음은 자아 가문의 속성[我家德]이기 때문이다.

2. 논파

앞의 두 가지 힐난은 그들에게 가장 적절하다. 만약 모든 마음이 생기는 것은 모두 자아로부터라면, 어째서 뒤의 의식은 항상 앞과 유사하지는 않으며, 또 싹·줄기·잎 등처럼 일정한 순서로 생기지 않는가?[98]

만약 의근과 결합[意合]하는 차별에 의지함으로 말미암아 다른 의식의 생기가 있다고 말한다면, 이치상 결정코 그렇지 않다. 자아와 다른 것의 결합은 공히 인정하는 것이 아니기 때문이며, 또 두 가지 사물이 결합하면 부분[分限]이 있기 때문이다. 말하자면 그들은 자류의 결합[合]의 모습에 대해, '이전에 이르지 않았던 것이 뒤에 이르는 것[非至爲先後至]을 결합이라고 이름한다'라고 해석해 말하므로, 자아와 의근이 결합하면 부분이 있어야 할 것이며, 의근이 이전移轉하기 때문에 자아도 이전해야 할 것이며, 혹은 의근과 함께 괴멸壞滅함이 있어야 할 것이다. 만약 일부가 결합하는 것이라고 말한다면, 이치상 결정코 그렇지 않으니, 단일한 자아의 체에는 개별적 부분[別分]이 없을 것이기 때문이다. 설령 결합이 있다고 인정하더라도 자아의 체는 이미 항상한 것이고, 의근도 별도로 달라짐이 없을 것인데, 결합한들 어찌 달라짐이 있겠는가?[99]

....

98 이하는 둘째 바로 논파하는 것인데, 논주는 앞의 수론 논사의 두 가지 힐난으로 그 승론에 대해 힐난한다. 앞의 수론이 말한 두 가지 힐난은, 그 승론에 대해 힐난이 되기에 가장 적절하니, 만약 모든 마음이 생기는 것이 모두 자아로부터라면, 자아는 단일하면서 자재한데, 어째서 뒤의 의식은 항상 앞과 유사하지는 않으며, 또 싹·줄기·잎 등처럼 일정한 순서로 생기지 않는가?

99 계탁을 옮겨와서 따로 논파하는 것이다. 그대들이 만약 자아는 실체 범주의 색·의근(=앞의 제5권에서 설명된 승론의 종지에 의하면 자아·의근 및 색을 그 속성으로서 갖는 지·수·화는 각각 모두 별개의 실체 범주에 속한다)과 결합[色意合]하는 차별에 의지함에 의해서 비로소 다른 의식의 생기 및 일정하게 순차적이지 않음이 있다고 말한다면, 논파해 말하겠다. 이치상 결정코 그렇지 않다. 자아와 색·의근과의 결합은 공히 인정하는 것이 아니기 때문이니, 불법의 종지에서는 자아와 색·의근과의 결합이 있다고 인정하지 않기 때문이다. 또 이치로써 논파한다. 대저 두 가지 사물이 결합하면 반드시 부분이 있으니, 부분이 없을 것이 아니기 때문이다. 말하자면 그 승론 외도들은 자신들 부류의 결합의 모습을, '먼저 이르지 않았던 것이 그 뒤에 이르는 것을 결합이라고 이름한다'라고 해석해 말하므로, 논파해 말하겠다. 만약 자아와 의근이 결합한다면, 의근에 부분이 있을 것이기 때문에 자아에도 부분이 있어야 할 것인데,

만약 별도의 지각[覺]에 의지한다고 한다면, 힐난하는 것도 역시 같을 것이니, 말하자면 지각은 무엇으로 인해 차별이 있게 되는가? 만약 성향[行]의 차별을 기다려 자아와 의근이 결합한다면, 곧 단지 마음[心]은 성향의 차별에만 의지해도 응당 다른 의식을 낳을 수 있을 것인데, 자아를 써서 무엇을 하겠는가? 자아는 의식이 생기는 것에 전혀 작용이 없는데도, 모든 의식은 모두 자아로부터 생긴다고 말하는 것은, 마치 약이 능히 고질병 제거하는 일을 성취하는데도, 속이는 의사가 속임수로 보사하普莎訶라는 주문을 읊는 것과 같을 것이다.100

만약 이 두 가지는 자아로 말미암아 있는 것이라고 말한다면, 이는 다만

....

승론에서는 자아는 법계에 널리 두루하고 부분이 없다고 계탁하기 때문이다. 또 자아와 의근이 결합한다면 의근이 이전하기 때문에 자아도 이전해야 할 것이다. 혹은 자아와 의근이 서로 나아가 화합한다면 자아는 의근과 함께 괴멸함도 있어야 할 것인데, 그렇지만 그 종지에서는 자아와 의근은 모두 항상하다고 계탁한다. 또 그대들이 만약 자아의 체는 두루 가득하므로 두루 결합할 수는 없고, 색과 의근 모두 일부 자아와 결합하는 것이라고 말한다면, 논파해 말하겠다. 이치상 결정코 그렇지 않으니, 자아 자체는 단일하므로, 단일한 자아 자체에는 개별적 부분이 없을 것인데, 어찌 일부와 결합하고, 다른 부분과는 결합하지 않는다고 말할 수 있겠는가? 가령 결합이 있다고 인정하더라도 자아의 체는 이미 항상한 것이고, 의근도 별도로 달라짐이 없어 도리어 단일 항상한 것인데, 결합한들 어찌 달라져서 다른 의식이 생길 수 있겠는가?

100 또 그대들이 만약 자아는 속성의 범주 중 별도의 지각[覺]에 의한 지혜에 의지하기 때문에 비로소 다른 의식을 낳는 것이라고 해명한다면, 논파해 말하겠다. 힐난하는 것도 역시 의근에 의지한다는 뜻에 대한 것과 같을 것이다. 자아는 이미 두루 가득하고 차별이 없는데, 말하자면 지각은 무엇으로 인해 차별이 있게 되기에 다른 의식을 낳는가? 또 그대들이 만약 속성의 범주 중 성향[行](=승론의 '행行'은, 반복된 인식과 운동에 의해 형성된 성향=잠재세력을 의미함은 앞의 제5권 중 명근에 대한 게송 囧b에 관한 논설 참조)의 차별을 기다려, 자아가 비로소 의근이 결합해서 다른 의식을 낳는다고 말한다면, 논파해 말하겠다. 곧 단지 마음[心]은 성향의 차별에만 의지해도 응당 다른 의식을 낳을 수 있을 것인데, 자아를 써서 무엇을 하겠는가? 또 전체적으로 비판한다. 자아는 의식이 생기는 것에 전혀 작용이 없는데도, 승론에서 의식은 모두 자아로부터 생긴다고 말하는 것은, 마치 약이 능히 고질병의 제거를 성취하는데도, 속이는 의사가 속임수로 보사하普莎訶―'보사하phūḥsvāha'는 여기 말로 길상吉祥이다―라는 주문을 읊음으로써, 지금 이 고질병은 나의 주문에 의해 제거될 것이라고 하는 것과 같다. 여기에서도 역시 그러하니, 성향이 마음을 낳기에 충분한데, 어찌 이 자아를 필요로 하겠는가?

말만 있을 뿐, 증거가 될 이치는 없다. 만약 이 두 가지는 자아를 의지처[所依]로 하는 것이라고 말한다면, 예컨대 무엇이 무엇에 대해 의지처가 되는 뜻과 같은가? 마음과 성향은 그림과 같고 과일과 같으며, 자아가 능히 지니는 것은 벽과 같고 그릇과 같다고 할 것은 아니니, 이와 같다면 곧 다시 서로 장애하는 허물이 있을 것이고, 또 혹 때로는 따로 머무는 허물이 있을 것이기 때문이다.101

　벽이나 그릇처럼 자아가 그 의지처가 되는 것은 아니다.102 만약 그렇다면 어떠한가?103 이것은 다만 지地가 능히 냄새[香] 등 네 가지 물질의 의지처가 되는 것과 같을 뿐이다.104 그들이 이렇게 말한다면, 자아 없음을 증명해 이루기 때문에 나는 여기에서 깊이 기쁨과 위안을 낳는다. 마치 세간의 지地가 냄새 등을 떠나지 않는 것처럼, 자아도 역시 그러해서 마음과 성향을 떠난 것이 아니어야 할 것이다. 누가 냄새 등을 떠난 지를 알 수 있겠는가? 다만 냄새 등이 모인 차별에 대해, 세속에서 지라는 명칭을 세워 유포하는 것일 뿐이다. 자아도 역시 그러해야 하니, 단지 마음 등 여러 온

....

101 또 그대들이 만약 이 마음[心]과 성향 두 가지는 자아로 말미암아 있는 것이라고 말한다면, 논파해 말하겠다. 이는 다만 말만 있을 뿐, 자아로 말미암아 있음에 대한 증거가 될 이치는 없다. 또 그대들이 만약 이 마음과 성향 두 가지는 자아를 의지처로 하는 것이라고 말한다면, 따져 말하겠다. 예컨대 무엇이 무엇에 대해 의지처가 되는 뜻과 같은가? 마음·성향은 그림과 같고 과일과 같으며, 자아가 능히 지니는 것은 벽이 그림을 지니는 것과 같고, 그릇이 과일을 지니는 것과 같다고 할 것은 아니다. 만약 그런 비유와 같다면 이런 것에는 곧 자아와 마음·성향이 다시 서로 장애하는 허물이 있을 것이니, 같은 색법이기 때문이다. 만약 그런 비유와 같다면 또 혹 때로는 따로 머무는 허물이 있을 것이기 때문이니, 그림의 색, 과일과 그 벽, 그릇은 시간을 달리함이 있기 때문이다. 그렇지만 자아의 체에는 장애가 없다고 계탁하므로 그 마음·성향의 장애 없음에서 바라보면 (그런 비유는) 허물일 것이고, 자아는 법계에 두루하다고 하므로 그 마음·성향의 따로 머묾 없음에서 바라보면 (그런 비유는) 허물일 것이다.
102 승론의 해명이다. 벽이나 그릇처럼 자아가 그 마음과 성향의 의지처가 되는 것은 아니다.
103 논주가 따져 묻는 것이다.
104 승론의 답이다. 이 자아는 다만 지地가 능히 냄새[香] 등 네 가지 물질[四物](=색·향·미·촉)의 의지처가 되는 것과 같을 뿐이다.

의 차별에 대해 임시로 자아라는 명칭을 세운 것일 뿐이다.105

만약 냄새 등을 떠나서 별도로 지地가 없다면, 어떻게 지에 냄새 등이 있다고 말하는가?106 지의 체에 냄새 등의 개별이 있음을 나타내기 위해서이다. 그래서 곧 지에 냄새 등이 있다고 말함으로써 남들로 하여금 이것이지, 다른 것이 아님을 요달케 한 것이니, 마치 세간에서 목상신木像身 등이라고 말하는 것과 같다.107

또 만약 자아가 있고 성향의 차별에 의지한다면, 어째서 동시에 일체지一切智를 낳지 않는가?108 혹 때로 이 성향의 공용이 가장 강하면, 이것이 능히 나머지를 막아 결과를 낳지 못하게 하는 것이다.109 어찌 강한 것에 따른 결과가 항상 생기지 않는가?110 답하자면 이는 앞에서의 닦은 힘[修力]의 도리와 같으니, 성향은 항상한 것이 아니라, 점점 변해 달라지는 것이라고 인정하기 때문이다.111 만약 그렇다면 자아를 헤아리는 것은 곧 쓸데없

---

105 논주의 논파이다. 세간의 가법인 지는 별도의 체가 없고 냄새 등을 떠나지 않는 것에 임시로 지라는 명칭을 세운 것인데, 자아도 역시 그러해서 별도의 체가 없고 마음과 성향을 떠나지 않는 것에 임시로 자아라는 명칭을 세운 것이다. 만약 경량부에 의한다면 가법인 지는 색·향·미·촉을 취해서 이 가법인 지를 이룬 것이니, 지는 연으로 이루어진 가법[緣成假]이다. 논주는 경량부의 뜻을 서술하기 때문에 이 지는 네 가지 물질을 취한 것이지, 별도로 체가 있는 것이 없다고 말한 것이다. 만약 승론에 의한다면 냄새 등을 떠난 밖에 별도로 지가 있다고 하기 때문에 마음과 성향을 떠난 밖에 별도로 실제의 자아가 있다는 것을 비유한 것이다.

106 승론의 힐난이다.

107 논주의 답이다. 지는 가명假名이고, 냄새 등은 체體인데, 가명인 지의 체에 냄새 등의 개별이 있다는 것을 나타내기 위해서이다. 그래서 곧 가명인 지에 냄새 등이 있다고 말함으로써 남으로 하여금 (지는) 이 냄새 등이지, 다른 물건이 아님을 요달케 한 것이다. 마치 목상신木像身의 경우 몸은 곧 나무이지, 나무를 떠난 밖에 별도의 상신像身은 없는 것처럼, 지는 곧 냄새 등이지, 냄새 등을 떠난 밖에 별도로 지가 있음은 없다는 것이다.

108 논주가 또 계탁을 옮겨와서 따지는 것이다. 또 만약 자아가 있고 성향의 차별에 의지한다면, 성향은 이미 많을 것인데, 어째서 동시에 일체지를 낳지 않는가?

109 승론의 답이다. 성향에는 강약이 있는데, 강한 것이 먼저 일어나면서 열등한 것이 생기지 않게 막기 때문에 동시에 일체지를 낳지는 않는다.

110 논주가 다시 따지는 것이다. 어찌 강한 것에 따른 결과가 항상 생기지 않고, 열등한 것을 낳을 때가 있는가?

는 것이 될 것이니, 성향의 힘이 마음으로 하여금 차별되게 생기게 하기 때문이다. 그런 성향과 이런 닦음은 체에 차이가 없기 때문이다.112

자아의 체는 실제로 있다고 반드시 결정코 믿어야 할 것이니, 기억[念] 등의 속성을 갖기 때문이다. 속성은 반드시 실체에 의지하기 때문이니, 기억 등이 다른 것에 의지하는 것은 이치상 성립되지 않기 때문이다.113 이 증명은 이치가 아니니, 공히 인정하지 않기 때문이다. 말하자면 기억 등은 속성의 범주에 포함되는 것으로서, 그 자체는 모두 실체[實]가 아니라고 말하는 뜻은 공히 인정하지 않는 것이니, 별도의 체가 있는 것은 모두 실법[實]이라고 이름한다고 인정하기 때문이다. 경에서 여섯 가지 실물[六實物]을 사문과라고 이름한다고 설했기 때문이다. 그것이 실제의 자아에 의지한다는 것도 이치상 역시 성립되지 않으니, 의지[依]의 뜻은 앞에서 이미 부정하여 버린 것과 같기 때문이다. 이 때문에 건립한 주장은 단지 빈 말만 있는 것일 뿐이다.114

....

111 승론의 답이다. 내적인 것으로 외적인 것에 비례시킴으로써 이 방해되는 힐난에 대해 답하는 것이, 앞(=수론 논파 중의 ⑶)에서 논주가, 닦은 힘의 도리를 논한 것과 같다. 우리는, 성향은 항상한 것이 아니라 점점 변해 달라지는 것이라고 인정하기 때문에 그래서 강한 것에 따른 결과가 항상 생기지는 않는다.
112 논주의 힐난이다. 만약 성향이 생겨서 마음을 낳는다면, 자아는 곧 쓸데없는 것이니, 그 승론의 성향과 이 불법의 닦음은 체에 차이가 없기 때문이다.
113 승론에서 종지를 표방하면서 논주에게 믿기를 권하는 것이다. 자아의 체는 실제로 있다고 반드시 결정코 믿어야 할 것이니, 기억[念](=승론에서는 독립된 속성이 아니라, 앞의 '성향[行]'의 내용 중 하나로서, 반복된 인식에 의해 형성된 성향은 기억의 원인이 되고, 반복된 운동에 의해 형성된 성향은 행위의 원인이 된다고 한다) 등의 속성을 갖기 때문이다. 무릇 속성은 반드시 실체에 의지하기 때문이니, 자아는 실체로서 그 기억 등의 속성의 의지처가 되므로, 체가 있다는 것을 분명히 알 수 있다. 자아라는 실체가 만약 없다면, 무엇이 의지처인 실체가 되겠는가? 9실체 중 기억 등은 자아에 의지하지, 기억 등이 나머지 지地 등의 8실체에 의지하는 것은 이치상 성립되지 않기 때문이다.
114 논주의 논파이다. 이 증명은 이치가 아니다. 무릇 인용한 것이 증거가 되려면 피차가 공히 인정해야 하는데, 그대들이 인용한 증거는 모두 공히 인정하지 않는 것이기 때문이다. 말하자면 기억 등은 속성의 범주에 포함되는 것으로서, 실체 가문의 속성이므로, 그 자체는 모두 실체가 아니라고 말하는 뜻은 공히 인정하지 않는 것이다. 나는 기억[念] 등은 별도의 체가 있다고 인정(=대지법의 하나라는 취지)하기 때문에 모두 실법[實](='실實'은 승론에서는 실

3. 힐난에 대한 회통

(1) 업을 짓는 이유

만약 자아가 실제로 없다면 무엇을 위해 업을 짓는가?115 내가 장차 고락의 과보를 받기 위한 때문이다.116 그 '나[我]'의 체는 무엇인가?117 말하자면 나에 대한 집착의 대상[我執境]이다.118 무엇을 나에 대한 집착의 대상이라고 이름하는가?119 말하자면 여러 온의 상속이다.120 어떻게 그런지 아는가?121 그것을 탐애貪愛하기 때문이며, 희다는 등의 지각[覺]과 같은 처소에서 일어나기 때문이다. 말하자면 세간에서 '나는 희다', '나는 검다', '나는 늙었다', '나는 젊다', '나는 야위었다', '나는 뚱뚱하다'라고 말하는데, 세간을 현견하면 희다는 등을 반연하는 지각과 나라고 헤아리는 집착은 같은 처소에서 생기지, 헤아림의 대상인 나가 이와 차별되어 있는 것이 아니다. 따라서 나에 대한 집착은 단지 여러 온을 반연하는 것일 뿐임을 알 수 있다.122

....

체라는 의미를 갖고 그렇게 번역되지만, 불교에서는 실법이라는 의미로서, 실체라고 번역하기에는 적절하지 않다)이라고 이름하니, 체가 없는 것이 아니기 때문이다. 경에서 여섯 가지 실물實物을 사문과라고 이름한다고 설했기 때문이다. '여섯 가지 실물'은 말하자면 무루의 5온 및 택멸이다. 5온 중 기억[念](='알아차림') 등의 심·심소법을 이미 실물이라고 이름했기 때문에 모두 실제의 체가 있다는 것을 알 수 있다. 또 그 기억 등이 실제의 자아에 의지한다는 것도 이치상 역시 성립되지 않으니, 의지[依]의 뜻은 앞에서 마음과 성향이 자아에 의지한다고 하는 것(에 대한 논파)에서 이미 부정하여 버린 것과 같기 때문이다. 이 때문에 건립한 것은 단지 빈 말만 있는 것이다.

115 이하는 셋째 외도의 힐난에 대해 회통하는 것인데, 이는 곧 승론 논사의 힐난이다.

116 논주의 답이다.

117 승론의 물음이다.

118 논주의 답이다. 말하자면 나가 집착하는 대상[我所執境]이다.

119 승론의 물음이다.

120 논주의 답이다.

121 승론의 물음이다.

122 논주의 답이다. 첫째 그 5온을 탐애하기 때문이며, 둘째 나에 대한 집착[我執]은 희다는 등의 지각과 같은 처소에서 일어나기 때문이다. 말하자면 세간에 '나는 희다', '나는 검다'는 말이 있는데, 세간을 현견하면 희다는 등을 반연하는 지각과 나라고 헤아리는 집착은 같은 처소에서 생기지, 그대들이 인정하

몸은 자아에 대해 방호하는 은혜[防護恩]가 있기 때문에 몸에 대해서도 임시로 나라고 말하기도 하니, 예컨대 신하 등을 곧 나의 몸이라고 말하는 것과 같다.123 은혜 있는 것에 대해 실제로 임시로 나라고 말하기는 하지만, 나에 대한 모든 집착이 취하는 것은 그렇지 않다.124 만약 몸을 반연해서도 역시 나에 대한 집착을 일으킨다고 인정한다면, 어찌 나에 대한 집착이 남의 몸을 반연하여 일어나는 것은 없는가?125 남과 나에 대한 집착은 서로 속하지 않기 때문이다. 말하자면 몸이나 마음은 나에 대한 집착과 서로 속하므로 이 나에 대한 집착의 일어남은 그것을 반연하고, 나머지는 아니니, 무시無始 이래로 이와 같이 익혔기 때문이다.126 서로 속한다는 것은 무엇을 말하는 것인가?127 원인과 결과의 성품을 말하는 것이다.128

만약 자아 자체가 없다면 누구의 나에 대한 집착[誰之我執]인가?129 이에 대해서는 앞에서 이미 해석했는데, 어찌 다시 거듭 묻는가? 말하자면 나는 앞에서 이미, '어떤 뜻에 의하여 소유격을 말한 것인가?'라고 묻고, 나아가 원인이 결과가 속한 것이 됨[因爲果所屬]에 대해 분별했었다.130 만약 그렇

여 멋대로 헤아리는 자아의 체는 흰 것 등과 차별되어 있는 것이 아니다. 따라서 나에 대한 집착은 단지 여러 온을 반연하는 것일 뿐임을 알 수 있다.
123 승론에서 회통하여 해석하는 것이다. 몸은 자아에 대해 방호하는 은혜가 있기 때문에 몸에 대해서도 임시로 나라고 해서, 내가 희거나 검다는 등으로 말하기도 하니, 예컨대 신하 등은 능히 왕을 방호하므로 왕이 신하 등을 곧 나의 몸이라고 말하는 것과 같다.
124 논주의 힐난이다. 은혜 있는 것에 대해 실제로 임시로 나라고 말하기는 하지만, 나에 대한 모든 집착이 취하는 것은 그렇지 않다. 단지 몸 등만을 반연하여 내가 희다는 등으로 말할 뿐, 별도의 자아를 반연하는 것이 아니다.
125 승론의 힐난인데, 뜻은 알 수 있을 것이다.
126 논주의 답이다. 남의 5온의 몸과 자신의 나에 대한 집착의 모습은 서로 속하지 않기 때문이다. 말하자면 자신의 몸이나 자신의 마음은 나에 대한 집착과 서로 속하므로, 이런 나에 대한 집착이 일어나는 것은 그 자신의 온을 반연하고, 나머지 남의 온은 아니다. 무시 이래로 이와 같이 익혔기 때문에 자신을 반연하여 나라고 헤아리지, 남을 반연하여 헤아리는 것이 아니다.
127 승론의 물음이다.
128 논주의 답이다. 자신의 몸 안에 원인과 결과가 있어 서로 매여 속하기 때문에 서로 속한다고 이름한 것이다. 남의 몸에서 바라보면 원인과 결과의 성품이 없으므로 서로 속한다고 이름하지 않는다.
129 승론의 물음이다.

다면 나에 대한 집착은 무엇을 원인으로 하는 것인가?131 말하자면 무시이래로 나에 대한 집착이 훈습함으로써 자신의 상속을 반연하여 때에 오염된 마음[垢染心]이 있는 것이다.132

(2) 고·락의 귀속

자아 자체가 만약 없다면 누구에게 고·락이 있는가?133 만약 이것에 의지해 고·락의 생기가 있으면 곧 말하여 이것에 고·락이 있다고 이름하니, 마치 숲에 열매가 있는 것 및 나무에 꽃이 있는 것과 같다.134

고·락은 무엇에 의지하는가?135 말하자면 안의 6처[內六處]는 그것이 일으키는 것에 따라 그것에 의지한 것이라고 말한다.136

(3) 업을 짓고 과보를 받는 의미

만약 자아가 실제로 없다면 누가 능히 업을 짓고, 누가 능히 과보를 받는가?137 짓는 것[作]과 받는 것[受]은 어떤 뜻인가?138 짓는 것은 짓는 주체[能作]를 말하고, 받는 것은 받는 자[受者]를 말한다.139 이는 단지 명칭만 바꾼 것일 뿐, 아직 그 뜻을 드러내지 못한 것이다.140 법상을 분별하는 자

....
130 논주의 답인데, 앞에서 해석한 것(=앞의 제3절의 12.)과 같다고 가리키는 것이다.
131 승론의 물음이다.
132 논주의 답이다. 말하자면 무시 이래로 나에 대한 집착이 훈습한 종자가 자신의 상속을 반연하여 때에 오염된 마음이 있는 것이 나에 대한 집착의 원인이 되어 이런 집착을 낳는 것이다.
133 승론의 물음이다.
134 논주의 답이다. 만약 이 몸에 의지해 고락의 생김이 있으면 곧 말하여 이 몸에 고락이 있다고 이름하니, 마치 숲에 열매가 있는 것 및 나무에 꽃이 있는 것과 같다.
135 승론의 물음이다.
136 논주의 답이다. 말하자면 안의 6처는 그것이 일으키는 고·락 두 가지에 따라 안의 6처를 말하여 그 고·락이 의지한 것(=자아에 의지한 것이 아니라는 취지)이라고 한다.
137 승론의 물음이다.
138 논주가 도리어 책망하는 것이다.
139 승론의 답이다.
140 논주가 다시 책망하는 것이다. 앞에서 '짓는 것과 받는 것은 어떤 뜻인가?'라고 물었는데, 지금 '짓는 것은 짓는 주체를 말하고, 받는 것은 받는 자를 말한다'라고 답하니, 이는 단지 명칭만 바꾼 것일 뿐, 아직 그 뜻을 드러내지 못한

[辯法相者]는 이 모습을 해석해 말하였다. "능히 자재하게 행한다면 행위자[作者]라고 이름하며, 능히 업의 과보를 받아들인다면 받는 자[受者]라는 명칭을 얻는다. 세간을 현견컨대 이런 일에 자재함을 얻었다면 행위주체[能作]라고 이름하니, 예컨대 천수天授가 목욕·식사·보행에 자재함을 얻은 것을 보았기 때문에 '목욕하는 자' 등이라고 이름하는 것과 같다."141

여기에서 그대들은 무엇을 '천수'라고 말한 것인가? 만약 실제의 자아를 말한 것이라면 비유가 공히 인정하지 않는 것이며, 온을 말한 것이라면 곧 자재한 행위자가 아닐 것이다. 업에는 말하자면 신·어·의의 세 가지가 있는데, 우선 신업을 일으키려면 반드시 몸과 마음에 의지해야 하고, 몸과 마음은 각각 자신의 인연에 의지해 일어나며, 그 인연도 전전하여 자신의 인연에 의지하니, 거기에 자재하게 일어나는 것은 하나도 없다. 일체 유위법은 인연에 속하기 때문이다. 그대들이 집착하는 자아는 인연에 의지하지 않으며, 또한 짓는 것도 없기 때문에 자재한 것이 아니다. 이 때문에 그들이 능히 자재하게 행하는 것을 행위자라고 이름한다고 말한 것의 모습은, 구해도 얻을 수 없다. 그렇지만 모든 법을 낳는 인연 중 만약 뛰어난 작용이 있는 것이라면 임시로 행위자라고 이름하겠지만, 그대들이 집착하는 자아에는 조금의 작용이 있음도 보이는 것이 아니기 때문에 결정코 행위자라고 이름해서는 안 될 것이다.142

....
것이다.

141 곧 승론의 논사를 '법상을 분별하는 자'라고 이름하는데, 이 '행위자'와 '받는 자'의 모습을 해석하는 말이다. 개별적으로 해석하는 것과 증거를 인용하는 것은 글과 같다. 또 해석하자면 승론에서 성명론 중 법상을 분별하는 자가 이 '행위자'의 모습을 해석하는 말을 인용한 것이다.

142 논주의 논파이다. 여기에서 그대들은 무엇을 천수라고 말한 것인가? 만약 실제의 자아를 말한 것이라면 비유(='예컨대 천수가' 이하의 비유)가 공히 인정하지 않는 것이며, 온을 말한 것이라면 곧 자재한 행위자가 아닐 것이다. '업에는' 이하는 세 가지 업에 의거해 자재한 것이 아님을 나타낸 것이다. 나아가 거기에 자재하게 일어나는 것은 하나도 없으니, 일체 유위법은 인연에 속하기 때문이다. 그대들이 집착하는 자아는 그 체가 항상한 것이므로 인연에 의지하지 않으며, 또한 짓는 것도 없기 때문에 자재한 것이 아니다. 이런 도리에 의해 그들 승론에서 능히 자재하게 행하는 것을 행위자라고 이름한다고 말한 것의 모습은, 이상에서 따지고 책망하며 구했어도 얻을 수 없었다. 논주가

능히 신업을 낳는 뛰어난 원인은 무엇인가?143 말하자면 기억[憶念]으로부터 낙욕樂欲이 견인되어 생기면 낙욕이 심구·사찰[尋伺]을 낳고, 심구·사찰은 노력[勤勇]을 낳으며, 노력은 바람[風]을 낳으니, 바람이 신업을 일으키는 것이다. 그대들이 집착하는 자아는 이들 중 어떤 작용을 하는가? 따라서 신업에 대해 자아는 행위자가 아니다. 어업·의업이 일어나는 것도 이에 유추해서 생각해야 할 것이다.144

자아가 다시 어떻게 능히 업의 과보를 받아들이는가? 만약 과보를 자아가 능히 요별한다고 말한다면, 이것은 결정코 그렇지 않다. 자아가 요별에 대해 전혀 작용이 없다는 것은, 앞에서 식을 낳는 원인을 분별하면서 이미 부정하여 버렸기 때문이다.145

⑷ 비정非情과 업과

만약 실제로 자아가 없다면, 어째서 모든 비정의 처소[非情處]에 의해서는 죄와 복이 생장하지 않는가?146 그것은 느낌[受] 등의 의지처가 아니기 때문이니, 오직 안의 6처만이 그것들의 의지처이다. 자아가 그것들의 의지처가 아닌 것은 앞에서 논설한 것과 같다.147

....

다시 바른 뜻을 펴서 말한다. 그렇지만 모든 법을 낳는 인연 중 만약 뛰어난 작용이 있는 것이라면 임시로 행위자라고 이름하겠지만, 그대들이 집착하는 항상한 자아는 그런 인연에 대해 조금의 작용이 있음도 보이는 것이 아니기 때문에 결정코 행위자라고 이름해서는 안 될 것이다.
143 승론의 물음이다.
144 논주의 답이다. 처음 기억으로부터 시작해서 전전해서 나아가 바람이 신업을 일으키는데, 그대들이 집착하는 자아는 이들 중 어떤 작용을 하는가? 따라서 신업에 대해 자아는 행위자가 아니다. 어업·의업이 일어나는 것도 신업에 유추해서 생각해야 할 것이다.
145 논주가 이상에서 자아가 행위자라는 것을 논파하고, 이제 자아가 받는 자라는 것을 논파한다. 자아가 다시 어떻게 능히 업의 과보를 받아들이기에 받는 자라는 명칭을 얻는가? 그대들이 만약 과보를 자아가 능히 요별한다고 말한다면, 논파해 말하겠다. 이것은 결정코 그렇지 않다. 자아는 요별에 대해 전혀 작용이 없음은, 앞에서 논파한 것(=앞의 2. 논파)과 같다고 가리켰다.
146 승론의 힐난이다.
147 논주의 답이다. 그 밖의 비정은 느낌·지각 등의 의지처가 아니기 때문이니, 오직 안의 6처만이 그 느낌 등의 의지처이다. 자아가 그 느낌 등의 의지처가 아닌 것은 앞에서 논설한 것과 같다.

(5) 업과 과보의 관계

만약 실제로 자아가 없다면 업은 이미 괴멸했는데, 어떻게 다시 미래의
과보를 낳을 수 있는가?148 설령 실제의 자아가 있다고 한들, 업은 이미 괴
멸했는데, 다시 어떻게 미래의 과보를 낳을 수 있겠는가?149 자아에 의지하
는 법法·비법非法으로부터 생긴다.150 마치 무엇이 무엇에 의지하는 것과
같은가? 이에 대해서는 앞에서 이미 논파하였다. 따라서 법과 비법은 자아
에 의지하지 않아야 할 것이다. 그런데 성스러운 가르침 중에서는, '이미 괴
멸한 업으로부터 미래의 과보가 생긴다'라는 이런 말을 하지 않는다.151

만약 그렇다면 무엇으로부터인가?152 업의 상속 전변에 의한 차별로부터
이니, 마치 종자가 열매를 낳는 것과 같다. 마치 세간에서 열매는 종자로부
터 생긴다고 말하는 것과 같은데, 그렇지만 열매는 이미 괴멸한 종자에 따
라 일어나지 않으며, 또한 종자로부터 무간에 곧 생기는 것도 아니다.153

....

148 승론의 힐난이다. 만약 자아의 체가 있다면 업을 짓고 나서 능히 뒤의 과보
　　를 낳을 수 있겠지만, 만약 실제로 자아가 없다면, 업은 이미 소멸하고 무너졌
　　는데, 다시 어떻게 미래의 과보를 낳을 수 있는가?
149 논주가 도리어 따지는 것이다.
150 승론의 답이다. 그들이 계탁하는 속성의 범주 중 법과 비법 두 가지가 능히
　　모든 법을 낳는 것은, 실체 범주 중의 자아에 의지한다고 한다. 자아에 의지하
　　는 법과 비법 두 가지가 능히 모든 법을 낳는다. # 승론에 의하면 '법'은 선,
　　'비법'은 불선으로서, '법'에는 뛰어난 몸[勝身]을 낳고, 열등한 것을 뛰어난 것
　　으로 변화시키며, 열등한 것을 버리고 뛰어난 것을 얻게 하는 능전能轉(=능히
　　유전케 함)의 공능과, 생사를 버리고 열반으로 돌아가게 하는 능환能還(=능
　　히 환멸케 함)의 공능이 있다고 하며, '비법'에는 사랑스럽지 못한 몸 등의 괴
　　로운 과보와 삿된 지혜의 원인이 되는 공능이 있다고 한다.
151 논주의 논파이다. 이 법과 비법이 자아에 의지하는 것은, 마치 무엇이 무엇
　　에 의지하는 것과 같은가? 이 법이 마치 그림과 같고 과일과 같으며, 자아가
　　능히 지니는 것은 마치 벽과 같고 그릇과 같은 것 등이 아니니, 이에 대해서는
　　앞(=앞의 2. 논파)에서 이미 논파하였다. 따라서 법과 비법은 자아에 의지하
　　지 않아야 할 것이다. '그런데 성스러운 가르침' 이하는 또한 바른 뜻이다.
152 승론 논사의 물음이다.
153 논주의 답이다. 이 뒤의 과보가 일어나는 것은, 업으로 훈습되고 상속 전변
　　에 의해 차별되는 종자로부터 생기니, 마치 종자가 열매를 낳는 것과 같다.
　　말하자면 마치 세간에서 열매는 종자로부터 생긴다고 말하는 것과 같은데, 그
　　렇지만 열매는 이미 괴멸한 종자에 따라 일어나지 않고, 또한 종자로부터 무
　　간에 곧 생기는 것도 아니며, 반드시 많은 시간을 거치면서 전변되어 열매를

만약 그렇다면 무엇으로부터인가?154 종자가 상속하면서 전변된 차별로부터 열매는 비로소 생길 수 있다. 말하자면 종자가 싹·줄기·잎 등을 차례로 낳고, 꽃을 최후로 해서 비로소 열매를 견인해 낳는 것이다.155

만약 그렇다면 어째서 종자로부터 열매가 생긴다고 말하는가?156 종자가 전전해서 꽃 안의 열매를 낳는 공능을 인기하기 때문에 그렇게 말한 것이니, 만약 꽃 안의 열매를 낳는 이런 공능이 종자가 선행함에 의해 인기된 것이 아니라면, 생긴 열매의 모습이 종자와 달라야 할 것이다. 이와 같이 업으로부터 과보가 생긴다고 말하지만, 그것은 이미 괴멸한 업으로부터 생기는 것이 아니며, 또한 업으로부터 무간에 과보가 생기는 것도 아니라, 다만 업의 상속 전변에 의한 차별로부터 생길 뿐이다.157

무엇을 상속·전변·차별이라고 이름하는가?158 말하자면 업이 선행한 뒤 신체와 마음이 일어나는 중간에 간단間斷이 없는 것을 상속이라고 이름하고, 곧 이런 상속에서 후후後後 찰나가 전전前前 찰나와 다르게 생기는 것을 전변이라고 이름하며, 곧 이런 전변이 그 최후 시기에 뛰어난 공능이 있어 무간에 과보를 낳으므로 다른 전변보다 뛰어나기 때문에 차별이라고 이름

....

낳는다.

154 승론 논사의 물음이다.
155 논주의 답이다. 이 뒤의 열매가 일어나는 것은, 종자가 전전하여 부촉한 공능이 상속하면서 전변된 차별로부터 열매가 비로소 생길 수 있다. 말하자면 종자가 싹·줄기·잎 등을 차례로 낳고 꽃을 최후로 해서, 전전하여 부촉한 공능이 뒤에 이르러야 비로소 열매를 견인해 낳는 것이다. 이 종자의 공능이 중간에 끊어지지 않는 것을 '상속'이라고 이름하고, 앞뒤가 같지 않은 것을 '전변'이라고 이름하며, 무간에 결과를 낳는 것을 '차별'이라고 이름한다.
156 승론 논사의 물음이다.
157 논주의 답이다. 최초의 종자가 가진 공능이 전전하여 부촉해서 꽃 안의 열매를 낳는 공능을 인기하니, 최초에 따라 이름했기 때문에 '종자가 열매를 능히 낳는다'는 이런 말을 한 것이다. 만약 꽃 안의 열매를 낳는 이런 공능이 종자가 선행함에 의해 인기된 것이 아니라면, 생긴 열매의 모습이 종자와 달라야 할 것이다. 이와 같이 업으로부터 과보가 생긴다고 말하지만, 그것은 이미 괴멸한 업으로부터 생기는 것이 아니며, 또한 업으로부터 무간에 과보가 생기는 것도 아니다. 과보는 단지 앞의 업의, 상속 전변에 의해 차별되는 종자로부터 생길 뿐이다.
158 승론 논사의 물음이다.

한다.159 예컨대 취착 있는 식[有取識]이 바로 목숨이 끝날 때에는, 비록 후유後有를 감득할 만한 수많은 업에 의해 견인된 훈습을 지녔더라도, 무거운 업, 가까이서 일으킨 업, 자주 익힌 업에 의해 견인된 것은 명료하지만, 나머지는 아닌 것과 같다. 마치 어떤 게송에서 말한 것과 같다. "업이 극중하거나 가까이서 일으켰거나[業極重近起] 자주 익혔다면 먼저 지어져[數習先所作] 앞·앞·앞·뒤로 익으며[前前前後熟] 생사에서 유전한다네[輪轉於生死]"160

이런 뜻 중에 차별되는 것이 있다. 이숙인으로 견인된, 이숙과에 대한 공능은 이숙과를 부여하고 나서 곧 낙사해 소멸하지만, 동류인에 의해 견인된, 등류과에 대한 공능은, 만약 염오한 것이라면 대치도가 일어날 때 곧 낙사해 소멸하지만, 불염오한 것이라면 반열반할 때 비로소 영원히 낙사해 소멸하니, 신체와 마음의 상속이 그 때 영원히 소멸하기 때문이다.161

....

159 논주의 답이다. 말하자면 현재 업을 일으키는 것이 최초로 선행하면, 후에 종자를 훈습해 이루어서 신체와 마음 안에 있는데, 이 신체와 마음 안의 종자를 일으키는 중간에 간단(=사이가 끊어지는 것)이 없는 것을 상속이라고 이름하고, 즉 상속하는 종자가 후후 찰나에 전전 찰나의 종자와 달라지는 것을 전변이라고 이름하며, 즉 전변하는 종자가 그 최후 단계의 1찰나의 시기에 뛰어난 공능이 있어 무간에 과보를 낳으니, 앞의 전변보다 뛰어나기 때문에 차별이라고 이름한다.

160 '차별'을 해석하는 기회에 업을 먼저 받는 것을 나타내는 것이다. 예컨대 취착 있는 식[有取識]이 바로 목숨이 끝날 때에는, 비록 신체와 마음 안에 후유를 감득할 만한 그런 수많은 업에 의해 견인된, 훈습된 공능의 종자를 지녔더라도, 첫째 무거운 업에 의한 것이 지금 먼저 과보를 받으니, 비유하자면 부채가 강한 자가 먼저 끌고가는 것과 같다. 둘째 가까이서 일으킨 업에 의한 것이 지금 먼저 과보를 받으니, 예컨대 목숨이 끝나려고 할 때 선하거나 악한 벗을 만나면 선취나 악취에 태어나는 것과 같다. 셋째 자주 익힌 업에 의한 것이 지금 먼저 과보를 받으니, 예컨대 일생 동안 치우치게 익힌 이런 업과 같다. 세 가지에 의해 견인된 것은 명료하기 때문에 먼저 일어나지만, 나머지 가벼운 등의 업은 아니다. 마치 경량부의 어떤 게송에서 말한 것과 같다. 첫째 업이 극중한 경우, 둘째 업이 가까이서 일으킨 것인 경우, 셋째 업이 자주 익힌 것인 경우 곧 먼저 지어지니, 그 순서대로 3전前(='앞·앞·앞')에 분배해 해석한다. 말하자면 무거운 업은 앞에 익고, 가까이서 일으킨 업도 앞에 익고, 자주 익힌 업도 앞에 익으며, 나머지 가벼운 등의 업은 뒤에 익는데, 이런 업 때문에 생사에서 유전한다는 것이다.

161 이숙과를 감득하는 업을 해석하는 기회에 이숙인을 동류인과 상대하여, 과보를 견인하는 차별에 대해 밝히는 것인데, 글대로 알 수 있을 것이다.

⑹ 이숙과의 의미

종자의 열매로부터 다른 열매가 생길 수 있는 것처럼, 어째서 이숙과는 이숙과를 초래할 수 없는가?162 우선 비유가 법과 모두 같은 것은 아니다. 그렇지만 종자의 열매로부터 다른 열매가 생기는 일은 없다.163

만약 그렇다면 무엇으로부터인가?164 뒤의 열매를 낳는 것은, 뒤의 성숙 변화된 차별[熟變差別]로부터 생긴 것이다. 말하자면 그 후의 시기에 곧 앞의 종자의 열매가 물·흙 등 여러 성숙 변화의 조건을 만나면 곧 성숙 변화에 의한 차별을 능히 견인해 낳는데, 바로 싹을 낳는 단계라야 비로소 종자라는 명칭을 얻지만, 아직 성숙 변화하지 않았을 때에는 장래의 명칭[當名]에 따라 말한 것이거나 종자와 유사하기 때문에 세간에서 종자라고 말하는 것이다. 이것도 역시 이와 같다. 즉 앞의 이숙과가 바르거나 삿된 법을 듣는 등 선악의 업을 일으킬 여러 연을 만나면, 곧 모든 선의 유루 및 모든 불선의, 이숙이 있을 마음[有異熟心]을 능히 견인해 낳는데, 이것으로부터 견인되어 생긴 상속 전변이 전전하다가 능히 전변의 차별을 견인하면, 이 차별로부터 뒤의 이숙과가 생기는 것이지, 다른 것으로부터 생기는 것이 아니다. 따라서 비유가 법과 같다.165 혹은 다른 법에 의해 이를 유추하더라

....
162 승론 논사의 물음이다. 마치 보리 종자의 열매로부터 다른 보리의 열매가 생길 수 있는 것처럼, 어째서 이숙과는 이숙과를 초래할 수 없는가?
163 논주의 답이다. 우선 비유가 법과 모두 동일하게 같은 것은 아니지만, 종자의 열매로부터 다른 열매가 생기는 일은 없다. 비유가 법과 같음을 나타낸 것이다.
164 승론 논사의 물음이다.
165 논주의 답이다. 그 후의 열매가 일어나는 것은, 후에 성숙 변화하여 차별되는 공능의 종자로부터 생긴 것이다. 말하자면 그 후의 시기에 곧 앞의 종자의 열매가 물·흙 등 여러 성숙 변화의 조건을 만남이 있으면 곧 성숙 변화에 의한 차별되는 공능을 능히 견인해 낳는데, 바로 싹을 낳는 단계라야 비로소 종자라는 명칭을 얻지만, 아직 성숙 변화하지 않았을 때에도 역시 종자라고 이름하는 것은 장래의 명칭에 따라 말한 것이다. 아직 성숙 변화하지 않았을 때에는 혹은 종자와 유사하기 때문에 세간에서 종자라고 말하는 것이다. 이는 법을 들어 비유와 같다는 것이다. 이 이숙도 역시 이와 같다. 곧 앞의 이숙과가 바르거나 삿된 법을 듣는 등 선악의 업을 일으킬 여러 연을 만나면, 이숙과인 몸 안에 곧 모든 선의 유루 및 모든 불선의, 이숙이 있을 마음[有異熟心]을 견인해 낳고 일으켜 현전시킬 수 있는데, 이런 이숙이 있을 마음으로부터 견

도 알 수 있다. 예컨대 구연화拘櫞花에 자광즙紫礦汁을 바르면, 상속 전변에 의한 차별이 원인이 되어 후에 열매가 생길 때 씨방[瓤]은 곧 색깔이 붉지만, 이 붉은 색으로부터 더 이상 다른 (붉은) 것이 생기지 않는 것처럼, 이와 같이 업의 이숙과로부터는 더 이상 다른 이숙이 견인되어 생길 수 없다고 알아야 할 것이다.166

　이상은 우선 스스로 깨달은 지혜의 경계에 따라 모든 업과 과보에 대해 거친 모습을 간략히 나타낸 것이다. 그 사이의 다른 부류의 차별되는 공능과 모든 업에 의해 훈습된 것이 상속 전변하여, 그러저러한 단계에 이르러 그러저러한 과보가 생기는 것은, 붓다께서만 증지하실 뿐, 나머지의 경계가 아니다. 이와 같은 뜻에 의해 어떤 게송에서 말하였다. "이런 업이 이렇게 훈습해서[此業此熏習] 이런 때에 이르러 과보를 부여하는[至此時與果] 일체 종류의 결정적 이치는[一切種定理] 붓다를 떠나서는 알 수 있는 자가 없도다 [離佛無能知]"167

....

　인되어 생긴 훈습된 종자의 상속·전변이 전전하다가 능히 최후 찰나의 전변의 차별을 견인하니, 이 최후의 차별되는 공능으로부터 뒤의 이숙과가 생기는 것이지, 다른 이숙과로부터 생기는 것이 아니다. 따라서 비유가 법과 같다.
166 논주가 또 비유를 이용해 나타내는 것이다. 혹은 또 다른 법에 의해 이 이숙과를 유추하더라도 알 수 있다. 예컨대 구연화에 자광즙을 바르면, 그 즙의 색깔 붉은 것이 그 꽃 안에 있어 전전해서 붉은 색의 공능을 부촉하니, 상속 전변에 의한 차별이 원인이 되어 후에 열매가 생길 때 씨방[瓤](=내부에 나누어져 있는 각각의 방)은 곧 색깔이 붉은 색이지만, 이 붉은 색으로부터는 더 이상 다른 것이 생기지 않는 것과 같다고, 법을 들어 비유와 같게 하였다. 이와 같이 업의 이숙과로부터는 더 이상 다른 이숙이 견인되어 생길 수 없는 것은, 마치 씨방의 색깔 붉은 것이 곧 다른 (붉은) 것을 낳지는 않는 것과 같다고 알아야 한다. 그 구연자拘櫞子(=큰 레몬 같은 과일 시트론citron을 가리킨다고 함)의 색깔은 노란데, 인도 사람들은 모두 구연자를 붉게 해서 국왕에게 바치려고 했기 때문에 그 꽃에 발라서 뿌리 내림으로써 씨를 붉게 만들었다고 한다.
167 논주의 겸양이다. 추앙하여 세존께 미루기를, 이상은 우선 자기가 깨달은 지혜로 아는 경계에 따라 모든 업과 모든 과보에 대해 거친 모습을 간략히 나타낸 것인데, 그 사이의 다른 부류의 차별되는 공능과 모든 업에 의해 훈습되어 상속 전변한 종자가, 그 상응하는 바에 따라 그러저러한 단계에 이를 때 그러저러한 과보가 생겨야 하는 것은, 붓다께서만 증지하실 뿐, 나머지 2승 및 범부의 경계가 아니라고 하였다. 이와 같은 뜻에 의해 경량부의 어떤 게송에서

5 청정의 원인인 이런 도에 대해 잘 설했는데[已善說此淨因道]

말하자면 붓다의 지극한 말씀인 진실한 법성이니[謂佛至言眞法性]

어둡고 눈먼 모든 외도들이 집착하는[應捨闇盲諸外執]

악견과 하는 일 버리고 지혜의 눈 추구해야 하리라[惡見所爲求慧眼]169

6 이 열반궁에 이르는 유일한 넓은 길은[此涅槃宮一廣道]

1천의 성자들이 노닐었던 무아의 성품으로서[千聖所遊無我性]

모든 붓다들의 햇빛이 비추었던 것인데[諸佛日言光所照]

열었어도 어두운 눈은 능히 보지 못하네[雖開昧眼不能睹]170

....

말하였다. 이런 선악의 업이 이렇게 훈습한 종자가 이런 때에 이르면 화합하여 과보를 부여하는 일체 종류의 인과의 결정적 이치는 붓다 세존을 떠나서는 알 수 있는 자가 없다고.

168 이하는 이 한 부 중의 큰 글의 셋째로서 유통분이라고 이름하니, 앞의 1해(='제1해')에 의한 것인데, (다른) 1해(='제3해')로는 파집아품 중에 나아가 유통분이라고 이름한다.

169 3수의 게송(=역시 기본 게송에 포함되어 있지 않던 것으로서, 논설하면서 추가한 것으로 보인다)에 나아가면 처음 1게송은 도를 찬탄하면서 버리기를 권하는 것, 둘째 게송은 도를 찬탄하면서 보지 못한다는 것, 셋째 게송은 간략히 나타내었으니, 배우기를 권한다는 것이다. 이는 곧 첫째 도를 찬탄하면서 버리기를 권하는 것이다. 내가 이상에서 이 청정한 열반의 무루의 '원인'을 잘 설했다고 했는데, 도가 곧 원인이므로 '도'라고 이름하였다. 혹은 원인은 능증의 원인이고, 도는 노닐 대상인 한량없는 도이다. 말하자면 붓다 세존의 지극한 이치의 말씀은 진실한 무루의 법성인데, 이것은 곧 앞의 무루의 원인이다. 도는 혹은 진실한 법성이 노닐 대상인 도이다. 진실한 무아가 모든 법의 성품이니, 이는 도의 체를 나타낸 것이다. 진실한 이치를 비추지 못하는 것을 '어둡다'라고 이름하고, 혜안이 없기 때문에 '눈멀었다'라고 이름한다. 어둡고 눈먼 외도들이 일으키는 삿된 집착을 버려야 하는데, 삿된 집착은 단지 악견과 하는 일에 의한 것이다. 혜안을 구해서 이런 편벽된 집착을 제거하고 무아의 이치를 비추어야 한다.

170 이는 곧 둘째 도를 찬탄하면서 보지 못한다는 것이다. 대열반은 성자들이 사는 곳이므로 '열반궁'이라고 이름하고, 무아의 큰 길은 열반궁으로 나아가는 것이므로 '유일한 넓은 길'이라고 이름한 것이다. 이 유일한 넓은 길은 '1천의 성자들이 노닐었던' 곳으로서, 곧 '무아의 성품'이 이 무아의 길이다. 모든

7 이 한 모퉁이를 간략히 설한 것은[於此方隅已略說]

지자의 지혜의 독의 문을 열기 위한 것이니[爲開智者慧毒門]

바라건대 각자 자기 힘으로 감당하는 능력에 따라[庶各隨己力堪能]

알아야 할 바를 두루 깨달아 뛰어난 업을 이루기를[遍悟所知成勝業]171

....

붓다들은 해와 같고, 그 말씀은 빛과 같으며, 비추었던 것은 무아의 큰 길이다. 모든 외도들은 뛰어난 지혜가 없어서 비록 열었어도 어두운 눈으로는 능히 보지 못한다는 것이다. 혹은 무아의 길은 모든 붓다 태양들의 말씀의 광명으로 비추는 것인데, 비록 뒤에 저들의 편벽된 소견의 어두운 눈을 연다고 해도 볼 수 없다는 것이다.

171 이는 곧 셋째 간략한 것을 들어서 배우기를 권하는 것이다. '방方'은 4방을 말하고, '우隅'는 네 모퉁이를 말한다. 이런 무아의 이치의 가르침의 모퉁이를 내가 간략히 설한 것은, 지혜로운 분들의 지혜의 독의 예리한 문을 열기 위한 것이다. 마치 몸을 조금 가르고 조금의 독약을 바르면 순식간에 독의 기운이 한 몸 중에 두루한 것이 '독의 문[毒門]'이 되는 것처럼, 지금 이 논서를 지은 것도 또한 이와 같다는 것이다. 조금의 지혜의 문을 열면 지혜 있는 모든 분들은 깊이 깨달아 들어갈 수 있는 것이, 마치 독의 문과 비슷하므로 '지혜의 독의 문[혜독문慧毒門]'이라고 이름한 것이니, 비유에 따라 이름한 것이다. 바라건대 각자 자기의 자력으로 감당하는 능력에 따라 3승의 행을 닦아서, 알아야할 바 4성제의 깊은 이치를 두루 깨달아 모든 뛰어난 업을 이루기를!

찾아보기

보광의 구사론기에 의한

아비달마구사론 下

역자 김윤수

초판 1쇄 2024년 11월 10일

펴낸이 김윤수
펴낸곳 한산암
등   록 2009년 3월 30일 제563-251002009000004호
주   소 경기 용인시 기흥구 동백2로108, 108동 102호
전   화 0505 2288555
이메일 yuskim51@naver.com
총   판 운주사 (02 3672 7181~4)

ⓒ 김윤수, 2014
ISBN 979-11-85183-10-7 94220
       979-11-85183-07-7 94220(세트)